# PABLO NERUDA

## OBRAS COMPLETAS

OPERA MUNDI

# PABLO NERUDA

## OBRAS COMPLETAS

### I
De «Crepusculario» a «Las uvas y el viento»
1923-1954

### II
De «Odas elementales» a «Memorial de Isla Negra»
1954-1964

### III
De «Arte de pájaros» a «El mar y las campanas»
1966-1973

### IV
Nerudiana dispersa
1915-1973

# PABLO NERUDA

OBRAS COMPLETAS I

# De «Crepusculario»
# a «Las uvas y el viento»
# 1923-1954

Edición y notas de Hernán Loyola
Con el asesoramiento de Saúl Yurkievich

Introducción general de Saúl Yurkievich
Prólogo de Enrico Mario Santí

GALAXIA GUTENBERG
CÍRCULO DE LECTORES

*Primera edición:*
*Barcelona,* 1999

# Pablo Neruda: persona, palabra y mundo

## PERFIL DE UNA PERSONALIDAD EXCEPCIONAL

Pablo Neruda (1904-1973) fue merecidamente el poeta más famoso de su tiempo. Atravesó la mayor parte del siglo XX como activo partícipe, involucrado en los acontecimientos más relevantes, desde la guerra civil en España hasta la caída del gobierno de Salvador Allende, pasando por la segunda guerra mundial, el surgimiento de los países socialistas, la guerra fría, los movimientos de liberación en América Latina. También en el plano cultural, protagonizó las principales alternativas y polémicas literarias de nuestro tiempo. Aseguró el pasaje del postmodernismo a la vanguardia, fue un vanguardista fundamental de primera hora, fue un precursor de la literatura comprometida y de denuncia, creó originales formas literarias, modelos de notorio ascendiente tanto en la poesía lírica como en la poesía épico-política. Traducido a una cantidad asombrosa de lenguas y difundido por todo el mundo, a menudo en cuantiosas ediciones, adquirió un renombre inigualable. La atribución en 1971 del Nobel de literatura confirmó su valía y acrecentó aún más su celebridad.

Merced a las circunstancias, algunas azarosas otras electivas, de su errabunda vida, Neruda pronto se expatría –ya desde 1927, a los veintitrés años de edad, es nombrado cónsul chileno en Colombo y comienza su errancia por el Oriente Extremo–. Gracias a su impar y prematuro talento, en seguida sale del limitativo marco de un prestigio nacional. Ya con *Veinte poemas de amor y una canción desesperada* (1924) consigue una notoriedad continental. Cambia a menudo de residencia; es cónsul en Buenos Aires en 1933, donde reedita los *Veinte poemas*, luego en Barcelona en 1934 y

por fin en Madrid en 1935. Allí aparece en *Cruz y Raya* la
edición completa de *Residencia en la tierra* (1925-1935) y allí
reside hasta el estallido de la guerra civil. Neruda deja Madrid bajo las bombas en 1937. Durante su estada madrileña
se incorpora a la corriente literaria más renovadora, la que
propulsan Federico García Lorca, Rafael Alberti y Miguel
Hernández, sus amigos entrañables; publica con éxito y cola-
bora en las revistas de avanzada. Merced a la auspiciosa acogida que le brindan escritores e intelectuales insignes de la Segunda República española y al consiguiente reconocimiento
literario, su fama, como antes la de Rubén Darío, otro inno-
vador que remueve la literatura americana y la española, se
extiende a todo el ámbito hispanohablante.

Con su enrolamiento político, con su ingreso al Partido
Comunista Chileno, al incorporarse activamente a una corriente ideológica de implantación planetaria que lo promue-
ve como escritor adepto, gracias siempre a la abundancia y
sostenida calidad de sus libros, su prestigio ahora internacional adquiere una extraordinaria envergadura, compara-
ble a la del otro Pablo, Pablo Picasso en las artes plásticas y
a la de Charles Chaplin en el cine, dos artistas contemporá-
neos que también marcan su tiempo. La trayectoria política
de Neruda, su elección como senador de la república en 1945
y su desafuero en 1948, su forzoso exilio que lo devuelve
al ancho mundo, que lo hace residir en Italia, en Francia
y deambular en apoteósicas giras por la Unión Soviética,
la China y los países socialistas, su destacada actuación en
el movimiento mundial por la paz, coronada en 1951 con el
premio Internacional de la Paz, que recibe al mismo tiempo
que Picasso, incrementan considerablemente su nombradía.
Todo en la vida de Neruda, lo ético y lo estético, lo poético y
lo político, lo personal y lo público se ensamblan y comple-
mentan para proyectar talla y alcance cada vez mayores, para
configurar un destino singular, tan exitoso como extraordinario.

Esta primera compilación integral de la obra dilatada y diversa, rica y multiforme de Pablo Neruda da prueba más que
suficiente de su mérito (ante todo y sobre todo literario). Este

poeta del bosque y de la borrasca, que especializó su corazón
en el canto de América – «desde la paz del búfalo / hasta las
azotadas arenas de la tierra final» –, que buscó consubstanciarse con la tierra matricia, con la piedra patria, con el nu-
men natural de su delgado territorio, que amó la selva feraz
del más remoto sur, el huraño sur custodiado por la estatua
infinita de la nieve, ese ancestral y medular chileno, otorgó
a su bella palabra una resonante intensidad humana que
vale por doquier, comunicable a cualquier lector del mundo.
De esa validez poética, de esa eficacia y felicidad verbales
(de dónde provienen y cómo proceden) tratamos de dar
cuenta en esta introducción a las obras completas de Pablo
Neruda.

## LAS RAÍCES DEL CANTO

¿Cuál es el núcleo o meollo, cuál es el centro generador y
emisor de la poesía nerudiana? Desde *Tentativa del hombre
infinito* (1925), donde se prefigura la poética predominante,
hasta *Residencia en la tierra* (1935), donde cuaja el apropia-
do registro, se percibe una desencadenada, una invasora y
englobadora potencia. Proviene de una visión aglomerativa,
revolvedora y obscura que involucra y amalgama sujeto y
mundo en un confundido ímpetu. Es oracular y anida en la
conciencia más profunda, en esa zona donde sema y soma,
donde mente y cuerpo guardan intacto su indisoluble pacto.
La poesía substancial de Neruda proviene de un descendimiento a la placenta imaginante, a esa napa subliminal de la
preforma y la prelengua donde la carne sueña con la beatífi-
ca inmersión en las aguas maternales, donde se engendran
y se implantan el deseo, las pautas del sueño que alusivamente
lo figura y el lenguaje que denodadamente buscará expresarlo.
   La poesía de Neruda anhela reinstalarse en ese centro, apo-
sentar el poema en las sentinas del sueño, allí donde cesan
las separaciones diferenciadoras, donde se restablece la solidaridad del comienzo, donde vuelve a reinar la analogía pro-
miscua, voraz y omnímoda que restaura la reunión de los contrarios. Allí, en esa ancestral hondura, se emparentan lo más

lejano con lo más dispar, funcionan a sus anchas los intercambios de toda propiedad, de toda condición entre todos los
reinos. Neruda sitúa su voz en el centro de la similitud sin límite, de la comunión comunicante, allí donde impera la metáfora con su indetenible poder translaticio y conector, en ese
basamento humano donde se plasman las matrices imagina-
rias, donde germina aquel embrión del mito y del poema que
es la metáfora.

Tal poder mitopoético de inagotables enlaces infunde fantasioso, conmovedor aliento a las *Residencias*. Opera por inmersión alucinada en los trasfondos del ser, por impulsiones
intuitivas, instintivas, por ensimismamiento liberador de pri-
migenias energías expresivas. Neruda encuentra por buceo,
mediante esa auscultación de la conciencia profunda, el módulo verbal, los recursos enunciativos que permiten formular-
la en vivo, en su turbada e informe turbamulta. Y ese va a ser
el fecundo y soterrado germen de lo mejor y más persistente
de su poesía. Sobre todo cuando reanuda, como lo evidencia
el *Canto general* (1950), la relación umbilical con la naturaleza nativa, con las madres materias (agua, madera, vino, piedra), no como exaltación nacional o vernácula, como osten-
tosa autoctonía, sino como genérico reintegro del hombre al
concierto cósmico.

Así lo evidencia, por ejemplo, «El gran océano», esa cosmogonía acuática con la que Neruda clausura su *Canto general*,
ciclo que principia y promedia con otras dos terrestres: «La
lámpara en la tierra» y «Canto general de Chile». En las tres
rige la omnipotencia asociativa de lo mitopoético. Esta poética
conjuga una remisión de todo lo creado al origen natural, una
naturalización que devuelve a la virtud intacta del principio, a
su primigenia plenitud, con una escritura figurada, plena de
imágenes pasmosas, saturada de metáforas osadas que buscan
representar la plenitud dinámica de un universo recién nacido,
captado en su máxima mutabilidad (mitolabilidad) vital. Neruda persigue la aprehensión primera, antes de la letra, antes
de los códigos clasificadores, sin interpósitos culturales, sin
mediaciones librescas; persigue la percepción prístina, global,
en crudo y en hondo, de los procesos y procreaciones natura-

les. Quiere por inmersión en el subconsciente, instalarse dentro de la uterina interioridad de ese centro engendrador de todo ser y toda forma, de la ola, del pájaro, del volcán y del poema. Pretende por transubstanciación imaginaria, descender al fondo seminal –al fondo sémico– donde se gestan las manifestaciones de la energía madre.

«El gran océano» remite al modelo primordial de toda generación, al Génesis, a la creación del mundo. Principia por el inicio del inicio, la gestación de los mares y, en su seno, el nacimiento de la vida, luego la separación entre tierras y aguas hasta la aparición del hombre. Tomemos como muestra una estrofa del segundo poema. Según lo indica su título, «Los nacimientos», constituye un paradigma de la visión y la expresión cosmogenésicas de Pablo Neruda:

> Estrella de oleajes, agua madre,
> madre materia, médula invencible,
> trémula iglesia levantada en lodo:
> la vida en ti palpó piedras nocturnas,
> retrocedió cuando llegó a la herida,
> avanzó con escudos y diademas,
> extendió dentaduras transparentes,
> acumuló la guerra en su barriga.
> Lo que formó la oscuridad quebrada
> por la substancia fría del relámpago,
> Océano, en tu vida está viviendo.

Mediante una intrincada urdimbre de metáforas de nexo extraordinario, esta estrofa figura la población de los mares por una génesis biológica. La imagen de pululante agitación es transmitida por el desorden objetivo, categorial, que el entrecruzamiento metafórico causa. La estrofa arranca con tres vocativos –*agua, materia, iglesia*–, tres invocaciones rituales que infunden al pasaje una sacralidad procesional, litúrgica, reforzada por la mención de «iglesia». Aluden a un poder inseminador, a una maternidad originaria, omnivalente, al fundamento del acto originador, a la instauración inicial del modelo cósmico que preside toda creación.

«Estrella de oleajes» sugiere el origen meteórico de las aguas, la asociación de materia ígnea y densa con un medio líquido, penetrable, un casamiento de contrarios. «Agua madre, / madre materia»: lo materno repetido con intensificadora insistencia nombra una instancia matriz, potestad generadora de todo cuerpo con la cual Neruda se liga filialmente, por vínculo carnal. Su anhelo de concreción material, de encarnadura, lo compele a consubstanciarse somáticamente con todo cuanto su canto convoca, a la ligadura con la entraña viva para contrarrestar el carácter ilusorio de la representación poética. Neruda anhela abolir la distancia espectral entre el signo y la cosa significada, quiere que la palabra substancie lo que nombra. La paronomasia, el avecinamiento fonético *madre materia* recupera etimológicamente el presunto origen común de ambos vocablos, los hermana. «Trémula iglesia levantada en lodo»: el adjetivo *trémula* sugiere la estremecida palpitación de lo viviente, relacionado aquí con el légamo primordial, con la pasta germinal y genital originaria. Relación frecuente en Neruda, reaparece en el introito de «La lámpara en la tierra»: «El hombre tierra fue, vasija, párpado / del barro trémulo, forma de la arcilla». «Iglesia» dice un espacio fuerte, con poder de revelación, donde se vuelven manifiestas las fuerzas supremas; ellas operan por elevación, por afloramiento creativo. «La vida en ti palpó piedras nocturnas»: concebir es dar a luz, desenterrar; este verso sugiere emerger de la entraña ventral, pasar de la noche interna a la luz del natalicio. La vida se engendra en lo más recóndito, en la placenta oceánica, en el fondo pedregoso, en la tiniebla abisal.

Los tres versos siguientes actúan como agitadores en contraste con el delicado recogimiento de los iniciales, constituyen la diástole tumultuosa de la estrofa (el poema es pulsativo, su vivacidad deriva de una rítmica alternancia entre contracción y dilatación, entre remanso y turbulencia); estos tres versos guerrean, figuran el encarnizado combate de las especies, la sanguinaria selección en su lucha por sobrevivir. Más arriba en «Los nacimientos» aparece «la madrépora de astros combatientes» y más abajo, «las espadas del suero matutino»: el poema multiplica imágenes bélicas. «Retrocedió cuando llegó a la herida: retrocedió / avanzó»: ataque y contraataque, señalan una evolución accidentada, pugna sangrienta entre fuerzas creadoras y destructoras. Al repliegue defensivo sucede una ofensiva majestuosa y trituradora, alianza de lo suntuario (peces de plateada cota, acorazados y enjoyados) con la dentellada que destroza: «avanzó con escudos y diademas / extendió dentaduras transparentes». Condensa la idea de conflagración procreadora en el seno del «agua madre». La cavidad oceánica equivale a *barriga* que guarda en su mar amniótico la vida embrionaria. Un relámpago fálico penetra en la obscuridad hendida, cielo y agua se maridan para formar la vida: «lo que formó la oscuridad quebrada / por la sustancia fría del relámpago, / Océano, en tu vida está viviendo».

Este poema se articula como progresión cada vez más dinámica; su clímax genésico opera por inextricable urdimbre de metáforas audaces que establecen intercambios cualitativos para figurar la movilidad y la mutabilidad biológicas. Las intervalencias constituyen el agente verbal de los traslados y transformaciones de la energía cósmica. Lo animal se mineraliza o vegetaliza; los peces se mudan en «esmeraldas escamosas» y los moluscos en «abetos hambrientos». Lo vegetal se animaliza, se vuelve «cabello que absorbe ojos ahogados». Los pólipos se emparentan con lo astral: «la madrépora de astros combatientes». El proteiforme ímpetu vital todo marida. La imaginación materializante sexualiza el agua y la adensa hasta convertirla en líquido seminal; la lactifica para fertilizarla; la ensangrienta o sea la animaliza para que podamos visualizarla como fuerza biogenética, transgresora de fronteras entre géneros. La cavidad oceánica se transmuta en túrgida vulva, en «gruta de la vida», en «telas del ovario», en órgano genital que invita al acoplamiento; e inmediatamente surge el principio masculino con «las espadas del suero matutino». La cópula es frenética y feroz; el orgasmo, cataclísmico, como conviene a una cosmogénesis.

El sentido del poema en Neruda suele ser plurívoco, reversible, radiante, insólito, se transforma con plasmático dinamismo. El factor poético predominante es el icónico o figural, el de los sugerentes y suntuosos enlaces metafóricos. El poema actúa por entrelazamiento de analogías y correspondencias que escenifican la visión nerudiana, la ponen en palabra. Pero esta escritura está presidida por una vislumbre prelingüística, por un impulso o pulsión que remite a lo que la imaginación mitológica prefigura. En ella arraiga la poesía de Pablo Neruda. Detrás de las variantes prosódicas o léxicas, como sustento de la organización retórica, aparecen pronto los arquetipos de la memoria ancestral con tal ahínco y tal fidelidad que es como si Neruda transpusiese de inmediato el espacio de la cultura literaria para descender directamente al trasfondo mítico, a la memoria ancestral.

Desde sus libros iniciales hasta los póstumos aparece en Neruda esa impregnación del substrato atávico, esa posesión del imaginario por el impulso naturalizante que impone sus viscerales remembranzas, una geografía feraz, fecunda, violenta interiorizada, convertida en estro, en matriz poética. Es ése su almacén de imágenes, su proveeduría elemental que sirve de base a una inagotable combinatoria, como lo prueba esta muestra extraída de *El hondero entusiasta*, emparentada ya con «El gran océano», con el imperio de las aguas en perpetuo movimiento:

> Agua de las resacas sobre las viejas huellas,
> sobre los viejos rastros, sobre las viejas cosas,
> agua de las resacas que desde las estrellas
> se abre como una inmensa rosa,
> agua que va avanzando sobre las playas como
> una mano atrevida debajo de una ropa,
> agua internándose en los acantilados,
> agua estrellándose en las rocas,
> agua implacable como los vengadores
> y como los asesinos silenciosa,
> agua de las noches siniestras
> debajo de los muelles como una vena rota,
> como el corazón del mar
> en una irradiación temblorosa y monstruosa.

Hasta el final de su recorrido poético, estas aguas imperiosas resurgen para inundar los surcos del poema. La misma visión, la nuclear, perdura en la producción postrera de Neruda, traducida siempre por parecido entrelazamiento de metáforas:

> Cuando se enrolla la diadema
> del mar y arrecian sus escudos
> y las torres se levantaron,
> cuando galopa con los pies
> de mil millones de caballos
> y la cabeza enfurecida
> pega en la piedra del relámpago,
> dice el pescador pequeñito
> golpeándose el pecho mojado
> para morir sin agonía.
>
> Crispado mar, tortuga amarga,
> panoplia del asesinato,
> diapasón de la guerra a muerte
> piano de dientes carniceros,
> hoy derribaste más defensas
> con un pétalo de tu furia
> y como un ave crepitante
> cantabas en los arrecifes.

(*Fin de mundo*: «Marejada en 1968. Océano Pacífico»)

El contacto precoz con una geografía majestuosa, envolvente, inclusiva, arrolladora modela definitivamente el imaginario de Pablo Neruda.

UNA IMAGINACIÓN MITOPOÉTICA

En 1906, a los dos años de edad, Neruda es trasladado de Parral a Temuco, la «ciudad maderera», donde su padre se casa en segundas nupcias con Trinidad Candia Marverde, la «mamadre» identificada con el pan – «la vida te hizo pan» –, con la santidad del agua y de la harina. Tal como lo testimonia en *Memorial de Isla Negra*, Neruda halla en ella la amorosa madre, nutricia y protectora. Ligada al despertar de la conciencia, ella se confunde en el recuerdo con la casa de tablas fragantes:

> Las tablas de la casa
> olían a bosque,
> a selva pura.
> Desde entonces mi amor
> fue maderero
> y lo que toco se convierte en bosque.
> Se me confunden
> los ojos y las hojas,
> ciertas mujeres con la primavera
> del avellano, el hombre con el árbol,
> amo el mundo del viento y del follaje,
> no distingo entre labios y raíces.

(*Memorial de Isla Negra*: «Primer viaje»)

Esta comunión entre hombre y naturaleza, esta confusión de identidades constituye una clave interpretativa. Ese infantil contacto y contagio de Neruda con la lluvia, el viento y el bosque de la Araucanía es su primera experiencia consciente. Portentosa y violenta, esta geografía conglomera, como la poesía nerudiana, selva, montaña y mar, vegetaciones invasoras, humedad de nacimiento y de putrefacción, maderería erguida, tumbada, enterrada, aguaceros, borrascas catastróficas. La naturaleza agreste del sur se fija en la imaginación del poeta hasta constituir su basamento primordial, la alimentadora y modeladora de sus visiones.

Desde *Crepusculario* (1923), la poética de Neruda consiste en rescatar una palabra prístina que sea afloramiento inspirado, en espontáneo e instintivo aflujo, de la más profunda naturalidad.

Por rapto suspensivo de la conciencia reflexiva, Neruda se instala en el reducto de la reconciliación, de la unanimidad original, del relacionable genésico, donde recobra plenamente la móvil capacidad de ligamiento y de metamorfosis de la imaginación mitológica.

A medida que desata esta imaginación atávica, se deja poseer por los procesos naturales. Cada vez más penetrante, más material y más somática, la fantasía de Neruda quiere alcanzar, por ahondamiento en lo corpóreo elemental ese centro genético, energético, de donde dimanan creación y destrucción. De allí, por ensimismamiento en pos del acervo más profundo, su imaginería aflora y se expande con la vitalidad de la invasora naturaleza de Temuco. Libradas a su propio dinamismo, sin abstracción y sin censura, sin pruritos formalistas, casi sin voluntad de estilo, las fijaciones infantiles, en desembarazado juego, manifiestan su predominio. Neruda recupera así las vislumbres y visiones de la imaginación primera, de esa mitología preliteraria, prelógica que confunde las categorías y transfunde todos los órdenes.

Cuando se detectan los impulsores del movimiento imaginativo, el proceder metafórico, las insistencias, las recurrencias, los promotores del dinamismo poético, reencontramos el mundo fuerte, fresco y puro de su niñez, las materias maternas, la geografía natal:

> De dónde vengo, sino de estas primerizas, azules
> materias que se enredan o se encrespan o se destituyen
> o se esparcen a gritos o se derraman sonámbulas,
> o se trepan y forman el baluarte del árbol,
> o se sumen y amarran la célula del cobre
> o saltan a la rama de los ríos, o sucumben
> en la raza enterrada del carbón o relucen
> en las tinieblas verdes de la uva?

> (*Canto general*: «Eternidad»)

Neruda intenta concebir sus poemas como manifestación directa de la energía natural. El sentido se intrinca, atolondra y arrebata. Tiende a la ramificación, a la arborescencia; entreteje una tupida urdimbre donde cuesta aislar los componentes. Más que individualizarlos importa la visión englobante. Lo que nos moviliza son los ímpetus icónicos, los vectores visionarios, los intercambios y transformaciones, la densa textura relacional. Neruda apunta a la escritura encarnada, al estilo hecho carne, incorporado a su propia substancia. Este naturalismo entraña una ligazón raigal con la América agreste y agraria. Por eso, contrastando con la integridad del mundo natural, la ciudad en Neruda tiene carácter negativo, desvirtúa, degrada, desnaturaliza.

Para Neruda, naturaleza y poesía son homólogas como madre e hija. Su filiación identificadora la establece con esa selva chilena donde transcurre su niñez. El origen puntual es Temuco a partir de 1906. Su historia de aguas, bosques, pájaros, poblados, principia cuando el futuro poeta habita «esa salvaje hermosura», fascinado y envuelto por ella. Desde entonces su poesía es primordialmente un retorno al origen. Ella transmite una autoctonía profunda, que no necesita de rasgos pintorescos ni de localización explícita para expresar la solidaridad con la tierra natal.

En «Infancia y poesía», una prosa suelta, incorporada luego a *Confieso que he vivido*, da cuenta de sus excursiones al corazón agreste de la frontera, en el tren lastrero que conducía su padre y que transportaba pedregullo para asentar las vías férreas. Allí la naturaleza lo embriaga, aguza en él la captación sensible, estimula la posesión sensual, invita a la entrega sentimental, a una fusión con todo lo viviente que redundará más tarde en efusión verbal. Allí se inicia ese acondicionamiento que desembocará conjuntamente en una concepción del mundo y una estética. Se desarrollará no sólo el amador, el conocedor, el registrador, también el devorador de los frutos naturales. De ahí proviene en su poesía ese fruitivo predominio de motivos de la nutrición:

> Dadme todas las cosas de la tierra, torcazas
> recién caídas, ebrias de racimos salvajes,
> dulces angulas que al morir, fluviales,
> alargaron sus perlas diminutas
> y una bandeja de ácidos erizos

darán su anaranjado submarino
al fresco firmamento de lechugas.

(*Canto general*: «Los frutos de la tierra»)

En los húmedos veranos del sur, la tierra escarlata «pe-gándose en las ruedas como carne aplatada» prodiga sus prodigios. La representa como madre y morada, mujer po-sesiva y poseída que establece vínculo carnal con los hom-bres de ella oriundos. América es «útero verde», «sabana se-minal, bodega espesa». El poema nace del acoplamiento con la patria, «novia llena de gérmenes». La relación imaginaria con la tierra placentaria, espermática, amamantadora se car-ga de primitiva sexualidad. En Neruda, tierra es su carne y la carne que desea, tierra su comida y su bebida, tierra su sueño y su canto:

> América, no de noche
> ni de luz están hechas las sílabas que canto.
> De tierra es la materia apoderada
> del fulgor y del pan de mi victoria,
> y no es sueño mi sueño sino tierra.
> Duermo rodeado de espaciosa arcilla
> y por mis manos corre cuando vivo
> un manantial de caudalosas tierras.
> Y no es vino el que bebo sino tierra,
> tierra escondida, tierra de mi boca,
> tierra de agricultura con rocío,
> vendaval de legumbres luminosas,
> estirpe cereal, bodega de oro.

(*Canto general*: «América»)

De todas las substancias terrestres, ninguna más familiar y más connatural que la «madera materna»; con ella íntima desde su nacimiento en los bosques del sur, hasta su transfor-mación en los aserraderos zumbadores y su empleo como li-sas y olorosas tablas de la casa paterna. Con insistencia Neruda proclama su amor maderero. Persistente, la imagen del árbol se orquesta a través de múltiples motivos: la espesura, el crecimiento portentoso, el arraigo, la ramificación, la fructificación, la tala. Lo que es más, constituye un arquetipo, un modelo imaginario, transferible a cualquier orden de realidad, tanto a la genealogía como a la geología. En el *Canto general*, el Amazonas está «cargado con esperma verde como un árbol nupcial»; la amatista es «el árbol muerto en una iglesia helada». Machu Picchu es «árbol de catedrales / Ramo de sal, cerezo de alas negras»; los libertadores de América son ramas sucesivas del árbol del pueblo: «De la tierra suben sus héroes / como las hojas por la savia».

Neruda se dice poeta boscoso, de intemperie selvática. Esta naturaleza desmesurada, incontenible, catastrófica, es como el temperamento que infunde al poeta: efusivo, exuberante, hiperbólico. Activada al máximo, ejerce sobre Neruda fascinación y anonadamiento. A la vez demiurgo y demonio, ella domina con majestuosa potestad. Para abolir los distingos, Neruda naturaliza su verbo y antropomorfiza la naturaleza. En sus visiones poéticas, la energía natural es mudable, colérica, tiene impulsos y apetitos humanos, actúa apasionadamente, posee la impetuosidad del amor erótico. Suprema poseedora de todo lo ponderable, confiere sus dones, entre ellos el poético, a quienes mantienen intacto el vínculo con la «uterina originalidad de la entraña», con los centros circulatorios, con «todos los fértiles fermentos / de las vidas y de los bosques».

Neruda es tan terráqueo como acuático, sobre todo pluvial. Las eternas lluvias de los inviernos australes, la música de las gotas sobre el techo constituyen un ritmo medular; metido en el alma, pauta su escritura: «Para escribir –acota en *Viajes* (1955)– me hacía falta el vuelo de la lluvia sobre los techos […]. Las goteras son el piano de mi infancia y sus notas, digamos sus goteras, me han acompañado donde me ha tocado vivir, cayendo sobre mi corazón y sobre mi poesía». Poeta fluvial, oceánico, propende a la abundancia, a las formas extensas y a los ritmos caudalosos. El agua en movimiento, de río, mar o cielo, experiencia impresionante, persistente, inspira varios libros. El ruido de la lluvia y el golpe de las olas precipitándose sobre la arena del Bajo Imperial imponen su cadencia a *Veinte poemas de amor* (1924) y *El habitante y su esperanza*. En el Bajo Imperial, un puerto situado en la desembocadura del río Imperial adonde va cada año con su familia, Neruda vive su primer y seductor contacto con el paisaje marino. En «El primer mar» de *Memorial de Isla Negra* rememora este emocionante descubrimiento:

> Hijo de aquellos ríos
> me mantuve
> corriendo por la tierra,
> por las mismas orillas
> hacia la misma espuma
> y cuando el mar de entonces
> se desplomó como una torre herida,
> se incorporó encrespado de su furia,
> salí de las raíces,
> se me agrandó la patria,
> se rompió la unidad de la madera:
> la cárcel de los bosques
> abrió una puerta verde
> por donde entró la ola con su trueno
> y se extendió mi vida
> con un golpe de mar, en el espacio.

Luego conocerá mares remotos y se dejará poseer por la majestad tempestuosa del océano, periódicamente evocado a lo largo de su obra, en ciclos como «El gran océano» de *Canto general* u «Océana» de *Cantos ceremoniales*, en un libro como *Una casa en la arena* y en plurales poemas donde reitera su pasión marina. Ésta lo llevará a instalarse a orillas del Pacífico en la casa de Isla Negra, y a convertirse en experto coleccionista de caracolas y de mascarones de proa.

También *Residencia en la tierra* es un libro poseído por el monótono ritmo del oleaje: «Todo tiene igual movimiento –revela Neruda en una carta de 1928 a José Santos González Vera–, igual presión y está desarrollado en la misma región de mi cabeza, como una misma clase de insistentes olas». Lluvia y olas proveen un repertorio de imágenes recurrentes, y también obran de impulsoras rítmicas, como escansión que consuena con las cadencias del cuerpo y del canto.

En «La copa de sangre», una prosa de 1938, Neruda revela las claves de su poética, sus parámetros y parangones más íntimos. Evoca dos acontecimientos que lo marcan. Uno data de la adolescencia, es un ritual iniciático de acceso a la virilidad, una copa de sangre de cordero recién degollado que sus tíos le obligan a beber; el otro es una epifanía, una revelación del misterio cósmico, el agua que sale a chorros del ataúd de su padre recién exhumado: «Ahora bien, esta agua terrible, esa agua salida de un imposible, insondable, extraordinario escondite para mostrarme a mí su torrencial secreto, esta agua original y temible me advertía otra vez con su misterioso derrame mi conexión interminable con una determinada vida, región y muerte». Misterio tremendo, produce un anonadamiento reverente, evidencia una fuerza fundamental que es fondo y origen, constituye un arcano que remite a la causa primera: «[...] pertenezco a un pedazo de pobre tierra austral hacia la Araucanía, han venido mis actos desde los más distantes relojes, como si aquella tierra boscosa y perpetuamente en lluvia tuviera un secreto mío que no conozco, que no conozco y que no debo saber, y que busco perdidamente, ciegamente, examinando largos ríos, vegetaciones, inconcebibles montones de madera, mares del sur, hundiéndome en la botánica y en la lluvia, sin llegar a esa privilegiada espuma que las olas depositan y rompen, sin llegar a ese metro de tierra especial, sin tocar mi verdadera arena». En «La copa de sangre» Neruda revela el objeto de su obscura y obstinada búsqueda: el inescrutable arcano que encierra el sentido último de su existencia, de su ser en sí y en el mundo. Por él inquiere en confusa deriva, sumergiéndose en aguas agitadas y turbias, penetrando en las entrañas terrestres, metiéndose en la intimidad de su cuerpo y de su psique, confundiéndose intuitivamente con esas enigmáticas fuerzas del centro, para aprehenderlas en su caótica turbamulta y sin poder sacarlas a luz. En «La copa de sangre» propone una estética, la del sal-

to simpático y del sistro revelador, la de un vitalismo sentimental y desbordante, la de la coincidencia alucinatoria que
opera por inmersión inmediata, por naufragio en lo recóndito mental para captar el flujo espontáneo de la conciencia –que
equivale al de la sangre, la savia, la humedad, el viento, los re-
gueros y ríos– y proferirlo oracularmente.

Neruda no es ni un chamán ni un agorero ni un iluminado.
Su ubicación estética, sus postulados y prácticas poéticas pueden situarse en relación a un horizonte de conocimiento, a
una conciencia posible y escribible, al contexto cultural y literario de la época. Esta ascesis primitivista, este volverse
bárbaro, esta recuperación del pensamiento prelógico, esta
reivindicación del mensaje subliminal también los preconiza
la vanguardia de la tabla rasa, de la descarga instintiva y de la
imaginación sin ataduras que va del expresionismo al surrealismo. Los primeros escritos surrealistas son sincrónicos de
*El hondero entusiasta* y *Tentativa del hombre infinito*. Tanto
Neruda como André Breton procuran despojarse de sobrecar-
ga libresca y de prurito retórico, persiguen la regresión naturalizante que les permita recobrar la integridad del comienzo,
la potencia primigenia, recuperar la palabra más prístina. Hay
en ambos un comportamiento arcaico que privilegia la psico-
logía preconsciente, la autohipnosis y el dictado de los sueños.

El poeta para Neruda es el registro sensible, el conducto de
las obscuras (porque dimanan de abajo, embargan y son inin-
teligibles) fuerzas originadoras de las creaciones naturales
como de las culturales. La identificación con lo primario, el
regreso a una modalidad primordial, a la materia prima hacen que Neruda menosprecie la intelección, el análisis crítico,
las mediaciones de la cultura letrada: «Tengo hasta cierto
desprecio por la cultura –declara en una carta de 1929 a
González Vera–, como interpretación de las cosas me parece
mejor un conocimiento sin antecedentes, una absorción física
del mundo, a pesar y en contra de nosotros». Tal «conocimiento sin antecedentes», esta «absorción física del mundo»
implica un salto extático para instalarse por empatía en el corazón del universo natural, un reencontrarse que aglomera
indisolublemente mundo, cuerpo y mente, que amalgama lo

sensorial con lo rítmico, lo sentimental con lo quinésico. Y la expresión en este impulso inspirado resulta delirante, rapsódica, propende al discurso oracular donde ritmo, sueño, ciclo y rito se confunden. La poesía así se vuelve ritual del rescate.

## PASOS EN POS DE LA PALABRA PLENA

Perfilamos una personalidad poética condicionada por prematuras experiencias que van conformando una manera de percibir la realidad, una cierta visión del mundo, una determinada actitud humana y por fin una propuesta estética que irá buscando en progresivo zig-zag el registro lingüístico capaz de expresarlas. Conviene echar una mirada retrospectiva para comprobar cómo Neruda paso a paso, libro tras libro, va ajustando la intención poética con la ejecución verbal, el mundo representado con el modo de representación.

*Crepusculario*, su libro inicial, se acerca a *Los heraldos negros* de César Vallejo (hay coincidencias en eco, como este oloroso pan: «Tiene un sabor de pan. Oloroso pan prieto / que allá en la infancia blanca entregó su secreto», o esta histérica crispación: «Y el grito se me crispa como un nervio enroscado / o como la cuerda rota de un violín»). También se aproxima a los primeros poemarios de Vicente Huidobro. Estos tres futuros vanguardistas clausuran el proceso de renovación desencadenado por el modernismo y abren otro nuevo. En *Crepusculario*, Neruda opera como un postmodernista asimilando modos simbólicos, sensibilidad impresionista, recursos de introspección y una ductilidad estilística que son propios del modernismo inaugural. Si con haches helenas invoca a Helios y a Phanteos, si alude a Dante y a Ronsard, si Pelleas se arroba con Melisanda, aparecen ya los aromos de Loncoche y los crepúsculos de la calle Maruri. El postmodernismo interioriza la geografía y se mancomuna con ella. Se despoja, como en Gabriela Mistral, del suntuoso exotismo, de la fabulación fantástica o del cosmopolitismo modernólatra para afincar tierra adentro, en el *innerland*, en el paisaje local, en el inmediato ambiente, en lo vernáculo.

En Neruda compiten y se mezclan los modos adquiridos, a la moda, con los propios. El tremendismo romántico, la pasional y teatral grandilocuencia, una ebriedad pomposa hacen alianza muy literaria con un dandismo decadentista, con una lúgubre y satánica sensualidad baudeleriana. Atisbos, ciernes del Neruda de las *Residencias* se insinúan, como esta angustia cósmica:

> Y por la vastedad del vacío van ciegas
> las nubes de la tarde, como barcas perdidas
> que escondieran estrellas rotas en sus bodegas.

> Y la muerte del mundo cae sobre mi vida.

> («Tengo miedo»)

También prefigura al futuro Neruda una sensualidad lasciva, un erotismo que se concentra para enardecer:

> Uñas duras y doradas,
> flores curvas y sensuales,
> uñas duras y doradas.

> Comba del vientre, escondida,
> y abierta como una fruta
> o una herida.

> («Morena, la Besadora»)

*Crepusculario* ofrece la identificación somática del locutor lírico con las materias terrestres («Que trascienda mi carne a sembradura», «mis venas continúan el rumor de los ríos»). Sacralidad del amor y sacralidad de la tierra se coaligan, así como fertilidad telúrica y fertilidad femenina se equivalen («Torna los ojos, mírate los senos, / son dos semillas ácidas y ciegas»). La visión a menudo parangona las manifestaciones humanas con las naturales. Poeta y paisaje se fusionan románticamente convulsionados por fuerzas catastróficas.

En *Crepusculario* coexisten prosodias, registros, tonos y extensiones dispares. Pero Neruda quiere ser poeta que abarque una unidad mayor. «Apenas escrito *Crepusculario* –dice Neruda en "Algunas reflexiones improvisadas sobre mis trabajos" – quise ser un poeta que abarcara en su obra una unidad mayor. Quise ser, a mi manera, un poeta cíclico que pasara de la emoción o de la visión de un momento a una unidad más amplia.» Quiere ser poeta de libros, de aliento largo, período vasto y sostenida inspiración. Así, en 1923 escribe en un rapto *El hondero entusiasta* que publica diez años después. Es un ciclo cuyos poemas, temática y estilísticamente emparentados, provienen de un mismo impulso «todo de furias y olas y mareas vencidas». Según declara Neruda en *Confieso que he vivido*: «una embriaguez de estrellas», «un golpe celeste» provocan esta súbita preñez. Neruda encuentra su propia voz. Egótico, poseído y posesivo, el sujeto lírico exhibe su padecimiento prometeico, dolor a escala sobrehumana; la subjetividad atribulada es el centro resonador, atronador del cosmos. Todo lo que se agita, pulsa, punza, el universo entero participa de este vértigo. La voz está enclavada en el vórtice del torbellino, fuga loca, convulsión que se expande hasta el último límite. Sólo la amada salva del apocalipsis. *El hondero entusiasta* exalta una pasión amorosa y la amplifica inconmensurablemente; glorifica un amor carnal («Las arañas oscuras del pubis en reposo») que invade la geología y la biología de una naturaleza exorbitante, excitada al máximo de su turbulencia. Tormenta, tumulto, desborde, generaciones y destrucciones: la amada es causa primera de todo cataclismo y toda metamorfosis.

A partir de esta inspirada efusión, Neruda va a entregarse al arrebatamiento, al torbellino de adentro que se agolpa pugnando por exteriorizarse. Adoptará cauces verbales más espaciosos, formas orgánicas, más abiertas, extensiones que permitan el derrame de estos turbiones de aguas furiosas y profundas, la invasión de la marea fantasmática:

> Alma mía! Alma mía! Raíz de mi sed viajera,
> gota de luz que espanta los asaltos del mundo.
> Flor mía. Flor de mi alma. Terreno de mis besos.

Campanada de lágrimas. Remolino de arrullos.
Agua viva que escurre su queja entre mis dedos.
Azul y alada como los pájaros y el humo.
Te parió mi nostalgia, mi sed, mi ansia, mi espanto.
Y estallaste en mis brazos como en la flor el fruto.

Aquí está patente la impronta de un Neruda centrado ya en una voz y un orbe peculiares; aquí se imponen sus motivaciones vertebrales: la imaginación penetrante, la submersión a fondo en el seno de las materias madres, el vértigo cósmico, un erotismo que espesa y adensa, lo genético en busca de lo genital, la interacción férvida entre todos los órdenes de la naturaleza.

Pero no hay libro que no provenga de otros libros; *El hondero entusiasta* remeda las formas amplias, la lírica elocuencia, el impulso salmódico de Carlos Sabat Ercasty; la proximidad de Neruda con su modelo es tal que debe reconocer este influjo en una advertencia preliminar. El poema 16 de *Veinte poemas de amor y una canción desesperada* es una paráfrasis de Rabindranath Tagore. Éstas son influencias explícitas; las implícitas son igualmente determinantes, pero menos reconocibles en la superficie de los poemas. Ya por esta época Neruda admira a Baudelaire, a Verlaine y a Rimbaud.

El impulso englobante del *Hondero* puja, se prolonga hasta provocar otra avalancha de versos: «Me movía en una nueva forma –acota Neruda en *Confieso que he vivido*– como nadando en mis verdaderas aguas. Estaba enamorado y al *Hondero* siguieron torrentes y ríos de versos amorosos. Pronto tuve un nuevo libro». En *Veinte poemas de amor y una canción desesperada* procura no interferir la pujanza del inspirado aflujo, de plegar la palabra al alucinado dominio del amor que lo posee, y la enunciación es vehemente:

Ebrio de trementina y largos besos,
estival, el velero de las rosas dirijo,
torcido hacia la muerte del delgado día,
cimentado en el sólido frenesí marino.

[...]
Voy, duro de pasiones, montado en mi ola única,
lunar, solar, ardiente y frío, repentino,
dormido en la garganta de las afortunadas
islas blancas y dulces como caderas frescas.

(Poema 9)

Conciencia ebria y frenética, percibe el mundo removido
por su deseo como una caótica superposición de sensaciones,
voliciones y sentimientos desbocados, como una plétora confusa en constante transmutación. La visión turbulenta del poema 9 lo hermana con las *Residencias*; también hallamos en él
una exaltada transfusión entre erotismo orgiástico y naturaleza intempestiva, un campo hiperenergético de fuerzas opó-
sitas, los contrastados poderes de cielo, mar y tierra. También
en el poema 11 el afán de intensificación se traduce en gigan-
tescas convulsiones y destrozos, en las más tempestuosas furias, en un quejumbroso revuelo de palabras:

[...]
Quejumbre, tempestad, remolino de furia,
cruza encima de mi corazón sin detenerte.
Viento de los sepulcros acarrea, destroza, dispersa tu raíz
    soñolienta.
Desarraiga los grandes árboles al otro lado de ella.
Pero tú, clara niña, pregunta de humo, espiga.
[...]

Dos amores motivan los *Veinte poemas*; uno, el de la novia
de provincia, es «llama silvestre», el otro, el de Santiago,
«fondo de miel oscura». Como acostumbra, Neruda metafo-
riza a la mujer mediante símiles naturales, la asimila a poderes y elementos naturales con los que la inviste como resumen
de todo lo creado. Todas las propiedades de lo terrestre, lo
celeste y lo acuático le son transferibles. Posee cuerpo de musgo, brazos de enredadera, boca de ciruela, regazo de flor; es
crepúsculo, noche constelada, niebla, incendio; sus ojos contienen el océano y su sonrisa es de agua. Cobra todo estado y

toda forma; se lactifica, magnetiza, ignifica; su cuerpo se vuelve pez, caracola, mariposa.

Los planos se confunden, los opósitos se vuelven homólo-
gos, las distinciones categoriales se desordenan, Neruda provoca una polución semántica que transgrede todo límite. El
discurso se fisura, cambia sorpresivamente de dirección, el
sujeto ocupa todos las posiciones pronominales. La sintaxis
se afloja, los verbos suelen no respetar las concordancias tem-
porales o se omiten. El texto se vuelve palimpsesto, con inter-
mitencias en la ilación, con agujeros negros. Enrarecido, el
mensaje poético es invadido por la incongruencia enriquecedora que lo vuelve plurívoca maraña. Toda regularidad se
relaja, también la prosódica. Neruda adopta el verso libre,
de medida y organización estrófica variables. El ritmo es caudaloso y la escansión, oceánica. Con este desarreglo de los
sentidos, con esta turbamulta verbal, Neruda representa una
visión caótica pero muy concreta, corpórea, llena de «materia
cósmica».

Estamos ya en la misma comunión confusa y tumultuosa
con el universo, en la misma absorción totalizadora de la naturaleza que *Tentativa del hombre infinito* (1926) intensifica.
Este libro proviene, como lo indica su autor, de la obscuridad
del ser y consiste en una confusa y dificultosa aprehensión de
lo insondable. Tal es la poética raigal de Neruda, la del lado
sombrío, tal como a lo largo de su existencia lo ha señalado,
incluso en los períodos de poesía voluntariamente clara. Desde sus primeros libros, Neruda intenta comunicar una viven-
cia pugnaz que lo ensimisma y abisma, sobrecogedora pero
ininteligible, que se impone como presencia que acucia y de-
sasosiega, que sólo puede expresarse mediante la congruencia
por desvarío, indirectamente a través de asociaciones subjetivas de sentido, que sólo puede entresacarse mediante insólitas
analogías o antinomias, que sólo puede representarse metafóricamente por la fabulación mitopoética:

oh matorrales crespos adonde el sueño avanza trenes
oh montón de tierra entusiasta donde de pie sollozo
vértebras de la noche agua tan lejos viento intranquilo rompes

también estrellas crucificadas detrás de la montaña
alza su empuje un ala pasa un vuelo oh noche sin llaves
oh noche mía en mi hora en mi hora furiosa y doliente
[...]

Con esta *Tentativa* cuaja el paradigma estilístico de Neruda
que hallará su cabal realización en *Residencia en la tierra*. Su
gestación coincide con la de los poemas iniciales de *Residencia*. La liberación se extrema hasta abolir la puntuación y des-
baratar la sintaxis, como si el poema regresase a modalidades
preformales, al flujo preoral de la conciencia. La menor forma
posible posibilita a la escritura retener sin detener la emersión
y emisión del psiquismo profundo, permite esa transmisión me-
diúmnica de una caótica absorción del cosmos.

Informalismo, indeterminación, inacabamiento convienen
cabalmente a esta infinita tentativa de representar una totalidad inabarcable que sin cesar se transfigura. Para ello Neruda
prodiga desconciertos, multiplica señales heterogéneas, acrecienta el desvarío errático, los cambios de dirección y dimensión que tornan la lectura más activa, más excitante. La ausencia de puntuación refuerza la contigüidad equívoca, la
continuidad de esta transida elocución. Filones de una misma
veta, *Tentativa del hombre infinito* esboza ya *Residencia en
la tierra*. Una misma materia y una misma forma se dan en
ambos, la misma dinámica, el mismo «desorden vasto, oceánico», la misma implicación con el mundo, las mismas esca-
padas a lo desmesurado y a lo cósmico. También aparecen en
*Tentativa* las materias desvencijadas, el contexto urbano, la
utilería tecnológica sujetos a una desintegración que preludia
*Residencia*. Pero en *Residencia* el sujeto lírico cambia de posición. Lentamente, con pesar, se desplaza hacia el centro visionario a partir de un yo menguado, exclusivamente recepti-
vo, atento al flujo que lo posee («persigo las cosas hacinadas
en los rincones del alma»), a imágenes indecisas, dispersas, a
extraños mensajeros del más allá o más acá de la conciencia
submersa («yo existo en ese día repartido / existo allí como
una piedra pisada por un buey, / como un testigo sin duda
olvidado»). Visión de duermevela, en agua turbia, en un ám-

bito nebuloso, exceso de cosas captadas en su mescolanza original, *disjecta membra*, el mundo previo a los códigos, en su desorden prelógico. Ni el fragor ni el estrépito cataclísmicos, lo «débil del alba», moroso movimiento, el avance de algo decaído, lo que mustia, aletarga, desdibuja, lo que quita voluntad, definición, identidad, lo confuso haciéndose polvo.

*Residencia en la tierra* constituye una unidad mayor e inscribe una trayectoria cíclica. Se inicia con visionarias evocaciones de la fresca e íntegra naturaleza natal, empieza por captaciones globales de una totalidad en movimiento, llenas de «materia cósmica», tentativas de recuperación de la energía pulsional, o sea natural, convertida en ímpetu imaginante. Luego, sobreviene la caída en la degradación urbana. Separado de la fecunda y pródiga tierra, también de la mujer que encarna a esa dadora de sustento, Neruda, asolado y desolado por una mengua que todo lo invade y mustia, ahonda en su angustia existencial. Y en la antesala de la nada, busca asidero y base en sí mismo, en sus vísceras, en su sexo. Lo sexual conduce a una redención carnal, vital que lo devuelve a la entraña deseante, a la materia matricia. Un enajenamiento orgásmico, semejante a la pánica embriaguez del vino, lo regresa a la condición prima y gruesa, a la unidad substancial del principio.

Si las fibras esenciales, si la energía crespa del apio lo comunican con «la luz oscura y la rosa de la tierra», *Residencia en la tierra* a pesar de su título, es un libro más bien acuático. Cadencia marina y repiqueteo de lluvia le infunden un ritmo de agua invasora que socava y sumerge. También está lleno de goteras que a veces se espesan y empastan y caen «como una catarata de espermas y medusas».

Aunque más tarde el optimista poeta militante reniega del opresivo y ensimismado aislamiento, de la tierra baldía, del angustioso y desesperanzado desamparo de *Residencia en la tierra* siguen siendo notorios, fundamentales, los nexos que vinculan este libro a los posteriores. Cambian los propósitos, los pretextos del canto que quiere clarificarse, pero no los móviles y símiles del imaginario profundo porque la poética voluntarista está también interpenetrada por otra que arraiga más adentro. Neruda pretende haber abandonado su malsana estancia subterránea, un arte pervertido por el solipsismo egótico, por su contacto con la turbidez y la náusea, pero sus fijaciones operan en cualquier temática, su trasfondo mítico afluye por ósmosis, traducido por las mismas metáforas, aquellas que salvaguardan el origen.

## LA RUPTURA VANGUARDISTA

Pablo Neruda participa magistralmente en una revolución literaria, la encabeza. Junto con *Trilce* de César Vallejo y *Altazor* de Vicente Huidobro, *Residencia en la tierra* integra la tríada de libros fundadores de la primera vanguardia literaria en Hispanoamérica. Posee los principales atributos vanguardistas. Conlleva la noción de crisis, de corte radical de todos los continuos –histórico, técnico, gnoseológico, estético–, está presidido por una visión caótica, desintegradora, propone una imagen desmantelada del mundo, subvierte la representación progresiva y cohesiva, descompone la mímesis realista, practica un arte negativo, del absurdo y el sin sentido, de lo informe y de lo incierto, provoca una temeraria y renovadora ruptura.

Neruda no teoriza. No necesita de manifiestos, explicitar su poética mediante declaraciones programáticas y perentorias. Neruda no loa el progreso, no da cuenta del vertiginoso trastocamiento que produce la era industrial, no menciona la utilería tecnológica, no prodiga índices de actualidad explícita. Su modernidad está, como la de Vallejo, interiorizada. Su vanguardia no es la de los contrastes simultáneos y los ritmos cinemáticos. Su vanguardia no es la experimental, optimista y modernólatra sino la atribulada, de la belleza que zozobra, la del tumor de conciencia. La patentiza su representación de la vida fraccionada, del desamparo existencial, de la desoladora alteridad, del hombre escindido que sufre un conflictivo divorcio entre mente y mundo. Su modernidad se detecta en las relaciones dislocadas por angustiosa inadaptación a la precariedad de una vida alienada.

Desde el comienzo, *Residencia* dice de la sumergida lentitud, del rodeo constante, de lo confuso pesando, de vasto desorden, de naufragio en el vacío. Dice de la duración desnuda, de la pura expectativa de una existencia aletargada, sumida por la lasitud en días de débil tejido, estancada por un acaecer que no se entrama, expuesta al deterioro, entre materias desvencijadas:

> Yo lloro en medio de lo invadido, entre lo confuso,
> entre el sabor creciente, poniendo el oído
> en la pura circulación, en el aumento,
> cediendo sin rumbo el paso a lo que arriba,
> a lo que surge vestido de cadenas y claveles,
> yo sueño, sobrellevando mis vestigios morales.

> («Débil del alba»)

Tal como Neruda lo explica en *Confieso que he vivido*, el destierro en un Oriente lejanísimo agrava la desolación existencial, lo desvincula de su mundo y de su lengua, lo vara en un medio completamente ajeno donde no puede establecer vínculos de solidaridad social o cultural. Esta temporada en el infierno lo convierte en un mero existente, una suerte de prófugo mental. La distancia disuelve y afantasma. Si a veces consigue aferrarse a los recuerdos reparadores, a la naturaleza natal, a una mujer anhelada que recupera en la escena quimérica del poema, en lo mejor de *Residencia* Neruda se entrega a una experiencia del no ser, a una inmanencia vacante, a la exploración del aislamiento, al rescate de la resaca onírica, de sueños cenicientos y funestos devaneos.

Como el día de evidente pobreza, como «su lienzo débil», el poema tiene textura laxa, discursiva, prosaria, tempo lento, tono monótono, ritmo atenuado. Es un rodeo obstinado en torno de un centro o seno o agujero obscuro que el circunloquio metafórico busca aprehender sin asir, sin discernir. El poema explora o sonda un algo medular pero impenetrable, algo que se esconde en los antros del ser. A esa hondura óntica, infusa, sólo se llega a tientas y a ciegas, guiado apenas por la conciencia palpatoria, o por la profética o adivinatoria. Se llega aguas adentro, bogando a la deriva, deriva sonámbula:

> Trabajo sordamente, girando sobre mí mismo,
> como el cuervo sobre la muerte, el cuervo de luto.
> Pienso, aislado en lo extenso de las estaciones,
> central, rodeado de geografía silenciosa:
> una temperatura parcial cae del cielo,
> un extremo imperio de confusas unidades
> se reúne rodeándome.

(«Unidad»)

A mundo inconexo, a vida desasida, a realidad desintegrada corresponde un discurso deshilvanado, una concatenación floja, relaciones inciertas, asociaciones erráticas. Neruda se mueve en un ámbito difuso, marginal, de acontecer no encauzado, ajeno a lo social. Se mueve alrededor, en una cáscara de extensión fría y profunda, sujeto a una ambulación sin tregua y sin nombre. Enfrenta el esencial sin sentido, el gran galimatías, el absurdo desorganizador que todo lo opaca, confunde y anonada.

En ese tiempo estancado, improcedente, Neruda percibe sobre todo la merma, el deterioro, la caída. De ahí, esa visión menguante, de vida estrecha, de actos y funciones comunes, de grisura doméstica. Tres temas ponen de manifiesto este rebajamiento: la ciudad como contexto de lo que degrada y desvirtúa, la crudeza somática y las materias residuales. Marco de la pérdida y lo desvalido, la ciudad de *Residencia en la tierra* es la del ser gregario en medio de la multitud anónima, el reino reglamentario del paisaje fabricado y de la vida uniforme. Neruda registra la aridez, la separación, la fealdad y la clausura de este mundo populoso que impone una existencia alienada, cosificada por la imposibilidad de pactar psicológica y socialmente con esta impersonal concentración de coexistentes, con el orden mercantil y burocrático que la gobierna. «Walking Around» da cuenta de ese caballero solitario que deambula por el páramo urbano:

Yo paseo con calma, con ojos, con zapatos,
con furia, con olvido,
paso, cruzo oficinas y tiendas de ortopedia,
y patios donde hay ropas colgadas de un alambre:
calzoncillos, toallas y camisas que lloran
lentas lágrimas sucias.

Tiendas inhóspitas, oficinas sepulcrales, peluquerías malo-
lientes, hoteles sórdidos, habitáculos librados al abandono,
los lugares envilecidos alegorizan un absoluto desamparo,
infunden un frío de muerte. En esas madrigueras de la mala
vida, Neruda sitúa a la fauna infame que allí se guarece: tahúres, boxeadores, abogados, notarios. La ciudad tal como Neruda la representa es la de los poetas y pintores expresionis-
tas. Neruda puebla sus poemas de hombres ordinarios y de
mediocres destinos. La semejanza entre *Residencia en la
tierra* y *The Waste Land* de T. S. Eliot resalta e intriga. (No
sabemos si se trata de imitación o coincidencia.) Son iguales
en ambos poetas la visión prosaica del mundo ciudadano, de
sus pequeños seres que realizan actos rutinarios y se entregan
a satisfacciones vulgares, y la elocución prosaria que complementa y refuerza ese enfoque.

Neruda desciende en la escala humana de lo magnífico, de lo
deífico, de *Tentativa* hacia los antihéroes de *Residencia*, a seres
y actos sin prestigio, opera un rescate poético de la vida común, de la experiencia ordinaria, de lo pedestre y de lo grueso.
Con respecto al cuerpo, a sus órganos y funciones, Neruda,
como Vallejo en *Trilce*, amplía cruda y osadamente el decible
somático. El cuerpo adquiere su estatuto de concreta presencia
carnal, adquiere su vital preeminencia, como las piernas. Estos
cilindros de compacta musculatura masculina son «lo enteramente substancial, sin complicado contenido / sin sentidos o
tráqueas o intestinos o ganglios». Lo genital, lo seminal, lo
excrementicio aparecen crudamente mencionados, como en
«Caballero solo»: «[...] y los sacerdotes se masturban, / y los
animales fornican directamente, / y las abejas huelen a sangre, y las moscas zumban coléricas / y los primos juegan ex-

trañamente con sus primas». Los residentes en la tierra orinan, defecan, vomitan, se masturban, copulan, eyaculan, ingieren y expulsan como cuerpos carnales ligados por sus vísceras a las materias terrestres. Lo somático conecta con lo medular, con lo genésico, con el centro vivificador. Como en el budismo tántrico del pensamiento en blanco, el éxtasis orgásmico de «Agua sexual» se funde con el estro poético, es un reactor de ensoñación que instala al poeta en la matriz imaginante:

Veo el verano extenso y un estertor saliendo de un granero,
bodegas, cigarras,
poblaciones, estímulos,
habitaciones, niñas
durmiendo con las manos en el corazón,
soñando con bandidos, con incendios,
veo barcos,
veo árboles de médula
erizados como gatos rabiosos,
veo sangre, puñales y medias de mujer,
y pelos de hombre,
veo camas, veo corredores donde grita una virgen,
veo frazadas y órganos y hoteles.

Las materias desvencijadas, el descarte de lo inútil o fuera de función, Neruda convierte a los desechos de la ciudad en representantes de la subjetividad atribulada, marginada del circuito de la servidumbre social, incompatible con la integración represiva y oprimente. Las materias gastadas – «las cosas de cuero, de madera, de lana / envejecidas, desteñidas, uniformes» – o residuales revelan la misma falta de entidad que el sujeto que en ellas se reconoce, parecida pérdida de identidad, de filiación y pertenencia:

Estoy solo entre materias desvencijadas,
la lluvia cae sobre mí, y se me parece,
se me parece con su desvarío, solitaria en el mundo muerto,
rechazada al caer, y sin forma obstinada.

(«Débil del alba»)

Analogías con lo desvalido, lo ruinoso, lo perecedero, Neruda hace arte pobre o *trash art* (arte de desechos, como el de los ensamblajes dadaístas de Kurt Schwitters), porque en estos desperdicios está la marca del uso y del desuso que los humaniza. Neruda los convierte, como a la ropa usada, en iconos de la condición humana. Tales figuraciones de lo residual anulan la frontera entre material noble, específicamente artístico, y extraartístico. Cualquier substancia, cualquier objeto –escoba, camisa, colchón, anteojos, frasco, ropero– puede volverse conductor de la visión nerudiana, manifestante sentimental, vector de la imantación poética. Cualquier cosa puede ser ocupada por la subjetividad, volverse metonimia del yo lírico que se autoexpresa mediante esas arbitrarias convocatorias de lo dispar, mediante esos heterogéneos inventarios que son las enumeraciones caóticas:

> Zapatos bruscos, bestias, utensilios,
> olas de gallos duros derramándose,
> relojes trabajando como estómagos secos,
> ruedas desenrollándose en rieles abatidos,
> y *water-closets* blancos despertando
> con ojos de madera, como palomas tuertas,
> y sus gargantas anegadas
> suenan de pronto como cataratas.

(«Un día sobresale»)

La poesía ya no imita las apariencias sensibles, no acata el orden de lo real legible, libera los signos del yugo referencial, abre la escritura a lo aliterario, a la promiscuidad confusa de lo extratextual. Remodela lo real externo para revelar lo real interno. Acoge los agolpamientos, los excesos no codificables que desbaratan las disposiciones del entendimiento discursivo. Desbarajusta el arreglo del continuo consciente para reintroducir en el orden simbólico la móvil y simultánea pluralidad de lo real. Lo real nerudiano es materia extensible y deformable, deja libre la posibilidad de crear nuevos conjuntos. Realidad exterior e interior, interpenetradas, constituyen una misma mezcla incierta, dispar, cambiante. La realidad no es materia dada sino campo de fuerzas en pugna. Caduco e insuficiente el sistema simbólico del realismo, basado en un orden mensurable y formulable a partir de un órgano normativo de signos, Neruda opta por el abordaje imaginario, por la instalación intuitiva en pleno plexo de lo real en movimiento. Tras lo real de lo real, acumula –como la pintura moderna, no euclideana–, componentes dispares puestos en situación anómala, libra una información abigarrada, enrarecida, sujeta a relaciones aleatorias, perspectivas múltiples y marcos de referencia cambiantes. Libra un mensaje pleno de incongruencia enriquecedora donde no hay manera de domesticar el sentido, de contener el éxodo traslaticio, de sofrenar la expansión alegórico-simbólica. Neruda está siempre ligado a la experiencia material, directa, de la cual extrae materia prima para crear símbolos crudos, frescos, investidos poéticamente a partir no de la tradición sino de su propia aprehensión imaginante. Estos símbolos que no remiten al archivo literario, inauguran una simbólica nueva que ejercerá una prolongada influencia en los poetas sucesores.

Neruda crea visión inédita que proyecta sentido enigmático, pero opera, por asumido condicionamiento histórico, dentro del marco estético de su época. Las imágenes nerudianas se emparentan con la iconología del arte contemporáneo. Cuántas figuraciones de *Residencia* evocan cuadros de Giorgio de Chirico, de George Grosz, de Salvador Dalí o de Max Ernst. *Residencia en la tierra* se genera en una travesía intercontinental, a lo largo de un periplo transcultural y translingüístico. Se gesta en relación con realidades no localizadas, con experiencias de la vida moderna generalizadas, y se sitúa estéticamente con referencia a un estado internacional de la literatura. Porque presupone la noción de una literatura mundial, *Residencia en la tierra* no puede ser recuperada por vía vernácula ni puede ser comprendida a través de una lectura limitada a lo nacional.

Neruda dice la fealdad y el sin sentido de la existencia incompleta, oprimida por un mundo indeseable, da cuenta de una pugna mental, de un embate desarticulador para lo cual necesita desmantelar el sistema literario convencional. Neruda pone en práctica un arte de negación, un antiarte potente y sombrío. *Residencia en la tierra* participa en la fase vanguardista del rechazo. Representa un mundo neurálgico, da curso a las descargas de la subjetividad rebelde, insumisa al orden de la falsa conciliación, busca los afloramientos de la tiniebla interior. Es arte de la incertidumbre regido por una conciencia de la desazón; es arte indómito porque mantiene aún activa su poderosa y fascinante carga de obscuridad.

### POR UNA POESÍA COMPROMETIDA

Desde *Tercera residencia* (1947), Neruda evidencia su compromiso político y el consiguiente cambio de posición estética. En 1945 ingresa al Partido Comunista Chileno. Convertido a la causa del pueblo que reclama el pasaje de la soledad a la solidaridad combatiente, Neruda refrenda el culto a la palabra unánime al servicio de la inmensa mayoría. Con insistencia obstinada, en prosa y en verso, hace su autocrítica, su acto de contrición y enmienda, condena su desvío individualista y su malsano desvarío, a la vez que fundamenta su plena coincidencia con la línea oficial de su partido, su pasaje del ensimismamiento egótico a la conciencia colectiva.

Ya en marzo de 1939, en un discurso que tiene carácter de manifiesto, de llamamiento poético, define con perspicacia la poesía obscura del descendimiento a las entrañas de las materias madres, la poesía que a tientas ausculta lo insondable, lo íntimo abismal. Pero aquel que especializó su sensibilidad en romper el cerco del enigma, en captar los sones en sordina, las opacas señales del misterio cósmico, ya no puede, en pleno fragor de guerra, desoír el clamoroso reclamo de la historia: «Yo soy un poeta, el más ensimismado en la contemplación de la tierra; yo he querido romper con mi pequeña y desordenada poesía el cerco de misterio que rodea al cristal, a la madera y a la piedra, yo especialicé mi corazón para escuchar todos los sonidos que el universo desataba en la oceánica noche, en las silenciosas extensiones de la tierra y el aire, pero no puedo, un tambor ronco me llama, un latido de dolores humanos, un coro de sangre como nuevo y terrible movimiento de olas se levanta en el mundo, y caen en la tierra española por los laberintos de la historia los ojos de los niños que no nacieron para ser enterrados, sino para desafiar la luz del planeta; y no puedo, porque en China salta la sangre por los arrozales, porque caen los muros de Praga sobre un barro de infinitas lágrimas; porque las flores de los cerezos austríacos están manchadas por el terror humano; no puedo, no puedo conservar mi cátedra de silencioso examen de la vida y del mundo, tengo que salir a gritar por los caminos y así me estaré hasta el final de mi vida».

También en «Reunión bajo las nuevas banderas», en el modo metafórico y abstruso de *Residencia en la tierra*, retoma la misma confrontación entre la poesía raigal, la obscurecida que sonda el funesto secreto de la sal o del relámpago enterrado, y la que debe nacer del encuentro del ser gregario con la humana grey:

> Yo de los hombres tengo la misma mano herida,
> yo sostengo la misma copa roja
> e igual asombro enfurecido:
> un día
> palpitante de sueños
> humanos, un salvaje
> cereal ha llegado
> a mi devoradora noche
> para que junte mis pasos de lobo
> a los pasos del hombre.

El propósito de coincidir con la base, de mancomunarse con el proletariado en sus luchas sociales, sumado a la presión dolorosa de la guerra civil en 1937, en pleno combate del ejército del pueblo contra las fuerzas militares de la reacción –España roja contra España negra–, motivan «España en el corazón», compromiso entre lo lírico y lo épico, canto de denuncia, proclama de palabras partidarias que quieren ser armas, palabras como balas para intervenir en la batalla. Y en ese ciclo de homenaje a la España preclara, miliciana y progresista, aparece la primera y célebre referencia al cambio de actitud poética:

> Preguntaréis por qué su poesía
> no nos habla del sueño, de las hojas,
> de los grandes volcanes de su país natal?
>
> Venid a ver la sangre por las calles,
> venid a ver
> la sangre por las calles,
> venid a ver la sangre
> por las calles!
>
> («Explico algunas cosas»)

No sólo la sangre («Frente a vosotros he visto la sangre / de España levantarse / para ahogaros en una misma ola / de orgullo y de cuchillos»), es la España toda, generosa, vital, vehemente que infunde a Neruda este ímpetu, que provoca tamaña adhesión y el consiguiente cambio de piel poética. Merced a la España que lo acoge después de tanto exilio errante, tanto mundo ajeno, Neruda encuentra por fin su comunidad idiomática, cultural y artística. Entra en intercambio vivo con sus afines, tiene su baño vivificante de lengua madre. La intelectualidad republicana lo auspicia; Ortega y Gasset lo hace colaborar en *Revista de Occidente*; José Bergamín publica en *Cruz y Raya* la primera edición completa de *Residencia en la tierra* (también en *Cruz y Raya*, con prólogo de Bergamín, aparece la segunda edición de *Trilce*). Hace amistad fervorosa, de estima y estimulación recíprocas con los escritores jóvenes, sus semejantes, sobre todo con Federico García Lorca que viene a la estación del tren con un ramo de flores para recibirlo, con Rafael Alberti y Miguel Hernández, hermanos todos del alma. España ejerce un influjo profundo, muy duradero en Pablo Neruda. Dos décadas después, en *Las uvas y el viento* (1954), durante el tenebroso encierro de la era franquista, España, médula y baluarte, sostén y sustento, incorporada ya al tejido visceral del poeta, es una sed por ausencia, una necesidad substancial:

> España, España, corazón violeta,
> me has faltado del pecho, tú me faltas
> no como falta el sol en la cintura
> sino como la sal en la garganta,
> como el pan en los dientes, como el odio
> en la colmena negra, como el día,
> sobre los sobresaltos de la aurora,
> pero no es eso aún como el tejido
> del elemento visceral, profundo,
> párpado que no mira y que no cede,
> terreno mineral, rosa de hueso
> abierta en mi razón como un castillo.

(«Vuelve España»)

Es allí donde descubre la otra ligazón ancestral, la tenaz, la recia, la conversadora presencia del pueblo; es allí donde cobra conciencia de la dimensión social, donde encuentra una comunidad cultural y política en la que fraternalmente ingresa. En Madrid, habita Argüelles en la Casa de las Flores, se complace con el encanto de la calles animadas, los mercados rebozantes de manjares, de colores, olores y sabores, las viejas tiendas de artesanos, el gracejo y la chispa de las gentes, la camaradería jovial de sus amigos poetas, una excitante actualidad literaria en la que participa. En el Madrid crucial de la República Neruda tiene cita con la historia, descubre un panorama político pujante, una voluntad de progreso que combate en todos los frentes. En Madrid Neruda se politiza y embandera. Sobre todo con la deflagración de la guerra civil que todo polariza y extrema. El conflicto pronto se internacionaliza y Neruda entra con él en el escenario mundial. La guerra española, radicalizada por el ataque de la coalición nazifascista contra la república democrática y popular, determina decisivamente el destino poético y político de Pablo Neruda, provoca la primera amalgama poético-política.

El derrotero vital, ético y estético de Neruda está marcado
y encauzado por su adhesión a la España republicana y luego
por su incorporación al movimiento comunista internacional.
Las primeras evidencias de esta opción se encuentran clara y
crudamente dichas en la última parte de *Tercera residencia*,
como en este homenaje cantante, con ritmo de copla, a la
aguerrida resistencia de Stalingrado:

> Yo escribí sobre el tiempo y sobre el agua,
> describí el luto y su metal morado,
> yo escribí sobre el cielo y la manzana,
>     ahora escribo sobre Stalingrado.

> («Nuevo canto de amor a Stalingrado»)

La suerte de Europa y del mundo se cifra en el frente del Este
y por ende en esta batalla de Stalingrado. La victoria soviética
asesta un golpe fatal a los ejércitos del Eje. Neruda la celebra
y es en este «Nuevo canto de amor a Stalingrado» donde fatalmente va a tributar discreto homenaje al dirigente José Stalin:

> Tu Patria de martillos y laureles,
> la sangre sobre tu esplendor nevado,
> la mirada de Stalin a la nieve
>     tejida con tu sangre, Stalingrado.

Parece que no deja escapar ocasión para refrendar su cambio de estética, de lo crepuscular exangüe a la alborada vigo-
rosa, del amor encuadernado a la violenta espuma y al arado,
del papel cansado a la espiga roja. Ya está en este canto explícita y categórica la impronta ideológica. El poeta Pablo
Neruda ha tomado ostensible partido.

Madrid y Stalingrado, defendidas ambas por el Ejército
Rojo («Honor al combatiente de la bruma, / honor al comisario y al soldado»), una derrota y una victoria, son batallas
por una misma causa. El hilo de la historia revolucionaria
liga estas luchas en las que el poeta con sus medios específi-
cos interviene: Neruda se ha convertido en poeta militante.

Tiene ahora una patria nativa, su remoto territorio austral, y
una adoptiva, la Unión Soviética, patria universal del socialismo:

> En ti, otra vez, Unión,
> en ti, otra vez, hermana de los pueblos del mundo,
> Patria pura y soviética, vuelve a ti tu semilla
> grande como un follaje derramado en la tierra!

(«7 de noviembre. Oda a un día de victorias»)

En 1945 Neruda es elegido senador de la república e ingresa al Partido Comunista Chileno, cuya línea ideológica y
estratégica seguirá con estricta observancia. Adoptará fiel-
mente, sin disensión y sin desvío, como corresponde a un activista adicto, las posiciones del movimiento comunista internacional. En *Las uvas y el viento* muestra su subordinación a
las tesis y anatemas del bloque socialista prosoviético. Neruda ahora adoctrina. Es un poeta de tesis y adopta la poética
del realismo social. Es un poeta político y un político poeta,
cuya trayectoria lo llevará a ser consagrado candidato del
Partido Comunista Chileno a la presidencia de la república.

Las democracias populares forman bloque contra las democracias burguesas en un aguerrido y solapado enfrentamiento por la hegemonía mundial. Es la guerra fría la que va
a modelar la mentalidad, la concepción y la expresión poético-política de Pablo Neruda. En este frente socialista todo
debe ser compacto, férreo, taxativo; no se tolera duda ni des-
fallecimiento. Línea dura, el que se desvía o aparta es vilipen-
diado. La construcción del socialismo, monopolio de la Unión
Soviética, exige entrega total y acrítica. Pablo Neruda no sólo
es poeta partidario, también propagandista de la causa. Escribe poesía de tesis y de catequesis. Aspira a que su transformación sea radical, un salto del angustioso luto existencial al
optimismo constructivo, de la temporada en el infierno al paraíso colectivista, de lo egótico y psicótico al credo saludable.
La politización lo extrema, su poesía se balancea entre la apología y la diatriba. Neruda pasa de lo psicológico a lo socioló-
gico, de una poesía centrípeta a una centrífuga, del flujo libre

de la conciencia a la concientización, al maximalismo aleccionador.

Neruda se hermana con Rafael Alberti, Nazim Hikmet, Louis Aragon, con estos amigos personales a quienes ha consagrado poemas admirativos, escritores de talla y a la vez personalidades insignes dentro del movimiento comunista, tributarios del modelo creado por Vladimir Mayakovski («Que en Mayakovski vean cómo ascendió la estrella y cómo de sus rayos nacieron las espigas»). Todos ellos han sido consagrados y promovidos por la Unión Soviética y sus aliados. Neruda integra con orgullo esa hermandad poética que celebra la férrea unidad y el avance del socialismo revolucionario:

> URSS,
> China,
> Repúblicas
> populares,
> oh mundo
> socialista,
> mundo
> mío,
> produce,
> haz árboles, canales,
> arroz, acero,
> cereales, usinas,
> libros, locomotoras,
> tractores y ganados.
> [...]
>
> («Adelante»)

Aumentar la producción, superar a los países capitalistas, consolidar la construcción de bastiones socialistas, Neruda asume y propala todas las consignas de su partido, reitera la cartilla, la dice clara y crudamente; sin embarazo reivindica un realismo directo, literal, denotativo. Repite los estereotipos de su credo y hace la apología de los conductores, de Stalin y de Mao, contribuyendo así con su óbolo poético al culto de la personalidad:

Ser hombres! Es ésta
la ley staliniana!
Ser comunista es difícil.
Hay que aprender a serlo.
Ser hombres comunistas
es aún más difícil,
y hay que aprender de Stalin
su intensidad serena,
su claridad concreta,
su desprecio
al oropel vacío,
a la hueca abstracción editorial.
[...]

(«En su muerte»)

Neruda se proclama estaliniano («¡Stalinianos. Llevamos
este nombre con orgullo. / Stalinianos. Es ésta la jerarquía de
nuestro tiempo!») porque considera esta adhesión un ineludi-
ble imperativo histórico.

En la buscada convergencia revolucionaria entre vanguardia estética y vanguardia política, la vanguardia política exige encuadrar toda revuelta y subordinarla al combate colectivo, reclama un arte y una literatura serviciales, impone un
servicio obligatorio con escaso margen de expresión personal. Requiere una poesía para todo, positiva, saludable, edu-
cativa y sobre todo popular. Neruda hace suyos estos reclamos. En un poema dirigido a su amigo, el pintor Renato
Guttuso, hace el alegato más directo en favor del realismo socialista. Exige un arte y una literatura veraces, testimoniales,
al servicio de la clase trabajadora y comprometidos con la
victoriosa marcha de la revolución mundial:

[...]
Pintura color de manzana y de sangre para nuestros pueblos!
Pintura con los rostros y las manos que conocemos y que
no queremos olvidar! Y que surja el color de las reuniones,
el movimiento de las banderas, las víctimas de la policía.

Que sean alabadas y pintadas y escritas
las reuniones de obreros, el mediodía de la huelga,
el tesoro de los pescadores, la noche del fogonero,
los pasos de la victoria, la tempestad de China,
la respiración ilimitada de la Unión Soviética,
[...]

(«A Guttuso, de Italia»)

Neruda reitera sus denuestos contra los estetas puros, contra la poesía refinada, alambicada, contra la fantasía extraterrestre o esotérica, contra toda evasión delicuescente, contra la lascivia perversa y la negación angustiosa. A menudo se convierte en un censor pugnaz, despreciativo y hasta insultante de toda otra poética que la benigna y salubre del realismo social. Neruda en aras del materialismo dialéctico despacha diatribas contra el formalismo, el arte abstracto, el místico, el nihilista, el metafísico. Estas tendencias evidencian la decadencia del occidente capitalista. En los cafés del Berlín de la postguerra: «el arte abstracto y el conflicto del "alma" / son temas de las artes, salpicadas con sangre y sexo». Londres, lúgubre, está atestado de miserable mugre: «y bajo la basura / el poeta Eliot / con su viejo frac / leyendo a los gusanos». Sólo es tolerable y digno de encomio el *proletkult,* el arte al servicio de la revolución proletaria.

Ríos de poesía política ha escrito Neruda, respondiendo como militante fiel a cada llamamiento histórico. Atento a los deberes del poeta solidario, esta conspicua escritura del compromiso ha dado poemas poéticos y poemas panfletarios como su ocasional *Incitación al nixonicidio.* Incluso entre sus libros póstumos, no falta uno, *Elegía,* de carácter más bien político. Melancólica elegía moscovita, en ella atribuye los crímenes de Stalin a una puja en su alma entre Dios y el Demonio.

No es impropio pensar que Neruda, a partir de *Tercera residencia,* establece en lengua española un patrón retórico de la poesía comprometida o de protesta. Instaura y asienta el canon elocutivo de esta poesía de una explicitud a menudo aliteraria. Poesía que circunscribe sus recursos, poesía básica, utópicamente apunta a una legibilidad popular. Poesía evangelizadora, simplificada por los letrados para tornarla sensible y accesible a los iletrados, pretende difundir masivamente la palabra redentora.

Neruda, por voluntad y circunstancias personales, entra en la historia, entra como actor de ese drama colectivo, pero los deberes del poeta no coinciden con sus sueños. Mito e historia como propulsores del poema condicionan dos poéticas en conflicto. Provienen de dos visiones del mundo diferentes que promueven percepciones y expresiones dispares. Polos opuestos de atracción, entre ellos gira y se traslada la poesía de Pablo Neruda. Primigenia, de alborada, la poética mítica representa un mundo natural, arquetípico, mediante un lenguaje metafórico, subjetivo, oracular. La poética historicista presenta un mundo eventual, social, progresivo, mediante un lenguaje claro, denotativo, veraz.

Ambas poéticas se interceptan en esa gran encrucijada americana que es el *Canto general*. Subsiste en este vasto texto un substrato poético basamental que corresponde a la personalidad profunda de Neruda, a una temprana consubstanciación con la agreste naturaleza natal. Recreación transida, fabulosa transubstanciación, su movimiento preponderante es el descenso a obscuras hacia el centro germinal. La otra poética, prosélita, testimonial, activista, está regida por un proyecto ideológico y pedagógico. El propósito consiste en componer una crónica de América para exaltar sus grandezas y repudiar sus lacras, en reseñar su historia como enfrentamiento permanente entre opresores y libertadores, en reivindicar a los oprimidos, iluminarlos, coaligarlos e incitarlos a la definitiva conquista de su independencia. El *Canto general* se quiere instructivo y predictivo. Pero incluye poemas de espesa urdimbre, de intrincamiento metafórico, llenos de suntuosas imágenes que se imbrican, cuyo atractivo se cifra en una sugestiva y agitada indeterminación:

Germinaba la noche
en ciudades de cáscaras sagradas,
en sonoras maderas,
extensas hojas que cubrían
la piedra germinal, los nacimientos.
Útero verde, americana
sabana seminal, bodega espesa,
una rama nació como una isla,
una hoja fue forma de la espada,
una flor fue relámpago y medusa,
un racimo redondeó su resumen,
una raíz descendió a las tinieblas.

(«La lámpara en la tierra»: «Vegetaciones»)

Otros poemas son discursivos, se aproximan a la elocución prosaria, simplifican su lenguaje, lo tornan directo, verista, fáctico, referencial. No interfieren el mensaje con perturbaciones subjetivas o formales:

Cuando llegan de Nueva York
las avanzadas imperiales,
ingenieros, calculadores,
agrimensores, expertos,
y miden tierra conquistada,
estaño, petróleo, bananas,
nitrato, cobre, manganeso,
azúcar, hierro, caucho, tierra,
se adelanta un enano oscuro,
con una sonrisa amarilla,
y aconseja, con suavidad,
a los invasores recientes.

(«La arena traicionada»: «Los abogados del dólar»)

Tomamos muestras extremas, las dos puntas del espectro. Va del rapto alucinado al simplismo de lo factible, con variadas graduaciones entre la ensoñación cosmogónica y la constancia realista. Las dos poéticas priman en uno u otro canto, o dentro de cada canto en uno u otro poema. A veces alternan en un mismo poema. Otras veces, las menos, se amalgaman.

Aunque es uno de los pocos libros programáticos de Neruda y sin duda el más ambicioso, *Canto general* carece de articulación sistemática, de ordenamiento razonado, temático o cronológico, que disponga su variada materia en función de un despliegue concatenado. Es a la vez cosmogénesis, geografía, rito, crónica, biografía, alegato, arenga, alucinación, profecía, testamento. Responde a una estructura abierta, multiforme, politonal, proclive a las mezclas y a las superposiciones. De ahí la intermitencia y las intersecciones entre las dos poéticas que nunca se concilian completamente.

La dificultad de fusionarlas proviene de su oposición irreconciliable. La mítica postula un retroceso, una rememoración de lo perdido, una vuelta al origen; es una versión nostálgica, nos instala en un tiempo natural, cíclico, que gira sin progreso, el del eterno retorno donde todo es transferible, reversible, recuperable, donde nacimiento y muerte son intercambiables. La historicista nos coloca en un tiempo prospectivo, de continuo avance, vectorial, dirigido a un futuro donde se sitúa la plenitud; la edad de oro, el prometido bienestar, no está al principio sino al final, una vez consumada la revolución social. También Neruda cree que la historia es un motor que avanza, a través de una empedernida, esforzada superación de obstáculos, en pos de ese objetivo venturoso.

Una poética ensalza la vida natural, la intacta virtud del adamita armónicamente integrado al universo protector y nutricio; pondera la visión virginal, candorosa, totalizadora; menosprecia el saber abstracto, la cultura libresca, el desarrollo tecnológico, la moderna civilización urbana. La otra poética es voluntarista; celebra el trabajo humano que consigue dominar la naturaleza, el progreso industrioso, la comprensión científica del universo, auspicia la utopía racionalista. Por un lado, el discurso mítico-metafórico, librado a la energía metamórfica de una imaginación penetrante, que ansía concordar, mediante el ritual rapsódico, con las potencias cósmicas:

> Aquí estoy, aquí estoy,
> boca humana entregada al paso pálido
> de un detenido tiempo como copa o cadera,
> central presidio de agua sin salida,
> árbol de corporal flor derribada,
> únicamente sorda y brusca arena.
> Patria mía, terrestre y ciega como
> nacidos aguijones de la arena, para ti toda
> la fundación de mi alma, para ti los perpetuos
> párpados de mi sangre, para ti de regreso
> mi plato de amapolas.

(«Canto general de Chile»: «Zonas eriales»)

Por otro lado, el discurso político, prosario, unívoco, la retórica de lo directo para corresponder sin dilación ni ambages a las urgencias del presente. Poesía utilitaria, combativa, neutraliza el medio en función del transcendente mensaje. La palabra debe ser cristal que transparenta el sentido. La poesía se pone al servicio de objetivos externos. Su validez está en relación con la veracidad, con la gravitación de la realidad consignada:

> Yo por el mundo anduve largo,
> pero jamás por los caminos
> o las ciudades, nunca vi
> más maltratados a los hombres.
> Doce duermen en una pieza.
> Las habitaciones tienen
> techos de restos sin nombre:
> pedazos de hojalata, piedras,
> cartones, papeles mojados.
> Niños y perros, en el vapor
> húmedo de la estación fría,

se agrupan hasta darse el fuego
de la pobre vida que un día
serán otra vez hambre y tinieblas.

(«La arena traicionada»: «Grecia»)

El paso de una a otra poética es notorio en «Alturas de
Macchu Picchu», manifiesto e imprevisto. De pronto la visión nerudiana cambia de rumbo, pasa de la idealización del
mundo incaico a la conciencia de sus injustas diferencias de
clase. A partir del poema x, la versión ritual, dignataria, ma-
yestática se trastoca en historicista, realista, proletaria. De la
obra portentosa, desde la cúspide del santuario desciende a
la base sojuzgada, a los constructores esclavizados, de los dinastas aniquiladores a los siervos enterrados, olvidados:

Macchu Picchu, pusiste
piedra en la piedra, y en la base, harapos?
Carbón sobre carbón, y en el fondo la lágrima?
Fuego en el oro, y en él, temblando el rojo
goterón de la sangre?
Devuélveme el esclavo que enterraste!
Sacude de las tierras el pan duro
del miserable, muéstrame los vestidos
del siervo y su ventana.
[...]

Luego hay otra muerte iniciática, un descenso ritual del poeta al mundo de los muertos, a la noche de piedra, a las tinieblas infernales en busca de los postergados, un intento para
rescatar del sueño al servidor, al hermano subsumido. Pero
la muerte en el tiempo histórico es irreversible; los sometidos,
mutilados y exterminados son irrecuperables. Sólo queda el
recurso de asentar por escrito la verdad para que el poema la
perpetúe. Neruda no se contenta con el papel de memorialis-
ta que escribe la historia auténtica, pide a los sumisos que le
transfieran la cólera retenida hace siglos, que le infundan los
atributos de la raza mineral, aquella que no rompió el víncu-

lo con la tierra madre. Pero va más allá todavía: reclama la transubstanciación carnal, la transfusión sanguínea para que la sangre del poeta sea sangre de todos y su palabra, palabra de todos. El poeta no será sólo el que atestigua, será también acicate colérico que incite a la lucha.

En «Alturas de Macchu Picchu» hay un cambio de actitud poética pero no de registro. En esta representación verista, testimonial, emplea los mismos mitemas, idénticos parangones, simbolizaciones semejantes que los del rapsoda cósmico. En el poema décimo de «Las flores de Punitaqui», Neruda vuelve a hundirse, a naufragar. Recuerda la desoladora crisis de *Residencia en la tierra*, ese desmoronamiento del ser y del mundo que lo enajenó y le hizo tocar el fondo de sí mismo. Para representar esta visión abismal, reitera las figuraciones de la imaginación mitológica:

> [...]
> Viví un mundo de ciénaga marina
> en que la flor, de pronto, la azucena
> me devoraba en su temblor de espuma,
> y donde puse el pie resbaló mi alma
> hacia las dentaduras del abismo.
> [...]

Es la muerte del hombre gregario, es el cotidiano desgaste del aislado, es «una pequeña muerte de alas gruesas», la misma del poema III de «Alturas de Macchu Picchu», la corruptora, la mezquina muerte del hombre de ciudad. En los mineros de Punitaqui, Neruda reencuentra al hombre pleno, el de la luz intacta –aquel que conserva la integridad del comienzo–, a la raza metálica –la que combate «con la misma unidad de los metales»–, al pueblo trabajador que con su cohesión otorga dignidad y dirección a la vida:

> [...]
> Eran la dignidad que combatía
> lo que fue pisoteado, y despertaba
> como un sistema, el orden de las vidas

que tocaban la puerta y se sentaban
en la sala central con sus banderas.

(«Las flores de Punitaqui»: «El pueblo»)

El pueblo se convierte para Neruda en el fundamento significativo de toda poesía válida. Lo concibe como prolongación
de la naturaleza genésica, dotado de todas las virtudes de la
genitora; tiene los mismos atributos energéticos, la misma capacidad de creación y de transformación. Todo lo ontológicamente consistente mantiene su vínculo con la naturaleza,
hasta lo político. América indígena es tierra virgen dotada de
la plenitud edénica; sus naturales participan de la permanencia de los gérmenes. Los conquistadores son los profanadores
de la selva original; aportan religión y técnica ajenas, desnaturalizadas. Los libertadores son ramas del árbol del pueblo;
Bolívar es «metal inaccesible», Juárez es «materia de la profundidad», Martí es «almendra». Los opresores, los traidores
de América son reptiles, animales rastreros, mensajeros del
mundo de abajo. En las representaciones históricas del *Canto
general* sigue predominando el animismo mitológico. La crónica opera como catapulta de la energía metafórica que fabula su propio orden y que impide que leamos los poemas como
relación de hechos, como crónica o epopeya históricas.

En «Crónica de 1948» («La arena traicionada»: IV) y en el
cuarto poema del canto IX, «Que despierte el leñador», Neruda hace el balance desastroso de la situación mundial en la
inmediata postguerra, enumera los regímenes dictatoriales de
América Latina y da cuenta de sus asesinas represiones. Ante
tanta ignominia, no tolera una literatura autónoma, una poesía existencial o surrealista que se complazca en su monólogo
solipsista o en su evasivo ensueño, cortando el vínculo con la
realidad colectiva. Por su indiferencia ante el pueblo sojuzgado, los «poetas celestes» resultan cómplices de la oligarquía
explotadora. Están entre los traidores y no hay diatriba más
virulenta que ésta que Neruda espeta contra ellos en la segunda parte de «La arena traicionada»:

Qué hicisteis vosotros, gidistas
intelectualistas, rilkistas,
misterizantes, falsos brujos
existenciales, amapolas
surrealistas encendidas
en una tumba, europeizados
cadáveres de la moda,
pálidas lombrices del queso
capitalista, qué hicisteis
ante el reinado de la angustia,
frente a este oscuro ser humano,
a esta pateada compostura,
a esta cabeza sumergida
en el estiércol, a esta esencia
de ásperas vidas pisoteadas?

(«La arena traicionada»: «Los poetas celestes»)

La actividad literaria debe responder impostergablemente a los reclamos políticos, a las urgencias sociales. Las exigencias de la poética militante son rotundas, compulsivas. En busca de una claridad de nivel popular y de una poesía solidaria con el proletariado, Neruda se autocensura y autocercena. Fluctúa entre poéticas contradictorias, busca tentativamente el tipo de enunciación que condiga con sus predicamentos y pretensiones políticos. A veces sacrifica lo poético en aras de lo ético o más directamente, de lo ideológico. Escribe libros para los que no leen: «Escribo para el pueblo aunque no pueda / leer mi poesía con sus ojos rurales». Busca una poesía políticamente eficaz y no puede controlar a su imaginación que plaga los poemas de metáforas deslumbrantes.

El *Canto general* concluye con una autobiografía, con la exhibición de una singular individualidad poética, con la puesta en primer plano de la escena textual del autor del cosmorama, el demiurgo que hace confluir en su persona impregnaciones de los bosques australes, materias maternas, navegaciones y regresos por mares oceánicos y ríos subterráneos, huracana-

das intemperies, germinaciones minerales, labios y uvas terrestres, palpitaciones estelares, desordenada geología. El hilo de
los sueños natales se entreteje con la bondad combatiente, con
la fraternidad proletaria.


## EL PREDOMINIO DE LA PERSONA POÉTICA

La poesía de Pablo Neruda se centra y profiere a partir de un
sujeto concéntrico, autorreferente y autoexpresivo. Suele este
omnipresente locutor lírico acaparar las instancias de la elocución. Si no, siempre marca con su primera persona tanto el discurso como el mensaje poéticos. Sea cual fuere el motivo del
canto –océano, América, una huelga–, el locutor se hace presente, impone su mediación o su versión. Casi siempre, el yo
elocutivo se explicita y a menudo monopoliza el poema. Sorprende que *Canto general*, la crónica poética de América, ese libro total que comienza por el Génesis, por la alborada del mundo, antes de la aparición del hombre, y que pasa revista a la
historia del continente, termine con una sección privativa, «Yo
soy». Autorretrato, autobiografía y autojustificación (estética y
política), el autor se la autoatribuye. Neruda cierra el ciclo que
todo y a todos engloba imponiendo la gravitación de su persona y remitiendo la creatura a su creador. Nada ni nadie como
él ocupa en este cosmorama americano tanto espacio textual.

A partir de un pseudónimo legalizado luego como nombre
propio, Neruda crea esa persona lírica que públicamente lo
representa. Neruda configura su propia ficción existencial
como imagen verosímil del sujeto y de su vida en romántica
correspondencia. El papel preponderante del poema consiste
en la identificación del locutor. El poeta Pablo Neruda es casi
pura proyección figurada por la cuantiosa escritura dedicada
a plasmar y a nutrir su persona poética.

A partir de «Yo soy», primer intento directamente autobiográfico, Neruda cuenta y recuenta su vida. Repasa los hitos
que la pautan y vuelve a enhebrarlos en ciclos poéticos auto-
consagratorios donde asume con insistencia el papel de cronista de sí mismo. Se automodela, complacido en decirnos sus

circunstancias, sus experiencias y las consecuencias de lo vivido. La persona representada resulta de un perfilamiento literario que pone especial cuidado en elegir los rasgos y en disponerlos para que conformen la estampa y el carácter requeridos. El Neruda que conocemos a través de sus versos, de sus autorreflejos, es un personaje ideal producido por la palabra que lo modela y perpetúa. Neruda ha conseguido lo que se propuso porque de ella no podemos salir. Ella suplanta su ya inalcanzable identidad real, su ser en sí fuera de la letra, por la persona literaria; Neruda es su propio mito.

En *Memorial de Isla Negra* (1964) vuelve, en sucesión cronológica, a rememorar su biografía lírica. Comienza su historia personal a partir del momento en que fue dado a luz por Rosa Neftalí Basoalto Opazo, el mes de julio de 1904 en la remota población de Parral. Pasados apenas dos meses, ella muere dejando al niño sólo una fotografía donde, adusta, se la ve de pie con vestimenta obscura del color de sus ojos. Esta negrura corresponde quizá a la ausencia en Neftalí Ricardo Reyes Basoalto de rostro materno, del paisaje o las gentes de Parral. Neruda recuerda una visita a la tumba de su madre:

> [...]
> Y como nunca vi
> su cara
> la llamé entre los muertos, para verla,
> pero como los otros enterrados,
> no sabe, no oye, no contestó nada,
> y allí se quedó sola, sin su hijo,
> huraña y evasiva
> entre las sombras.
> [...]
>
> («Nacimiento»)

Dos años después, lo llevan a Temuco, el lugar del nacimiento pleno, del primer desarrollo de la percepción que marca y que duraderamente se inscribe en la memoria. Neruda descubre su prematuro mundo:

No sé cuándo llegamos a Temuco.
Fue impreciso nacer y fue tardío
nacer de veras, lento,
y palpar, conocer, odiar, amar,
todo esto tiene flor y tiene espinas.
Del pecho polvoriento de mi patria
me llevaron sin habla
hasta la lluvia de la Araucanía.
[...]

(«Primer viaje»)

De ese antaño data la impresionante experiencia de la tierra feraz y torrencial que se imprime en la imaginación infantil confundiendo la boscosa materia con la propia entraña.

*Memorial de Isla Negra* pasa revista evocativa a toda efeméride personal, todas las etapas del camino de vida, toda huella, señal o impronta que oriente, condicione y determine el curso de esta existencia. Tierra austral, niño perdido, supersticiones, libros, amigos locos, París, Rangún, fumaderos de opio, Monzón, revoluciones, periplos por Europa y Asia, relaciones. Toda la estela de lo biográfico se desenvuelve para revivir nostalgiosamente lo que sólo la escritura puede perpetuar. Lo recordado, redivivo, se despliega para recomponer la presumible vida de un poeta.

## EL ACICATE VITAL: AMORES

*Memorial de Isla Negra* retrata a un poeta que cumple sesenta años y que aviva la remembranza que lo pone en vena. Ante y sobre todo, las mujeres amadas que anclan con ahínco en el pasado más íntimo. Todas ellas han inspirado ya libros ya poemas, algunos de sobrecogedora intensidad. Desde temprano, Neruda se reconoce como poeta del amor (y de la soledad). Su poesía amatoria, escrita con predominante persistencia, halla, con cada época vital y cada poética, su tono y estilo. El amor, siempre razón de vida, siempre medular, metamorfosea sus sucesivos registros.

El primero («Oh amor / de la primera luz del alba»), con Terusa, la novia provinciana, muchacha primaveral, entre amapolas poseída, es un amor aromado que se liga a la plenitud paradisíaca del sur. Terusa inspira con Rosaura *Veinte poemas de amor y una canción desesperada*. El ardor por Rosaura cunde en Santiago hacia 1923, emplaza el predominio absoluto de la atracción sexual y procura un portentoso paroxismo de placer carnal. Este «amor de cuerpo a cuerpo» compulsa al frenesí erótico, a la disolución de los amantes, a la caída ardiente en la confusión del comienzo:

> [...]
> y nuestra misión
> era
> derramarnos,
> como si nos llenara demasiado
> un silencioso líquido,
> un pesado
> ácido
> devorante,
> una substancia
> que llenaba el perfil de tus caderas,
> la sutileza pura de tu boca.
> [...]

(*Memorial de Isla Negra*: «Amores: Rosaura (1)»)

Este arrebato orgásmico –la rosa física, el fuego palpitante, la compacta esencia de la vida– encandece en un medio ciudadano y hostil. «Amor atolondrado» contra la iniquidad, llamea en un mundo donde impera «la ley letal del hambre».

Con Rosaura Neruda procura saciar el apetito sexual en la mujer genérica, en el cuerpo femenino que se entrega a una posesión más que carnal, carnívora, como aquella birmana de Rangún, en 1927, encontrada en el puerto, cerca de los cascos herrumbrados de los grandes buques, anónima hembra que provoca el incendio visceral y que aplaca la urgencia del desterrado:

[...]
no buscaba abanicos,
ni dinero ni luna,
sino mujer, quería
mujer para mis manos y mi pecho,
mujer para mi amor, para mi lecho,
mujer plateada, negra, puta o pura,
carnívora, celeste, anaranjada,
[...]
la deseaba con olvido ardiente.

(*Memorial de Isla Negra*: «Rangoon 1927»)

Cada poema de *Memorial* es estela rememorativa y es parte del diario íntimo. La dominante lírica disputa su predominio al relato autobiográfico. Por un lado el henchimiento emocional y la deflagración efusiva y, entretejido con el pasmo, la intermitente ilación narrativa que concatena episodios de vida. El poema amoroso presenta un introito vocativo, luego un lugar como escenario, una puesta en situación que prepara la convocatoria de la amada. Ella motiva el momento epifánico.

Pero el pináculo del frenesí erótico se asocia con la furia amorosa de Josie Bliss. Ni el poeta ni sus extasiados lectores pueden olvidarla. Amores chilenos, provincianos o capitalinos, ellos generan vínculos umbilicales. Están ligados al lugar originario, a la naturaleza vernácula, a la tierra natal, asiento de la comunidad connacional coaligada por una lengua materna y garante de la identidad primera. Sucede lo contrario con una amante antípoda como Josie Bliss, encarnación de la gente ajena, del idioma extranjero y del otro mundo donde el arraigo resulta imposible. Es en la soledad del expatriado que irrumpe la felina y posesiva Josie Bliss, la furibunda sensualidad de Josie Bliss que se apodera del cónsul. Pero ninguna de las mujeres amadas e invocadas por Neruda motivan tan encarnizada y voluptuosa intensidad. La historia comienza en la primera *Residencia* con el quizá más mentado poema del libro, «Tango del viudo», escrito por Neruda después de abandonar sigilosamente a su amante birmana que enferma de celos se pasea de noche por la alcoba blandiendo un cuchillo. En *Confieso que he vivido*, el fugitivo explica ese desenlace de su relación con la pantera birmana tan propensa al paroxismo. Presume, «porque en su sangre crepitaba el volcán de la cólera», que Josie hubiera terminado por asesinarlo. Ese cuchillo que Neruda entierra antes de partir a Ceilán simboliza el sacrificio de la maligna confundida con trópico y fiebre, con perro rabioso, con instintivo desenfreno, con pasión sexual y pulsión de muerte, con la orina trémula que evoca la entrada al lascivo estertor:

[...]
Y por oírte orinar, en la oscuridad, en el fondo de la casa,
como vertiendo una miel delgada, trémula, argentina,
   obstinada,
cuántas veces entregaría este coro de sombras que poseo,
[...]

(*Residencia en la tierra*: «Tango del viudo»)

Josie Bliss reaparece en la espléndida «Oda con un lamento» de *Residencia 2*, en ese acuciante recuerdo venéreo, en esa «presión de palomas», queja de amor asociado a una pujanza destructiva, a infierno de aguas sulfurosas, el desordenado vértigo de los sueños de la carne. En medio de lo que se descompone, en un país lluvioso de paisajes cenicientos, Josie es la rosa sangrienta, la púrpura encendida, la única que puede devolver el ardor vital a la paloma muerta. Ella da título al poema que clausura *Residencia en la tierra*. Será por mucho tiempo, hasta el primero de los *Cien sonetos de amor* (1959) («[Matilde, nombre de planta o piedra o vino]»), la única amante con clara identidad designada. Otra vez, Josie está representada por la punzadura súbita y doliente, como fogosa desazón, como fulmínea espada que acomete rompiendo la monotonía de un tiempo átono que todo deslíe. Ella será de nuevo rememorada por el poeta otoñal en *Memorial de Isla Negra*, esa memoria y balance de su vida. Josie Bliss, tercera escala amorosa de Neruda, vuelve a enardecer su remembranza. La pasión desmedida distingue siempre a la furiosa de pies desnudos y beso duro que encarna definitivamente aquel colorido, caluroso, abigarrado oriente de mantos azafrán y turquesa, de dioses sangrientos, donde se gestó lo mejor de *Residencia*.

La cuarta escala amorosa es Delia del Carril, apodada la Hormiga, con quien se casa en Madrid en segundas nupcias. Delia se vincula siempre a la suave ternura y a la delicada firmeza. Así la evoca Neruda en «Yo soy», en el momento en que ella entra en su vida, en medio de la ira y de la muerte, en vísperas de la guerra civil:

> El firme amor, España, me diste con tus dones.
> Vino a mí la ternura que esperaba
> y me acompaña la que lleva el beso
> más profundo a mi boca.
> [...]
>
> (*Canto general*: «El amor»)

«Manzana matutina», «cascada de temblor silvestre», tales naturales atributos corresponden a Delia del Carril; simbolizan sus dones: la frescura que encanta y la dulzura que da refugio. En *Memorial de Isla Negra* a la hora del recuento, reaparece en dos poemas de la serie «Amores» como alguien que entra en la vida y la jalona. Ella es la luminosa compañera de corazón extenso, la que colma en su hombre las carencias, la que con él batalla a la par. Nada tiene esta evocación más bien angélica de deseo voluptuoso. El eros lúbrico o perverso está de ella excluido. Tres veces se la asimila a la miel. A Delia, la del dulzor impar, la diáfana, a la reemplazada porque el amor conyugal se extingue y renace atizado por Matilde Urrutia, Neruda reconoce una deuda de devoción.

Matilde Urrutia, la quinta y postrera escala de amor, es al comienzo «La pasajera de Capri», la amante chilena que acude a un furtivo encuentro con Neruda, exiliado en Italia, y que afoga de nuevo un amor ardiente, cargado con las substancias del terruño:

Sombra del continente más lejano
hay en tus ojos, luna abierta
en tu boca salvaje,
y tu rostro es el párpado de una fruta dormida.
El pezón satinado de una estrella es tu forma,
sangre y fuego de antiguas lanzas hay en tus labios.

(*Las uvas y el viento*: «La pasajera de Capri»)

Modelada con la argamasa primordial, hecha de mar y tierra, nacida como Venus de la espuma marina (venida del mar hacia Neruda, en Capri), que primero fue germen enterrado (fantasma apetitivo) y luego flor lujuriosa (cuerpo carnalmente gozado), la pasajera de Capri es también mujer inventada, ensoñación promovida por un anhelo edénico, prodigio del poema: «Yo te creé –confiesa Neruda–, yo te inventé en Italia».

A Matilde Urrutia, la mujer axial, en la que crepita «toda la tierra que me dio la vida», Neruda consagra dos libros: *Los versos del Capitán* (1952) y *Cien sonetos de amor* (1959). El primero sucede inmediatamente al *Canto general* y contrasta con esta cosmogonía americana, con esta enciclopedia lírica, con la historia natural y humana de todo un continente. Después de la empresa ciclópea, de la gesta secular y colectiva, para restablecer el equilibrio poético, Neruda se inspira en una íntima alternativa, en un acontecimiento estrictamente individual y privado; ofrenda un ciclo de poemas amorosos a la mujer que lo seguirá hasta su muerte.

Epistolario poético, *Los versos del Capitán*, libro que entrama el amor por Matilde con la pasión política y la nostalgia de Chile, fue en su primera edición napolitana de 1952 y en la bonaerense al año siguiente publicado sin nombre de autor. Neruda lo oculta para no herir a Delia del Carril, compañera ejemplar durante dieciocho años. Más que omitir su nombre, cambia de identidad y de historia. Se inventa una fábula con prosapia literaria, la del manuscrito encontrado, como el de Zaragoza. Rosario de la Cerda, una habanera, poseedora del original y destinataria de los versos de amor, los propone a un

editor a quien cuenta cómo nacieron. Neruda se disfraza de
capitán centroamericano que combatió en la guerra civil española y que, de regreso a su patria, irrumpe intempestivamente
en la vida de Rosario para poseerla en cuerpo y alma. Neruda
se sirve del poder fantasioso, inherente a la ficción literaria,
para figurar una historia ficticia con personajes imaginarios.
Rosario y su capitán obran de interpósitos que liberan al poema de la sujeción biográfica, de las restricciones realistas para
posibilitar el despliegue de una fabulación sin ataduras, el des-
pegue de un vuelo lírico sin lastres. Neruda desoye aquí los deberes del poeta –escribir lo memorable de la historia colectiva, hacer obra útil y esclarecedora, testimoniar acerca de los
olvidados, de los sojuzgados, servir la causa del proletariado
combatiente–, para entregarse al gozo, propiamente poético,
de concebir quimeras. En otras ocasiones se dejará tentar por
la potencia mítica, por el poder utópico que la poesía preserva. Vuelve con *La espada encendida* (1970) al tiempo cero de
un paraíso patagónico, a un reino de fin de mundo que el poeta enlaza legendariamente con la Ciudad de los Césares.

Pero la frutal Rosario es también la trigal Matilde. Neruda
hace en *Los versos del Capitán* crónica sentimental, consigna
coincidencias y disidencias en su relación de pareja que aprende a complementarse. Es Matilde resumen de patria, porque
encarna para el exiliado la tierra originaria:

> Y, amor, tu cuerpo no sólo es la rosa
> [...]
> No sólo es movimiento o quemadura,
> acto de sangre o pétalo de fuego,
> sino que para mí tú me has traído
> mi territorio, el barro de mi infancia,
> las olas de la avena,
> la piel redonda de la fruta oscura
> que arranqué de la selva,
> aroma de maderas y manzanas,
> color de agua escondida donde caen
> frutos secretos y profundas hojas.

(*Los versos del Capitán*: «Oda y germinaciones»)

Matilde Urrutia es el centro de atracción y de irradiación en *Cien sonetos de amor* (1959). En homenaje a ella Neruda retoma el canon clásico del soneto. Adopta la distribución estrófica de esta forma fija, pero en general libera los versos de su sujeción a la rima, por eso llama a estas composiciones «sonetos de madera», con finales opacos, en sordina para que no suenen –como los cuatro que abren *Crepusculario*– pomposamente a soneto ortodoxo, «como platería, cristal o cañonazo». Casas de catorce tablas para alojar la imagen de su amada, estos sonetos se contagian del arrebol barroco. En ellos retumban ecos de Quevedo y de Góngora, también del conde de Villamediana (que resucita en «El desenterrado» de *Residencia en la tierra*), a quienes Neruda paga deuda de admirativo émulo. Neruda trabaja el soneto al modo de Miguel Hernández, con la rítmica y la retórica quevedescas pero con osadía metafórica de cuño moderno:

Nocturna travesía, brasa negra del sueño
interceptando el hilo de las uvas terrestres
con la puntualidad de un tren descabellado
que sombra y piedras frías sin cesar arrastrara.

(Soneto LXXIX)

Los sonetos más bellos suelen ser los más desatinados. Neruda está obligado a establecer una transacción entre la disciplina de la forma y el desborde fantasioso, entre contención prosódica y la hiperbólica efusión amorosa.

Matilde, fijación absorbente, monopoliza esta apasionada centena. Greda obscura, pan que la luna elabora, reverbero de la espuma, racimo de segura substancia, encarna una plenitud amplificada a escala cósmica:

Plena mujer, manzana carnal, luna caliente,
espeso aroma de algas, lodo y luz machacados,
qué oscura claridad se abre entre tus columnas?
Qué antigua noche el hombre toca con sus sentidos?

(Soneto XII)

EL DILATADO DOMINIO DE LA ODA

Con la oda, poesía herramienta, utilitaria ferretería, poesía
para todos, Neruda sale de sí hacia el mundo. Asume poéticamente la vastedad y la diversidad de lo real. La oda aparece ya en la segunda *Residencia*, como sobrecogimiento lírico,
como gran arrebato, como dolo de amor. A diferencia de esta
«Oda con un lamento», con *Odas elementales* (1954) Neruda habilita el poema para abordar cualquier motivo exterior
a su persona, mínimo o máximo. Gozosamente se adiestra en
esta suerte de inventario que va añadiendo objetos o rubros
al registro. Neruda abre o cierra su ángulo focal para captar
mayor o menor amplitud de mundo, lo usual, lo circundante
o lo genérico, lo inmediato, lo mediato o lo magno. Con tal
intención exploradora, le gusta rescatar un antiguo modelo
retórico. No la oda pindárica sino la horaciana. Neruda dice
regodearse con la vida sencilla y depara una minuciosa atención a toda presencia y manifestación familiares, a todo aquello que participa de la experiencia común. Con aplicada
paciencia, con espíritu de coleccionista hace su voluminoso
(hay cuatro libros de odas) acopio de mundo.

Tal es su programa poético, asentarse con todo el peso de
su persona sobre lo consistente, asir lo que está más al alcance, partir de lo concreto, de lo sólito. Neruda aspira volverse poeta básico, fotógrafo de lo cotidiano y manifiesto,
diestro carpintero que ensambla el poema como una casa de
tablas. Aspirando a una completa legibilidad, ponerse al alcance de todos, la condición primera de esta poesía de las
cosas es –como lo especifica en su «Oda a la claridad» – la
transparencia del sentido. La otra condición de esta poesía
positiva, inspirada en un optimismo constructivo, consiste
en obrar con alegría y contagiarla. De nuevo, en las *Odas
elementales* reniega Neruda del ensimismamiento subjetivis-
ta para instalarse con entera y contagiosa satisfacción en la
superficie. Por eso como poeta caminante («Nosotros / los
poetas / caminantes / exploramos / el mundo»), reclama al
libro de poesía concreta consistencia:

[...]
otra vez
vuelve
a tener nieve o musgo
en tus páginas
para que las pisadas
o los ojos
vayan grabando
huellas:
de nuevo
descríbenos el mundo,
[...]

(*Odas elementales*: «Oda al libro (II)»)

Poesía de lavandería, panadería, tejeduría, metalurgia, manchada de carbón y coronada de aserrín, poesía al paso de los
hombres, poesía modesta y firme, simple y directa, con ella
Neruda aspira a expresarse como los «poetas naturales de la
tierra», como los poetas populares a quienes dedica una oda:

[...]
Numerosos
sois, como las raíces.
En el antiguo corazón
del pueblo
habéis nacido
y de ahí viene
vuestra voz sencilla.
[...]

(*Odas elementales*: «Oda a los poetas populares»)

Neruda reedita el mito del bardo vernáculo, del trovador
– «la voz que no requiere librerías» – o del payador arraiga-
dos en su mundo autóctono, depositarios de un canto ancestral que guarda intacto el hilo que une poesía y pueblo. Ne-

ruda hace suyo el mito romántico del *folkgesang*, de un arte comunitario de creación colectiva, y pretende instaurarlo como modelo poético prioritario. Esta poesía llana llama al pan pan y al vino vino. Neruda aspira a escribir poesía que huela a pan y que huela a mundo. Entregado al claro curso de la oda elemental, predica en favor de la salud y de la virtud, y emprende una ascesis verbal purificadora, costosamente conseguida. Su reconversión a la oda transparente y acogedora, que sea morada de todos, requiere reprimir pulsiones perversas, conjurar libidinosas tentaciones, expulsar de su alma al pánico demonio de la poesía obscura:

> Yo destroné la negra monarquía,
> la cabellera inútil de los sueños,
> pisé la cola
> del reptil mental,
> y dispuse las cosas
> —agua y fuego—
> de acuerdo con el hombre y con la tierra.

(*Nuevas odas elementales*: «La casa de las odas»)

Neruda pretende adoptar módulos y modulaciones populares pero escribe odas al modo neoclásico, respetando o parodiando con humor mimético los protocolos, es decir la etiqueta del género: la invocación lírica al comienzo, luego la declaración del propósito poético, las explicaciones al lector acerca del desarrollo temático, por fin la conclusión retórica que a menudo comporta una aleccionadora moraleja. Si horacianas parecen las odas de Neruda (con mucho del *Beatus ille*), un modelo más pujante opera en ellas: el del abuelo admirable, Walt Whitman, cuyos modernos ecos retumban en Neruda marcando la impronta evidente:

> A ti, fertilidad, entraña
> verde,
> madre materia, vegetal tesoro,
> fecundación, aumento,

yo canto,
yo, poeta,
yo, hierba,
raíz, grano, corola,
sílaba de la tierra,
yo agrego mis palabras a las hojas,
yo subo a las ramas y al cielo.
[...]

(*Odas elementales*: «Oda a la fertilidad de la tierra»)

Neruda emula la prosaica pujanza, el lirismo de lo local y familiar, el estilo enumerativo, la envolvente amplitud del demócrata Walt Whitman. Whitman –como también Rubén Darío y luego Gabriela Mistral– le enseña a ser americano («Tú / me enseñaste / a ser americano», dice Neruda en su «Oda a Walt Whitman»), le enseña cómo apropiarse poéticamente de lo originario, de lo nativo, a reconocer el patrimonio común entre el sur y el norte.

Hay otro modelo aún en las odas, visible y audible desde antes, desde *Residencia* y el *Canto general*, el de Luis de Góngora y Argote. El talento y la energía metafórica, la cornucopia rebosante de frutos voluptuosos del ingenio, la lujuriosa sobreabundancia, el hiperbólico esplendor de una verba esdrújula, el festín del paladar y la lengua, todo eso que es halago de un apetente al que nada sacia lo aprende Neruda de Góngora. La misma concupiscencia culinaria la encontramos en las odas, trátese del más raro y suculento congrio como de una modesta cebolla:

También recordaré cómo fecunda
tu influencia el amor de la ensalada
y parece que el cielo contribuye
dándote fina forma de granizo
a celebrar tu caridad picada
sobre los hemisferios de un tomate.
[...]

(*Odas elementales*: «Oda a la cebolla»)

Neruda domestica esta escritura reposada y regulable de la oda. Tanto y tan a sus anchas se establece en este módulo que va escribir cuatro copiosos volúmenes de odas: *Odas elementales, Nuevas odas elementales* (1956), *Tercer libro de odas* (1957) y *Navegaciones y regresos* (1959). En Neruda, la oda tiene la universal ductilidad de ilustrar cualquier motivo, cualquier objeto, acto, cualidad o circunstancia. Catálogo del mundo, los libros de odas hacen desfilar por orden alfabético la naturaleza magna y magnificente (la tierra), como la minúscula (el tomate). Es en estas motivaciones familiares, en los pequeños prodigios al alcance donde la agudeza de Neruda y su arte de ingenio conciben maravillas, como en la «Oda al gallo»:

> [...]
> tu rápido
> amor, rapto
> de sombras emplumadas,
> celebro,
> gallo
> [...]

La oda combina la alabanza transfiguradora con la descripción atenta, como conviene a un inventario de todo cuanto merece poética consideración: los Andes, los calcetines, la energía, el limón, los números, un camión colorado, el diccionario. Ya que Neruda aspira a una poesía de ferretería, poesía regida por la razón de uso, se aplica con especial solicitud y humor condescendiente a las cosas de la casa, a los serviciales utensilios como la cuchara que predice «un vapor oceánico de sopa», o las tijeras («un pez que nada en tempestuosos lienzos»). De estas odas de utilería, la obra maestra es la consagrada al amigo serrucho:

> Entre las nobles
> herramientas,
> el esbelto
> martillo,
> la hoz recién cortada de la luna,

el biselado, recio
formón, la generosa
pala,
eres, serrucho,
el pez, el pez
maligno,
el tiburón de aciaga dentadura.

(*Tercer libro de odas*: «Oda al serrucho»)

## EL DESDOBLAMIENTO HUMORÍSTICO

En medio de la asidua y afianzada composición de las odas, cuando se lo suponía muy instalado en una forma omnicomprensiva que a todo toca y todo canta, entre el *Tercer libro de odas* y el cuarto, *Navegaciones y regresos*, Neruda sorprende y divierte con su novedoso *Estravagario* (1958). ¿Se trata de extravagancia o de extravío? Ya el neologismo del título desconcierta; parece sugerir una colección de extravagancias; preanuncia un libre ejercicio de la fantasía que se complace en acomodar el mundo a su capricho. Aquí, como en la mejor tradición dadaísta, la imaginación sin ataduras hace alianza con el humor que desacraliza, desdobla, infla o desinfla, revierte. *Estravagario* está escrito en una especie de prosa profana (en el sentido en que Darío usa este calificativo genérico). En verso casi prosario, tiene aire de vieja trova o copla, se expresa en una lengua sin galas y sin musicalidad notoria, más llana aún que la de las odas. Otra vez opta Neruda por lo literal, por el sentido recto y directo para hacer otro inventario, no de las muchas cosas que pueblan el mundo, sino de la propia vida, algo así como una cómica crónica de la propia existencia, de la menuda y memorable, certera y dubitativa, clara y obscura existencia personal. Con irreverencia irónica, Neruda vuelve a hacerse cargo de la parte obscura del ser, de la invasora nada que lo acerca a la muerte. En *Estravagario*, con conspicuo humor negro, se da un baño de tumba, una lección de inexistencia:

Hay que darse un baño de tumba
y desde la tierra cerrada
mirar hacia arriba el orgullo.
[...]
Aprenderemos a morir.
A ser barro, a no tener ojos.
A ser apellido olvidado.

(*Estravagario*: «No tan alto»)

El «profesor de vida» de vez en cuando se vuelve «vago estudiante de la muerte». El patriarca de las odas, el salomónico maestro que hace ver, que dictamina acerca de lo conveniente, que además de loar lo benéfico y repudiar lo nocivo, profetiza, moraliza, catequiza, exhibe sus convicciones con segura certeza, aquí se vuelve objeto de irónico descrédito, pide conmiseración, se pone en ridículo. El temerario combatiente, el tribuno heroico ahora tiene miedo:

Tengo miedo de todo el mundo,
del agua fría, de la muerte.
[...]
voy a abrirme y voy a encerrarme
con mi más pérfido enemigo,
Pablo Neruda.

(*Estravagario*: «El miedo»)

En *Estravagario* Neruda juega a decir y desdecirse, juega a disminuirse, juega al juego existencial del ser y no ser. Reconoce de nuevo su lado sombrío, confiesa los dobleces de su ser disociado, su persistente conflicto íntimo. Admite su enredo en esa madeja de deseo y sueño que nunca lo deja salir de su propio envoltorio, el desvarío del solitario que hace preguntas al viento, la culpa que lo obliga a comparecer sin saber cuáles son los cargos:

Hasta luego, hablaremos antes.
O hablamos después, no recuerdo,
o tal vez no nos hemos visto,
no podemos comunicarnos.
Tengo estas costumbres de loco,
hablo, no hay nadie y no me escucho,
me pregunto y no me respondo.

(*Estravagario*: «Soliloquio en tinieblas»)

El humor relativiza, devuelve a la incierta labilidad de lo
real, a la desvelada manifestación del acontecer en su mera
manifestación, sin preconceptos, sin los decálogos del ordenamiento. El inseguro y puro existir sin fijezas, sin convicciones, sin ortodoxias. En *Estravagario*, toda la saludable doctrina de las *Odas* se fisura y desploma por la acción disolvente
del humor. Reacio a cualquier extrema entrega, enrolamiento, iglesia o sistema, el humorista está en disponibilidad, indeciso oscila entre opciones contradictorias. Y sobre todo, no
sabe: «No pregunto a nadie nada. / Pero sé cada día menos».
De nuevo, resurge el desvarío a obscuras de *Residencia en la
tierra*, la misma vicisitud ontológica, la misma deriva del no
saber quién se es, del ser que se niega, del existente en busca
de un huidizo sentido; pero aquí la zozobra existencial está
atenuada por la distancia humorística:

No me pregunten por aquello.
No sé de lo que están hablando.
No supe yo lo que pasó.

Los otros tampoco sabían
y así anduve de niebla en niebla
pensando que nada pasaba,
buscando frutas en las calles,
pensamientos en las praderas
y el resultado es el siguiente:
que todos tenían razón

y yo dormía mientras tanto.
[...]

(*Estravagario*: «No me pregunten»)

Neruda, socarrón y a menudo pícaro, se aproxima a la lengua más viva, al coloquial de la calle. «Pacáypallá», titula a uno de sus poemas. Los títulos traviesos, archiprosaicos dan cuenta inmediatamente de la tónica y el tono de *Estravagario*: «Laringe», «Por fin se fueron», «Dónde está la Guillermina?», «Contraciudad», «Tráiganlo pronto».

El humor desbarata las pretensiones del ego, toda efusiva comunión con mujer, cosmos o colectividad, toda beatitud, toda lírica ilimitud. El humor tira hacia abajo o tira en contra, arruina todo transporte transfigurador, desinfla la biografía magna, ejemplar, heroica, la devalúa:

[...]
Navegaban todas las cosas.
Me fui sin duda a titular
de caballero caminante,
me puse todos los sombreros,
conocí muchachas veloces,
comí arena, comí sardinas,
y me casé de cuando en cuando.

(*Estravagario*: «Aquellos días»)

Contraste irresoluto entre sueño liberador, evasión a lo fantástico, a una infinitud fabulada, soñar con ser caballo suelto y galopar sin confín hacia las cuatro puntas del viento y el despertar que lo devuelve al limitativo, pedestre y rutinario entorno de los hombres huecos en la ciudad baldía:

Volví de mis regiones,
regresé a no soñar
por las calles, a ser
este viajero gris
de las peluquerías,

este yo con zapatos,
con hambre, con anteojos,
que no sabe de dónde
volvió, que se ha perdido,
[...]

(Estravagario: «Escapatoria»)

Autobiografía escéptica o desilusionada, no el derrotero excepcional trazado por un protagonista que lo encamina según su
propio designio, no un dueño de su vida sino la errancia dubitativa, la azarosa sucesión de actos cuyo motivo se ignora, la sin-
razón, el andariego desorientado, acosado por la insignificancia:

Por qué me casé en Batavia?

Fui caballero sin castillo,
improcedente pasajero,
persona sin ropa y sin oro,
idiota puro y errante.

(Estravagario: «Itinerarios»)

Como corresponde al torpe ignaro que se rebaja, al defi-
ciente antihéroe que ya no puede idealizar, el decir de *Estravagario* es escueto y descarnado, sentencioso pero ambiguo.
Nada aquí se alitera o alucina, todo tiene tonalidad de vieja
copla, de conseja en casi prosa de Juan Ruiz o del payador de
la pampa. Lengua que pisa firme en tierra, tierrafirmista
como la de Nicanor Parra que en la misma época desecaba
sus antipoemas. Poesía flaca sin exornos que tuerce el cuello
al águila, poesía del común, del hombre vulnerable sometido
a todos los contratiempos y carencias del existir verdadero.

## LAS ALTERNATIVAS DEL POETA

Neruda es exclusivamente poeta. Neruda es funcional y me-
dularmente poeta. Todo lo que presume, palpita, piensa, todo

lo que experimenta, todo lo que le sucede, todo lo que percibe, siente, imagina lo transfigura en poesía. Su prosa, desde
*El habitante y su esperanza*. *Novela* hasta *Confieso que he vivido*, pasando por *Anillos*, *Residencia en la tierra*, *Viajes* y
*Una casa en la arena*, es por el modo de enunciación, por el
imperio de la imagen, por lo melódico y figurado de su lengua, prosa poética. Ya en 1926 en el prólogo a *El habitante
y su esperanza*, Neruda declara su escaso interés por el relato,
por la puesta en acción y en intriga de una historia, aclara
que sus textos nacen de una relación sensible, de intimar sen-
timentalmente con algo o alguien. Tampoco Neruda discurre,
razona, conceptúa. No puede o no quiere sino poetizar. Por
eso en él se hace carne la expresión translaticia, por metáfora
metida hasta el tuétano. La poesía se confunde con su voz, su
respiración y su pulso. Su modo de existir, de estar en el mundo son modelados por el ser y el decir poéticos, tanto que no
hay casi distancia o distingo entre vida y poesía. Así lo quiso
y así lo hizo. En su poesía entran y se visten, se invisten de
verso no sólo los máximos estímulos –amor carnal, geografía
patria, la causa del pueblo– también ingresan el traje de diario, el niño de la liebre, la pereza, el olor de la leña, la cuchara.

En la etapa romántica («Yo tengo un concepto dramático
de la vida y romántico» –acota en el prólogo del *Hondero*),
la de *Tentativa* o de las *Residencias*, necesita del frenesí rapsódico, del estro alucinado para escribir sus elegíacos lamentos. Pero a partir del *Canto general*, empieza a programar su
quehacer poético; establece con la escritura una relación más
laboriosa y constructiva. Eso que antes era una acción de po-
seso que opera fundiendo mensaje y discurso en un solo impulso creativo, ahora es un proceso a partir de un acto elec-
tivo que separa materia y forma. Optar por un tema requiere
una ejecución literaria de carácter más técnico y de elaboración más reflexiva. El rapsoda se transforma en fotógrafo o
carpintero. Neruda convierte a la oda en un módulo malea-
ble que puede adaptar a cualquier motivo. La adopta para
emprender calmamente la colonización poética del mundo,
la convierte en receptáculo universal. No es extraño que después de la amable y atinada oda (que Neruda cultiva con un

dejo paródico, con un doblez irónico), emprenda la empresa de medir su ingenio con un centenar de sonetos. Vuelve al soneto como necesitado del desafío retórico de una forma fija para probar su pericia prosódica y porque ahora no avanza, no innova, recupera, recobra el gusto por un preciso y simétrico mecanismo de relojería, por la composición normativa.

A partir de las odas, Neruda dispone a su guisa de poéticas y elocuciones alternativas. En su ininterrumpida producción, en su cotidiana sesión de escritura, aplica una u otra, planifica o alucina según convenga al poema, según parta de una impulsión transida (el amor y la geografía nativa suelen provocar el pasmo rapsódico) o de una adopción temática que comporta un proceso artesanal de composición. Neruda parece no conocer períodos de esterilidad. Produce poesía sin parar. No conoce cese hasta que la muerte inmoviliza su pluma.

SAÚL YURKIEVICH
*París, febrero de 1999*

PRÓLOGO

# Neruda: el comienzo y la cima

De pocos escritores se puede decir que la historia de la literatura no sería la misma sin su obra. Tal es el caso de Pablo Neruda (1904-1973), premio Nobel de 1971 y el poeta hispánico más célebre de este siglo. De esa obra se podría decir lo que T. S. Eliot comentara cierta vez sobre la grandeza de un poeta, que se basaba, según él, en tres cualidades: abundancia, excelencia y variedad. Si nos dispusiéramos a contar la bibliografía total de Neruda encontraríamos que incluye 47 libros, de los cuales 35 (dos terceras partes) son colecciones de poemas, cifra que no refleja, por cierto, la enorme cantidad de prosa y poesía dispersa que se recoge, por primera vez en su totalidad, en la presente edición. Descontando conocidas excepciones, la obra de Neruda mantiene una alta calidad lírica que ha influido en no pocos poetas en el mundo, y hasta en la manera en que se percibe la figura del poeta y la función de la poesía en nuestra actualidad. No es menor ni menos importante la variedad de su obra: durante los más de cincuenta años que le dedicó a la literatura su estilo e ideología pasaron por tantas etapas que él mismo llegó a decir que había vivido varias vidas. «Las vidas del poeta» fue, en efecto, el título que le dio a la primera versión de sus memorias.

Neftalí Ricardo Reyes Basoalto (*Pablo Neruda* es el pseudónimo que en 1947 asumió como nombre y apellido legal) nació en Parral, un villorrio del sur de Chile el 12 de julio de 1904. Huérfano de madre, algunos años después su familia se muda a Temuco, pueblo que, si bien mayor que Parral, no era menos perdido que aquél en ese vasto y húmedo sur chileno. A muy temprana edad empezó a escribir poemas escondido del padre, hombre inculto y hostil a la poesía. Pero en el cultivo de esa temprana vocación sí llegó a contar con el aliento personal de la poeta Gabriela Mistral, entonces directora del liceo de la escuela a la que el niño asistía. No menos influyente fue el idílico ambiente rural en el que se crió. «La naturaleza allí me daba una especie de embriaguez», recordó en «Infancia y poesía» (1954), una de las más célebres y conmovedoras conferencias del poeta. «Yo tendría unos diez años, pero ya era poeta. No escribía versos, pero me atraían los pájaros, los escarabajos, los huevos de perdiz.»

Nuestro recuento se limita a los diez primeros libros del poeta –de *Crepusculario* (1923) a *Las uvas y el viento* (1954)–, trayectoria de poco más de tres décadas, entre los 19 y 50 años de edad, que bien podría denominarse el comienzo y la cima en su obra. A su vez, esos 31 años y diez libros se podrían dividir en tres etapas. Una primera, de 1923 hasta 1933, es decir, el año previo al comienzo del ciclo de lo que comúnmente se ha llamado las tres *Residencias*; luego una segunda entre 1933 y 1947, que contiene esos tres libros propiamente; y por último el período «post-residenciario», para llamarlo de alguna manera, que abarca los años entre 1947 y 1954 e incluye *Canto general* y *Las uvas y el viento*. Es justo utilizar las tres *Residencias* como deslinde de esta primera etapa en la obra de Neruda. Representan lo mejor de la obra del poeta, su influencia es perdurable, y en su momento marcaron un hito en la historia de la literatura hispánica.

Sólo en 1921, a los 17 años, el joven Reyes Basoalto se traslada a Santiago de Chile para cursar la carrera de profesor de Francés en el Instituto Pedagógico. Pero dos años antes ya había ganado su primer premio poético en unos Juegos Florales de la ciudad de Maule; y el año anterior había publicado sus primeros poemas con el pseudónimo que le haría famoso. En cuanto llega a la capital, el joven se empieza a codear con la bohemia literaria santiaguina, y en otro concurso, que patrocina la Federación de Estudiantes de Chile, logra el primer premio con el poema «La canción de la fiesta».

El ambiente bohemio, que el Neruda maduro cuenta con lujo de detalles en *Confieso que he vivido*, sus memorias póstumas, es el que lo lleva a publicar, a los dos años de su llegada a Santiago, su primer libro, *Crepusculario*. En él reúne los poemas que había escrito entre 1920 y 1923 divididos en cinco secciones: «Helios y las canciones», «Farewell y los sollozos», «Los crepúsculos de Maruri», «Ventana al camino» y «Pelleas y Melisanda». En todos se percibe ya el verso doliente y la melancolía que caracterizará el típico tono nerudiano. Si los poemas que recogen las primeras secciones estructuran una suerte de crónica de sus días y sus noches en la capital –incluida la narración de crepúsculos en la calle Maruri de Santiago, donde el joven vivió– el libro todo terminará con una nueva versión de Romeo y Julieta: la historia de Pelleas y Melisanda. Ya Maeterlinck, ese olvidado poeta simbolista, había inmortalizado a esos héroes míticos, y de él (o de Debussy, quien también inmortalizó a la pareja con su música sobre el mismo tema) el joven Neruda retoma la historia para imprimirle un tono muy suyo:

> A la sombra de los laureles
> Melisanda se está muriendo.
>
> Por ella el sol en el castillo
> se apagará como un enfermo.
>
> Por ella morirá Pelleas
> cuando la lleven al entierro.
>
> Por ella vagará de noche,
> moribundo por los senderos.

Después de ese comienzo, en el que es evidente el homenaje del joven a la tradición modernista, Neruda se lanza a la conquista de su ambiciosa visión personal. «Quise ser un poeta que abarcara en su obra una unidad mayor. Quise ser, a mi manera, un poeta cíclico que pasara de la emoción o de la visión de un momento a una unidad más amplia», llegó a decir, en 1964, en una reveladora conferencia. El resultado fue la redacción de un extenso poema, *El hondero entusiasta*, que escribe inmediatamente después de *Crepusculario* pero que no llega a publicar sino diez años después. La razón por la cual el libro se censura en este momento es un trauma de influencia: la obra del poeta uruguayo Carlos Sabat Ercasty, a quien el joven admira hasta el delirio. «En este poeta vi yo realizada mi ambición de una poesía que englobara no sólo al hombre, sino a la naturaleza, a las fuerzas escondidas, una poesía epopéyica que se enfrentara con el gran misterio del universo y también con las posibilidades del hombre.» En efecto: el joven Neruda escribe el poema, se lo envía a Sabat Ercasty, quien entonces vivía en Montevideo, pidiéndole su opinión, y el poeta uruguayo se lo devuelve con el escueto comentario de que sí, desde luego, podía percibir sus propios ecos. El efecto que tuvo en el joven poeta chileno, que entonces sólo contaba dieciocho años, fue devastador. Cuando en 1933 por fin Neruda decide publicar *El hondero entusiasta*, saldrá consignado con las fechas de «1923-1924». En su «Advertencia» el autor confesará esa influencia, admitirá su autocensura, y lo llamará, a lo sumo, un «documento, válido para aquellos que se interesan en mi poesía».

De no aclararse esta génesis de *El hondero entusiasta*, podríamos confundir la temprana trayectoria del joven Neruda, pues el poema fallido (él mismo lo llama un «fracaso» en su conferencia de 1964) es en realidad anterior a los *Veinte poemas de amor y una canción desesperada* (1924) y *Tentativa del hombre infinito* (1926), con el que la primera etapa de su inicio poético verdaderamente termina. Lo que con los años Neruda llamará «poesía cíclica» en este momento será apenas la huella de su ambición poética. Desde el punto de vista estrictamente formal, se trata del deseo de escribir un solo poema extenso y unitario; temáticamente, de un texto que abarque una variedad de tópicos, desde el erótico personal hasta el metafísico y cósmico. Más adelante veremos cómo esas dos ideas se traducen, a su vez, al proyecto de una poesía enciclopédica. Por lo pronto, importa señalar que, según el propio Neruda, fue este «fracaso» lo que le condujo a cambiar de estrategia o retórica –«reduje estilísticamente, de una manera deliberada, mi expresión», dijo en 1964– y a escribir los *Veinte poemas de amor*.

Lo que formalmente había sido la ambición de crear un solo poema extenso se transforma ahora en la pluralidad de 21 textos; y lo que antes fuera una pluralidad temática, se reduce a uno solo: el deseo erótico. *Veinte poemas* fue, en efecto, el libro que propulsó a Neruda a la fama, y es quizá el libro de poemas que, hasta hoy, más ejemplares ha vendido en el mundo hispánico. Algunos de sus versos, como el célebre «Puedo escribir los versos más tristes esta noche», han llegado a convertirse en lugares comunes de la poesía amorosa. Varias generaciones de amantes lo han hecho su libro de cabecera, y su lenguaje marcó un nuevo rumbo en la manera de nombrar el deseo. En 1975 se publicaron algunas cartas del joven Neruda a Albertina Rosa Azócar Soto, hermana de uno de sus compañeros de bohemia, que revelan el trasfondo biográfico de los poemas. (Sólo se conocen las cartas de Neruda a Albertina, por cierto; las de ella nunca se encontraron.) Pero no es preciso conocer esos detalles íntimos para darse cuenta de la estrategia del libro. Como las *Rimas* de Bécquer, o tantos otros libros de poemas de amor, se trata de un diario, del deseo –desde el primer encuentro esperanzado («Mi sed, mi ansia sin límite, mi camino indeciso»), pasando por la ardida experiencia corporal («He ido marcando con cruces de fuego el atlas blanco de tu cuerpo»), hasta la ruptura dolorosa («Es la hora de partir. Oh abandonado!»). El primer poema comienza, en efecto, invocando el cuerpo de una sola mujer:

> Cuerpo de mujer, blancas colinas, muslos blancos,
> te pareces al mundo en tu actitud de entrega.
> Mi cuerpo de labriego salvaje te socava
> y hace saltar el hijo del fondo de la tierra.

Pero a medida que adelantamos en nuestra lectura vamos descubriendo que en realidad se trata de un contrapunto entre dos mujeres, las que, por otra parte, el propio Neruda en sus *Memorias*, identificó. Ahí las llama, de manera francamente críptica, «Marisol» y «Marisombra»: la una, amante del sur chileno a la que se asocian todas las imágenes marinas; la otra, de la ciudad, vinculada a las tardes grises y a la boina del mismo color. (En *Memorial de Isla Negra*, de 1964, las bautiza con otras cifras: Terusa y Rosaura.) De esta ma-

nera, y según la cuenta que el propio Neruda dio en una conferencia de 1954, a «Marisombra» (o Terusa), idilio santia-
guino, están dedicados los poemas 1, 2, 5, 7, 11, 13, 14, 15, 17
y 18; a «Marisol», musa de Temuco, los otros diez. En cambio, «La canción desesperada» parece dirigirse a ambas, o
quizá a ninguna de las dos: se trata de un canto desolado a secas. Emir Rodríguez Monegal, biógrafo de Neruda, observó,
en cambio, que no siempre se mantiene la distinción entre los
dos personajes, y que en el poema 6, por ejemplo, que según
el poeta pertenece al ciclo de «Marisol», se menciona la «boina gris»… Lo cierto es que el libro se lee como si estuviese dedicado a una sola mujer, ya que lo que determina su tono lo
configura no tanto el objeto de la voz lírica como su tema: el
deseo, y su trasfondo emocional, es decir, el dolor, el recuerdo, la melancolía. No en balde algunos críticos han visto en
versos del poema 17 una suerte de «arte poética» del libro
todo, donde dice que apenas va «Pensando, enredando sombras en profunda soledad / [... ] / pensando, soltando pájaros,
desvaneciendo imágenes /, enterrando lámparas».

El hecho de que Neruda haya seguido, en 1926, el relativo
éxito de los *Veinte poemas* no con otro libro de poemas de
amor sino con un poema extenso como *Tentativa del hombre
infinito*, demuestra hasta qué punto el antiguo proyecto de
elaborar un «poema cíclico» seguía vigente en su obra. En
efecto, *Tentativa del hombre infinito* es, hasta cierto punto, el
poema cíclico que en *El hondero entusiasta* se malogró. En
ambos casos se trata de una *suite* visionaria. Pero si en aquel
texto fallido el joven poeta llevaba su deseo erótico a flor de
piel y citaba (sin saberlo) a su admirado maestro uruguayo,
tres años después su segunda «tentativa» aparece mucho más
sabia. En su conferencia de 1964 Neruda lo llamó, con razón,
«uno de los verdaderos núcleos de mi poesía», y apunta ahí
que el libro todo «procede, como casi toda mi poesía, de la
obscuridad del ser que va paso a paso encontrando obstáculos
para elaborar con ellos su camino». En efecto, se trata de un
poema en la tradición del viaje visionario, que casi siempre es
un nocturno, que en la poesía moderna inaugura «El barco
ebrio» de Rimbaud y que se repetirá muchas veces después,

desde Mallarmé hasta los surrealistas. El poema de Neruda tiene, de hecho, evidentes ecos del surrealismo, como aclaran sus múltiples imágenes oníricas y su desarrollo aparentemente ilógico. Pero renueva la tradición con un importante cambio: tanto el viaje como el objetivo es la noche misma, y ésta, a su vez, se confunde con la amada. El que habla en el poema, también, es doble: es, simultáneamente, un yo y otro sobre quien se habla. Si Rimbaud había dicho medio siglo antes, en una de sus célebres cartas, que «Yo es otro», y por tanto daba la clave de toda poética visionaria, en *Tentativa del hombre infinito* se cumple cabalmente esta preceptiva. Se trata, por tanto, como el propio Neruda dijo en 1964, de «un desarrollo en la obscuridad, un aproximarse a las cosas con enorme dificultad para definirlas».

*Tentativa del hombre infinito* constituye, pues, uno de los «verdaderos núcleos» de la poesía de Neruda, pero no ha de ser tanto por la innovación formal del poema extenso como por el hallazgo de una voz o estilo propio. Al tono melancólico que constituyó los *Veinte poemas de amor* se añade ahora otra nota, importante y decisiva: la que el propio poeta llama «el desarrollo en la obscuridad», la búsqueda intuitiva, semántica y metafísica, que en sus mejores momentos, como en los poemas de *Residencia en la tierra*, encontrará su mejor (pero también más angustiosa) expresión.

Ya para 1925 Neruda había publicado algunos poemas que irán en la primera entrega de ese ciclo, pero paralelamente el poeta está escribiendo otros textos que exploran la misma veta en otra clave. Me refiero al relato *El habitante y su esperanza* y los poemas en prosa de *Anillos*. No encontraremos en este relato –que bien puede haberse basado en algunas experiencias eróticas autobiográficas, o al menos reales– un desarrollo realista. Se trata, más bien, de una serie de recuentos líricos, ambientado en el campo chileno, cuya clave es el triángulo amoroso y su desenlace fatal. (Como en el cuento «La intrusa», de Borges, los dos hombres descubren que la mujer que comparten en realidad estorba a su relación.) De igual manera, las prosas de *Anillos* –libro que el poeta escribe a dos manos con su amigo de juventud, Tomás Lago– se regodea en la descripción de momentos, lugares o personajes insólitos sin pretensión de agotarlos. La importancia de esos verdaderos poemas en prosa es cómo van apuntando a una actitud del poeta en tanto testigo visionario y angustioso, como por ejemplo ocurre en ese maravilloso pasaje de «Soledad de los pueblos»: «El gran dolor, la pesadumbre de las cosas, gravita conforme voy andando. La soledad es grande en torno a mí, las luces comienzan a trepar a las ventanas y los trenes lloran, lejos antes de entrar a los campos». Estamos, a no dudarlo, en la antesala de las *Residencias*, cuyos poemas ya Neruda venía escribiendo por esos mismos años.

Neruda vive en Oriente, como cónsul chileno, entre 1927 y 1931: dos años en Colombo, Ceilán; uno en Rangún, Birmania, otro en Batavia, Indonesia; y uno más en Singapur. En ninguno de los cuatro puertos se sintió completamente a gusto, a pesar de que en Batavia contrajo matrimonio –la primera de tres veces que lo hizo– con María Antonieta Hagenaar, una burguesa de extracción holandesa. En su obra tampoco hicieron mella –al contrario de lo que, años después, le ocurriría a Octavio Paz– ni la religión ni la literatura oriental a las que vivió expuesto durante esos años. En cambio, sin la soledad y alienación que padeció en estos remotos lugares –a los que viajó voluntariamente, en una suerte de ruptura con su ambiente chileno, lejos de su cultura y, sobre todo, lejos de su idioma– su obra, y en concreto los poemas de *Residencia en la tierra*, resultarían sencillamente inconcebibles. Todo ello lo reflejan sus imágenes chocantes, con su característica síntesis de caos, destrucción y lucidez que los acercan tanto a la estética surrealista.

Ya el título del libro lo dice casi todo: una «residencia en la tierra» puede serlo únicamente para alguien que *no* está en la tierra: alguien que se siente ajeno, o al menos enajenado. El poeta es por tanto un huésped, un recién llegado. Su «residencia» le ofrece la oportunidad de descubrir o volver a conocer su entorno. Si la situación del poeta que está implícita en el título define el carácter visionario del libro todo, a su vez, la sucesión de varias «residencias» –cada una de las cuales aparece consignada con fechas, por cierto– nos dice otra cosa acerca del tema último del libro o del ciclo: el tiempo. En efecto, se trata una vez más de un diario poético. Sólo que, a diferencia del diario exclusivamente erótico de los *Veinte poemas*, ahora el tema (o los temas) son mucho más amplios y abarcan la dimensión metafísica, al menos en los dos primeros libros. Rodríguez Monegal llamó al ciclo entero, con razón, el diario de «una temporada en el infierno». A su vez, *Tercera residencia*, que comienza con poemas análogos en estilo a los que aparecen en los libros anteriores, muestra la transformación del tiempo y la metafísica en otra importante preocupación: la Historia.

Son famosos los poemas de *Residencia en la tierra* por su dificultad. «Interpretación de una poesía hermética», fue de hecho el subtítulo del famoso estudio que le dedicara, hace más de medio siglo, el gran erudito español Amado Alonso. Tal vez exageraba. La verdad es que los poemas no son, propiamente, herméticos, en el sentido de que el acceso a los mismos sea únicamente descifrable a partir de un código secreto. Lo importante es leerlos como lo que son: «desarrollos en la oscuridad» que si bien no se articulan de manera racional sí tienen su propia lógica.

Desde el lejano Oriente, y al tiempo que redactaba los poemas, Neruda escribía también cartas a sus amigos Héctor Eandi y José Santos González Vera, en Buenos Aires y Santiago de Chile, respectivamente, sobre cómo se iban estructurando: con «el mismo movimiento, la misma presión, [...] desarrollados en la misma región de mi cabeza como insistentes olas iguales». Y en otra carta: «algo muy uniforme, una misma cosa empieza una y otra vez, como ensayada sin éxito y eternamente». Como indican estos comentarios, la lógica del conjunto es, por tanto, la repetición de una misma búsqueda que gira inevitablemente sobre la relación íntima entre el poeta y las cosas, el mundo que lo rodea.

No hay que ir más allá del título de un poema como «Galope muerto», por ejemplo, con el que abre todo el ciclo visionario, para darnos cuenta de que se trata de la rara experiencia de escuchar un sonido imposible.

> Como cenizas, como mares poblándose,
> en la sumergida lentitud, en lo informe,
> o como se oyen desde el alto de los caminos
> cruzar las campanadas en cruz,
> [...]

Un «galope muerto» está más allá de la percepción normal y corriente, pero el poeta (o al menos *este* poeta) sí lo percibe. De ahí se deriva todo lo demás: la obsesión del hablante con proveer equivalentes de esa experiencia por medio de una cadena de imágenes; las múltiples imágenes circulares que le siguen a esa primera estrofa («polea», «alrededor», «rodeo»); el interminable proceso de vida y muerte del cual el hablante, quien asume una posición central en torno al mismo, es un ardiente testigo. Además de su organización circular, los objetos que éste invoca comparten un extraño silencio, silencio que el poeta-testigo «escucha» como si fuese la soterrada voz de las cosas. En efecto, el poeta –rey audífono en país de sordos– entra «cantando / como con una espada entre indefensos».

Pero a pesar de toda esa lúcida organización, la visión no progresa; ni siquiera culmina. Como le anticipara Neruda a su amigo, se trata más bien de una visión «ensayada sin éxito y repetidamente»:

> Adentro del anillo del verano
> una vez los grandes zapallos escuchan,
> estirando sus plantas conmovedoras,
> de eso, de lo que solicitándose mucho,
> de lo lleno, obscuros de pesadas gotas.

Al final, es decir, sabemos poco más de lo que sabíamos al comienzo, con la salvedad, quizá, de saber que el misterioso sonido del principio ha angustiado al hablante hasta el punto de impedirle articular su búsqueda.

No es casual la estirpe romántica de esta poética. Ni tampoco su oposición a otro concepto, intelectual o cerebral, de la poesía y el poeta que por los años de la vanguardia se había puesto en boga. Es el que asociamos, al menos en nuestra literatura hispánica, con los nombres de Borges y Vicente Huidobro y con un célebre título de Ortega y Gasset: *La deshumanización del arte*. «El poeta no debe ejercitarse» le escribió Neruda al mismo amigo, en cambio, sobre este tema. «Tiene una obligación: penetrar la vida y hacerla profética. El poeta debe ser una superstición, un ser místico.» Si Borges y Huidobro, con sus respectivas versiones del ultraísmo, pedían una poesía de la inteligencia y un concepto «atlético» del poeta, Neruda en cambio pedía por esos mismos años que el poeta «no debía ejercitarse», no debía ser «atlético» –concepción muy distinta, por cierto, en la que la poesía encarna el arrebato apasionado y misterioso del mundo.

Si los treinta y tres poemas de la primera *Residencia* conforman la búsqueda de una visión auténtica y de la identidad visionaria del poeta –lo que en «Arte poética», poema central del primer libro, el hablante denomina «lo profético que hay en mí, con melancolía»–, los siguientes veintitrés, de la segunda, mostrarán el reverso de esta búsqueda: el peso, la maldición del don visionario. Neruda comenzó a escribir esos poemas en Chile, de regreso del lejano Oriente. Pero fue en Madrid, cuando fungía de cónsul en otras latitudes, donde lo publicó finalmente en 1935, conjuntamente con el primer libro. Un año después, cuando estalla la guerra civil, manifiesta su adhesión a la República con los poemas de *España en el corazón*, libro que a su vez formará la cuarta parte de *Tercera residencia*, y que sólo publicará en 1947.

Es en la segunda *Residencia* donde se encuentran algunos de los poemas más célebres de la época, como «Walking Around», o «Enfermedades en mi casa» –cuyo tema es la hija enferma y única que Neruda tuvo con María Antonieta Hagenaar y que murió de niña–; o los «Tres cantos materiales», que tanto impacto tuvieron sobre los jóvenes poetas españoles de la época, o la «Oda a Federico García Lorca», algunos de cuyos versos alucinados («porque ante el río de la muerte lloras / abandonadamente, heridamente, lloras llorando, con los ojos llenos / de lágrimas, de lágrimas, de lágrimas») parecen profetizar el trágico destino del poeta andaluz; o bien

«Josie Bliss», acaso el más célebre de todos los de ese libro. Si con frecuencia se ha pensado que estos poemas prefiguran la experiencia de la guerra civil será porque en este libro la experiencia visionaria se vuelve insoportable y el tema de la muerte es uno de los que más recurre. El poeta ve demasiado y lo expresa inigualablemente en un poema como «Agua sexual», con su obsesiva repetición del mismo verbo culposo, para concluir:

Y aunque cierre los ojos y me cubra el corazón enteramente,
veo caer un agua sorda,
a goterones sordos.

Resulta interesante que el tema amoroso, tan prominente en la poesía anterior a las *Residencias*, aflore con relativa infrecuencia en los poemas del ciclo. Aparece, cuanto más, en 7 de los primeros 33 poemas, en 4 de los 23 del segundo libro, y apenas en 2 de los 38 de *Tercera residencia*, aun cuando uno de estos últimos («Las furias y las penas») sí sea de los grandes textos eróticos de Neruda. Entre estos últimos del ciclo todo están los dedicados a «Josie Bliss», la célebre amante birmana de Neruda a la que dedicó dos poemas de las *Residencias* («Tango del viudo» y «Josie Bliss»), amén de varios otros en libros posteriores. «Se vestía como una inglesa», cuenta Neruda en sus memorias. «Pero en la intimidad de su casa, que pronto compartí, se despojaba de tales prendas y de tal nombre para usar su deslumbrante *sarong* y su recóndito humor birmano.» Sus amores fueron trágicos, pues la celosa amante amenazó de muerte al joven poeta, y una noche él terminó huyendo en barco a Colombo, capital de la vecina Ceilán. Días después, para su sorpresa, la amante levanta una carpa frente a su casa, la policía colonial acude a desalojarla, y el poeta la va a despedir al puerto: «Como en un rito me besaba los brazos, el traje, y de pronto, bajó hasta mis zapatos, sin que yo pudiera evitarlo», dejó dicho Neruda en sus memorias. «Cuando se alzó de nuevo, su rostro estaba enharinado con la tiza de mis zapatos blancos [...]. Aquel dolor turbulento, aquellas lágrimas terribles rodando sobre el rostro enharinado, continúan en mi memoria.»

Los poemas sobre el tema que aparecen en las *Residencias* no contienen ninguna de estas anécdotas, pero el peso del recuerdo de ese trágico amor, de esa «Maligna», como la llama en «Tango del viudo», resuena en los últimos versos del segundo libro al invocar «la boca de la muerta» que «no quiere morder rostros, dedos, palabras, ojos»:

> ahí están otra vez como grandes peces que completan el cielo
> con su azul material vagamente invencible.

Por otra parte, y como se sabe, los «Tres cantos materiales» de la segunda *Residencia* fueron objeto de admiración de los poetas españoles de la época, hasta el punto que, en 1935, hicieron publicarlos en una *plaquette* aparte en homenaje al poeta y camarada. De esos tres cantos, sin duda el más poderoso es «Entrada a la materia», cuyo misterio reside precisamente en que se trata de una *peripteia*: un viaje funerario que, a su vez, es también un encuentro con la madre, como indica la propia etimología de la palabra *materia*. El poema, que comienza con la caída simbólica del hablante, va revelando un mundo mágico hasta llegar a un santuario («tu dura catedral») donde comienza una plegaria que a su vez lo llevará hasta la propia «materia misteriosa». El regreso a la matriz se vuelve evidente con esta alusión velada a la *mater dolorosa*, y de ahí penetramos en un mundo vegetal interno donde, como en el «Viaje a la semilla» del narrador cubano Alejo Carpentier, regresamos al origen. Finalmente el poema culmina con versos rituales que proclaman el encuentro y dramatizan la entrada final: «y ardamos, y callemos, y campanas».

El final del poema es significativo porque demuestra la congelación del hablante en un presente perpetuo, como si con el regreso a la matriz al fin lograse la ansiada visión auténtica y la identidad poética que se había planteado al principio del ciclo. También, a no dudarlo, el poema dramatiza, la primera de varias veces en la obra de Neruda, una estructura de conversión. Es cierto que al final de «Entrada a la materia» el hablante no se convierte a nada, salvo quizá a la muerte; pero la estructura dramática en la cual aparece su visión de autenticidad es en efecto la de la conversión, en el sentido de que divide al hablante en dos: uno que viaja hacia la matriz, y otro en el que se convierte, o se congela, al final cuando se invoca la última palabra: *campanas.* Sólo que la visión termina ahí y nunca llegamos a comprobar cómo se despliega el hablante en ese otro. De ahí la oculta relación de este extraño «canto material» con otros de la *Tercera residencia*, que acaso son más conocidos, y que la crítica, a partir del propio Amado Alonso, llamó de «conversión» para hablar del cambio que sufrió Neruda a partir de la experiencia de la guerra civil.

En efecto, a su regreso, de Oriente a Chile en 1932, y después de la publicación de la primera *Residencia*, Neruda pasa a cargos consulares rápidamente; primero a Buenos Aires, donde entre otras cosas conoce personalmente a Borges y a García Lorca, polos opuestos de la literatura hispánica del momento; y luego a Madrid, adonde llega en 1935. Allí funda y dirige la revista surrealista *Caballo Verde para la Poesía*, que en sus escasos números publicó varios editoriales que dan la clave de su poética; y es allí, finalmente, donde se empieza a sentir el impacto de su poesía, que con el tiempo se dará a conocer con el nombre (no siempre positivo, por cierto) de *nerudismo*.

Fue decisiva, en todo caso, la reacción de Neruda en contra del golpe franquista al año de su llegada a la península, como lo demuestra su organización del Segundo Congreso Internacional de Escritores para la Defensa de la Cultura al año siguiente, y que fuera celebrado en plena guerra en Valencia. Pero es sobre todo su publicación de los poemas de *España en el corazón* los que mostrarán su conversión, personal y poética, a una poesía civil. El poema clave es, en este sentido, «Reunión bajo las nuevas banderas», aunque el libro todo es un muestrario de la nueva dicción y estilo que a partir de entonces ejerce influencia entre los poetas más jóvenes. Se trata, en efecto, de una «poesía impura», por oposición a la «poesía pura» que había hecho célebre el gran Juan Ramón Jiménez, y que a su vez fuera el detractor más importante que jamás tuviera el poeta chileno.

No menos importante fue el trabajo político de Neruda durante esos años. Pues de regreso a Chile en 1938 se une a las huestes del Frente Popular, se incorpora a la campaña de don Pedro Aguirre Cerda y, tras la victoria de éste, ayuda a emigrar a su país a cientos de refugiados españoles. No es exagerado decir, por eso, que a partir de esta crisis histórica Neruda ya no es el mismo. Al cambio político se une un cambio personal. Se separa definitivamente de María Antonieta Hagenaar y se une a la pintora argentina Delia del Carril, la famosa Hormiguita. Así, al poeta neorromántico de los *Veinte poemas de amor* le ha sucedido el poeta surrealista de *Residencia en la tierra*, y a éste a su vez, el poeta civil, antifascista y «comprometido» (como se decía entonces o pronto se diría) de *España en el corazón*. Además, a la guerra de España le sucederá otra aún mayor: la segunda guerra mundial que verá el ascenso del fascismo y a la que Neruda reaccionará con igual vehemencia. Para entonces ya habrá echado su suerte con los Aliados, y sobre todo con la Unión Soviética, de la cual se declarará ferviente admirador en poemas como «Canto de amor a Stalingrado».

Todos estos cambios y acontecimientos en la obra de Neruda coinciden con el «descubrimiento de América», para decirlo con una expresión que al poeta seguramente le habría gustado. El motivo inmediato será su nombramiento como cónsul general de Chile en México, entonces aún bajo el mando del presidente socialista Lázaro Cárdenas. El México de 1940 era entonces único en el mundo por su liberalidad: su gobierno había ayudado a la República española y acogido a sus refugiados (los «transterrados» de que hablaba José Gaos). Pero junto a ellos el México de Cárdenas recoge también a «herejes» del estalinismo, como León Trotski y Victor Serge. Para Neruda, sin embargo, el sentido de México fue algo distinto. «México, con su nopal y su serpiente; México florido y espinudo, seco y huracanado, violento de dibujo y de color, violento de erupción y de creación, me cubrió con su sortilegio y su luz sorpresiva», dicen sus memorias. En efecto, para entonces Neruda había conocido el Oriente y Europa, pero aún a esas alturas conocía mal América Latina y apenas la había visitado, con las excepciones de Chile y la Argentina. Durante los tres años que pasó en México, de 1940 a 1943, descubrió el mundo indígena con ayuda de no pocos amigos, como los pintores muralistas Diego Rivera y David Alfaro Siqueiros. El indio era, de hecho, una importante dimensión del vasto continente latinoamericano que él mismo desconocía en el extremo sur de donde era oriundo. Desde México, además, el poeta visitará países vecinos, como Cuba y Guatemala. Y cuando al fin se dispone a regresar a Chile, en 1943, visitará, además, Panamá, Colombia y Perú. A ese descubrimiento personal de América sucederá una nueva poesía, igualmente civil y «comprometida», pero con una decidida temática americanista que tomará forma, en sus primicias, en un «Canto general de Chile», y que con el tiempo se convertirá en un *Canto general* a secas, pero de toda América.

Los años mexicanos terminan, de hecho, a mediados de 1943, luego de una serie de polémicas públicas. Ya para entonces Neruda era un decidido estalinista (aunque aún no era miembro del partido), y a su vehemencia, que se expresaba tanto en público como en verso, le llovieron críticas severas –como, por ejemplo, las de Octavio Paz, antaño entrañable amigo. De su abrupta partida de tierra mexicana recordó en sus memorias: «México vive en mi vida como una pequeña águila equivocada que circula en mis venas. Sólo la muerte le doblará las alas sobre mi corazón de soldado dormido». En tales circunstancias, su regreso a Chile no podía dejar de ser una peregrinación a escalas, dilatada a lo largo de dos meses y cuatro días: visitas a varios países latinoamericanos repletas de banquetes de Estado, recitales, discursos y conferencias. El punto culminante de ese viaje fue sin duda su visita a las ruinas preincásicas de Machu Picchu el 31 de octubre de 1943. «Desde la ciudadela carcomida y roída por el paso de los siglos se despeñaban torrentes», recordó el poeta años después. «Me sentí infinitamente pequeño en el centro de aquel ombligo de piedra; ombligo de un mundo deshabitado, orgulloso y eminente, al que de algún modo yo pertenecía.» Será esta visita la que tres años después recogerá metafóricamente en el extenso poema de conversión «Alturas de Macchu Picchu» (título que él siempre escribió con esa peculiar ortografía), que es tal vez su mejor poema, amén de verdadera obra maestra de la poesía universal.

El segundo regreso a Chile en cinco años enfrenta a Neruda a otro país y lo aboca a nuevas causas políticas que pronto se reflejarán en su obra. Desaparecido el Frente Popular en el que había militado, se afilia al Partido Comunista, del que termina haciéndose miembro en 1945. Bajo ese manto gana las elecciones como senador por las provincias mineras de Antofagasta y Tarapacá. El triunfo electoral coincide con otro literario, pues ese mismo año sus colegas chilenos, en reconocimiento de un prestigio que desborda las fronteras del país, le otorgan el prestigioso premio Nacional de Literatura. Poco después, se une a la campaña presidencial de Gabriel González Videla, candidato del Partido Radical que los comunistas favorecen dentro de una amplia coalición, y funge en ella como jefe nacional de propaganda. Faltará poco para que los tribunales chilenos (el 28 de diciembre de 1946) cambien su nombre legal al de *Pablo Neruda*. El cambio, la conversión, ya es total.

Y sin embargo las cosas pronto tomarán un rumbo inesperado. Una vez que González Videla resulta electo, disuelve la alianza con los comunistas (cuyas habilidades sindicalistas resultaban una amenaza para su gobierno), y hace que el Congreso chileno, con la ayuda de otros partidos, declare una *Ley de Defensa de la Democracia*. Por ella se declara ilegal al Partido Comunista y se encarcela a sus miembros. Se trata de una primera batalla, dentro del cerrado ámbito chileno, de la Guerra Fría que el mundo entero empieza a experimentar a partir de la postguerra. El propio Neruda reacciona a la ruptura política (y que él no puede ver sino como traición personal) con repetidas denuncias públicas al presidente. Éste, a su vez, responde con una orden de desafuero (disolvencia de la inmunidad de Neruda como senador), y ordena su arresto.

A partir de entonces el poeta se sumerge en la clandestinidad, ayudado en parte por la red de contactos del Partido en todo Chile. Y durante trece meses de vida fugitiva –entre febrero de 1948 y marzo de 1949– termina de escribir *Canto general*, libro que él mismo llamó el «más importante». «Cambiaba de casa diariamente. En todas partes se abría una puerta para resguardarme», llegó a contar sobre este turbulento período. Y sobre la redacción misma del libro: «Por primera vez me vi obligado a escribir versos en forma continuada durante 8 o más horas al día [...]. A menudo no tenía comodidades. Lo hacía sobre una tabla, un tronco de árbol, una piedra».

Libro monumental de quince secciones, más de 230 poemas y unos quince mil versos, verdadera enciclopedia poética de América, *Canto general* provee una visión sinóptica y desde luego polémica de la historia latinoamericana, a veces bajo la inspiración del materialismo histórico marxista, las más bajo los oscilantes postulados de la Guerra Fría. Su vastedad y visión ambiciosa le ha ganado muchas comparaciones: *Hojas de hierba* de Whitman, la *Divina Comedia* y hasta la Biblia. De hecho, el libro recoge desde la poesía americanista que Neruda venía escribiendo y publicando durante sus años en México, incluyendo «Alturas de Macchu Picchu», hasta poemas aún en tinta fresca que resienten el calor político del momento, como son «Coral del año nuevo para la patria en tinieblas» o «Que despierte el leñador», que se publican en la clandestinidad. Muchos ya han envejecido; su estridencia nos hace dudar de su calidad poética. Pero su autor siempre los defendió por tratarse de secciones de una crónica americana. «No hay material antipoético si se trata de nuestras realidades», respondía él ante tales críticas. Para cuando el libro se publicó en México en abril de 1950 (otra primera edición clandestina se publica en el mismo Chile por las mismas fechas), Neruda ya habrá escapado de las huestes de González Videla para empezar un exilio que habría de durar dos años más.

En la obra de Neruda *Canto general* cumple el viejo sueño –desde el frustrado intento de juventud de *El hondero entusiasta* y el proyecto vanguardista de *Tentativa del hombre infinito*– de crear una «poesía cíclica». «Este libro fue la coronación de mi tentativa ambiciosa», dijo el poeta en 1964, agregando que se trataba de «un buen fragmento del tiempo» en el que «hay sombra y luz a la vez, porque yo me proponía que abarcara el espacio mayor en que se mueven, crean, trabajan y perecen las vidas y los pueblos». Así, no hacemos más que iniciar la lectura de *Canto general* que nos insertamos en el Génesis primigenio de la primera sección de «La lámpara en la tierra», y descubrimos que es la Biblia, y no la épica, el modelo literario que adoptan esas páginas iniciales, modelo bíblico que por cierto se reforzará –aun cuando tampoco se limite a él– a todo lo largo del libro por medio de sutiles alusiones. Si a todo ello añadimos la ambición del libro por hacer un catálogo de historia natural, y no sólo política, del continente americano, amén de la presencia de monólogos dramáticos en los que hablan personajes humildes del pueblo, cartas a amigos del poeta, y hasta una autobiografía explícita que aparece al final (la sección «Yo soy»), pronto descubrimos una heterogeneidad textual. Por eso no es exagerado observar que *Canto general* es, ante todo, un libro. Y no sólo un libro, sino El Libro.

*Canto general* sigue los criterios genéricos de la forma enciclopédica, esa forma que el crítico canadiense Northrop Frye hace algún tiempo definiese como un extenso patrón literario que reúne una serie de episodios alrededor de un tema central. Toda forma enciclopédica sigue desde luego un arquetipo: el Libro sagrado o mítico –por ejemplo, la Biblia judeocristiana, el Mahabhárata hindú, o el Popol Vuh maya. En el caso de ese «poema cíclico» que es el *Canto general*, biblia o enciclopedia nerudiana, sus antecedentes residen no sólo en arquetipos culturales más generalizados (como la Biblia, o la *Encyclopédie* de la Ilustración), sino sobre todo en la tradición poética específicamente latinoamericana. Son los poemas que el crítico británico Gordon Brotherston ha llamado «la gran canción de América»: un solo poema cuyo alcance y dimensiones colosales constituyen el análogo simbólico del continente. Entre los ejemplos más conocidos de esta tradición estarían las *Silvas americanas* de Andrés Bello (que a su vez son fragmentos de un poema incompleto, *América*, de 1823), los poemas americanistas de Rubén Darío en su *Cantos de vida y esperanza* (1902), o el fallido intento de José Santos Chocano en *Alma América* (1906). Aludiendo a estos precursores, y en particular a Andrés Bello, decía Neruda en 1953: «Son muchos los escritores que sintieron primordiales deberes hacia la geografía y ciudadanía de América [...]. Unir a nuestro continente, descubrirlo, construirlo, recobrarlo, ése fue mi propósito».

Lo que en última instancia une a Neruda a estos precursores no es, desde luego, la forma enciclopédica en sí, sino el propósito implícito en todo enciclopedismo: la educación del lector. Es decir, la pedagogía, el didactismo, el recurso a un modelo *científico* de la literatura. Pero otro aspecto importante del libro, y que complementa el anterior, es el modo en que intenta utilizar el materialismo histórico (la filosofía de la historia del marxismo) como materia poética. Si observamos, el libro todo tiene una tesis: hechos como la Conquista de América se vinculan estructuralmente con las actuales invasiones de tipo económico e ideológico que sigue padeciendo el continente a manos de las grandes potencias. Para expresar esa tesis el libro asume, en efecto, una actitud *narrativa* ante la historia que es propia del marxismo – suerte de «narración maestra» o vasta e incompleta trama que narra la historia de la lucha de clases. En esa narración de la historia que propone el materialismo histórico, todo acontecimiento del pasado se convierte en una prefiguración del futuro: el imperialismo de los Estados Unidos es una nueva versión de la Conquista española; los líderes revolucionarios de hoy equivalen a los próceres de la Independencia de ayer.

Sin embargo, y a contrapelo de lo que prescribiría una concepción estrictamente marxista, la ausencia de un análisis dialéctico hace que *Canto general* muchas veces carezca de una lógica demasiado estricta. Si la apertura de la obra tiene una gran virtud formal – porque le permite respirar, le da frescura –, en cambio desde el punto de vista lógico le hace omitir sectores enteros de la realidad histórica. Deja de denunciar, por ejemplo, según señaló Emir Rodríguez Monegal, «el feudalismo prehispánico, ejercido duramente por los aztecas de México y por los incas en el Perú». Tampoco hace hincapié en la presencia de «imperialistas europeos no menos rapaces (que el español) como el holandés o el francés... o el inglés». (Otra ausencia, capital: el colonialismo portugués.) Y si exalta, con toda razón, a Bartolomé de Las Casas por su defensa de los indios americanos, en cambio no señala que fue el propio De Las Casas el primer propulsor de la esclavitud africana en el Nuevo Mundo.

La ausencia de un análisis dialéctico global conduce a un esquema fallido. Si el libro condena la esclavitud y defiende la raza negra (según confirman poemas como «Toussaint L'Ouverture» y «El viento sobre Lincoln», amén de las múltiples referencias a Paul Robeson), en cambio hay un lapso en su apreciación del sustrato negro del continente americano: la palabra África no figura en el *Canto general*. Años después de los Juicios de Moscú, y en días en que ya se conocía la existencia de campos de concentración en la Unión Soviética y de la destrucción por el régimen de Stalin de la clase campesina, el libro hace caso omiso de todos estos acontecimientos. (El propio Neruda reconocerá su error después y cantará la palinodia en el libro V de *Memorial de Isla Negra*, 1964.) Por último, sólo cien de los más de quince mil versos del libro están dedicados a mujeres. Y como se quejara el terrible Borges, su extenso y minucioso catálogo de dictadores latianoamericanos se salta la inmensa figura de Juan Domingo Perón.

Acaso sea por eso que si la «dialéctica histórica» de *Canto general*, como también señalara Rodríguez Monegal, «no está apoyada (como la de Brecht) en Marx sino en los postulados oscilantes de la Guerra Fría», su cotejo crítico no resista ese tipo de análisis. En efecto, como la pintura muralista mexicana que Neruda tanto admiraba, el libro idealiza las sociedades precolombinas y ve la Conquista como una maldición histórica, el triunfo de la reacción y del mal. Si exalta el canibalismo, como vemos en el poema «Lautaro (1550)», en cambio acentúa, como ha observado Octavio Paz sobre los muralistas, «hasta la caricatura los rasgos negativos y sombríos de los conquistadores». Y sin embargo, un estricto análisis materialista-histórico señalaría, como de hecho hicieron Marx y Engels, que la Conquista fue un evento positivo, ya que significó el triunfo de un modo de producción (el naciente capitalismo) superior al azteca o al hindú. Pues como llegó a observar el propio Marx, en relación a la revuelta hindú de 1853: «cualquiera que hayan sido los crímenes de Inglaterra, ella fue el instrumento inconsciente de la historia al causar esa revolución». Y lo dicho sobre el Imperio inglés se aplica, *mutatis mutandis*, al español.

Neruda vivirá en el exilio poco más de dos años –desde fines de febrero de 1949 hasta agosto de 1952, poco después de que fuera revocada la orden de detención por el gobierno chileno. Durante todo este tiempo vive en la Europa de la Guerra Fría y viaja por Asia. En 1950, en el propio Chile, y con el escritor *in absentia*, se le hace un homenaje, que auspicia la Sociedad de Escritores. En 1953, suerte de culminación de su carrera hasta entonces (la verdadera culminación vendrá en 1971, con el premio Nobel), se le otorga el premio Stalin de la Paz.

Son los años de la internacionalización de su obra y figura. No sólo porque se multiplican las ediciones y traducciones de su obra sino porque viaja incansablemente a todo lo largo de la vieja Europa y la antigua Asia, llegando hasta los confines de China y Mongolia. Son estos viajes los que *Las uvas y el viento*, de 1954, recoge y refleja. El libro, según su autor, «quiso ser un poema de contenido geográfico y político», aunque también admitió que fue «una tentativa en algún modo frustrada, pero no en su expresión verbal que algunas veces alcanza el intenso y espacioso tono que quiero para mis cantos». Tenía razón. No sería difícil conjeturar que la razón más íntima de su frustración se debe al formato del libro, que repite el corte enciclopédico de *Canto general*. Después del triunfo de este libro, su autor intentó reproducirlo, sólo que a una escala mayor y en una dimensión geográfica extraamericana. Como dice el primer poema del libro: «Tenéis que oírme: entre las uvas / de Europa / y bajo el viento / bajo el viento en el Asia». También quiso Neruda, y esto es lo principal, escribir un libro según los cánones del realismo socialista, la estética que emanaba en aquel momento de la política cultural de la Unión Soviética. De ahí que en sus 23 secciones (si contamos el prólogo y el epílogo) encontremos muchos versos rescatables, pero en cambio encontremos también otros tantos, como por ejemplo «En su muerte», la elegía a Stalin, o toda la *suite* de «El ángel del Comité Central», cuyo sentimentalismo sectario no deja de sonrojarnos. Pero como todo en la obra de Neruda está en constante estado de evolución, la importancia de *Las uvas y el viento* radica en su nuevo estilo. Fue durante el proceso de su redacción que el poeta intentó llevar la simplicidad retórica al máximo y facilitar así el acceso del lector al poema –poesía para las masas, como si estuviera desarrollando toda una nueva retórica «elemental» que pronto dará lugar a una nueva etapa de su obra, el ciclo de las *Odas*. Esta nueva etapa en su obra ocupará a Neruda hasta bien entrada la siguiente década.

Lo extraordinario de Neruda fue siempre su enorme capacidad para variar el registro o modalidad poética, tal como ocurre, apenas publicado *Canto general*, con *Los versos del Capitán*. Neruda primero lo publicó anónimamente para no herir a su antigua compañera Delia del Carril con la declaración pública de su nuevo amor por Matilde Urrutia, su tercera y última esposa. La relación con Matilde, que había comenzado varios años antes (en *Canto general* hay por lo menos una referencia a Rosario, el nombre de la protagonista de *Los versos del Capitán*) llega a su culminación en los meses inmediatamente anteriores a la publicación del libro. Fue entonces, durante la primera mitad de 1952, que el poeta y su amante escaparon a la isla de Capri, idilio que la imaginación fílmica de nuestra época ha querido reinventar en la tierna película *Il Postino*. Se trata, en efecto, del libro sobre «el gran amor», expresión que se repetirá casi obsesivamente a lo largo del libro y que su ficción estructura como las cartas y notas que el Capitán-poeta, procedente de la guerra civil española, le había escrito a su amada durante el conflicto y que ahora ella publica póstumamente. Si Matilde Urrutia fue en efecto el amor de la vida de Neruda sólo él lo habrá sabido, desde luego. Lo cierto es que en este libro Neruda le cantó su amor como nunca antes lo había hecho a ninguna otra mujer, con la posible excepción de los *Veinte poemas de amor*.

Se trata de textos extraordinarios, de pasión conmovedora y rara concisión. Pensemos en poemas como «Tu risa», que hiperboliza la queja del amante, o en tantos otros en que se exalta la belleza física de la mujer, y el placer de la pareja. Matilde Urrutia fue, de las tres esposas que tuvo Neruda, la única chilena –y como él, oriunda del sur (nació en Chillán). Es ese encuentro y reconocimiento el que buena parte del libro celebra. Sólo que, como la ficción del libro exige una trama póstuma –suerte de *ars amandi, ars bellandi*–, la tristeza de la separación de la pareja se va imponiendo, hasta que al final, en «La carta del camino», nos espera la despedida definitiva:

> [...]
> con tu nombre en la boca
> y un beso que jamás
> se apartó de la tuya.

*Los versos del Capitán* termina, por tanto, con «los besos del Capitán», un «gran amor» que, como el de Quevedo, se proyecta más allá de la historia y de la muerte.

Si con *Canto general*, ese clásico desigual, Neruda llega a su cima poética, será *Los versos del Capitán* el libro que marque su culminación personal –el hallazgo del amor definitivo. No cabe duda, sin embargo, que el ciclo visionario de las *Residencias*, que además muestra su transformación como poeta en un momento clave del siglo XX, asegura su lugar en nuestra historia literaria. Sin esa obra nuestra literatura, nuestro idioma, sería mucho más pobre. Y nuestro legado poético mucho menos rico.

ENRICO MARIO SANTÍ
*California, diciembre de 1998*

# Nota a esta edición

Esta nueva edición de las *Obras completas* de Pablo Neruda reúne en cuatro volúmenes todos los escritos del poeta chileno, incluyendo los publicados tras su muerte y algunos inéditos de particular interés. Se trata verdaderamente de una *nueva* edición, en primer lugar porque recoge la producción nerudiana que no alcanzó a ser incluida en la cuarta y última edición de Losada de *Obras completas* (Buenos Aires, 1973, tres volúmenes), o que el autor excluyó en su momento, como fue el caso de *Canción de gesta* (1960), y porque además recupera una tan considerable cantidad de textos dispersos que se hizo necesario destinarles un volumen entero.

Pero la presente edición es *nueva* sobre todo por la ambición del proyecto que la sostiene y que la ha hecho posible. La idea de incluir a Pablo Neruda en el amplio programa de obras completas de Círculo de Lectores y Galaxia Gutenberg –que cuenta ya con las de Federico García Lorca, Ramón Gómez de la Serna, Octavio Paz, Pío Baroja o Franz Kafka– se remonta a 1993. A los editores no les interesaba retomar la edición de Losada sólo para completarla. El objetivo era una edición *diversa* que implicara, además de la recopilación total –tarea ya en sí misma difícil cuanto urgente–, el reexamen completo de la producción nerudiana con ánimo de establecer y fijar, hasta donde los límites humanos lo permitieran, un texto de máxima fiabilidad si no definitivo. Lo cual suponía una perspectiva filológica nada frecuente en empresas editoriales de gran volumen, al menos en nuestra lengua. Un tal proyecto de obras completas honra pues a Círculo de Lectores y a Galaxia Gutenberg. Y es ciertamente un desafío para quien dirige su realización.

El profesor Saúl Yurkievich abre y presenta el conjunto de estas *Obras completas* con una lectura panorámica de Neruda que consigue focalizar –con la brillante eficacia a que nos ha habituado su autor – los aspectos y niveles que definen una escritura tan extensa cuanto compleja. Cada volumen viene prologado además por un especialista: Enrico Mario Santí se ocupa del primero (desde *Crepusculario*, 1923, a *Las uvas y el viento*, 1954), Saúl Yurkievich del segundo (desde *Odas elementales*, 1954, a *Memorial de Isla Negra*, 1964), Joaquín Marco del tercero (desde *Arte de pájaros*, 1966, hasta los libros póstumos, 1973-1974) y yo del cuarto (compilaciones en prosa y textos dispersos, desde la tarjeta de saludo a la «Mamadre», 1915, hasta las póstumas memorias). Asumí por mi parte la dirección general de la edición, y en particular la fijación del Texto nerudiano, con las respectivas notas para los cuatro volúmenes. En la formulación general del proyecto me fueron de gran utilidad la experiencia, los consejos, la amigable y docta asesoría del profesor Yurkievich, que aquí agradezco. Así como agradezco y celebro el trabajo de Nicanor Vélez, porque sus expertos cuidados de editor supieron resolver de modo fino e inteligente –como puede verificar el lector– los abundantes problemas que plantearon la disposición tipográfica y algunos aspectos textuales de estas nuevas *Obras completas*.

Para la disposición del material he operado a partir de una básica distinción entre «nerudiana orgánica», es decir, los libros que Neruda individualizó y tituló como tales (volúmenes I, II y III), y «nerudiana dispersa» (volumen IV). Al establecer el orden de sucesión de los libros preferí –en los casos dudosos– la cronología de las escrituras a la no siempre coincidente datación de las publicaciones. Así en el caso de *El hondero entusiasta* (publicado en 1933), bajo cuyo título el autor explicitó deliberadamente los años (1923-1924) de inicio y cierre de la escritura. También las tres *Residencias* fueron fechadas por Neruda, pero con menor precisión, por lo cual en esta edición corrijo esas fechas, con oportuna advertencia al lector en notas.

Para la fijación del texto utilicé como referente básico la cuarta edición Losada de *Obras completas* (1973), cotejándola y corrigiéndola –las no pocas veces que fue necesario– con las ediciones príncipe y con otras de reconocida autoridad, y las primeras ediciones de los libros postreros. He respetado y generalizado la eliminación de los signos abreinterrogativos y abre-exclamativos, temprana característica de la escritura de Neruda, así como la eliminación de las comas tras los módulos interrogativos y exclamativos dispuestos en serie y la oscilación de los textos con relación a las grafías etimológicas (del tipo *obscuro/oscuro, substancia/sustancia...*).

Cada uno de los libros de Neruda incluidos en este volumen remite a un aparato de notas con: una breve historia de la escritura y constitución del libro; un elenco de sus principales ediciones, totales y parciales; observaciones, correcciones y noticias varias sobre los textos; un registro de *anticipaciones* (las publicaciones fragmentarias, anteriores a la primera edición del libro); la recuperación, en notas, de los textos –o fragmentos de textos– que las ediciones definitivas sustituyeron o eliminaron y un registro de *variantes* notables.

## AGRADECIMIENTOS

Declaro mi gratitud y reconocimiento a la Fundación Pablo Neruda y, en especial, a Tamara Waldspurger, directora de Archivos y Bibliotecas de la Fundación, Santiago; a Gladys Sanhueza, responsable de la Colección Neruda del Archivo Central de la Universidad de Chile, y a Darío Oses, director de ese mismo Archivo, Santiago; a Luis Íñigo Madrigal, Ginebra; a Robert Pring-Mill, Oxford; a René de Costa, Chicago; a Pedro Gutiérrez Revuelta, Houston; a Juan Loveluck, Columbia, South Carolina; a Enrique Robertson, Bielefeld: a todos ellos por el envío –a lo largo y ancho de los años– de materiales indispensables a esta edición. Al mismo Robert en su campiña de Brill, entre Aylesbury y Oxford; a Volodia Teitelboim y a José Miguel Varas en nuestro Santiago; a Jaime Concha en La Jolla, California; a Alain Sicard en su Poitiers: a ellos por la amistad reconfortante. Y no por último a mi profesor Juan Uribe Echevarría, porque en años ya muy lejanos me incitó al estudio de la obra de Neruda.

HERNÁN LOYOLA
*Sássari, agosto de 1999*

# Crepusculario

[1920-1923]

*A Juan Gandulfo,*
*este libro de otro tiempo*

PABLO

## HELIOS Y LAS CANCIONES

## Inicial

He ido bajo Helios, que me mira sangrante
laborando en silencio mis jardines ausentes.

Mi voz será la misma del sembrador que cante
cuando bote a los surcos siembras de pulpa ardiente.

Cierro, cierro los labios, pero en rosas tremantes
se desata mi voz, como el agua en la fuente.

Que si no son pomposas, que si no son fragantes,
son las primeras rosas –hermano caminante–
de mi desconsolado jardín adolescente.

## Esta iglesia no tiene

Esta iglesia no tiene lampadarios votivos,
no tiene candelabros ni ceras amarillas,
no necesita el alma de vitrales ojivos
para besar las hostias y rezar de rodillas.

El sermón sin inciensos es como una semilla
de carne y luz que cae temblando al surco vivo:
el Padre-Nuestro, rezo de la vida sencilla,
tiene un sabor de pan frutal y primitivo...

Tiene un sabor de pan. Oloroso pan prieto
que allá en la infancia blanca entregó su secreto
a toda alma fragante que lo quiso escuchar...

Y el Pádre-Nuestro en medio de la noche se pierde;
corre desnudo sobre las heredades verdes
y todo estremecido se sumerge en el mar...

## Pantheos

Oh pedazo, pedazo de miseria, en qué vida
tienes tus manos albas y tu cabeza triste?
...Y tanto andar, y tanto llorar las cosas idas
sin saber qué dolores fueron los que tuviste.

Sin saber qué pan blanco te nutrió, ni qué duna
te envolvió con su arena, te fundió en su calor,
sin saber si eres carne, si eres sol, si eres luna,
sin saber si sufriste nuestro mismo dolor.

Si estás en este árbol o si lloras conmigo,
qué es lo que quieres, pedazo de miseria y amigo
de la cansada carne que no quiere perderte?

Si quieres no nos digas de qué racimo somos,
no nos digas el cuándo, no nos digas el cómo,
pero dinos adónde nos llevará la muerte...

## Viejo ciego, llorabas

Viejo ciego, llorabas cuando tu vida era
buena, cuando tenías en tus ojos el sol:

pero si ya el silencio llegó, qué es lo que esperas,
qué es lo que esperas, ciego, qué esperas del dolor?

En tu rincón semejas un niño que naciera
sin pies para la tierra, sin ojos para el mar,
y que como las bestias entre la noche ciega
– sin día y sin crepúsculo – se cansan de esperar.

Porque si tú conoces el camino que lleva
en dos o tres minutos hacia la vida nueva,
viejo ciego, qué esperas, qué puedes esperar?

Y si por la amargura más bruta del destino,
animal viejo y ciego, no sabes el camino,
yo que tengo dos ojos te lo puedo enseñar.

## El nuevo soneto a Helena

Cuando estés vieja, niña (Ronsard ya te lo dijo),
te acordarás de aquellos versos que yo decía.
Tendrás los senos tristes de amamantar tus hijos,
los últimos retoños de tu vida vacía...

Yo estaré tan lejano que tus manos de cera
ararán el recuerdo de mis ruinas desnudas.
Comprenderás que puede nevar en primavera
y que en la primavera las nieves son más crudas.

Yo estaré tan lejano que el amor y la pena
que antes vacié en tu vida como un ánfora plena
estarán condenados a morir en mis manos...

Y será tarde porque se fue mi adolescencia,
tarde porque las flores una vez dan esencia
y porque aunque me llames yo estaré tan lejano...

## Sensación de olor

Fragancia
de lilas...

Claros atardeceres de mi lejana infancia
que fluyó como el cauce de unas aguas tranquilas.

Y después un pañuelo temblando en la distancia.
Bajo el cielo de seda la estrella que titila.

Nada más. Pies cansados en las largas errancias
y un dolor, un dolor que remuerde y se afila.

...Y a lo lejos campanas, canciones, penas, ansias,
vírgenes que tenían tan dulces las pupilas.

Fragancia
de lilas...

## Ivresse

Hoy que danza en mi cuerpo la pasión de Paolo
y ebrio de un sueño alegre mi corazón se agita:
hoy que sé la alegría de ser libre y ser solo
como el pistilo de una margarita infinita:

oh mujer –carne y sueño–, ven a encantarme un poco,
ven a vaciar tus copas de sol en mi camino:
que en mi barco amarillo tiemblen tus senos locos
y ebrios de juventud, que es el más bello vino.

Es bello porque nosotros lo bebemos
en estos temblorosos vasos de nuestro ser

que nos niegan el goce para que lo gocemos.
Bebamos. Nunca dejemos de beber.

Nunca, mujer, rayo de luz, pulpa blanca de poma,
suavices la pisada que no te hará sufrir.
Sembremos la llanura antes de arar la loma.
Vivir será primero, después será morir.

Y después que en la ruta se apaguen nuestras huellas
y en el azul paremos nuestras blancas escalas
–flechas de oro que atajan en vano las estrellas–,
oh Francesca, hacia dónde te llevarán mis alas!


## Morena, la Besadora

Cabellera rubia, suelta,
corriendo como un estero,
cabellera.

Uñas duras y doradas,
flores curvas y sensuales,
uñas duras y doradas.

Comba del vientre, escondida,
y abierta como una fruta
o una herida.

Dulce rodilla desnuda
apretada en mis rodillas,
dulce rodilla desnuda.

Enredadera del pelo
entre la oferta redonda
de los senos.

Huella que dura en el lecho,
huella dormida en el alma,
palabras locas.

Perdidas palabras locas:
rematarán mis canciones,
se morirán nuestras bocas.

Morena, la Besadora,
rosal de todas las rosas
en una hora.

Besadora dulce y rubia,
me iré,
te irás, Besadora.

Pero aún tengo la aurora
enredada en cada sien.

Bésame, por eso, ahora,
bésame, Besadora,
ahora y en la hora
de nuestra muerte.
                                    Amén.


## Oración


Carne doliente y machacada,
raudal de llanto sobre cada
noche de jergón malsano:
en esta hora yo quisiera
ver encantarse mis quimeras
a flor de labio, pecho y mano,
para que desciendan ellas
–las puras y únicas estrellas

de los jardines de mi amor—
en caravanas impolutas
sobre las almas de las putas
de estas ciudades del dolor.

Mal del amor, sensual laceria:
campana negra de miseria:
rosas del lecho de arrabal,
abierto al mal como un camino
por donde va el placer y el vino
desde la gloria al hospital.

En esta hora en que las lilas
sacuden sus hojas tranquilas
para botar el polvo impuro,
vuela mi espíritu intocado,
traspasa el huerto y el vallado,
abre la puerta, salta el muro

y va enredando en su camino
el mal dolor, el agrio sino,
y desnudando la raigambre
de las mujeres que lucharon
y cayeron
y pecaron
y murieron
bajo los látigos del hambre.

No sólo es seda lo que escribo:
que el verso mío sea vivo
como recuerdo en tierra ajena
para alumbrar la mala suerte
de los que van hacia la muerte
como la sangre por las venas.

De los que van desde la vida
rotas las manos doloridas
en todas las zarzas ajenas:

de los que en estas horas quietas
no tienen madres ni poetas
para la pena.

Porque la frente en esta hora
se dobla y la mirada llora
saltando dolores y muros:
en esta hora en que las lilas
sacuden sus hojas tranquilas
para botar el polvo impuro.


## El estribillo del turco

Flor el pantano, vertiente la roca:
tu alma embellece lo que toca.

La carne pasa, tu vida queda
toda en mi verso de sangre o de seda.

Hay que ser dulce sobre todas las cosas:
más que un chacal vale una mariposa.

Eres gusano que labra y opera:
para ti crecen las verdes moreras.

Para que tejas tu seda celeste
la ciudad parece tranquila y agreste.

Gusano que labras, de pronto eres viejo:
el dolor del mundo crispa tus artejos!

A la muerte tu alma desnuda se asoma,
y le brotan alas de águila y paloma!

Y guarda la tierra tus vírgenes actas,
hermano gusano, tus sedas intactas.

Vive en el alba y el crepúsculo,
adora el tigre y el corpúsculo,
comprende la polea y el músculo!

Que se te vaya la vida, hermano,
no en lo divino sino en lo humano,
no en las estrellas sino en tus manos.

Que llegará la noche y luego
serás de tierra, de viento o de fuego.

Por eso deja que todas tus puertas
se cimbren, a todos los vientos abiertas.

Y de tu huerta al viajero convida:
dale al viajero la flor de tu vida!

Y no seas duro, ni parco, ni terco:
sé una frutaleda sin garfios ni cercos!

Dulce hay que ser y darse a todos,
para vivir no hay otro modo

de ser dulces. Darse a las gentes
como a la tierra las vertientes.

Y no temer. Y no pensar.
Dar
para volver a dar.

Que quien se da no se termina
porque hay en él pulpa divina.

Como se dan sin terminarse, hermano mío,
al mar las aguas de los ríos!

Que mi canto en tu vida dore lo que deseas.
Tu buena voluntad torne en luz lo que miras.
Que tu vida así sea.

– Mentira, mentira, mentira!


## El castillo maldito


Mientras camino la acera va golpeándome los pies,
el fulgor de las estrellas me va rompiendo los ojos.
Se me cae un pensamiento como se cae una mies
del carro que tambaleando raya los pardos rastrojos.

Oh pensamientos perdidos que nunca nadie recoge,
si la palabra se dice, la sensación queda adentro:
espiga sin madurar, Satanás le encuentre troje,
que yo con los ojos rotos no le busco ni le encuentro!

Que yo con los ojos rotos sigo una ruta sin fin...
Por qué de los pensamientos, por qué de la vida en vano?
Como se muere la música si se deshace el violín,
no moveré mi canción cuando no mueva mis manos.

Alto de mi corazón en la explanada desierta
donde estoy crucificado como el dolor en un verso...
Mi vida es un gran castillo sin ventanas y sin puertas
y para que tú no llegues por esta senda,
                                        la tuerzo.

## FAREWELL Y LOS SOLLOZOS

## Farewell

### 1

Desde el fondo de ti, y arrodillado,
un niño triste, como yo, nos mira.

Por esa vida que arderá en sus venas
tendrían que amarrarse nuestras vidas.

Por esas manos, hijas de tus manos,
tendrían que matar las manos mías.

Por sus ojos abiertos en la tierra
veré en los tuyos lágrimas un día.

### 2

Yo no lo quiero, Amada.

Para que nada nos amarre
que no nos una nada.

Ni la palabra que aromó tu boca,
ni lo que no dijeron las palabras.

Ni la fiesta de amor que no tuvimos,
ni tus sollozos junto a la ventana.

## 3

(Amo el amor de los marineros
que besan y se van.

Dejan una promesa.
No vuelven nunca más.

En cada puerto una mujer espera:
los marineros besan y se van.

Una noche se acuestan con la muerte
en el lecho del mar.

## 4

Amo el amor que se reparte
en besos, lecho y pan.

Amor que puede ser eterno
y puede ser fugaz.

Amor que quiere libertarse
para volver a amar.

Amor divinizado que se acerca
Amor divinizado que se va.)

## 5

Ya no se encantarán mis ojos en tus ojos,
ya no se endulzará junto a ti mi dolor.

Pero hacia donde vaya llevaré tu mirada
y hacia donde camines llevarás mi dolor.

Fui tuyo, fuiste mía. Qué más? Juntos hicimos
un recodo en la ruta donde el amor pasó.

Fui tuyo, fuiste mía. Tú serás del que te ame,
del que corte en tu huerto lo que he sembrado yo.

Yo me voy. Estoy triste: pero siempre estoy triste.
Vengo desde tus brazos. No sé hacia dónde voy.

... Desde tu corazón me dice adiós un niño.
Y yo le digo adiós.

## El padre

Tierra de sembradura inculta y brava,
tierra en que no hay esteros ni caminos,
mi vida bajo el sol tiembla y se alarga.

Padre, tus ojos dulces nada pueden,
como nada pudieron las estrellas
que me abrasan los ojos y las sienes.

El mal de amor me enceguació la vista
y en la fontana dulce de mi sueño
se reflejó otra fuente estremecida.

Después... Pregunta a Dios por qué me dieron
lo que me dieron y por qué después
supe una soledad de tierra y cielo.

Mira, mi juventud fue un brote puro
que se quedó sin estallar y pierde
su dulzura de sangres y de jugos.

El sol que cae y cae eternamente
se cansó de besarla... Y el otoño.
Padre, tus ojos dulces nada pueden.

Escucharé en la noche tus palabras:
... niño, mi niño...
                    Y en la noche inmensa
seguiré con mis llagas y tus llagas.


## El ciego de la pandereta


Ciego, siempre será tu ayer mañana?
Siempre estará tu pandereta pobre
estremeciendo tus manos crispadas?

Yo voy pasando y veo tu silueta
y me parece que es tu corazón
el que se cimbra con tu pandereta.

Yo pasé ayer y supe tu dolor:
dolor que siendo yo quien lo ha sabido
es mucho mayor.

No volveré por no volverte a ver,
pero mañana tu silueta negra
estará como ayer:

la mano que recibe,
los ojos que no ven,
la cara parda, lastimosa y triste,
golpeando en cada salto la pared.

Ciego, ya voy pasando y ya te miro,
y de rabia y dolor –qué sé yo qué!–
algo me aprieta el corazón,
el corazón y la sien.

Por tus ojos que nunca han mirado
cambiara yo los míos que te ven!

## Amor

Mujer, yo hubiera sido tu hijo, por beberte
la leche de los senos como de un manantial,
por mirarte y sentirte a mi lado y tenerte
en la risa de oro y la voz de cristal.

Por sentirte en mis venas como Dios en los ríos
y adorarte en los tristes huesos de polvo y cal,
porque tu ser pasara sin pena al lado mío
y saliera en la estrofa –limpio de todo mal–.

Cómo sabría amarte, mujer, cómo sabría
amarte, amarte como nadie supo jamás!
Morir y todavía
amarte más.
Y todavía
amarte más
            y más.

## Barrio sin luz

Se va la poesía de las cosas
o no la puede condensar mi vida?
Ayer –mirando el último crepúsculo–
yo era un manchón de musgo entre unas ruinas.

Las ciudades –hollines y venganzas–,
la cochinada gris de los suburbios,

la oficina que encorva las espaldas,
el jefe de ojos turbios.

Sangre de un arrebol sobre los cerros,
sangre sobre las calles y las plazas,
dolor de corazones rotos,
podre de hastíos y de lágrimas.

Un río abraza el arrabal como una
mano helada que tienta en las tinieblas:
sobre sus aguas
se avergüenzan de verse las estrellas.

Y las casas que esconden los deseos
detrás de las ventanas luminosas,
mientras afuera el viento
lleva un poco de barro a cada rosa.

Lejos... la bruma de las olvidanzas
–humos espesos, tajamares rotos–,
y el campo, el campo verde!, en que jadean
los bueyes y los hombres sudorosos.

Y aquí estoy yo, brotado entre las ruinas,
mordiendo solo todas las tristezas,
como si el llanto fuera una semilla
y yo el único surco de la tierra.


## Puentes


Puentes: arcos de acero azul adonde vienen
a dar su despedida los que pasan
–por arriba los trenes,
por abajo las aguas–,
enfermos de seguir un largo viaje

que principia, que sigue y nunca acaba.
Cielos – arriba –, cielos,
y pájaros que pasan
sin detenerse, caminando como
los trenes y las aguas.

Qué maldición cayó sobre vosotros?
Qué esperáis en la noche densa y larga
con los brazos abiertos como un niño
que muere a la llegada de su hermana?

Qué voz de maldición pasiva y negra
sobre vosotros extendió sus alas,
para hacer que siguieran
el viaje que no acaba
los paisajes, la vida, el sol, la tierra,
los trenes y las aguas,
mientras la angustia inmóvil del acero
se hunde más en la tierra y más la clava?


## Maestranzas de noche


Hierro negro que duerme, fierro negro que gime
por cada poro un grito de desconsolación.

Las cenizas ardidas sobre la tierra triste,
los caldos en que el bronce derritió su dolor.

Aves de qué lejano país desventurado
graznaron en la noche dolorosa y sin fin?

Y el grito se me crispa como un nervio enroscado
o como la cuerda rota de un violín.

Cada máquina tiene una pupila abierta
para mirarme a mí.

En las paredes cuelgan las interrogaciones,
florece en las bigornias el alma de los bronces
y hay un temblor de pasos en los cuartos desiertos.

Y entre la noche negra −desesperadas− corren
y sollozan las almas de los obreros muertos.

## Aromos rubios en los campos de Loncoche

La pata gris del Malo pisó estas pardas tierras,
hirió estos dulces surcos, movió estos curvos montes,
rasguñó las llanuras guardadas por la hilera
rural de las derechas alamedas bifrontes.

El terraplén yacente removió su cansancio,
se abrió como una mano desesperada el cerro,
en cabalgatas ebrias galopaban las nubes
arrancando de Dios, de la tierra y del cielo.

El agua entró en la tierra mientras la tierra huía
abiertas las entrañas y anegada la frente:
hacia los cuatro vientos, en las tardes malditas,
rodaban −ululando como tigres− los trenes.

Yo soy una palabra de este paisaje muerto,
yo soy el corazón de este cielo vacío:
cuando voy por los campos, con el alma en el viento,
mis venas continúan el rumor de los ríos.

A dónde vas ahora? −Sobre el cielo la greda
del crepúsculo, para los dedos de la noche.
No alumbrarán estrellas... A mis ojos se enredan
aromos rubios en los campos de Loncoche.

# Grita

Amor, llegado que hayas a mi fuente lejana,
cuida de no morderme con tu voz de ilusión:
que mi dolor oscuro no se muera en tus alas,
que en tu garganta de oro no se ahogue mi voz.

Amor –llegado que hayas
a mi fuente lejana,
sé turbión que desuella,
sé rompiente que clava.

Amor, deshace el ritmo
de mis aguas tranquilas:
sabe ser el dolor que retiembla y que sufre,
sábeme ser la angustia que se retuerce y grita.

No me des el olvido.
No me des la ilusión.
Porque todas las hojas que a la tierra han caído
me tienen amarillo de oro el corazón.

Amor –llegado que hayas
a mi fuente lejana,
tuérceme las vertientes,
críspame las entrañas.

Y así una tarde –Amor de manos crueles–,
arrodillado, te daré las gracias.

## Los jugadores

Juegan, juegan.
Agachados, arrugados, decrépitos.

Este hombre torvo
junto a los mares de su patria, más lejana que el sol,
cantó bellas canciones.

Canción de la belleza de la tierra,
canción de la belleza de la Amada,
canción, canción
que no precisa fin.

Este otro de la mano en la frente,
pálido como la última hoja de un árbol,
debe tener hijas rubias
de carne apretada,
granada,
rosada.

Juegan, juegan.

Los miro entre la vaga bruma del gas y el humo.
Y mirando estos hombres sé que la vida es triste.

## LOS CREPÚSCULOS DE MARURI

### La tarde sobre los tejados

*(Lentísimo)*

La tarde sobre los tejados
cae
y cae...
Quién le dio para que viniera
alas de ave?

Y este silencio que lo llena
      todo,
desde qué país de astros
      se vino solo?

Y por qué esta bruma
      – plúmula trémula –
beso de lluvia
      – sensitiva –

cayó en silencio – y para siempre –
      sobre mi vida?

### Si Dios está en mi verso

Perro mío,
si Dios está en mi verso,
Dios soy yo.

Si Dios está en tus ojos doloridos,
tú eres Dios.

Y en este mundo inmenso nadie existe
que se arrodille ante nosotros dos!


## Amigo


### 1

Amigo, llévate lo que tú quieras,
penetra tu mirada en los rincones,
y si así lo deseas yo te doy mi alma entera
con sus blancas avenidas y sus canciones.


### 2

Amigo –con la tarde haz que se vaya
este inútil y viejo deseo de vencer.

Bebe en mi cántaro si tienes sed.

Amigo –con la tarde haz que se vaya
este deseo mío de que todo rosal
me pertenezca.
        Amigo,
si tienes hambre come de mi pan.


### 3

Todo, amigo, lo he hecho para ti. Todo esto
que sin mirar verás en mi estancia desnuda:
todo esto que se eleva por los muros derechos
–como mi corazón– siempre buscando altura.

Te sonríes –amigo. Qué importa. Nadie sabe
entregar en las manos lo que se esconde adentro,
pero yo te doy mi alma, ánfora de mieles suaves,
y todo te lo doy... Menos aquel recuerdo...

... Que en mi heredad vacía aquel amor perdido
es una rosa blanca que se abre en silencio...

## Mariposa de otoño

La mariposa volotea
y arde –con el sol– a veces.

Mancha volante y llamarada,
ahora se queda parada
sobre una hoja que la mece.

Me decían: –No tienes nada.
No estás enfermo. Te parece.

Yo tampoco decía nada.
Y pasó el tiempo de las mieses.

Hoy una mano de congoja
llena de otoño el horizonte.
Y hasta de mi alma caen hojas.

Me decían: –No tienes nada.
No estás enfermo. Te parece.

Era la hora de las espigas.
El sol, ahora,
convalece.

Todo se va en la vida, amigos.
Se va o perece.

Se va la mano que te induce.
Se va o perece.

Se va la rosa que desates.
También la boca que te bese.

El agua, la sombra y el vaso.
Se va o perece.

Pasó la hora de las espigas.
El sol, ahora, convalece.

Su lengua tibia me rodea.
También me dice: –Te parece.

La mariposa volotea,
revolotea,
y desaparece.


## Dame la maga fiesta

Dios –de dónde sacaste para encender el cielo
este maravilloso crepúsculo de cobre?
Por él supe llenarme de alegría de nuevo,
y la mala mirada supe tornarla noble.

Entre las llamaradas amarillas y verdes
se alumbró el lampadario de un sol desconocido
que rajó las azules llanuras del oeste
y volcó en las montañas sus fuentes y sus ríos.

Dame la maga fiesta, Dios, déjala en mi vida,
dame los fuegos tuyos para alumbrar la tierra,
deja en mi corazón tu lámpara encendida
y yo seré el aceite de su lumbre suprema.

Y me iré por los campos en la noche estrellada
con los brazos abiertos y la frente desnuda,
cantando aires ingenuos con las mismas palabras
que en la noche se dicen los campos y la luna.

## Me peina el viento los cabellos

Me peina el viento los cabellos
como una mano maternal:
abro la puerta del recuerdo
y el pensamiento se me va.

Son otras voces las que llevo,
es de otros labios mi cantar:
hasta mi gruta de recuerdos
tiene una extraña claridad!

Frutos de tierras extranjeras,
olas azules de otro mar,
amores de otros hombres, penas
que no me atrevo a recordar.

Y el viento, el viento que me peina
como una mano maternal!

Mi verdad se pierde en la noche:
no tengo noche ni verdad!

Tendido en medio del camino
deben pisarme para andar.

Pasan por mí sus corazones
ebrios de vino y de soñar.

Yo soy un puente inmóvil entre
tu corazón y la eternidad.

Si me muriera de repente
no dejaría de cantar!

## Saudade

*Saudade* – Qué será?... yo no sé... lo he buscado
en unos diccionarios empolvados y antiguos
y en otros libros que no me han dado el significado
de esta dulce palabra de perfiles ambiguos.

Dicen que azules son las montañas como ella,
que en ella se oscurecen los amores lejanos,
y un noble y buen amigo mío (y de las estrellas)
la nombra en un temblor de trenzas y de manos.

Y hoy en Eça de Queiroz sin mirar la adivino,
su secreto se evade, su dulzura me obsede
como una mariposa de cuerpo extraño y fino
siempre lejos –tan lejos!– de mis tranquilas redes.

*Saudade*... Oiga, vecino, sabe el significado
de esta palabra blanca que como un pez se evade?
No... Y me tiembla en la boca su temblor delicado...
*Saudade*...

## No lo había mirado

No lo había mirado y nuestros pasos
sonaban juntos.

Nunca escuché su voz y mi voz iba
llenando el mundo.

Y hubo un día de sol y mi alegría
en mí no cupo.

Sentí la angustia de cargar la nueva
soledad del crepúsculo.

Lo sentí junto a mí, brazos ardiendo,
limpio, sangrante, puro.

Y mi dolor, bajo la noche negra
entró en su corazón.

Y vamos juntos.

## Mi alma

Mi alma es un *carrousel* vacío en el crepúsculo.

## Aquí estoy con mi pobre cuerpo

Aquí estoy con mi pobre cuerpo frente al crepúsculo
que entinta de oros rojos el cielo de la tarde:
mientras entre la niebla los árboles oscuros
se libertan y salen a danzar por las calles.

Yo no sé por qué estoy aquí, ni cuándo vine
ni por qué la luz roja del sol lo llena todo:
me basta con sentir frente a mi cuerpo triste
la inmensidad de un cielo de luz teñido de oro,

la inmensa rojedad de un sol que ya no existe,
el inmenso cadáver de una tierra ya muerta,
y frente a las astrales luminarias que tiñen el cielo,
la inmensidad de mi alma bajo la tarde inmensa.


## Hoy, que es el cumpleaños de mi hermana


Hoy, que es el cumpleaños de mi hermana, no tengo
nada que darle, nada. No tengo nada, hermana.
Todo lo que poseo siempre lo llevo lejos.
A veces hasta mi alma me parece lejana.

Pobre como una hoja amarilla de otoño
y cantor como un hilo de agua sobre una huerta:
los dolores, tú sabes cómo me caen todos
como al camino caen todas las hojas muertas.

Mis alegrías nunca las sabrás, hermanita,
y mi dolor es ése, no te las puedo dar:
vinieron como pájaros a posarse en mi vida,
una palabra dura las haría volar.

Pienso que también ellas me dejarán un día,
que me quedaré solo, como nunca lo estuve.
Tú lo sabes, hermana, la soledad me lleva
hacia el fin de la tierra como el viento a las nubes!

Pero para qué es esto de pensamientos tristes!
A ti menos que a nadie debe afligir mi voz!
Después de todo nada de esto que digo existe...
No vayas a contárselo a mi madre, por Dios!

Uno no sabe cómo va hilvanando mentiras,
y uno dice por ellas, y ellas hablan por uno.
Piensa que tengo el alma toda llena de risas,
y no te engañarás, hermana, te lo juro.

## Mujer, nada me has dado

Nada me has dado y para ti mi vida
deshoja su rosal de desconsuelo,
porque ves estas cosas que yo miro,
las mismas tierras y los mismos cielos,

porque la red de nervios y de venas
que sostiene tu ser y tu belleza
se debe estremecer al beso puro
del sol, del mismo sol que a mí me besa.

Mujer, nada me has dado y sin embargo
a través de tu ser siento las cosas:
estoy alegre de mirar la tierra
en que tu corazón tiembla y reposa.

Me limitan en vano mis sentidos
–dulces flores que se abren en el viento–
porque adivino el pájaro que pasa
y que mojó de azul tu sentimiento.

Y sin embargo no me has dado nada,
no se florecen para mí tus años,
la cascada de cobre de tu risa
no apagará la sed de mis rebaños.

Hostia que no probó tu boca fina,
amador del amado que te llame,
saldré al camino con mi amor al brazo
como un vaso de miel para el que ames.

Ya ves, noche estrellada, canto y copa
en que bebes el agua que yo bebo,
vivo en tu vida, vives en mi vida,
nada me has dado y todo te lo debo.

# Tengo miedo

Tengo miedo. La tarde es gris y la tristeza
del cielo se abre como una boca de muerto.
Tiene mi corazón un llanto de princesa
olvidada en el fondo de un palacio desierto.

Tengo miedo. Y me siento tan cansado y pequeño
que reflejo la tarde sin meditar en ella.
(En mi cabeza enferma no ha de caber un sueño
así como en el cielo no ha cabido una estrella.)

Sin embargo en mis ojos una pregunta existe
y hay un grito en mi boca que mi boca no grita.
No hay oído en la tierra que oiga mi queja triste
abandonada en medio de la tierra infinita!

Se muere el universo de una calma agonía
sin la fiesta del sol o el crepúsculo verde.
Agoniza Saturno como una pena mía,
la tierra es una fruta negra que el cielo muerde.

Y por la vastedad del vacío van ciegas
las nubes de la tarde, como barcas perdidas
que escondieran estrellas rotas en sus bodegas.

Y la muerte del mundo cae sobre mi vida.

## VENTANA AL CAMINO

### Campesina

Entre los surcos tu cuerpo moreno
es un racimo que a la tierra llega.
Torna los ojos, mírate los senos,
son dos semillas ácidas y ciegas.

Tu carne es tierra que será madura
cuando el otoño te tienda las manos,
y el surco que será tu sepultura
temblará, temblará, como un humano

al recibir tus carnes y tus huesos
–rosas de pulpa con rosas de cal:
rosas que en el primero de los besos
vibraron como un vaso de cristal–.

La palabra de qué concepto pleno
será tu cuerpo? No lo he de saber!
Torna los ojos, mírate los senos,
tal vez no alcanzarás a florecer.

### Agua dormida

Quiero saltar al agua para caer al cielo.

## Sinfonía de la trilla

Sacude las épicas eras
un loco viento festival.
                    Ah yeguayeguaa!...
Como un botón en primavera
se abre un relincho de cristal.

Revienta la espiga gallarda
bajo las patas vigorosas.
                    Ah yeguayeguaa!...
Por aumentar la zalagarda
trillarían las mariposas!

Maduros trigos amarillos,
campos expertos en donar.
                    Ah yeguayeguaa!...
Hombres de corazón sencillo.
Qué más podemos esperar?

Éste es el fruto de tu ciencia,
varón de la mano callosa.
                    Ah yeguayeguaa!...
Sólo por falta de paciencia
las copihueras no dan rosas!


Sol que cayó a racimos sobre el llano,
ámbar del sol, quiero adorarte en todo:
en el oro del trigo y de las manos
que lo hicieran gavillas y recodos.

Ámbar del sol, quiero divinizarte
en la flor, en el grano y en el vino.
Amor sólo me alcanza para amarte:
para divinizarte, hazme divino!

Que la tierra florezca en mis acciones
como en el jugo de oro de las viñas,
que perfume el dolor de mis canciones
como un fruto olvidado en la campiña.

Que trascienda mi carne a sembradura
ávida de brotar por todas partes,
que mis arterias lleven agua pura,
agua que canta cuando se reparte!

Yo quiero estar desnudo en las gavillas,
pisado por los cascos enemigos,
yo quiero abrirme y entregar semillas
de pan, yo quiero ser de tierra y trigo!

Yo di licores rojos y dolientes
cuando trilló el Amor mis avenidas:
ahora daré licores de vertiente
y aromaré los valles con mi herida.

Campo, dame tus aguas y tus rocas,
entiérrame en tus surcos, o recoge
mi vida en las canciones de tu boca
como un grano de trigo de tus trojes...

Dulcifica mis labios con tus mieles,
campo de los lebreles pastorales!

Perfúmame a manzanas y laureles,
desgráname en los últimos trigales...

Lléname el corazón de cascabeles,
campo de los lebreles pastorales!


Rechinan por las carreteras
los carros de vientres fecundos.
                    Ah yeguayeguaa!...

La llamarada de las eras
es la cabellera del mundo!

Va un grito de bronce removiendo
las bestias que trillan sin tregua
en un remolino tremendo...
                    Ah yeguayeguaa!...


## Playa del sur


La dentellada del mar muerde
la abierta pulpa de la costa
donde se estrella el agua verde
contra la tierra silenciosa.

Parado cielo y lejanía.
El horizonte, como un brazo,
rodea la fruta encendida
del sol cayendo en el ocaso.

Frente a la furia del mar son
inútiles todos los sueños.
Para qué decir la canción
de un corazón que es tan pequeño?


Sin embargo es tan vasto el cielo
y rueda el tiempo, sin embargo.
Tenderse y dejarse llevar
por este viento azul y amargo!...

Desgranado viento del mar,
sigue besándome la cara.
Arrástrame, viento del mar,
adonde nadie me esperara!

A la tierra más pobre y dura
llévame, viento, entre tus alas,
así como llevas a veces
las semillas de las hierbas malas.

Ellas quieren rincones húmedos,
surcos abiertos, ellas quieren
crecer como todas las hierbas:
yo sólo quiero que me lleves!

Allá estaré como aquí estoy:
adonde vaya estaré siempre
con el deseo de partir
y con las manos en la frente...

Ésa es la pequeña canción
arrullada en un vasto sueño.
Para qué decir la canción
si el corazón es tan pequeño?

Pequeño frente al horizonte
y frente al mar enloquecido.
Si Dios gimiera en esta playa
nadie oiría sus gemidos!

A mordiscos de sal y espuma
borra el mar mis últimos pasos...

La marea desata ahora
su cinturón, en el ocaso.

Y una bandada raya el cielo
como una nube de flechazos...

## Mancha en tierras de color

Patio de esta tierra, luminoso patio
tendido a la orilla del río y del mar.

Inclinado sobre la boca del pozo
del fondo del pozo me veo brotar

como en una instantánea de sesenta cobres
distante y movida. Fotógrafo pobre,

el agua retrata mi camisa suelta
y mi pelo de hebras negras y revueltas.

Un alado piño de pájaros sube
como una escalera de seda, una nube.

Y, asomando detrás de la cerca sencilla,
cabeza amarilla, como maravilla,

como el corazón de la siesta en la trilla,
rubia como el alma de las manzanillas,

veo a veces, gloria del paisaje seco,
la cabeza rubia de Laura Pacheco.


## Poema en diez versos

Era mi corazón un ala viva y turbia
y pavorosa ala de anhelo.

Era primavera sobre los campos verdes.
Azul era la altura y era esmeralda el suelo.

Ella –la que me amaba– se murió en primavera.
Recuerdo aún sus ojos de paloma en desvelo.

Ella –la que me amaba– cerró los ojos. Tarde.
Tarde de campo, azul. Tarde de alas y vuelos.

Ella –la que me amaba– se murió en primavera.
Y se llevó la primavera al cielo.

## El pueblo

La sombra de este monte protector y propicio,
como una manta indiana fresca y rural me cubre:
bebo el azul del cielo por mis ojos sin vicio
como un ternero mama la leche de las ubres.

Al pie de la colina se extiende el pueblo y siento,
sin quererlo, el rodar de los *tranways* urbanos:
una iglesia se eleva para clavar el viento,
pero el muy vagabundo se le va de las manos.

Pueblo, eres triste y gris. Tienes las calles largas,
y un olor de almacén por tus calles pasea.
El agua de tus pozos la encuentro más amarga.
Las almas de tus hombres me parecen más feas.

No saben la belleza de un surtidor que canta,
ni del que la trasvasa floreciendo un concepto.
Sin detenerse, como el agua en la garganta,
desde sus corazones se va el verso perfecto.

El pueblo es gris y triste. Si estoy ausente pienso
que la ausencia parece que lo acercara a mí.
Regreso, y hasta el cielo tiene un bostezo inmenso.
Y crece en mi alma un odio, como el de antes, intenso.

Pero ella vive aquí.

## PELLEAS Y MELISANDA

### Melisanda

Su cuerpo es una hostia fina, mínima y leve.
Tiene azules los ojos y las manos de nieve.

En el parque los árboles parecen congelados,
los pájaros en ellos se detienen cansados.

Sus trenzas rubias tocan el agua dulcemente
como dos brazos de oro brotados de la fuente.

Zumba el vuelo perdido de las lechuzas ciegas.
Melisanda se pone de rodillas y ruega.

Los árboles se inclinan hasta tocar su frente.
Los pájaros se alejan en la tarde doliente.

Melisanda, la dulce, llora junto a la fuente.

### El encantamiento

Melisanda, la dulce, se ha extraviado de ruta:
Pelleas, lirio azul de un jardín imperial,
se la lleva en los brazos, como un cesto de fruta.

# El coloquio maravillado

PELLEAS.
Iba yo por la senda, tú venías por ella,
mi amor cayó en tus brazos, tu amor tembló en los míos.
Desde entonces mi cielo de noche tuvo estrellas
y para recogerlas se hizo tu vida un río.
Para ti cada roca que tocarán mis manos
ha de ser manantial, aroma, fruta y flor.

MELISANDA.
Para ti cada espiga debe apretar su grano
y en cada espiga debe desgranarse mi amor.

PELLEAS.
Me impedirás, en cambio, que yo mire la senda
cuando llegue la muerte para dejarla trunca.

MELISANDA.
Te cubrirán mis ojos como una doble venda.

PELLEAS.
Me hablarás de un camino que no termine nunca.
La música que escondo para encantarse huye
lejos de la canción que borbota y resalta:
como una vía láctea desde mi pecho fluye.

MELISANDA.
En tus brazos se enredan las estrellas más altas.
Tengo miedo. Perdóname no haber llegado antes.

PELLEAS.
Una sonrisa tuya borra todo un pasado:
guarden tus labios dulces lo que ya está distante.

MELISANDA.
En un beso sabrás todo lo que he callado.

PELLEAS.
Tal vez no sepa entonces conocer tu caricia,
porque en las venas mías tu ser se habrá fundido.

MELISANDA.
Cuando yo muerda un fruto tú sabrás su delicia.

PELLEAS.
Cuando cierres los ojos me quedaré dormido.

## La cabellera

Pesada, espesa y rumorosa,
en la ventana del castillo
la cabellera de la Amada
es un lampadario amarillo.

—Tus manos blancas, en mi boca.
—Mi frente en tu frente lunada.
Pelleas, ebrio, tambalea
bajo la selva perfumada.

—Melisanda, un lebrel aúlla
por los caminos de la aldea.
—Siempre que aúllan los lebreles
me muero de espanto, Pelleas.

—Melisanda, un corcel galopa
cerca del bosque de laureles.
—Tiemblo, Pelleas, en la noche
cuando galopan los corceles.

—Pelleas, alguien me ha tocado
la sien con una mano fina.
—Sería un beso de tu amado
o el ala de una golondrina.

En la ventana del castillo
es un lampadario amarillo
la milagrosa cabellera.

Ebrio, Pelleas enloquece:
su corazón también quisiera
ser una boca que la besa.

## La muerte de Melisanda

A la sombra de los laureles
Melisanda se está muriendo.

Se morirá su cuerpo leve.
Enterrarán su dulce cuerpo.

Juntarán sus manos de nieve.
Dejarán sus ojos abiertos

para que alumbren a Pelleas
hasta después que se haya muerto.

A la sombra de los laureles
Melisanda muere en silencio.

Por ella llorará la fuente
un llanto trémulo y eterno.

Por ella orarán los cipreses
arrodillados bajo el viento.

Habrá galope de corceles,
lunarios ladridos de perros.

A la sombra de los laureles
Melisanda se está muriendo.

Por ella el sol en el castillo
se apagará como un enfermo.

Por ella morirá Pelleas
cuando la lleven al entierro.

Por ella vagará de noche,
moribundo por los senderos.

Por ella pisará las rosas,
perseguirá las mariposas
y dormirá en los cementerios.

Por ella, por ella, por ella
Pelleas, el príncipe, ha muerto.


## Canción de los amantes muertos

Ella era bella y era buena.

Perdonalá, Señor!

Él era dulce y era triste.

Perdonaló, Señor!

Se dormía en sus brazos blancos
como una abeja en una flor.

Perdonaló, Señor!

Amaba las dulces canciones,
ella era una dulce canción!

Perdonalá, Señor!

Cuando hablaba era como si alguien
hubiera llorado en su voz.

Perdonaló, Señor!

Ella decía: «Tengo miedo.
Oigo una voz en lo lejano».

Perdonalá, Señor!

Él decía: −«Tu pequeñita
mano en mis labios».

Perdonaló, Señor!

Miraban juntos las estrellas.
No hablaban de amor.

Cuando moría una mariposa
lloraban los dos.

Perdonalós, Señor!

Ella era bella y era buena.
Él era dulce y era triste.
Murieron del mismo dolor.

Perdónalos,
Perdónalos,

Perdonalós, Señor!

# FINAL

Fueron creadas por mí estas palabras
con sangre mía, con dolores míos
fueron creadas!
Yo lo comprendo, amigos, yo lo comprendo todo.
Se mezclaron voces ajenas a las mías,
yo lo comprendo, amigos!

Como si yo quisiera volar y a mí llegaran
en ayuda las alas de las aves,
todas las alas,
así vinieron estas palabras extranjeras
a desatar la oscura ebriedad de mi alma.

Es el alba, y parece
que no se me apretaran las angustias
en tan terribles nudos en torno a la garganta.
Y sin embargo,
fueron creadas
con sangre mía, con dolores míos,
fueron creadas por mí estas palabras!

Palabras para la alegría
cuando era mi corazón
una corola de llamas,
palabras del dolor que clava,
de los instintos que remuerden,
de los impulsos que amenazan,
de los infinitos deseos,
de las inquietudes amargas,
palabras del amor, que en mi vida florecen
como una tierra roja llena de umbelas blancas.

No cabían en mí. Nunca cupieron.
De niño mi dolor fue grito
y mi alegría fue silencio.

Después los ojos
olvidaron las lágrimas
barridas por el viento del corazón de todos.

Ahora, decidme, amigos,
dónde esconder aquella aguda
furia de los sollozos.

Decidme, amigos, dónde
esconder el silencio, para que nunca nadie
lo sintiera con los oídos o con los ojos.

Vinieron las palabras, y mi corazón,
incontenible como un amanecer,
se rompió en las palabras y se apegó a su vuelo,
y en sus fugas heroicas lo llevan y lo arrastran,
abandonado y loco, y olvidado bajo ellas
como un pájaro muerto, debajo de sus alas.

# El hondero entusiasta

[1923-1924]

## Advertencia del autor

*Los poemas recogidos en este libro formaron parte de un ciclo de mi producción desarrollada hace ya cerca de diez años. La influencia que ellos muestran del gran poeta uruguayo Carlos Sabat Ercasty y su acento general de elocuencia y altivez verbal me hicieron sustraerlos en su gran mayoría a la publicidad. Ahora, pasado el período en que la publicación de* El hondero entusiasta *me hubiera perjudicado íntimamente, los he entregado a esta editorial como un documento válido para aquellos que se interesan en mi poesía. El libro original contenía un número mucho mayor de composiciones que, si faltan en este cuaderno, es porque se extraviaron para siempre. También muchas de las que aquí aparecen van inconclusas, con pedazos de menos, fragmentos caídos al roce del tiempo, perdidos. Me hubiera gustado poseer todos los versos de este tiempo sepultado, para mí prestigiado del mismo interés que nimba las viejas cartas, ya que este libro no quiere ser, lo repito, sino el documento de una juventud excesiva y ardiente.*

*No he alterado ni agregado ni suprimido nada de estos versos renacidos, he querido preservar su autenticidad, su verdad olvidada.*

NERUDA

Enero de 1933

I

Hago girar mis brazos como dos aspas locas...
en la noche toda ella de metales azules.

Hacia donde las piedras no alcanzan y retornan.
Hacia donde los fuegos oscuros se confunden.
Al pie de las murallas que el viento inmenso abraza.
Corriendo hacia la muerte como un grito hacia el eco.

El lejano, hacia donde ya no hay más que la noche
y la ola del designio, y la cruz del anhelo.
Dan ganas de gemir el más largo sollozo.
De bruces frente al muro que azota el viento inmenso.

Pero quiero pisar más allá de esa huella:
pero quiero voltear esos astros de fuego:
lo que es mi vida y es más allá de mi vida,
eso de sombras duras, eso de nada, eso de lejos:
quiero alzarme en las últimas cadenas que me aten,
sobre este espanto erguido, en esta ola de vértigo,
y echo mis piedras trémulas hacia este país negro,
solo, en la cima de los montes,
solo, como el primer muerto,
rodando enloquecido, presa del cielo oscuro
que mira inmensamente, como el mar en los puertos.

Aquí, la zona de mi corazón,
llena de llanto helado, mojada en sangres tibias.
Desde él, siento saltar las piedras que me anuncian.
En él baila el presagio del humo y la neblina.
Todo de sueños vastos caídos gota a gota.
Todo de furias y olas y mareas vencidas.
Ah, mi dolor, amigos, ya no es dolor de humano.

Ah, mi dolor, amigos, ya no cabe en mi vida.
Y en él cimbro las hondas que van volteando estrellas!
Y en él suben mis piedras en la noche enemiga!
Quiero abrir en los muros una puerta. Eso quiero.
Eso deseo. Clamo. Grito. Lloro. Deseo.
Soy el más doloroso y el más débil. Lo quiero.
El lejano, hacia donde ya no hay más que la noche.

Pero mis hondas giran. Estoy. Grito. Deseo.
Astro por astro, todos fugarán en astillas.
Mi fuerza es mi dolor, en la noche. Lo quiero.
He de abrir esa puerta. He de cruzarla. He de vencerla.
Han de llegar mis piedras. Grito. Lloro. Deseo.

Sufro, sufro y deseo. Deseo, sufro y canto.
Río de viejas vidas, mi voz salta y se pierde.
Tuerce y destuerce largos collares aterrados.
Se hincha como una vela en el viento celeste.
Rosario de la angustia, yo no soy quien lo reza.
Hilo desesperado, yo no soy quien lo tuerce.
El salto de la espada a pesar de los brazos.
El anuncio en estrellas de la noche que viene.
Soy yo: pero es mi voz la existencia que escondo.
El temporal de aullidos y lamentos y fiebres.
La dolorosa sed que hace próxima el agua.
La resaca invencible que me arrastra a la muerte.

Gira mi brazo entonces, y centellea mi alma.
Se trepan los temblores a la cruz de mis cejas.
He aquí mis brazos fieles! He aquí mis manos ávidas!
He aquí la noche absorta! Mi alma grita y desea!
He aquí los astros pálidos todos llenos de enigma!
He aquí mi sed que aúlla sobre mi voz ya muerta!
He aquí los cauces locos que hacen girar mis hondas!
Las voces infinitas que preparan mi fuerza!
Y doblado en un nudo de anhelos infinitos,
en la infinita noche, suelto y suben mis piedras.

Más allá de esos muros, de esos límites, lejos.
Debo pasar las rayas de la lumbre y la sombra.
Por qué no he de ser yo? Grito. Lloro. Deseo.
Sufro, sufro y deseo. Cimbro y zumban mis hondas.
El viajero que alargue su viaje sin regreso.
El hondero que trice la frente de la sombra.
Las piedras entusiastas que hagan parir la noche.
La flecha, la centella, la cuchilla, la proa.
Grito. Sufro. Deseo. Se alza mi brazo, entonces,
hacia la noche llena de estrellas en derrota.

He aquí mi voz extinta. He aquí mi alma caída.
Los esfuerzos baldíos. La sed herida y rota.
He aquí mis piedras ágiles que vuelven y me hieren.
Las altas luces blancas que bailan y se extinguen.
Las húmedas estrellas absolutas y absortas.
He aquí las mismas piedras que alzó mi alma en combate.
He aquí la misma noche desde donde retornan.

Soy el más doloroso y el más débil. Deseo.
Deseo, sufro, caigo. El viento inmenso azota.
Ah, mi dolor, amigos, ya no es dolor de humano!
Ah, mi dolor, amigos, ya no cabe en la sombra!
En la noche toda ella de astros fríos y errantes,
hago girar mis brazos como dos aspas locas.


2


Es como una marea, cuando ella clava en mí
sus ojos enlutados,
cuando siento su cuerpo de greda blanca y móvil
estirarse y latir junto al mío,
es como una marea, cuando ella está a mi lado.

He visto tendido frente a los mares del Sur,
arrollarse las aguas y extenderse
incontenibthe,
fatalmente
en las mañanas y al atardecer.

Agua de las resacas sobre las viejas huellas,
sobre los viejos rastros, sobre las viejas cosas,
agua de las resacas que desde las estrellas
se abre como una inmensa rosa,
agua que va avanzando sobre las playas como
una mano atrevida debajo de una ropa,
agua internándose en los acantilados,
agua estrellándose en las rocas,
agua implacable como los vengadores
y como los asesinos silenciosa,
agua de las noches siniestras
debajo de los muelles como una vena rota,
como el corazón del mar
en una irradiación temblorosa y monstruosa.

Es algo que me lleva desde adentro y me crece
inmensamente próximo, cuando ella está a mi lado,
es como una marea rompiéndose en sus ojos
y besando su boca, sus senos y sus manos.

Ternura de dolor, y dolor de imposible,
ala de los terribles deseos,
que se mueve en la noche de mi carne y la suya
con una aguda fuerza de flechas en el cielo.

Algo de inmensa huida,
que no se va, que araña adentro,
algo que en las palabras cava tremendos pozos,
algo que contra todo se estrella, contra todo,
como los prisioneros contra los calabozos!

Ella, tallada en el corazón de la noche,
por la inquietud de mis ojos alucinados:
ella, grabada en los maderos del bosque
por los cuchillos de mis manos,
ella, su goce junto al mío,
ella, sus ojos enlutados,
ella, su corazón, mariposa sangrienta
que con sus dos antenas de instinto me ha tocado!

No cabe en esta estrecha meseta de mi vida!
Es como un viento desatado!

Si mis palabras clavan apenas como agujas
debieran desgarrar como espadas o arados!

Es como una marea que me arrastra y me dobla,
es como una marea, cuando ella está a mi lado!

3

Eres toda de espumas delgadas y ligeras
y te cruzan los besos y te riegan los días.
Mi gesto, mi ansiedad cuelgan de tu mirada.
Vaso de resonancias y de estrellas cautivas.
Estoy cansado: todas las hojas caen, mueren.
Caen, mueren los pájaros. Caen, mueren las vidas.
Cansado, estoy cansado. Ven, anhélame, víbrame.
Oh, mi pobre ilusión, mi guirnalda encendida!
El ansia cae, muere. Cae, muere el deseo.
Caen, mueren las llamas en la noche infinita.

Fogonazo de luces, paloma de gredas rubias,
líbrame de esta noche que acosa y aniquila.

Sumérgeme en tu nido de vértigo y caricia.
Anhélame, retiéneme.

La embriaguez a la sombra florida de tus ojos,
las caídas, los triunfos, los saltos de la fiebre.
Ámame, ámame, ámame.
De pie te grito! Quiéreme.
Rompo mi voz gritándote y hago horarios de fuego
en la noche preñada de estrellas y lebreles.
Rompo mi voz y grito. Mujer, ámame, anhélame.
Mi voz arde en los vientos, mi voz que cae y muere.

Cansado. Estoy cansado. Huye. Aléjate. Extínguete.
No aprisiones mi estéril cabeza entre tus manos.
Que me crucen la frente los látigos del hielo.
Que mi inquietud se azote con los vientos atlánticos.
Huye. Aléjate. Extínguete. Mi alma debe estar sola.
Debe crucificarse, hacerse astillas, rodar,
verterse, contaminarse sola,
abierta a la marea de los llantos,
ardiendo en el ciclón de las furias,
erguida entre los cerros y los pájaros,
aniquilarse, exterminarse sola,
abandonada y única como un faro de espanto.

4

Siento tu ternura allegarse a mi tierra,
acechar la mirada de mis ojos, huir,
la veo interrumpirse, para seguirme hasta la hora
de mi silencio absorto y de mi afán de ti.
Hela aquí tu ternura de ojos dulces que esperan.
Hela aquí, boca tuya, palabra nunca dicha.
Siento que se me suben los musgos de tu pena
y me crecen a tientas en el alma infinita.

Era esto el abandono, y lo sabías,
era la guerra oscura del corazón y todos,
era la queja rota de angustias conmovidas,

y la ebriedad, y el deseo, y el dejarse ir,
y era eso mi vida,
era eso que el agua de tus ojos llevaba,
era eso que en el hueco de tus manos cabía.

Ah, mariposa mía y arrullo de paloma,
ah vaso, ah estero, ah compañera mía!
Te llegó mi reclamo, dímelo, te llegaba,
en las abiertas noches de estrellas frías
ahora, en el otoño, en el baile amarillo
de los vientos hambrientos y las hojas caídas?

Dímelo, te llegaba,
aullando o cómo, o sollozando,
en la hora de la sangre fermentada
cuando la tierra crece y se cimbra latiendo
bajo el sol que la raya con sus colas de ámbar?

Dímelo, me sentiste
trepar hasta tu forma por todos los silencios,
y todas las palabras?
Yo me sentí crecer. Nunca supe hacia dónde.
Es más allá de ti. Lo comprendes, hermana?
Es que se aleja el fruto cuando llegan mis manos
y ruedan las estrellas antes de mi mirada.

Siento que soy la aguja de una infinita flecha,
y va a clavarse lejos, no va a clavarse nunca,
tren de dolores húmedos en fuga hacia lo eterno,
goteando en cada tierra sollozos y preguntas.

Pero hela aquí, tu forma familiar, lo que es mío,
lo tuyo, lo que es mío, lo que es tuyo y me inunda,
hela aquí que me llena los miembros de abandono,
hela aquí, tu ternura,
amarrándose a las mismas raíces,
madurando en la misma caravana de frutas,
y saliendo de tu alma rota bajo mis dedos
como el licor del vino del centro de la uva.

5

Amiga, no te mueras.
Óyeme estas palabras que me salen ardiendo,
y que nadie diría si yo no las dijera.

Amiga, no te mueras.

Yo soy el que te espera en la estrellada noche.
El que bajo el sangriento sol poniente te espera.

Miro caer los frutos en la tierra sombría.
Miro bailar las gotas del rocío en las hierbas.

En la noche al espeso perfume de las rosas,
cuando danza la ronda de las sombras inmensas.

Bajo el cielo del sur, el que te espera cuando
el aire de la tarde como una boca besa.

Amiga, no te mueras.

Yo soy el que cortó las guirnaldas rebeldes
para el lecho selvático fragante a sol y a selva.
El que trajo en los brazos jacintos amarillos.
Y rosas desgarradas. Y amapolas sangrientas.

El que cruzó los brazos por esperarte, ahora.
El que quebró sus arcos. El que dobló sus flechas.

Yo soy el que en los labios guarda sabor de uvas.
Racimos refregados. Mordeduras bermejas.

El que te llama desde las llanuras brotadas.
Yo soy el que en la hora del amor te desea.

El aire de la tarde cimbra las ramas altas.
Ebrio, mi corazón, bajo Dios, tambalea.

El río desatado rompe a llorar y a veces
se adelgaza su voz y se hace pura y trémula.

Retumba, atardecida, la queja azul del agua.
Amiga, no te mueras!

Yo soy el que te espera en la estrellada noche,
sobre las playas áureas, sobre las rubias eras.

El que cortó jacintos para tu lecho, y rosas.
Tendido entre las hierbas yo soy el que te espera!

6

Déjame sueltas las manos
y el corazón, déjame libre!
Deja que mis dedos corran
por los caminos de tu cuerpo.
La pasión –sangre, fuego, besos–
me incendia a llamaradas trémulas.
Ay, tú no sabes lo que es esto!

Es la tempestad de mis sentidos
doblegando la selva sensible de mis nervios.
Es la carne que grita con sus ardientes lenguas!
Es el incendio!
Y estás aquí, mujer, como un madero intacto
ahora que vuela toda mi vida hecha cenizas
hacia tu cuerpo lleno, como la noche, de astros!

Déjame libres las manos
y el corazón, déjame libre!

Yo sólo te deseo, yo sólo te deseo!
No es amor, es deseo que se agosta y se extingue,
es precipitación de furias,
acercamiento de lo imposible,
pero estás tú,
estás para dármelo todo,
y a darme lo que tienes a la tierra viniste —
como yo para contenerte,
y desearte,
y recibirte!


7


Alma mía! Alma mía! Raíz de mi sed viajera,
gota de luz que espanta los asaltos del mundo.
Flor mía. Flor de mi alma. Terreno de mis besos.
Campanada de lágrimas. Remolino de arrullos.
Agua viva que escurre su queja entre mis dedos.
Azul y alada como los pájaros y el humo.
Te parió mi nostalgia, mi sed, mi ansia, mi espanto.
Y estallaste en mis brazos como en la flor el fruto.

Zona de sombra, línea delgada y pensativa.
Enredadera crucificada sobre un muro.
Canción, sueño, destino. Flor mía, flor de mi alma.
Aletazo de sueño, mariposa, crepúsculo.

En la alta noche mi alma se tuerce y se destroza.
La castigan los látigos del sueño y la socavan.
Para esta inmensidad ya no hay nada en la tierra.
Ya no hay nada.
Se revuelven las sombras y se derrumba todo.
Caen sobre mis ruinas las vigas de mi alma.

No lucen los luceros acerados y blancos.
Todo se rompe y cae. Todo se borra y pasa.

Es el dolor que aúlla como un loco en un bosque.
Soledad de la noche. Soledad de mi alma.
El grito, el alarido. Ya no hay nada en la tierra!
La furia que amedrenta los cantos y las lágrimas.
Sólo la sombra estéril partida por mis gritos.
Y la pared del cielo tendida contra mi alma!

Eres. Entonces eres y te buscaba entonces.
Eres labios de beso, fruta de sueños, todo.
Estás, eres y te amo! Te llamo y me respondes!
Luminaria de luna sobre los campos solos.
Flor mía, flor de mi alma, qué más para esta vida!
Tu voz, tu gesto pálido, tu ternura, tus ojos.
La delgada caricia que te hace arder entera.
Los dos brazos que emergen como juncos de asombro.
Todo tu cuerpo ardido de blancura en el vientre.
Las piernas perezosas. Las rodillas. Los hombros.
La cabellera de alas negras que van volando.
Las arañas oscuras del pubis en reposo.


8


Llénate de mí.
Ansíame, agótame, viérteme, sacrifícame.
Pídeme. Recógeme, contiéneme, ocúltame.
Quiero ser de alguien, quiero ser tuyo, es tu hora.
Soy el que pasó saltando sobre las cosas,
el fugante, el doliente.

Pero siento tu hora,
la hora de que mi vida gotee sobre tu alma,
la hora de las ternuras que no derramé nunca,
la hora de los silencios que no tienen palabras,
tu hora, alba de sangre que me nutrió de angustias,
tu hora, medianoche que me fue solitaria.

Libértame de mí. Quiero salir de mi alma.
Yo soy esto que gime, esto que arde, esto que sufre.
Yo soy esto que ataca, esto que aúlla, esto que canta.
No, no quiero ser esto.
Ayúdame a romper estas puertas inmensas.
Con tus hombros de seda desentierra estas anclas.
Así crucificaron mi dolor una tarde.

Quiero no tener límites y alzarme hacia aquel astro.
Mi corazón no debe callar hoy o mañana.
Debe participar de lo que toca,
debe ser de metales, de raíces, de alas.
No puedo ser la piedra que se alza y que no vuelve,
no puedo ser la sombra que se deshace y pasa.

No, no puede ser, no puede ser, no puede ser.
Entonces gritaría, lloraría, gemiría.
No puede ser, no puede ser.
Quién iba a romper esta vibración de mis alas?
Quién iba a exterminarme? Qué designio, qué palabra?
No puede ser, no puede ser, no puede ser.
Libértame de mí. Quiero salir de mi alma.

Porque tú eres mi ruta. Te forjé en lucha viva.
De mi pelea oscura contra mí mismo, fuiste.
Tienes de mí ese sello de avidez no saciada.
Desde que yo los miro tus ojos son más tristes.
Vamos juntos. Rompamos este camino juntos.
Seré la ruta tuya. Pasa. Déjame irme.
Ansíame, agótame, viérteme, sacrifícame.
Haz tambalear los cercos de mis últimos límites.

Y que yo pueda, al fin, correr en fuga loca,
inundando las tierras como un río terrible,
desatando estos nudos, ah Dios mío, estos nudos,
destrozando,
quemando,
arrasando

como una lava loca lo que existe,
correr fuera de mí mismo, perdidamente,
libre de mí, furiosamente libre.
Irme,
Dios mío,
irme!


9


Canción del macho y de la hembra!
La fruta de los siglos
exprimiendo su jugo
en nuestras venas.

Mi alma derramándose en tu carne extendida
para salir de ti más buena,
el corazón desparramándose,
estirándose como una pantera,
y mi vida, hecha astillas, anudándose
a ti como la luz a las estrellas!

Me recibes
como al viento la vela.

Te recibo
como el surco a la siembra.

Duérmete sobre mis dolores
si mis dolores no te queman,
amárrate a mis alas,
acaso mis alas te llevan,
endereza mis deseos,
acaso te lastima su pelea.

Tú eres lo único que tengo
desde que perdí mi tristeza!

Desgárrame como una espada
o táctame como una antena!

Bésame,
muérdeme,
incéndiame,
que yo vengo a la tierra
sólo por el naufragio de mis ojos de macho
en el agua infinita de tus ojos de hembra!

10

Esclava mía, témeme. Ámame. Esclava mía!
Soy contigo el ocaso más vasto de mi cielo,
y en él despunta mi alma como una estrella fría.
Cuando de ti se alejan vuelven a mí mis pasos.
Mi propio latigazo cae sobre mi vida.
Eres lo que está dentro de mí y está lejano.
Huyendo como un coro de nieblas perseguidas.
Junto a mí, pero dónde? Lejos, lo que está lejos.
Y lo que estando lejos bajo mis pies camina.
El eco de la voz más allá del silencio.
Y lo que en mi alma crece como el musgo en las ruinas.

11

Sed de ti que me acosa en las noches hambrientas.
Trémula mano roja que hasta su vida se alza.
Ebria de sed, loca sed, sed de selva en sequía.
Sed de metal ardiendo, sed de raíces ávidas.
Hacia dónde, en las tardes que no vayan tus ojos
en viaje hacia mis ojos, esperándote entonces.

Estás llena de todas las sombras que me acechan.
Me sigues como siguen los astros a la noche.
Mi madre me dio lleno de preguntas agudas.
Tú las contestas todas. Eres llena de voces.
Ancla blanca que cae sobre el mar que cruzamos.
Surco para la turbia semilla de mi nombre.
Que haya una tierra mía que no cubra tu huella.
Sin tus ojos viajeros, en la noche, hacia dónde.

Por eso eres la sed y lo que ha de saciarla.
Cómo poder no amarte si he de amarte por eso.
Si ésa es la amarra cómo poder cortarla, cómo.
Cómo si hasta mis huesos tienen sed de tus huesos.
Sed de ti, sed de ti, guirnalda atroz y dulce.
Sed de ti que en las noches me muerde como un perro.
Los ojos tienen sed, para qué están tus ojos.

La boca tiene sed, para qué están tus besos.
El alma está incendiada de estas brasas que te aman.
El cuerpo incendio vivo que ha de quemar tu cuerpo.
De sed. Sed infinita. Sed que busca tu sed.
Y en ella se aniquila como el agua en el fuego.

## 12

Es cierto, amada mía, hermana mía, es cierto!
Como las bestias grises que en los potreros pastan,
y en los potreros se aman, como las bestias grises!

Como las castas ebrias que poblaron la tierra
matándose y amándose, como las castas ebrias!

Como el latido de las corolas abiertas
dividiendo la joya futura de la siembra,
como el latido de las corolas abiertas!

Empujado por los designios de la tierra
como una ola en el mar hacia ti va mi cuerpo.
Y tú, en tu carne, encierras
las pupilas sedientas con que miraré cuando
estos ojos que tengo se me llenen de tierra.

# Veinte poemas de amor
# y una canción desesperada

[1923-1924]

## LOS VEINTE POEMAS

### 1

Cuerpo de mujer, blancas colinas, muslos blancos,
te pareces al mundo en tu actitud de entrega.
Mi cuerpo de labriego salvaje te socava
y hace saltar el hijo del fondo de la tierra.

Fui solo como un túnel. De mí huían los pájaros
y en mí la noche entraba su invasión poderosa.
Para sobrevivirme te forjé como un arma,
como una flecha en mi arco, como una piedra en mi honda.

Pero cae la hora de la venganza, y te amo.
Cuerpo de piel, de musgo, de leche ávida y firme.
Ah los vasos del pecho! Ah los ojos de ausencia!
Ah las rosas del pubis! Ah tu voz lenta y triste!

Cuerpo de mujer mía, persistiré en tu gracia.
Mi sed, mi ansia sin límite, mi camino indeciso!
Oscuros cauces donde la sed eterna sigue,
y la fatiga sigue, y el dolor infinito.

### 2

En su llama mortal la luz te envuelve.
Absorta, pálida doliente, así situada
contra las viejas hélices del crepúsculo
que en torno a ti da vueltas.

Muda, mi amiga,
sola en lo solitario de esta hora de muertes
y llena de las vidas del fuego,
pura heredera del día destruido.

Del sol cae un racimo en tu vestido oscuro.
De la noche las grandes raíces
crecen de súbito desde tu alma,
y a lo exterior regresan las cosas en ti ocultas,
de modo que un pueblo pálido y azul
de ti recién nacido se alimenta.

Oh grandiosa y fecunda y magnética esclava
del círculo que en negro y dorado sucede:
erguida, trata y logra una creación tan viva
que sucumben sus flores, y llena es de tristeza.

### 3

Ah vastedad de pinos, rumor de olas quebrándose,
lento juego de luces, campana solitaria,
crepúsculo cayendo en tus ojos, muñeca,
caracola terrestre, en ti la tierra canta!

En ti los ríos cantan y mi alma en ellos huye
como tú lo desees y hacia donde tú quieras.
Márcame mi camino en tu arco de esperanza
y soltaré en delirio mi bandada de flechas.

En torno a mí estoy viendo tu cintura de niebla
y tu silencio acosa mis horas perseguidas,
y eres tú con tus brazos de piedra transparente
donde mis besos anclan y mi húmeda ansia anida.

Ah tu voz misteriosa que el amor tiñe y dobla
en el atardecer resonante y muriendo!
Así en horas profundas sobre los campos he visto
doblarse las espigas en la boca del viento.

## 4

Es la mañana llena de tempestad
en el corazón del verano.

Como pañuelos blancos de adiós viajan las nubes,
el viento las sacude con sus viajeras manos.

Innumerable corazón del viento
latiendo sobre nuestro silencio enamorado.

Zumbando entre los árboles, orquestal y divino,
como una lengua llena de guerras y de cantos.

Viento que lleva en rápido robo la hojarasca
y desvía las flechas latientes de los pájaros.

Viento que la derriba en ola sin espuma
y sustancia sin peso, y fuegos inclinados.

Se rompe y se sumerge su volumen de besos
combatido en la puerta del viento del verano.

## 5

Para que tú me oigas
mis palabras
se adelgazan a veces
como las huellas de las gaviotas en las playas.

Collar, cascabel ebrio
para tus manos suaves como las uvas.

Y las miro lejanas mis palabras.
Más que mías son tuyas.
Van trepando en mi viejo dolor como las yedras.

Ellas trepan así por las paredes húmedas.
Eres tú la culpable de este juego sangriento.

Ellas están huyendo de mi guarida oscura.
Todo lo llenas tú, todo lo llenas.

Antes que tú poblaron la soledad que ocupas,
y están acostumbradas más que tú a mi tristeza.

Ahora quiero que digan lo que quiero decirte
para que tú las oigas como quiero que me oigas.

El viento de la angustia aún las suele arrastrar.
Huracanes de sueños aún a veces las tumban.
Escuchas otras voces en mi voz dolorida.
Llanto de viejas bocas, sangre de viejas súplicas.
Ámame, compañera. No me abandones. Sígueme.
Sígueme, compañera, en esa ola de angustia.

Pero se van tiñendo con tu amor mis palabras.
Todo lo ocupas tú, todo lo ocupas.

Voy haciendo de todas un collar infinito
para tus blancas manos, suaves como las uvas.

6

Te recuerdo como eras en el último otoño.
Eras la boina gris y el corazón en calma.
En tus ojos peleaban las llamas del crepúsculo.
Y las hojas caían en el agua de tu alma.

Apegada a mis brazos como una enredadera,
las hojas recogían tu voz lenta y en calma.
Hoguera de estupor en que mi sed ardía.
Dulce jacinto azul torcido sobre mi alma.

Siento viajar tus ojos y es distante el otoño:
boina gris, voz de pájaro y corazón de casa
hacia donde emigraban mis profundos anhelos
y caían mis besos alegres como brasas.

Cielo desde un navío. Campo desde los cerros.
Tu recuerdo es de luz, de humo, de estanque en calma!
Más allá de tus ojos ardían los crepúsculos.
Hojas secas de otoño giraban en tu alma.

7

Inclinado en las tardes tiro mis tristes redes
a tus ojos oceánicos.

Allí se estira y arde en la más alta hoguera
mi soledad que da vueltas los brazos como un náufrago.

Hago rojas señales sobre tus ojos ausentes
que olean como el mar a la orilla de un faro.

Sólo guardas tinieblas, hembra distante y mía,
de tu mirada emerge a veces la costa del espanto.

Inclinado en las tardes echo mis tristes redes
a ese mar que sacude tus ojos oceánicos.

Los pájaros nocturnos picotean las primeras estrellas
que centellean como mi alma cuando te amo.

Galopa la noche en su yegua sombría
desparramando espigas azules sobre el campo.

## 8

Abeja blanca zumbas –ebria de miel– en mi alma
y te tuerces en lentas espirales de humo.

Soy el desesperado, la palabra sin ecos,
el que lo perdió todo, y el que todo lo tuvo.

Última amarra, cruje en ti mi ansiedad última.
En mi tierra desierta eres la última rosa.

Ah silenciosa!

Cierra tus ojos profundos. Allí aletea la noche.
Ah desnuda tu cuerpo de estatua temerosa.

Tienes ojos profundos donde la noche alea.
Frescos brazos de flor y regazo de rosa.

Se parecen tus senos a los caracoles blancos.
Ha venido a dormirse en tu vientre una mariposa de sombra.

Ah silenciosa!

He aquí la soledad de donde estás ausente.
Llueve. El viento del mar caza errantes gaviotas.

El agua anda descalza por las calles mojadas.
De aquel árbol se quejan, como enfermos, las hojas.

Abeja blanca, ausente, aún zumbas en mi alma.
Revives en el tiempo, delgada y silenciosa.

Ah silenciosa!


9


Ebrio de trementina y largos besos,
estival, el velero de las rosas dirijo,
torcido hacia la muerte del delgado día,
cimentado en el sólido frenesí marino.

Pálido y amarrado a mi agua devorante
cruzo en el agrio olor del clima descubierto,
aún vestido de gris y sonidos amargos,
y una cimera triste de abandonada espuma.

Voy, duro de pasiones, montado en mi ola única,
lunar, solar, ardiente y frío, repentino,
dormido en la garganta de las afortunadas
islas blancas y dulces como caderas frescas.

Tiembla en la noche húmeda mi vestido de besos
locamente cargado de eléctricas gestiones,
de modo heroico dividido en sueños
y embriagadoras rosas practicándose en mí.

Aguas arriba, en medio de las olas externas,
tu paralelo cuerpo se sujeta en mis brazos

como un pez infinitamente pegado a mi alma
rápido y lento en la energía subceleste.

10

Hemos perdido aun este crepúsculo.
Nadie nos vio esta tarde con las manos unidas
mientras la noche azul caía sobre el mundo.

He visto desde mi ventana
la fiesta del poniente en los cerros lejanos.

A veces como una moneda
se encendía un pedazo de sol entre mis manos.

Yo te recordaba con el alma apretada
de esa tristeza que tú me conoces.

Entonces, dónde estabas?
Entre qué gentes?
Diciendo qué palabras?
Por qué se me vendrá todo el amor de golpe
cuando me siento triste, y te siento lejana?

Cayó el libro que siempre se toma en el crepúsculo,
y como un perro herido rodó a mis pies mi capa.

Siempre, siempre te alejas en las tardes
hacia donde el crepúsculo corre borrando estatuas.

11

Casi fuera del cielo ancla entre dos montañas
la mitad de la luna.
Girante, errante noche, la cavadora de ojos.
A ver cuántas estrellas trizadas en la charca.

Hace una cruz de luto entre mis cejas, huye.
Fragua de metales azules, noches de las calladas luchas,
mi corazón da vueltas como un volante loco.
Niña venida de tan lejos, traída de tan lejos,
a veces fulgurece su mirada debajo del cielo.
Quejumbre, tempestad, remolino de furia,
cruza encima de mi corazón, sin detenerte.
Viento de los sepulcros acarrea, destroza, dispersa tu raíz
    soñolienta.
Desarraiga los grandes árboles al otro lado de ella.
Pero tú, clara niña, pregunta de humo, espiga.
Era la que iba formando el viento con hojas iluminadas.
Detrás de las montañas nocturnas, blanco lirio de incendio,
ah nada puedo decir! Era hecha de todas las cosas.

Ansiedad que partiste mi pecho a cuchillazos,
es hora de seguir otro camino, donde ella no sonría.
Tempestad que enterró las campanas, turbio revuelo de
    tormentas
para qué tocarla ahora, para qué entristecerla.

Ay seguir el camino que se aleja de todo,
donde no esté atajando la angustia, la muerte, el invierno,
con sus ojos abiertos entre el rocío.

12

Para mi corazón basta tu pecho,
para tu libertad bastan mis alas.
Desde mi boca llegará hasta el cielo
lo que estaba dormido sobre tu alma.

Es en ti la ilusión de cada día.
Llegas como el rocío a las corolas.
Socavas el horizonte con tu ausencia.
Eternamente en fuga como la ola.

He dicho que cantabas en el viento
como los pinos y como los mástiles.
Como ellos eres alta y taciturna.
Y entristeces de pronto, como un viaje.

Acogedora como un viejo camino.
Te pueblan ecos y voces nostálgicas.
Yo desperté y a veces emigran y huyen
pájaros que dormían en tu alma.

13

He ido marcando con cruces de fuego
el atlas blanco de tu cuerpo.
Mi boca era una araña que cruzaba escondiéndose.
En ti, detrás de ti, temerosa, sedienta.

Historias que contarte a la orilla del crepúsculo,
muñeca triste y dulce, para que no estuvieras triste.
Un cisne, un árbol, algo lejano y alegre.
El tiempo de las uvas, el tiempo maduro y frutal.

Yo que viví en un puerto desde donde te amaba.
La soledad cruzada de sueño y de silencio.
Acorralado entre el mar y la tristeza.
Callado, delirante, entre dos gondoleros inmóviles.

Entre los labios y la voz, algo se va muriendo.
Algo con alas de pájaro, algo de angustia y de olvido.
Así como las redes no retienen el agua.
Muñeca mía, apenas quedan gotas temblando.
Sin embargo, algo canta entre estas palabras fugaces.
Algo canta, algo sube hasta mi ávida boca.
Oh poder celebrarte con todas las palabras de alegría.
Cantar, arder, huir, como un campanario en las manos de un
    loco.
Triste ternura mía, qué te haces de repente?
Cuando he llegado al vértice más atrevido y frío
mi corazón se cierra como una flor nocturna.

14

Juegas todos los días con la luz del universo.
Sutil visitadora, llegas en la flor y en el agua.
Eres más que esta blanca cabecita que aprieto
como un racimo entre mis manos cada día.

A nadie te pareces desde que yo te amo.
Déjame tenderte entre guirnaldas amarillas.
Quién escribe tu nombre con letras de humo entre las estre-
    llas del sur?
Ah déjame recordarte cómo eras entonces, cuando aún no
    existías.

De pronto el viento aúlla y golpea mi ventana cerrada.
El cielo es una red cuajada de peces sombríos.
Aquí vienen a dar todos los vientos, todos.
Se desviste la lluvia.

Pasan huyendo los pájaros.
El viento. El viento.
Yo sólo puedo luchar contra la fuerza de los hombres.
El temporal arremolina hojas oscuras
y suelta todas las barcas que anoche amarraron al cielo.

Tú estás aquí. Ah tú no huyes.
Tú me responderás hasta el último grito.
Ovíllate a mi lado como si tuvieras miedo.
Sin embargo alguna vez corrió una sombra extraña por tus
    ojos.

Ahora, ahora también, pequeña, me traes madreselvas,
y tienes hasta los senos perfumados.
Mientras el viento triste galopa matando mariposas
yo te amo, y mi alegría muerde tu boca de ciruela.

Cuánto te habrá dolido acostumbrarte a mí,
a mi alma sola y salvaje, a mi nombre que todos ahuyentan.
Hemos visto arder tantas veces el lucero besándonos los ojos
y sobre nuestras cabezas destorcerse los crepúsculos en aba-
    nicos girantes.
Mis palabras llovieron sobre ti acariciándote.
Amé desde hace tiempo tu cuerpo de nácar soleado.
Hasta te creo dueña del universo.
Te traeré de las montañas flores alegres, copihues,
avellanas oscuras, y cestas silvestres de besos.

Quiero hacer contigo
lo que la primavera hace con los cerezos.

## 15

Me gustas cuando callas porque estás como ausente,
y me oyes desde lejos, y mi voz no te toca.
Parece que los ojos se te hubieran volado
y parece que un beso te cerrara la boca.

Como todas las cosas están llenas de mi alma
emerges de las cosas, llena del alma mía.
Mariposa de sueño, te pareces a mi alma,
y te pareces a la palabra melancolía.

Me gustas cuando callas y estás como distante.
Y estás como quejándote, mariposa en arrullo.
Y me oyes desde lejos, y mi voz no te alcanza:
déjame que me calle con el silencio tuyo.

Déjame que te hable también con tu silencio
claro como una lámpara, simple como un anillo.
Eres como la noche, callada y constelada.
Tu silencio es de estrella, tan lejano y sencillo.

Me gustas cuando callas porque estás como ausente.
Distante y dolorosa como si hubieras muerto.
Una palabra entonces, una sonrisa bastan.
Y estoy alegre, alegre de que no sea cierto.

## 16

*Paráfrasis a R. Tagore*

En mi cielo al crepúsculo eres como una nube
y tu color y forma son como yo los quiero.
Eres mía, eres mía, mujer de labios dulces,
y viven en tu vida mis infinitos sueños.

La lámpara de mi alma te sonrosa los pies,
el agrio vino mío es más dulce en tus labios:
oh segadora de mi canción de atardecer,
cómo te sienten mía mis sueños solitarios!

Eres mía, eres mía, voy gritando en la brisa
de la tarde, y el viento arrastra mi voz viuda.
Cazadora del fondo de mis ojos, tu robo
estanca como el agua tu mirada nocturna.

En la red de mi música estás presa, amor mío,
y mis redes de música son anchas como el cielo.
Mi alma nace a la orilla de tus ojos de luto.
En tus ojos de luto comienza el país del sueño.

17

Pensando, enredando sombras en la profunda soledad.
Tú también estás lejos, ah más lejos que nadie.
Pensando, soltando pájaros, desvaneciendo imágenes,
enterrando lámparas.
Campanario de brumas, qué lejos, allá arriba!
Ahogando lamentos, moliendo esperanzas sombrías,
molinero taciturno,
se te viene de bruces la noche, lejos de la ciudad.

Tu presencia es ajena, extraña a mí como una cosa.
Pienso, camino largamente, mi vida antes de ti.
Mi vida antes de nadie, mi áspera vida.
El grito frente al mar, entre las piedras,
corriendo libre, loco, en el vaho del mar.
La furia triste, el grito, la soledad del mar.
Desbocado, violento, estirado hacia el cielo.

Tú, mujer, qué eras allí, qué raya, qué varilla
de ese abanico inmenso? Estabas lejos como ahora.
Incendio en el bosque! Arde en cruces azules.
Arde, arde, llamea, chispea en árboles de luz.
Se derrumba, crepita. Incendio. Incendio.

Y mi alma baila herida de virutas de fuego.
Quién llama? Qué silencio poblado de ecos?
Hora de la nostalgia, hora de la alegría, hora de la soledad,
hora mía entre todas!

Bocina en que el viento pasa cantando.
Tanta pasión de llanto anudada a mi cuerpo.
Sacudida de todas las raíces,
asalto de todas las olas!
Rodaba, alegre, triste, interminable, mi alma.

Pensando, enterrando lámparas en la profunda soledad.
Quién eres tú, quién eres?

18

Aquí te amo.
En los oscuros pinos se desenreda el viento.
Fosforece la luna sobre las aguas errantes.
Andan días iguales persiguiéndose.

Se desciñe la niebla en danzantes figuras.
Una gaviota de plata se descuelga del ocaso.
A veces una vela. Altas, altas estrellas.

O la cruz negra de un barco.
Solo.
A veces amanezco, y hasta mi alma está húmeda.
Suena, resuena el mar lejano.

Éste es un puerto.
Aquí te amo.

Aquí te amo y en vano te oculta el horizonte.
Te estoy amando aún entre estas frías cosas.
A veces van mis besos en esos barcos graves,
que corren por el mar hacia donde no llegan.

Ya me veo olvidado como estas viejas anclas.
Son más tristes los muelles cuando atraca la tarde.
Se fatiga mi vida inútilmente hambrienta.
Amo lo que no tengo. Estás tú tan distante.

Mi hastío forcejea con los lentos crepúsculos.
Pero la noche llega y comienza a cantarme.
La luna hace girar su rodaje de sueño.

Me miran con tus ojos las estrellas más grandes.
Y como yo te amo, los pinos en el viento,
quieren cantar tu nombre con sus hojas de alambre.


19


Niña morena y ágil, el sol que hace las frutas,
el que cuaja los trigos, el que tuerce las algas,
hizo tu cuerpo alegre, tus luminosos ojos
y tu boca que tiene la sonrisa del agua.

Un sol negro y ansioso se te arrolla en las hebras
de la negra melena, cuando estiras los brazos.
Tú juegas con el sol como con un estero
y él te deja en los ojos dos oscuros remansos.

Niña morena y ágil, nada hacia ti me acerca.
Todo de ti me aleja, como del mediodía.

Eres la delirante juventud de la abeja,
la embriaguez de la ola, la fuerza de la espiga.

Mi corazón sombrío te busca, sin embargo,
y amo tu cuerpo alegre, tu voz suelta y delgada.
Mariposa morena dulce y definitiva,
como el trigal y el sol, la amapola y el agua.

## 20

Puedo escribir los versos más tristes esta noche.

Escribir, por ejemplo: «La noche está estrellada,
y tiritan, azules, los astros, a lo lejos».

El viento de la noche gira en el cielo y canta.

Puedo escribir los versos más tristes esta noche.
Yo la quise, y a veces ella también me quiso.

En las noches como ésta la tuve entre mis brazos.
La besé tantas veces bajo el cielo infinito.

Ella me quiso, a veces yo también la quería.
Cómo no haber amado sus grandes ojos fijos.

Puedo escribir los versos más tristes esta noche.
Pensar que no la tengo. Sentir que la he perdido.

Oír la noche inmensa, más inmensa sin ella.
Y el verso cae al alma como al pasto el rocío.

Qué importa que mi amor no pudiera guardarla.
La noche está estrellada y ella no está conmigo.

Eso es todo. A lo lejos alguien canta. A lo lejos.
Mi alma no se contenta con haberla perdido.

Como para acercarla mi mirada la busca.
Mi corazón la busca, y ella no está conmigo.

La misma noche que hace blanquear los mismos árboles.
Nosotros, los de entonces, ya no somos los mismos.

Ya no la quiero, es cierto, pero cuánto la quise.
Mi voz buscaba el viento para tocar su oído.

De otro. Será de otro. Como antes de mis besos.
Su voz, su cuerpo claro. Sus ojos infinitos.

Ya no la quiero, es cierto, pero tal vez la quiero.
Es tan corto el amor, y es tan largo el olvido.

Porque en noches como ésta la tuve entre mis brazos,
mi alma no se contenta con haberla perdido.

Aunque éste sea el último dolor que ella me causa,
y éstos sean los últimos versos que yo le escribo.

## LA CANCIÓN DESESPERADA

Emerge tu recuerdo de la noche en que estoy.
El río anuda al mar su lamento obstinado.

Abandonado como los muelles en el alba.
Es la hora de partir, oh abandonado!

Sobre mi corazón llueven frías corolas.
Oh sentina de escombros, feroz cueva de náufragos!

En ti se acumularon las guerras y los vuelos.
De ti alzaron las alas los pájaros del canto.

Todo te lo tragaste, como la lejanía.
Como el mar, como el tiempo. Todo en ti fue naufragio!

Era la alegre hora del asalto y el beso.
La hora del estupor que ardía como un faro.

Ansiedad de piloto, furia de buzo ciego,
turbia embriaguez de amor, todo en ti fue naufragio!

En la infancia de niebla mi alma alada y herida.
Descubridor perdido, todo en ti fue naufragio!

Te ceñiste al dolor, te agarraste al deseo.
Te tumbó la tristeza, todo en ti fue naufragio!

Hice retroceder la muralla de sombra,
anduve más allá del deseo y del acto.

Oh carne, carne mía, mujer que amé y perdí,
a ti en esta hora húmeda, evoco y hago canto.

Como un vaso albergaste la infinita ternura,
y el infinito olvido te trizó como a un vaso.

Era la negra, negra soledad de las islas,
y allí, mujer de amor, me acogieron tus brazos.

Era la sed y el hambre, y tú fuiste la fruta.
Era el duelo y las ruinas, y tú fuiste el milagro.

Ah mujer, no sé cómo pudiste contenerme
en la tierra de tu alma, y en la cruz de tus brazos!

Mi deseo de ti fue el más terrible y corto,
el más revuelto y ebrio, el más tirante y ávido.

Cementerio de besos, aún hay fuego en tus tumbas,
aún los racimos arden picoteados de pájaros.

Oh la boca mordida, oh los besados miembros,
oh los hambrientos dientes, oh los cuerpos trenzados.

Oh la cópula loca de esperanza y esfuerzo
en que nos anudamos y nos desesperamos.

Y la ternura, leve como el agua y la harina.
Y la palabra apenas comenzada en los labios.

Ése fue mi destino y en él viajó mi anhelo,
y en él cayó mi anhelo, todo en ti fue naufragio!

Oh sentina de escombros, en ti todo caía,
qué dolor no exprimiste, qué olas no te ahogaron.

De tumbo en tumbo aún llameaste y cantaste
de pie como un marino en la proa de un barco.

Aún floreciste en cantos, aún rompiste en corrientes.
Oh sentina de escombros, pozo abierto y amargo.

Pálido buzo ciego, desventurado hondero,
descubridor perdido, todo en ti fue naufragio!

Es la hora de partir, la dura y fría hora
que la noche sujeta a todo horario.

El cinturón ruidoso del mar ciñe la costa.
Surgen frías estrellas, emigran negros pájaros.

Abandonado como los muelles en el alba.
Sólo la sombra trémula se retuerce en mis manos.

Ah más allá de todo. Ah más allá de todo.

Es la hora de partir. Oh abandonado!

# tentativa del hombre infinito

[1925]

HOGUERAS pálidas revolviéndose al borde de las noches
corren humos difuntos polvaredas invisibles

fraguas negras durmiendo detrás de los cerros anochecidos
la tristeza del hombre tirada entre los brazos del sueño

ciudad desde los cerros en la noche los segadores duermen
debatida a las últimas hogueras
pero estás allí pegada a tu horizonte
como una lancha al muelle lista para zarpar lo creo
antes del alba

árbol de estertor candelabro de llamas viejas
distante incendio mi corazón está triste

sólo una estrella inmóvil su fósforo azul
los movimientos de la noche aturden hacia el cielo


CIUDAD desde los cerros entre la noche de hojas
mancha amarilla su rostro abre la sombra
mientras tendido sobre el pasto deletreo
ahí pasan ardiendo sólo yo vivo

tendido sobre el pasto mi corazón está triste
la luna azul araña trepa inunda

emisario ibas alegre en la tarde que caía
el crepúsculo rodaba apagando flores

tendido sobre el pasto hecho de tréboles negros
y tambalea sólo su pasión delirante

OH matorrales crespos adonde el sueño avanza trenes
oh montón de tierra entusiasta donde de pie sollozo
vértebras de la noche agua tan lejos viento intranquilo
    rompes
también estrellas crucificadas detrás de la montaña
alza su empuje un ala pasa un vuelo oh noche sin llaves
oh noche mía en mi hora en mi hora furiosa y doliente
eso me levantaba como la ola al alga
acoge mi corazón desventurado
cuando rodeas los animales del sueño
crúzalo con tus vastas correas de silencio
está a tus pies esperando una partida
porque lo pones cara a cara a ti misma noche de hélices
    negras
y que toda fuerza en él sea fecunda
atada al cielo con estrellas de lluvia
procrea tú amárrate a esa proa minerales azules
embarcado en ese viaje nocturno
un hombre de veinte años sujeta una rienda frenética
es el que él quería ir a la siga de la noche
entre sus manos ávidas el viento sobresalta


ESTRELLA retardada entre la noche gruesa los días de altas
    velas
como entre tú y tu sombra se acuestan las vacilaciones
embarcadero de las dudas bailarín en el hilo sujetabas cre-
    púsculos
tenías en secreto un muerto como un camino solitario
divisándote entonces resaltan las audaces te trepas a las luces
    emigrando
quién recoge el cordel vacíos malecones y la niebla
tu espigón de metales dolientes de bruces al borde de las
    aguas el tiempo persiguiéndote

la noche de esmeraldas y molinos se da vueltas la noche de
    esmeraldas y molinos
qué deseas ahora estás solo centinela
corrías a la orilla del país buscándolo
como el sonámbulo al borde de su sueño

aproxímate cuando las campanas te despierten
ataja las temperaturas con esperanzas y dolores

TUERZO esta hostil maleza mecedora de los pájaros
emisario distraído oh soledad quiero cantar

soledad de tinieblas difíciles mi alma hambrienta tropieza
tren de luz allá arriba te asalta un ser sin recuerdos

araño esta corteza destrozo los ramales de la hierba
y la noche como vino invade el túnel

salvaje viento socavador del cielo ululemos
mi alma en desesperanza y en alegría quién golpea

frente a lo inaccesible por ti pasa una presencia sin límites
señalarás los caminos como las cruces de los muertos

proa mástil hoja en el temporal te empuja el abandono sin
    regreso
te pareces al árbol derrotado y al agua que lo estrella

donde lo sigue su riel frío
y se para sin muchas treguas el animal de la noche

NO sé hacer el canto de los días
sin querer suelto el canto la alabanza de las noches
pasó el viento latigándome la espalda alegre saliendo de su
    huevo

descienden las estrellas a beber al océano
tuercen sus velas verdes grandes buques de brasa
para qué decir eso tan pequeño que escondes canta pequeño
los planetas dan vueltas como husos entusiastas giran
el corazón del mundo se repliega y se estira
con voluntad de columna y fría furia de plumas
oh los silencios campesinos claveteados de estrellas
recuerdo los ojos caían en ese pozo inverso
hacia donde ascendía la soledad de todos los ruidos espantados
el descuido de las bestias durmiendo sus duros lirios
preñé entonces la altura de mariposas negras mariposa medusa
aparecían estrépitos humedad nieblas
y vuelto a la pared escribí
oh noche huracán muerto resbala tu oscura lava
mis alegrías muerden tus tintas
mi alegre canto de hombre chupa tus duras mamas
mi corazón de hombre se trepa por tus alambres
exasperado contengo mi corazón que danza
danza en los vientos que limpian tu color
bailador asombrado en las grandes mareas que hacen surgir
    el alba


TORCIENDO hacia ese lado o más allá continúas siendo mía
en la soledad del atardecer golpea tu sonrisa
en ese instante trepan enredaderas a mi ventana
el viento de lo alto cimbra la sed de tu presencia
un gesto de alegría una palabra de pena que estuviera más
    cerca de ti
en su reloj profundo la noche aísla horas
sin embargo teniéndote entre los brazos vacilé
algo que no te pertenece desciende de tu cabeza
y se te llena de oro la mano levantada


hay esto entre dos paredes a lo lejos
radiantes ruedas de piedra sostienen el día mientras tanto
después colgado en la horca del crepúsculo

pisa en los campanarios y en las mujeres de los pueblos
moviéndose en la orilla de mis redes
mujer querida en mi pecho tu cabeza cerrada
a grandes llamaradas el molino se revuelve
y caen las horas nocturnas como murciélagos del cielo

en otra parte lejos lejos existen tú y yo parecidos a nosotros
tú escribes margaritas en la tierra solitaria

es que ese país de cierto nos pertenece
el amanecer vuela de nuestra casa


CUANDO aproximo el cielo con las manos para despertar
   completamente
sus húmedos terrones su red confusa se suelta

tus besos se pegan como caracoles a mi espalda
gira el año de los calendarios y salen del mundo los días como
   hojas
cada vez cada vez al norte están las ciudades inconclusas
ahora el sur mojado encrucijada triste
en donde los peces movibles como tijeras
ah sólo tú apareces en mi espacio en mi anillo
al lado de mi fotografía como la palabra está enfermo
detrás de ti pongo una familia desventajosa
radiante mía salto perteneciente hora de mi distracción
están encorvados tus parientes y tú con tranquilidad
te miras en una lágrima te secas los ojos donde estuve
está lloviendo de repente mi puerta se va a abrir


AL lado de mí mismo señorita enamorada
quién sino tú como el alambre ebrio es una canción sin título
ah triste mía la sonrisa se extiende como una mariposa en tu
   rostro
y por ti mi hermana no viste de negro

yo soy el que deshoja nombres y altas constelaciones de rocío
en la noche de paredes azules alta sobre tu frente
para alabarte a ti palabra de alas puras
el que rompió su suerte siempre donde no estuvo
por ejemplo es la noche rodando entre cruces de plata
que fue tu primer beso para qué recordarlo
yo te puse extendida delante del silencio
tierra mía los pájaros de mi sed te protegen
y te beso la boca mojada de crepúsculo

es más allá más alto
para significarte criaría una espiga
corazón distraído torcido hacia una llaga
atajas el color de la noche y libertas a los prisioneros
ah para qué alargaron la tierra
del lado en que te miro y no estás niña mía
entre sombra y sombra destino de naufragio
nada tengo oh soledad

sin embargo eres la luz distante que ilumina las frutas
y moriremos juntos
pensar que estás ahí navío blanco listo para partir
y que tenemos juntas las manos en la proa navío siempre en
    viaje

ÉSTA es mi casa
aún la perfuman los bosques
desde donde la acarreaban
allí tricé mi corazón como el espejo para andar a través de mí
    mismo
ésa es la alta ventana y ahí quedan las puertas
de quién fue el hacha que rompió los troncos
tal vez el viento colgó de las vigas
su peso profundo olvidándolo entonces
era cuando la noche bailaba entre sus redes
cuando el niño despertó sollozando

yo no cuento yo digo en palabras desgraciadas
aún los andamios dividen el crepúsculo
y detrás de los vidrios la luz del petróleo
era para mirar hacia el cielo
caía la lluvia en pétalos de vidrio
ahí seguiste el camino que iba a la tempestad
como las altas insistencias del mar
aíslan las piedras duras de las orillas del aire
qué quisiste qué ponías como muriendo muchas veces
todas las cosas suben a un gran silencio
y él se desesperaba inclinado en su borde
sostenías una flor dolorosa
entre sus pétalos giraban los días margaritas de pilotos
    decaídos
decaído desocupado revolviste de la sombra
el metal de las últimas distancias o esperabas el turno
amaneció sin embargo en los relojes de la tierra
de pronto los días trepan a los años
he aquí tu corazón andando estás cansado sosteniéndote
a tu lado se despiden los pájaros de la estación ausente


ADMITIENDO el cielo profundamente mirando el cielo
    estoy pensando
con inseguridad sentado en ese borde
oh cielo tejido con aguas y papeles
comencé a hablarme en voz baja decidido a no salir
arrastrado por la respiración de mis raíces
inmóvil navío ávido de esas leguas azules
temblabas y los peces comenzaron a seguirte
tirabas a cantar con grandeza ese instante de sed querías
    cantar
querías cantar sentado en tu habitación ese día
pero el aire estaba frío en tu corazón como en una campana
un cordel delirante iba a romper tu frío
se me durmió una pierna en esa posición y hablé con ella
 cantándole mi alma me pertenece

el cielo era una gota que sonaba cayendo en la gran soledad
pongo el oído y el tiempo como un eucaliptus
frenéticamente canta de lado a lado
en el que estuviera silbando un ladrón
ay y en el límite me paré caballo de las barrancas
sobresaltado ansioso inmóvil sin orinar
en ese instante lo juro oh atardecer que llegas pescador satis-
    fecho
tu canasto vivo en la debilidad del cielo


A quién compré en esta noche la soledad que poseo
quién dice la orden que apresure la marcha
del viento flor de frío entre las hojas inconclusas
si tú me llamas tormenta resuenas tan lejos como un tren
ola triste caída a mis pies quién te dice
sonámbulo de sangre partía cada vez en busca del alba

a ti te reconozco pero lejos apartada
inclinado en tus ojos busco el ancla perdida
ahí la tienes florida adentro de los brazos de nácar
es para terminar para no seguir nunca
y por eso te alabo seguidora de mi alma mirándote hacia
    atrás
te busco cada vez entre los signos del regreso
estás llena de pájaros durmiendo como el silencio de los bos-
    ques
pesado y triste lirio miras hacia otra parte
cuando te hablo me dueles tan distante mujer mía
apresura el paso apresura el paso y enciende las luciérnagas


VEO una abeja rondando no existe esa abeja ahora
pequeña mosca con patas lacres mientras golpeas cada vez tu
    vuelo
inclino la cabeza desvalidamente

sigo un cordón que marca siquiera una presencia una situación cualquiera
oigo adornarse el silencio con olas sucesivas
revuelven vuelven ecos aturdidos entonces canto en alta voz
párate sombra de estrella en las cejas de un hombre a la vuelta
de un camino
que lleva a la espalda una mujer pálida de oro parecida a sí
misma
todo está perdido las semanas están cerradas
veo dirigirse el viento con un propósito seguro
como una flor que debe perfumar
abro el otoño taciturno visito la situación de los naufragios
en el fondo del cielo entonces aparecen los pájaros como
letras
y el alba se divisa apenas como la cáscara de un fruto
o es que entonces sumerges tus pies en otra distancia
el día es de fuego y se apuntala en sus colores
el mar lleno de trapos verdes sus salivas murmullan soy el
mar
el movimiento atraído la inquieta caja
tengo fresca el alma con todas mis respiraciones
ahí sofoco al lado de las noches antárticas
me pongo la luna como una flor de jacinto la moja mi lágrima lúgubre
ahíto estoy y anda mi vida con todos los pies parecidos
crío el sobresalto me lleno de terror transparente
estoy solo en una pieza sin ventanas
sin tener qué hacer con los itinerarios extraviados
veo llenarse de caracoles las paredes como orillas de buques
pego la cara a ellas absorto profundamente
siguiendo un reloj no amando la noche quiero que pase
con su tejido de culebra con luces
guirnalda de fríos mi cinturón da vuelta muchas veces
soy la yegua que sola galopa perdidamente a la siga del alba
muy triste
agujero sin cesar cuando acompaño con mi sordera estreme-
ciéndose
saltan como elásticos o peces los habitantes acostados

mis alas absorben como el pabellón de un parque con olvido
amanecen los puertos como herraduras abandonadas
ay me sorprendo canto en la carpa delirante
como un equilibrista enamorado o el primer pescador
pobre hombre que aíslas temblando como una gota
un cuadrado de tiempo completamente inmóvil


EL mes de junio se extendió de repente en el tiempo con se-
    riedad y exactitud
como un caballo y en el relámpago crucé la orilla
ay el crujir del aire pacífico era muy grande
los cinematógrafos desocupados el color de los cementerios
los buques destruidos las tristezas
encima de los follajes
encima de las astas de las vacas la noche tirante su trapo bai-
    lando
el movimiento rápido del día igual al de las manos que detie-
    nen un vehículo
yo asustado comía
oh lluvia que creces como las plantas oh victrolas ensimisma-
    das
personas de corazón voluntarioso todo lo celebré
en un tren de satisfacciones desde donde mi retrato
tiene detrás el mundo que describo con pasión
los árboles interesantes como periódicos los caseríos los rieles
ay el lugar decaído en que el arco iris
deja su pollera enredada al huir
todo como los poetas los filósofos las parejas que se aman
yo lo comienzo a celebrar entusiasta sencillo
yo tengo la alegría de los panaderos contentos y entonces
amanecía débilmente con un color de violín
con un sonido de campana con el olor de la larga distancia

DEVUÉLVEME la grande rosa la sed traída al mundo
a donde voy supongo iguales las cosas
la noche importante y triste y ahí mi querella
barcarolero de las largas aguas cuando
de pronto una gaviota crece en tus sienes mi corazón está can-
　　tando
márcame tu pata gris llena de lejos
tu viaje de la orilla del mar amargo oh espérame
el vaho se despierta como una violeta es que
a tu árbol noche querida sube un niño
a robarse las frutas
y los lagartos brotan de tu pesada vestidura
entonces el día salta encima de su abeja
estoy de pie en la luz como el medio día en la tierra
quiero contarlo todo con ternura
centinela de las malas estaciones ahí estás tú
pescador intranquilo déjame adornarte por ejemplo
un cinturón de frutas dulce la melancolía
espérame donde voy ah el atardecer
la comida las barcarolas del océano oh espérame
adelantándote como un grito atrasándote como una huella
　　oh espérate
sentado en esa última sombra o todavía después
todavía

# El habitante y su esperanza

## Novela

[1926]

# Prólogo

*He escrito este relato a petición de mi editor. No me interesa
relatar cosa alguna. Para mí es labor dura, para todo el que
tenga conciencia de lo que es mejor, toda labor siempre es difícil. Yo tengo siempre predilecciones por las grandes ideas, y
aunque la literatura se me ofrece con grandes vacilaciones
y dudas, prefiero no hacer nada a escribir bailables o diver-
siones.*

*Yo tengo un concepto dramático de la vida, y romántico;
no me corresponde lo que no llega profundamente a mi sensibilidad.*

*Para mí fue muy difícil aliar esta constante de mi espíritu
con una expresión más o menos propia. En mi segundo libro,*
Veinte poemas de amor y una canción desesperada, *ya tuve
algo de trabajo triunfante. Esta alegría de bastarse a sí mismo
no la pueden conocer los equilibrados imbéciles que forman
parte de nuestra vida literaria.*

*Como ciudadano, soy hombre tranquilo, enemigo de leyes,
gobiernos e instituciones establecidas. Tengo repulsión por el
burgués, y me gusta la vida de la gente intranquila e insatisfecha, sean éstos artistas o criminales.*

PABLO NERUDA

# I

Ahora bien, mi casa es la última de Cantalao, y está frente al mar estrepitoso, encajonado contra los cerros.

El verano es dulce, aletargado, pero el invierno surge de repente del mar como una red de siniestros pescados, que se pegan al cielo, amontonándose, saltando, goteando, lamentándose. El viento produce sus estériles ruidos, desiguales según corran silbando en los alambrados o den vueltas su oscura boleadora encima de los caseríos o vengan del mar océano arrollando su infinito cordel.

He estado muchas veces solo en mi vivienda mientras el temporal azota la costa. Estoy tranquilo porque no tengo temor de la muerte, ni pasiones, pero me gusta ver la mañana que casi siempre surge limpia y reluciendo. No es raro que me siente entonces en un tronco mirando hasta lejos el agua inmensa, oliendo la atmósfera libre, mirando cada carreta que cruza hacia el pueblo con comerciantes, indios y trabajadores y viajeros. Una especie de fuerza de esperanza se pone en mi manera de vivir aquel día, una manera superior a la indolencia, exactamente superior a mi indolencia.

No es raro que esas veces vaya a casa de Irene. Atravieso ese recinto baldío que me separa del pueblo, cosa de una legua, sigo por las calles deshabitadas y me detengo frente al portón de su casa, donde la espero aparecer.

Si está lavando me gusta ver sus manos que se azulan con el agua fría, si está entre la huerta, me gusta ver su cabeza entre las pesadas flores del girasol, si no está, me gusta ver vacío el patio y la huerta y la espero sin desear que llegue.

## II

Irene es gruesa, rubia, habladora, por eso me he formado el propósito de venirme al pueblo. Lava, canta, es ágil, rápida, garabatea los papeles con monos inverosímiles: en realidad la vida sería divertida.

No me saluda desde lejos al acercarse, pero yo me pongo entre ella y yo para recoger su primer beso antes de que resbale de su rostro. Espérate, le digo, abrazándola, no te has acordado de mí en estos largos días, para qué podía venir? Ella no me oye siquiera, me arrastra de prisa a contarle mis historias. Me siento alegre al lado suyo, invadiéndome su salud de piedra de arroyo.

## III

Los cuatro caballos son negros con la luz nocturna y descansan echados a la orilla del agua como los países en el mapa. Rivas y yo nos juntamos en el Roble Huacho y echamos a andar a pie sin hablar.

Ladran los perros a millares lejos, en todas partes y un vaho blanco emana de las calladas lomerías.

– Serán las tres?

– Deben ser.

He dado el salto, y con amortiguados movimientos suelto las trancas.

El piño se levanta y sale con lentitud. Las coigüillas resuenan profundamente con su intermitencia redoblada, metálica, fatal.

Robar caballos es fácil, y contentos Rivas y yo apuramos las bestias. Rivas sabe su oficio y llegará con el robo a Limaiquén, y nadie como él sabrá ocultarlo y venderlo.

Nos despedimos y a galope violento alcanzo mi camino, desciendo los cerros, y al lado del mar apuro salpicándome, pegándome fuertemente el viento de la noche del mar.

# IV

Estoy enfermo y siento el runrún tirante de la fiebre dándome vueltas sobre la paja del camastro. El calabozo tiene una ventanuca, muy arriba, muy triste, con sus delgados fierros, con su parte de alto cielo. Dos o tres presos son: Diego Cóper, también cuatrero, hombre altanero, de aire orgulloso, y Rojas Carrasco, tipo gordo, sucio, antipático, que no sé qué líos tiene con la policía rural.

Pero sobre todo, el largo día, cuando el verano de esta comarca marina zumba hasta mis oídos como una chicharra, con lejos, lejos, el rumor de la desembocadura, donde recuerdo el muelle internando su solitaria madera, el vaivén del agua profunda, o más distante las carretas atascadas de viejos trigos, la era, los avellanos.

Sólo me apena pensar que haya aprendido las cosas inútilmente; me apena recordar las alegrías de mi destreza, el ejercicio de mi vida conducida como un instrumento en busca de una esperanza, la desierta latitud vanamente explorada con buenos ojos y entusiasmo.

A media tarde se escurre por debajo de la puerta una gallina. Ha puesto después entre la paja del camastro un huevo que dura ahí, asustando su pequeña inmovilidad.

# V

Mi querido Tomás:

Estoy preso en la policía de Cantalao, por unos asuntos de animales. He pasado un mes ocioso, con gran tedio. Es un cuartel campesino, de grandes paredes coloradas, en donde vienen a caer indios infelices y vagabundos de los campos. Yo le escribo para saber de Irene, la mujer de Florencio, a quien deseo que lleve un recado que no necesito decirle. La veo y tengo la sensación de que está sola o de que la maltrataran.

Qué quiere decir esto? Trate de encontrarla. Ella vive frente al chalet de las Vásquez.

Lo abraza su amigo.


# VI


Entonces cuando ya cae la tarde y el rumor del mar alimenta
su dura distancia, contento de mi libertad y de mi vida, atravieso las desiertas calles siguiendo un camino que conozco
mucho.

En su cuarto estoy comiéndome una manzana cuando aparece frente a mí, el olor de los jazmines que aprieta con el pecho y las manos, se sumerge en nuestro abrazo. Miro, miro sus
ojos debajo de mi boca, llenos de lágrimas, pesadas. Me aparto hacia el balcón comiendo mi manzana, callado, mientras
que ella se tiende un poco en la cama echando hacia arriba el
rostro humedecido. Por la ventana el anochecer cruza como un
fraile, vestido de negro, que se parara frente a nosotros lúgubremente. El anochecer es igual en todas partes, frente al corazón del hombre que se acongoja, vacila su trapo y se arrolla a
las piernas como vela vencida, temerosa. Ay del que no sabe
qué camino tomar, del mar o de la selva, ay, del que regresa y
encuentra dividido su terreno, en esa hora débil, en que nadie
puede retratarse, porque las condenas del tiempo son iguales
e infinitas, caídas sobre la vacilación o las angustias.

Entonces nos acercamos conjurando el maleficio, cerrando
los ojos como para oscurecernos por completo, pero alcanzo
a divisar por el ojo derecho sus trenzas amarillas, largas entre
las almohadas. Yo la beso con reconciliación, con temor de
que se muera; los besos se aprietan como culebras, se tocan
con levedad muy diáfana, son besos profundos y blandos, o
se alcanzan los dientes que suenan como metales, o se sumer-
gen las dos grandes bocas temblando como desgraciados.

Te contaré día a día mi infancia, te contaré cantando mis
solitarios días de liceo, oh, no importa, hemos estado ausentes, pero te hablaré de lo que he hecho y de lo que he deseado

hacer y de cómo viví sin tranquilidad en el hotel de Mauricio.

Ella está sentada a mis pies en el balcón, nos levantamos, la dejo, ando, silbando me paseo a grandes trancos por su pieza y encendemos la lámpara, comemos sin hablarnos mucho, ella frente a mí, tocándonos los pies.

Más tarde, la beso y nos miramos con silencio, ávidos, resueltos, pero la dejo sentada en la cama. Y vuelvo a pasear por el cuarto, abajo y arriba, arriba y abajo, y la vuelvo a besar pero la dejo. La muerdo en el brazo blanco, pero me aparto.

Pero la noche es larga.


## VII


El doce de marzo, estando yo durmiendo, golpea en mi puerta Florencio Rivas. Yo conozco, yo conozco algo de lo que quieres hablarme, Florencio, pero espérate, somos viejos amigos. Se sienta junto a la lámpara, frente a mí y mientras me visto lo miro a veces, notando su tranquila preocupación. Florencio Rivas es hombre tranquilo y duro y su carácter es leal y de improviso.

Mi compadre de mesas de juego y asuntos de animales perdidos, es blanco de piel, azul de ojos, y en el azul de ellos, gotas de indiferencia. Tiene la nariz ladeada y su mano derecha contra la frente y en la pared su silueta negra, sentada. Me deja hacer, con mi lentitud y al salir me pide mi poncho de lana gruesa.

– Es para un viaje largo, niño.

Pero él que está tranquilo esta noche mató a su mujer, Irene. Yo lo tengo escrito en los zapatos que me voy poniendo, en mi chaqueta blanca de campero, lo leo escrito en la pared, en el techo. Él no me ha dicho nada, él me ayuda a ensillar mi caballo, él se adelanta al trote, él no me dice nada. Y luego galopamos, galopamos fuertemente a través de la costa solitaria, y el ruido de los cascos hace tas tas, tas tas, así hace entre las malezas aproximadas a la orilla y se golpea contra las piedras playeras.

Mi corazón está lleno de preguntas y de valor, compañero Florencio. Irene es más mía que tuya y hablaremos; pero galopamos, galopamos, sin hablarnos, juntos y mirando hacia adelante, porque la noche es oscura y llena de frío.

Pero esta puerta la conozco, es claro, y la empujo y sé quién me espera detrás de ella, sé quién me espera, ven tú también, Florencio.

Pero ya está lejos y las pisadas de su caballo corren profundamente en la soledad nocturna; él ya va arrancando por los caminos de Cantalao hasta perderse de nombre, hasta alejarse sin regreso.

## VIII

La encontré muerta, sobre la cama, desnuda, fría, como una gran lisa del mar, arrojada allí entre la espuma nocturna. La fui a mirar de cerca, sus ojos estaban abiertos y azules como dos ramas de flor sobre su rostro. Las manos estaban ahuecadas como queriendo aprisionar humo, su cuerpo estaba extendido todavía con firmeza en este mundo y era de un metal pálido que quería temblar.

Ay, ay, las horas del dolor que ya nunca encontrará consuelo, en ese instante el sufrimiento se pega resueltamente al material del alma, y el cambio apenas se advierte. Cruzan los ratones por el cuarto vecino, la boca del río choca con el mar sus aguas llorando; es negra, es oscura la noche, está lloviendo.

Está lloviendo y en la ventana donde falta un vidrio, pasa corriendo el temporal, a cada rato, y es triste para mi corazón la mala noche que tira a romper las cortinas, el mal viento que silba sus movimientos de tumultos, la habitación donde está mi mujer muerta, la habitación es cuadrada, larga, los relámpagos entran a veces, que no alcanzan a encender los velones grandes, blancos, que mañana estarán. Yo quiero oír su voz, de inflexión hacia atrás tropezando, su voz segura para llegar a mí como una desgracia que lleva alguien sonriéndose.

Yo quiero oír su voz que llama de improviso, originándose en su vientre, en su sangre, su voz que nunca quedó parada fijamente en lugar ninguno de la tierra para salir a buscarla. Yo necesito agudamente recordar su voz que tal vez no conocí completa, que debí escuchar no sólo frente a mi amor, en mis oídos, sino que detrás de las paredes, ocultándome para que mi presencia no la hubiera cambiado. Qué pérdida es ésta? Cómo lo comprendo?

Estoy sentado cerca de ella, ya muerta, y su presencia, como un sonido ya muy grande, me hace poner atención sorda exasperada, hasta una gran distancia. Todo es misterioso, y la velo toda la triste oscura noche de lluvia cayendo, sólo al amanecer estoy otra vez transido encima del caballo que galopa el camino.

## IX

Con gran pasión las hojas arrastran quejando, los pájaros se dejan caer desde las altas pajareras y ruedan ruidosos hasta el pálido ocaso, donde destiñen levemente, y existe por toda la tierra un grave olor de espadas polvorientas, un perfume sin descanso que hecho una masa por completo se está flotando echado entre los largos directos árboles como un animal gris, pelado, de alas lentas. Oh animal del otoño, hecho de deshechas mariposas con olor a polvo de la tierra notándose aún callado en la noche que sube de los agujeros tapándolo todo con su manto sin cesar.

Porque la tarde es un capullo frío de donde como negras flores emergen sombras, pasan carruajes triturando el amarillo de las hojas, amarillo lívido de caídas muertas arrastradas quebradizas lencerías, parejas inclinadas en sí mismas que pasan tambaleando como campanas, dirigiéndose hacia esa dirección en que un naipe de metal en monedas descuella sobre la pared. Otoño asustado, vaivén de cosas sin ruido que olfateándose se advierten, de esa manera irreductible por la cual el ciego conoce el terciopelo y la bestia se somete a la noche.

Hasta clavado implacablemente en la atmósfera que rodea las constelaciones, circula como un anillo largo aventando soledades, trizas de ilusiones, aquellas no ya definitivamente perdidas, porque son las que el viento puede cimbrar, dejar caer a latigazos, flotando entremedio de las montoneras de hojas rotas, sumiéndose en lo profundo de los patios deshabitados, de las alcobas demasiado grandes, llegando a todo inundarlo y a establecerse como no se puede decir qué composición misteriosa en los espejos, en las ateridas arañas de luz, en los flecos de los cansados sillones, ay porque todo eso quiere recobrarse hacia su verdadera, ignorada vida secreta y tira a regresar sin sentirse demasiado muerto.


X


Era indudable que José Silva terminaría en aquello, dándose de balazos con cualquiera en una de esas lúgubres estaciones que se acercan a Cantalao, y cuando todos los cálculos están hechos, cálculos que van amontonándose en la misma igualdad negativa, deshacer ese tumulto con una rápida acción es el verdadero camino. Yo escogí la huida, y a través de pueblos lluviosos incendiados, solitarios, caseríos madereros en que indefectiblemente uno se espera con los inmensos castillos de leña, con el rostro de los ferroviarios desconocidos y preocupados, con los hoteleros y las hoteleras, y en el fondo del cuarto donde la vieja litografía hamburguesa, la colcha azul, la ventana con vista a la lluvia, el espejo de luna nublada de donde salen corriendo los días jueves, el lavatorio, el cántaro, la bacinilla, la desesperación de salir de ninguna parte y llegar allí mismo. Pero su retrato me acompañaba, por supuesto, su retrato en que Irene tiene esa actitud magnífica, de tranquila perseguidora, con la mano dejada allí por el fotógrafo, y los ojos azules creados allí por Dios.

Y en realidad al encontrarla en aquel pequeño Hotel Welcome, al lado de la prefectura, sólo su impermeable cerrado la alejaba de su retrato.

Cómo librarme de aquella mujer? Le dije cariñosamente buenos días negándome su aliento, había creído hundir su miseria, su abandono, en aquel caserío abandonado, no era más que un montón de recuerdos dolorosos. Has venido a afirmarme tu última luz? En el tiempo mojado esperé su palabra, que llegaba otra vez.

–Florencio estuvo muy enfermo, y a menudo te recordaba llamándote, pero no supe dónde buscarte, desde que vendiste la tienda nadie te puede descubrir. Dios mío qué cosas pasan! Nada de eso! A nadie he querido hablar de ello; se quedó con sus lágrimas.

–Yo tampoco podía olvidarte. No era necesario sin embargo encontrarnos a cada paso y qué cosa más difícil que reponer esa solicitud de los viejos días perdidos. Miraba pasar los trenes que dejan a los pueblos y nunca te esperé, y ahí está la prueba, tu retrato de niña muy niña que a todas partes me siguió guardado con su orilla negra de luto y completamente inolvidable.

Elvira venía cada mañana, no la miraba; tu presencia volvía hasta hoy.


# XI


Andrés me despertaba de la misma manera todos los días riéndose a grandes risas. Su carcajada sobresale por encima de él porque es tan pequeño que casi no lo encuentro.

De veras, es horrible esta vida, la Lucha, el sol entraba cada mañana, la Lucha aún todavía tan niña, y arrastrarse hasta el muelle desde donde se pierden todos los sentidos. Pero habrá algún rincón de piedras duras y enormes, y teñidas de vetas verdes desde donde un hombre con vocación de soledad, puede esperar todas las tardes a una misma mujer.

–Ah ya sé, te quedarás todos los días jugando a la brisca, con Andrés, o Aguilera con los brazos en alto. Ayer te vi pasar y eras tú, no me lo niegues, desde dos leguas lo habría asegurado. A la Lucía ya casada no le sientan esos amores. Sí, es ella, ya lo sé.

Sí, era en verdad Lucía, nadie más atrayente que ella en aquella casa de huéspedes polvorienta, en que su gracia consistía en arrodillarse al pie de mi cama cada vez que estuve enfermo, en consultar las mesas adivinas, en llenar las paredes de mi cuarto con sus dibujos de la academia, de la cual ella parecía algo nostálgica, con su cabeza teñida vivamente, sus ojos de pájaro alocado, nunca pudo entender nada. Sí, pero desde tan lejos la diviso destacando su vestido rojo en el sobaco palidecido del cerro, ella esperándome, y ay cuánto te amo, Lucía, amo tu cuerpo estrecho y sin egoísmo completamente pronto a mi sed, amo lo abandonado de tu corazón y la punta de tus zapatos arrugados levemente por la pobreza, y caminando juntos por el sendero por donde hay caracoles, que es allí donde el mar océano azota su olor de ostras de otoño y los pájaros enciman con lentitud de paracaídas su comida de algas durmiendo, es placentero al corazón de los enamorados ir sin acordarse de Sebastián ni de su invitación, ir, andando con las caderas pegadas; delicioso marcar profundamente el peso de la huella sobre la humedad de la costa, anillo de humedad de culebra infinita, que sobrecorre al lado de la orilla del mar moviéndose; Lucía, la de los ojos grandes como tortugas y que nunca están saliendo de su sorpresa, motivada por todas las pequeñas cosas del mundo, donde tienen su parte el alhelí, el cinematógrafo, la flora aplastada de las cretonas, su collar de cuentas de vidrio, y la aventura de mi vida que ella semeja desdeñar. Ay por Dios, apretémonos juntos, que la Estrella de esperanzas comienza a sonar su metal húmedo de todo el cielo, sí, y no te ocupes mucho de lo que está demasiado lejos. Sólo deseo lo que tu sombra topó por un instante al crecer o temblar es demasiado para lo que necesito tu nuca blanca y pequeña donde puedo tenderme a escribir con delicadeza, no eres tú la que me está esperando en el rincón que conozco de esta edad solitaria?

Lo recuerdo, eres tú la que hiciste un bosquejo ya olvidado, eran dos sombras metidas en una ventana, que ella era blanca y débil como la que yo conocí, y él con el sombrero agachado y el sobretodo hasta el cuello, y su silueta negra de guardador tuyo; bosquejo que tú rompiste al otro día, porque al arrodillarte al pie de mi cama notaste una presencia ajena y mi ausencia con ella.

Poco importa, vamos, cántame la barcarola de todo lo infinito que yo deseo, mi pequeña; estamos los dos, y somos los habitantes del límite que sólo nosotros podríamos pisar; cántame la barcarola de las tumultuosas soledades del mar, lo profundo, lo oscuro, lo tumultuoso de la noche del mar, quiero saber por tu boca de color de coral infantil el crecimiento de las mareas, cuéntame cómo se arrollan, se estiran, se encogen llevando adentro pescados vivos y floraciones de luto; mi pequeña Lucía, cántame, encántame con el crecer de la larva de las tinieblas, allí donde comienzan a despuntar el agujero de las ventanas, el alto brillo de las embarcaciones del tiempo, todo lo que aman los hombres y las mujeres unidos muy ardientemente y lo que yo solo, pobre habitante perdido en la ola de una esperanza que nunca se supo limitar, puede desear para acallar sus pensamientos tristes.

Sin embargo, no es tarde y estoy contento. Lucía, cómo te amo. Te llevo del brazo como a mi pequeña quimera, y cuando quieres saltar una charca de la salobre agua del mar, yo te levanto un poco con alegría, tanto como pueden mis fuerzas.

Estás radiante. El sol se parte a pedazos en tu pequeña frente, y corre a lo largo de tu cuerpo como un vestido. Entonces, hemos llegado ya a la gruta de nuestros descansos, y ardientemente besándonos, nos miramos con ojos tranquilos que se agrandan con la proximidad, siendo después el más suave de mis besos el que te hace caer dulcemente hacia atrás.

# XII

Hecha la cruz de verde madera, muchos días fueron cruzando encima de mí sin que yo advirtiera, corriendo entre los malezales secretos y húmedos vecinos del cementerio, tumbado al borde de la quebrada de Rarinco, hasta que el primer temporal hízome rodar a la ventana de mi vivienda. De fuera

el mar profundamente salpica contra los pies del cerro callado, amarillento, inmóvil.

Está extendido de plantas duras, intermitentes, o largos herbarios roídos por el color del tiempo y la asistencia de la soledad, cayendo sobre su grupa como secas gualdrapas.

La orilla del mar es blanca y paralela desde el cuarto, moviéndose su patinaje triste y lamentándose, detrás su conjunto se hace azul, lejano, lejanísimo, y los pájaros que hasta ese
límite vuelan graznando tal vez no encuentran piedra donde
parar el aletazo.

Y luego existen esos días que se arrastran desgraciadamente,
que pasan dando vueltas sin traerse algo, sin llevarse nada; sin
llevarse ni traerse nada, el tiempo que corre a nuestro lado, ci-
clista sin apuro y vestido de gris, que tumba su bicicleta sobre
el domingo, el jueves, el domingo de los pueblos, y entonces,
cuando el aire más parece inmóvil, y nuestro anhelo se hace invisible como una gota de lluvia pegándose a un vidrio, y sobre
el techo de mi habitación demasiado apartada, persiste, insiste,
cayendo el aguacero, viéndose en las partes oscuras de la atmósfera, especialmente si en la ventana del frente falta un vidrio su tejido cruzándose, siguiéndose, hasta el suelo.

Muchos días llevo paseando de largo a largo el piso de mi
cuarto, y mucho ha de ser el tiempo cuando aún la congoja
no se cae de mis hombros; mucho ha de ser el tiempo.

# XIII

Son muchos los que entran en el almacén, y yo estuve allí desde temprano. He arreglado las cajas sobre las estanterías, ali-
neando los pesados rollos de género, muerdo las galletas y los
dulces.

Después de una larga temporada de inactividad es difícil recobrar el sentido de la acción, que exige sostenidamente el
equilibrio de aquellos imposibles detalles. Me decidí a salir de
mi habitación que tanto he querido para hacerme cargo de la

tienda de mi hermano, me agradó para aquel largo instante detenido cualquiera ocupación sedentaria.

Yo soy perezoso y soñador, y niego casi siempre a los parroquianos las pequeñas mercaderías que solicitan de continuo. Pronto va tomando todo esto un aire de bancarrota y de término. Pero me encuentro bien. Irene, hela otra vez volviendo a pasar frente a mi puerta, aunque bien lo sabe, su vestido rosado y su sombrero verde ya no despiertan mi atención.

Sí, es bien seguro, ella quiere envanecerse sola, topando débilmente mi reconcentrada pasión como desde lejos, y no sabiendo, pero yo apenas si la miré. Y cuando su boca frente a mí, y todavía, ay, completamente inolvidable me preguntó el precio de la seda y del pañuelo que yo llevaba al cuello, yo, estoy seguro, le dije aquellos precios sin pizca de impaciencia.

A veces, cuando el aburrimiento es demasiado grande, este destierro me parece muy amargo. Pero, qué es lo que hay detrás del límite de este pueblo?, qué placeres marcan los itinerarios que no conozco?, qué sorpresa de imprevista ráfaga marcan los acontecimientos sucedidos en la distancia?

Para mí las horas son iguales, y se irán a estrellones sobre el mismo atardecer. En la tienda el gato me espera cada mañana, cambia un poco su actitud según sean los ayunos que le impone mi negligencia. Pero su amo también ayuna. Porque hasta me olvido de comer, en la somnolencia de transcursos idénticos, en la inmovilidad exacta de cosas que me rodean.

Bueno, esto debe tener algún fin. O tal vez éste es el fin.

## XIV

*Pero, por desgracia, habíase metido*
*entonces en un mal negocio.*
LOTI, *Mi hermano Yves.*

Voy a decir con sinceridad mi caso: lo he explicado sin claridad porque yo mismo no lo comprendo. Todo sucede dentro de uno con movimientos y colores confusos, sin distinguirse. Mi única idea ha sido vengarme.

Han sido largos días en que esta idea comienza a despertar, a apartarse de las otras, viniendo, reviniendo como cosa natural e inapartable. Y allí, en el círculo elegido del blanco se clava de repente calladamente la determinación.

Mi hombre contra nada huye o está lejos. Conozco todos los paraderos de Florencio, los nombres, las profesiones, las ciudades y los campos en que cruzó el paso de mi antiguo camarada. El ataque lo he meditado detalle por detalle, volviéndome loco de noche, revolcando esa acción desesperada que debe libertar mi espíritu. Como un tremendo obstáculo en un camino necesario ese acto se ha puesto en mi existencia, y ese tiempo de desorientación y de fatiga sólo hace no más que aislarlo.

Frente a frente a un individuo odiado desde las raíces del ser, hablar con voz callada el padecimiento, y descifrar con lentitud la condena, no enumerar los dolores, las angustias del tiempo forzado, para que ellos no crezcan y debiliten la voluntad de obrar, estar atentos y seguros al momento en que la bala rompa el pecho del otro, y de los dos aventureros que fuimos, quedarse muerto uno allí mismo, sobre las tablas de una casa vacía, en el campo, en la ciudad, en los puertos, tenderlo muerto allí mismo por una inmediata voluntad humana.

Y que ese gran cumplimiento vaya a ser el mío, que esa gran seguridad tenga que ser mi alimentación de pesares tragados con continuidad que sólo yo conozco y sea yo también una vez llegado el término, el dueño de mi parte de libertades.

Entonces de la noche que palpita encima de mi lecho se cae deshaciéndose una campanada: son iguales en toda la tierra las vigilias. Es extraño, ayer cuando subía la escala a oscuras, crujió muchas veces, y recibí de repente la sensación del olor del mar. Tendré cuidado. La distancia del mar es opresora, invade, subí los escalones pensando en ella, y la manera de medirla poniendo mi cuerpo en su orilla alargándolo hasta palidecer.

Ay de mí, ay del hombre que puede quedarse solo con sus fantasmas.

# XV

Os debo contar mi aventura, a vosotros los que por completo conocéis el secreto de las noches y os alimentáis de ese misterio, a vosotros los desinteresados vigilantes que tenéis los
ojos abiertos en la puerta de los túneles, allí donde una luz
roja parpadea el peligro, y gusanos de luz verde cruzan su
vientre, a vosotros los que conocéis el destino de la vigilia y
que en el mar, en el desierto, en el destierro, veis nacer y crecer las grandes mariposas de alas de trapo que brotan del sueño incompartible, a vosotros los pescadores, poetas, panaderos,
guardianes de faro, y a los que demasiado celosos por guardar
una inquietud, conocen el riesgo de haber estado una sola vez
siquiera frente a lo indescifrable.

También de noche he entrado titubeando en la casa del buscado, con el frío del arma en la mano, y con el corazón lleno
de amargas olas. Es de noche, crujen los escalones, cruje la
casa entera bajo las pisadas del homicida que son muy leves y
muy ligeras sin embargo, y en la oscuridad negra que se desprende de todas las cosas, mi corazón latía fuertemente. También he entrado en la habitación del encontrado, allí las tinieblas ya habían bajado hasta sus ojos, su sueño era seguro
porque él también conoce lo inexistente: mi antiguo compañero roncaba a tropezones, y sus ojos los cerraba fuertemente, con fuerza de hombre sabio, como para guardar su sueño
siempre. Entonces, qué hace entonces ese pálido fantasma al
cual algo de acero le brilla en la mano levantada?

Estaba durmiendo, soñaba que en el gran desierto confundido de arenas y de nombres, nacía una escalera pegándose
del suelo al cielo, y él al subir sentía su alma confundida.
Quién eres tú, ladrona, que acurrucada entre los peldaños co-
ses silenciosamente y con una sola mano? Todo es el del mismo color, un gris de fría noche de otoño, todo tiene el color
de viejos metales gastados, y también del tiempo. He aquí
que de repente la vieja ladrona se para ante Florencio. Es una
equivocación, cómo podía ser tan grande? Su voz sale con

ruido de olas de su única mano, pero no se podía entender su lenguaje. Me engañaba, todo era color de naranja, todo era como una sola fruta, cuya luz misteriosa no podía madurar, y ante ese silencio no se podía comprender nada. Qué buscábamos allí? Sin duda no veníamos por ningún instrumento olvidado, y repito que este color es muy extraño, como si allí se amontonasen millones de cáscaras cárdenas.

Las bestias retrocedían sueltas hasta encontrar su salida. El temor me hacía arrancar a mí también parándome al borde de la corriente de aquella avenida. Hay detrás de todo esto también una mujer durmiendo, él la recuerda sin concisión. De toda esa zozobra emergen destellos que quisieran precisar su forma. Bueno, está tendida de lado, y los peces se amontonan queriendo sorprender su mirada, pero ella es demasiado dulce y pálida para poder mirar. No mira, sus ojos están fatigados; sus manos también están fatigadas, solamente querían crecer. Quién podría decir hasta dónde iban a llegar? He sentido su frío sobre mi frente, su frío de riel mojado por el rocío de la noche, o también de violetas mojadas. El prado de las violetas es inmenso, subsiste a pesar de la lluvia, todo el año los árboles de las violetas están creciendo y se hunden bajo mis pies como coles. Ésa es la verdad. Pero es imposible encontrar nada en esa región, las violetas rotas se componen con rapidez, crecen detrás de nosotros, y a nuestro alrededor sólo existe este pesado muro, espeso, blando, verde, azul. Entonces tomé el hacha de mi compañero, pero algo extraño observé que pasaba, era mi hacha leñera la que mis árboles habían robado, y vi su luz de acero temblando fríamente sobre mi cabeza. Tendré cuidado. Será necesario traerla amarrada a mis tobillos, y ella gritará, os lo aseguro, aullará lúgubremente como un perro.

Yo he estado solo a solo, durmiendo el hombre que debo matar, os lo aseguro, pero entre mi mano levantada con el arma brillando, se ha interpuesto su sueño como una pared. Lo juro, muchas veces bajé el arma contra ese material impenetrable, su densidad sujetaba mi mano, y yo mismo, en la solitaria vivienda en que yo tampoco estaba, yo también me puse a soñar.

Ahora estoy acodado frente a la ventana, y una gran tristeza empaña los vidrios. Qué es esto? Dónde estuve? He aquí que de esta casa silenciosa brota también el olor del mar, como saliendo de una gran valva oceánica, y donde estoy inmóvil. Es hora, porque la soledad comienza a poblarse de monstruos; la noche titila en una punta con colores caídos, desiertos, y el alba saca llorando los ojos del agua.

# Anillos
Prosas

[1924-1926]

# El otoño de las enredaderas

Amarillo fugitivo, el tiempo que degüella las hojas avanza hacia el otro lado de la tierra, pesado, crujidor de hojarascas caídas. Pero antes de irse, trepa por las paredes, se prende a los crespos zarcillos, e ilumina las taciturnas enredaderas. Ellas esperan su llegada todo el año, porque él las viste de crespones y de broncerías. Es cuando el otoño se aleja cuando las enredaderas arden, llenas de alegría, invadidas de una última y desesperada resurrección. Tiempo lleno de desesperanza, todo corre hacia la muerte. Entonces tú forjas en las húmedas murallas el correaje sombrío de las trepadoras. Inmóviles arañas azules, cicatrices moradas y amarillas, ensangrecidas medallas, juguetería de los vientos del norte. Donde ha de ir sacando el viento cada bordado, donde ha de ir completando su tarea el agua de las nubes.

Ya han emigrado los pájaros, han fijado su traición cantando, y las banderas olvidadas bordean los muros carcomidos. El terrible estatuario comienza a patinar los adobes, y poco a poco la soledad se hace profunda. Agua infinita que acarrea el invierno, que nada estorbe tu paso silencioso. Pequeñas hojas que como pájaros a la orilla del grano, os agrupasteis para mejor morir; es hora de descender de vuestros nidos y rodar y hacerse polvo, y bailar en el frío de los caminos. Durecidos tallos, amarras pertinaces, este barco se suelta. He ahí despedazadas las velas y destruido el mascarón ensimismado, que cruza encima de las estaciones siempre en fuga. Quedaos vosotros apretando un cuerpo que no existe entre vuestras serpientes glaciales. Nunca vuelve este barco; el que se aleja regresa cambiado por el tiempo y la lucha. Nunca el tiempo del sol aporta las mismas hojas a los muros. Primero asoman en las axilas, escondidas como abejas de esmeralda y estallan hablándose un lenguaje de recién nacidos. Es que nunca, nunca vuelve el barco roto que huye hacia el sur llevando el mascarón tapado por las enredaderas taciturnas. Lo empuja el viento, lo apresura la lluvia, por los senderos del mar, lo empuja el viento, lo apresura la lluvia, y la estela de ese navío está sembrada de pájaros amarillos.

## Imperial del Sur

Las resonancias del mar atajan contra la hoja del cielo; fulgurece de pronto la espalda verde; revienta en violentos abanicos; se retira, recomienza; campanas de olas azules despliegan y acosan la costa solitaria; la gimnasia del mar desespera el sentido de los pájaros en viaje y amedrenta el corazón de las mujeres. Oh mar océano, vacilación de aguas sombrías, ida y regreso de los movimientos incalculables, el viajero se para en tu orilla de piedra destruyéndose, y levanta su sangre hasta tu sensación infinita!

Él está tendido al lado de tu espectáculo, y tus sales y sus transparencias alzan encima de su frente; tus coros cruzan la anchura de sus ojos, tu soledad le golpea el corazón y adentro de él tus llamamientos se sacuden como los peces desesperados en la red que levantan los pescadores.

El día brillante como un arma ondula sobre el movimiento del mar, en la península de arena saltan y resaltan los juegos del agua, grandes cordeles se arrastran amontonándose, refulgen de pronto sus húmedas etincelias y chapotea la última ola, alcanzándose a sí misma.

Voluntad misteriosa, insistente multitud del mar, jauría condenada al planeta, algo hay en ti más oscuro que la noche, más profundo que el tiempo. Acosas los amarillos días, las tardes de aire, estrellas contra los largos inviernos de la costa, fatigas entre acantilados y bahías, golpeas tu locura de aguas contra la orilla infranqueable, oh mar océano de los inmensos vientos verdes y la ruidosa vastedad.

El puerto está apilado en la bahía salpicado de techumbres rojas, interceptado por sitios sin casas, y mi amiga y yo desde lejos lo miramos adornado con su cintura de nubes blancas y pegado al agua marina que empuja la marea. Trechos de pinos y en el fondo los contrafuertes de montañas; refulge la amorosa pureza del aire; por encima del río cruzan gaviotas de espuma, mi amiga me las muestra cada vez y veo el recinto del agua azul y los viejos muelles extendiéndose detrás de su mano abierta.

Ella y yo estamos en la cubierta de los pequeños barcos, se estrella el viento frío contra nosotros, una voz de mujer se pega a la tristeza de los acordeones; el río es ancho de colores de plata, y las márgenes se doblan de malezas floridas, donde comunican los lomajes del Sur. Atrae el cauce profundo, callado; la tarde asombra de resonancias, de orilla a orilla por la línea del agua que camina, atraviesa el pensamiento del viajero. Los barbechos brillan secamente al último sol; atracada a favor del cantil sombrío una lancha velera sonríe con sus dos llamas blancas; de pronto surgen casas aisladas en las orillas, atardece grandemente, y cruzan sobre la proa los gritos de los tricaos de agorería.

Muelles de Carahue, donde amarran las gruesas espigas y desembarcan los viajeros; cuánto y cuánto conozco tus tablones deshechos, recuerdo días de infancia a la sombra del maderamen mojado, donde lame y revuelve el agua verde y negra.

Cuando ella y yo nos escondemos en el tren de regreso, aún llaman los viejos días algo, sin embargo del corazón duro que cree haberlos dejado atrás.

## Primavera de agosto

Joyería de las mañanas del mundo, el rocío amanece esta vez sobre corolas iluminadas. Ah primavera! Apuntalándote en los prismas del sol cómo te veo surgir de entre las cosas! Te hablaré con mi lenguaje que esconde signos, de mi alegría profunda, después de la ensimismada tristeza. Torcedora de jacintos, animadora de mariposas azules, primavera de agosto el caminante te celebra. Encumbraste en los cerros de mi país, desanudaste sobre la palidez de los caminos, la pasional floresta de los aromos. Aromos oh, alegría de mi corazón! Pabellones de seda amarilla, kioscos pesados construidos con perfume, en la tierra del Sur, en donde canto, emergen a cada recodo, como un olvido de candelabros. Oh, aromos de 500 mil volts, apretados de flores, sencillos, intensos, orquestales! Ah, primavera, quién sino tú, coronó los soñolientos durazneros con alas rosadas? Tú fuiste sin duda, la que apiló en su delantal las dulces y esquivas cabelleras de cerezo! También he oído en los caminos, sobre los hilos del telégrafo cantar los pájaros! O también los tejados del invierno, canales de lluvia, que empezaron a amarillear sus musgos descontentos.

Es que detrás de las cosas estás tú, primavera, comenzando a escribir en la humedad, con dedos de niña juguetona, el delirante alfabeto del tiempo que regresa.

## Alabanzas del día mejor

El día mejor comienza antes del alba, termina después de la noche. El día mejor florece sus primeras flechas entre las esponjas nocturnas, y ahí tenéis al día mejor, como a un buen compañero, plantado en medio del camino.

Es que a ese tiempo feliz lo anuncian signos que nadie recoge. Quién lee el alfabeto de las estrellas corredizas? Nunca te detuviste a descifrar los pequeños signos atraídos en las calles. No averiguaste tampoco la cardinal de los últimos vientos.

Qué importa, oh profundo, alegre día. Te izaste en el límite del asta de la aurora, y así apareciste, sonriente guerrero. Haces temblar el rocío de los trigales recién despiertos. Tu luz pinta las frutas y extiende las alas de las abejas perdidas. Nada hay como esa flor amarilla del barranco porque la vigilan tus dedos tan claros.

Tirante, abierto cielo; la muchacha baja con lentos trancos entre el olor de las hojas. No se destiñe el aire respirado, conserva en lo alto su color de violeta verdadera. En el pueblo, ah provincia transparente, inauguran la campana de bronce que nunca alcanzaba a comprarse, y el patrón de la barca, en la costa de las pobrezas, ve flotar entre las húmedas esmeraldas del mar la vela que esperaba su navío. Pequeña, mi pequeña, es el día del paseo, en que no debes estar triste, y en tu pecho detrás del traje estirado, sobrepujan dos profundos brotes blancos. Buen amigo, compañero lejano, grumete queridísimo, hoy recibes la carta que te trae alegría, las noticias: Gerardo se mejora, el borracho Tomás tiene una habitación. Federico, Juanita, todos están contentos. En ese día los trabajadores no desencantan del feriado, y un poco se conmueven oyendo gritar a los chiquillos. La casa pobre tiene una flor en ese día tranquilo y en la casa ruinosa, allí donde cuelgan las arañas, entran en la mañana o en el atardecer, dos enamorados que ocultaban una esperanza sin albergue.

## Provincia de la infancia

Provincia de la infancia, desde el balcón romántico te extiendo como un abanico. Lo mismo que antes abandonado por las calles, examino las calles abandonadas. Pequeña ciudad que forjé a fuerza de sueños, resurges de tu inmóvil existencia. Grandes trancos pausados a la orilla del musgo, pisando tierras y yerbas, pasión de la infancia revives cada vez. Corazón mío ovillado bajo este cielo recién pintado, tú fuiste el único capaz de lanzar las piedras que hacen huir la noche. Así te hiciste, trabajado de soledad, herido de congoja, andando, andando por pueblos desolados. Para qué hablar de viejas cosas, para qué vestir ropajes de olvido. Sin embargo, grande y oscura es tu sombra, provincia de mi infancia. Grande y oscura tu sombra de aldea, besada por la fría travesía, desteñida por el viento del norte. También tus días de sol, incalculables, delicados; cuando de entre la humedad emerge el tiempo vacilando como una espiga. Ah, pavoroso invierno de las cre-

cidas, cuando la madre y yo temblábamos en el viento frenético. Lluvia caída de todas partes, oh triste prodigadora inagotable. Aullaban, lloraban los trenes perdidos en el bosque.
Crujía la casa de tablas acorralada por la noche. El viento a
caballazos, saltaba las ventanas, tumbaba los cercos; desesperado, violento, desertaba hacia el mar. Pero qué noches puras, hojas del buen tiempo, sombrío cielo engastado en estrellas excelentes. Yo fui el enamorado, el que de la mano llevó
a la señorita de grandes ojos a través de lentas veredas, en crepúsculo, en mañanas sin olvido. Cómo no recordar tanta palabra pasada. Besos desvanecidos, flores flotantes, a pesar de
que todo termina. El niño que encaró la tempestad y crió debajo de sus alas amarga la boca, ahora te sustenta, país húmedo y callado, como a un gran árbol después de la tormenta. Provincia de la infancia deslizada de horas secretas, que
nadie conoció. Región de soledad, acostado sobre unos andamios mojados por la lluvia reciente, te propongo a mi destino
como refugio de regreso.

## Soledad de los pueblos

En la noche oceánica ladran los perros desorientados, abren
sus coros las coigüillas desde el agua, y ese ruido de aguas, y
esa aspiración de los seres se estira y se intercepta entre los
grandes rumores del viento. La noche pasa así, batida de orilla a orilla por el rechazo de los vientos, como un aro de metales oscuros lanzado desde el norte hacia los campanarios
del sur.

El amanecer solitario, empujado y retenido como una barca amarrada, oscila hasta mediodía y aparece en la soledad
del pueblo la tarde de techumbres azules, blanca vela mayor del
navío desaparecido.

Frente a mis ventanas detrás de los frutales verdes, más lejos de las casas del río, tres cerros se apoyan en el cielo tranquilo. Pardos, amarillentos paralelogramos de labranzas y

siembras, caminos carreteros, matorrales, árboles aislados. La loma grande, de cereales dorados, quiebra lentas olas uniformes contra la cima.

Aparece la lluvia en el paisaje, cae cruzándose de todas partes del cielo. Veo agacharse los grandes girasoles dorados y oscurecerse el horizonte de los cerros por su palpitante veladura. Llueve sobre el pueblo, el agua baila desde los suburbios de Coilaco hasta la pared de los cerros; el temporal corre por los techos, entra en las quintas, en las canchas de juego; al lado del río, entre matorrales y piedras, el mal tiempo llena los campos de apariciones de tristeza.

Lluvia, amiga de los soñadores y los desesperados, compañera de los inactivos y los sedentarios, agita, triza tus mariposas de vidrio sobre los metales de la tierra, corre por las antenas y las torres, estréllate contra las viviendas y los techos, destruye el deseo de acción y ayuda la soledad de los que tienen las manos en la frente detrás de las ventanas que solicita tu presencia. Conozco tu rostro innumerable, distingo tu voz y soy tu centinela, el que despierta a tu llamado en la aterradora tormenta terrestre y deja el sueño para recoger tus collares, mientras caes sobre los caminos y los caseríos, y resuenas como persecuciones de campanas, y mojas los frutos de la noche, y sumerges profundamente tus rápidos viajes sin sentido. Así bailas sosteniéndote entre el cielo lívido y la tierra como un gran huso de plata dando vueltas entre sus hilos transparentes.

Entre las hojas mojadas, pesadas gotas como frutas suspenden de las ramas; olor de tierra, de madreselvas humedecidas; abro el portón pisando las ciruelas volteadas, camino debajo de los ganchos verdes y mojados. Aparece de pronto el cielo entre ellos como el fondo de mi taza azul, recién limpiado de lluvias, sostenido por las ramas y peligrosamente frágil. El perro acompañante camina, lleno de gotas como un vegetal. Al pasar entre los maíces agacha pequeñas lluvias y dobla los grandes girasoles que me ponen de pronto sus grandes escarapelas sobre el pecho.

Día sobresaltado apareces después, cerciorado de la huida del agua, y corres sigilosamente bajo el temporal, al encuentro de los cerros, abarcas dos anillos de oro que se pierden en los charcos del pueblo.

Hay una avenida de eucaliptus, hay charcas debajo de ellos, llenos de su fuerte fragancia de invierno. El gran dolor, la pesadumbre de las cosas gravita conforme voy andando. La soledad es grande en torno a mí, las luces comienzan a trepar a las ventanas y los trenes lloran, lejos, antes de entrar a los campos. Existe una palabra que explica la pesadumbre de esta hora, buscándola camino bajo los eucaliptus taciturnos, y pequeñas estrellas comienzan a asomarse a los charcos oscureciéndose.

He aquí la noche que baja de los cerros de Temuco.

## Atardecer

Atardecer lleno de enamorados, puerto de embarque de los océanos nocturnos, a ti te anuncian las campanas de los pueblos y las flores vespertinas te abren paso. Atardecer lleno de nostalgia, jarcias insostenibles, y las grandes presencias de tus arboladuras misteriosas tremulan sobre la cabeza del viajero, y la frente de una bigornia amarilla suda hacia el cenit largas listas de despedida. Eres el gran circo de la tolda infinita, y en el metal del sol mujeres azules golpean hasta aparecer los trapecios ardiendo. Todavía no comenzado el espectáculo, las oficinas del mundo iluminan sus vidrios, y ebulle entre tus delgadas aguas la incertidumbre de tu cúpula oscureciéndose.

Entonces tú ordenas a las cuadrillas de pájaros sin albergue atraviesen lamentándose las confusas multitudes, y de pronto invaden huyendo por la soledad de los campos tus blandos murciélagos agigantándose de pronto. Sueltas de los hornos rurales las tintas mariposas de la noche, y el preso aún divisa su parte de espectáculo cruzado por seis inexorables rayaduras.

Sus pálidas cortinas se levantan y pegas la figura sin límites debajo de tu profunda carpa. Aíslas primero los grandes anillos de oro y los repartes a lentos estirones. Las barcas de plata pasan sin vacilar entre los fulgurantes obstáculos y los remos suben y descienden arrojando trapos desvaneciéndose. En la pista dura borbota el caballo de alas negras, y encima de un salto, se atralaca la amazona fugitiva.

Coros de sordas olas sobrepujan en las extremidades de tu orilla, y amargo y ávido es su canto. Ávido de la luna su ejercicio se levanta y se derrumba, y quiebra latientes estatuas de sal, y suenan sus lentos vientres de vidrio, y prolongan en el mundo sólo sus constantes barridas, y sus cataratas distantes se tumban en ríos lejanos. Entre timbal y timbal, al caer, el viento pasa rompiéndose y atrae y aleja el rumor de la costa asaltada. De grandes calderas de navío es el murmullo, y de aguas repitiéndose, de olas estrellándose, de océanos en crece, de embarcaciones en naufragio es el ir y venir, y el huir y el volver de tus ruidosos ecos. Entre tanto en la pista los trapecios descuelgan enanos corredizos, y las vestiduras verdes de las amazonas toman otros colores y se pierden. Saltarines verticales se tiran de lado a lado, despaciosos payasos amarillos se cambian los metales desde lejos, pelotas de púrpura, ovillos de alambres atraídos, banderas y señales de descanso, se apilan y destacan a la luz de los cohetes intranquilos.

Tu carpa, atardecer, oculta fieras furiosas, y las miradas divisan detrás de la pista los derechos barrotes de la jaula, y se anuda al ruido de los coros de olas el reciente rugido de los leones guardianes.

Atardecer lleno de enamorados, hora florida de nostalgia, tu luz temerosa cae sobre los parques y les besa las bocas prendidas y los caminantes retrasados levantan las viseras hacia tu espectáculo tan vasto.

De repente borras tus figuras y salpica el oleaje de los grandes mares.

La fiesta se adelgaza. Disminuida, no es más que un surtidor, y no es más que una hoja, y no es más que una ranura de aceite entre las aguas inundadas.

Detrás del día extinguido, atardecer, triste y negro palanquero de luto, agitas, estiras las largas manos, las rodillas vencidas y te extiendes de golpe sobre el convoy de la noche violenta.

## Desaparición o muerte de un gato

También la vida tiene misterios sencillos e inaccesibles, existen los rumores del granero inacabablemente, el perpetuo acabarse de las nueces verdes y amargas, la caída de las peras olorosas madurando, se reviene la sal transparente, desaparece o muere el gato de María Soledad. Hasta su cola era usada como un instrumento, el color era de retículos negros y blancos, era una forma familiar y animada andando en cuatro pies de algodón, oliendo la noche fría y adversa, roncando su actitud misteriosa en las direcciones de la alfombra.

Se ha escurrido el gato con sigilosidad de aire, nadie lo encuentra en la lista de sol que se comía atardeciendo, no aparece su cola de madera flexible, tampoco relucen sus verdes miradas pegadas a la sombra como clavándolas a los rincones de la casa.

Ahí está María Soledad, con los cuadros del delantal jugando con los ojos a los dados, pensando en los rincones preferidos del gato y en su fuga o en su muerte de la que ella no es culpable, María Soledad a quien también le cuesta vigilar sus ojos anchos. Para los días que dure la ausencia deja de ponerse alegre como si el color del gato hubiera estado anillado con sus risas de agua. En la noche estaríalos estremeciendo el fulgor de la luna, él a los pies de ella, pasarían las rondas de la noche, tocarían las grandes horas solitarias; entonces María Soledad, está más lejos, con esa lejanía de ojos cerrados, pasan campos y países debajan puentes, cielos, no se llega nunca, nunca a fondear tu sueño a ninguna distancia, con ningún movimiento, María Soledad, sólo tu gato fulgurece los ojos y te sigue, ahuyentando mariposas extrañas. Ahí está de repente, a la orilla de un viejo mueble, aparece con su pobreza verdadera, con su realidad de animal muerto, entonces estás llorando de nuevo, María Soledad, tus lágrimas caen, lagunan al borde del compañero, la sola muerte señala el llanto caído, más allá el balcón de los sueños sin regreso.

# T. L.

A caballo en Solveigs Lied, corazón tatuado a correazos con perfumes y ausencias, ahí está con la mano, apretando abalorios, tristemente, extendiendo lazos de infinitos, corre a cazar los pájaros que el alba despierta, o despegando sangrientos caracoles de la pared de la noche los atrae al oído y aturden sus altos ecos y tiene el corazón cruzado con un velamen de partida y un ancla de fondeo, el que es mi camarada, grandote, con su sonrisa ancha de compañero querido, lo veo afirmado en un mástil, escribiendo en el suelo sus números de nostalgia, largamente triste, mi amigo con la botella negra y el cuchillo y la soledad que él necesita para sus redes profundas. Amanece de pronto, él está ahí a mi lado, a mi lado está, va cantando a mi lado los resonantes estribillos o las copas vacías le cortan el semblante, o por lo menos lo veo en su retrato de gala, desnudo el hermoso cuerpo y la visera para arriba, dorado de fuerzas alegres, sin embargo con la tristeza de una cruz negra a la orilla del pecho. También tiene alma hecha con cuadrados inmóviles, rompen entonces, teclas repitiéndose, como una carretera de un continente distante, tiene en él las estaciones inconclusas o tiramos al fondo del día conversaciones sin objeto, como las monedas de un país desaparecido. Ahí es donde empieza su corazón a entretenerse, araña de metales nocturnos, *jazz band* de sonámbulos y una novia enterrada, que es la noche profunda que él la decora con luciérnagas negras, le pongo en la frente una rosa de prisa. Después nos reconocemos desde lejos, dando vuelta un camino, y se trasluce la mano oscura de Pablo entre la mano blanca de Tom, pasan bajo los túneles y el sol las cruza y sus oscilaciones gravitando. Él y yo, transidos otras veces tumbamos pesadas manzanas, es de noche, es de noche, ahuyentan las misteriosas veladuras del cielo, pero de repente no me acuerdo de cuál de los dos estoy hablando.

## Tristeza

Duerme el farero de Ilela debajo de las linternas fijas, discontinuas, el mar atropella las vastedades del cielo, ahuyentan hacia el oeste las resonancias repetidas, más arriba miro, recién construyéndose, el hangar de rocíos que se caen. En la mano me crece una planta salvaje, pienso en la hija del farero, Mele, que yo tanto amaba. Puedo decir que me hallaba cada vez su presencia, me la hallaba como los caracoles de esta costa. Aún es noche, pavorosa de oquedades, empollando el alba y los peces de todas las redes. De sus ojos a su boca hay la distancia de dos besos, apretándolos, demasiado juntos, en la frágil porcelana. Tenía la palidez de los relojes, ella también, la pobre Mele, de sus manos salía la luna, caliente aún como un pájaro prisionero. Hablan las aguas negras, viniéndose y rodándose, lamentan el oscuro concierto hasta las paredes lejanas, las noches del Sur desvelan a los centinelas despiertos y se mueven a grandes saltos azules y revuelven las joyas del cielo. Diré que la recuerdo, la recuerdo; para no romper la amanecida venía descalza, y aún no se retiraba la marea en sus ojos. Se alejaron los pájaros de su muerte como de los inviernos y de los metales.

## La querida del alférez

Tan vestidos de negro los ojos de Carmela (Hotel Welcome, frente a la prefectura) fulguran en las armas del alférez. Él se desmonta del atardecer y boca abajo permanece callado. Su corazón está hecho de cuadros negros y blancos, tablero de días y noches. Saldré alguna vez de esto, cantan los trenes del norte, del sur y los ramales. El viento llena de pájaros y de hojas, los alambres, las avenidas del pueblo.

Para reconocerla a ella (Hotel Welcome, a la izquierda en el corredor) basta la abeja colorada que tiene en la boca. Un invierno de vidrios mojados, su pálido abanico.

Hay algo que perder detrás del obstáculo de cada día. Una sortija, un pensamiento, algo se pierde. Por enfermedad tenía ese amor silencioso.

Apariciones desoladas, los pianos y las tejas dejan caer el agua del invierno de la casa del frente. El espejo la llamaba en las mañanas sin embargo. El alba empuja a su paisaje indeciso. Ella está levantándose al borde del espejo, arreglando sus recuerdos. Conozco una mujer triste en este continente, de su corazón emigran pájaros, el invierno, la fría noche. (Hotel Welcome, es una casa de ladrillos.)

Ella es una mancha negra a la orilla del alférez. Lo demás son su frente pálida, una rosa en el velador. Él está boca abajo y a veces no se divisa.

# Residencia en la tierra

[1925-1935]

# Residencia en la tierra

I

[1925-1932]

# I

## Galope muerto

Como cenizas, como mares poblándose,
en la sumergida lentitud, en lo informe,
o como se oyen desde el alto de los caminos
cruzar las campanadas en cruz,
teniendo ese sonido ya aparte del metal,
confuso, pesando, haciéndose polvo
en el mismo molino de las formas demasiado lejos,
o recordadas o no vistas,
y el perfume de las ciruelas que rodando a tierra
se pudren en el tiempo, infinitamente verdes.

Aquello todo tan rápido, tan viviente,
inmóvil sin embargo, como la polea loca en sí misma,
esas ruedas de los motores, en fin.
Existiendo como las puntadas secas en las costuras del árbol,
callado, por alrededor, de tal modo,
mezclando todos los limbos sus colas.
Es que de dónde, por dónde, en qué orilla?
El rodeo constante, incierto, tan mudo,
como las lilas alrededor del convento,
o la llegada de la muerte a la lengua del buey
que cae a tumbos, guardabajo, y cuyos cuernos quieren sonar.

Por eso, en lo inmóvil, deteniéndose, percibir,
entonces, como aleteo inmenso, encima,
como abejas muertas o números,
ay, lo que mi corazón pálido no puede abarcar,
en multitudes, en lágrimas saliendo apenas,

y esfuerzos humanos, tormentas,
acciones negras descubiertas de repente
como hielos, desorden vasto,
oceánico, para mí que entro cantando
como con una espada entre indefensos.

Ahora bien, de qué está hecho ese surgir de palomas
que hay entre la noche y el tiempo, como una barranca
    húmeda?
Ese sonido ya tan largo
que cae listando de piedras los caminos,
más bien, cuando sólo una hora
crece de improviso, extendiéndose sin tregua.

Adentro del anillo del verano
una vez los grandes zapallos escuchan,
estirando sus plantas conmovedoras,
de eso, de lo que solicitándose mucho,
de lo lleno, obscuros de pesadas gotas.

## Alianza (sonata)

De miradas polvorientas caídas al suelo
o de hojas sin sonido y sepultándose.
De metales sin luz, con el vacío,
con la ausencia del día muerto de golpe.
En lo alto de las manos el deslumbrar de mariposas,
el arrancar de mariposas cuya luz no tiene término.

Tú guardabas la estela de luz, de seres rotos
que el sol abandonado, atardeciendo, arroja a las iglesias.
Teñida con miradas, con objeto de abejas,
tu material de inesperada llama huyendo
precede y sigue al día y a su familia de oro.

Los días acechando cruzan el sigilo
pero caen adentro de tu voz de luz.
Oh dueña del amor, en tu descanso
fundé mi sueño, mi actitud callada.

Con tu cuerpo de número tímido, extendido de pronto
hasta cantidades que definen la tierra,
detrás de la pelea de los días blancos de espacio
y fríos de muertes lentas y estímulos marchitos,
siento arder tu regazo y transitar tus besos
haciendo golondrinas frescas en mi sueño.

A veces el destino de tus lágrimas asciende
como la edad hasta mi frente, allí
están golpeando las olas, destruyéndose de muerte:
su movimiento es húmedo, decaído, final.

## Caballo de los sueños

*Innecesario, viéndome en los espejos,*
*con un gusto a semanas, a biógrafos, a papeles,*
*arranco de mi corazón al capitán del infierno,*
*establezco cláusulas indefinidamente tristes.*

*Vago de un punto a otro, absorbo ilusiones,*
*converso con los sastres en sus nidos:*
*ellos, a menudo, con voz fatal y fría,*
*cantan y hacen huir los maleficios.*

*Hay un país extenso en el cielo*
*con las supersticiosas alfombras del arco-iris*
*y con vegetaciones vesperales:*
*hacia allí me dirijo, no sin cierta fatiga,*
*pisando una tierra removida de sepulcros un tanto frescos,*
*yo sueño entre esas plantas de legumbre confusa.*

Paso entre documentos disfrutados, entre orígenes,
vestido como un ser original y abatido:
amo la miel gastada del respeto,
el dulce catecismo entre cuyas hojas
duermen violetas envejecidas, desvanecidas,
y las escobas, conmovedoras de auxilio,
en su apariencia hay, sin duda, pesadumbre y certeza.
Yo destruyo la rosa que silba y la ansiedad raptora:
yo rompo extremos queridos: y aún más,
aguardo el tiempo uniforme, sin medida:
un sabor que tengo en el alma me deprime.

Qué día ha sobrevenido! Qué espesa luz de leche,
compacta, digital, me favorece!
He oído relinchar su rojo caballo
desnudo, sin herraduras y radiante.
Atravieso con él sobre las iglesias,
galopo los cuarteles desiertos de soldados
y un ejército impuro me persigue.
Sus ojos de eucaliptus roban sombra,
su cuerpo de campana galopa y golpea.

Yo necesito un relámpago de fulgor persistente,
un deudo festival que asuma mis herencias.


## Débil del alba


El día de los desventurados, el día pálido se asoma
con un desgarrador olor frío, con sus fuerzas en gris,
sin cascabeles, goteando el alba por todas partes:
es un naufragio en el vacío, con un alrededor de llanto.

Porque se fue de tantos sitios la sombra húmeda, callada,
de tantas cavilaciones en vano, de tantos parajes terrestres

en donde debió ocupar hasta el designio de las raíces,
de tanta forma aguda que se defendía.

Yo lloro en medio de lo invadido, entre lo confuso,
entre el sabor creciente, poniendo el oído
en la pura circulación, en el aumento,
cediendo sin rumbo el paso a lo que arriba,
a lo que surge vestido de cadenas y claveles,
yo sueño, sobrellevando mis vestigios morales.

Nada hay de precipitado ni de alegre, ni de forma orgullosa,
todo aparece haciéndose con evidente pobreza,
la luz de la tierra sale de sus párpados
no como la campanada, sino más bien como las lágrimas:
el tejido del día, su lienzo débil,
sirve para una venda de enfermos, sirve para hacer señas
en una despedida, detrás de la ausencia:
es el color que sólo quiere reemplazar,
cubrir, tragar, vencer, hacer distancias.

Estoy solo entre materias desvencijadas,
la lluvia cae sobre mí, y se me parece,
se me parece con su desvarío, solitaria en el mundo muerto,
rechazada al caer, y sin forma obstinada.


## Unidad


*Hay algo denso, unido, sentado en el fondo,*
*repitiendo su número, su señal idéntica.*
*Cómo se nota que las piedras han tocado el tiempo,*
*en su fina materia hay olor a edad,*
*y el agua que trae el mar, de sal y sueño.*

*Me rodea una misma cosa, un solo movimiento:*
*el peso del mineral, la luz de la piel,*

*se pegan al sonido de la palabra noche:*
*la tinta del trigo, del marfil, del llanto,*
*las cosas de cuero, de madera, de lana,*
*envejecidas, desteñidas, uniformes,*
*se unen en torno a mí como paredes.*

*Trabajo sordamente, girando sobre mí mismo,*
*como el cuervo sobre la muerte, el cuervo de luto.*
*Pienso, aislado en lo extenso de las estaciones,*
*central, rodeado de geografía silenciosa:*
*una temperatura parcial cae del cielo,*
*un extremo imperio de confusas unidades*
*se reúne rodeándome.*

## Sabor

De falsas astrologías, de costumbres un tanto lúgubres,
vertidas en lo inacabable y siempre llevadas al lado,
he conservado una tendencia, un sabor solitario.

De conversaciones gastadas como usadas maderas,
con humildad de sillas, con palabras ocupadas
en servir como esclavos de voluntad secundaria,
teniendo esa consistencia de la leche, de las semanas muertas,
del aire encadenado sobre las ciudades.

Quién puede jactarse de paciencia más sólida?
La cordura me envuelve de piel compacta
de un color reunido como una culebra:
mis criaturas nacen de un largo rechazo:
ay, con un solo alcohol puedo despedir este día
que he elegido, igual entre los días terrestres.

Vivo lleno de una sustancia de color común, silenciosa
como una vieja madre, una paciencia fija

como sombra de iglesia o reposo de huesos.
Voy lleno de esas aguas dispuestas profundamente,
preparadas, durmiéndose en una atención triste.

En mi interior de guitarra hay un aire viejo,
seco y sonoro, permanecido, inmóvil,
como una nutrición fiel, como humo:
un elemento en descanso, un aceite vivo:
un pájaro de rigor cuida mi cabeza:
un ángel invariable vive en mi espada.

## Ausencia de Joaquín

Desde ahora, como una partida verificada lejos,
en funerales estaciones de humo o solitarios malecones,
desde ahora lo veo precipitándose en su muerte,
y detrás de él siento cerrarse los días del tiempo.

Desde ahora, bruscamente, siento que parte,
precipitándose en las aguas, en ciertas aguas, en cierto océano,
y luego, al golpe suyo, gotas se levantan, y un ruido,
un determinado, sordo ruido siento producirse,
un golpe de agua azotada por su peso,
y de alguna parte, de alguna parte siento que saltan y salpican
   estas aguas,
sobre mí salpican estas aguas, y viven como ácidos.

Su costumbre de sueños y desmedidas noches,
su alma desobediente, su preparada palidez,
duermen con él por último, y él duerme,
porque al mar de los muertos su pasión desplómase,
violentamente hundiéndose, fríamente asociándose.

## Madrigal escrito en invierno

En el fondo del mar profundo,
en la noche de largas listas,
como un caballo cruza corriendo
tu callado callado nombre.

Alójame en tu espalda, ay refúgiame,
aparéceme en tu espejo, de pronto,
sobre la hoja solitaria, nocturna,
brotando de lo oscuro, detrás de ti.

Flor de la dulce luz completa,
acúdeme tu boca de besos,
violenta de separaciones,
determinada y fina boca.

Ahora bien, en lo largo y largo,
de olvido a olvido residen conmigo
los rieles, el grito de la lluvia:
lo que la oscura noche preserva.

Acógeme en la tarde de hilo
cuando el anochecer trabaja
su vestuario, y palpita en el cielo
una estrella llena de viento.

Acércame tu ausencia hasta el fondo,
pesadamente, tapándote los ojos,
crúzame tu existencia, suponiendo
que mi corazón está destruido.

## Fantasma

Cómo surges de antaño, llegando,
encandilada, pálida estudiante,
a cuya voz aún piden consuelo
los meses dilatados y fijos.

Sus ojos luchaban como remeros
en el infinito muerto
con esperanza de sueño y materia
de seres saliendo del mar.

De la lejanía en donde
el olor de la tierra es otro
y lo vespertino llega llorando
en forma de oscuras amapolas.

En la altura de los días inmóviles
el insensible joven diurno
en tu rayo de luz se dormía
afirmado como en una espada.

Mientras tanto crece a la sombra
del largo transcurso en olvido
la flor de la soledad, húmeda, extensa,
como la tierra en un largo invierno.

## *Lamento lento*

*En la noche del corazón*
*la gota de tu nombre lento*
*en silencio circula y cae*
*y rompe y desarrolla su agua.*

*Algo quiere su leve daño*
*y su estima infinita y corta,*
*como el paso de un ser perdido*
*de pronto oído.*

*De pronto, de pronto escuchado*
*y repartido en el corazón*
*con triste insistencia y aumento*
*como un sueño frío de otoño.*

*La espesa rueda de la tierra*
*su llanta húmeda de olvido*
*hace rodar, cortando el tiempo*
*en mitades inaccesibles.*

*Sus copas duras cubren tu alma*
*derramada en la tierra fría*
*con sus pobres chispas azules*
*volando en la voz de la lluvia.*

# Colección nocturna

He vencido al ángel del sueño, el funesto alegórico:
su gestión insistía, su denso paso llega
envuelto en caracoles y cigarras,
marino, perfumado de frutos agudos.

Es el viento que agita los meses, el silbido de un tren,
el paso de la temperatura sobre el lecho,
un opaco sonido de sombra
que cae como trapo en lo interminable,
una repetición de distancias, un vino de color confundido,
un paso polvoriento de vacas bramando.

A veces su canasto negro cae en mi pecho,
sus sacos de dominio hieren mi hombro,
su multitud de sal, su ejército entreabierto
recorren y revuelven las cosas del cielo:
él galopa en la respiración y su paso es de beso:
su salitre seguro planta en los párpados
con vigor esencial y solemne propósito:
entra en lo preparado como un dueño:
su substancia sin ruido equipa de pronto,
su alimento profético propaga tenazmente.

Reconozco a menudo sus guerreros,
sus piezas corroídas por el aire, sus dimensiones,
y su necesidad de espacio es tan violenta
que baja hasta mi corazón a buscarlo:
él es el propietario de las mesetas inaccesibles,
él baila con personajes trágicos y cotidianos:
de noche rompe mi piel su ácido aéreo
y escucho en mi interior temblar su instrumento.

Yo oigo el sueño de viejos compañeros y mujeres amadas,
sueños cuyos latidos me quebrantan:
su material de alfombra piso en silencio,
su luz de amapola muerdo con delirio.

Cadáveres dormidos que a menudo
danzan asidos al peso de mi corazón,
qué ciudades opacas recorremos!
Mi pardo corcel de sombra se agiganta,
y sobre envejecidos tahúres, sobre lenocinios de escaleras
    gastadas,
sobre lechos de niñas desnudas, entre jugadores de *football*,
del viento ceñidos pasamos:
y entonces caen a nuestra boca esos frutos blandos del cielo,
los pájaros, las campanas conventuales, los cometas:
aquel que se nutrió de geografía pura y estremecimiento,
ése tal vez nos vio pasar centelleando.

Camaradas cuyas cabezas reposan sobre barriles,
en un desmantelado buque prófugo, lejos,
amigos míos sin lágrimas, mujeres de rostro cruel:
la medianoche ha llegado, y un gong de muerte
golpea en torno mío como el mar.
Hay en la boca el sabor, la sal del dormido.
Fiel como una condena a cada cuerpo
la palidez del distrito letárgico acude:
una sonrisa fría, sumergida,
unos ojos cubiertos como fatigados boxeadores,
una respiración que sordamente devora fantasmas.

En esa humedad de nacimiento, con esa proporción tenebrosa,
cerrada como una bodega, el aire es criminal:
las paredes tienen un triste color de cocodrilo,
una contextura de araña siniestra:
se pisa en lo blando como sobre un monstruo muerto:
las uvas negras inmensas, repletas,
cuelgan de entre las ruinas como odres:
oh Capitán, en nuestra hora de reparto
abre los mudos cerrojos y espérame:
allí debemos cenar vestidos de luto:
el enfermo de malaria guardará las puertas.

Mi corazón, es tarde y sin orillas,
el día como un pobre mantel puesto a secar
oscila rodeado de seres y extensión:
de cada ser viviente hay algo en la atmósfera:
mirando mucho el aire aparecerían mendigos,
abogados, bandidos, carteros, costureras,
y un poco de cada oficio, un resto humillado
quiere trabajar su parte en nuestro interior.
Yo busco desde antaño, yo examino sin arrogancia,
conquistado, sin duda, por lo vespertino.

## Juntos nosotros

Qué pura eres de sol o de noche caída,
qué triunfal desmedida tu órbita de blanco,
y tu pecho de pan, alto de clima,
tu corona de árboles negros, bienamada,
y tu nariz de animal solitario, de oveja salvaje
que huele a sombra y a precipitada fuga tiránica.

Ahora, qué armas espléndidas mis manos,
digna su pala de hueso y su lirio de uñas,
y el puesto de mi rostro, y el arriendo de mi alma
están situados en lo justo de la fuerza terrestre.

Qué pura mi mirada de nocturna influencia,
caída de ojos obscuros y feroz acicate,
mi simétrica estatua de piernas gemelas
sube hacia estrellas húmedas cada mañana,
y mi boca de exilio muerde la carne y la uva,
mis brazos de varón, mi pecho tatuado
en que penetra el vello como ala de estaño,
mi cara blanca hecha para la profundidad del sol,
mi pelo hecho de ritos, de minerales negros,
mi frente penetrante como golpe o camino,
mi piel de hijo maduro, destinado al arado,
mis ojos de sal ávida, de matrimonio rápido,
mi lengua amiga blanda del dique y del buque,
mis dientes de horario blanco, de equidad sistemática,
la piel que hace a mi frente un vacío de hielos
y en mi espalda se torna, y vuela en mis párpados,
y se repliega sobre mi más profundo estímulo,
y crece hacia las rosas en mis dedos,
en mi mentón de hueso y en mis pies de riqueza.

Y tú como un mes de estrella, como un beso fijo,
como estructura de ala, o comienzos de otoño,
niña, mi partidaria, mi amorosa,
la luz hace su lecho bajo tus grandes párpados
dorados como bueyes, y la paloma redonda
hace sus nidos blancos frecuentemente en ti.

Hecha de ola en lingotes y tenazas blancas,
tu salud de manzana furiosa se estira sin límite,
el tonel temblador en que escucha tu estómago,
tus manos hijas de la harina y del cielo.

Qué parecida eres al más largo beso,
su sacudida fija parece nutrirte,
y su empuje de brasa, de bandera revuelta,
va latiendo en tus dominios y subiendo temblando
y entonces tu cabeza se adelgaza en cabellos,
y su forma guerrera, su círculo seco,
se desploma de súbito en hilos lineales
como filos de espadas o herencias del humo.

## Tiranía

Oh dama sin corazón, hija del cielo,
auxíliame en esta solitaria hora,
con tu directa indiferencia de arma
y tu frío sentido del olvido.

Un tiempo total como un océano,
una herida confusa como un nuevo ser,
abarcan la tenaz raíz de mi alma
mordiendo el centro de mi seguridad.

Qué espeso latido se cimbra en mi corazón
como una ola hecha de todas las olas,

y mi desesperada cabeza se levanta
en un esfuerzo de salto y de muerte.

Hay algo enemigo temblando en mi certidumbre,
creciendo en el mismo origen de las lágrimas,
como una planta desgarradora y dura
hecha de encadenadas hojas amargas.


## Serenata


En tu frente descansa el color de las amapolas,
el luto de las viudas halla eco, oh apiadada:
cuando corres detrás de los ferrocarriles, en los campos,
el delgado labrador te da la espalda,
de tus pisadas brotan temblando los dulces sapos.

El joven sin recuerdos te saluda, te pregunta por su olvidada
    voluntad,
las manos de él se mueven en tu atmósfera como pájaros,
y la humedad es grande a su alrededor:
cruzando sus pensamientos incompletos,
queriendo alcanzar algo, oh buscándote,
le palpitan los ojos pálidos en tu red
como instrumentos perdidos que brillan de súbito.

O recuerdo el día primero de la sed,
la sombra apretada contra los jazmines,
el cuerpo profundo en que te recogías
como una gota temblando también.

Pero acallas los grandes árboles, y encima de la luna, sobrelejos,
vigilas el mar como un ladrón.
Oh noche, mi alma sobrecogida te pregunta
desesperadamente a ti por el metal que necesita.

## Diurno doliente

De pasión sobrante y sueños de ceniza
un pálido palio llevo, un cortejo evidente,
un viento de metal que vive solo,
un sirviente mortal vestido de hambre,
y en lo fresco que baja del árbol, en la esencia del sol
que su salud de astro implanta en las flores,
cuando a mi piel parecida al oro llega el placer,
tú, fantasma coral con pies de tigre,
tú, ocasión funeral, reunión ígnea,
acechando la patria en que sobrevivo
con tus lanzas lunares que tiemblan un poco.

Porque la ventana que el mediodía vacío atraviesa
tiene un día cualquiera mayor aire en sus alas,
el frenesí hincha el traje y el sueño al sombrero,
una abeja extremada arde sin tregua.
Ahora, qué imprevisto paso hace crujir los caminos?
Qué vapor de estación lúgubre, qué rostro de cristal,
y aún más, qué sonido de carro viejo con espigas?
Ay, una a una, la ola que llora y la sal que se triza,
y el tiempo del amor celestial que pasa volando,
han tenido voz de huéspedes y espacio en la espera.

De distancias llevadas a cabo, de resentimientos infieles,
de hereditarias esperanzas mezcladas con sombra,
de asistencias desgarradoramente dulces
y días de transparente veta y estatua floral,
qué subsiste en mi término escaso, en mi débil producto?
De mi lecho amarillo y de mi substancia estrellada,
quién no es vecino y ausente a la vez?
Un esfuerzo que salta, una flecha de trigo
tengo, y un arco en mi pecho manifiestamente espera,
y un latido delgado, de agua y tenacidad,

como algo que se quiebra perpetuamente,
atraviesa hasta el fondo mis separaciones,
apaga mi poder y propaga mi duelo.

## Monzón de mayo

El viento de la estación, el viento verde,
cargado de espacio y agua, entendido en desdichas,
arrolla su bandera de lúgubre cuero:
y de una desvanecida substancia, como dinero de limosna,
así, plateado, frío, se ha cobijado un día,
frágil como la espada de cristal de un gigante
entre tantas fuerzas que amparan su suspiro que teme,
su lágrima al caer, su arena inútil,
rodeado de poderes que cruzan y crujen,
como un hombre desnudo en una batalla,
levantando su ramo blanco, su certidumbre incierta,
su gota de sal trémula entre lo invadido.

Qué reposo emprender, qué pobre esperanza amar,
con tan débil llama y tan fugitivo fuego?
Contra qué levantar el hacha hambrienta?
De qué materia desposeer, huir de qué rayo?
Su luz apenas hecha de longitud y temblor
arrastra como cola de traje de novia triste
aderezada de sueño mortal y palidez.
Porque todo aquello que la sombra tocó y ambicionó el
    desorden,
gravita, líquido, suspendido, desprovisto de paz,
indefenso entre espacios, vencido de muerte.

Ay, y es el destino de un día que fue esperado,
hacia el que corrían cartas, embarcaciones, negocios,
morir, sedentario y húmedo, sin su propio cielo.
Dónde está su toldo de olor, su profundo follaje,

su rápido celaje de brasa, su respiración viva?
Inmóvil, vestido de un fulgor moribundo y una escama opaca,
verá partir la lluvia sus mitades
y al viento nutrido de aguas atacarlas.


## Arte poética


*Entre sombra y espacio, entre guarniciones y doncellas,*
*dotado de corazón singular y sueños funestos,*
*precipitadamente pálido, marchito en la frente,*
*y con luto de viudo furioso por cada día de vida,*
*ay, para cada agua invisible que bebo soñolientamente,*
*y de todo sonido que acojo temblando,*
*tengo la misma sed ausente y la misma fiebre fría,*
*un oído que nace, una angustia indirecta,*
*como si llegaran ladrones o fantasmas,*
*y en una cáscara de extensión fija y profunda,*
*como un camarero humillado, como una campana un poco*
    *ronca,*
*como un espejo viejo, como un olor de casa sola*
*en la que los huéspedes entran de noche perdidamente ebrios,*
*y hay un olor de ropa tirada al suelo, y una ausencia de*
    *flores,*
*posiblemente de otro modo aún menos melancólico,*
*pero, la verdad, de pronto, el viento que azota mi pecho,*
*las noches de substancia infinita caídas en mi dormitorio,*
*el ruido de un día que arde con sacrificio,*
*me piden lo profético que hay en mí, con melancolía,*
*y un golpe de objetos que llaman sin ser respondidos*
*hay, y un movimiento sin tregua, y un nombre confuso.*

## Sistema sombrío

De cada uno de estos días negros como viejos hierros,
y abiertos por el sol como grandes bueyes rojos,
y apenas sostenidos por el aire y por los sueños,
y desaparecidos irremediablemente y de pronto,
nada ha substituido mis perturbados orígenes,
y las desiguales medidas que circulan en mi corazón
allí se fraguan de día y de noche, solitariamente,
y abarcan desordenadas y tristes cantidades.

Así, pues, como un vigía tornado insensible y ciego,
incrédulo y condenado a un doloroso acecho,
frente a la pared en que cada día del tiempo se une,
mis rostros diferentes se arriman y encadenan
como grandes flores pálidas y pesadas
tenazmente substituidas y difuntas.

## Ángela adónica

Hoy me he tendido junto a una joven pura
como a la orilla de un océano blanco,
como en el centro de una ardiente estrella
de lento espacio.

De su mirada largamente verde
la luz caía como un agua seca
en transparentes y profundos círculos
de fresca fuerza.

Su pecho como un fuego de dos llamas
ardía en dos regiones levantado,

y en doble río llegaba a sus pies
grandes y claros.

Un clima de oro maduraba apenas
las diurnas longitudes de su cuerpo
llenándolo de frutas extendidas
y oculto fuego.

## Sonata y destrucciones

Después de mucho, después de vagas leguas,
confuso de dominios, incierto de territorios,
acompañado de pobres esperanzas,
y compañías infieles, y desconfiados sueños,
amo lo tenaz que aún sobrevive en mis ojos,
oigo en mi corazón mis pasos de jinete,
muerdo el fuego dormido y la sal arruinada,
y de noche, de atmósfera obscura y luto prófugo,
aquel que vela a la orilla de los campamentos,
el viajero armado de estériles resistencias,
detenido entre sombras que crecen y alas que tiemblan,
me siento ser, y mi brazo de piedra me defiende.

Hay entre ciencias de llanto un altar confuso,
y en mi sesión de atardeceres sin perfume,
en mis abandonados dormitorios donde habita la luna,
y arañas de mi propiedad, y destrucciones que me son queridas,
adoro mi propio ser perdido, mi substancia imperfecta,
mi golpe de plata y mi pérdida eterna.
Ardió la uva húmeda, y su agua funeral
aún vacila, aún reside,
y el patrimonio estéril, y el domicilio traidor.

Quién hizo ceremonia de cenizas?
Quién amó lo perdido, quién protegió lo último?
El hueso del padre, la madera del buque muerto,
y su propio final, su misma huida,
su fuerza triste, su dios miserable?
Acecho, pues, lo inanimado y lo doliente,
y el testimonio extraño que sostengo
con eficiencia cruel y escrito en cenizas,
es la forma de olvido que prefiero,
el nombre que doy a la tierra, el valor de mis sueños,
la cantidad interminable que divido
con mis ojos de invierno, durante cada día de este mundo.

## II

## La noche del soldado

Yo hago la noche del soldado, el tiempo del hombre sin melancolía ni exterminio, del tipo tirado lejos por el océano y una ola, y que no sabe que el agua amarga lo ha separado y que envejece, paulatinamente y sin miedo, dedicado a lo normal de la vida, sin cataclismos, sin ausencias, viviendo dentro de su piel y de su traje, sinceramente oscuro. Así, pues, me veo con camaradas estúpidos y alegres, que fuman y escupen y horrendamente beben, y que de repente caen, enfermos de muerte. Porque dónde están la tía, la novia, la suegra, la cuñada del soldado? Tal vez de ostracismo o de malaria mueren, se ponen fríos, amarillos y emigran a un astro de hielo, a un planeta fresco, a descansar, al fin, entre muchachas y frutas glaciales, y sus cadáveres, sus pobres cadáveres de fuego, irán custodiados por ángeles alabastrinos a dormir lejos de la llama y la ceniza.

Por cada día que cae, con su obligación vesperal de sucumbir, paseo, haciendo una guardia innecesaria, y paso entre mercaderes mahometanos, entre gentes que adoran la vaca y la cobra, paso yo, inadorable y común de rostro. Los meses no son inalterables, y a veces llueve: cae del calor del cielo una impregnación callada como el sudor, y sobre los grandes vegetales, sobre el lomo de las bestias feroces, a lo largo de cierto silencio, estas plumas húmedas se entretejen y alargan. Aguas de la noche, lágrimas del viento monzón, saliva salada caída como la espuma del caballo, y lenta de aumento, pobre de salpicadura, atónita de vuelo.

Ahora, dónde está esa curiosidad profesional, esa ternura abatida qué sólo con su reposo abría brecha, esa conciencia resplandeciente cuyo destello me vestía de ultra azul? Voy respirando como hijo hasta el corazón de un método obligatorio, de una tenaz paciencia física, resultado de alimentos y edad acumulados cada día, despojado de mi vestuario de venganza y de mi piel de oro. Horas de una sola estación ruedan a mis pies, y un día de formas diurnas y nocturnas está casi siempre detenido sobre mí.

Entonces, de cuando en cuando, visito muchachas de ojos y caderas jóvenes, seres en cuyo peinado brilla una flor amarilla como el relámpago. Ellas llevan anillos en cada dedo del pie, y brazaletes, y ajorcas en los tobillos, y además collares de color, collares que retiro y examino, porque yo quiero sorprenderme ante un cuerpo ininterrumpido y compacto, y no mitigar mi beso. Yo peso con mis brazos cada nueva estatua, y bebo su remedio vivo con sed masculina y en silencio. Tendido, mirando desde abajo la fugitiva criatura, trepando por su ser desnudo hasta su sonrisa: gigantesca y triangular hacia arriba, levantada en el aire por dos senos globales, fijos ante mis ojos como dos lámparas con luz de aceite blanco y dulces energías. Yo me encomiendo a su estrella morena, a su calidez de piel, e inmóvil bajo mi pecho como un adversario desgraciado, de miembros demasiado espesos y débiles, de ondulación indefensa: o bien girando sobre sí misma como una rueda pálida, dividida de aspas y dedos, rápida, profunda, circular, como una estrella en desorden.

Ay, de cada noche que sucede, hay algo de brasa abandonada que se gasta sola, y cae envuelta en ruinas, en medio de cosas funerales. Yo asisto comúnmente a esos términos, cubierto de armas inútiles, lleno de objeciones destruidas. Guardo la ropa y los huesos levemente impregnados de esa materia seminocturna: es un polvo temporal que se me va uniendo, y el dios de la substitución vela a veces a mi lado, respirando tenazmente, levantando la espada.

## Comunicaciones desmentidas

Aquellos días extraviaron mi sentido profético, a mi casa entraban los coleccionistas de sellos, y emboscados, a altas horas de la estación, asaltaban mis cartas, arrancaban de ellas besos frescos, besos sometidos a una larga residencia marina, y conjuros que protegían mi suerte con ciencia femenina y defensiva caligrafía.

Vivía al lado de otras casas, otras personas y árboles tendiendo a lo grandioso, pabellones de follaje pasional, raíces emergidas, palas vegetales, cocoteros directos, y en medio de estas espumas verdes, pasaba con mi sombrero puntiagudo y un corazón por completo novelesco, con tranco pesado de esplendor, porque a medida que mis poderes se roían, y destruidos en polvo buscaban simetría como los muertos en los cementerios, los lugares conocidos, las extensiones hasta esa hora despreciadas, y los rostros que como plantas lentas brotaban en mi abandono, variaban a mi alrededor con terror y sigilo, como cantidades de hojas que un otoño súbito trastorna.

Loros, estrellas, y además el sol oficial, y una brusca humedad, hicieron nacer en mí un gusto ensimismado por la tierra y cuanta cosa la cubría, y una satisfacción de casa vieja por sus murciélagos, una delicadeza de mujer desnuda por sus uñas, dispusieron en mí como de armas débiles y tenaces de mis facultades vergonzosas, y la melancolía puso su estría en mi tejido, y la carta de amor, pálida de papel y temor, sustrajo su araña trémula que apenas teje y sin cesar desteje y teje. Naturalmente, de la luz lunar, de su circunstancial prolongación, y más aún, de su eje frío, que los pájaros (golondrinas, ocas) no pueden pisar ni en los delirios de la emigración, de su piel azul, lisa, delgada y sin alhajas, caí hacia el duelo, como quien cae herido de arma blanca. Yo soy sujeto de sangre especial, y esa substancia a la vez nocturna y marítima me hacía alterar y padecer, y esas aguas subcelestes degradaban mi energía y lo comercial de mi disposición.

De ese modo histórico mis huesos adquirieron gran preponderancia en mis intenciones: el reposo, las mansiones a la orilla del mar me atraían sin seguridad, pero con destino, y una vez llegado al recinto, rodeado del coro mudo y más inmóvil, sometido a la hora postrera y sus perfumes, injusto con las geografías inexactas y partidario mortal del sillón de cemento, aguardo el tiempo militarmente, y con el florete de la aventura manchado de sangre olvidada.

## El deshabitado

Estación invencible! En los lados del cielo un pálido cierzo se acumulaba, un aire desteñido e invasor, y hacia todo lo que los ojos abarcaban, como una espesa leche, como una cortina endurecida existía, continuamente.

De modo que el ser se sentía aislado, sometido a esa extraña substancia, rodeado de un cielo próximo, con el mástil quebrado frente a un litoral blanquecino, abandonado de lo sólido, frente a un transcurso impenetrable y en una casa de niebla. Condenación y horror! De haber estado herido y abandonado, o haber escogido las arañas, el luto y la sotana. De haberse emboscado, fuertemente ahíto de este mundo, y de haber conversado sobre esfinges y oros y fatídicos destinos. De haber amarrado la ceniza al traje cotidiano, y haber besado el origen terrestre con su sabor a olvido. Pero no. No.

Materias frías de la lluvia que caen sombríamente, pesares sin resurrección, olvido. En mi alcoba sin retratos, en mi traje sin luz, cuánta cabida eternamente permanece, y el lento rayo recto del día cómo se condensa hasta llegar a ser una sola gota oscura.

Movimientos tenaces, senderos verticales a cuya flor final a veces se asciende, compañías suaves o brutales, puertas ausentes! Como cada día un pan letárgico, bebo de un agua aislada!

Aúlla el cerrajero, trota el caballo, el caballejo empapado en lluvia, y el cochero de largo látigo tose, el condenado! Lo demás, hasta muy larga distancia permanece inmóvil, cubierto por el mes de junio y sus vegetaciones mojadas, sus animales callados, se unen como olas. Sí, qué mar de invierno, qué dominio sumergido trata de sobrevivir, y, aparentemente muerto, cruza de largos velámenes mortuorios esta densa superficie?

A menudo, de atardecer acaecido, arrimo la luz a la ventana, y me miro, sostenido por maderas miserables, tendido en la humedad como un ataúd envejecido, entre paredes bruscamente débiles. Sueño, de una ausencia a otra, y a otra distancia, recibido y amargo.

## El joven monarca

Como continuación de lo leído y precedente de la página que sigue debo encaminar mi estrella al territorio amoroso.

Patria limitada por dos largos brazos cálidos, de larga pasión paralela, y un sitio de oros defendidos por sistema y matemática ciencia guerrera. Sí, quiero casarme con la más bella de Mandalay, quiero encomendar mi envoltura terrestre a ese ruido de la mujer cocinando, a ese aleteo de falda y pie desnudo que se mueven y mezclan como viento y hojas.

Amor de niña de pie pequeño y gran cigarro, flores de ámbar en el puro y cilíndrico peinado, y de andar en peligro, como un lirio de pesada cabeza, de gruesa consistencia.

Y mi esposa a mi orilla, al lado de mi rumor tan venido de lejos, mi esposa birmana, hija del rey.

Su enrollado cabello negro entonces beso, y su pie dulce y perpetuo: y acercada ya la noche, desencadenado su molino, escucho a mi tigre y lloro a mi ausente.

## Establecimientos nocturnos

Difícilmente llamo a la realidad, como el perro, y también aú-
llo. Cómo amaría establecer el diálogo del hidalgo y el bar-
quero, pintar la jirafa, describir los acordeones, celebrar mi
musa desnuda y enroscada a mi cintura de asalto y resistencia. Así es mi cintura, mi cuerpo en general, una lucha despierta y larga, y mis riñones escuchan.

Oh Dios, cuántas ranas habituadas a la noche, silbando y
roncando con gargantas de seres humanos a los cuarenta años,
y qué angosta y sideral es la curva que hasta lo más lejos me
rodea! Llorarían en mi caso los cantores italianos, los doctores de astronomía ceñidos por esta alba negra, definidos hasta el corazón por esta aguda espada.

Y luego esa condensación, esa unidad de elementos de la
noche, esa suposición puesta detrás de cada cosa, y ese frío
tan claramente sostenido por estrellas.

Execración para tanto muerto que no mira, para tanto herido de alcohol o infelicidad, y loor al nochero, al inteligente
que soy yo, sobreviviente adorador de los cielos.

## Entierro en el este

Yo trabajo de noche, rodeado de ciudad,
de pescadores, de alfareros, de difuntos quemados
con azafrán y frutas, envueltos en muselina escarlata:
bajo mi balcón esos muertos terribles
pasan sonando cadenas y flautas de cobre,
estridentes y finas y lúgubres silban
entre el color de las pesadas flores envenenadas
y el grito de los cenicientos danzarines
y el creciente monótono de los tam-tam
y el humo de las maderas que arden y huelen.

Porque una vez doblado el camino, junto al turbio río,
sus corazones, detenidos o iniciando un mayor movimiento,
rodarán quemados, con la pierna y el pie hechos fuego,
y la trémula ceniza caerá sobre el agua,
flotará como ramo de flores calcinadas
o como extinto fuego dejado por tan poderosos viajeros
que hicieron arder algo sobre las negras aguas, y devoraron
un alimento desaparecido y un licor extremo.

III

## Caballero solo

Los jóvenes homosexuales y las muchachas amorosas,
y las largas viudas que sufren el delirante insomnio,
y las jóvenes señoras preñadas hace treinta horas,
y los roncos gatos que cruzan mi jardín en tinieblas,
como un collar de palpitantes ostras sexuales
rodean mi residencia solitaria,
como enemigos establecidos contra mi alma,
como conspiradores en traje de dormitorio
que cambiaran largos besos espesos por consigna.

El radiante verano conduce a los enamorados
en uniformes regimientos melancólicos,
hechos de gordas y flacas y alegres y tristes parejas:
bajo los elegantes cocoteros, junto al océano y la luna
hay una continua vida de pantalones y polleras,
un rumor de medias de seda acariciadas,
y senos femeninos que brillan como ojos.

El pequeño empleado, después de mucho,
después del tedio semanal, y las novelas leídas de noche,
   en cama,
ha definitivamente seducido a su vecina,
y la lleva a los miserables cinematógrafos
donde los héroes son potros o príncipes apasionados,
y acaricia sus piernas llenas de dulce vello
con sus ardientes y húmedas manos que huelen a cigarrillo.

Los atardeceres del seductor y las noches de los esposos
se unen como dos sábanas sepultándome,
y las horas después del almuerzo en que los jóvenes estudian-
    tes,
y las jóvenes estudiantes, y los sacerdotes se masturban,
y los animales fornican directamente,
y las abejas huelen a sangre, y las moscas zumban coléricas,
y los primos juegan extrañamente con sus primas,
y los médicos miran con furia al marido de la joven paciente,
y las horas de la mañana en que el profesor, como por des-
    cuido,
cumple con su deber conyugal, y desayuna,
y, más aún, los adúlteros, que se aman con verdadero amor
sobre lechos altos y largos como embarcaciones:
seguramente, eternamente me rodea
este gran bosque respiratorio y enredado
con grandes flores como bocas y dentaduras
y negras raíces en forma de uñas y zapatos.


## Ritual de mis piernas

Largamente he permanecido mirando mis largas piernas
con ternura infinita y curiosa, con mi acostumbrada pasión,
como si hubieran sido las piernas de una mujer divina
profundamente sumida en el abismo de mi tórax:
y es que, la verdad, cuando el tiempo, el tiempo pasa,
sobre la tierra, sobre el techo, sobre mi impura cabeza,
y pasa, el tiempo pasa, y en mi lecho no siento de noche que
una mujer está respirando, durmiendo, desnuda y a mi lado,
entonces, extrañas, oscuras cosas toman el lugar de la ausente,
viciosos, melancólicos pensamientos
siembran pesadas posibilidades en mi dormitorio,
y así, pues, miro mis piernas como si pertenecieran a otro
    cuerpo,
y fuerte y dulcemente estuvieran pegadas a mis entrañas.

Como tallos o femeninas, adorables cosas,
desde las rodillas suben, cilíndricas y espesas,
con turbado y compacto material de existencia:
como brutales, gruesos brazos de diosa,
como árboles monstruosamente vestidos de seres humanos,
como fatales, inmensos labios sedientos y tranquilos,
son allí la mejor parte de mi cuerpo:
lo enteramente substancial, sin complicado contenido
de sentidos o tráqueas o intestinos o ganglios:
nada, sino lo puro, lo dulce y espeso de mi propia vida,
nada, sino la forma y el volumen existiendo,
guardando la vida, sin embargo, de una manera completa.

Las gentes cruzan el mundo en la actualidad
sin apenas recordar que poseen un cuerpo y en él la vida,
y hay miedo, hay miedo en el mundo de las palabras que
    designan el cuerpo,
y se habla favorablemente de la ropa,
de pantalones es posible hablar, de trajes,
y de ropa interior de mujer (de medias y ligas de «señora»),
como si por las calles fueran las prendas y los trajes vacíos por
    completo
y un oscuro y obsceno guardarropas ocupara el mundo.

Tienen existencia los trajes, color, forma, designio,
y profundo lugar en nuestros mitos, demasiado lugar,
demasiados muebles y demasiadas habitaciones hay en el mundo,
y mi cuerpo vive entre y bajo tantas cosas abatido,
con un pensamiento fijo de esclavitud y de cadenas.

Bueno, mis rodillas, como nudos,
particulares, funcionarios, evidentes,
separan las mitades de mis piernas en forma seca:
y en realidad dos mundos diferentes, dos sexos diferentes
no son tan diferentes como las dos mitades de mis piernas.

Desde la rodilla hasta el pie una forma dura,
mineral, fríamente útil aparece,

una criatura de hueso y persistencia,
y los tobillos no son ya sino el propósito desnudo,
la exactitud y lo necesario dispuestos en definitiva.

Sin sensualidad, cortas y duras, y masculinas,
son allí mis piernas, y dotadas
de grupos musculares como animales complementarios,
y allí también una vida, una sólida, sutil, aguda vida
sin temblar permanece, aguardando y actuando.

En mis pies cosquillosos,
y duros como el sol, y abiertos como flores,
y perpetuos, magníficos soldados
en la guerra gris del espacio,
todo termina, la vida termina definitivamente en mis pies,
lo extranjero y lo hostil allí comienza,
los nombres del mundo, lo fronterizo y lo remoto,
lo sustantivo y lo adjetivo que no caben en mi corazón,
con densa y fría constancia allí se originan.

Siempre,
productos manufacturados, medias, zapatos,
o simplemente aire infinito,
habrá entre mis pies y la tierra
extremando lo aislado y lo solitario de mi ser,
algo tenazmente supuesto entre mi vida y la tierra,
algo abiertamente invencible y enemigo.

## El fantasma del buque de carga

Distancia refugiada sobre tubos de espuma,
sal en rituales olas y órdenes definidos,
y un olor y rumor de buque viejo,
de podridas maderas y hierros averiados,
y fatigadas máquinas que aúllan y lloran

empujando la proa, pateando los costados,
mascando lamentos, tragando y tragando distancias,
haciendo un ruido de agrias aguas sobre las agrias aguas,
moviendo el viejo buque sobre las viejas aguas.

Bodegas interiores, túneles crepusculares
que el día intermitente de los puertos visita:
sacos, sacos que un dios sombrío ha acumulado
como animales grises, redondos y sin ojos,
con dulces orejas grises,
y vientres estimables llenos de trigo o copra,
sensitivas barrigas de mujeres encinta,
pobremente vestidas de gris, pacientemente
esperando en la sombra de un doloroso cine.

Las aguas exteriores de repente
se oyen pasar, corriendo como un caballo opaco,
con un ruido de pies de caballo en el agua,
rápidas, sumergiéndose otra vez en las aguas.
Nada más hay entonces que el tiempo en las cabinas:
el tiempo en el desventurado comedor solitario,
inmóvil y visible como una gran desgracia.
Olor de cuero y tela densamente gastados,
y cebollas, y aceite, y aún más,
olor de alguien flotando en los rincones del buque,
olor de alguien sin nombre
que baja como una ola de aire las escalas,
y cruza corredores con su cuerpo ausente,
y observa con sus ojos que la muerte preserva.

Observa con sus ojos sin color, sin mirada,
lento, y pasa temblando, sin presencia ni sombra:
los sonidos lo arrugan, las cosas lo traspasan,
su transparencia hace brillar las sillas sucias.

Quién es ese fantasma sin cuerpo de fantasma,
con sus pasos livianos como harina nocturna
y su voz que sólo las cosas patrocinan?

Los muebles viajan llenos de su ser silencioso
como pequeños barcos dentro del viejo barco,
cargados de su ser desvanecido y vago:
los roperos, las verdes carpetas de las mesas,
el color de las cortinas y del suelo,
todo ha sufrido el lento vacío de sus manos,
y su respiración ha gastado las cosas.

Se desliza y resbala, desciende, transparente,
aire en el aire frío que corre sobre el buque,
con sus manos ocultas se apoya en las barandas
y mira el mar amargo que huye detrás del buque.

Solamente las aguas rechazan su influencia,
su color y su olor de olvidado fantasma,
y frescas y profundas desarrollan su baile
como vidas de fuego, como sangre o perfume,
nuevas y fuertes surgen, unidas y reunidas.

Sin gastarse las aguas, sin costumbre ni tiempo,
verdes de cantidad, eficaces y frías,
tocan el negro estómago del buque y su materia
lavan, sus costras rotas, sus arrugas de hierro:
roen las aguas vivas la cáscara del buque,
traficando sus largas banderas de espuma
y sus dientes de sal volando en gotas.

Mira el mar el fantasma con su rostro sin ojos:
el círculo del día, la tos del buque, un pájaro
en la ecuación redonda y sola del espacio,
y desciende de nuevo a la vida del buque
cayendo sobre el tiempo muerto y la madera,
resbalando en las negras cocinas y cabinas,
lento de aire y atmósfera, y desolado espacio.

# Tango del viudo

*Oh Maligna, ya habrás hallado la carta, ya habrás llorado*
  *de furia,*
*y habrás insultado el recuerdo de mi madre*
*llamándola perra podrida y madre de perros,*
*ya habrás bebido sola, solitaria, el té del atardecer*
*mirando mis viejos zapatos vacíos para siempre,*
*y ya no podrás recordar mis enfermedades, mis sueños noc-*
  *turnos, mis comidas*
*sin maldecirme en voz alta como si estuviera allí aún,*
*quejándome del trópico, de los* coolies coringhis,
*de las venenosas fiebres que me hicieron tanto daño*
*y de los espantosos ingleses que odio todavía.*

*Maligna, la verdad, qué noche tan grande, qué tierra tan*
  *sola!*
*He llegado otra vez a los dormitorios solitarios,*
*a almorzar en los restaurantes comida fría, y otra vez*
*tiro al suelo los pantalones y las camisas,*
*no hay perchas en mi habitación, ni retratos de nadie en las*
  *paredes.*
*Cuánta sombra de la que hay en mi alma daría por recobrarte,*
*y qué amenazadores me parecen los nombres de los meses,*
*y la palabra invierno qué sonido de tambor lúgubre tiene.*

*Enterrado junto al cocotero hallarás más tarde*
*el cuchillo que escondí allí por temor de que me mataras,*
*y ahora repentinamente quisiera oler su acero de cocina*
*acostumbrado al peso de tu mano y al brillo de tu pie:*
*bajo la humedad de la tierra, entre las sordas raíces,*
*de los lenguajes humanos el pobre sólo sabría tu nombre,*
*y la espesa tierra no comprende tu nombre*
*hecho de impenetrables substancias divinas.*

*Así como me aflige pensar en el claro día de tus piernas*
*recostadas como detenidas y duras aguas solares,*
*y la golondrina que durmiendo y volando vive en tus ojos,*
*y el perro de furia que asilas en el corazón,*
*así también veo las muertes que están entre nosotros desde*
   *ahora,*
*y respiro en el aire la ceniza y lo destruido,*
*el largo, solitario espacio que me rodea para siempre.*

*Daría este viento del mar gigante por tu brusca respiración*
*oída en largas noches sin mezcla de olvido,*
*uniéndose a la atmósfera como el látigo a la piel del caballo.*
*Y por oírte orinar, en la oscuridad, en el fondo de la casa,*
*como vertiendo una miel delgada, trémula, argentina, obsti-*
   *nada,*
*cuántas veces entregaría este coro de sombras que poseo,*
*y el ruido de espadas inútiles que se oye en mi alma,*
*y la paloma de sangre que está solitaria en mi frente*
*llamando cosas desaparecidas, seres desaparecidos,*
*substancias extrañamente inseparables y perdidas.*

IV

## Cantares

La parracial rosa devora
y sube a la cima del santo:
con espesas garras sujeta
el tiempo al fatigado ser:
hincha y sopla en las venas duras,
ata el cordel pulmonar, entonces
largamente escucha y respira.

Morir deseo, vivir quiero,
herramienta, perro infinito,
movimiento de océano espeso
con vieja y negra superficie.

Para quién y a quién en la sombra
mi gradual guitarra resuena
naciendo en la sal de mi ser
como el pez en la sal del mar?

Ay, qué continuo país cerrado,
neutral, en la zona del fuego,
inmóvil, en el giro terrible,
seco, en la humedad de las cosas.

Entonces, entre mis rodillas,
bajo la raíz de mis ojos,
prosigue cosiendo mi alma:
su aterradora aguja trabaja.

Sobrevivo en medio del mar,
solo y tan locamente herido,
tan solamente persistiendo,
heridamente abandonado.


## Trabajo frío


Dime, del tiempo resonando
en tu esfera parcial y dulce
no oyes acaso el sordo gemido?

No sientes de lenta manera,
en trabajo trémulo y ávido,
la insistente noche que vuelve?

Secas sales y sangres aéreas,
atropellado correr ríos,
temblando el testigo constata.

Aumento oscuro de paredes,
crecimiento brusco de puertas,
delirante población de estímulos,
circulaciones implacables.

Alrededor, de infinito modo,
en propaganda interminable,
de hocico armado y definido
el espacio hierve y se puebla.

No oyes la constante victoria
en la carrera de los seres
del tiempo, lento como el fuego,
seguro y espeso y hercúleo,
acumulando su volumen
y añadiendo su triste hebra?

Como una planta perpetua aumenta
su delgado y pálido hilo
mojado de gotas que caen
sin sonido en la soledad.

## Significa sombras

Qué esperanza considerar, qué presagio puro,
qué definitivo beso enterrar en el corazón,
someter en los orígenes del desamparo y la inteligencia,
suave y seguro sobre las aguas eternamente turbadas?

Qué vitales, rápidas alas de un nuevo ángel de sueños
instalar en mis hombros desnudos para seguridad perpetua,
de tal manera que el camino entre las estrellas de la muerte
sea un violento vuelo comenzado desde hace muchos días
  y meses y siglos?

Tal vez la debilidad natural de los seres recelosos y ansiosos
busca de súbito permanencia en el tiempo y límites en la tierra,
tal vez las fatigas y las edades acumuladas implacablemente
se extienden como la ola lunar de un océano recién creado
sobre litorales y tierras angustiosamente desiertas.

Ay, que lo que yo soy siga existiendo y cesando de existir,
y que mi obediencia se ordene con tales condiciones de hierro
que el temblor de las muertes y de los nacimientos no con-
  mueva
el profundo sitio que quiero reservar para mí eternamente.

Sea, pues, lo que soy, en alguna parte y en todo tiempo,
establecido y asegurado y ardiente testigo,
cuidadosamente destruyéndose y preservándose incesantemente,
evidentemente empeñado en su deber original.

# Residencia en la tierra

## 2

[1933-1935]

I

## Un día sobresale

De lo sonoro salen números,
números moribundos y cifras con estiércol,
rayos humedecidos y relámpagos sucios.
De lo sonoro, creciendo, cuando
la noche sale sola, como reciente viuda,
como paloma o amapola o beso,
y sus maravillosas estrellas se dilatan.

En lo sonoro la luz se verifica:
las vocales se inundan, el llanto cae en pétalos,
un viento de sonido como una ola retumba,
brilla, y peces de frío y elástico la habitan.

Peces en el sonido, lentos, agudos, húmedos,
arqueadas masas de oro con gotas en la cola,
tiburones de escama y espuma temblorosa,
salmones azulados de congelados ojos.

Herramientas que caen, carretas de legumbres,
rumores de racimos aplastados,
violines llenos de agua, detonaciones frescas,
motores sumergidos y polvorienta sombra,
fábricas, besos,
botellas palpitantes,
gargantas,
en torno a mí la noche suena,
el día, el mes, el tiempo,
sonando como sacos de campanas mojadas
o pavorosas bocas de sales quebradizas.

Olas del mar, derrumbes,
uñas, pasos del mar,
arrolladas corrientes de animales deshechos,
pitazos en la niebla ronca
deciden los sonidos de la dulce aurora
despertando en el mar abandonado.

A lo sonoro el alma rueda
cayendo desde sueños,
rodeada aún por sus palomas negras,
todavía forrada por sus trapos de ausencia.

A lo sonoro el alma acude
y sus bodas veloces celebra y precipita.

Cáscaras del silencio, de azul turbio,
como frascos de oscuras farmacias clausuradas,
silencio envuelto en pelo,
silencio galopando en caballos sin patas
y máquinas dormidas, y velas sin atmósfera,
y trenes de jazmín desalentado y cera,
y agobiados buques llenos de sombras y sombreros.

Desde el silencio sube el alma
con rosas instantáneas,
y en la mañana del día se desploma,
y se ahoga de bruces en la luz que suena.

Zapatos bruscos, bestias, utensilios
olas de gallos duros derramándose,
relojes trabajando como estómagos secos,
ruedas desenrollándose en rieles abatidos,
y *water-closets* blancos despertando
con ojos de madera, como palomas tuertas,
y sus gargantas anegadas
suenan de pronto como cataratas.

Ved cómo se levantan los párpados del moho
y se desencadena la cerradura roja
y la guirnalda desarrolla sus asuntos,
cosas que crecen,
los puentes aplastados por los grandes tranvías
rechinan como camas con amores,
la noche ha abierto sus puertas de piano:
como un caballo el día corre en sus tribunales.

*De lo sonoro sale el día*
*de aumento y grado,*
*y también de violetas cortadas y cortinas,*
*de extensiones, de sombra recién huyendo*
*y gotas que del corazón del cielo*
*caen como sangre celeste.*


## Sólo la muerte


*Hay cementerios solos,*
*tumbas llenas de huesos sin sonido,*
*el corazón pasando un túnel*
*oscuro, oscuro, oscuro,*
*como un naufragio hacia adentro nos morimos,*
*como ahogarnos en el corazón,*
*como irnos cayendo desde la piel al alma.*

*Hay cadáveres,*
*hay pies de pegajosa losa fría,*
*hay la muerte en los huesos,*
*como un sonido puro,*
*como un ladrido sin perro,*
*saliendo de ciertas campanas, de ciertas tumbas,*
*creciendo en la humedad como el llanto o la lluvia.*

*Yo veo sólo, a veces,*
*ataúdes a vela*

zarpar con difuntos pálidos, con mujeres de trenzas muertas,
con panaderos blancos como ángeles,
con niñas pensativas casadas con notarios,
ataúdes subiendo el río vertical de los muertos,
el río morado,
hacia arriba, con las velas hinchadas por el sonido de la
   muerte,
hinchadas por el sonido silencioso de la muerte.

A lo sonoro llega la muerte
como un zapato sin pie, como un traje sin hombre,
llega a golpear con un anillo sin piedra y sin dedo,
llega a gritar sin boca, sin lengua, sin garganta.

Sin embargo sus pasos suenan
y su vestido suena, callado, como un árbol.

Yo no sé, yo conozco poco, yo apenas veo,
pero creo que su canto tiene color de violetas húmedas,
de violetas acostumbradas a la tierra,
porque la cara de la muerte es verde,
y la mirada de la muerte es verde,
con la aguda humedad de una hoja de violeta
y su grave color de invierno exasperado.

Pero la muerte va también por el mundo vestida de escoba,
lame el suelo buscando difuntos,
la muerte está en la escoba,
es la lengua de la muerte buscando muertos,
es la aguja de la muerte buscando hilo.

La muerte está en los catres:
en los colchones lentos, en las frazadas negras
vive tendida, y de repente sopla:
sopla un sonido oscuro que hincha sábanas,
y hay camas navegando a un puerto
en donde está esperando, vestida de almirante.

# Barcarola

Si solamente me tocaras el corazón,
si solamente pusieras tu boca en mi corazón,
tu fina boca, tus dientes,
si pusieras tu lengua como una flecha roja
allí donde mi corazón polvoriento golpea,
si soplaras en mi corazón, cerca del mar, llorando,
sonaría con un ruido oscuro, con sonido de ruedas de tren
  con sueño,
como aguas vacilantes,
como el otoño en hojas,
como sangre,
con un ruido de llamas húmedas quemando el cielo,
sonando como sueños o ramas o lluvias,
o bocinas de puerto triste,
si tú soplaras en mi corazón, cerca del mar,
como un fantasma blanco,
al borde de la espuma,
en mitad del viento,
como un fantasma desencadenado, a la orilla del mar, llorando.

Como ausencia extendida, como campana súbita,
el mar reparte el sonido del corazón,
lloviendo, atardeciendo, en una costa sola:
la noche cae sin duda,
y su lúgubre azul de estandarte en naufragio
se puebla de planetas de plata enronquecida.

Y suena el corazón como un caracol agrio,
llama, oh mar, oh lamento, oh derretido espanto
esparcido en desgracias y olas desvencijadas:
de lo sonoro el mar acusa
sus sombras recostadas, sus amapolas verdes.

Si existieras de pronto, en una costa lúgubre,
rodeada por el día muerto,
frente a una nueva noche,
llena de olas,
y soplaras en mi corazón de miedo frío,
soplaras en la sangre sola de mi corazón,
soplaras en su movimiento de paloma con llamas,
sonarían sus negras sílabas de sangre,
crecerían sus incesantes aguas rojas,
y sonaría, sonaría a sombras,
sonaría como la muerte,
llamaría como un tubo lleno de viento o llanto,
o una botella echando espanto a borbotones.

Así es, y los relámpagos cubrirían tus trenzas
y la lluvia entraría por tus ojos abiertos
a preparar el llanto que sordamente encierras,
y las alas negras del mar girarían en torno
de ti, con grandes garras, y graznidos, y vuelos.

Quieres ser el fantasma que sople, solitario,
cerca del mar su estéril, triste instrumento?
Si solamente llamaras,
su prolongado son, su maléfico pito,
su orden de olas heridas,
alguien vendría acaso,
alguien vendría,
desde las cimas de las islas, desde el fondo rojo del mar,
alguien vendría, alguien vendría.

Alguien vendría, sopla con furia,
que suene como sirena de barco roto,
como lamento,
como un relincho en medio de la espuma y la sangre,
como un agua feroz mordiéndose y sonando.

En la estación marina
su caracol de sombra circula como un grito,

los pájaros del mar lo desestiman y huyen,
sus listas de sonido, sus lúgubres barrotes
se levantan a orillas del océano solo.

## El Sur del Océano

*De consumida sal y garganta en peligro*
*están hechas las rosas del océano solo,*
*el agua rota sin embargo,*
*y pájaros temibles,*
*y no hay sino la noche acompañada*
*del día, y el día acompañado*
*de un refugio, de una*
*pezuña, del silencio.*

*En el silencio crece el viento*
*con su hoja única y su flor golpeada,*
*y la arena que tiene sólo tacto y silencio,*
*no es nada, es una sombra,*
*una pisada de caballo vago,*
*no es nada sino una ola que el tiempo ha recibido,*
*porque todas las aguas van a los ojos fríos*
*del tiempo que debajo del océano mira.*

*Ya sus ojos han muerto de agua muerta y palomas,*
*y son dos agujeros de latitud amarga*
*por donde entran los peces de ensangrentados dientes*
*y las ballenas buscando esmeraldas,*
*y esqueletos de pálidos caballeros deshechos*
*por las lentas medusas, y además*
*varias asociaciones de arrayán venenoso,*
*manos aisladas, flechas,*
*revólveres de escama,*
*interminablemente corren por sus mejillas*
*y devoran sus ojos de sal destituida.*

Cuando la luna entrega sus naufragios,
sus cajones, sus muertos
cubiertos de amapolas masculinas,
cuando en el saco de la luna caen
los trajes sepultados en el mar,
con sus largos tormentos, sus barbas derribadas,
sus cabezas que el agua y el orgullo pidieron para siempre,
en la extensión se oyen caer rodillas
hacia el fondo del mar traídas por la luna
en su saco de piedra gastado por las lágrimas
y por las mordeduras de pescados siniestros.

Es verdad, es la luna descendiendo
con crueles sacudidas de esponja, es, sin embargo,
la luna tambaleando entre las madrigueras,
la luna carcomida por los gritos del agua,
los vientres de la luna, sus escamas
de acero despedido: y desde entonces
al final del Océano desciende,
azul y azul, atravesada por azules,
ciegos azules de materia ciega,
arrastrando su cargamento corrompido,
buzos, maderas, dedos,
pescadora de la sangre que en las cimas del mar
ha sido derramada por grandes desventuras.

Pero hablo de una orilla, es allí donde azota
el mar con furia y las olas golpean
los muros de ceniza. Qué es esto? Es una sombra?
No es la sombra, es la arena de la triste república,
es un sistema de algas, hay alas, hay
un picotazo en el pecho del cielo:
oh superficie herida por las olas,
oh manantial del mar,
si la lluvia asegura tus secretos, si el viento interminable
mata los pájaros, si solamente el cielo,
sólo quiero morder tus costas y morirme,
sólo quiero mirar la boca de las piedras
por donde los secretos salen llenos de espuma.

*Es una región sola, ya he hablado*
*de esta región tan sola,*
*donde la tierra está llena de océano,*
*y no hay nadie sino unas huellas de caballo,*
*no hay nadie sino el viento, no hay nadie*
*sino la lluvia que cae sobre las aguas del mar,*
*nadie sino la lluvia que crece sobre el mar.*

II

## Walking Around

Sucede que me canso de ser hombre.
Sucede que entro en las sastrerías y en los cines
marchito, impenetrable, como un cisne de fieltro
navegando en un agua de origen y ceniza.

El olor de las peluquerías me hace llorar a gritos.
Sólo quiero un descanso de piedras o de lana,
sólo quiero no ver establecimientos ni jardines,
ni mercaderías, ni anteojos, ni ascensores.

Sucede que me canso de mis pies y mis uñas
y mi pelo y mi sombra.
Sucede que me canso de ser hombre.

Sin embargo sería delicioso
asustar a un notario con un lirio cortado
o dar muerte a una monja con un golpe de oreja.
Sería bello
ir por las calles con un cuchillo verde
y dando gritos hasta morir de frío.

No quiero seguir siendo raíz en las tinieblas,
vacilante, extendido, tiritando de sueño,
hacia abajo, en las tripas mojadas de la tierra,
absorbiendo y pensando, comiendo cada día.

No quiero para mí tantas desgracias.
No quiero continuar de raíz y de tumba,

de subterráneo solo, de bodega con muertos,
aterido, muriéndome de pena.

Por eso el día lunes arde como el petróleo
cuando me ve llegar con mi cara de cárcel,
y aúlla en su transcurso como una rueda herida,
y da pasos de sangre caliente hacia la noche.

Y me empuja a ciertos rincones, a ciertas casas húmedas,
a hospitales donde los huesos salen por la ventana,
a ciertas zapaterías con olor a vinagre,
a calles espantosas como grietas.

Hay pájaros de color de azufre y horribles intestinos
colgando de las puertas de las casas que odio,
hay dentaduras olvidadas en una cafetera,
hay espejos
que debieran haber llorado de vergüenza y espanto,
hay paraguas en todas partes, y venenos, y ombligos.

Yo paseo con calma, con ojos, con zapatos,
con furia, con olvido,
paso, cruzo oficinas y tiendas de ortopedia,
y patios donde hay ropas colgadas de un alambre:
calzoncillos, toallas y camisas que lloran
lentas lágrimas sucias.

## Desespediente

La paloma está llena de papeles caídos,
su pecho está manchado por gomas y semanas,
por secantes más blancos que un cadáver
y tintas asustadas de su color siniestro.

Ven conmigo a la sombra de las administraciones,
al débil, delicado color pálido de los jefes,
a los túneles profundos como calendarios,
a la doliente rueda de mil páginas.

Examinemos ahora los títulos y las condiciones,
las actas especiales, los desvelos,
las demandas con sus dientes de otoño nauseabundo,
la furia de cenicientos destinos y tristes decisiones.

Es un relato de huesos heridos,
amargas circunstancias e interminables trajes,
y medias repentinamente serias.
Es la noche profunda, la cabeza sin venas
de donde cae el día de repente
como de una botella rota por un relámpago.

Son los pies y los relojes y los dedos
y una locomotora de jabón moribundo,
y un agrio cielo de metal mojado,
y un amarillo río de sonrisas.

Todo llega a la punta de los dedos como flores,
a uñas como relámpagos, a sillones marchitos,
todo llega a la tinta de la muerte
y a la boca violeta de los timbres.

Lloremos la defunción de la tierra y el fuego,
las espadas, las uvas,
los sexos con sus duros dominios de raíces,
las naves del alcohol navegando entre naves
y el perfume que baila de noche, de rodillas,
arrastrando un planeta de rosas perforadas.

Con un traje de perro y una mancha en la frente
caigamos a la profundidad de los papeles,
a la ira de las palabras encadenadas,

a manifestaciones tenazmente difuntas,
a sistemas envueltos en amarillas hojas.

Rodad conmigo a las oficinas, al incierto
olor de ministerios, y tumbas, y estampillas.
Venid conmigo al día blanco que se muere
dando gritos de novia asesinada.

## La calle destruida

Por el hierro injuriado, por los ojos del yeso
pasa una lengua de años diferentes
del tiempo. Es una cola
de ásperas crines, unas manos de piedra llenas de ira,
y el color de las casas enmudece, y estallan
las decisiones de la arquitectura,
un pie terrible ensucia los balcones:
con lentitud, con sombra acumulada,
con máscaras mordidas de invierno y lentitud,
se pasean los días de alta frente
entre casas sin luna.

El agua y la costumbre y el lodo blanco
que la estrella despide, y en especial
el aire que las campanas han golpeado con furia,
gastan las cosas, tocan
las ruedas, se detienen
en las cigarrerías,
y crece el pelo rojo en las cornisas
como un largo lamento, mientras a lo profundo
caen llaves, relojes,
flores asimiladas al olvido.

Dónde está la violeta recién parida? Dónde
la corbata y el virginal céfiro rojo?

Sobre las poblaciones
una lengua de polvo podrido se adelanta
rompiendo anillos, royendo pintura,
haciendo aullar sin voz las sillas negras,
cubriendo los florones del cemento, los baluartes de metal
    destrozado,
el jardín y la lana, las ampliaciones de fotografías ardientes
heridas por la lluvia, la sed de las alcobas, y los grandes
carteles de los cines en donde luchan
la pantera y el trueno,
las lanzas del geranio, los almacenes llenos de miel perdida,
la tos, los trajes de tejido brillante,
todo se cubre de un sabor mortal
a retroceso y humedad y herida.

Tal vez las conversaciones anudadas, el roce de los cuerpos,
la virtud de las fatigadas señoras que anidan en el humo,
los tomates asesinados implacablemente,
el paso de los caballos de un triste regimiento,
la luz, la presión de muchos dedos sin nombre
gastan la fibra plana de la cal,
rodean de aire neutro las fachadas
como cuchillos: mientras
el aire del peligro roe las circunstancias,
los ladrillos, la sal se derraman como aguas
y los carros de gordos ejes tambalean.

Ola de rosas rotas y agujeros! Futuro
de la vena olorosa! Objetos sin piedad!
Nadie circule! Nadie abra los brazos
dentro del agua ciega!
Oh movimiento, oh nombre malherido,
oh cucharada de viento confuso
y color azotado! Oh herida en donde caen
hasta morir las guitarras azules!

## Melancolía en las familias

Conservo un frasco azul,
dentro de él una oreja y un retrato:
cuando la noche obliga
a las plumas del búho,
cuando el ronco cerezo
se destroza los labios y amenaza
con cáscaras que el viento del océano a menudo perfora,
yo sé que hay grandes extensiones hundidas,
cuarzo en lingotes,
cieno,
aguas azules para una batalla,
mucho silencio, muchas
vetas de retrocesos y alcanfores,
cosas caídas, medallas, ternuras,
paracaídas, besos.

No es sino el paso de un día hacia otro,
una sola botella
andando por los mares,
y un comedor adonde llegan rosas,
un comedor abandonado
como una espina: me refiero
a una copa trizada, a una cortina, al fondo
de una sala desierta por donde pasa un río
arrastrando las piedras. Es una casa
situada en los cimientos de la lluvia,
una casa de dos pisos con ventanas obligatorias
y enredaderas estrictamente fieles.

Voy por las tardes, llego
lleno de lodo y muerte,
arrastrando la tierra y sus raíces,
y su vaga barriga en donde duermen

cadáveres con trigo,
metales, elefantes derrumbados.

Pero por sobre todo hay un terrible,
un terrible comedor abandonado,
con las alcuzas rotas
y el vinagre corriendo debajo de las sillas,
un rayo detenido de la luna,
algo oscuro, y me busco
una comparación dentro de mí:
tal vez es una tienda rodeada por el mar
y paños rotos goteando salmuera.
Es sólo un comedor abandonado,
y alrededor hay extensiones,
fábricas sumergidas, maderas
que sólo yo conozco,
porque estoy triste y viajo,
y conozco la tierra, y estoy triste.


## Maternidad

*Por qué te precipitas hacia la maternidad y verificas*
*tu ácido oscuro con gramos a menudo fatales?*
*El porvenir de las rosas ha llegado! El tiempo*
*de la red y el relámpago! Las suaves peticiones*
*de las hojas perdidamente alimentadas!*
*Un río roto en desmesura*
*recorre habitaciones y canastos*
*infundiendo pasiones y desgracias*
*con su pesado líquido y su golpe de gotas.*

*Se trata de una súbita estación*
*que puebla ciertos huesos, ciertas manos,*
*ciertos trajes marinos.*

Y ya que su destello hace variar las rosas
dándoles pan y piedras y rocío,
oh madre oscura, ven,
con una máscara en la mano izquierda
y con los brazos llenos de sollozos.

Por corredores donde nadie ha muerto
quiero que pases, por un mar sin peces,
sin escamas, sin náufragos,
por un hotel sin pasos,
por un túnel sin humo.

Es para ti este mundo en que no nace nadie,
en que no existen
ni la corona muerta ni la flor uterina,
es tuyo este planeta lleno de piel y piedras.

Hay sombra allí para todas las vidas.
Hay círculos de leche y edificios de sangre,
y torres de aire verde.
Hay silencio en los muros, y grandes vacas pálidas
con pezuñas de vino.

Hay sombra allí para que continúe
el diente en la mandíbula y un labio frente a otro,
y para que tu boca pueda hablar sin morirse,
y para que tu sangre no se derrumbe en vano.

Oh madre oscura, hiéreme
con diez cuchillos en el corazón,
hacia ese lado, hacia ese tiempo claro,
hacia esa primavera sin cenizas.

Hasta que rompas sus negras maderas
llama en mi corazón, hasta que un mapa
de sangre y de cabellos desbordados
manche los agujeros y la sombra,
hasta que lloren sus vidrios golpea,
hasta que se derramen sus agujas.

La sangre tiene dedos y abre túneles
debajo de la tierra.


## Enfermedades en mi casa


Cuando el deseo de alegría con sus dientes de rosa
escarba los azufres caídos durante muchos meses
y su red natural, sus cabellos sonando
a mis habitaciones extinguidas con ronco paso llegan,
allí la rosa de alambre maldito
golpea con arañas las paredes
y el vidrio roto hostiliza la sangre,
y las uñas del cielo se acumulan,
de tal modo que no se puede salir, que no se puede dirigir
un asunto estimable,
es tanta la niebla, la vaga niebla cagada por los pájaros,
es tanto el humo convertido en vinagre
y el agrio aire que horada las escalas:
en ese instante en que el día se cae con las plumas deshechas,
no hay sino llanto, nada más que llanto,
porque sólo sufrir, solamente sufrir,
y nada más que llanto.

El mar se ha puesto a golpear por años una pata de pájaro,
y la sal golpea y la espuma devora,
las raíces de un árbol sujetan una mano de niña,
las raíces de un árbol más grande que una mano de niña,
más grande que una mano del cielo,
y todo el año trabajan, cada día de luna
sube sangre de niña hacia las hojas manchadas por la luna,
y hay un planeta de terribles dientes
envenenando el agua en que caen los niños,
cuando es de noche, y no hay sino la muerte,
solamente la muerte, y nada más que el llanto.

Como un grano de trigo en el silencio, pero
a quién pedir piedad por un grano de trigo?
Ved cómo están las cosas: tantos trenes,
tantos hospitales con rodillas quebradas,
tantas tiendas con gentes moribundas:
entonces, cómo? cuándo?
a quién pedir por unos ojos del color de un mes frío,
y por un corazón del tamaño del trigo que vacila?
No hay sino ruedas y consideraciones,
alimentos progresivamente distribuidos,
líneas de estrellas, copas
en donde nada cae, sino sólo la noche,
nada más que la muerte.

Hay que sostener los pasos rotos.
Cruzar entre tejados y tristezas mientras arde
una cosa quemada con llamas de humedad,
una cosa entre trapos tristes como la lluvia,
algo que arde y solloza,
un síntoma, un silencio.
Entre abandonadas conversaciones y objetos respirados,
entre las flores vacías que el destino corona y abandona,
hay un río que cae en una herida,
hay el océano golpeando una sombra de flecha quebrantada,
hay todo el cielo agujereando un beso.

Ayudadme, hojas que mi corazón ha adorado en silencio,
ásperas travesías, inviernos del sur, cabelleras
de mujeres mojadas en mi sudor terrestre,
luna del sur del cielo deshojado,
venid a mí con un día sin dolor,
con un minuto en que pueda reconocer mis venas.

Estoy cansado de una gota,
estoy herido en solamente un pétalo,
y por un agujero de alfiler sube un río de sangre sin consuelo,
y me ahogo en las aguas del rocío que se pudre en la sombra,
y por una sonrisa que no crece, por una boca dulce,

por unos dedos que el rosal quisiera
escribo este poema que sólo es un lamento,
solamente un lamento.

III

## Oda con un lamento

Oh niña entre las rosas, oh presión de palomas,
oh presidio de peces y rosales,
tu alma es una botella llena de sal sedienta
y una campana llena de uvas es tu piel.

Por desgracia no tengo para darte sino uñas
o pestañas, o pianos derretidos,
o sueños que salen de mi corazón a borbotones,
polvorientos sueños que corren como jinetes negros,
sueños llenos de velocidades y desgracias.

Sólo puedo quererte con besos y amapolas,
con guirnaldas mojadas por la lluvia,
mirando cenicientos caballos y perros amarillos.
Sólo puedo quererte con olas a la espalda,
entre vagos golpes de azufre y aguas ensimismadas,
nadando en contra de los cementerios que corren en ciertos
    ríos
con pasto mojado creciendo sobre las tristes tumbas de yeso,
nadando a través de corazones sumergidos
y pálidas planillas de niños insepultos.

Hay mucha muerte, muchos acontecimientos funerarios
en mis desamparadas pasiones y desolados besos,
hay el agua que cae en mi cabeza,
mientras crece mi pelo,
un agua como el tiempo, un agua negra desencadenada,
con una voz nocturna, con un grito

de pájaro en la lluvia, con una interminable
sombra de ala mojada que protege mis huesos:
mientras me visto, mientras
interminablemente me miro en los espejos y en los vidrios,
oigo que alguien me sigue llamándome a sollozos
con una triste voz podrida por el tiempo.

Tú estás de pie sobre la tierra, llena
de dientes y relámpagos.
Tú propagas los besos y matas las hormigas.
Tú lloras de salud, de cebolla, de abeja,
de abecedario ardiendo.
Tú eres como una espada azul y verde
y ondulas al tocarte, como un río.

Ven a mi alma vestida de blanco, con un ramo
de ensangrentadas rosas y copas de cenizas,
ven con una manzana y un caballo,
porque allí hay una sala oscura y un candelabro roto,
unas sillas torcidas que esperan el invierno,
y una paloma muerta, con un número.

## Material nupcial

De pie como un cerezo sin cáscara ni flores,
especial, encendido, con venas y saliva,
y dedos y testículos,
miro una niña de papel y luna,
horizontal, temblando y respirando y blanca,
y sus pezones como dos cifras separadas,
y la rosal reunión de sus piernas en donde
su sexo de pestañas nocturnas parpadea.

Pálido, desbordante,
siento hundirse palabras en mi boca,

palabras como niños ahogados,
y rumbo y rumbo, y dientes crecen naves,
y aguas y latitud como quemadas.

La pondré como una espada o un espejo,
y abriré hasta la muerte sus piernas temerosas,
y morderé sus orejas y sus venas,
y haré que retroceda con los ojos cerrados
en un espeso río de semen verde.

La inundaré de amapolas y relámpagos,
la envolveré en rodillas, en labios, en agujas,
la entraré con pulgadas de epidermis llorando
y presiones de crimen y pelos empapados.

La haré huir escapándose por uñas y suspiros,
hacia nunca, hacia nada,
trepándose a la lenta médula y al oxígeno,
agarrándose a recuerdos y razones
como una sola mano, como un dedo partido
agitando una uña de sal desamparada.

Debe correr durmiendo por caminos de piel
en un país de goma cenicienta y ceniza,
luchando con cuchillos, y sábanas, y hormigas,
y con ojos que caen en ella como muertos,
y con gotas de negra materia resbalando
como pescados ciegos o balas de agua gruesa.


## Agua sexual


Rodando a goterones solos,
a gotas como dientes,
a espesos goterones de mermelada y sangre,
rodando a goterones

cae el agua,
como una espada en gotas,
como un desgarrador río de vidrio,
cae mordiendo,
golpeando el eje de la simetría, pegando en las costuras del
   alma,
rompiendo cosas abandonadas, empapando lo oscuro.

Solamente es un soplo, más húmedo que el llanto,
un líquido, un sudor, un aceite sin nombre,
un movimiento agudo,
haciéndose, espesándose,
cae el agua,
a goterones lentos,
hacia su mar, hacia su seco océano,
hacia su ola sin agua.

Veo el verano extenso, y un estertor saliendo de un granero,
bodegas, cigarras,
poblaciones, estímulos,
habitaciones, niñas
durmiendo con las manos en el corazón,
soñando con bandidos, con incendios,
veo barcos,
veo árboles de médula
erizados como gatos rabiosos,
veo sangre, puñales y medias de mujer,
y pelos de hombre,
veo camas, veo corredores donde grita una virgen,
veo frazadas y órganos y hoteles.

Veo los sueños sigilosos,
admito los postreros días,
y también los orígenes, y también los recuerdos,
como un párpado atrozmente levantado a la fuerza
estoy mirando.

Y entonces hay este sonido:
un ruido rojo de huesos,
un pegarse de carne,
y piernas amarillas como espigas juntándose.
Yo escucho entre el disparo de los besos,
escucho, sacudido entre respiraciones y sollozos.

Estoy mirando, oyendo,
con la mitad del alma en el mar y la mitad del alma en la tierra,
y con las dos mitades del alma miro el mundo.

Y aunque cierre los ojos y me cubra el corazón enteramente,
veo caer un agua sorda,
a goterones sordos.

Es como un huracán de gelatina,
como una catarata de espermas y medusas.
Veo correr un arco iris turbio.
Veo pasar sus aguas a través de los huesos.

IV

TRES CANTOS MATERIALES

Entrada a la madera

Con mi razón apenas, con mis dedos,
con lentas aguas lentas inundadas,
caigo al imperio de los nomeolvides,
a una tenaz atmósfera de luto,
a una olvidada sala decaída,
a un racimo de tréboles amargos.

Caigo en la sombra, en medio
de destruidas cosas,
y miro arañas, y apaciento bosques
de secretas maderas inconclusas,
y ando entre húmedas fibras arrancadas
al vivo ser de substancia y silencio.

Dulce materia, oh rosa de alas secas,
en mi hundimiento tus pétalos subo
con pies pesados de roja fatiga,
y en tu catedral dura me arrodillo
golpeándome los labios con un ángel.

Es que soy yo ante tu color de mundo,
ante tus pálidas espadas muertas,
ante tus corazones reunidos,
ante tu silenciosa multitud.

Soy yo ante tu ola de olores muriendo,
envueltos en otoño y resistencia:

soy yo emprendiendo un viaje funerario
entre tus cicatrices amarillas:
soy yo con mis lamentos sin origen,
sin alimentos, desvelado, solo,
entrando oscurecidos corredores,
llegando a tu materia misteriosa.

Veo moverse tus corrientes secas,
veo crecer manos interrumpidas,
oigo tus vegetales oceánicos
crujir de noche y furia sacudidos,
y siento morir hojas hacia adentro,
incorporando materiales verdes
a tu inmovilidad desamparada.

Poros, vetas, círculos de dulzura,
peso, temperatura silenciosa,
flechas pegadas a tu alma caída,
seres dormidos en tu boca espesa,
polvo de dulce pulpa consumida,
ceniza llena de apagadas almas,
venid a mí, a mi sueño sin medida,
caed en mi alcoba en que la noche cae
y cae sin cesar como agua rota,
y a vuestra vida, a vuestra muerte asidme,
a vuestros materiales sometidos,
a vuestras muertas palomas neutrales,
y hagamos fuego, y silencio, y sonido,
y ardamos, y callemos, y campanas.

## Apogeo del apio

Del centro puro que los ruidos nunca
atravesaron, de la intacta cera,
salen claros relámpagos lineales,

palomas con destino de volutas,
hacia tardías calles con olor
a sombra y a pescado.

Son las venas del apio! Son la espuma, la risa,
los sombreros del apio!
Son los signos del apio, su sabor
de luciérnaga, sus mapas
de color inundado,
y cae su cabeza de ángel verde,
y sus delgados rizos se acongojan,
y entran los pies del apio en los mercados
de la mañana herida, entre sollozos,
y se cierran las puertas a su paso,
y los dulces caballos se arrodillan.

Sus pies cortados van, sus ojos verdes
van derramados, para siempre hundidos
en ellos los secretos y las gotas:
los túneles del mar de donde emergen,
las escaleras que el apio aconseja,
las desdichadas sombras sumergidas,
las determinaciones en el centro del aire,
los besos en el fondo de las piedras.

A medianoche, con manos mojadas,
alguien golpea mi puerta en la niebla,
y oigo la voz del apio, voz profunda,
áspera voz de viento encarcelado,
se queja herido de aguas y raíces,
hunde en mi cama sus amargos rayos,
y sus desordenadas tijeras me pegan en el pecho
buscándome la boca del corazón ahogado.

Qué quieres, huésped de corsé quebradizo,
en mis habitaciones funerales?
Qué ámbito destrozado te rodea?

Fibras de oscuridad y luz llorando,
ribetes ciegos, energías crespas,
río de vida y hebras esenciales,
verdes ramas de sol acariciado,
aquí estoy, en la noche, escuchando secretos,
desvelos, soledades,
y entráis, en medio de la niebla hundida,
hasta crecer en mí, hasta comunicarme
la luz oscura y la rosa de la tierra.

## Estatuto del vino

Cuando a regiones, cuando a sacrificios
manchas moradas como lluvias caen,
el vino abre las puertas con asombro,
y en el refugio de los meses vuela
su cuerpo de empapadas alas rojas.

Sus pies tocan los muros y las tejas
con humedad de lenguas anegadas,
y sobre el filo del día desnudo
sus abejas en gotas van cayendo.

Yo sé que el vino no huye dando gritos
a la llegada del invierno,
ni se esconde en iglesias tenebrosas
a buscar fuego en trapos derrumbados,
sino que vuela sobre la estación,
sobre el invierno que ha llegado ahora
con un puñal entre las cejas duras.

Yo veo vagos sueños,
yo reconozco lejos,
y miro frente a mí, detrás de los cristales,
reuniones de ropas desdichadas.

A ellas la bala del vino no llega,
su amapola eficaz, su rayo rojo,
mueren ahogados en tristes tejidos,
y se derrama por canales solos,
por calles húmedas, por ríos sin nombre,
el vino amargamente sumergido,
el vino ciego y subterráneo y solo.

Yo estoy de pie en su espuma y su raíces,
yo lloro en su follaje y en sus muertos,
acompañado de sastres caídos
en medio del invierno deshonrado,
yo subo escalas de humedad y sangre
tanteando las paredes,
y en la congoja del tiempo que llega
sobre una piedra me arrodillo y lloro.

Y hacia túneles acres me encamino
vestido de metales transitorios,
hacia bodegas solas, hacia sueños,
hacia betunes verdes que palpitan,
hacia herrerías desinteresadas,
hacia sabores de lodo y garganta,
hacia imperecederas mariposas.

Entonces surgen los hombres del vino
vestidos de morados cinturones,
y sombreros de abejas derrotadas,
y traen copas llenas de ojos muertos,
y terribles espadas de salmuera,
y con roncas bocinas se saludan
cantando cantos de intención nupcial.

Me gusta el canto ronco de los hombres del vino,
y el ruido de mojadas monedas en la mesa,
y el olor de zapatos y de uvas
y de vómitos verdes:
me gusta el canto ciego de los hombres,

y ese sonido de sal que golpea
las paredes del alba moribunda.

Hablo de cosas que existen, Dios me libre
de inventar cosas cuando estoy cantando!
Hablo de la saliva derramada en los muros,
hablo de lentas medias de ramera,
hablo del coro de los hombres del vino
golpeando el ataúd con un hueso de pájaro.

Estoy en medio de ese canto, en medio
del invierno que rueda por las calles,
estoy en medio de los bebedores,
con los ojos abiertos hacia olvidados sitios,
o recordando en delirante luto,
o durmiendo en cenizas derribado.

Recordando noches, navíos, sementeras,
amigos fallecidos, circunstancias,
amargos hospitales y niñas entreabiertas:
recordando un golpe de ola en cierta roca
con un adorno de harina y espuma,
y la vida que hace uno en ciertos países,
en ciertas costas solas,
un sonido de estrellas en las palmeras,
un golpe del corazón en los vidrios,
un tren que cruza oscuro de ruedas malditas
y muchas cosas tristes de esta especie.

A la humedad del vino, en las mañanas,
en las paredes a menudo mordidas por los días de invierno
que caen en bodegas sin duda solitarias,
a esa virtud del vino llegan luchas,
y cansados metales y sordas dentaduras,
y hay un tumulto de objeciones rotas,
hay un furioso llanto de botellas,
y un crimen, como un látigo caído.

El vino clava sus espinas negras,
y sus erizos lúgubres pasea,
entre puñales, entre mediasnoches,
entre roncas gargantas arrastradas,
entre cigarros y torcidos pelos,
y como ola de mar su voz aumenta
aullando llanto y manos de cadáver.

Y entonces corre el vino perseguido
y sus tenaces odres se destrozan
contra las herraduras, y va el vino en silencio,
y sus toneles, en heridos buques en donde el aire muerde
rostros, tripulaciones de silencio,
y el vino huye por las carreteras,
por las iglesias, entre los carbones,
y se caen sus plumas de amaranto,
y se disfraza de azufre su boca,
y el vino ardiendo entre calles usadas
buscando pozos, túneles, hormigas,
bocas de tristes muertos,
por donde ir al azul de la tierra
en donde se confunden la lluvia y los ausentes.

V

## Oda a Federico García Lorca

Si pudiera llorar de miedo en una casa sola,
si pudiera sacarme los ojos y comérmelos,
lo haría por tu voz de naranjo enlutado
y por tu poesía que sale dando gritos.

Porque por ti pintan de azul los hospitales
y crecen las escuelas y los barrios marítimos,
y se pueblan de plumas los ángeles heridos,
y se cubren de escamas los pescados nupciales,
y van volando al cielo los erizos:
por ti las sastrerías con sus negras membranas
se llenan de cucharas y de sangre,
y tragan cintas rotas, y se matan a besos,
y se visten de blanco.

Cuando vuelas vestido de durazno,
cuando ríes con risa de arroz huracanado,
cuando para cantar sacudes las arterias y los dientes,
la garganta y los dedos,
me moriría por lo dulce que eres,
me moriría por los lagos rojos
en donde en medio del otoño vives
con un corcel caído y un dios ensangrentado,
me moriría por los cementerios
que como cenicientos ríos pasan
con agua y tumbas,
de noche, entre campanas ahogadas:
ríos espesos como dormitorios

de soldados enfermos, que de súbito crecen
hacia la muerte en ríos con números de mármol
y coronas podridas, y aceites funerales:
me moriría por verte de noche
mirar pasar las cruces anegadas,
de pie y llorando,
porque ante el río de la muerte lloras
abandonadamente, heridamente,
lloras llorando, con los ojos llenos
de lágrimas, de lágrimas, de lágrimas.

Si pudiera de noche, perdidamente solo,
acumular olvido y sombra y humo
sobre ferrocarriles y vapores,
con un embudo negro,
mordiendo las cenizas,
lo haría por el árbol en que creces,
por los nidos de aguas doradas que reúnes,
y por la enredadera que te cubre los huesos
comunicándote el secreto de la noche.

Ciudades con olor a cebolla mojada
esperan que tú pases cantando roncamente,
y silenciosos barcos de esperma te persiguen,
y golondrinas verdes hacen nido en tu pelo,
y además caracoles y semanas,
mástiles enrollados y cerezas
definitivamente circulan cuando asoman
tu pálida cabeza de quince ojos
y tu boca de sangre sumergida.

Si pudiera llenar de hollín las alcaldías
y, sollozando, derribar relojes,
sería para ver cuándo a tu casa
llega el verano con los labios rotos,
llegan muchas personas de traje agonizante,
llegan regiones de triste esplendor,
llegan arados muertos y amapolas,

llegan enterradores y jinetes,
llegan planetas y mapas con sangre,
llegan buzos cubiertos de ceniza,
llegan enmascarados arrastrando doncellas
atravesadas por grandes cuchillos,
llegan raíces, venas, hospitales,
manantiales, hormigas,
llega la noche con la cama en donde
muere entre las arañas un húsar solitario,
llega una rosa de odio y alfileres,
llega una embarcación amarillenta,
llega un día de viento con un niño,
llego yo con Oliverio, Norah,
Vicente Aleixandre, Delia,
Maruca, Malva Marina, María Luisa y Larco,
la Rubia, Rafael, Ugarte,
Cotapos, Rafael Alberti,
Carlos, Bebé, Manolo Altolaguirre,
Molinari,
Rosales, Concha Méndez,
y otros que se me olvidan.

Ven a que te corone, joven de la salud
y de la mariposa, joven puro
como un negro relámpago perpetuamente libre,
y conversando entre nosotros,
ahora, cuando no queda nadie entre las rocas,
hablemos sencillamente como eres tú y soy yo:
para qué sirven los versos si no es para el rocío?

Para qué sirven los versos si no es para esa noche
en que un puñal amargo nos averigua, para ese día,
para ese crepúsculo, para ese rincón roto
donde el golpeado corazón del hombre se dispone a morir?

Sobre todo de noche,
de noche hay muchas estrellas,
todas dentro de un río,

como una cinta junto a las ventanas
de las casas llenas de pobres gentes.

Alguien se les ha muerto, tal vez
han perdido sus colocaciones en las oficinas,
en los hospitales, en los ascensores,
en las minas,
sufren los seres tercamente heridos
y hay propósito y llanto en todas partes:
mientras las estrellas corren dentro de un río interminable
hay mucho llanto en las ventanas,
los umbrales están gastados por el llanto,
las alcobas están mojadas por el llanto
que llega en forma de ola a morder las alfombras.

Federico,
tú ves el mundo, las calles,
el vinagre,
las despedidas en las estaciones
cuando el humo levanta sus ruedas decisivas
hacia donde no hay nada sino algunas
separaciones, piedras, vías férreas.

Hay tantas gentes haciendo preguntas
por todas partes.
Hay el ciego sangriento, y el iracundo, y el
desanimado,
y el miserable, el árbol de las uñas,
el bandolero con la envidia a cuestas.

Así es la vida, Federico, aquí tienes
las cosas que te puede ofrecer mi amistad
de melancólico varón varonil.
Ya sabes por ti mismo muchas cosas,
y otras irás sabiendo lentamente.

# Alberto Rojas Giménez viene volando

Entre plumas que asustan, entre noches,
entre magnolias, entre telegramas,
entre el viento del sur y el oeste marino,
      vienes volando.

Bajo las tumbas, bajo las cenizas,
bajo los caracoles congelados,
bajo las últimas aguas terrestres,
      vienes volando.

Más abajo, entre niñas sumergidas,
y plantas ciegas, y pescados rotos,
más abajo, entre nubes otra vez,
      vienes volando.

Más allá de la sangre y de los huesos,
más allá del pan, más allá del vino,
más allá del fuego,
      vienes volando.

Más allá del vinagre y de la muerte,
entre putrefacciones y violetas,
con tu celeste voz y tus zapatos húmedos,
      vienes volando.

Sobre diputaciones y farmacias,
y ruedas, y abogados, y navíos,
y dientes rojos recién arrancados,
      vienes volando.

Sobre ciudades de tejado hundido
en que grandes mujeres se destrenzan
con anchas manos y peines perdidos,
      vienes volando.

Junto a bodegas donde el vino crece
con tibias manos turbias, en silencio,
con lentas manos de madera roja,
      vienes volando.

Entre aviadores desaparecidos,
al lado de canales y de sombras,
al lado de azucenas enterradas,
      vienes volando.

Entre botellas de color amargo,
entre anillos de anís y desventura,
levantando las manos y llorando,
      vienes volando.

Sobre dentistas y congregaciones,
sobre cines, y túneles, y orejas,
con traje nuevo y ojos extinguidos,
      vienes volando.

Sobre tu cementerio sin paredes
donde los marineros se extravían,
mientras la lluvia de tu muerte cae,
      vienes volando.

Mientras la lluvia de tus dedos cae,
mientras la lluvia de tus huesos cae,
mientras tu médula y tu risa caen,
      vienes volando.

Sobre las piedras en que te derrites,
corriendo, invierno abajo, tiempo abajo,
mientras tu corazón desciende en gotas,
      vienes volando.

No estás allí, rodeado de cemento,
y negros corazones de notarios,
y enfurecidos huesos de jinetes:
      vienes volando.

Oh amapola marina, oh deudo mío,
oh guitarrero vestido de abejas,
no es verdad tanta sombra en tus cabellos:
    vienes volando.

No es verdad tanta sombra persiguiéndote,
no es verdad tantas golondrinas muertas,
tanta región oscura con lamentos:
    vienes volando.

El viento negro de Valparaíso
abre sus alas de carbón y espuma
para barrer el cielo donde pasas:
    vienes volando.

Hay vapores, y un frío de mar muerto,
y silbatos, y meses, y un olor
de mañana lloviendo y peces sucios:
    vienes volando.

Hay ron, tú y yo, y mi alma donde lloro,
y nadie y nada, sino una escalera
de peldaños quebrados, y un paraguas:
    vienes volando.

Allí está el mar. Bajo de noche y te oigo
venir volando bajo el mar sin nadie,
bajo el mar que me habita, oscurecido:
    vienes volando.

Oigo tus alas y tu lento vuelo,
y el agua de los muertos me golpea
como palomas ciegas y mojadas:
    vienes volando.

Vienes volando, solo, solitario,
solo entre muertos, para siempre solo,
vienes volando sin sombra y sin nombre,

sin azúcar, sin boca, sin rosales,
vienes volando.


## El desenterrado

*Homenaje al conde de Villamediana*

Cuando la tierra llena de párpados mojados
se haga ceniza y duro aire cernido,
y los terrones secos y las aguas,
los pozos, los metales,
por fin devuelvan sus gastados muertos,
quiero una oreja, un ojo,
un corazón herido dando tumbos,
un hueco de puñal hace ya tiempo hundido
en un cuerpo hace tiempo exterminado y solo,
quiero unas manos, una ciencia de uñas,
una boca de espanto y amapolas muriendo,
quiero ver levantarse del polvo inútil
un ronco árbol de venas sacudidas,
yo quiero de la tierra más amarga,
entre azufre y turquesa y olas rojas
y torbellinos de carbón callado,
quiero una carne despertar sus huesos
aullando llamas,
y un especial olfato correr en busca de algo,
y una vista cegada por la tierra
correr detrás de dos ojos oscuros,
y un oído, de pronto, como una ostra furiosa,
rabiosa, desmedida,
levantarse hacia el trueno,
y un tacto puro, entre sales perdido,
salir tocando pechos y azucenas, de pronto.

Oh día de los muertos! oh distancia hacia donde
la espiga muerta yace con su olor a relámpago,

oh galerías entregando un nido
y un pez y una mejilla y una espada,
todo molido entre las confusiones,
todo sin esperanzas decaído,
todo en la sima seca alimentado
entre los dientes de la tierra dura.

Y la pluma a su pájaro suave,
y la luna a su cinta, y el perfume a su forma,
y, entre las rosas, el desenterrado,
el hombre lleno de algas minerales,
y a sus dos agujeros sus ojos retornando.

Está desnudo,
sus ropas no se encuentran en el polvo,
y su armadura rota se ha deslizado al fondo del infierno,
y su barba ha crecido como el aire en otoño,
y hasta su corazón quiere morder manzanas.

Cuelgan de sus rodillas y sus hombros
adherencias de olvido, hebras del suelo,
zonas de vidrio roto y aluminio,
cáscaras de cadáveres amargos,
bolsillos de agua convertida en hierro:
y reuniones de terribles bocas
derramadas y azules,
y ramas de coral acongojado
hacen corona a su cabeza verde,
y tristes vegetales fallecidos
y maderas nocturnas le rodean,
y en él aún duermen palomas entreabiertas
con ojos de cemento subterráneo.

Conde dulce, en la niebla,
oh recién despertado de las minas,
oh recién seco del agua sin río,
oh recién sin arañas!

Crujen minutos en tus pies naciendo,
tu sexo asesinado se incorpora,
y levantas la mano en donde vive
todavía el secreto de la espuma.

## VI

## El reloj caído en el mar

Hay tanta luz tan sombría en el espacio
y tantas dimensiones de súbito amarillas,
porque no cae el viento
ni respiran las hojas.

Es un día domingo detenido en el mar,
un día como un buque sumergido,
una gota del tiempo que asaltan las escamas
ferozmente vestidas de humedad transparente.

Hay meses seriamente acumulados en una vestidura
que queremos oler llorando con los ojos cerrados,
y hay años en un solo ciego signo del agua
depositada y verde,
hay la edad que los dedos ni la luz apresaron,
mucho más estimable que un abanico roto,
mucho más silenciosa que un pie desenterrado,
hay la nupcial edad de los días disueltos
en una triste tumba que los peces recorren.

Los pétalos del tiempo caen inmensamente
como vagos paraguas parecidos al cielo,
creciendo en torno, es apenas
una campana nunca vista,
una rosa inundada, una medusa, un largo
latido quebrantado:
pero no es eso, es algo que toca y gasta apenas,
una confusa huella sin sonido ni pájaros,
un desvanecimiento de perfumes y razas.

El reloj que en el campo se tendió sobre el musgo
y golpeó una cadera con su eléctrica forma
corre desvencijado y herido bajo el agua temible
que ondula palpitando de corrientes centrales.


## Vuelve el otoño


*Un enlutado día cae de las campanas*
*como una temblorosa tela de vaga viuda,*
*es un color, un sueño*
*de cerezas hundidas en la tierra,*
*es una cola de humo que llega sin descanso*
*a cambiar el color del agua y de los besos.*

*No sé si me entiende: cuando desde lo alto*
*se avecina la noche, cuando el solitario poeta*
*a la ventana oye correr el corcel del otoño*
*y las hojas del miedo pisoteado crujen en sus arterias,*
*hay algo sobre el cielo, como lengua de buey*
*espeso, algo en la duda del cielo y de la atmósfera.*

*Vuelven las cosas a su sitio,*
*el abogado indispensable, las manos, el aceite,*
*las botellas,*
*todos los indicios de la vida: las camas sobre todo,*
*están llenas de un líquido sangriento,*
*la gente deposita sus confianzas en sórdidas orejas,*
*los asesinos bajan escaleras,*
*pero no es esto, sino el viejo galope,*
*el caballo del viejo otoño que tiembla y dura.*

*El caballo del viejo otoño tiene la barba roja*
*y la espuma del miedo le cubre las mejillas*
*y el aire que le sigue tiene forma de océano*
*y perfume de vaga podredumbre enterrada.*

*Todos los días baja del cielo un color ceniciento*
*que las palomas deben repartir por la tierra:*
*la cuerda que el olvido y las lágrimas tejen,*
*el tiempo que ha dormido largos años dentro de las campanas,*
*todo,*
*los viejos trajes mordidos, las mujeres que ven venir la nieve,*
*las amapolas negras que nadie puede contemplar sin morir,*
*todo cae a las manos que levanto*
*en medio de la lluvia.*

## No hay olvido (sonata)

Si me preguntáis en dónde he estado
debo decir «Sucede».
Debo de hablar del suelo que oscurecen las piedras,
del río que durando se destruye:
no sé sino las cosas que los pájaros pierden,
el mar dejado atrás, o mi hermana llorando.
Por qué tantas regiones, por qué un día
se junta con un día? Por qué una negra noche
se acumula en la boca? Por qué muertos?

Si me preguntáis de dónde vengo tengo que conversar con
cosas rotas,
con utensilios demasiado amargos,
con grandes bestias a menudo podridas
y con mi acongojado corazón.

No son recuerdos los que se han cruzado
ni es la paloma amarillenta que duerme en el olvido,
sino caras con lágrimas,
dedos en la garganta,
y lo que se desploma de las hojas:
la oscuridad de un día transcurrido,
de un día alimentado con nuestra triste sangre.

He aquí violetas, golondrinas,
todo cuanto nos gusta y aparece
en las dulces tarjetas de larga cola
por donde se pasean el tiempo y la dulzura.
Pero no penetremos más allá de esos dientes,
no mordamos las cáscaras que el silencio acumula,
porque no sé qué contestar:
hay tantos muertos,
y tantos malecones que el sol rojo partía,
y tantas cabezas que golpean los buques,
y tantas manos que han encerrado besos,
y tantas cosas que quiero olvidar.


## Josie Bliss

Color azul de exterminadas fotografías,
color azul con pétalos y paseos al mar,
nombre definitivo que cae en las semanas
con un golpe de acero que las mata.

Qué vestido, qué primavera cruza,
qué mano sin cesar busca senos, cabezas?
El evidente humo del tiempo cae en vano,
en vano las estaciones,
las despedidas donde cae el humo,
los precipitados acontecimientos que esperan con espada:
de pronto hay algo,
como un confuso ataque de pieles rojas,
el horizonte de la sangre tiembla, hay algo,
algo sin duda agita los rosales.

Color azul de párpados que la noche ha lamido,
estrellas de cristal desquiciado, fragmentos
de piel y enredaderas sollozantes,
color que el río cava golpeándose en la arena,
azul que ha preparado las grandes gotas.

Tal vez sigo existiendo en una calle que el aire hace llorar
con un determinado lamento lúgubre de tal manera
que todas las mujeres visten de sordo azul:
yo existo en ese día repartido,
existo allí como una piedra pisada por un buey,
como un testigo sin duda olvidado.

Color azul de ala de pájaro de olvido,
el mar completamente ha empapado las plumas,
su ácido degradado, su ola de peso pálido
persigue las cosas hacinadas en los rincones del alma,
y en vano el humo golpea las puertas.

Ahí están, ahí están
los besos arrastrados por el polvo junto a un triste navío,
ahí están las sonrisas desaparecidas, los trajes que una mano
sacude llamando el alba:
parece que la boca de la muerte no quiere morder rostros,
dedos, palabras, ojos:
ahí están otra vez como grandes peces que completan el cielo
con su azul material vagamente invencible.

# Tercera residencia

[1934-1945]

I

## La ahogada del cielo

Tejida mariposa, vestidura
colgada de los árboles,
ahogada en cielo, derivada
entre rachas y lluvias, sola, sola, compacta,
con ropa y cabellera hecha jirones
y centros corroídos por el aire.
                    Inmóvil, si resistes
la ronca aguja del invierno,
el río de agua airada que te acosa. Celeste
sombra, ramo de palomas
roto de noche entre las flores muertas:
yo me detengo y sufro
cuando como un sonido lento y lleno de frío
propagas tu arrebol golpeado por el agua.


## Alianza (sonata)

Ni el corazón cortado por un vidrio
en un erial de espinas,
ni las aguas atroces vistas en los rincones
de ciertas casas, aguas como párpados y ojos,
podrían sujetar tu cintura en mis manos
cuando mi corazón levanta sus encinas
hacia tu inquebrantable hilo de nieve.
Nocturno azúcar, espíritu

de las coronas,
                    redimida
sangre humana, tus besos
me destierran
y un golpe de agua con restos del mar
golpea los silencios que te esperan
rodeando las gastadas sillas, gastando puertas.
Noches con ejes claros,
partida, material, únicamente
voz, únicamente
desnuda cada día.

Sobre tus pechos de corriente inmóvil,
sobre tus piernas de dureza y agua,
sobre la permanencia y el orgullo
de tu pelo desnudo,
quiero estar, amor mío, ya tiradas las lágrimas
al ronco cesto donde se acumulan,
quiero estar, amor mío, solo con una sílaba
de plata destrozada, solo con una punta
de tu pecho de nieve.

Ya no es posible, a veces,
ganar sino cayendo,
ya no es posible, entre dos seres
temblar, tocar la flor del río:
hebras de hombres vienen como agujas,
tramitaciones, trozos,
familias de coral repulsivo, tormentas
y pasos duros por alfombras
de invierno.

Entre labios y labios hay ciudades
de gran ceniza y húmeda cimera,
gotas de cuándo y cómo, indefinidas
circulaciones:
entre labios y labios como por una costa
de arena y vidrio, pasa el viento.

Por eso eres sin fin, recógeme como si fueras
toda solemnidad, toda nocturna
como una zona, hasta que te confundas
con las líneas del tiempo.
                              Avanza en la dulzura,
ven a mi lado hasta que las digitales
hojas de los violines
hayan callado, hasta que los musgos
arraiguen en el trueno, hasta que del latido
de mano y mano bajen las raíces.


## Vals


Yo toco el odio como pecho diurno,
yo sin cesar, de ropa en ropa vengo
durmiendo lejos.

No soy, no sirvo, no conozco a nadie,
no tengo armas de mar ni de madera,
no vivo en esta casa.

De noche y agua está mi boca llena.
La duradera luna determina
lo que no tengo.

Lo que tengo está en medio de las olas.
Un rayo de agua, un día para mí:
un fondo férreo.

No hay contramar, no hay escudo, no hay traje,
no hay especial solución insondable,
ni párpado vicioso.

Vivo de pronto y otras veces sigo.
Toco de pronto un rostro y me asesina.
No tengo tiempo.

No me busquéis entonces descorriendo
el habitual hilo salvaje o la
sangrienta enredadera.

No me llaméis: mi ocupación es ésa.
No preguntéis mi nombre ni mi estado.
Dejadme en medio de mi propia luna,
en mi terreno herido.

## Bruselas

De todo lo que he hecho, de todo lo que he perdido,
de todo lo que he ganado sobresaltadamente,
en hierro amargo, en hojas, puedo ofrecer un poco.
Un sabor asustado, un río que las plumas
de las quemantes águilas van cubriendo, un sulfúrico
retroceso de pétalos.

                        No me perdona ya la sal entera,
ni el pan continuo, ni la pequeña iglesia devorada
por la lluvia marina, ni el carbón mordido
por la espuma secreta.

He buscado y hallado, pesadamente,
bajo la tierra, entre los cuerpos temibles,
como un diente de pálida madera
llegando y yendo bajo el ácido duro,
junto a los materiales
de la agonía, entre luna y cuchillos,
muriendo de nocturno.

                        Ahora, en medio
de la velocidad desestimada, al lado
de los muros sin hilos,
en el fondo cortado por los términos,

aquí estoy con aquello que pierde estrellas,
vegetalmente, solo.

## El abandonado

No preguntó por ti ningún día, salido
de los dientes del alba, del estertor nacido,
no buscó tu coraza, tu piel, tu continente
para lavar tus pies, tu salud, tu destreza,
un día de racimos indicados?

       No nació para ti solo,
para ti sola, para ti la campana
con sus graves circuitos de primavera azul:
lo extenso de los gritos del mundo, el desarrollo
de los gérmenes fríos que tiemblan en la tierra, el silencio
de la nave en la noche, todo lo que vivió lleno de párpados
para desfallecer y derramar?

       Te pregunto:
a nadie, a ti, a lo que eres, a tu pared, al viento,
si en el agua del río ves hacia ti corriendo
una rosa magnánima de canto y transparencia
o si en la desbocada primavera agredida
por el primer temblor de las cuerdas humanas
cuando canta el cuartel a la luz de la luna
invadiendo la sombra del cerezo salvaje,
no has visto la guitarra que te era destinada,
y la cadera ciega que quería besarte?

Yo no sé, yo sólo sufro de no saber quién eres
y de tener la sílaba guardada por tu boca,
de detener los días más altos y enterrarlos
en el bosque bajo las hojas ásperas y mojadas,
a veces, resguardado bajo el ciclón, sacudido

por los más asustados árboles, por el pecho
horadado de las tierras profundas, entumecido
por los últimos clavos boreales, estoy
cavando más allá de los ojos humanos,
más allá de las uñas del tigre, lo que a mis brazos llega
para ser repartido más allá de los días glaciales.

Te busco, busco tu efigie entre las medallas
que el cielo gris modela y abandona,
no sé quién eres pero tanto te debo
que la tierra está llena de mi tesoro amargo.
Qué sal, qué geografía, qué piedra no levanta
su estandarte secreto de lo que resguardaba?
Qué hoja al caer no fue para mí un libro largo
de palabras por alguien dirigidas y amadas?
Bajo qué mueble oscuro no escondí los más dulces
suspiros enterrados que buscaban señales
y sílabas que a nadie pertenecieron?

Eres, eres tal vez, el hombre o la mujer
o la ternura que no descifró nada.
O tal vez no apretaste el firmamento oscuro
de los seres, la estrella palpitante, tal vez
al pisar no sabías que de la tierra ciega
emana el día ardiente de pasos que te buscan.
Pero nos hallaremos inermes, apretados
entre los dones mudos de la tierra final.


## Naciendo en los bosques


Cuando el arroz retira de la tierra
los granos de su harina,
cuando el trigo endurece sus pequeñas caderas y levanta su
  rostro de mil manos,
a la enramada donde la mujer y el hombre se enlazan acudo,

para tocar el mar innumerable
de lo que continúa.

Yo no soy hermano del utensilio llevado en la marea
como en una cuna de nácar combatido:
no tiemblo en la comarca de los agonizantes despojos,
no despierto en el golpe de las tinieblas asustadas
por el ronco pecíolo de la campana repentina,
no puede ser, no soy el pasajero
bajo cuyos zapatos los últimos reductos del viento palpitan
y rígidas retornan las olas del tiempo a morir.

Llevo en mi mano la paloma que duerme reclinada en la
    semilla
y en su fermento espeso de cal y sangre
vive agosto,
vive el mes extraído de su copa profunda:
con mi mano rodeo la nueva sombra del ala que crece:
la raíz y la pluma que mañana formarán la espesura.

Nunca declina, ni junto al balcón de manos de hierro
ni en el invierno marítimo de los abandonados, ni en mi paso
    tardío,
el crecimiento inmenso de la gota, ni el párpado que quiere
    ser abierto:
porque para nacer he nacido, para encerrar el paso
de cuanto se aproxima, de cuanto a mi pecho golpea como
    un nuevo corazón tembloroso.

Vidas recostadas junto a mi traje como palomas paralelas,
o contenidas en mi propia existencia y en mi desordenado
    sonido
para volver a ser, para incautar el aire desnudo de la hoja
y el nacimiento húmedo de la tierra en la guirnalda: hasta
    cuándo
debo volver y ser, hasta cuándo el olor
de las más enterradas flores, de las olas más trituradas
sobre las altas piedras, guardan en mí su patria
para volver a ser furia y perfume?

Hasta cuándo la mano del bosque en la lluvia
me avecina con todas sus agujas
para tejer los altos besos del follaje?
                                    Otra vez
escucho aproximarse como el fuego en el humo,
nacer de la ceniza terrestre,
la luz llena de pétalos,
                        y apartando la tierra
en un río de espigas llega el sol a mi boca
como una vieja lágrima enterrada que vuelve a ser semilla.

## II

*En 1934 fue escrito este poema. Cuántas cosas han sobrevenido desde entonces! España, donde lo escribí, es una cintura de ruinas. Ay! si con sólo una gota de poesía o de amor pudiéramos aplacar la ira del mundo, pero eso sólo lo pueden la lucha y el corazón resuelto.*

*El mundo ha cambiado y mi poesía ha cambiado. Una gota de sangre caída en estas líneas quedará viviendo sobre ellas, indeleble como el amor.*

Marzo de 1939

## Las furias y las penas

*... Hay en mi corazón furias y penas...*
QUEVEDO

En el fondo del pecho estamos juntos,
en el cañaveral del pecho recorremos
un verano de tigres,
al acecho de un metro de piel fría,
al acecho de un ramo de inaccesible cutis,
con la boca olfateando sudor y venas verdes
nos encontramos en la húmeda sombra que deja caer besos.

Tú mi enemiga de tanto sueño roto de la misma manera
que erizadas plantas de vidrio, lo mismo que campanas
deshechas de manera amenazante, tanto como disparos
de hiedra negra en medio del perfume,
enemiga de grandes caderas que mi pelo han tocado
con un ronco rocío, con una lengua de agua,
no obstante el mudo frío de los dientes y el odio de los ojos,
y la batalla de agonizantes bestias que cuidan el olvido,

en algún sitio del verano estamos juntos
acechando con labios que la sed ha invadido.
Si hay alguien que traspasa
una pared con círculos de fósforo
y hiere el centro de unos dulces miembros
y muerde cada hoja de un bosque dando gritos,
tengo también tus ojos de sangrienta luciérnaga
capaces de impregnar y atravesar rodillas
y gargantas rodeadas de seda general.

Cuando en las reuniones
el azar, la ceniza, las bebidas,
el aire interrumpido,
pero ahí están tus ojos oliendo a cacería,
a rayo verde que agujerea pechos,
tus dientes que abren manzanas de las que cae sangre,
tus piernas que se adhieren al sol dando gemidos,
y tus tetas de nácar y tus pies de amapola,
como embudos llenos de dientes que buscan sombra,
como rosas hechas de látigo y perfume, y aun,
aun más, aun más,
aun detrás de los párpados, aun detrás del cielo,
aun detrás de los trajes y los viajes, en las calles donde la
   gente orina,
adivinas los cuerpos,
en las agrias iglesias a medio destruir, en las cabinas que el
   mar lleva en las manos,
acechas con tus labios sin embargo floridos,
rompes a cuchilladas la madera y la plata,
crecen tus grandes venas que asustan:
no hay cáscara, no hay distancia ni hierro,
tocan manos tus manos,
y caes haciendo crepitar las flores negras.

Adivinas los cuerpos!
Como un insecto herido de mandatos,
adivinas el centro de la sangre y vigilas
los músculos que postergan la aurora, asaltas sacudidas,

relámpagos, cabezas,
y tocas largamente las piernas que te guían.

Oh conducida herida de flechas especiales!

Hueles lo húmedo en medio de la noche?

O un brusco vaso de rosales quemados?

Oyes caer la ropa, las llaves, las monedas
en las espesas casas donde llegas desnuda?

Mi odio es una sola mano que te indica
el callado camino, las sábanas en que alguien ha dormido
con sobresalto: llegas
y ruedas por el suelo manejada y mordida,
y el viejo olor del semen como una enredadera
de cenicienta harina se desliza a tu boca.

Ay leves locas copas y pestañas,
aire que inunda un entreabierto río
como una sola paloma de colérico cauce,
como atributo de agua sublevada,
ay substancias, sabores, párpados de ala viva
con un temblor, con una ciega flor temible,
ay graves, serios pechos como rostros,
ay grandes muslos llenos de miel verde,
y talones y sombra de pies, y transcurridas
respiraciones y superficies de pálida piedra,
y duras olas que suben la piel hacia la muerte
llenas de celestiales harinas empapadas.

Entonces, este río
va entre nosotros, y por una ribera
vas tú mordiendo bocas?
Entonces es que estoy verdaderamente, verdaderamente lejos
y un río de agua ardiendo pasa en lo oscuro?
Ay cuántas veces eres la que el odio no nombra,

y de qué modo hundido en las tinieblas,
y bajo qué lluvias de estiércol machacado
tu estatua en mi corazón devora el trébol.

El odio es un martillo que golpea tu traje
y tu frente escarlata,
y los días del corazón caen en tus orejas
como vagos búhos de sangre eliminada,
y los collares que gota a gota se formaron con lágrimas
rodean tu garganta quemándote la voz como con hielo.

Es para que nunca, nunca
hables, es para que nunca, nunca
salga una golondrina del nido de la lengua
y para que las ortigas destruyan tu garganta
y un viento de buque áspero te habite.

En dónde te desvistes?
En un ferrocarril, junto a un peruano rojo
o con un segador, entre terrones, a la violenta
luz del trigo?
O corres con ciertos abogados de mirada terrible
largamente desnuda, a la orilla del agua de la noche?

Miras: no ves la luna ni el jacinto
ni la oscuridad goteada de humedades,
ni el tren de cieno, ni el marfil partido:
ves cinturas delgadas como oxígeno,
pechos que aguardan acumulando peso
e idéntica al zafiro de lunar avaricia
palpitas desde el dulce ombligo hasta las rosas.

Por qué sí? Por qué no? Los días descubiertos
aportan roja arena sin cesar destrozada
a las hélices puras que inauguran el día,
y pasa un mes con corteza de tortuga,
pasa un estéril día,
pasa un buey, un difunto,

una mujer llamada Rosalía,
y no queda en la boca sino un sabor de pelo
y de dorada lengua que con sed se alimenta.
Nada sino esa pulpa de los seres,
nada sino esa copa de raíces.

Yo persigo como en un túnel roto, en otro extremo
carne y besos que debo olvidar injustamente,
y en las aguas de espaldas cuando ya los espejos
avivan el abismo, cuando la fatiga, los sórdidos relojes
golpean a la puerta de hoteles suburbanos, y cae
la flor de papel pintado, y el terciopelo cagado por las ratas y
    la cama
cien veces ocupada por miserables parejas, cuando
todo me dice que un día ha terminado, tú y yo
hemos estado juntos derribando cuerpos,
construyendo una casa que no dura ni muere,
tú y yo hemos corrido juntos un mismo río
con encadenadas bocas llenas de sal y sangre,
tú y yo hemos hecho temblar otra vez las luces verdes
y hemos solicitado de nuevo las grandes cenizas.

Recuerdo sólo un día
que tal vez nunca me fue destinado,
era un día incesante,
sin orígenes, Jueves.
Yo era un hombre transportado al acaso
con una mujer hallada vagamente,
nos desnudamos
como para morir o nadar o envejecer
y nos metimos uno dentro del otro,
ella rodeándome como un agujero,
yo quebrantándola como quien
golpea una campana,
pues ella era el sonido que me hería
y la cúpula dura decidida a temblar.

Era una sorda ciencia con cabello y cavernas
y machacando puntas de médula y dulzura
he rodado a las grandes coronas genitales
entre piedras y asuntos sometidos.

Éste es un cuento de puertos adonde
llega uno, al azar, y sube a las colinas,
suceden tantas cosas.

Enemiga, enemiga,
es posible que el amor haya caído al polvo
y no haya sino carne y huesos velozmente adorados
mientras el fuego se consume
y los caballos vestidos de rojo galopan al infierno?

Yo quiero para mí la avena y el relámpago
a fondo de epidermis,
y el devorante pétalo desarrollado en furia,
y el corazón labial del cerezo de junio,
y el reposo de lentas barrigas que arden sin dirección,
pero me falta un suelo de cal con lágrimas
y una ventana donde esperar espumas.

Así es la vida,
corre tú entre las hojas, un otoño
negro ha llegado,
corre vestida con una falda de hojas y un cinturón de metal
  amarillo,
mientras la neblina de la estación roe las piedras.

Corre con tus zapatos, con tus medias,
con el gris repartido, con el hueco del pie, y con esas manos
  que el tabaco salvaje adoraría,
golpea escaleras, derriba
el papel negro que protege las puertas,
y entra en medio del sol y la ira de un día de puñales
a echarte como paloma de luto y nieve sobre un cuerpo.

Es una sola hora larga como una vena,
y entre el ácido y la paciencia del tiempo arrugado
transcurrimos,
apartando las sílabas del miedo y la ternura,
interminablemente exterminados.

# III


## Reunión bajo las nuevas banderas


Quién ha mentido? El pie de la azucena
roto, insondable, oscurecido, todo
lleno de herida y resplandor oscuro!
Todo, la norma de ola en ola en ola,
el impreciso túmulo del ámbar
y las ásperas gotas de la espiga!
Fundé mi pecho en esto, escuché toda
la sal funesta: de noche
fui a plantar mis raíces:
averigüé lo amargo de la tierra:
todo fue para mí noche o relámpago:
cera secreta cupo en mi cabeza
y derramó cenizas en mis huellas.

Y para quién busqué este pulso frío
sino para una muerte?
Y qué instrumento perdí en las tinieblas
desamparadas, donde nadie me oye?
No,
    ya era tiempo, huid,
sombras de sangre,
hielos de estrella, retroceded al paso de los pasos humanos
y alejad de mis pies la negra sombra!

Yo de los hombres tengo la misma mano herida,
yo sostengo la misma copa roja
e igual asombro enfurecido:
                    un día

palpitante de sueños
humanos, un salvaje
cereal ha llegado
a mi devoradora noche
para que junte mis pasos de lobo
a los pasos del hombre.
                              Y así, reunido,
duramente central, no busco asilo
en los huecos del llanto: muestro
la cepa de la abeja: pan radiante
para el hijo del hombre: en el misterio el azul se prepara
para mirar un trigo lejano de la sangre.
Dónde está tu sitio en la rosa?
En dónde está tu párpado de estrella?
Olvidaste esos dedos de sudor que enloquecen
por alcanzar la arena?
                          Paz para ti, sol sombrío,
paz para ti, frente ciega,
hay un quemante sitio para ti en los caminos,
hay piedras sin misterio que te miran,
hay silencios de cárcel con una estrella loca,
desnuda, desbocada, contemplando el infierno.

Juntos, frente al sollozo!
                          Es la hora
alta de tierra y de perfume, mirad este rostro
recién salido de la sal terrible,
mirad esta boca amarga que sonríe,
mirad este nuevo corazón que os saluda
con su flor desbordante, determinada y áurea.

IV

## ESPAÑA EN EL CORAZÓN

### Himno a las glorias del pueblo en guerra
### (1936-1937)

INVOCACIÓN   Para empezar, para sobre la rosa
pura y partida, para sobre el origen
de cielo y aire y tierra, la voluntad de un canto
con explosiones, el deseo
de un canto inmenso, de un metal que recoja
guerra y desnuda sangre.
            España, cristal de copa, no diadema,
sí machacada piedra, combatida ternura
de trigo, cuero y animal ardiendo.

Mañana, hoy, por tus pasos
un silencio, un asombro de esperanzas
como un aire mayor: una luz, una luna,
luna gastada, luna de mano en mano,
de campana en campana!
               Madre natal, puño
de avena endurecida,
                planeta
seco y sangriento de los héroes!
Quién? por caminos, quién,
quién, quién? en sombra, en sangre, quién?
en destello, quién,

BOMBARDEO                   quién? Cae
ceniza, cae
hierro

y piedra y muerte y llanto y llamas,
quién, quién, madre mía, quién, adónde?

MALDICIÓN  Patria surcada, juro que en tus cenizas
nacerás como flor de agua perpetua,
juro que de tu boca de sed saldrán al aire
los pétalos del pan, la derramada
espiga inaugurada. Malditos sean,
malditos, malditos los que con hacha y serpiente
llegaron a tu arena terrenal, malditos los
que esperaron este día para abrir la puerta
de la mansión al moro y al bandido:
Qué habéis logrado? Traed, traed la lámpara,
ved el suelo empapado, ved el huesito negro
comido por las llamas, la vestidura
de España fusilada.

ESPAÑA  Malditos los que un día
POBRE POR  no miraron, malditos ciegos malditos,
CULPA DE  los que no adelantaron a la solemne patria
LOS RICOS  el pan sino las lágrimas, malditos
uniformes manchados y sotanas
de agrios, hediondos perros de cueva y sepultura.
La pobreza era por España
como caballos llenos de humo,
como piedras caídas del
manantial de la desventura,
tierras cereales sin
abrir, bodegas secretas
de azul y estaño, ovarios, puertas, arcos
cerrados, profundidades
que querían parir, todo estaba guardado
por triangulares guardias con escopeta,
por curas de color de triste rata,
por lacayos del rey de inmenso culo.
España dura, país manzanar y pino,
te prohibían tus vagos señores:
A no sembrar, a no parir las minas,

a no montar las vacas, al ensimismamiento
de las tumbas, a visitar cada año
el monumento de Cristóbal el marinero, a relinchar
discursos con macacos venidos de América,
iguales en «posición social» y podredumbre.
No levantéis escuelas, no hagáis crujir la cáscara
terrestre con arados, no llenéis los graneros
de abundancia trigal: rezad, bestias, rezad,
que un dios de culo inmenso como el culo del rey
os espera: «Allí tomaréis sopa, hermanos míos».

LA
TRADICIÓN

En las noches de España, por los viejos jardines
la tradición, llena de mocos muertos,
chorreando pus y peste se paseaba
con una cola en bruma, fantasmal y fantástica,
vestida de asma y huecos levitones sangrientos,
y su rostro de ojos profundos detenidos
eran verdes babosas comiendo tumba,
y su boca sin muelas mordía cada noche
la espiga sin nacer, el mineral secreto,
y pasaba con su corona de cardos verdes
sembrando vagos huesos de difunto y puñales.

MADRID
(1936)

*Madrid sola y solemne, julio te sorprendió con tu*
*      alegría*
*de panal pobre: clara era tu calle,*
*claro era tu sueño.*

*                    Un hipo negro*
*de generales, una ola*
*de sotanas rabiosas*
*rompió entre tus rodillas*
*sus cenagales aguas, sus ríos de gargajo.*

*Con los ojos heridos todavía de sueño,*
*con escopeta y piedras, Madrid, recién herida,*
*te defendiste. Corrías*
*por las calles*
*dejando estelas de tu santa sangre,*

*reuniendo y llamando con una voz de océano,*
*con un rostro cambiado para siempre*
*por la luz de la sangre, como una vengadora*
*montaña, como una silbante*
*estrella de cuchillos.*

*Cuando en los tenebrosos cuarteles, cuando en*
*    las sacristías*
*de la traición entró tu espada ardiendo,*
*no hubo sino silencio de amanecer, no hubo*
*sino tu paso de banderas,*
*y una honorable gota de sangre en tu sonrisa.*

EXPLICO   Preguntaréis: Y dónde están las lilas?
ALGUNAS   Y la metafísica cubierta de amapolas?
COSAS     Y la lluvia que a menudo golpeaba
sus palabras llenándolas
de agujeros y pájaros?

Os voy a contar todo lo que me pasa.

Yo vivía en un barrio
de Madrid, con campanas,
con relojes, con árboles.

Desde allí se veía
el rostro seco de Castilla
como un océano de cuero.
                              Mi casa era llamada
la casa de las flores, porque por todas partes
estallaban geranios: era
una bella casa
con perros y chiquillos.
                              Raúl, te acuerdas?
Te acuerdas, Rafael?
                              Federico, te acuerdas
debajo de la tierra,
te acuerdas de mi casa con balcones en donde

la luz de junio ahogaba flores en tu boca?

Hermano, hermano!

Todo
eran grandes voces, sal de mercaderías,
aglomeraciones de pan palpitante,
mercados de mi barrio de Argüelles con su estatua
como un tintero pálido entre las merluzas:
el aceite llegaba a las cucharas,
un profundo latido
de pies y manos llenaba las calles,
metros, litros, esencia
aguda de la vida,

pescados hacinados,
contextura de techos con sol frío en el cual
la flecha se fatiga,
delirante marfil fino de las patatas,
tomates repetidos hasta el mar.

Y una mañana todo estaba ardiendo
y una mañana las hogueras
salían de la tierra
devorando seres,
y desde entonces fuego,
pólvora desde entonces,
y desde entonces sangre.

Bandidos con aviones y con moros,
bandidos con sortijas y duquesas,
bandidos con frailes negros bendiciendo
venían por el cielo a matar niños,
y por las calles la sangre de los niños
corría simplemente, como sangre de niños.

Chacales que el chacal rechazaría,
piedras que el cardo seco mordería escupiendo,
víboras que las víboras odiaran!

Frente a vosotros he visto la sangre
de España levantarse
para ahogaros en una sola ola
de orgullo y de cuchillos!

Generales
traidores:
mirad mi casa muerta,
mirad España rota:
pero de cada casa muerta sale metal ardiendo
en vez de flores,
pero de cada hueco de España
sale España,
pero de cada niño muerto sale un fusil con ojos,
pero de cada crimen nacen balas
que os hallarán un día el sitio
del corazón.

Preguntaréis por qué su poesía
no nos habla del sueño, de las hojas,
de los grandes volcanes de su país natal?

Venid a ver la sangre por las calles,
venid a ver
la sangre por las calles,
venid a ver la sangre
por las calles!

CANTO A LAS
MADRES
DE LOS
MILICIANOS
MUERTOS

No han muerto! Están en medio
de la pólvora,
de pie, como mechas ardiendo.
Sus sombras puras se han unido
en la pradera de color de cobre
como una cortina de viento blindado,
como una barrera de color de furia,
como el mismo invisible pecho del cielo.

Madres! Ellos están de pie en el trigo,
altos como el profundo mediodía,
dominando las grandes llanuras!
Son una campanada de voz negra
que a través de los cuerpos de acero asesinado
repica la victoria.
                    Hermanas como el polvo
caído, corazones
quebrantados,
tened fe en vuestros muertos!
No sólo son raíces
bajo las piedras teñidas de sangre,
no sólo sus pobres huesos derribados
definitivamente trabajan en la tierra,
sino que aun sus bocas muerden pólvora seca
y atacan como océanos de hierro, y aún
sus puños levantados contradicen la muerte.

Porque de tantos cuerpos una vida invisible
se levanta. Madres, banderas, hijos!
Un solo cuerpo vivo como la vida:
un rostro de ojos rotos vigila las tinieblas
con una espada llena de esperanzas terrestres!

Dejad
vuestros mantos de luto, juntad todas
vuestras lágrimas hasta hacerlas metales:
que allí golpeamos de día y de noche,
allí pateamos de día y de noche,
allí escupimos de día y de noche
hasta que caigan las puertas del odio!

Yo no me olvido de vuestras desgracias, conozco
vuestros hijos
y si estoy orgulloso de sus muertes,
estoy también orgulloso de sus vidas.
                    Sus risas
relampagueaban en los sordos talleres,

sus pasos en el Metro
sonaban a mi lado cada día, y junto
a las naranjas de Levante, a las redes del sur, junto
a la tinta de las imprentas, sobre el cemento de las
    arquitecturas
he visto llamear sus corazones de fuego y energías.

Y como en vuestros corazones, madres,
hay en mi corazón tanto luto y tanta muerte
que parece una selva
mojada por la sangre que mató sus sonrisas,
y entran en él las rabiosas nieblas del desvelo
con la desgarradora soledad de los días.

Pero
más que la maldición a las hienas sedientas, al ester-
    tor bestial
que aúlla desde el África sus patentes inmundas,
más que la cólera, más que el desprecio, más que el
    llanto,
madres atravesadas por la angustia y la muerte,
mirad el corazón del noble día que nace,
y sabed que vuestros muertos sonríen desde la
    tierra
levantando los puños sobre el trigo.

CÓMO ERA    *Era España tirante y seca, diurno*
ESPAÑA    *tambor de son opaco,*
    *llanura y nido de águilas, silencio*
    *de azotada intemperie.*

*Cómo, hasta el llanto, hasta el alma*
*amo tu duro suelo, tu pan pobre,*
*tu pueblo pobre, cómo hasta el hondo sitio*
*de mi ser hay la flor perdida de tus aldeas*
*arrugadas, inmóviles de tiempo,*
*y tus campiñas minerales*
*extendidas en luna y en edad*
*y devoradas por un dios vacío.*

Todas tus estructuras, tu animal
aislamiento junto a tu inteligencia
rodeada por las piedras abstractas del silencio,
tu áspero vino, tu suave
vino, tus violentas
y delicadas viñas.

Piedra solar, pura entre las regiones
del mundo, España recorrida
por sangres y metales, azul y victoriosa,
proletaria de pétalos y balas, única
viva y soñolienta y sonora.

Huélamo, Carrascosa,
Alpedrete, Buitrago,
Palencia, Arganda, Galve,
Galapagar, Villalba.

Peñarrubia, Cedrillas,
Alcocer, Tamurejo,
Aguadulce, Pedrera,
Fuente Palmera, Colmenar, Sepúlveda.

Carcabuey, Fuencaliente,
Linares, Solana del Pino,
Carcelén, Alatox,
Mahora, Valdeganda.

Yeste, Riopar, Segorbe,
Orihuela, Montalbo,
Alcaraz, Caravaca,
Almendralejo, Castejón de Monegros.

Palma del Río, Peralta,
Granadella, Quintana
de la Serena, Atienza, Barahona,
Navalmoral, Oropesa.

Alborea, Monóvar,
Almansa, San Benito,
Moratalla, Montesa,
Torre Baja, Aldemuz.

Cevico Navero, Cevico de la Torre,
Albalate de las Nogueras,
Jabaloyas, Teruel,
Camporrobles, La Alberca.

Pozo Amargo, Candeleda,
Pedroñeras, Campillo de Altobuey,
Loranca de Tajuña, Puebla de la Mujer Muerta,
Torre la Cárcel, Játiva, Alcoy.

Puebla de Obando, Villar del Rey,
Beloraga, Brihuega,
Cetina, Villacañas, Palomas,
Navalcán, Henarejos, Albatana.

Torredonjimeno, Trasparga,
Agramón, Crevillente,
Poveda de la Sierra, Pedernoso,
Alcolea de Cinca, Matallanos.

Ventosa del Río, Alba de Tormes,
Horcajo Medianero, Piedrahita,
Minglanilla, Navamorcuende, Navalperal,
Navalcarnero, Navalmorales, Jorquera.

Argora, Torremocha, Argecilla,
Ojos Negros, Salvacañete, Utiel,
Laguna Seca, Cañamares, Salorino,
Aldea Quemada, Pesquera de Duero.

Fuenteovejuna, Alpedrete,
Torrejón, Benaguacil,
Valverde de Júcar, Vallanca,
Hiendelaencina, Robledo de Chavela.

*Miñogalindo, Ossa de Montiel,*
*Méntrida, Valdepeñas, Titaguas,*
*Almodóvar, Gestaldar, Valdemoro,*
*Almoradiel, Orgaz.*

LLEGADA A
MADRID DE
LA BRIGADA
INTERNA-
CIONAL Una mañana de un mes frío,
de un mes agonizante, manchado por el lodo y por
    el humo,
un mes sin rodillas, un triste mes de sitio y desven-
    tura,
cuando a través de los cristales mojados de mi casa
    se oían los chacales africanos
aullar con los rifles y los dientes llenos de sangre,
    entonces,
cuando no teníamos más esperanza que un sueño
    de pólvora, cuando ya creíamos
que el mundo estaba lleno sólo de monstruos devora-
    dores y de furias,
entonces, quebrando la escarcha del mes de frío de
    Madrid, en la niebla
del alba
he visto con estos ojos que tengo, con este corazón
    que mira,
he visto llegar a los claros, a los dominadores comba-
    tientes
de la delgada y dura y madura y ardiente brigada de
    piedra.

Era el acongojado tiempo en que las mujeres
llevaban una ausencia como un carbón terrible,
y la muerte española, más ácida y aguda que otras
    muertes,
llenaba los campos hasta entonces honrados por el
    trigo.

Por las calles la sangre rota del hombre se juntaba
con el agua que sale del corazón destruido de las
    casas:
los huesos de los niños deshechos, el desgarrador

enlutado silencio de las madres, los ojos
cerrados para siempre de los indefensos,
eran como la tristeza y la pérdida, eran como un
    jardín escupido,
eran la fe y la flor asesinadas para siempre.

Camaradas,
entonces
os he visto,
y mis ojos están ahora llenos de orgullo
porque os vi a través de la mañana de niebla llegar
    a la frente pura de Castilla
silenciosos y firmes
como campanas antes del alba,
llenos de solemnidad y de ojos azules venir de lejos
    y lejos,
venir de vuestros rincones, de vuestras patrias per-
    didas, de vuestros sueños
llenos de dulzura quemada y de fusiles
a defender la ciudad española en que la libertad
    acorralada
pudo caer y morir mordida por las bestias.

Hermanos, que desde ahora
vuestra pureza y vuestra fuerza, vuestra historia
    solemne
sea conocida del niño y del varón, de la mujer y del
    viejo,
llegue a todos los seres sin esperanzas, baje a las
    minas corroídas por el aire sulfúrico,
suba a las escaleras inhumanas del esclavo,
que todas las estrellas, que todas las espigas de
    Castilla y del mundo
escriban vuestro nombre y vuestra áspera lucha
y vuestra victoria fuerte y terrestre como una encina
    roja.

Porque habéis hecho renacer con vuestro sacrificio
la fe perdida, el alma ausente, la confianza en la
    tierra,
y por vuestra abundancia, por vuestra nobleza, por
    vuestros muertos,
como por un valle de duras rocas de sangre
pasa un inmenso río con palomas de acero y de
    esperanza.

BATALLA   Entre la tierra y el platino ahogado
DEL RÍO   de olivares y muertos españoles,
JARAMA    Jarama, puñal puro, has resistido
              la ola de los crueles.

Allí desde Madrid llegaron hombres
de corazón dorado por la pólvora
como un pan de ceniza y resistencia,
    allí llegaron.

Jarama, estabas entre hierro y humo
como una rama de cristal caído,
como una larga línea de medallas
    para los victoriosos.

Ni socavones de substancia ardiendo,
ni coléricos vuelos explosivos,
ni artillerías de tiniebla turbia
    dominaron tus aguas.

Aguas tuyas bebieron los sedientos
de sangre, agua bebieron boca arriba:
agua española y tierra de olivares
    los llenaron de olvido.

Por un segundo de agua y tiempo el cauce
de la sangre de moros y traidores
palpitaba en tu luz como los peces
    de un manantial amargo.

La áspera harina de tu pueblo estaba
toda erizada de metal y huesos,
formidable y trigal como la noble
    tierra que defendían.

Jarama, para hablar de tus regiones
de esplendor y dominio, no es mi boca
suficiente, y es pálida mi mano:
    allí quedan tus muertos.

Allí quedan tu cielo doloroso,
tu paz de piedra, tu estelar corriente,
y los eternos ojos de tu pueblo
    vigilan tus orillas.

ALMERÍA  Un plato para el obispo, un plato triturado y amargo,
un plato con restos de hierro, con cenizas, con lá-
    grimas,
un plato sumergido, con sollozos y paredes caídas,
un plato para el obispo, un plato de sangre de Al-
    mería.

Un plato para el banquero, un plato con mejillas
de niños del Sur feliz, un plato
con detonaciones, con aguas locas y ruinas y espanto,
un plato con ejes partidos y cabezas pisadas,
un plato negro, un plato de sangre de Almería.

Cada mañana, cada mañana turbia de vuestra vida
lo tendréis humeante y ardiente en vuestra mesa:
lo apartaréis un poco con vuestras suaves manos
para no verlo, para no digerirlo tantas veces:
lo apartaréis un poco entre el pan y las uvas,
a este plato de sangre silenciosa
que estará allí cada mañana, cada
mañana.

Un plato para el coronel y la esposa del coronel,
en una fiesta de la guarnición, en cada fiesta,
sobre los juramentos y los escupos, con la luz de vino
  de la madrugada
para que lo veáis temblando y frío sobre el mundo.

Sí, un plato para todos vosotros, ricos de aquí y de
  allá,
embajadores, ministros, comensales atroces,
señoras de confortable té y asiento:
un plato destrozado, desbordado, sucio de sangre pobre,
para cada mañana, para cada semana, para siempre
  jamás,
un plato de sangre de Almería, ante vosotros, siempre.

TIERRAS    *Regiones sumergidas*
OFENDIDAS  *en el interminable martirio, por el inacabable*
    *silencio, pulsos*
    *de abeja y roca exterminada,*
    *tierra que en vez de trigo y trébol*
    *traéis señal de sangre seca y crimen:*
    *caudalosa Galicia, pura como la lluvia,*
    *salada para siempre por las lágrimas:*
    *Extremadura, en cuya orilla augusta*
    *de cielo y aluminio, negro como agujero*
    *de bala, traicionado y herido y destrozado,*
    *Badajoz sin memoria, entre sus hijos muertos*
    *yace mirando un cielo que recuerda:*
    *Málaga arada por la muerte*
    *y perseguida entre los precipicios*
    *hasta que las enloquecidas madres*
    *azotaban la piedra con sus recién nacidos.*
    *Furor, vuelo de luto*
    *y muerte y cólera,*
    *hasta que ya las lágrimas y el duelo reunidos,*
    *hasta que las palabras y el desmayo y la ira*
    *no son sino un montón de huesos en un camino*
    *y una piedra enterrada por el polvo.*

*Es tanto, tanta*
*tumba, tanto martirio, tanto*
*galope de bestias en la estrella!*
*Nada, ni la victoria*
*borrará el agujero terrible de la sangre:*
*nada, ni el mar, ni el paso*
*de arena y tiempo, ni el geranio ardiendo*
*sobre la sepultura.*

SANJURJO  Amarrado, humeante, acordelado
EN LOS  a su traidor avión, a sus traiciones
INFIERNOS  se quema el traidor traicionado.

Como fósforo queman sus riñones
y su siniestra boca de soldado
traidor se derrite en maldiciones,

por las eternas llamas piloteado,
conducido y quemado por aviones,
de traición en traición quemado.

MOLA  Es arrastrado el turbio mulo Mola
EN LOS  de precipicio en precipicio eterno
INFIERNOS  y como va el naufragio de ola en ola,
desbaratado por azufre y cuerno,
cocido en cal y hiel y disimulo,
de antemano esperado en el infierno,
va el infernal mulato, el Mola mulo
definitivamente turbio y tierno,
con llamas en la cola y en el culo.

EL GENERAL  *Desventurado, ni el fuego ni el vinagre caliente*
FRANCO  *en un nido de brujas volcánicas ni el hielo devo-*
EN LOS  *rante,*
INFIERNOS  *ni la tortuga pútrida que ladrando y llorando*
*con voz de mujer muerta te escarbe la barriga*
*buscando una sortija nupcial y un juguete de*
*niño degollado,*

serán para ti nada sino una puerta oscura,
arrasada.

En efecto.
De infierno a infierno, qué hay? En el aullido de tus legiones,
  en la santa leche
de las madres de España, en la leche y los senos pisoteados
por los caminos, hay una aldea más, un silencio más, una
  puerta rota.

Aquí estás. Triste párpado, estiércol
de siniestras gallinas de sepulcro, pesado esputo, cifra
de traición que la sangre no borra. Quién, quién eres,
oh miserable hoja de sal, oh perro de la tierra,
oh mal nacida palidez de sombra.

Retrocede la llama sin ceniza,
la sed salina del infierno, los círculos
del dolor palidecen.

Maldito, que sólo lo humano
te persiga, que dentro del absoluto fuego de las cosas,
no te consumas, que no te pierdas
en la escala del tiempo, y que no te taladre el vidrio ardiendo
ni la feroz espuma.
          Solo, solo, para las lágrimas
todas reunidas, para una eternidad de manos muertas
y ojos podridos, solo en una cueva
de tu infierno, comiendo silenciosa pus y sangre
por una eternidad maldita y sola.
                No mereces dormir
aunque sea clavados de alfileres los ojos: debes estar
despierto, general, despierto eternamente
entre la podredumbre de las recién paridas,
ametralladas en otoño. Todas, todos los tristes niños des-
  cuartizados,
tiesos, están colgados, esperando en tu infierno
ese día de fiesta fría: tu llegada.
                Niños negros por la explosión,

*trozos rojos de seso, corredores*
*de dulces intestinos, te esperan todos, todos, en la misma actitud*
*de atravesar la calle, de patear la pelota,*
*de tragar una fruta, de sonreír o nacer.*

*Sonreír. Hay sonrisas*
*ya demolidas por la sangre*
*que esperan con dispersos dientes exterminados,*
*y máscaras de confusa materia, rostros huecos*
*de pólvora perpetua, y los fantasmas*
*sin nombre, los oscuros*
*escondidos, los que nunca salieron*
*de su cama de escombros. Todos te esperan*
*para pasar la noche. Llenan los corredores*
*como algas corrompidas.*
                         *Son nuestros, fueron nuestra*
*carne, nuestra salud, nuestra*
*paz de herrerías, nuestro océano*
*de aire y pulmones. A través de ellos*
*las secas tierras florecían. Ahora, más allá de la tierra,*
*hechos substancia*
*destruida, materia asesinada, harina muerta,*
*te esperan en tu infierno.*

*Como el agudo espanto o el dolor se consumen,*
*ni espanto ni dolor te aguardan. Solo y maldito seas,*
*solo y despierto seas entre todos los muertos,*
*y que la sangre caiga en ti como la lluvia,*
*y que un agonizante río de ojos cortados*
*te resbale y recorra mirándote sin término.*

          Esto que fue creado y dominado,
CANTO   esto que fue humedecido, usado, visto,
SOBRE UNAS  yace –pobre pañuelo– entre las olas
RUINAS  de tierra y negro azufre.
               Como el botón o el pecho
          se levantan al cielo, como la flor que sube
          desde el hueso destruido, así las formas

del mundo aparecieron. Oh párpados,
oh columnas, oh escalas!
                    Oh profundas materias
agregadas y puras: cuánto hasta ser campanas!
cuánto hasta ser relojes! Aluminio
de azules proporciones, cemento
pegado al sueño de los seres!
                    El polvo se congrega,
la goma, el lodo, los objetos crecen
y las paredes se levantan
como parras de oscura piel humana.
                    Allí dentro en blanco, en cobre,
en fuego, en abandono, los papeles crecían,
el llanto abominable, las prescripciones
llevadas en la noche a la farmacia mientras
alguien con fiebre,
la seca sien mental, la puerta
que el hombre ha construido
para no abrir jamás.
                    Todo ha ido y caído
brutalmente marchito.
                    Utensilios heridos, telas
nocturnas, espuma sucia, orines justamente
vertidos, mejillas, vidrio, lana,
alcanfor, círculos de hilo y cuero, todo,
todo por una rueda vuelto al polvo,
al desorganizado sueño de los metales,
todo el perfume, todo lo fascinado,
todo reunido en nada, todo caído
para no nacer nunca.
                    Sed celeste, palomas
con cintura de harina: épocas
de polen y racimo, ved cómo
la madera se destroza
hasta llegar al luto: no hay raíces
para el hombre: todo descansa apenas
sobre un temblor de lluvia.
                    Ved cómo se ha podrido

la guitarra en la boca de la fragante novia:
ved cómo las palabras que tanto construyeron,
ahora son exterminio: mirad sobre la cal y entre el mármol deshecho
la huella –ya con musgos– del sollozo.

LA VICTORIA  *Mas, como el recuerdo de la tierra, como el*
DE LAS  *pétreo*
ARMAS  *esplendor del metal y el silencio,*
DEL PUEBLO  *pueblo, patria y avena, es tu victoria.*

*Avanza tu bandera agujereada*
*como tu pecho sobre las cicatrices*
*de tiempo y tierra.*

LOS GREMIOS  *Dónde están los mineros, dónde están*
EN EL  *los que hacen el cordel, los que maduran*
FRENTE  *la suela, los que mandan la red?*
*Dónde están?*

*Dónde los que cantaban en lo alto*
*del edificio, escupiendo y jurando*
*sobre el cemento aéreo?*

*Dónde están los ferroviarios*
*voluntariosos y nocturnos?*
*Dónde está el gremio del abasto?*

*Con un fusil, con un fusil. Entre los*
*pardos latidos de la llanura,*
*mirando sobre los escombros.*

*Dirigiendo la bala al duro*
*enemigo como a las espinas,*
*como a las víboras, así.*

*De día y noche, en la ceniza*
*triste del alba, en la virtud*
*del mediodía calcinado.*

TRIUNFO  *Solemne es el triunfo del pueblo,*
*a su paso de gran victoria*
*la ciega patata y la uva*
*celeste brillan en la tierra.*

PAISAJE  Mordido espacio, tropa restregada
DESPUÉS  contra los cereales, herraduras
DE UNA   rotas, heladas entre escarcha y piedras,
BATALLA      áspera luna.

Luna de yegua herida, calcinada,
envuelta en agotadas espinas, amenazante, hun-
    dido
metal o hueso, ausencia, paño amargo,
        humo de enterradores.

Detrás del agrio nimbo de nitratos,
de substancia en substancia, de agua en agua,
rápidos como trigo desgranado,
        quemados y comidos.

Casual corteza suavemente suave,
negra ceniza ausente y esparcida,
ahora sólo frío sonoro, abominables
        materiales de lluvia.

Guárdenlo mis rodillas enterrado
más que este fugitivo territorio,
agárrenlo mis párpados hasta nombrar y herir,
guarde mi sangre este sabor de sombra
        para que no haya olvido.

ANTITAN-  Ramos todos de clásico nácar, aureolas
QUISTAS   de mar y cielo, viento de laureles
para vosotros, encinares héroes,
antitanquistas.
Habéis sido en la nocturna boca
de la guerra

los ángeles del fuego, los temibles,
los hijos puros de la tierra.

Así estabais, sembrados
en los campos, oscuros como siembra, tendidos
esperando. Y ante el huracanado hierro, en el pecho del
   monstruo
habéis lanzado, no sólo un trozo pálido de explosivo,
sino vuestro profundo corazón humeante,
látigo destructivo y azul como la pólvora.
Os habéis levantado,
finos celestes contra las montañas
de la crueldad, hijos desnudos
de la tierra y la gloria.
                Vosotros nunca visteis
antes sino la oliva, nunca sino las redes
llenas de escama y plata: vosotros agrupasteis
los instrumentos, la madera, el hierro
de las cosechas y de las construcciones:
en vuestras manos floreció la bella
granada forestal o la cebolla
matutina, y de pronto
estáis aquí cargados con relámpagos
apretando la gloria, estallando
de poderes furiosos,
solos y duros frente a las tinieblas.

La Libertad os recogió en las minas,
y pidió paz para vuestros arados:
la Libertad se levantó llorando
por los caminos, gritó en los corredores
de las casas: en las campiñas
su voz pasaba entre naranja y viento
llamando hombres de pecho maduro, y acudisteis,
y aquí estáis, preferidos
hijos de la victoria, muchas veces caídos, muchas veces
borradas vuestras manos, rotos los más ocultos cartí-
   lagos, calladas

vuestras bocas, machacado
hasta la destrucción vuestro silencio:
pero surgís de pronto, en medio
del torbellino, otra vez, otros, toda
vuestra insondable, vuestra quemadora
raza de corazones y raíces.

MADRID    *En esta hora recuerdo a todo y todos,*
(1937)    *fibradamente, hundidamente en*
*las regiones que –sonido y pluma–*
*golpeando un poco, existen*
*más allá de la tierra, pero en la tierra. Hoy*
*comienza un nuevo invierno.*
                    *No hay en esa ciudad,*
*en donde está lo que amo,*
*no hay pan ni luz: un cristal frío cae*
*sobre secos geranios. De noche sueños negros*
*abiertos por obuses, como sangrientos bueyes:*
*nadie en el alba de las fortificaciones,*
*sino un carro quebrado: ya musgo, ya silencio de*
    *edades*
*en vez de golondrinas en las casas quemadas,*
*desangradas, vacías, con puertas hacia el cielo:*
*ya comienza el mercado a abrir sus pobres esme-*
    *raldas,*
*y las naranjas, el pescado,*
*cada día traídos a través de la sangre,*
*se ofrecen a las manos de la hermana y la viuda.*
*Ciudad de luto, socavada, herida,*
*rota, golpeada, agujereada, llena*
*de sangre y vidrios rotos, ciudad sin noche, toda*
*noche y silencio y estampido y héroes,*
*ahora un nuevo invierno más desnudo y más solo,*
*ahora sin harina, sin pasos, con tu luna*
*de soldados.*
            *A todos, a todos.*
                    *Sol pobre, sangre nuestra*
*perdida, corazón terrible*

*sacudido y llorando. Lágrimas como pesadas balas*
*han caído en tu oscura tierra haciendo sonido*
*de palomas que caen, mano que cierra*
*la muerte para siempre, sangre de cada día*
*y cada noche y cada semana y cada*
*mes. Sin hablar de vosotros, héroes dormidos*
*y despiertos, sin hablar de vosotros que hacéis temblar el*
　　*agua*
*y la tierra con vuestra voluntad insigne,*
*en esta hora escucho el tiempo en una calle,*
*alguien me habla, el invierno*
*llega de nuevo a los hoteles*
*en que he vivido,*
*todo es ciudad lo que escucho y distancia*
*rodeada por el fuego como por una espuma*
*de víboras, asaltada por una*
*agua de infierno.*
　　　　　　　*Hace ya más de un año*
*que los enmascarados tocan tu humana orilla*
*y mueren al contacto de tu eléctrica sangre:*
*sacos de moros, sacos de traidores,*
*han rodado a tus pies de piedra: ni el humo ni la muerte*
*han conquistado tus muros ardiendo.*
　　　　　　　　　　　*Entonces,*
*qué hay, entonces? Sí, son los del exterminio,*
*son los devoradores: te acechan, ciudad blanca,*
*el obispo de turbio testuz, los señoritos*
*fecales y feudales, el general en cuya mano*
*suenan treinta dineros: están contra tus muros*
*un cinturón de lluviosas beatas,*
*un escuadrón de embajadores pútridos*
*y un triste hipo de perros militares.*

*Loor a ti, loor en nube, en rayo,*
*en salud, en espadas,*
*frente sangrante cuyo hilo de sangre*
*reverbera en las piedras malheridas,*
*deslizamiento de dulzura dura,*

*clara cuna en relámpagos armada,*
*material ciudadela, aire de sangre*
*del que nacen abejas.*
                    *Hoy tú que vives, Juan,*
*hoy tú que miras, Pedro, concibes, duermes, comes:*
*hoy en la noche sin luz vigilando sin sueño y sin*
    *reposo,*
*solos en el cemento, por la tierra cortada,*
*desde los enlutados alambres, al Sur, en medio, en*
    *torno,*
*sin cielo, sin misterio,*
*hombres como un collar de cordones defienden*
*la ciudad rodeada por las llamas: Madrid endurecida*
*por golpe astral, por conmoción del fuego:*
*tierra y vigilia en el alto silencio*
*de la victoria: sacudida*
*como una rosa rota: rodeada*
*de laurel infinito!*

ODA SOLAR    Armas del pueblo! Aquí! La amenaza, el asedio
AL EJÉRCITO  aún derraman la tierra mezclándola de muerte,
DEL PUEBLO   áspera de aguijones!
                    Salud, salud,
salud te dicen las madres del mundo,
las escuelas te dicen salud, los viejos carpinteros,
Ejército del Pueblo, te dicen salud, con las espigas,
la leche, las patatas, el limón, el laurel,
todo lo que es de la tierra y de la boca
del hombre.
                    Todo, como un collar
de manos, como una
cintura palpitante, como una obstinación de
    relámpagos,
todo a ti se prepara, todo hacia ti converge!
                    Día de hierro,
azul fortificado!
                    Hermanos, adelante,
adelante por las tierras aradas,

adelante en la noche seca y sin sueño, delirante y raída,
adelante entre vides, pisando el color frío de las rocas,
salud, salud, seguid. Más cortantes que la voz del invierno,
más sensibles que el párpado, más seguros que la punta del
     trueno,
puntuales como el rápido diamante, nuevamente marciales,
guerreros según el agua acerada de las tierras del centro,
según la flor y el vino, según el corazón espiral de la tierra,
según las raíces de todas las hojas, de todas las mercaderías
     fragantes de la tierra.
Salud, soldados, salud, barbechos rojos,
salud, tréboles duros, salud, pueblos parados
en la luz del relámpago, salud, salud, salud,
adelante, adelante, adelante, adelante,
sobre las minas, sobre los cementerios, frente al abominable
apetito de muerte, frente al erizado
terror de los traidores,
pueblo, pueblo eficaz, corazón y fusiles,
corazón y fusiles, adelante.
Fotógrafos, mineros, ferroviarios, hermanos
del carbón y la piedra, parientes del martillo,
bosque, fiesta de alegres disparos, adelante,
guerrilleros, mayores, sargentos, comisarios políticos,
aviadores del pueblo, combatientes nocturnos,
combatientes marinos, adelante:
frente a vosotros
no hay más que una mortal cadena, un agujero
de podridos pescados: adelante!
no hay allí sino muertos moribundos,
pantanos de terrible pus sangrienta,
no hay enemigos: adelante, España,
adelante, campanas populares,
adelante, regiones de manzana,
adelante, estandartes cereales,
adelante, mayúsculos del fuego,
porque en la lucha, en la ola, en la pradera,
en la montaña, en el crepúsculo cargado de acre aroma,
lleváis un nacimiento de permanencia, un hilo

de difícil dureza.
                                            Mientras tanto,
raíz y guirnalda sube del silencio
para esperar la mineral victoria:
cada instrumento, cada rueda roja,
cada mango de sierra o penacho de arado,
cada extracción del suelo, cada temblor de sangre
quiere seguir tus pasos, Ejército del Pueblo:
tu luz organizada llega a los pobres hombres
olvidados, tu definida estrella
clava sus roncos rayos en la muerte
y establece los nuevos ojos de la esperanza.

# V

## Canto a Stalingrado

En la noche el labriego duerme, despierta y hunde
su mano en las tinieblas preguntando a la aurora:
alba, sol de mañana, luz del día que viene,
dime si aún las manos más puras de los hombres
defienden el castillo del honor, dime, aurora,
si el acero en tu frente rompe su poderío,
si el hombre está en su sitio, si el trueno está en su sitio,
dime, dice el labriego, si no escucha la tierra
cómo cae la sangre de los enrojecidos
héroes, en la grandeza de la noche terrestre,
dime si sobre el árbol todavía está el cielo,
dime si aún la pólvora suena en Stalingrado.

Y el marinero en medio del mar terrible mira
buscando entre las húmedas constelaciones
una, la roja estrella de la ciudad ardiente,
y halla en su corazón esa estrella que quema,
esa estrella de orgullo quieren tocar sus manos,
esa estrella de llanto la construyen sus ojos.

Ciudad, estrella roja, dicen el mar y el hombre,
ciudad, cierra tus rayos, cierra tus puertas duras,
cierra, ciudad, tu ilustre laurel ensangrentado,
y que la noche tiemble con el brillo sombrío
de tus ojos detrás de un planeta de espadas.

Y el español recuerda Madrid y dice: hermana,
resiste, capital de la gloria, resiste:

del suelo se alza toda la sangre derramada
de España, y por España se levanta de nuevo,
y el español pregunta junto al muro
de los fusilamientos, si Stalingrado vive:
y hay en la cárcel una cadena de ojos negros
que horadan las paredes con tu nombre,
y España se sacude con tu sangre y tus muertos,
porque tú le tendiste, Stalingrado, el alma
cuando España paría héroes como los tuyos.
Ella conoce la soledad, España,
como hoy, Stalingrado, tú conoces la tuya.
España desgarró la tierra con sus uñas
cuando París estaba más bonita que nunca.
España desangraba su inmenso árbol de sangre
cuando Londres peinaba, como nos cuenta Pedro
Garfias, su césped y sus lagos de cisnes.

Hoy ya conoces eso, recia virgen,
hoy ya conoces, Rusia, la soledad y el frío.
Cuando miles de obuses tu corazón destrozan,
cuando los escorpiones con crimen y veneno,
Stalingrado, acuden a morder tus entrañas,
Nueva York baila, Londres medita, y yo digo «merde»,
porque mi corazón no puede más y nuestros
corazones
no pueden más, no pueden
en un mundo que deja morir solos sus héroes.

Los dejáis solos? Ya vendrán por vosotros!
Los dejáis solos?
                              Queréis que la vida
huya a la tumba, y la sonrisa de los hombres
sea borrada por la letrina y el calvario?
Por qué no respondéis?
Queréis más muertos en el frente del Este
hasta que llenen totalmente el cielo vuestro?
Pero entonces no os va a quedar sino el infierno.
El mundo está cansándose de pequeñas hazañas,

de que en Madagascar los generales
maten con heroísmo cincuenta y cinco monos.

El mundo está cansado de otoñales reuniones
presididas aún por un paraguas.

Ciudad, Stalingrado, no podemos
llegar a tus murallas, estamos lejos.
Somos los mexicanos, somos los araucanos,
somos los patagones, somos los guaraníes,
somos los uruguayos, somos los chilenos,
somos millones de hombres.

Ya tenemos por suerte deudos en la familia,
pero aún no llegamos a defenderte, madre.
Ciudad, ciudad de fuego, resiste hasta que un día
lleguemos, indios náufragos, a tocar tus murallas
con un beso de hijos que esperaban llegar.

Stalingrado, aún no hay Segundo Frente,
pero no caerás aunque el hierro y el fuego
te muerdan día y noche.

Aunque mueras, no mueres!

Porque los hombres ya no tienen muerte
y tienen que seguir luchando desde el sitio en que caen
hasta que la victoria no esté sino en tus manos
aunque estén fatigadas y horadadas y muertas,
porque otras manos rojas, cuando las vuestras caigan,
sembrarán por el mundo los huesos de tus héroes
para que tu semilla llene toda la tierra.

## Nuevo canto de amor a Stalingrado

Yo escribí sobre el tiempo y sobre el agua,
describí el luto y su metal morado,
yo escribí sobre el cielo y la manzana,
        ahora escribo sobre Stalingrado.

Ya la novia guardó con su pañuelo
el rayo de mi amor enamorado,
ahora mi corazón está en el suelo,
        en el humo y la luz de Stalingrado.

Yo toqué con mis manos la camisa
del crepúsculo azul y derrotado:
ahora toco el alba de la vida
        naciendo con el sol de Stalingrado.

Yo sé que el viejo joven transitorio
de pluma, como un cisne encuadernado,
desencuaderna su dolor notorio
        por mi grito de amor a Stalingrado.

Yo pongo el alma mía donde quiero.
Y no me nutro de papel cansado,
adobado de tinta y de tintero.
        Nací para cantar a Stalingrado.

Mi voz estuvo con tus grandes muertos
contra tus propios muros machacados,
mi voz sonó como campana y viento
        mirándote morir, Stalingrado.

Ahora americanos combatientes
blancos y oscuros como los granados,
matan en el desierto a la serpiente.
        Ya no estás sola, Stalingrado.

Francia vuelve a las viejas barricadas
con pabellón de furia enarbolado
sobre las lágrimas recién secadas.
        Ya no estás sola, Stalingrado.

Y los grandes leones de Inglaterra
volando sobre el mar huracanado
clavan las garras en la parda tierra.
        Ya no estás sola, Stalingrado.

Hoy bajo tus montañas de escarmiento
no sólo están los tuyos enterrados:
temblando está la carne de los muertos
        que tocaron tu frente, Stalingrado.

Deshechas van las invasoras manos,
triturados los ojos del soldado,
están llenos de sangre los zapatos
        que pisaron tu puerta, Stalingrado.

Tu acero azul de orgullo construido,
tu pelo de planetas coronados,
tu baluarte de panes divididos,
        tu frontera sombría, Stalingrado.

Tu Patria de martillos y laureles,
la sangre sobre tu esplendor nevado,
la mirada de Stalin a la nieve
        tejida con tu sangre, Stalingrado.

Las condecoraciones que tus muertos
han puesto sobre el pecho traspasado
de la tierra, y el estremecimiento
        de la muerte y la vida, Stalingrado.

La sal profunda que de nuevo traes
al corazón del hombre acongojado
con la rama de rojos capitanes
        salidos de tu sangre, Stalingrado.

La esperanza que rompe en los jardines
como la flor del árbol esperado,
la página grabada de fusiles,
          las letras de la luz, Stalingrado.

La torre que concibes en la altura,
los altares de piedra ensangrentados,
los defensores de tu edad madura,
          los hijos de tu piel, Stalingrado.

Las águilas ardientes de tus piedras,
los metales por tu alma amamantados,
los adioses de lágrimas inmensas
          y las olas de amor, Stalingrado.

Los huesos de asesinos malheridos,
los invasores párpados cerrados,
y los conquistadores fugitivos
          detrás de tu centella, Stalingrado.

Los que humillaron la curva del Arco
y las aguas del Sena han taladrado
con el consentimiento del esclavo,
          se detuvieron en Stalingrado.

Los que Praga la Bella sobre lágrimas,
sobre lo enmudecido y traicionado,
pasaron pisoteando sus heridas,
          murieron en Stalingrado.

Los que en la gruta griega han escupido,
la estalactita de cristal truncado
y su clásico azul enrarecido,
          ahora dónde están, Stalingrado?

Los que España quemaron y rompieron
dejando el corazón encadenado
de esa madre de encinos y guerreros,
          se pudren a tus pies, Stalingrado.

Los que en Holanda, tulipanes y agua
salpicaron de lodo ensangrentado
y esparcieron el látigo y la espada,
   ahora duermen en Stalingrado.

Los que en la noche blanca de Noruega
con un aullido de chacal soltado
quemaron esa helada primavera,
   enmudecieron en Stalingrado.

Honor a ti por lo que el aire trae,
lo que se ha de cantar y lo cantado,
honor para tus madres y tus hijos
   y tus nietos, Stalingrado.

Honor al combatiente de la bruma,
honor al comisario y al soldado,
honor al cielo detrás de tu luna,
   honor al sol de Stalingrado.

Guárdame un trozo de violenta espuma,
guárdame un rifle, guárdame un arado,
y que lo pongan en mi sepultura
con una espiga roja de tu estado,
para que sepan, si hay alguna duda,
que he muerto amándote y que me has amado,
y si no he combatido en tu cintura
dejo en tu honor esta granada oscura,
   este canto de amor a Stalingrado.

## Tina Modotti ha muerto

Tina Modotti, hermana, no duermes, no, no duermes:
tal vez tu corazón oye crecer la rosa
de ayer, la última rosa de ayer, la nueva rosa.
  Descansa dulcemente, hermana.

La nueva rosa es tuya, la nueva tierra es tuya:
te has puesto un nuevo traje de semilla profunda
y tu suave silencio se llena de raíces.
    No dormirás en vano, hermana.

Puro es tu dulce nombre, pura es tu frágil vida.
De abeja, sombra, fuego, nieve, silencio, espuma,
de acero, línea, polen, se construyó tu férrea,
    tu delgada estructura.

El chacal a la alhaja de tu cuerpo dormido
aún asoma la pluma y el alma ensangrentada
como si tú pudieras, hermana, levantarte,
    sonriendo sobre el lodo.

A mi patria te llevo para que no te toquen,
a mi patria de nieve para que a tu pureza
no llegue el asesino, ni el chacal, ni el vendido:
    allí estarás tranquila.

Oyes un paso, un paso lleno de pasos, algo
grande desde la estepa, desde el Don, desde el frío?
Oyes un paso firme de soldado en la nieve?
    Hermana, son tus pasos.

Ya pasarán un día por tu pequeña tumba
antes de que las rosas de ayer se desbaraten,
ya pasarán a ver los de un día, mañana,
    donde está ardiendo tu silencio.

Un mundo marcha al sitio donde tú ibas, hermana.
Avanzan cada día los cantos de tu boca
en la boca del pueblo glorioso que tú amabas.
    Tu corazón era valiente.

En las viejas cocinas de tu patria, en las rutas
polvorientas, algo se dice y pasa,
algo vuelve a la llama de tu dorado pueblo,
    algo despierta y canta.

Son los tuyos, hermana: los que hoy dicen tu nombre,
los que de todas partes, del agua y de la tierra,
con tu nombre otros nombres callamos y decimos.
    Porque el fuego no muere.

## 7 de noviembre
## Oda a un día de victorias

Este doble aniversario, este día, esta noche,
hallarán un mundo vacío, encontrarán un torpe
hueco de corazones desolados?
             No, más que un día con horas,
es un paso de espejos y de espadas,
es una doble flor que golpea la noche
hasta arrancar el alba de su cepa nocturna!

Día de España que del sur
vienes, valiente día
de plumaje férreo,
llegas de allí, del último que cae con la frente quebrada
con tu cifra de fuego todavía en la boca!

Y vas allí con nuestro
recuerdo insumergido:
tú fuiste el día, tú eres
la lucha, tú sostienes
la columna invisible, el ala
de donde va a nacer, con tu número, el vuelo!

Siete, noviembre, en dónde vives?
En dónde arden los pétalos, en dónde tu silbido
dice al hermano: sube!, y al caído: levántate!
En dónde tu laurel crece desde la sangre
y atraviesa la pobre carne del hombre y sube
a construir el héroe?

En ti, otra vez, Unión,
en ti, otra vez, hermana de los pueblos del mundo,
Patria pura y soviética, vuelve a ti tu semilla
grande como un follaje derramado en la tierra!

No hay llanto para ti, Pueblo, en tu lucha!
Todo ha de ser de hierro, todo ha de andar y herir,
todo, hasta el impalpable silencio, hasta la duda,
hasta la misma duda que con mano de invierno
nos busque el corazón para helarlo y hundirlo,
todo, hasta la alegría, todo sea de hierro
para ayudarte, hermana y madre, en la victoria!

Que el que reniega hoy sea escupido!
Que el miserable hoy tenga su castigo en la hora
de las horas, en la sangre total,
                        que el cobarde retorne
a las tinieblas, que los laureles pasen al valiente,
al valiente camino, a la valiente nave
de nieve y sangre que defiende el mundo!

Yo te saludo, Unión Soviética, en este día,
con humildad: soy escritor y poeta.
Mi padre era ferroviario: siempre fuimos pobres.
Estuve ayer contigo, lejos, en mi pequeño
país de grandes lluvias. Allí creció tu nombre
caliente, ardiendo en el pecho del pueblo,
hasta tocar el alto cielo de mi república!

Hoy pienso en ellos, todos están contigo!
De taller a taller, de casa a casa,
vuela tu nombre como un ave roja!

Alabados sean tus héroes, y cada gota
de tu sangre, alabada
sea la desbordante marejada de pechos
que defienden tu pura y orgullosa morada!

Alabado sea el heroico y amargo
pan que te nutre, mientras las puertas del tiempo se abren
para que tu ejército de pueblo y de hierro marche cantando
entre ceniza y páramo, sobre los asesinos
a plantar una rosa grande como la luna
en la fina y divina tierra de la victoria!


## Un canto para Bolívar


Padre nuestro que estás en la tierra, en el agua, en el aire
de toda nuestra extensa latitud silenciosa,
todo lleva tu nombre, padre, en nuestra morada:
tu apellido la caña levanta a la dulzura,
el estaño bolívar tiene un fulgor bolívar,
el pájaro bolívar sobre el volcán bolívar,
la patata, el salitre, las sombras especiales,
las corrientes, las vetas de fosfórica piedra,
todo lo nuestro viene de tu vida apagada,
tu herencia fueron ríos, llanuras, campanarios,
tu herencia es el pan nuestro de cada día, padre.

Tu pequeño cadáver de capitán valiente
ha extendido en lo inmenso su metálica forma,
de pronto salen dedos tuyos entre la nieve
y el austral pescador saca a la luz de pronto
tu sonrisa, tu voz palpitando en las redes.

De qué color la rosa que junto a tu alma alcemos?
Roja será la rosa que recuerde tu paso.
Cómo serán las manos que toquen tu ceniza?
Rojas serán las manos que en tu ceniza nacen.
Y cómo es la semilla de tu corazón muerto?
Es roja la semilla de tu corazón vivo.

Por eso es hoy la ronda de manos junto a ti.
Junto a mi mano hay otra y hay otra junto a ella,
y otra más, hasta el fondo del continente oscuro.
Y otra mano que tú no conociste entonces
viene también, Bolívar, a estrechar a la tuya:
de Teruel, de Madrid, del Jarama, del Ebro,
de la cárcel, del aire, de los muertos de España
llega esta mano roja que es hija de la tuya.

Capitán, combatiente, donde una boca
grita libertad, donde un oído escucha,
donde un soldado rojo rompe una frente parda,
donde un laurel de libres brota, donde una nueva
bandera se adorna con la sangre de nuestra insigne aurora,
Bolívar, capitán, se divisa tu rostro.
Otra vez entre pólvora y humo tu espada está naciendo.
Otra vez tu bandera con sangre se ha bordado.
Los malvados atacan tu semilla de nuevo,
clavado en otra cruz está el hijo del hombre.

Pero hacia la esperanza nos conduce tu sombra,
el laurel y la luz de tu ejército rojo
a través de la noche de América con tu mirada mira.
Tus ojos que vigilan más allá de los mares,
más allá de los pueblos oprimidos y heridos,
más allá de las negras ciudades incendiadas,
tu voz nace de nuevo, tu mano otra vez nace:
tu ejército defiende las banderas sagradas:
la Libertad sacude las campanas sangrientas,
y un sonido terrible de dolores precede
la aurora enrojecida por la sangre del hombre.
Libertador, un mundo de paz nació en tus brazos.
La paz, el pan, el trigo de tu sangre nacieron,
de nuestra joven sangre venida de tu sangre
saldrán paz, pan y trigo para el mundo que haremos.

Yo conocí a Bolívar una mañana larga,
en Madrid, en la boca del Quinto Regimiento,

Padre, le dije, eres o no eres o quién eres?
Y mirando el Cuartel de la Montaña, dijo:
«Despierto cada cien años cuando despierta el pueblo».

## Canto a los ríos de Alemania

Sobre el Rhin, en la noche, lleva el agua una boca
y la boca una voz y la voz una lágrima
y una lágrima corre por todo el Rhin dorado
donde ya la dulzura de Loreley no vive,
una lágrima empapa las cepas cenicientas
para que el vino tenga también sabor de lágrimas.
Sobre el Rhin, en la noche, lleva el agua una lágrima,
una voz, una boca que lo llena de sal.

Toda la primavera se ha mojado de llanto
porque el río la cubre de saladas raíces
y las lágrimas suben al árbol lentamente
hasta brillar encima como flores de hielo:
pasa la madre y mira su lágrima en la altura,
pasa el hombre y su largo silencio ha florecido:
y el prisionero desde su martirio conoce
lo que la primavera le dice desde el aire.

El Elba ha recorrido toda tu fría tierra:
algo quiere decirte su lengua congelada,
calla bajo los puentes de la ciudad extrema
y habla en los campos, solo, sin decir su mensaje,
errante y vacilante como un niño perdido.

Pero el Oder no tiene transparencia ni canto,
el Oder lleva sangre que no canta ni brilla,
sangre secreta llevan sus aguas hacia el norte
y el Océano espera su sangre cada día:
el viejo río tiembla como una nueva arteria,

recoge del martirio su testimonio y corre
para que no se pierda nuestra sangre en la tierra.

Ya no llevan los ríos un pétalo de frío
sino la sanguinaria rosa de los verdugos
y la ilustre semilla del árbol de mañana:
árbol extraño, mezcla de látigo y laurel.
Bajo la tierra el agua de la venganza crece
y la victoria pone los frutos de su parto
sobre las viejas venas azules de la tierra,
para que así se lave junto al agua sangrienta
el corazón del hombre cuando nazca de nuevo.
Alemania Libre, quién dice
que no luchas? Tus muertos hablan bajo la tierra.
Alemania, quién dice que sólo eres la cólera
del asesino? Y con quién comenzó el asesino?
No amarraron tus puras manos de piedra un día
para quemarlas? No levantó el verdugo
sus primeros incendios
sobre tu pura frente de música y de frío?
No rompieron el pétalo más profundo de Europa
sacándolo con sangre de tu corazón rojo?
Quién es el combatiente que se atreve
a tocar tu linaje de dolores?

Brigadas
de alemanes hermanos:
atravesasteis todo el silencio del mundo
para poner el ancho pecho junto a nosotros,
vuestras prisiones eran como un río de noche
que hacia España llevaban vuestra secreta voz,
porque ésa era la grave patria que defendimos
de los hambrientos lobos que os mordían el alma.

La voz de Einstein era una voz de ríos.
La voz de Heine cantaba como el agua en nosotros.
La voz de Mendelssohn, de las viejas montañas
bajaba, a refrescar nuestras secas gargantas.

La voz de Thaelmann como un río enterrado
palpitaba en la arena del combate del hombre,
y todas vuestras voces de catedral y cauce
desde las altas peñas de Europa se escuchaban
caer en una inmensa catarata fluvial.

Todos los ríos hablan de lo que precipitas.
Sordas venas de sangre tu territorio cruzan
y el alma encadenada se sacude en tu tierra.

Libre Alemania, madre de este río secreto
que desde el hacha brota, desde la cárcel llega
refrescando los pasos del soldado invisible:
en la noche, en la niebla se oye tu voz ahogada
crecer, unirse, hacerse, repartirse y correr
y cantar con tu voz antigua el viejo canto.

Un nuevo río corre profundo y poderoso
desde tu torturado corazón, Alemania,
y desde la desdicha sus aguas se levantan.
La voz secreta crece junto a las rojas márgenes
y el hombre sumergido se levanta y camina.


# Canto en la muerte y resurrección de Luis Companys

Cuando por la colina donde otros muertos siguen
vivos, como semillas sangrientas y enterradas
creció y creció tu sombra hasta apagar el aire
y se arrugó la forma de la almendra nevada
y se extendió tu paso como un sonido frío
que caía desde una catedral congelada,
tu corazón golpeaba las puertas más eternas:
la casa de los muertos capitanes de España.

Joven padre caído con la flor en el pecho,
con la flor en el pecho de la luz catalana,
con el clavel mojado de sangre inextinguible,
con la amapola viva sobre la luz quebrada,
tu frente ha recibido la eternidad del hombre,
entre los enterrados corazones de España.

Tu alma tuvo el aceite virginal de la aldea
y el áspero rocío de tu tierra dorada
y todas las raíces de Cataluña herida
recibían la sangre del manantial de tu alma,
las grutas estelares donde el mar combatido
deshace sus azules bajo la espuma brava,
y el hombre y el olivo duermen en el perfume
que dejó por la tierra tu sangre derramada.

Deja que rumbo a rumbo de Cataluña roja
y que de punta a punta de las piedras de España
paseen los claveles de tu viviente herida
y mojen los pañuelos en tu sangre sagrada,
los hijos de Castilla que no pueden llorarte
porque eres en lo eterno de piedra castellana,
las niñas de Galicia que lloran como ríos,
los niños gigantescos de la mina asturiana,
todos, los pescadores de Euzkadi, los del sur, los que tienen
otro capitán muerto que vengar en Granada,
tu patria guerrillera que escarba el territorio
encontrando los viejos manantiales de España.

Guerrilleros de todas las regiones, salud,
tocad, tocad la sangre bajo la tierra amada:
es la misma, caída por la extensión lluviosa
del norte y sobre el sur de corteza abrasada:
atacad a los mismos enemigos amargos,
levantad una sola bandera iluminada:
unidos por la sangre del capitán Companys
reunida en la tierra con la sangre de España!

# Dura elegía

Señora, hiciste grande, más grande a nuestra América.
Le diste un río puro de colosales aguas:
le diste un árbol alto de infinitas raíces:
un hijo tuyo digno de su patria profunda.
Todos lo hemos querido junto a estas orgullosas
flores que cubrirán la tierra en que reposas,
todos hemos querido que viniera del fondo
de América, a través de la selva y del páramo,
para que así tocara tu frente fatigada
su noble mano llena de laureles y adioses.

Pero otros han venido por el tiempo y la tierra,
señora, y le acompañan en este adiós amargo
para el que te negaron la boca de tu hijo
y a él, el encendido corazón que guardabas.
Para tu sed negaron el agua que creaste,
el manantial remoto de su boca apartaron.
Y no sirven las lágrimas en esta piedra rota,
en que duerme una madre de fuego y de claveles.

Sombras de América, héroes coronados de furia,
de nieve, sangre, océano, tempestad y palomas,
aquí: venid al hueco que esta madre en sus ojos
guardaba para el claro capitán que esperamos:
héroes vivos y muertos de nuestra gran bandera:
O'Higgins, Juárez, Cárdenas, Recabarren, Bolívar,
Martí, Miranda, Artigas, Sucre, Hidalgo, Morelos,
Belgrano, San Martín, Lincoln, Carrera, todos
venid, llenad el hueco de vuestro gran hermano
y que Luis Carlos Prestes sienta en su celda el aire,
las alas torrenciales de los padres de América.

La casa del tirano tiene hoy una presencia
grave como un inmenso ángel de piedra,
la casa del tirano tiene hoy una visita
dolorosa y dormida como una luna eterna,
una madre recorre la casa del tirano,
una madre de llanto, de venganza, de flores,
una madre de luto, de bronce, de victoria,
mirará eternamente los ojos del tirano
hasta clavar en ellos nuestro luto mortal.

Señora, hoy heredamos tu lucha y tu congoja.
Heredamos tu sangre que no tuvo reposo.
Juramos a la tierra que te recibe ahora,
no dormir ni soñar hasta que vuelva tu hijo.
Y como en tu regazo su cabeza faltaba
nos hace falta el aire que su pecho respira,
nos hace falta el cielo que su mano indicaba.
Juramos continuar las detenidas venas,
las detenidas llamas que en tu dolor crecían.
Juramos que las piedras que te ven detenerte
van a escuchar los pasos del héroe que regresa.

No hay cárcel para Prestes que esconda su diamante.
El pequeño tirano quiere ocultar su fuego
con sus pequeñas alas de murciélago frío
y se envuelve en el turbio silencio de la rata
que roba en los pasillos del palacio nocturno.

Pero como una brasa de centella y fulgores
a través de las barras de hierro calcinado
la luz del corazón de Prestes sobresale,
como en las grandes minas del Brasil la esmeralda,
como en los grandes ríos del Brasil la corriente
y como en nuestros bosques de índole poderosa
sobresale una estatua de estrellas y follaje,
un árbol de las tierras sedientas del Brasil.

Señora, hiciste grande, más grande a nuestra América.
Y tu hijo encadenado combate con nosotros,

a nuestro lado, lleno de luz y de grandeza.
Nada puede el silencio de la araña implacable
contra la tempestad que desde hoy heredamos.
Nada pueden los lentos martirios de este tiempo
contra su corazón de madera invencible.

El látigo y la espada que tus manos de madre
pasearon por la tierra como un sol justiciero
iluminan las manos que hoy te cubren de tierra.
Mañana cambiaremos cuanto hirió tu cabello.
Mañana romperemos la dolorosa espina.
Mañana inundaremos de luz la tenebrosa
cárcel que hay en la tierra.
                                        Mañana venceremos.
Y nuestro Capitán estará con nosotros.

## Canto al Ejército Rojo a su llegada
## a las puertas de Prusia

Éste es el canto entre la noche y el alba, éste es el canto
salido desde los últimos estertores como desde el cuero
golpeado de un tambor sangriento,
brotado de las primeras alegrías parecidas a la rama
florida en la nieve y al rayo del sol sobre la rama florida.

Éstas son las palabras que empuñaron lo agónico,
y que sílaba a sílaba estrujaron las lágrimas como ropa man-
        chada
hasta secar las últimas humedades amargas del sollozo,
y hacer de todo el llanto la trenza endurecida,
la cuerda, el hilo duro que sostenga la aurora.

Hermanos, hoy podemos decir: el alba viene,
ya podemos golpear la mesa con el puño
que sostuvo hasta ayer nuestra frente con lágrimas.

Ya podemos mirar la torre cristalina
de nuestra poderosa cordillera nevada
porque en el alto orgullo de sus alas de nieve
brilla el fulgor severo de una nieve lejana
donde están enterradas las garras invasoras.

El Ejército Rojo en las puertas de Prusia. Oíd, oíd!
oscuros, humillados, héroes radiantes de corona caída,
oíd, aldeas deshechas y taladas y rotas,
oíd, campos de Ucrania donde la espiga puede renacer con
   orgullo,
oíd, martirizados, ahorcados, oíd, guerrilleros muertos tiesos
bajo la escarcha con las manos que muerden todavía el fusil,
oíd, muchachas, niños desamparados, oíd, cenizas sagradas
de Pushkin y Tolstói, de Pedro y Suvorov,
oíd, en esta altura meridiana el sonido
que en las puertas de Prusia golpea como un trueno.

El Ejército Rojo en las puertas de Prusia. Dónde están
los encolerizados asesinos, los cavadores de tumbas,
dónde están los que del abeto colgaron a las madres,
dónde están los tigres con olor a exterminio?
Están detrás de los muros de su propia casa temblando,
esperando el relámpago del castigo, y cuando todos los muros
   caigan
verán llegar al abeto y a la virgen, al guerrillero y al niño,
verán llegar a los muertos y a los vivos para juzgarlos.

Oíd, checoslovacos, preparad las tenazas
más duras y las horcas, y las cenizas de Lídice
para que sean tragadas por el verdugo mañana:
oíd, impacientes trabajadores de Francia, preparad vuestros
   ríos inmortales
para que naveguen en ellos los invasores ahogados.
Preparad la venganza, españoles, detrás de la sierra
y junto a la costa del sur ardiente
limpiad la pequeña carabina oxidada porque
ha llegado el día.

Éste es el canto del día que nace y de la noche que termina.
Oídlo bien, y que del sufrimiento endurecido salga la voz segura
que no perdone, y que no tiemble el brazo que castigue.
Antes de empezar mañana las cantigas de la piedad humana
tenéis tiempo aún de conocer las tierras empapadas de martirio.
No levantéis mañana la bandera del perdón
sobre los malditos hijos del lobo y hermanos de la serpiente,
sobre los que llegaron hasta el último filo del cuchillo y arra-
    saron la rosa.

Éste es el canto de la primavera escondida
bajo las tierras de Rusia, bajo las extensiones
de la taiga y la nieve, ésta es la palabra
que sube hasta la garganta desde la raíz enterrada.
Desde la raíz cubierta por tanta angustia, desde el tallo
    quebrado
por el invierno más amargo de la tierra, por el invierno
de la sangre en la tierra.

Pero las cosas pasan, y desde el fondo
de la tierra la nueva primavera camina.
Mirad los cañones que florecen en la boca de Prusia.
Mirad las ametralladoras y los tanques que
desembarcan en esta hora en Marsella.
Escuchad el corazón áspero de Yugoslavia
palpitando otra vez en el pecho desangrado de Europa.
Los ojos españoles miran hacia acá, hacia México y Chile,
porque esperan el regreso de sus hermanos errantes.

Algo pasa en el mundo, como un soplo que antes
no sentíamos entre las olas de la pólvora.

Éste es el canto de lo que pasa y de lo que será.
Éste es el canto de la lluvia que cayó sobre el campo
como una inmensa lágrima de sangre y plomo.
Hoy que el Ejército Rojo golpea las puertas de Prusia
he querido cantar para vosotros, para toda la tierra,
este canto de palabras oscuras,
para que seamos dignos de la luz que llega.

# Canto general

[1938-1949]

# I

## LA LÁMPARA EN LA TIERRA

AMOR
AMÉRICA
(1400)

*Antes de la peluca y la casaca*
*fueron los ríos, ríos arteriales:*
*fueron las cordilleras, en cuya onda raída*
*el cóndor o la nieve parecían inmóviles:*
*fue la humedad y la espesura, el trueno*
*sin nombre todavía, las pampas planetarias.*

*El hombre tierra fue, vasija, párpado*
*del barro trémulo, forma de la arcilla,*
*fue cántaro caribe, piedra chibcha,*
*copa imperial o sílice araucana.*
*Tierno y sangriento fue, pero en la empuñadura*
*de su arma de cristal humedecido,*
*las iniciales de la tierra estaban*
*escritas.*
                    *Nadie pudo*
*recordarlas después: el viento*
*las olvidó, el idioma del agua*
*fue enterrado, las claves se perdieron*
*o se inundaron de silencio o sangre.*

*No se perdió la vida, hermanos pastorales.*
*Pero como una rosa salvaje*
*cayó una gota roja en la espesura*
*y se apagó una lámpara de tierra.*

*Yo estoy aquí para contar la historia.*
*Desde la paz del búfalo*
*hasta las azotadas arenas*

de la tierra final, en las espumas
acumuladas de la luz antártica,
y por las madrigueras despeñadas
de la sombría paz venezolana,
te busqué, padre mío,
joven guerrero de tiniebla y cobre
oh tú, planta nupcial, cabellera indomable,
madre caimán, metálica paloma.

Yo, incásico del légamo,
toqué la piedra y dije:
Quién
me espera? Y apreté la mano
sobre un puñado de cristal vacío.
Pero anduve entre flores zapotecas
y dulce era la luz como un venado,
y era la sombra como un párpado verde.

Tierra mía sin nombre, sin América,
estambre equinoccial, lanza de púrpura,
tu aroma me trepó por las raíces
hasta la copa que bebía, hasta la más delgada
palabra aún no nacida de mi boca.


I

VEGETACIONES  A las tierras sin nombres y sin números
bajaba el viento desde otros dominios,
traía la lluvia hilos celestes,
y el dios de los altares impregnados
devolvía las flores y las vidas.

En la fertilidad crecía el tiempo.

El jacarandá elevaba espuma
hecha de resplandores transmarinos,
la araucaria de lanzas erizadas

era la magnitud contra la nieve,
el primordial árbol caoba
desde su copa destilaba sangre,
y al Sur de los alerces,
el árbol trueno, el árbol rojo,
el árbol de la espina, el árbol madre,
el ceibo bermellón, el árbol caucho,
eran volumen terrenal, sonido,
eran territoriales existencias.

Un nuevo aroma propagado
llenaba, por los intersticios
de la tierra, las respiraciones
convertidas en humo y fragancia:
el tabaco silvestre alzaba
su rosal de aire imaginario.
Como una lanza terminada en fuego
apareció el maíz, y su estatura
se desgranó y nació de nuevo,
diseminó su harina, tuvo
muertos bajo sus raíces,
y luego, en su cuna, miró
crecer los dioses vegetales.
Arruga y extensión, diseminaba
la semilla del viento
sobre las plumas de la cordillera,
espesa luz de germen y pezones,
aurora ciega amamantada
por los ungüentos terrenales
de la implacable latitud lluviosa,
de las cerradas noches manantiales,
de las cisternas matutinas.
Y aun en las llanuras
como láminas del planeta,
bajo un fresco pueblo de estrellas,
rey de la hierba, el ombú detenía
el aire libre, el vuelo rumoroso
y montaba la pampa sujetándola
con su ramal de riendas y raíces.

América arboleda,
zarza salvaje entre los mares,
de polo a polo balanceabas,
tesoro verde, tu espesura.
Germinaba la noche
en ciudades de cáscaras sagradas,
en sonoras maderas,
extensas hojas que cubrían
la piedra germinal, los nacimientos.
Útero verde, americana
sabana seminal, bodega espesa,
una rama nació como una isla,
una hoja fue forma de la espada,
una flor fue relámpago y medusa,
un racimo redondeó su resumen,
una raíz descendió a las tinieblas.

## II

ALGUNAS    Era el crepúsculo de la iguana.
BESTIAS

Desde la arcoirisada crestería
su lengua como un dardo
se hundía en la verdura,
el hormiguero monacal pisaba
con melodioso pie la selva,
el guanaco fino como el oxígeno
en las anchas alturas pardas
iba calzando botas de oro,
mientras la llama abría cándidos
ojos en la delicadeza
del mundo lleno de rocío.
Los monos trenzaban un hilo
interminablemente erótico
en las riberas de la aurora,
derribando muros de polen
y espantando el vuelo violeta

de las mariposas de Muzo.
Era la noche pura y pululante
de hocicos saliendo del légamo,
y de las ciénagas soñolientas
un ruido opaco de armaduras
volvía al origen terrestre.

El jaguar tocaba las hojas
con su ausencia fosforescente,
el puma corre en el ramaje
como el fuego devorador
mientras arden en él los ojos
alcohólicos de la selva.
Los tejones rascan los pies
del río, husmean el nido
cuya delicia palpitante
atacarán con dientes rojos.

Y en el fondo del agua magna,
como el círculo de la tierra,
está la gigante anaconda
cubierta de barros rituales,
devoradora y religiosa.

### III

VIENEN Todo era vuelo en nuestra tierra.
LOS Como gotas de sangre y plumas
PÁJAROS los cardenales desangraban
el amanecer de Anáhuac.
El tucán era una adorable
caja de frutas barnizadas,
el colibrí guardó las chispas
originales del relámpago
y sus minúsculas hogueras
ardían en el aire inmóvil.

Los ilustres loros llenaban
la profundidad del follaje
como lingotes de oro verde
recién salidos de la pasta
de los pantanos sumergidos,
y de sus ojos circulares
miraba una argolla amarilla,
vieja como los minerales.

Todas las águilas del cielo
nutrían su estirpe sangrienta
en el azul inhabitado,
y sobre las plumas carnívoras
volaba encima del mundo
el cóndor, rey asesino,
fraile solitario del cielo,
talismán negro de la nieve,
huracán de la cetrería.

La ingeniería del hornero
hacía del barro fragante
pequeños teatros sonoros
donde aparecía cantando.

El atajacaminos iba
dando su grito humedecido
a la orilla de los cenotes.
La torcaza araucana hacía
ásperos nidos matorrales
donde dejaba el real regalo
de sus huevos empavonados.

La loica del Sur, fragante,
dulce carpintera de otoño,
mostraba su pecho estrellado
de constelación escarlata,
y el austral chingolo elevaba
su flauta recién recogida
de la eternidad del agua.

Mas, húmedo como un nenúfar,
el flamenco abría sus puertas
de sonrosada catedral,
y volaba como la aurora,
lejos del bosque bochornoso
donde cuelga la pedrería
del quetzal, que de pronto despierta,
se mueve, resbala y fulgura
y hace volar su brasa virgen.

Vuela una montaña marina
hacia las islas, una luna
de aves que van hacia el Sur,
sobre las islas fermentadas
del Perú.
Es un río vivo de sombra,
es un cometa de pequeños
corazones innumerables
que oscurecen el sol del mundo
como un astro de cola espesa
palpitando hacia el archipiélago.

Y en el final del iracundo
mar, en la lluvia del océano,
surgen las alas del albatros
como dos sistemas de sal,
estableciendo en el silencio,
entre las rachas torrenciales,
con su espaciosa jerarquía
el orden de las soledades.

## IV

LOS RÍOS ACUDEN Amada de los ríos, combatida
por agua azul y gotas transparentes,
como un árbol de venas es tu espectro
de diosa oscura que muerde manzanas:

al despertar desnuda entonces,
eras tatuada por los ríos,
y en la altura mojada tu cabeza
llenaba el mundo con nuevos rocíos.
Te trepidaba el agua en la cintura.
Eras de manantiales construida
y te brillaban lagos en la frente.
De tu espesura madre recogías
el agua como lágrimas vitales,
y arrastrabas los cauces a la arena
a través de la noche planetaria,
cruzando ásperas piedras dilatadas,
rompiendo en el camino
toda la sal de la geología,
apartando los músculos del cuarzo.

*Orinoco*  Orinoco, déjame en tus márgenes
de aquella hora sin hora:
déjame como entonces ir desnudo,
entrar en tus tinieblas bautismales.
Orinoco de agua escarlata,
déjame hundir las manos que regresan
a tu maternidad, a tu transcurso,
río de razas, patria de raíces,
tu ancho rumor, tu lámina salvaje
viene de donde vengo, de las pobres
y altivas soledades, de un secreto
como una sangre, de una silenciosa
madre de arcilla.

*Amazonas*  Amazonas,
capital de las sílabas del agua,
padre patriarca, eres
la eternidad secreta
de las fecundaciones,
te caen ríos como aves, te cubren
los pistilos color de incendio,
los grandes troncos muertos te pueblan de perfume,

la luna no te puede vigilar ni medirte.
Eres cargado con esperma verde
como un árbol nupcial, eres plateado
por la primavera salvaje,
eres enrojecido de maderas,
azul entre la luna de las piedras,
vestido de vapor ferruginoso,
lento como un camino de planeta.

*Tequendama*   Tequendama, recuerdas
tu solitario paso en las alturas
sin testimonio, hilo
de soledades, voluntad delgada,
línea celeste, flecha de platino,
recuerdas paso y paso
abriendo muros de oro
hasta caer del cielo en el teatro
aterrador de la piedra vacía?

*Bío Bío*   Pero háblame, Bío Bío,
son tus palabras en mi boca
las que resbalan, tú me diste
el lenguaje, el canto nocturno
mezclado con lluvia y follaje.
Tú, sin que nadie mirara a un niño,
me contaste el amanecer
de la tierra, la poderosa
paz de tu reino, el hacha enterrada
con un ramo de flechas muertas,
lo que las hojas del canelo
en mil años te relataron,
y luego te vi entregarte al mar
dividido en bocas y senos,
ancho y florido, murmurando
una historia color de sangre.

# V

MINERALES Madre de los metales, te quemaron,
te mordieron, te martirizaron,
te corroyeron, te pudrieron
más tarde, cuando los ídolos
ya no pudieron defenderte.
Lianas trepando hacia el cabello
de la noche selvática, caobas
formadoras del centro de las flechas,
hierro agrupado en el desván florido,
garra altanera de las conductoras
águilas de mi tierra,
agua desconocida, sol malvado,
ola de cruel espuma,
tiburón acechante, dentadura
de las cordilleras antárticas,
diosa serpiente vestida de plumas
y enrarecida por azul veneno,
fiebre ancestral inoculada
por migraciones de alas y de hormigas,
tembladerales, mariposas
de aguijón ácido, maderas
acercándose al mineral,
por qué el coro de los hostiles
no defendió el tesoro?

Madre de las piedras
oscuras que teñirían
de sangre tus pestañas!
La turquesa
de sus etapas, del brillo larvario
nacía apenas para las alhajas
del sol sacerdotal, dormía el cobre
en sus sulfúricas estratas,
y el antimonio iba de capa en capa
a la profundidad de nuestra estrella.

La hulla brillaba de resplandores negros
como el total reverso de la nieve,
negro hielo enquistado en la secreta
tormenta inmóvil de la tierra,
cuando un fulgor de pájaro amarillo
enterró las corrientes del azufre
al pie de las glaciales cordilleras.
El vanadio se vestía de lluvia
para entrar a la cámara del oro,
afilaba cuchillos el tungsteno
y el bismuto trenzaba
medicinales cabelleras.

Las luciérnagas equivocadas
aún continuaban en la altura,
soltando goteras de fósforo
en el surco de los abismos
y en las cumbres ferruginosas.
Son las viñas del meteoro,
los subterráneos del zafiro.
El soldadito en las mesetas
duerme con ropa de estaño.
El cobre establece sus crímenes
en las tinieblas insepultas
cargadas de materia verde,
y en el silencio acumulado
duermen las momias destructoras.
En la dulzura chibcha el oro
sale de opacos oratorios
lentamente hacia los guerreros,
se convierte en rojos estambres,
en corazones laminados,
en fosforescencia terrestre,
en dentadura fabulosa.
Yo duermo entonces con el sueño
de una semilla, de una larva,
y las escalas de Querétaro
bajo contigo.

Me esperaron
las piedras de luna indecisa,
la joya pesquera del ópalo,
el árbol muerto en una iglesia
helada por las amatistas.

Cómo podías, Colombia oral,
saber que tus piedras descalzas
ocultaban una tormenta
de oro iracundo,
cómo, patria
de la esmeralda, ibas a ver
que la alhaja de muerte y mar,
el fulgor en su escalofrío,
escalaría las gargantas
de los dinastas invasores?

Eras pura noción de piedra,
rosa educada por la sal,
maligna lágrima enterrada,
sirena de arterias dormidas,
belladona, serpiente negra.
(Mientras la palma dispersaba
su columna en altas peinetas
iba la sal destituyendo
el esplendor de las montañas,
convirtiendo en traje de cuarzo
las gotas de lluvia en las hojas
y transmutando los abetos
en avenidas de carbón.)

Corrí por los ciclones al peligro
y descendí al pámpano de los rubíes,
pero callé para siempre en la estatua
del nitrato extendido en el desierto.
Vi cómo en la ceniza
del huesoso altiplano
levantaba el estaño

sus corales ramajes de veneno
hasta extender como una selva
la niebla equinoccial, hasta cubrir el sello
de nuestras cereales monarquías.

## VI

LOS    Como la copa de la arcilla era
HOMBRES  la raza mineral, el hombre
        hecho de piedras y de atmósfera,
        limpio como los cántaros, sonoro.
        La luna amasó a los caribes,
        extrajo oxígeno sagrado,
        machacó flores y raíces.
        Anduvo el hombre de las islas
        tejiendo ramos y guirnaldas
        de polymitas azufradas,
        y soplando el tritón marino
        en la orilla de las espumas.

El tarahumara se vistió de aguijones
y en la extensión del Noroeste
con sangre y pedernales creó el fuego,
mientras el universo iba naciendo
otra vez en la arcilla del tarasco:
los mitos de las tierras amorosas,
la exuberancia húmeda de donde
lodo sexual y frutas derretidas
iban a ser actitud de los dioses
o pálidas paredes de vasijas.

Como faisanes deslumbrantes
descendían los sacerdotes
de las escaleras aztecas.
Los escalones triangulares
sostenían el innumerable
relámpago de las vestiduras.

Y la pirámide augusta,
piedra y piedra, agonía y aire,
en su estructura dominadora
guardaba como una almendra
un corazón sacrificado.
En un trueno como un aullido
caía la sangre por
las escalinatas sagradas.
Pero muchedumbres de pueblos
tejían la fibra, guardaban
el porvenir de las cosechas,
trenzaban el fulgor de la pluma,
convencían a la turquesa,
y en enredaderas textiles
expresaban la luz del mundo.

Mayas, habíais derribado
el árbol del conocimiento.
Con olor de razas graneras
se elevaban las estructuras
del examen y de la muerte,
y escrutabais en los cenotes,
arrojándoles novias de oro,
la permanencia de los gérmenes.

Chichén, tus rumores crecían
en el amanecer de la selva.
Los trabajos iban haciendo
la simetría del panal
en tu ciudadela amarilla,
y el pensamiento amenazaba
la sangre de los pedestales,
desmontaba el cielo en la sombra,
conducía la medicina,
escribía sobre las piedras.

Era el Sur un asombro dorado.
Las altas soledades

de Macchu Picchu en la puerta del cielo
estaban llenas de aceites y cantos,
el hombre había roto las moradas
de grandes aves en la altura,
y en el nuevo dominio entre las cumbres
el labrador tocaba la semilla
con sus dedos heridos por la nieve.

El Cuzco amanecía como un
trono de torreones y graneros
y era la flor pensativa del mundo
aquella raza de pálida sombra
en cuyas manos abiertas temblaban
diademas de imperiales amatistas.
Germinaba en las terrazas
el maíz de las altas tierras
y en los volcánicos senderos
iban los vasos y los dioses.
La agricultura perfumaba
el reino de las cocinas
y extendía sobre los techos
un manto de sol desgranado.

(Dulce raza, hija de sierras,
estirpe de torre y turquesa,
ciérrame los ojos ahora,
antes de irnos al mar
de donde vienen los dolores.)

Aquella selva azul era una gruta
y en el misterio de árbol y tiniebla
el guaraní cantaba como
el humo que sube en la tarde,
el agua sobre los follajes,
la lluvia en un día de amor,
la tristeza junto a los ríos.

En el fondo de América sin nombre
estaba Arauco entre las aguas
vertiginosas, apartado
por todo el frío del planeta.
Mirad el gran Sur solitario.
No se ve humo en la altura.
Sólo se ven los ventisqueros
y el vendaval rechazado
por las ásperas araucarias.
No busques bajo el verde espeso
el canto de la alfarería.

Todo es silencio de agua y viento.

Pero en las hojas mira el guerrero.
Entre los alerces un grito.
Unos ojos de tigre en medio
de las alturas de la nieve.

Mira las lanzas descansando.
Escucha el susurro del aire
atravesado por las flechas.
Mira los pechos y las piernas
y las cabelleras sombrías
brillando a la luz de la luna.

Mira el vacío de los guerreros.

No hay nadie. Trina la diuca
como el agua en la noche pura.

Cruza el cóndor su vuelo negro.

No hay nadie. Escuchas? Es el paso
del puma en el aire y las hojas.

No hay nadie. Escucha. Escucha el árbol,
escucha el árbol araucano.

No hay nadie. Mira las piedras.

Mira las piedras de Arauco.

No hay nadie, sólo son los árboles.

Sólo son las piedras, Arauco.

## II

## ALTURAS DE MACCHU PICCHU

### I

Del aire al aire, como una red vacía,
iba yo entre las calles y la atmósfera, llegando y despi-
  diendo,
en el advenimiento del otoño la moneda extendida
de las hojas, y entre la primavera y las espigas,
lo que el más grande amor, como dentro de un guante
que cae, nos entrega como una larga luna.

(Días de fulgor vivo en la intemperie
de los cuerpos: aceros convertidos
al silencio del ácido:
noches deshilachadas hasta la última harina:
estambres agredidos de la patria nupcial.)

Alguien que me esperó entre los violines
encontró un mundo como una torre enterrada
hundiendo su espiral más abajo de todas
las hojas de color de ronco azufre:
más abajo, en el oro de la geología,
como una espada envuelta en meteoros,
hundí la mano turbulenta y dulce
en lo más genital de lo terrestre.

Puse la frente entre las olas profundas,
descendí como gota entre la paz sulfúrica,
y, como un ciego, regresé al jazmín
de la gastada primavera humana.

## II

Si la flor a la flor entrega el alto germen
y la roca mantiene su flor diseminada
en su golpeado traje de diamante y arena,
el hombre arruga el pétalo de la luz que recoge
en los determinados manantiales marinos
y taladra el metal palpitante en sus manos.
Y pronto, entre la ropa y el humo, sobre la mesa hundida,
como una barajada cantidad, queda el alma:
cuarzo y desvelo, lágrimas en el océano
como estanques de frío: pero aún
mátala y agonízala con papel y con odio,
sumérgela en la alfombra cotidiana, desgárrala
entre las vestiduras hostiles del alambre.

No: por los corredores, aire, mar o caminos,
quién guarda sin puñal (como las encarnadas
amapolas) su sangre? La cólera ha extenuado
la triste mercancía del vendedor de seres,
y, mientras en la altura del ciruelo, el rocío
desde mil años deja su carta transparente
sobre la misma rama que lo espera, oh corazón, oh frente
  triturada
entre las cavidades del otoño:

Cuántas veces en las calles de invierno de una ciudad o en
un autobús o un barco en el crepúsculo, o en la soledad
más espesa, la de la noche de fiesta, bajo el sonido
de sombras y campanas, en la misma gruta del placer humano,
me quise detener a buscar la eterna veta insondable
que antes toqué en la piedra o en el relámpago que el beso
  desprendía.

(Lo que en el cereal como una historia amarilla
de pequeños pechos preñados va repitiendo un número
que sin cesar es ternura en las capas germinales,

y que, idéntica siempre, se desgrana en marfil
y lo que en el agua es patria transparente, campana
desde la nieve aislada hasta las olas sangrientas.)

No pude asir sino un racimo de rostros o de máscaras
precipitadas, como anillos de oro vacío,
como ropas dispersas hijas de un otoño rabioso
que hiciera temblar el miserable árbol de las razas asustadas.

No tuve sitio donde descansar la mano
y que, corriente como agua de manantial encadenado,
o firme como grumo de antracita o cristal,
hubiera devuelto el calor o el frío de mi mano extendida.
Qué era el hombre? En qué parte de su conversación abierta
entre los almacenes y los silbidos, en cuál de sus movimientos
    metálicos
vivía lo indestructible, lo imperecedero, la vida?


## III

El ser como el maíz se desgranaba en el inacabable
granero de los hechos perdidos, de los acontecimientos
miserables, del uno al siete, al ocho,
y no una muerte, sino muchas muertes, llegaba a cada uno:
cada día una muerte pequeña, polvo, gusano, lámpara
que se apaga en el lodo del suburbio, una pequeña muerte
    de alas gruesas
entraba en cada hombre como una corta lanza
y era el hombre asediado del pan o del cuchillo,
el ganadero: el hijo de los puertos, o el capitán oscuro del
    arado,
o el roedor de las calles espesas:
todos desfallecieron esperando su muerte, su corta muerte
    diaria:
y su quebranto aciago de cada día era
como una copa negra que bebían temblando.

# IV

La poderosa muerte me invitó muchas veces:
era como la sal invisible en las olas,
y lo que su invisible sabor diseminaba
era como mitades de hundimientos y altura
o vastas construcciones de viento y ventisquero.

Yo al férreo filo vine, a la angostura
del aire, a la mortaja de agricultura y piedra,
al estelar vacío de los pasos finales
y a la vertiginosa carretera espiral:
pero, ancho mar, oh muerte!, de ola en ola no vienes,
sino como un galope de claridad nocturna
o como los totales números de la noche.

Nunca llegaste a hurgar en el bolsillo, no era
posible tu visita sin vestimenta roja:
sin auroral alfombra de cercado silencio:
sin altos y enterrados patrimonios de lágrimas.

No pude amar en cada ser un árbol
con su pequeño otoño a cuestas (la muerte de mil hojas),
todas las falsas muertes y las resurrecciones
sin tierra, sin abismo:
quise nadar en las más anchas vidas,
en las más sueltas desembocaduras,
y cuando poco a poco el hombre fue negándome
y fue cerrando paso y puerta para que no tocaran
mis manos manantiales su inexistencia herida,
entonces fui por calle y calle y río y río,
y ciudad y ciudad y cama y cama,
y atravesó el desierto mi máscara salobre,
y en las últimas casas humilladas, sin lámpara, sin fuego,
sin pan, sin piedra, sin silencio, solo,
rodé muriendo de mi propia muerte.

# V

No eras tú, muerte grave, ave de plumas férreas,
la que el pobre heredero de las habitaciones
llevaba entre alimentos apresurados, bajo la piel vacía:
era algo, un pobre pétalo de cuerda exterminada:
un átomo del pecho que no vino al combate
o el áspero rocío que no cayó en la frente.
Era lo que no pudo renacer, un pedazo
de la pequeña muerte sin paz ni territorio:
un hueso, una campana que morían en él.
Yo levanté las vendas del yodo, hundí las manos
en los pobres dolores que mataban la muerte,
y no encontré en la herida sino una racha fría
que entraba por los vagos intersticios del alma.

# VI

Entonces en la escala de la tierra he subido
entre la atroz maraña de las selvas perdidas
hasta ti, Macchu Picchu.

Alta ciudad de piedras escalares,
por fin morada del que lo terrestre
no escondió en las dormidas vestiduras.
En ti, como dos líneas paralelas,
la cuna del relámpago y del hombre
se mecían en un viento de espinas.

Madre de piedra, espuma de los cóndores.

Alto arrecife de la aurora humana.

Pala perdida en la primera arena.

Ésta fue la morada, éste es el sitio:
aquí los anchos granos del maíz ascendieron
y bajaron de nuevo como granizo rojo.

Aquí la hebra dorada salió de la vicuña
a vestir los amores, los túmulos, las madres,
el rey, las oraciones, los guerreros.

Aquí los pies del hombre descansaron de noche
junto a los pies del águila, en las altas guaridas
carniceras, y en la aurora
pisaron con los pies del trueno la niebla enrarecida,
y tocaron las tierras y las piedras
hasta reconocerlas en la noche o la muerte.

Miro las vestiduras y las manos,
el vestigio del agua en la oquedad sonora,
la pared suavizada por el tacto de un rostro
que miró con mis ojos las lámparas terrestres,
que aceitó con mis manos las desaparecidas
maderas: porque todo, ropaje, piel, vasijas,
palabras, vino, panes,
se fue, cayó a la tierra.

Y el aire entró con dedos
de azahar sobre todos los dormidos:
mil años de aire, meses, semanas de aire,
de viento azul, de cordillera férrea,
que fueron como suaves huracanes de pasos
lustrando el solitario recinto de la piedra.

## VII

Muertos de un solo abismo, sombras de una hondonada,
la profunda, es así como al tamaño
de vuestra magnitud
vino la verdadera, la más abrasadora

muerte y desde las rocas taladradas,
desde los capiteles escarlata,
desde los acueductos escalares
os desplomasteis como en un otoño,
en una sola muerte.
Hoy el aire vacío ya no llora,
ya no conoce vuestros pies de arcilla,
ya olvidó vuestros cántaros que filtraban el cielo
cuando lo derramaban los cuchillos del rayo,
y el árbol poderoso fue comido
por la niebla, y cortado por la racha.

Él sostuvo una mano que cayó de repente
desde la altura hasta el final del tiempo.
Ya no sois, manos de araña, débiles
hebras, tela enmarañada:
cuanto fuisteis cayó: costumbres, sílabas
raídas, máscaras de luz deslumbradora.

Pero una permanencia de piedra y de palabra:
la ciudad como un vaso se levantó en las manos
de todos, vivos, muertos, callados, sostenidos
de tanta muerte, un muro, de tanta vida un golpe
de pétalos de piedra: la rosa permanente, la morada:
este arrecife andino de colonias glaciales.

Cuando la mano de color de arcilla
se convirtió en arcilla, y cuando los pequeños párpados se
    cerraron
llenos de ásperos muros, poblados de castillos,
y cuando todo el hombre se enredó en su agujero,
quedó la exactitud enarbolada:
el alto sitio de la aurora humana:
la más alta vasija que contuvo el silencio:
una vida de piedra después de tantas vidas.

# VIII

Sube conmigo, amor americano.

Besa conmigo las piedras secretas.
La plata torrencial del Urubamba
hace volar el polen a su copa amarilla.

Vuela el vacío de la enredadera,
la planta pétrea, la guirnalda dura
sobre el silencio del cajón serrano.
Ven, minúscula vida, entre las alas
de la tierra, mientras –cristal y frío, aire golpeado–
apartando esmeraldas combatidas,
oh agua salvaje, bajas de la nieve.

Amor, amor, hasta la noche abrupta,
desde el sonoro pedernal andino,
hacia la aurora de rodillas rojas,
contempla el hijo ciego de la nieve.

Oh, Wilkamayu de sonoros hilos,
cuando rompes tus truenos lineales
en blanca espuma, como herida nieve,
cuando tu vendaval acantilado
canta y castiga despertando al cielo,
qué idioma traes a la oreja apenas
desarraigada de tu espuma andina?

Quién apresó el relámpago del frío
y lo dejó en la altura encadenado,
repartido en sus lágrimas glaciales,
sacudido en sus rápidas espadas,
golpeando sus estambres aguerridos,
conducido en su cama de guerrero,
sobresaltado en su final de roca?

Qué dicen tus destellos acosados?
Tu secreto relámpago rebelde
antes viajó poblado de palabras?
Quién va rompiendo sílabas heladas,
idiomas negros, estandartes de oro,
bocas profundas, gritos sometidos,
en tus delgadas aguas arteriales?

Quién va cortando párpados florales
que vienen a mirar desde la tierra?
Quién precipita los racimos muertos
que bajan en tus manos de cascada
a desgranar su noche desgranada
en el carbón de la geología?

Quién despeña la rama de los vínculos?
Quién otra vez sepulta los adioses?

Amor, amor, no toques la frontera,
ni adores la cabeza sumergida:
deja que el tiempo cumpla su estatura
en su salón de manantiales rotos,
y, entre el agua veloz y las murallas,
recoge el aire del desfiladero,
las paralelas láminas del viento,
el canal ciego de las cordilleras,
el áspero saludo del rocío,
y sube, flor a flor, por la espesura,
pisando la serpiente despeñada.

En la escarpada zona, piedra y bosque,
polvo de estrellas verdes, selva clara,
Mantur estalla como un lago vivo
o como un nuevo piso del silencio.

Ven a mi propio ser, al alba mía,
hasta las soledades coronadas.
El reino muerto vive todavía.

Y en el Reloj la sombra sanguinaria
del cóndor cruza como una nave negra.

## IX

Águila sideral, viña de bruma.
Bastión perdido, cimitarra ciega.
Cinturón estrellado, pan solemne.
Escala torrencial, párpado inmenso.
Túnica triangular, polen de piedra.
Lámpara de granito, pan de piedra.
Serpiente mineral, rosa de piedra.
Nave enterrada, manantial de piedra.
Caballo de la luna, luz de piedra.
Escuadra equinoccial, vapor de piedra.
Geometría final, libro de piedra.
Témpano entre las ráfagas labrado.
Madrépora del tiempo sumergido.
Muralla por los dedos suavizada.
Techumbre por las plumas combatida.
Ramos de espejo, bases de tormenta.
Tronos volcados por la enredadera.
Régimen de la garra encarnizada.
Vendaval sostenido en la vertiente.
Inmóvil catarata de turquesa.
Campana patriarcal de los dormidos.
Argolla de las nieves dominadas.
Hierro acostado sobre sus estatuas.
Inaccesible temporal cerrado.
Manos de puma, roca sanguinaria.
Torre sombrera, discusión de nieve.
Noche elevada en dedos y raíces.
Ventana de las nieblas, paloma endurecida.
Planta nocturna, estatua de los truenos.
Cordillera esencial, techo marino.
Arquitectura de águilas perdidas.
Cuerda del cielo, abeja de la altura.

Nivel sangriento, estrella construida.
Burbuja mineral, luna de cuarzo.
Serpiente andina, frente de amaranto.
Cúpula del silencio, patria pura.
Novia del mar, árbol de catedrales.
Ramo de sal, cerezo de alas negras.
Dentadura nevada, trueno frío.
Luna arañada, piedra amenazante.
Cabellera del frío, acción del aire.
Volcán de manos, catarata oscura.
Ola de plata, dirección del tiempo.

## X

Piedra en la piedra, el hombre, dónde estuvo?
Aire en el aire, el hombre, dónde estuvo?
Tiempo en el tiempo, el hombre, dónde estuvo?
Fuiste también el pedacito roto
de hombre inconcluso, de águila vacía
que por las calles de hoy, que por las huellas,
que por las hojas del otoño muerto
va machacando el alma hasta la tumba?
La pobre mano, el pie, la pobre vida...
Los días de la luz deshilachada
en ti, como la lluvia
sobre las banderillas de la fiesta,
dieron pétalo a pétalo de su alimento oscuro
en la boca vacía?
           Hambre, coral del hombre,
hambre, planta secreta, raíz de los leñadores,
hambre, subió tu raya de arrecife
hasta estas altas torres desprendidas?

Yo te interrogo, sal de los caminos,
muéstrame la cuchara, déjame, arquitectura,
roer con un palito los estambres de piedra,
subir todos los escalones del aire hasta el vacío,
rascar la entraña hasta tocar el hombre.

Macchu Picchu, pusiste
piedra en la piedra, y en la base, harapos?
Carbón sobre carbón, y en el fondo la lágrima?
Fuego en el oro, y en él, temblando el rojo
goterón de la sangre?
Devuélveme el esclavo que enterraste!
Sacude de las tierras el pan duro
del miserable, muéstrame los vestidos
del siervo y su ventana.
Dime cómo durmió cuando vivía.
Dime si fue su sueño
ronco, entreabierto, como un hoyo negro
hecho por la fatiga sobre el muro.
El muro, el muro! Si sobre su sueño
gravitó cada piso de piedra, y si cayó bajo ella
como bajo una luna, con el sueño!
Antigua América, novia sumergida,
también tus dedos,
al salir de la selva hacia el alto vacío de los dioses,
bajo los estandartes nupciales de la luz y el decoro,
mezclándose al trueno de los tambores y de las lanzas,
también, también tus dedos,
los que la rosa abstracta y la línea del frío, los
que el pecho sangriento del nuevo cereal trasladaron
hasta la tela de materia radiante, hasta las duras cavidades,
también, también, América enterrada, guardaste en lo más bajo,
en el amargo intestino, como un águila, el hambre?

# XI

A través del confuso esplendor,
a través de la noche de piedra, déjame hundir la mano
y deja que en mí palpite, como un ave mil años prisionera,
el viejo corazón del olvidado!
Déjame olvidar hoy esta dicha, que es más ancha que el mar,
porque el hombre es más ancho que el mar y que sus islas,
y hay que caer en él como en un pozo para salir del fondo

con un ramo de agua secreta y de verdades sumergidas.
Déjame olvidar, ancha piedra, la proporción poderosa,
la trascendente medida, las piedras del panal,
y de la escuadra déjame hoy resbalar
la mano sobre la hipotenusa de áspera sangre y cilicio.
Cuando, como una herradura de élitros rojos, el cóndor
    furibundo
me golpea las sienes en el orden del vuelo
y el huracán de plumas carniceras barre el polvo sombrío
de las escalinatas diagonales, no veo a la bestia veloz,
no veo el ciego ciclo de sus garras,
veo el antiguo ser, servidor, el dormido
en los campos, veo un cuerpo, mil cuerpos, un hombre, mil
    mujeres,
bajo la racha negra, negros de lluvia y noche,
con la piedra pesada de la estatua:
Juan Cortapiedras, hijo de Wiracocha,
Juan Comefrío, hijo de estrella verde,
Juan Piesdescalzos, nieto de la turquesa,
sube a nacer conmigo, hermano.

## XII

Sube a nacer conmigo, hermano.

Dame la mano desde la profunda
zona de tu dolor diseminado.
No volverás del fondo de las rocas.
No volverás del tiempo subterráneo.
No volverá tu voz endurecida.
No volverán tus ojos taladrados.
Mírame desde el fondo de la tierra,
labrador, tejedor, pastor callado:
domador de guanacos tutelares:
albañil del andamio desafiado:
aguador de las lágrimas andinas:
joyero de los dedos machacados:

agricultor temblando en la semilla:
alfarero en tu greda derramado:
traed a la copa de esta nueva vida
vuestros viejos dolores enterrados.
Mostradme vuestra sangre y vuestro surco,
decidme: aquí fui castigado,
porque la joya no brilló o la tierra
no entregó a tiempo la piedra o el grano:
señaladme la piedra en que caísteis
y la madera en que os crucificaron,
encendedme los viejos pedernales,
las viejas lámparas, los látigos pegados
a través de los siglos en las llagas
y las hachas de brillo ensangrentado.
Yo vengo a hablar por vuestra boca muerta.
A través de la tierra juntad todos
los silenciosos labios derramados
y desde el fondo habladme toda esta larga noche
como si yo estuviera con vosotros anclado,
contadme todo, cadena a cadena,
eslabón a eslabón, y paso a paso,
afilad los cuchillos que guardasteis,
ponedlos en mi pecho y en mi mano,
como un río de rayos amarillos,
como un río de tigres enterrados,
y dejadme llorar, horas, días, años,
edades ciegas, siglos estelares.

Dadme el silencio, el agua, la esperanza.

Dadme la lucha, el hierro, los volcanes.

Apegadme los cuerpos como imanes.

Acudid a mis venas y a mi boca.

Hablad por mis palabras y mi sangre.

# III

# LOS CONQUISTADORES

*Ccollanan Pachacutec! Ricuy anceacunac*
*yahuarniy richacaucuta!*

TÚPAC AMARU I

# I

VIENEN  Los carniceros desolaron las islas.
POR LAS  Guanahani fue la primera
ISLAS  en esta historia de martirios.
(1493)  Los hijos de la arcilla vieron rota
su sonrisa, golpeada
su frágil estatura de venados,
y aun en la muerte no entendían.
Fueron amarrados y heridos,
fueron quemados y abrasados,
fueron mordidos y enterrados.
Y cuando el tiempo dio su vuelta de vals
bailando en las palmeras,
el salón verde estaba vacío.

Sólo quedaban huesos
rígidamente colocados
en forma de cruz, para mayor
gloria de Dios y de los hombres.

De las gredas mayorales
y el ramaje de Sotavento
hasta las agrupadas coralinas
fue cortando el cuchillo de Narváez.
Aquí la cruz, aquí el rosario,
aquí la Virgen del Garrote.

La alhaja de Colón, Cuba fosfórica,
recibió el estandarte y las rodillas
en su arena mojada.

## II

AHORA     Y luego fue la sangre y la ceniza.
ES CUBA
          Después quedaron las palmeras solas.

Cuba, mi amor, te amarraron al potro,
te cortaron la cara,
te apartaron las piernas de oro pálido,
te rompieron el sexo de granada,
te atravesaron con cuchillos,
te dividieron, te quemaron.

Por los valles de la dulzura
bajaron los exterminadores,
y en los altos mogotes la cimera
de tus hijos se perdió en la niebla,
pero allí fueron alcanzados
uno a uno hasta morir,
despedazados en el tormento
sin su tierra tibia de flores
que huía bajo sus plantas.

Cuba, mi amor, qué escalofrío
te sacudió de espuma a espuma,
hasta que te hiciste pureza,
soledad, silencio, espesura,
y los huesitos de tus hijos
se disputaron los cangrejos.

# III

LLEGAN AL
MAR DE MÉXICO
(1493)
A Veracruz va el viento asesino.
En Veracruz desembarcan los caballos.
Las barcas van apretadas de garras
y barbas rojas de Castilla.
Son Arias, Reyes, Rojas, Maldonados,
hijos del desamparo castellano,
conocedores del hambre en invierno
y de los piojos en los mesones.

Qué miran acodados al navío?
Cuánto de lo que viene y del perdido
pasado, del errante
viento feudal en la patria azotada?

No salieron de los puertos del Sur
a poner las manos del pueblo
en el saqueo y en la muerte:
ellos ven verdes tierras, libertades,
cadenas rotas, construcciones,
y desde el barco, las olas que se extinguen
sobre las costas de compacto misterio.

Irían a morir o revivir detrás
de las palmeras, en el aire caliente
que, como en horno extraño, la total bocanada
hacia ellos dirigen las tierras quemadoras?
Eran pueblo, cabezas hirsutas de Montiel,
manos duras y rotas de Ocaña y Piedrahíta,
brazos de herreros, ojos de niños
que miraban el sol terrible y las palmeras.

El hambre antigua de Europa, hambre como la cola
de un planeta mortal, poblaba el buque,
el hambre estaba allí, desmantelada,
errabunda hacha fría, madrastra

de los pueblos, el hambre echa los dados
en la navegación, sopla las velas:
«Más allá, que te como, más allá,
que regresas
a la madre, al hermano, al juez y al cura,
a los inquisidores, al infierno, a la peste.
Más allá, más allá, lejos del piojo,
del látigo feudal, del calabozo,
de las galeras llenas de excremento».

Y los ojos de Núñez y Bernales
clavaban en la ilimitada
luz el reposo,
una vida, otra vida,
la innumerable y castigada
familia de los pobres del mundo.


## IV

CORTÉS Cortés no tiene pueblo, es rayo frío,
corazón muerto en la armadura.
*«Feraces tierras, mi Señor y Rey,*
*templos en que el oro, cuajado*
*está por manos del indio.»*

Y avanza hundiendo puñales, golpeando
las tierras bajas, las piafantes
cordilleras de los perfumes,
parando su tropa entre orquídeas
y coronaciones de pinos,
atropellando los jazmines,
hasta las puertas de Tlaxcala.

(Hermano aterrado, no tomes
como amigo al buitre rosado:
desde el musgo te hablo, desde
las raíces de nuestro reino.

Va a llover sangre mañana,
las lágrimas serán capaces
de formar niebla, vapor, ríos,
hasta que derritas los ojos.)

Cortés recibe una paloma,
recibe un faisán, una cítara
de los músicos del monarca,
pero quiere la cámara del oro,
quiere otro paso, y todo cae
en las arcas de los voraces.
El rey se asoma a los balcones:
«Es mi hermano», dice. Las piedras
del pueblo vuelan contestando,
y Cortés afila puñales
sobre los besos traicionados.

Vuelve a Tlaxcala, el viento ha traído
un sordo rumor de dolores.


V

CHOLULA    En Cholula los jóvenes visten
su mejor tela, oro y plumajes,
calzados para el festival
interrogan al invasor.

La muerte les ha respondido.

Miles de muertos allí están.
Corazones asesinados
que palpitan allí tendidos
y que, en la húmeda sima que abrieron,
guardan el hilo de aquel día.
(Entraron matando a caballo,
cortaron la mano que daba
el homenaje de oro y flores,

cerraron la plaza, cansaron
los brazos hasta agarrotarse,
matando la flor del reinado,
hundiendo hasta el codo en la sangre
de mis hermanos sorprendidos.)

## VI

ALVARADO　Alvarado, con garras y cuchillos
cayó sobre las chozas, arrasó
el patrimonio del orfebre,
raptó la rosa nupcial de la tribu,
agredió razas, predios, religiones,
fue la caja caudal de los ladrones,
el halcón clandestino de la muerte.
Hacia el gran río verde, el Papaloapán,
río de mariposas, fue más tarde
llevando sangre en su estandarte.

El grave río vio sus hijos
morir o sobrevivir esclavos,
vio arder en las hogueras junto al agua
raza y razón, cabezas juveniles.
Pero no se agotaron los dolores
como a su paso endurecido
hacia nuevas capitanías.

## VII

GUATEMALA　Guatemala la dulce, cada losa
de tu mansión lleva una gota
de sangre antigua devorada
por el hocico de los tigres.
Alvarado machacó tu estirpe,
quebró las estelas astrales,
se revolcó en tus martirios.

Y en Yucatán entró el obispo
detrás de los pálidos tigres.
Juntó la sabiduría
más profunda oída en el aire
del primer día del mundo,
cuando el primer maya escribió
anotando el temblor del río,
la ciencia del polen, la ira
de los dioses del envoltorio,
las migraciones a través
de los primeros universos,
las leyes de la colmena,
el secreto del ave verde,
el idioma de las estrellas,
secretos del día y la noche
cogidos en las orillas
del desarrollo terrenal!

## VIII

UN OBISPO    El obispo levantó el brazo,
quemó en la plaza los libros
en nombre de su Dios pequeño
haciendo humo las viejas hojas
gastadas por el tiempo oscuro.

Y el humo no vuelve del cielo.

## IX

LA CABEZA    Balboa, muerte y garra
EN EL PALO    llevaste a los rincones de la dulce
tierra central, y entre los perros
cazadores, el tuyo era tu alma:
*Leoncico* de belfo sangriento
recogió al esclavo que huía,

hundió colmillos españoles
en las gargantas palpitantes,
y de las uñas de los perros
salía la carne al martirio
y la alhaja caía en la bolsa.

Malditos sean perro y hombre,
el aullido infame en la selva
original, el acechante
paso del hierro y del bandido.
Maldita sea la espinosa
corona de la zarza agreste
que no saltó como un erizo
a defender la cuna invadida.

Pero entre los capitanes
sanguinarios se alzó en la sombra
la justicia de los puñales,
la acerba rama de la envidia.

Y al regreso estaba en medio
de tu camino el apellido
de Pedrarias como una soga.

Te juzgaron entre ladridos
de perros matadores de indios.
Ahora que mueres, oyes
el silencio puro, partido
por tus lebreles azuzados?
Ahora que mueres en las manos
de los torvos adelantados,
sientes el aroma dorado
del dulce reino destruido?

Cuando cortaron la cabeza
de Balboa, quedó ensartada
en un palo. Sus ojos muertos
descompusieron su relámpago

y descendieron por la lanza
en un goterón de inmundicia
que desapareció en la tierra.


## X

HOMENAJE    Descubridor, el ancho mar, mi espuma,
A BALBOA    latitud de la luna, imperio del agua,
después de siglos te habla por boca mía.
Tu plenitud llegó antes de la muerte.
Elevaste hasta el cielo la fatiga,
y de la dura noche de los árboles
te condujo el sudor hasta la orilla
de la suma del mar, del gran océano.
En tu mirada se hizo el matrimonio,
de la luz extendida y del pequeño
corazón del hombre, se llenó una copa
antes no levantada, una semilla
de relámpagos llegó contigo
y un trueno torrencial llenó la tierra.
Balboa, capitán, qué diminuta
tu mano en la visera, misterioso
muñeco de la sal descubridora,
novio de la oceánica dulzura,
hijo del nuevo útero del mundo.
Por tus ojos entró como un galope
de azahares el olor oscuro
de la robada majestad marina,
cayó en tu sangre una aurora arrogante
hasta poblarte el alma, poseído!
Cuando volviste a las hurañas tierras,
sonámbulo del mar, capitán verde,
eras un muerto que esperaba
la tierra para recibir tus huesos.

Novio mortal, la traición cumplía.

No en balde por la historia
entraba el crimen pisoteando, el halcón devoraba
su nido, y se reunían las serpientes
atacándose con lenguas de oro.

Entraste en el crepúsculo frenético
y los perdidos pasos que llevabas,
aún empapado por las profundidades,
vestido de fulgor y desposado
por la mayor espuma, te traían
a las orillas de otro mar: la muerte.

## XI

DUERME UN   Extraviado en los límites espesos
SOLDADO   llegó el soldado. Era total fatiga
y cayó entre las lianas y las hojas,
al pie del Gran Dios emplumado:
éste
estaba solo con su mundo apenas
surgido de la selva.
                        Miró al soldado
extraño nacido del océano.
Miró sus ojos, su barba sangrienta,
su espada, el brillo negro
de la armadura, el cansancio caído
como la bruma sobre esa cabeza
de niño carnicero.
Cuántas zonas
de oscuridad para que el Dios de Pluma
naciera y enroscara su volumen
sobre los bosques, en la piedra rosada,
cuánto desorden de aguas locas
y de noche salvaje, el desbordado
cauce de la luz sin nacer, el fermento rabioso
de las vidas, la destrucción, la harina
de la fertilidad y luego el orden,

el orden de la planta y de la secta,
la elevación de las rocas cortadas,
el humo de las lámparas rituales,
la firmeza del suelo para el hombre,
el establecimiento de las tribus,
el tribunal de los dioses terrestres.
Palpitó cada escama de la piedra,
sintió el pavor caído
como una invasión de insectos,
recogió todo su poderío,
hizo llegar la lluvia a las raíces,
habló con las corrientes de la tierra,
oscuro en su vestido
de piedra cósmica inmovilizada,
y no pudo mover garras ni dientes,
ni ríos, ni temblores,
ni meteoros que silbaran
en la bóveda del reinado,

y quedó allí, piedra inmóvil, silencio,

mientras Beltrán de Córdoba dormía.


## XII

XIMÉNEZ
DE QUESADA
(1536)

Ya van, ya van, ya llegan,
corazón mío, mira las naves,
las naves por el Magdalena,
las naves de Gonzalo Jiménez
ya llegan, ya llegan las naves,
deténlas, río, cierra
tus márgenes devoradoras,
sumérgelas en tu latido,
arrebátales la codicia,
échales tu trompa de fuego,
tus vertebrados sanguinarios,
tus anguilas comedoras de ojos,

atraviesa el caimán espeso
con sus dientes color de légamo
y su primordial armadura,
extiéndelo como un puente
sobre tus aguas arenosas,
dispara el fuego del jaguar
desde tus árboles, nacidos
de tus semillas, río madre,
arrójales moscas de sangre,
ciégalos con estiércol negro,
húndelos en tu hemisferio,
sujétalos entre las raíces
en la oscuridad de tu cama,
y púdreles toda la sangre
devorándoles los pulmones
y los labios con tus cangrejos.

Ya entraron en la floresta:
ya roban, ya muerden, ya matan.
Oh Colombia! Defiende el velo
de tu secreta selva roja.

Ya levantaron el cuchillo
sobre el oratorio de Iraka,
ahora agarran al zipa,
ahora lo amarran. «Entrega
las alhajas del dios antiguo»,
las alhajas que florecían
y brillaban con el rocío
de la mañana de Colombia.

Ahora atormentan al príncipe.
Lo han degollado, su cabeza
me mira con ojos que nadie
puede cerrar, ojos amados
de mi patria verde y desnuda.
Ahora queman la casa solemne,
ahora siguen los caballos,

los tormentos, las espadas,
ahora quedan unas brasas
y entre las cenizas los ojos
del príncipe que no se han cerrado.


## XIII

CITA DE   En Panamá se unieron los demonios.
CUERVOS

Allí fue el pacto de los hurones.
Una bujía apenas alumbraba
cuando los tres llegaron uno a uno.
Primero llegó Almagro antiguo y tuerto,
Pizarro, el mayoral porcino
y el fraile Luque, canónigo entendido
en tinieblas. Cada uno
escondía el puñal para la espalda
del asociado, cada uno
con mugrienta mirada en las oscuras
paredes adivinaba sangre,
y el oro del lejano imperio los atraía
como la luna a las piedras malditas.
Cuando pactaron, Luque levantó
la hostia en la eucaristía,
los tres ladrones amasaron
la oblea con torva sonrisa.
«Dios ha sido dividido, hermanos,
entre nosotros», sostuvo el canónigo,
y los carniceros de dientes
morados dijeron «Amén».
Golpearon la mesa escupiendo.
Como no sabían de letras
llenaron de cruces la mesa,
el papel, los bancos, los muros.

El Perú oscuro, sumergido,
estaba señalado y las cruces,

pequeñas, negras, negras cruces,
al Sur salieron navegando:
cruces para las agonías,
cruces peludas y filudas,
cruces con ganchos de reptil,
cruces salpicadas de pústulas,
cruces como piernas de araña,
sombrías cruces cazadoras.


# XIV

LAS AGONÍAS   En Cajamarca empezó la agonía.

El joven Atahualpa, estambre azul,
árbol insigne, escuchó al viento
traer rumor de acero.
Era un confuso
brillo y temblor desde la costa,
un galope increíble
–piafar y poderío–
de hierro y hierro entre la hierba.
Llegaron los adelantados.
El Inca salió de la música
rodeado por los señores.

Las visitas
de otro planeta, sudadas y barbudas,
iban a hacer la reverencia.

El capellán
Valverde, corazón traidor, chacal podrido,
adelanta un extraño objeto, un trozo
de cesto, un fruto
tal vez de aquel planeta
de donde vienen los caballos.
Atahualpa lo toma. No conoce
de qué se trata: no brilla, no suena,
y lo deja caer sonriendo.

«Muerte,
venganza, matad, que os absuelvo»,
grita el chacal de la cruz asesina.
El trueno acude hacia los bandoleros.
Nuestra sangre en su cuna es derramada.
Los príncipes rodean como un coro
al Inca, en la hora agonizante.

Diez mil peruanos caen
bajo cruces y espadas, la sangre
moja las vestiduras de Atahualpa.
Pizarro, el cerdo cruel de Extremadura
hace amarrar los delicados brazos
del Inca. La noche ha descendido
sobre el Perú como una brasa negra.

## XV

LA LÍNEA COLORADA Más tarde levantó la fatigada
mano el monarca, y más arriba
de las frentes de los bandidos,
tocó los muros.
                Allí trazaron
la línea colorada.
                   Tres cámaras
había que llenar de oro y de plata,
hasta esa línea de su sangre.
Rodó la rueda de oro, noche y noche.
La rueda del martirio día y noche.

Arañaron la tierra, descolgaron
alhajas hechas con amor y espuma,
arrancaron la ajorca de la novia,
desampararon a sus dioses.
El labrador entregó su medalla,
el pescador su bota de oro,
y las rejas temblaron respondiendo
mientras mensaje y voz por las alturas

iba la rueda del oro rodando.
Entonces tigre y tigre se reunieron
y repartieron la sangre y las lágrimas.

Atahualpa esperaba levemente
triste en el escarpado día andino.
No se abrieron las puertas. Hasta la última
joya los buitres dividieron:
las turquesas rituales, salpicadas
por la carnicería, el vestido
laminado de plata: las uñas bandoleras
iban midiendo y la carcajada
del fraile entre los verdugos
escuchaba el rey con tristeza.

Era su corazón un vaso lleno
de una congoja amarga como
la esencia amarga de la quina.
Pensó en sus límites, en el alto Cuzco,
en las princesas, en su edad,
en el escalofrío de su reino.
Maduro estaba por dentro, su paz
desesperada era tristeza. Pensó en Huáscar.
Vendrían de él los extranjeros?
Todo era enigma, todo era cuchillo,
todo era soledad, sólo la línea roja
viviente palpitaba,
tragando las entrañas amarillas
del reino enmudecido que moría.

Entró Valverde con la Muerte entonces.
«Te llamarás Juan», le dijo
mientras preparaba la hoguera.
Gravemente respondió: «Juan,
Juan me llamo para morir»,
sin comprender ya ni la muerte.

Le ataron el cuello y un garfio

entró en el alma del Perú.

# XVI

ELEGÍA   Solo, en las soledades
quiero llorar como los ríos, quiero
oscurecer, dormir
como tu antigua noche mineral.

Por qué llegaron las llaves radiantes
hasta las manos del bandido? Levántate,
materna Ocllo, descansa tu secreto
en la fatiga larga de esta noche
y echa en mis venas tu consejo.
Aún no te pido el sol de los Yupanquis.
Te hablo dormido, llamando
de tierra a tierra, madre
peruana, matriz cordillera.
Cómo entró en tu arenal recinto
la avalancha de los puñales?
Inmóvil en tus manos,
siento extenderse los metales
en los canales del subsuelo.

Estoy hecho de tus raíces,
pero no entiendo, no me entrega
la tierra su sabiduría,
no veo sino noche y noche
bajo las tierras estrelladas.
Qué sueño sin sentido, de serpiente,
se arrastró hasta la línea colorada?
Ojos del duelo, planta tenebrosa.
Cómo llegaste a este viento vinagre,
cómo entre los peñascos de la ira
no levantó Capac su tiara
de arcilla deslumbrante?

Dejadme bajo los pabellones
padecer y hundirme como

la raíz muerta que no dará esplendor.
Bajo la dura noche dura
bajaré por la tierra hasta llegar
a la boca del oro.

Quiero extenderme en la piedra nocturna.

Quiero llegar allí con la desdicha.

## XVII

LAS GUERRAS   Más tarde al Reloj de granito
llegó una llama incendiaria.
Almagros y Pizarros y Valverdes,
Castillos y Urías y Beltranes
se apuñaleaban repartiéndose
las traiciones adquiridas,
se robaban la mujer y el oro,
disputaban la dinastía.
Se ahorcaban en los corrales,
se colgaban en los Cabildos.
Caía el árbol del saqueo
entre estocadas y gangrena.

De aquel galope de Pizarros
en los linares territorios
nació un silencio estupefacto.

Todo estaba lleno de muerte
y sobre la agonía arrasada
de sus hijos desventurados,
en el territorio (roído
hasta los huesos por las ratas),
se sujetaban las entrañas
antes de matar y matarse.

Matarifes de cólera y horca,
centauros caídos al lodo
de la codicia, ídolos
quebrados por la luz del oro,
exterminasteis vuestra propia
estirpe de uñas sanguinarias
y junto a las rocas murales
del alto Cuzco coronado,
frente al sol de espigas más altas,
representasteis en el polvo
dorado del Inca, el teatro
de los infiernos imperiales:
la Rapiña de hocico verde,
la Lujuria aceitada en sangre,
la Codicia con uñas de oro,
la Traición, aviesa dentadura,
la Cruz como un reptil rapaz,
la Horca en un fondo de nieve,

y la Muerte fina como el aire

inmóvil en su armadura.


# XVIII

Del Norte trajo Almagro su arrugada centella.
Y sobre el territorio, entre explosión y ocaso,
se inclinó día y noche como sobre una carta.
Sombra de espinas, sombra de cardo y cera,
el español reunido con su seca figura,
mirando las sombrías estrategias del suelo.
Noche, nieve y arena hacen la forma
de mi delgada patria,
todo el silencio está en su larga línea,
toda la espuma sale de su barba marina,
todo el carbón la llena de misteriosos besos.
Como una brasa el oro arde en sus dedos

y la plata ilumina como una luna verde
su endurecida forma de tétrico planeta.
El español sentado junto a la rosa un día,
junto al aceite, junto al vino, junto al antiguo cielo
no imaginó este punto de colérica piedra
nacer bajo el estiércol del águila marina.

## XIX

LA TIERRA
COMBATIENTE

Primero resistió la tierra.

La nieve araucana quemó
como una hoguera de blancura
el paso de los invasores.
Caían de frío los dedos,
las manos, los pies de Almagro
y las garras que devoraron
y sepultaron monarquías
eran en la nieve un punto
de carne helada, eran silencio.
Fue en el mar de las cordilleras.
El aire chileno azotaba
marcando estrellas, derribando
codicias y caballerías.

Luego el hambre caminó detrás
de Almagro como una invisible
mandíbula que golpeaba.
Los caballos eran comidos
en aquella fiesta glacial.

Y la muerte del Sur desgranó
el galope de los Almagros,
hasta que volvió su caballo
hacia el Perú donde esperaba
al descubridor rechazado,
en el camino, con un hacha.

## XX

SE UNEN
LA TIERRA
Y EL
HOMBRE

Araucanía, ramo de robles torrenciales,
oh Patria despiadada, amada oscura,
solitaria en tu reino lluvioso:
eras sólo gargantas minerales,
manos de frío, puños
acostumbrados a cortar peñascos:
eras, Patria, la paz de la dureza
y tus hombres eran rumor,
áspera aparición, viento bravío.

No tuvieron mis padres araucanos
cimeras de plumaje luminoso,
no descansaron en flores nupciales,
no hilaron oro para el sacerdote:
eran piedra y árbol, raíces
de los breñales sacudidos,
hojas con forma de lanza,
cabezas de metal guerrero.
Padres, apenas levantasteis
el oído al galope, apenas en la cima
de los montes, cruzó el rayo
de Araucanía.
Se hicieron sombra los padres de piedra,
se anudaron al bosque, a las tinieblas
naturales, se hicieron luz de hielo,
asperezas de tierras y de espinas,
y así esperaron en las profundidades
de la soledad indomable:
uno era un árbol rojo que miraba,
otro un fragmento de metal que oía,
otro una ráfaga de viento y taladro,
otro tenía el color del sendero.
Patria, nave de nieve,
follaje endurecido:
allí naciste, cuando el hombre tuyo

pidió a la tierra su estandarte
y cuando tierra y aire y piedra y lluvia,
hoja, raíz, perfume, aullido,
cubrieron como un manto al hijo,
lo amaron o lo defendieron.
Así nació la patria unánime:
la unidad antes del combate.

## XXI

VALDIVIA     Pero volvieron.
(1544)                         (Pedro se llamaba.)
Valdivia, el capitán intruso,
cortó mi tierra con la espada
entre ladrones: «Esto es tuyo,
esto es tuyo, Valdés, Montero,
esto es tuyo, Inés, este sitio
es el cabildo».
Dividieron mi patria
como si fuera un asno muerto.
«Llévate
este trozo de luna y arboleda,
devórate este río con crepúsculo»,
mientras la gran cordillera
elevaba bronce y blancura.

Asomó Arauco. Adobes, torres,
calles, el silencioso
dueño de casa levantó sonriendo.
Trabajó con las manos empapadas
por su agua y su barro, trajo
la greda y vertió el agua andina:
pero no pudo ser esclavo.
Entonces Valdivia, el verdugo,
atacó a fuego y a muerte.
Así empezó la sangre,
la sangre de tres siglos, la sangre océano,

la sangre atmósfera que cubrió mi tierra
y el tiempo inmenso, como ninguna guerra.
Salió el buitre iracundo
de la armadura enlutada
y mordió al promauca, rompió
el pacto escrito en el silencio
de Huelén, en el aire andino.
Arauco comenzó a hervir su plato
de sangre y piedras.
                    Siete príncipes
vinieron a parlamentar.
                         Fueron encerrados.
Frente a los ojos de la Araucanía,
cortaron las cabezas cacicales.
Se daban ánimo los verdugos. Toda
empapada de vísceras, aullando,
Inés de Suárez, la soldadera,
sujetaba los cuellos imperiales
con sus rodillas de infernal harpía.
Y las tiró sobre la empalizada,
bañándose de sangre noble,
cubriéndose de barro escarlata.
Así creyeron dominar Arauco.
Pero aquí la unidad sombría
de árbol y piedra, lanza y rostro,
transmitió el crimen en el viento.
Lo supo el árbol fronterizo,
el pescador, el rey, el mago,
lo supo el labrador antártico,
lo supieron las aguas madres
del Bío Bío.
                    Así nació la guerra patria.
Valdivia entró la lanza goteante
en las entrañas pedregosas
de Arauco, hundió la mano
en el latido, apretó los dedos
sobre el corazón araucano,
derramó las venas silvestres

de los labriegos,
                    exterminó
el amanecer pastoril,
                    mandó martirio
al reino del bosque, incendió
la casa del dueño del bosque,
cortó las manos del cacique,
devolvió a los prisioneros
con narices y orejas cortadas,
empaló al Toqui, asesinó
a la muchacha guerrillera
y con su guante ensangrentado
marcó las piedras de la patria,
dejándola llena de muertos,
y soledad y cicatrices.


## XXII

ERCILLA   Piedras de Arauco y desatadas rosas
fluviales, territorios de raíces,
se encuentran con el hombre que ha llegado de España.
Invaden su armadura con gigantesco liquen.
Atropellan su espada las sombras del helecho.
La yedra original pone manos azules
en el recién llegado silencio del planeta.
Hombre, Ercilla sonoro, oigo el pulso del agua
de tu primer amanecer, un frenesí de pájaros
y un trueno en el follaje.
Deja, deja tu huella
de águila rubia, destroza
tu mejilla contra el maíz salvaje,
todo será en la tierra devorado.
Sonoro, sólo tú no beberás la copa
de sangre, sonoro, sólo al rápido
fulgor de ti nacido
llegará la secreta boca del tiempo en vano
para decirte: en vano.

En vano, en vano
sangre por los ramajes de cristal salpicado,
en vano por las noches del puma
el desafiante paso del soldado,
las órdenes,
los pasos
del herido.
Todo vuelve al silencio coronado de plumas
en donde un rey remoto devora enredaderas.

## XXIII

SE ENTIERRAN   Así quedó repartido el patrimonio.
LAS LANZAS   La sangre dividió la patria entera.
(Contaré en otras líneas
la lucha de mi pueblo.)
Pero cortada fue la tierra
por los invasores cuchillos.
Después vinieron a poblar la herencia
usureros de Euzkadi, nietos
de Loyola. Desde la cordillera
hasta el océano
dividieron con árboles y cuerpos,
la sombra recostada del planeta.
Las encomiendas sobre la tierra
sacudida, herida, incendiada,
el reparto de selva y agua
en los bolsillos, los Errázuriz
que llegan con su escudo de armas,
un látigo y una alpargata.

## XXIV

EL CORAZÓN   De dónde soy, me pregunto a veces, de dónde
MAGALLÁNICO   diablos
(1519)   vengo, qué día es hoy, qué pasa,

ronco, en medio del sueño, del árbol, de la noche,
y una ola se levanta como un párpado, un día
nace de ella, un relámpago con hocico de tigre.

*Despierto de* Viene el día y me dice: «Oyes
*pronto en* el agua lenta, el agua,
*la noche* el agua,
*pensando en* sobre la Patagonia?».
*el extremo Sur* Y yo contesto: «Sí, señor, escucho».
Viene el día y me dice: «Una oveja salvaje
lejos, en la región, lame el color helado
de una piedra. No escuchas el balido, no reco-
    noces
el vendaval azul en cuyas manos
la luna es una copa, no ves la tropa, el dedo
rencoroso del viento
tocar la ola y la vida con su anillo vacío?».

*Recuerdo* La larga noche, el pino, vienen adonde voy.
*la soledad* Y se trastorna el ácido sordo, la fatiga,
*del estrecho* la tapa del tonel, cuanto tengo en la vida.
Una gota de nieve llora y llora en mi puerta
mostrando su vestido claro y desvencijado
de pequeño cometa que me busca y solloza.
Nadie mira la ráfaga, la extensión, el aullido
del aire en las praderas.
Me acerco y digo: vamos. Toco el Sur, desemboco
en la arena, veo la planta seca y negra, todo raíz
    y roca,
las islas arañadas por el agua y el cielo,
el Río del Hambre, el Corazón de Ceniza,
el Patio del Mar Lúgubre, y donde silba
la solitaria serpiente, donde cava
el último zorro herido y esconde su tesoro san-
    griento
encuentro la tempestad y su voz de ruptura,
su voz de viejo libro, su boca de cien labios,
algo me dice, algo que el aire devora cada día.

*Los*        Recuerda el agua cuanto le sucedió al navío.
*descubri-*   La dura tierra extraña guarda sus calaveras
*dores*      que suenan en el pánico austral como cornetas
*aparecen y*  y ojos de hombre y de buey, dan al día su hueco,
*de ellos no* su anillo, su sonido de implacable estelaje.
*queda nada*  El viejo cielo busca la vela,
                                    nadie
            ya sobrevive: el buque destruido
            vive con la ceniza del marinero amargo,
            y de los puestos de oro, de las casas de cuero,
            del trigo pestilente, y de
            la llama fría de las navegaciones
            (cuánto golpe en la noche [roca y bajel] al fondo)
            sólo queda el dominio quemado y sin cadáveres,
            la incesante intemperie apenas rota
            por un negro fragmento
            de fuego fallecido.

*Sólo se*     Esfera que destroza lentamente la noche, el agua, el
*impone la*      hielo,
*desolación*  extensión combatida por el tiempo y el término,
            con su marca violeta, con el final azul
            del arco iris salvaje
            se sumergen los pies de mi patria en tu sombra
            y aúlla y agoniza la rosa triturada.

*Recuerdo*    Por el canal navega nuevamente
*al viejo*    el cereal helado, la barba del combate,
*descubridor* el otoño glacial, el transitorio herido.
            Con él, con el antiguo, con el muerto,
            con el destituido por el agua rabiosa,
            con él, en su tormenta, con su frente.
            Aún lo sigue el albatros y la soga de cuero
            comida, con los ojos fuera de la mirada,
            y el ratón devorado ciegamente mirando
            entre los palos rotos el esplendor iracundo,
            mientras en el vacío la sortija y el hueso
            caen, resbalan sobre la vaca marina.

*Magallanes* Cuál es el dios que pasa? Mirad su barba llena de
      gusanos
y sus calzones en que la espesa atmósfera
se pega y muerde como un perro náufrago:
y tiene peso de ancla maldita su estatura,
y silba el piélago y el aquilón acude
hasta sus pies mojados.
                     Caracol de la oscura
sombra del tiempo,
            espuela
carcomida, viejo señor de luto litoral, aguilero
sin estirpe, manchado manantial, el estiércol
del Estrecho te manda,
y no tiene de cruz tu pecho sino un grito
del mar, un grito blanco, de luz marina,
y de tenaza, de tumbo en tumbo, de aguijón demolido.

*Llega al* Porque el siniestro día del mar termina un día,
*Pacífico* y la mano nocturna corta uno a uno sus dedos
hasta no ser, hasta que el hombre nace
y el capitán descubre dentro de sí el acero
y la América sube su burbuja
y la costa levanta su pálido arrecife
sucio de aurora, turbio de nacimiento
hasta que de la nave sale un grito y se ahoga
y otro grito y el alba que nace de la espuma.

*Todos han* Hermanos de agua y piojo, de planeta carnívoro:
*muerto* visteis, al fin, el árbol del mástil agachado
por la tormenta? Visteis la piedra machacada
bajo la loca nieve brusca de la ráfaga?
Al fin, ya tenéis vuestro paraíso perdido,
al fin, tenéis vuestra guarnición maldiciente,
al fin, vuestros fantasmas atravesados del aire
besan sobre la arena la huella de la foca.
Al fin, a vuestros dedos sin sortija
llega el pequeño sol del páramo, el día muerto,
temblando, en su hospital de olas y piedras.

# XXV

A PESAR
DE LA
IRA Roídos yelmos, herraduras muertas!

Pero a través del fuego y la herradura
como de un manantial iluminado
por la sangre sombría,
con el metal hundido en el tormento
se derramó una luz sobre la tierra:
número, nombre, línea y estructura.

Páginas de agua, claro poderío
de idiomas rumorosos, dulces gotas
elaboradas como los racimos,
sílabas de platino en la ternura
de unos aljofarados pechos puros,
y una clásica boca de diamantes
dio su fulgor nevado al territorio.

Allá lejos la estatua deponía
su mármol muerto,
                        y en la primavera
del mundo, amaneció la maquinaria.

La técnica elevaba su dominio
y el tiempo fue velocidad y ráfaga
en la bandera de los mercaderes.

Luna de geografía
que descubrió la planta y el planeta
extendiendo geométrica hermosura
en su desarrollado movimiento.
Asia entregó su virginal aroma.
La inteligencia con un hilo helado
fue detrás de la sangre hilando el día.
El papel repartió la miel desnuda
guardada en las tinieblas.

Un vuelo
de palomar salió de la pintura
con arrebol y azul ultramarino.
Y las lenguas del hombre se juntaron
en la primera ira, antes del canto.

Así, con el sangriento
titán de piedra,
halcón encarnizado,
no sólo llegó sangre sino trigo.

La luz vino a pesar de los puñales.

# IV

## LOS LIBERTADORES

*Aquí viene el árbol, el árbol*
*de la tormenta, el árbol del pueblo.*
*De la tierra suben sus héroes*
*como las hojas por la savia,*
*y el viento estrella los follajes*
*de muchedumbre rumorosa,*
*hasta que cae la semilla*
*del pan otra vez a la tierra.*

> *Aquí viene el árbol, el árbol*
> *nutrido por muertos desnudos,*
> *muertos azotados y heridos,*
> *muertos de rostros imposibles,*
> *empalados sobre una lanza,*
> *desmenuzados en la hoguera,*
> *decapitados por el hacha,*
> *descuartizados a caballo,*
> *crucificados en la iglesia.*

*Aquí viene el árbol, el árbol*
*cuyas raíces están vivas,*
*sacó salitre del martirio,*
*sus raíces comieron sangre*
*y extrajo lágrimas del suelo:*
*las elevó por sus ramajes,*
*las repartió en su arquitectura.*
*Fueron flores invisibles,*
*a veces, flores enterradas,*
*otras veces iluminaron*
*sus pétalos, como planetas.*

Y el hombre recogió en las ramas
las caracolas endurecidas,
las entregó de mano en mano
como magnolias o granadas
y de pronto, abrieron la tierra,
crecieron hasta las estrellas.

Éste es el árbol de los libres.
El árbol tierra, el árbol nube,
el árbol pan, el árbol flecha,
el árbol puño, el árbol fuego.
Lo ahoga el agua tormentosa
de nuestra época nocturna,
pero su mástil balancea
el ruedo de su poderío.

Otras veces, de nuevo caen
las ramas rotas por la cólera
y una ceniza amenazante
cubre su antigua majestad:
así pasó desde otros tiempos,
así salió de la agonía
hasta que una mano secreta,
unos brazos innumerables,
el pueblo, guardó los fragmentos,
escondió troncos invariables,
y sus labios eran las hojas
del inmenso árbol repartido,
diseminado en todas partes,
caminando con sus raíces.
Éste es el árbol, el árbol
del pueblo, de todos los pueblos
de la libertad, de la lucha.

Asómate a su cabellera:
toca sus rayos renovados:
hunde la mano en las usinas
donde su fruto palpitante

*propaga su luz cada día.*
*Levanta esta tierra en tus manos,*
*participa de este esplendor,*
*toma tu pan y tu manzana,*
*tu corazón y tu caballo*
*y monta guardia en la frontera,*
*en el límite de sus hojas.*

*Defiende el fin de sus corolas,*
*comparte las noches hostiles,*
*vigila el ciclo de la aurora,*
*respira la altura estrellada,*
*sosteniendo el árbol, el árbol*
*que crece en medio de la tierra.*

# I

CUAUHTÉMOC   Joven hermano hace ya tiempo y tiempo
(1520)   nunca dormido, nunca consolado,
joven estremecido en las tinieblas
metálicas de México, en tu mano
recibo el don de tu patria desnuda.

En ella nace y crece tu sonrisa
como una línea entre la luz y el oro.

Son tus labios unidos por la muerte
el más puro silencio sepultado.

El manantial hundido
bajo todas las bocas de la tierra.

Oíste, oíste, acaso,
hacia Anáhuac lejano,
un rumbo de agua, un viento
de primavera destrozada?
Era tal vez la palabra del cedro.
Era una ola blanca de Acapulco.

Pero en la noche huía
tu corazón como un venado
hacia los límites, confuso,
entre los monumentos sanguinarios,
bajo la luna zozobrante.

Toda la sombra preparaba sombra.
Era la tierra una oscura cocina,
piedra y caldera, vapor negro,
muro sin nombre, pesadumbre
que te llamaba desde los nocturnos
metales de tu patria.

Pero no hay sombra en tu estandarte.

Ha llegado la hora señalada,
y en medio de tu pueblo
eres pan y raíz, lanza y estrella.
El invasor ha detenido el paso.
No es Moctezuma extinto
como una copa muerta,
es el relámpago y su armadura,
la pluma de Quetzal, la flor del pueblo,
la cimera encendida entre las naves.

Pero una mano dura como siglos de piedra
apretó tu garganta. No cerraron
tu sonrisa, no hicieron
caer los granos del secreto
maíz, y te arrastraron,
vencedor cautivo,
por las distancias de tu reino,
entre cascadas y cadenas,
sobre arenales y aguijones
como una columna incesante,

como un testigo doloroso,
hasta que una soga enredó

la columna de la pureza
y colgó el cuerpo suspendido
sobre la tierra desdichada.

## II

FRAY
BARTOLOMÉ
DE LAS
CASAS

Piensa uno, al llegar a su casa, de noche, fatigado
entre la niebla fría de mayo, a la salida
del sindicato (en la desmenuzada
lucha de cada día, la estación
lluviosa que gotea del alero, el sordo
latido del constante sufrimiento)
esta resurrección enmascarada,
astuta, envilecida,
del encadenador, de la cadena,
y cuando sube la congoja
hasta la cerradura a entrar contigo,
surge una luz antigua, suave y dura
como un metal, como un astro enterrado.
Padre Bartolomé, gracias por este
regalo de la cruda medianoche,

gracias porque tu hilo fue invencible:

pudo morir aplastado, comido
por el perro de fauces iracundas,
pudo quedar en la ceniza
de la casa incendiada,
pudo cortarlo el filo frío
del asesino innumerable
o el odio administrado con sonrisas
(la traición del próximo cruzado),
la mentira arrojada en la ventana.
Pudo morir el hilo cristalino,
la irreductible transparencia
convertida en acción, en combatiente
y despeñado acero de cascada.

Pocas vidas da el hombre como la tuya, pocas
sombras hay en el árbol como tu sombra, en ella
todas las ascuas vivas del continente acuden,
todas las arrasadas condiciones, la herida
del mutilado, las aldeas
exterminadas, todo bajo tu sombra
renace, desde el límite
de la agonía fundas la esperanza.
Padre, fue afortunado para el hombre y su especie
que tú llegaras a la plantación,
que mordieras los negros cereales
del crimen, que bebieras
cada día la copa de la cólera.
Quién te puso, mortal desnudo,
entre los dientes de la furia?
Cómo asomaron otros ojos,
de otro metal, cuando nacías?

Cómo se cruzan los fermentos
en la escondida harina humana
para que tu grano inmutable
se amasara en el pan del mundo?

Eras realidad entre fantasmas
encarnizados, eras
la eternidad de la ternura
sobre la ráfaga del castigo.
De combate en combate tu esperanza
se convirtió en precisas herramientas:
la solitaria lucha se hizo rama,
el llanto inútil se agrupó en partido.

No sirvió la piedad. Cuando mostrabas
tus columnas, tu nave amparadora,
tu mano para bendecir, tu manto,
el enemigo pisoteó las lágrimas
y quebrantó el color de la azucena.
No sirvió la piedad alta y vacía

como una catedral abandonada.
Fue tu invencible decisión, la activa
resistencia, el corazón armado.

Fue la razón tu material titánico.

Fue la flor organizada tu estructura.

Desde arriba quisieron contemplarte
(desde su altura) los conquistadores,
apoyándose como sombras de piedra
sobre sus espadones, abrumando
con sus sarcásticos escupos
las tierras de tu iniciativa,
diciendo: «Ahí va el agitador»,
mintiendo: «Lo pagaron
los extranjeros»,
«No tiene patria», «Traiciona»,
pero tu prédica no era
frágil minuto, peregrina
pauta, reloj del pasajero.
Tu madera era bosque combatido,
hierro en su cepa natural, oculto
a toda luz por la tierra florida,
y más aún, era más hondo:
en la unidad del tiempo, en el transcurso
de la vida, era tu mano adelantada
estrella zodiacal, signo del pueblo.
Hoy a esta casa, Padre, entra conmigo.
Te mostraré las cartas, el tormento
de mi pueblo, del hombre perseguido.
Te mostraré los antiguos dolores.

Y para no caer, para afirmarme
sobre la tierra, continuar luchando,
deja en mi corazón el vino errante
y el implacable pan de tu dulzura.

# III

<table>
<tr><td>AVANZANDO<br>EN LAS<br>TIERRAS<br>DE CHILE</td><td>España entró hasta el Sur del Mundo. Agobiados<br>exploraron la nieve los altos españoles.<br>El Bío Bío, grave río,<br>le dijo a España: «Detente».</td></tr>
</table>

El bosque de maitenes cuyos hilos
verdes cuelgan como temblor de lluvia
dijo a España: «No sigas». El alerce,
titán de las fronteras silenciosas,
dijo en un trueno su palabra.
Pero hasta el fondo de la patria mía,
puño y puñal, el invasor llegaba.
Hacia el río Imperial, en cuya orilla
mi corazón amaneció en el trébol,
entraba el huracán en la mañana.
El ancho cauce de las garzas iba
desde las islas hacia el mar furioso,
lleno como una copa interminable,
entre las márgenes de cristal sombrío.
En sus orillas erizaba el polen
una alfombra de estambres turbulentos
y desde el mar el aire conmovía
todas las sílabas de la primavera.
El avellano de la Araucanía
enarbolaba hogueras y racimos
hacia donde la lluvia resbalaba
sobre la agrupación de la pureza.
Todo estaba enredado de fragancias,
empapado de luz verde y lluviosa
y cada matorral de olor amargo
era un ramo profundo del invierno
o una extraviada formación marina
aún llena de oceánico rocío.

De los barrancos se elevaban
torres de pájaros y plumas

y un ventarrón de soledad sonora,
mientras en la mojada intimidad,
entre las cabelleras encrespadas
del helecho gigante, era la topa-topa florecida
un rosario de besos amarillos.


# IV

SURGEN   Allí germinaban los toquis.
LOS      De aquellas negras humedades,
HOMBRES  de aquella lluvia fermentada
en la copa de los volcanes
salieron los pechos augustos,
las claras flechas vegetales,
los dientes de piedra salvaje,
los pies de estaca inapelable,
la glacial unidad del agua.

Arauco fue un útero frío,
hecho de heridas, machacado
por el ultraje, concebido
entre las ásperas espinas,
arañado en los ventisqueros,
protegido por las serpientes.

Así la tierra extrajo al hombre.

Creció como una fortaleza.
Nació de la sangre agredida.
Amontonó su cabellera
como un pequeño puma rojo
y los ojos de piedra dura
brillaban desde la materia
como fulgores implacables
salidos de la cacería.

# V

TOQUI
CAUPOLICÁN

En la cepa secreta del raulí
creció Caupolicán, torso y tormenta,
y cuando hacia las armas invasoras
su pueblo dirigió,
anduvo el árbol,
anduvo el árbol duro de la patria.
Los invasores vieron el follaje
moverse en medio de la bruma verde,
las gruesas ramas y la vestidura
de innumerables hojas y amenazas,
el tronco terrenal hacerse pueblo,
las raíces salir del territorio.
Supieron que la hora había acudido
al reloj de la vida y de la muerte.

Otros árboles con él vinieron.

Toda la raza de ramajes rojos,
todas las trenzas del dolor silvestre,
todo el nudo del odio en la madera.
Caupolicán, su máscara de lianas
levanta frente al invasor perdido:
no es la pintada pluma emperadora,
no es el trono de plantas olorosas,
no es el resplandeciente collar del sacerdote,
no es el guante ni el príncipe dorado:
es un rostro del bosque,
un mascarón de acacias arrasadas,
una figura rota por la lluvia,
una cabeza con enredaderas.

De Caupolicán el Toqui es la mirada
hundida, de universo montañoso,
los ojos implacables de la tierra,
y las mejillas del titán son muros
escalados por rayos y raíces.

# VI

LA GUERRA   La Araucanía estranguló el cantar
PATRIA   de la rosa en el cántaro, cortó
los hilos
en el telar de la novia de plata.
Bajó la ilustre Machi de su escala,
y en los dispersos ríos, en la arcilla,
bajo la copa hirsuta
de las araucarias guerreras,
fue naciendo el clamor de las campanas
enterradas. La madre de la guerra
saltó las piedras dulces del arroyo,
recogió a la familia pescadora,
y el novio labrador besó las piedras
antes de que volaran a la herida.

Detrás del rostro forestal del Toqui,
Arauco amontonaba su defensa:
eran ojos y lanzas, multitudes
espesas de silencio y amenaza,
cinturas imborrables, altaneras
manos oscuras, puños congregados.

Detrás del alto Toqui, la montaña,
y en la montaña, innumerable Arauco.

Arauco era el rumor del agua errante.

Arauco era el silencio tenebroso.

El mensajero en su mano cortada
iba juntando las gotas de Arauco.

Arauco fue la ola de la guerra,
Arauco los incendios de la noche.

Todo hervía detrás del Toqui augusto,
y cuando él avanzó, fueron tinieblas,
arenas, bosques, tierras,
unánimes hogueras, huracanes,
aparición fosfórica de pumas.

## VII

EL EMPALADO  Pero Caupolicán llegó al tormento.

Ensartado en la lanza del suplicio,
entró en la muerte lenta de los árboles.

Arauco replegó su ataque verde,
sintió en las sombras el escalofrío,
clavó en la tierra la cabeza,
se agazapó con sus dolores.
El Toqui dormía en la muerte.
Un ruido de hierro llegaba
del campamento, una corona
de carcajadas extranjeras,
y hacia los bosques enlutados
sólo la noche palpitaba.

No era el dolor, la mordedura
del volcán abierto en las vísceras,
era sólo un sueño del bosque,
el árbol que se desangraba.

En las entrañas de mi patria
entraba la punta asesina
hiriendo las tierras sagradas.
La sangre quemante caía
de silencio en silencio, abajo,
hacia donde está la semilla
esperando la primavera.

Más hondo caía esta sangre.

Hacia las raíces caía.

Hacia los muertos caía.

Hacia los que iban a nacer.

## VIII

LAUTARO    La sangre toca un corredor de cuarzo.
(1550)    La piedra crece donde cae la gota.
Así nace Lautaro de la tierra.

## IX

EDUCACIÓN    Lautaro era una flecha delgada.
DEL    Elástico y azul fue nuestro padre.
CACIQUE    Fue su primera edad sólo silencio.
Su adolescencia fue dominio.
Su juventud fue un viento dirigido.
Se preparó como una larga lanza.
Acostumbró los pies en las cascadas.
Educó la cabeza en las espinas.
Ejecutó las pruebas del guanaco.
Vivió en las madrigueras de la nieve.
Acechó la comida de las águilas.
Arañó los secretos del peñasco.
Entretuvo los pétalos del fuego.
Se amamantó de primavera fría.
Se quemó en las gargantas infernales.
Fue cazador entre las aves crueles.
Se tiñeron sus manos de victorias.
Leyó las agresiones de la noche.
Sostuvo los derrumbes del azufre.

Se hizo velocidad, luz repentina.

Tomó las lentitudes del otoño.
Trabajó en las guaridas invisibles.
Durmió en las sábanas del ventisquero.
Igualó la conducta de las flechas.
Bebió la sangre agreste en los caminos.
Arrebató el tesoro de las olas.
Se hizo amenaza como un dios sombrío.
Comió en cada cocina de su pueblo.
Aprendió el alfabeto del relámpago.
Olfateó las cenizas esparcidas.
Envolvió el corazón con pieles negras.

Descifró el espiral hilo del humo.
Se construyó de fibras taciturnas.
Se aceitó como el alma de la oliva.
Se hizo cristal de transparencia dura.
Estudió para viento huracanado.
Se combatió hasta apagar la sangre.

Sólo entonces fue digno de su pueblo.

## X

LAUTARO   Entró en la casa de Valdivia.
ENTRE LOS Lo acompañó como la luz.
INVASORES Durmió cubierto de puñales.
          Vio su propia sangre vertida,
          sus propios ojos aplastados,
          y dormido en las pesebreras
          acumuló su poderío.
          No se movían sus cabellos
          examinando los tormentos:
          miraba más allá del aire
          hacia su raza desgranada.

Veló a los pies de Valdivia.

Oyó su sueño carnicero
crecer en la noche sombría
como una columna implacable.
Adivinó aquellos sueños.
Pudo levantar la dorada
barba del capitán dormido,
cortar el sueño en la garganta,
pero aprendió –velando sombras–
la ley nocturna del horario.

Marchó de día acariciando
los caballos de piel mojada
que iban hundiéndose en su patria.
Adivinó aquellos caballos.
Marchó con los dioses cerrados.
Adivinó las armaduras.
Fue testigo de las batallas,
mientras entraba paso a paso
al fuego de la Araucanía.

## XI

LAUTARO   Atacó entonces Lautaro de ola en ola.
CONTRA EL   Disciplinó las sombras araucanas:
CENTAURO   antes entró el cuchillo castellano
(1554)   en pleno pecho de la masa roja.
Hoy estuvo sembrada la guerrilla
bajo todas las alas forestales,
de piedra en piedra y vado en vado,
mirando desde los copihues,
acechando bajo las rocas.
Valdivia quiso regresar.
                              Fue tarde.
   Llegó Lautaro en traje de relámpago.

Siguió el conquistador acongojado.
Se abrió paso en las húmedas marañas

del crepúsculo austral.
                    Llegó Lautaro,
        en un galope negro de caballos.

La fatiga y la muerte conducían
la tropa de Valdivia en el follaje.

            Se acercaban las lanzas de Lautaro.

Entre los muertos y las hojas iba
como en un túnel Pedro de Valdivia.

            En las tinieblas llegaba Lautaro.

Pensó en Extremadura pedregosa,
en el dorado aceite, en la cocina,
en el jazmín dejado en ultramar.

            Reconoció el aullido de Lautaro.

Las ovejas, las duras alquerías,
los muros blancos, la tarde extremeña.

            Sobrevino la noche de Lautaro.

Sus capitanes tambaleaban ebrios
de sangre, noche y lluvia hacia el regreso.

            Palpitaban las flechas de Lautaro.

De tumbo en tumbo la capitanía
iba retrocediendo desangrada.

            Ya se tocaba el pecho de Lautaro.

Valdivia vio venir la luz, la aurora,
tal vez la vida, el mar.
                    Era Lautaro.

# XII

EL CORAZÓN
DE PEDRO
DE VALDIVIA

Llevamos a Valdivia bajo el árbol.

Era un azul de lluvia, la mañana con fríos
filamentos de sol deshilachado.
Toda la gloria, el trueno,
turbulentos yacían
en un montón de acero herido.
El canelo elevaba su lenguaje
y un fulgor de luciérnaga mojada
en toda su pomposa monarquía.

Trajimos tela y cántaro, tejidos
gruesos como las trenzas conyugales,
alhajas como almendras de la luna,
y los tambores que llenaron
la Araucanía con su luz de cuero.
Colmamos las vasijas de dulzura
y bailamos golpeando los terrones
hechos de nuestra propia estirpe oscura.

Luego golpeamos el rostro enemigo.

Luego cortamos el valiente cuello.

Qué hermosa fue la sangre del verdugo
que repartimos como una granada,
mientras ardía viva todavía.
Luego, en el pecho entramos una lanza
y el corazón alado como un ave
entregamos al árbol araucano.
Subió un rumor de sangre hasta su copa.

Entonces, de la tierra
hecha de nuestros cuerpos, nació el canto
de la guerra, del sol, de las cosechas,

hacia la magnitud de los volcanes.
Entonces repartimos el corazón sangrante.
Yo hundí los dientes en aquella corola
cumpliendo el rito de la tierra:

«Dame tu frío, extranjero malvado.
Dame tu valor de gran tigre.
Dame en tu sangre tu cólera.
Dame tu muerte para que me siga
y lleve el espanto a los tuyos.
Dame la guerra que trajiste.
Dame tu caballo y tus ojos.
Dame la tiniebla torcida.
Dame la madre del maíz.
Dame la lengua del caballo.
Dame la patria sin espinas.
Dame la paz vencedora.
Dame el aire donde respira
el canelo, señor florido».

# XIII

LA Luego tierra y océanos, ciudades,
DILATADA naves y libros, conocéis la historia
GUERRA que desde el territorio huraño
como una piedra sacudida
llenó de pétalos azules
las profundidades del tiempo.
Tres siglos estuvo luchando
la raza guerrera del roble,
trescientos años la centella
de Arauco pobló de cenizas
las cavidades imperiales.
Tres siglos cayeron heridas
las camisas del capitán,
trescientos años despoblaron
los arados y las colmenas,

trescientos años azotaron
cada nombre del invasor,
tres siglos rompieron la piel
de las águilas agresoras,
trescientos años enterraron
como la boca del océano
techos y huesos, armaduras,
torres y títulos dorados.
A las espuelas iracundas
de las guitarras adornadas
llegó un galope de caballos
y una tormenta de ceniza.
Las naves volvieron al duro
territorio, nacieron espigas,
crecieron ojos españoles
en el reinado de la lluvia,
pero Arauco bajó las tejas,
molió las piedras, abatió
los paredones y las vides,
las voluntades y los trajes.
Ved cómo caen en la tierra
los hijos ásperos del odio,
Villagras, Mendozas, Reinosos,
Reyes, Morales, Alderetes,
rodaron hacia el fondo blanco
de las Américas glaciales.
Y en la noche del tiempo augusto
cayó Imperial, cayó Santiago,
cayó Villarrica en la nieve,
rodó Valdivia sobre el río,
hasta que el reinado fluvial
del Bío Bío se detuvo
sobre los siglos de la sangre
y estableció la libertad
en las arenas desangradas.

# XIV
*Intermedio 1*

<small>LA</small>  *Cuando la espada descansó y los hijos*
<small>COLONIA</small>  *de España dura, como espectros,*
<small>CUBRE</small>  *desde reinos y selvas, hacia el trono,*
<small>NUESTRAS</small>  *montañas de papel con aullidos*
<small>TIERRAS</small>  *enviaron al monarca ensimismado:*
*después que en la calleja de Toledo*
*o del Guadalquivir en el recodo,*
*toda la historia pasó de mano en mano,*
*y por la boca de los puertos anduvo*
*el ramal harapiento*
*de los conquistadores espectrales,*
*y los últimos muertos fueron puestos*
*dentro del ataúd, con procesiones,*
*en las iglesias construidas a sangre,*
*llegó la ley al mundo de los ríos*
*y vino el mercader con su bolsita.*

*Se oscureció la extensión matutina,*
*trajes y telarañas propagaron*
*la oscuridad, la tentación, el fuego*
*del diablo en las habitaciones.*
*Una vela alumbró la vasta América*
*llena de ventisqueros y panales,*
*y por siglos al hombre habló en voz baja,*
*tosió trotando por las callejuelas,*
*se persignó persiguiendo centavos.*
*Llegó el criollo a las calles del mundo,*
*esmirriado, lavando las acequias,*
*suspirando de amor entre las cruces,*
*buscando el escondido*
*sendero de la vida*
*bajo la mesa de la sacristía.*
*La ciudad en la esperma del cerote*
*fermentó, bajo los paños negros,*

y de las raspaduras de la cera
elaboró manzanas infernales.

América, la copa de caoba
entonces fue un crepúsculo de llagas,
un lazareto anegado de sombras
y en la antigua extensión de la frescura
creció la reverencia del gusano.
El oro levantó sobre las pústulas
macizas flores, hiedras silenciosas,
edificios de sombra sumergida.

Una mujer recolectaba pus,
y el vaso de substancia
bebió en honor del cielo cada día,
mientras el hambre bailaba en las minas
de México dorado,
y el corazón andino del Perú
lloraba dulcemente
de frío bajo los harapos.

En las sombras del día tenebroso
el mercader hizo su reino
apenas alumbrado por la hoguera
en que el hereje, retorcido,
hecho pavesa, recibía
su cucharadita de Cristo.
Al día siguiente las señoras
arreglando las crinolinas,
recordaban el cuerpo enloquecido,
golpeado y devorado por el fuego,
mientras el alguacil examinaba
la minúscula mancha del quemado,
grasa, ceniza, sangre,
que lamían los perros.

# XV
*Intermedio 2*

LAS
HACIENDAS

*La tierra andaba entre los mayorazgos*
*de doblón en doblón, desconocida,*
*pasta de apariciones y conventos,*
*hasta que toda la azul geografía*
*se dividió en haciendas y encomiendas.*
*Por el espacio muerto iba la llaga*
*del mestizo y el látigo*
*del chapetón y del negrero.*
*El criollo era un espectro desangrado*
*que recogía las migajas,*
*hasta que con ellas reunidas*
*adquiría un pequeño título*
*pintado con letras doradas.*

*Y en el carnaval tenebroso*
*salía vestido de conde,*
*orgulloso entre otros mendigos,*
*con bastoncito de plata.*

# XVI
*Intermedio 3*

LOS NUEVOS
PROPIETARIOS

*Así se estancó el tiempo en la cisterna.*

*El hombre dominado en las vacías*
*encrucijadas, piedra del castillo,*
*tinta del tribunal, pobló de bocas*
*la cerrada ciudad americana.*

*Cuando ya todo fue paz y concordia,*
*hospital y virrey, cuando Arellano,*
*Rojas, Tapia, Castillo, Núñez, Pérez,*
*Rosales, López, Jorquera, Bermúdez,*

los últimos soldados de Castilla,
envejecieron detrás de la Audiencia,
cayeron muertos bajo el mamotreto,
se fueron con sus piojos a la tumba
donde hilaron el sueño
de las bodegas imperiales, cuando
era la rata el único peligro
de las tierras encarnizadas,
se asomó el vizcaíno con un saco,
el Errázuriz con sus alpargatas,
el Fernández Larraín a vender velas,
el Aldunate de la bayeta,
el Eyzaguirre, rey del calcetín.

Entraron todos como pueblo hambriento,
huyendo de los golpes, del gendarme.
Pronto, de camiseta en camiseta,
expulsaron al conquistador
y establecieron la conquista
del almacén de ultramarinos.
Entonces adquirieron orgullo
comprado en el mercado negro.
Se adjudicaron
haciendas, látigos, esclavos,
catecismos, comisarías,
cepos, conventillos, burdeles,
y a todo esto denominaron
santa cultura occidental.

## XVII

COMUNEROS Fue Manuela Beltrán (cuando rompió los bandos
DEL del opresor, y gritó «Mueran los déspotas»)
SOCORRO la que los nuevos cereales
(1781) desparramó por nuestra tierra.
Fue en Nueva Granada, en la villa
del Socorro. Los comuneros

sacudieron el virreinato
en un eclipse precursor.

Se unieron contra los estancos,
contra el manchado privilegio,
y levantaron la cartilla
de las peticiones forales.
Se unieron con armas y piedras,
milicia y mujeres, al pueblo,
orden y furia, encaminados
hacia Bogotá y su linaje.

Entonces bajó el arzobispo.
«Tendréis todos vuestros derechos,
en nombre de Dios lo prometo.»

El pueblo se juntó en la plaza.

Y el arzobispo celebró
una misa y un juramento.
Él era la paz justiciera.

«Guardad las armas. Cada uno
a vuestra casa», sentenció.

Los comuneros entregaron
las armas. En Bogotá
festejaron al arzobispo,
celebraron su traición,
su perjurio, en la misa pérfida,
y negaron pan y derecho.

Fusilaron a los caudillos,
repartieron entre los pueblos
sus cabezas recién cortadas,
con bendiciones del prelado
y bailes en el virreinato.

Primeras, pesadas semillas
arrojadas a las regiones
permanecéis, ciegas estatuas,
incubando en la noche hostil
la insurrección de las espigas.


# XVIII

TÚPAC   Condorcanqui Túpac Amaru,
AMARU   sabio señor, padre justo,
(1781)  viste subir a Tungasuca
        la primavera desolada
        de los escalones andinos,
        y con ella sal y desdicha,
        iniquidades y tormentos.

Señor Inca, padre cacique,
todo en tus ojos se guardaba
como en un cofre calcinado
por el amor y la tristeza.
El indio te mostró la espalda
en que las nuevas mordeduras
brillaban en las cicatrices
de otros castigos apagados,
y era una espalda y otra espalda,
toda la altura sacudida
por las cascadas del sollozo.

Era un sollozo y otro sollozo.
Hasta que armaste la jornada
de los pueblos color de tierra,
recogiste el llanto en tu copa
y endureciste los senderos.
Llegó el padre de las montañas,
la pólvora levantó caminos,
y hacia los pueblos humillados
llegó el padre de la batalla.

Tiraron la manta en el polvo,
se unieron los viejos cuchillos,
y la caracola marina
llamó los vínculos dispersos.
Contra la piedra sanguinaria,
contra la inercia desdichada,
contra el metal de las cadenas.
Pero dividieron tu pueblo
y al hermano contra el hermano
enviaron, hasta que cayeron
las piedras de tu fortaleza:
ataron tus miembros cansados
a cuatro caballos rabiosos
y descuartizaron la luz
del amanecer implacable.

Túpac Amaru, sol vencido,
desde tu gloria desgarrada
sube como el sol en el mar
una luz desaparecida.
Los hondos pueblos de la arcilla,
los telares sacrificados,
las húmedas casas de arena
dicen en silencio: «Túpac»,
y Túpac es una semilla,
dicen en silencio: «Túpac»,
y Túpac se guarda en el surco,
dicen en silencio: «Túpac»,
y Túpac germina en la tierra.

## XIX

AMÉRICA
INSURRECTA
(1800)

Nuestra tierra, ancha tierra, soledades,
se pobló de rumores, brazos, bocas.
Una callada sílaba iba ardiendo,
congregando la rosa clandestina,
hasta que las praderas trepidaron
cubiertas de metales y galopes.

Fue dura la verdad como un arado.

Rompió la tierra, estableció el deseo,
hundió sus propagandas germinales
y nació en la secreta primavera.
Fue callada su flor, fue rechazada
su reunión de luz, fue combatida
la levadura colectiva, el beso
de las banderas escondidas,
pero surgió rompiendo las paredes,
apartando las cárceles del suelo.

El pueblo oscuro fue su copa,
recibió la substancia rechazada,
la propagó en los límites marítimos,
la machacó en morteros indomables.
Y salió con las páginas golpeadas
y con la primavera en el camino.
Hora de ayer, hora de mediodía,
hora de hoy otra vez, hora esperada
entre el minuto muerto y el que nace,
en la erizada edad de la mentira.

Patria, naciste de los leñadores,
de hijos sin bautizar, de carpinteros,
de los que dieron como un ave extraña
una gota de sangre voladora,
y hoy nacerás de nuevo duramente,
desde donde el traidor y el carcelero
te creen para siempre sumergida.

Hoy nacerás del pueblo como entonces.

Hoy saldrás del carbón y del rocío.
Hoy llegarás a sacudir las puertas
con manos maltratadas, con pedazos
de alma sobreviviente, con racimos
de miradas que no extinguió la muerte,

con herramientas hurañas
armadas bajo los harapos.

## XX

BERNARDO
O'HIGGINS
RIQUELME
(1810)

O'Higgins, para celebrarte
a media luz hay que alumbrar la sala.
A media luz del sur en otoño
con temblor infinito de álamos.

Eres Chile, entre patriarca y huaso,
eres un poncho de provincia, un niño
que no sabe su nombre todavía,
un niño férreo y tímido en la escuela,
un jovencito triste de provincia.
En Santiago te sientes mal, te miran
el traje negro que te queda largo,
y al cruzarte la banda, la bandera
de la patria que nos hiciste,
tenía olor de yuyo matutino
para tu pecho de estatua campestre.

Joven, tu profesor Invierno
te acostumbró a la lluvia
y en la Universidad de las calles de Londres,
la niebla y la pobreza te otorgaron sus títulos
y un elegante pobre, errante incendio
de nuestra libertad,
te dio consejos de águila prudente
y te embarcó en la Historia.

«Cómo se llama usted?» reían
los «caballeros» de Santiago:
hijo de amor, de una noche de invierno,
tu condición de abandonado
te construyó con argamasa agreste,
con seriedad de casa o de madera

trabajada en su Sur, definitiva.
Todo lo cambia el tiempo, todo menos tu rostro.

Eres, O'Higgins, reloj invariable
con una sola hora en tu cándida esfera:
la hora de Chile, el único minuto
que permanece en el horario rojo
de la dignidad combatiente.

Así estarás igual entre los muebles
de palisandro y las hijas de Santiago,
que rodeado en Rancagua por la muerte y la pólvora.

Eres el mismo sólido retrato
de quien no tiene padre sino patria,
de quien no tiene novia sino aquella
tierra con azahares
que te conquistará la artillería.

Te veo en el Perú escribiendo cartas.
No hay desterrado igual, mayor exilio.
Es toda la provincia desterrada.

Chile se iluminó como un salón
cuando no estabas. En derroche,
un rigodón de ricos substituye
tu disciplina de soldado ascético,
y la patria ganada por tu sangre
sin ti fue gobernada como un baile
que mira el pueblo hambriento desde fuera.

Ya no podías entrar en la fiesta
con sudor, sangre y polvo de Rancagua.
Hubiera sido de mal tono
para los caballeros capitales.
Hubiera entrado contigo el camino,
un olor de sudor y de caballos,
el olor de la patria en primavera.

No podías estar en este baile.
Tu fiesta fue un castillo de explosiones.
Tu baile desgreñado es la contienda.
Tu fin de fiesta fue la sacudida
de la derrota, el porvenir aciago
hacia Mendoza, con la patria en brazos.

Ahora mira en el mapa hacia abajo,
hacia el delgado cinturón de Chile
y coloca en la nieve soldaditos,
jóvenes pensativos en la arena,
zapadores que brillan y se apagan.

Cierra los ojos, duerme, sueña un poco,
tu único sueño, el único que vuelve
hacia tu corazón: una bandera
de tres colores en el Sur, cayendo
la lluvia, el sol rural sobre tu tierra,
los disparos del pueblo en rebeldía
y dos o tres palabras tuyas cuando
fueran estrictamente necesarias.
Si sueñas, hoy tu sueño está cumplido.
Suéñalo, por lo menos, en la tumba.
No sepas nada más porque, como antes,
después de las batallas victoriosas,
bailan los señoritos en palacio
y el mismo rostro hambriento
mira desde la sombra de las calles.

Pero hemos heredado tu firmeza,
tu inalterable corazón callado,
tu indestructible posición paterna,
y tú, entre la avalancha cegadora
de húsares del pasado, entre los ágiles
uniformes azules y dorados,
estás hoy con nosotros, eres nuestro,
padre del pueblo, inmutable soldado.

# XXI

SAN
MARTÍN
(1810)

Anduve, San Martín, tanto y de sitio en sitio
que descarté tu traje, tus espuelas, sabía
que alguna vez, andando en los caminos
hechos para volver, en los finales
de cordillera, en la pureza
de la intemperie que de ti heredamos,
nos íbamos a ver de un día a otro.

Cuesta diferenciar entre los nudos
de ceibo, entre raíces,
entre senderos señalar tu rostro,
entre los pájaros distinguir tu mirada,
encontrar en el aire tu existencia.

Eres la tierra que nos diste, un ramo
de cedrón que golpea con su aroma,
que no sabemos dónde está, de dónde
llega su olor de patria a las praderas.
Te galopamos, San Martín, salimos
amaneciendo a recorrer tu cuerpo,
respiramos hectáreas de tu sombra,
hacemos fuego sobre tu estatura.

Eres extenso entre todos los héroes.

Otros fueron de mesa en mesa,
de encrucijada en torbellino,
tú fuiste construido de confines,
y empezamos a ver tu geografía,
tu planicie final, tu territorio.

Mientras mayor el tiempo disemina
como agua eterna los terrones
del rencor, los afilados
hallazgos de la hoguera,

más terreno comprendes, más semillas
de tu tranquilidad pueblan los cerros,
más extensión das a la primavera.

El hombre que construye es luego el humo
de lo que construyó, nadie renace
de su propio brasero consumido:
de su disminución hizo existencia,
cayó cuando no tuvo más que polvo.

Tú abarcaste en la muerte más espacio.

Tu muerte fue un silencio de granero.
Pasó la vida tuya, y otras vidas,
se abrieron puertas, se elevaron muros
y la espiga salió a ser derramada.

San Martín, otros capitanes
fulguran más que tú, llevan bordados
sus pámpanos de sal fosforescentes,
otros hablan aún como cascadas,
pero no hay uno como tú, vestido
de tierra y soledad, de nieve y trébol.
Te encontramos al retornar del río,
te saludamos en la forma agraria
de la Tucumania florida,
y en los caminos, a caballo
te cruzamos corriendo y levantando
tu vestidura, padre polvoriento.

Hoy el sol y la luna, el viento grande
maduran tu linaje, tu sencilla
composición: tu verdad era
verdad de tierra, arenoso amasijo,
estable como el pan, lámina fresca
de greda y cereales, pampa pura.

Y así eres hasta hoy, luna y galope,
estación de soldados, intemperie,
por donde vamos otra vez guerreando,
caminando entre pueblos y llanuras,
estableciendo tu verdad terrestre,
esparciendo tu germen espacioso,
aventando las páginas del trigo.

Así sea, y que no nos acompañe
la paz hasta que entremos
después de los combates, a tu cuerpo
y duerma la medida que tuvimos
en tu extensión de paz germinadora.

## XXII

MINA    Mina, de las vertientes montañosas
(1817)  llegaste como un hilo de agua dura.
España clara, España transparente
te parió entre dolores, indomable,
y tienes la dureza luminosa
del agua torrencial de las montañas.

Largamente, en los siglos y las tierras,
sombra y fulgor en tu cuna lucharon,
uñas rampantes degollaban
la claridad del pueblo
y los antiguos halconeros,
en sus almenas eclesiásticas,
acechaban el pan, negaban
entrada al río de los pobres.

Pero siempre en la torre despiadada,
España, hiciste un hueco
al diamante rebelde y a su estirpe
de luz agonizante y renaciente.

No en vano el estandarte de Castilla
tiene el color del viento comunero,
corre la luz azul de Garcilaso,
no en vano en Córdoba entre arañas
sacerdotales, deja Góngora
sus bandejas de pedrería
aljofaradas por el hielo.

España, entre tus garras
de cruel antigüedad, tu pueblo puro
sacudió las raíces del tormento,
sufragó las acémilas feudales
con invencible sangre derramada,
y en ti la luz, como la sombra, es vieja,
gastada en devorantes cicatrices.
Junto a la paz del albañil cruzada
por la respiración de las encinas,
junto a los manantiales estrellados
en que cintas y sílabas relucen
sobre tu edad, como un temblor sombrío,
vive en su escalinata el gerifalte.

Hambre y dolor fueron la sílice
de tus arenas ancestrales
y un tumulto sordo, enredado
a las raíces de tus pueblos,
dio a la libertad del mundo
una eternidad de relámpagos,
de cantos y de guerrilleros.

Las hondonadas de Navarra
guardaron el rayo reciente.
Mina sacó del precipicio
el collar de sus guerrilleros:
de las aldeas invadidas,
de las poblaciones nocturnas
extrajo el fuego, alimentó
la abrasadora resistencia,

atravesó fuentes nevadas,
atacó en rápidos recodos,
surgió de los desfiladeros,
brotó de las panaderías.

Lo sepultaron en prisiones,
y al alto viento de la sierra
retornó, revuelto y sonoro,
su manantial intransigente.

A América lo lleva el viento
de la libertad española,
y de nuevo atraviesa bosques
y fertiliza las praderas
su corazón inagotable.

En nuestra lucha, en nuestra tierra
se desangraron sus cristales,
luchando por la libertad
indivisible y desterrada.

En México ataron el agua
de las vertientes españolas.
Y quedó inmóvil y callada
su transparencia caudalosa.

## XXIII

MIRANDA   Si entráis a Europa tarde con sombrero
MUERE   de copa en el jardín condecorado
EN LA   por más de un otoño junto al mármol
NIEBLA   de la fuente mientras caen hojas
(1816)   de oro harapiento en el Imperio
si la puerta recorta una figura
sobre la noche de San Petersburgo
tiemblan los cascabeles del trineo
y alguien en la soledad blanca alguien

el mismo paso la misma pregunta
si tú sales por la florida puerta
de Europa un caballero sombra traje
inteligencia signo cordón de oro
Libertad Igualdad mira su frente
entre la artillería que truena
si en las Islas la alfombra lo conoce
la que recibe océanos Pase usted Ya lo creo
Cuántas embarcaciones Y la niebla
siguiendo paso a paso su jornada
si en las cavidades de logias librerías
hay alguien guante espada con un mapa
con la carpeta pululante llena
de poblaciones de navíos de aire
si en Trinidad hacia la costa el humo
de un combate y de otro el mar de nuevo
y otra vez la escalera de Bay Street la atmósfera
que lo recibe impenetrable
como un compacto interior de manzana
y otra vez esta mano patricia este azulado
guante guerrero en la antesala
largos caminos guerras y jardines
la derrota en sus labios otra sal
otra sal otro vinagre ardiente
si en Cádiz amarrado al muro
por la gruesa cadena su pensamiento el frío
horror de espada el tiempo el cautiverio
si bajáis subterráneos entre ratas
y la mampostería leprosa otro cerrojo
en un cajón de ahorcado el viejo rostro
en donde ha muerto ahogada una palabra
una palabra nuestro nombre la tierra
hacia donde querían ir sus pasos
la libertad para su fuego errante
lo bajan con cordeles a la mojada
tierra enemiga nadie saluda hace frío
hace frío de tumba en Europa

# XXIV

JOSÉ
MIGUEL
CARRERA
(1810)

EPISODIO

Dijiste Libertad antes que nadie,
cuando el susurro iba de piedra en piedra,
escondido en los patios, humillado.

Dijiste Libertad antes que nadie.
Liberaste al hijo del esclavo.
Iban como las sombras mercaderes
vendiendo sangre de mares extraños.
Liberaste al hijo del esclavo.

Estableciste la primera imprenta.
Llegó la letra al pueblo oscurecido,
la noticia secreta abrió los labios.
Estableciste la primera imprenta.
Implantaste la escuela en el convento.
Retrocedió la gorda telaraña
y el rincón de los diezmos sofocantes.
Implantaste la escuela en el convento.

CORO

Conózcase tu condición altiva,
Señor centelleante y aguerrido.
Conózcase lo que cayó brillando
de tu velocidad sobre la patria.
Vuelo bravío, corazón de púrpura.

Conózcanse tus llaves desbocadas
abriendo los cerrojos de la noche.
Jinete verde, rayo tempestuoso.
Conózcase tu amor a manos llenas,
tu lámpara de luz vertiginosa.
Racimo de una cepa desbordante.

Conózcase tu esplendor instantáneo,
tu errante corazón, tu fuego diurno.

Hierro iracundo, pétalo patricio.
Conózcase tu rayo de amenaza
destrozando las cúpulas cobardes.
Torre de tempestad, ramo de acacia.
Conózcase tu espada vigilante,
tu fundación de fuerza y meteoro.
Conózcase tu rápida grandeza.
Conózcase tu indomable apostura.

### EPISODIO

Va por los mares, entre idiomas,
vestidos, aves extranjeras,
trae naves libertadoras,
escribe fuego, ordena nubes,
desentraña sol y soldados,
cruza la niebla en Baltimore
gastándose de puerta en puerta,
créditos y hombres lo desbordan,
lo acompañan todas las olas.
Junto al mar de Montevideo
en su habitación desterrada,
abre una imprenta, imprime balas.
Hacia Chile vive la flecha
de su dirección insurgente,
arde la furia cristalina
que lo conduce, y endereza
la cabalgata del rescate
montando en las crines ciclónicas
de su despeñada agonía.
Sus hermanos aniquilados
le gritan desde el paredón
de la venganza. Sangre suya
tiñe como una llamarada
en los adobes de Mendoza

su trágico trono vacío.
Sacude la paz planetaria
de la pampa como un circuito
de luciérnagas infernales.
Azota las ciudadelas
con el aullido de las tribus.
Ensarta cabezas cautivas
en el huracán de las lanzas.
Su poncho desencadenado
relampaguea en la humareda
y en la muerte de los caballos.

Joven Pueyrredón, no relates
el desolado escalofrío
de su final, no me atormentes
con la noche del abandono,
cuando lo llevan a Mendoza
mostrando el marfil de su máscara
la soledad de su agonía.

CORO

Patria, presérvalo en tu manto,
recoge este amor peregrino:
no lo dejes rodar al fondo
de su tenebrosa desdicha:
sube a tu frente este fulgor,
esta lámpara inolvidable,
repliega esta rienda frenética,
llama a este párpado estrellado,
guarda el ovillo de esta sangre
para tus telas orgullosas.
Patria, recoge esta carrera,
la luz, la gota mal herida,
este cristal agonizante,
esta volcánica sortija.
Patria, galopa y defiéndelo,
galopa, corre, corre, corre.

### ÉXODO

Lo llevan a los muros de Mendoza,
al árbol cruel, a la vertiente
de sangre inaugurada, al solitario
tormento, al final frío de la estrella.
Va por las carreteras inconclusas,
zarza y tapiales desdentados,
álamos que le arrojan oro muerto,
rodeado por su orgullo inútil
como por una túnica harapienta
a la que el polvo de la muerte llega.

Piensa en su desangrada dinastía,
en la luna inicial sobre los robles
desgarradores de la infancia,
la escuela castellana y el escudo
rojo y viril de la milicia hispana,
su tribu asesinada, la dulzura
del matrimonio, entre los azahares,
el destierro, las luchas por el mundo.
O'Higgins el enigma abanderado,
Javiera sin saber en los remotos
jardines de Santiago.
Mendoza insulta su linaje negro,
golpea su vencida investidura,
y entre las piedras arrojadas sube
hacia la muerte.
                        Nunca un hombre tuvo
un final más exacto. De las ásperas
embestidas, entre viento y bestias,
hasta este callejón donde sangraron
todos los de su sangre.
                        Cada grada
del cadalso lo ajusta a su destino.
Ya nadie puede continuar la cólera.
La venganza, el amor cierran sus puertas.

Los caminos ataron al errante.
Y cuando le disparan, y a través
de su paño de príncipe del pueblo
asoma sangre, es sangre que conoce
la tierra infame, sangre que ha llegado
donde tenía que llegar, al suelo
de lagares sedientos que esperaban
las uvas derrotadas de su muerte.

Indagó hacia la nieve de la patria.
Todo era niebla en la erizada altura.

Vio los fusiles cuyo hierro
hizo nacer su amor desmoronado,
se sintió sin raíces, pasajero
del humo, en la batalla solitaria,
y cayó envuelto en polvo y sangre
como en dos brazos de bandera.

CORO

Húsar infortunado, alhaja ardiente,
zarza encendida en la patria nevada.

Llorad por él, llorad hasta que mojen,
mujeres, vuestras lágrimas la tierra,
la tierra que él amó, su idolatría.
Llorad, guerreros ásperos de Chile,
acostumbrados a montaña y ola,
este vacío es como un ventisquero,
esta muerte es el mar que nos golpea.
No preguntéis por qué, nadie diría
la verdad destrozada por la pólvora.
No preguntéis por qué, nadie diría
el crecimiento de la primavera,
nadie mató la rosa del hermano.
Guardemos cólera, dolor y lágrimas,
llenemos el vacío desolado

y que la hoguera en la noche recuerde
la luz de las estrellas fallecidas.
Hermana, guarda tu rencor sagrado.
La victoria del pueblo necesita
la voz de tu ternura triturada.
Extended mantos en su ausencia
para que pueda –frío y enterrado–
con su silencio sostener la patria.

Más de una vida fue su vida.

Buscó su integridad como una llama.
La muerte fue con él hasta dejarlo
para siempre completo y consumido.

### ANTISTROFA

Guarde el laurel doloroso su extrema substancia de invierno.
A su corona de espinas llevemos arena radiante,
hilos de estirpe araucana resguarden la luna mortuoria,
hojas de boldo fragante resuelvan la paz de su tumba,
nieve nutrida en las aguas inmensas y oscuras de Chile,
plantas que amó, toronjiles en tazas de greda silvestre,
ásperas plantas amadas por el amarillo centauro,
negros racimos colmados de eléctrico otoño en la tierra,
ojos sombríos que ardieron bajo sus besos terrestres.
Levante la patria sus aves, sus alas injustas, sus párpados rojos,
vuele hacia el húsar herido la voz del queltehue en el agua,
sangre la loica su mancha de aroma escarlata rindiendo tributo
a aquél cuyo vuelo extendiera la noche nupcial de la patria
y el cóndor colgado en la altura inmutable corone con plumas
    sangrientas
el pecho dormido, la hoguera que yace en las gradas de la
    cordillera,
rompa el soldado la rosa iracunda aplastada en el muro abru-
    mado,
salte el paisano al caballo de negra montura y hocico de espuma,
vuelva al esclavo del campo su paz de raíces, su escudo enlutado,

levante el mecánico su pálida torre tejida de estaño nocturno:
el pueblo que nace en la cuna torcida por mimbres y manos
    del héroe,
el pueblo que sube de negros adobes de minas y bocas sulfúricas,
el pueblo levante el martirio y la urna y envuelva el recuerdo
    desnudo
con su ferroviaria grandeza y su eterna balanza de piedras y
    heridas
hasta que la tierra fragante decrete copihues mojados y libros
    abiertos,
al niño invencible, a la ráfaga insigne, al tierno temible y acer-
    bo soldado.
Y guarde su nombre en el duro dominio del pueblo en su lucha
como el nombre en la nave resiste el combate marino:
la patria en su proa lo inscriba y lo bese el relámpago
porque así fue su libre y delgada y ardiente materia.

## XXV

MANUEL            CUECA
RODRÍGUEZ

Señora, dicen que dónde,
mi madre dicen, dijeron,
el agua y el viento dicen
que vieron al guerrillero.

*Vida* Puede ser un obispo,
puede y no puede,
puede ser sólo el viento
sobre la nieve:
sobre la nieve, sí,
madre, no mires,
que viene galopando
Manuel Rodríguez.
Ya viene el guerrillero
por el estero.

### CUECA

*Pasión*  Saliendo de Melipilla,
corriendo por Talagante,
cruzando por San Fernando,
amaneciendo en Pomaire.

Pasando por Rancagua,
por San Rosendo,
por Cauquenes, por Chena,
por Nacimiento:
por Nacimiento, sí,
desde Chiñigüe,
por todas partes viene
Manuel Rodríguez.
Pásale este clavel.
Vamos con él.

### CUECA

*y Muerte*  Que se apaguen las guitarras,
que la patria está de duelo.
Nuestra tierra se oscurece.
Mataron al guerrillero.

En Til-Til lo mataron
los asesinos,
su espada está sangrando
sobre el camino:
sobre el camino, sí.

Quién lo diría,
él, que era nuestra sangre,
nuestra alegría.
La tierra está llorando.
Vamos callando.

# XXVI

### I

Artigas crecía entre los matorrales y fue tempestuoso
su paso porque en las praderas creciendo el galope de
   piedra o campana
llegó a sacudir la inclemencia del páramo como repetida
   centella,
llegó a acumular el color celestial extendiendo los cascos
   sonoros
hasta que nació una bandera empapada en el uruguayano
   rocío.

### II

Uruguay, Uruguay, uruguayan los cantos del río uruguayo,
las aves turpiales, la tórtola de voz malherida, la torre del
   trueno uruguayo
proclaman el grito celeste que dice Uruguay en el viento
y si la cascada redobla y repite el galope de los caballeros
   amargos
que hacia la frontera recogen los últimos granos de su
   victoriosa derrota
se extiende el unísono nombre de pájaro puro,
la luz de violín que bautiza la patria violenta.

### III

Oh Artigas, soldado del campo creciente, cuando para
   toda la tropa bastaba
tu poncho estrellado por constelaciones que tú conocías,
hasta que la sangre corrompe y redime la aurora, y despiertan tus hombres
marchando agobiados por los polvorientos ramales del
   día.
Oh padre constante del itinerario, caudillo del rumbo,
   centauro de la polvareda!

IV

Pasaron los días de un siglo y siguieron las horas detrás
  de tu exilio:
detrás de la selva enredada por mil telarañas de hierro:
detrás del silencio en que sólo caían los frutos podridos
  sobre los pantanos,
las hojas, la lluvia desencadenada, la música del urutaú,
los pasos descalzos de los paraguayos entrando y saliendo en el sol de la sombra,
la trenza del látigo, los cepos, los cuerpos roídos por
  escarabajos:
un grave cerrojo se impuso apartando el color de la selva
y el amoratado crepúsculo cerraba con sus cinturones
los ojos de Artigas que buscan en su desventura la luz
  uruguaya.

V

«Amargo trabajo el exilio», escribió aquel hermano de
  mi alma
y así el entretanto de América cayó como párpado oscuro
sobre la mirada de Artigas, jinete del escalofrío,
opreso en la inmóvil mirada de vidrio de un déspota, en
  un reino vacío.

VI

América tuya temblaba con penitenciales dolores:
Oribes, Alveares, Carreras, desnudos corrían hacia el
  sacrificio:
morían, nacían, caían: los ojos del ciego mataban: la voz
  de los mudos
hablaba. Los muertos, por fin encontraron partido,
por fin aquellos sangrientos supieron que pertenecían
a la misma fila: la tierra no tiene adversarios.

VII

Uruguay es palabra de pájaro, o idioma del agua,
es sílaba de una cascada, es tormento de cristalería,
Uruguay es la voz de las frutas en la primavera fragante,
es un beso fluvial de los bosques y la máscara azul del Atlántico.
Uruguay es la ropa tendida en el oro de un día de viento,
es el pan en la mesa de América, la pureza del pan en la mesa.

VIII

Y si Pablo Neruda, el cronista de todas las cosas te debía,
  Uruguay, este canto,
este canto, este cuento, esta miga de espiga, este Artigas,
no falté a mis deberes ni acepté los escrúpulos del intransigente:
esperé una hora quieta, aceché una hora inquieta, recogí los
  herbarios del río,
sumergí mi cabeza en tu arena y en la plata de los pejerreyes,
en la clara amistad de tus hijos, en tus destartalados mercados
me acendré hasta sentirme deudor de tu olor y tu amor.
Y tal vez está escrito el rumor que tu amor y tu olor me otorgaron
en estas palabras oscuras, que dejo en memoria de tu capitán
  luminoso.

XXVII

GUAYAQUIL     Cuando entró San Martín, algo nocturno
  (1822)      de camino impalpable, sombra, cuero,
             entró en la sala.
                              Bolívar esperaba.
             Bolívar olfateó lo que llegaba.
             Él era aéreo, rápido, metálico,
             todo anticipación, ciencia de vuelo,
             su contenido ser temblaba
             allí, en el cuarto detenido
             en la oscuridad de la historia.

Venía de la altura indecible,
de la atmósfera constelada,
iba su ejército adelante
quebrantando noche y distancia,
capitán de un cuerpo invisible,
de la nieve que lo seguía.
La lámpara tembló, la puerta
detrás de San Martín mantuvo
la noche, sus ladridos, un rumor
tibio de desembocadura.

Las palabras abrieron un sendero
que iba y volvía en ellos mismos.
Aquellos dos cuerpos se hablaban,
se rechazaban, se escondían,
se incomunicaban, se huían.

San Martín traía del Sur
un saco de números grises,
la soledad de las monturas
infatigables, los caballos
batiendo tierras, agregándose
a su fortaleza arenaria.
Entraron con él los ásperos
arrieros de Chile, un lento
ejército ferruginoso,
el espacio preparatorio,
las banderas con apellidos
envejecidos en la pampa.

Cuanto hablaron cayó de cuerpo a cuerpo
en el silencio, en el hondo intersticio.
No eran palabras, era la profunda
emanación de las tierras adversas,
de la piedra humana que toca
otro metal inaccesible.
Las palabras volvieron a su sitio.

Cada uno, delante de sus ojos
veía sus banderas.
Uno, el tiempo con flores deslumbrantes,
otro, el roído pasado,
los desgarrones de la tropa.


Junto a Bolívar una mano blanca
lo esperaba, lo despedía,
acumulaba su acicate ardiente,
extendía el lino en el tálamo.
San Martín era fiel a su pradera.
Su sueño era un galope,
una red de correas y peligros.
Su libertad era una pampa unánime.
Un orden cereal fue su victoria.


Bolívar construía un sueño,
una ignorada dimensión, un fuego
de velocidad duradera,
tan incomunicable, que lo hacía
prisionero, entregado a su substancia.


Cayeron las palabras y el silencio.
Se abrió otra vez la puerta, otra vez toda
la noche americana, el ancho río
de muchos labios palpitó un segundo.


San Martín regresó de aquella noche
hacia las soledades, hacia el trigo.
Bolívar siguió solo.


## XXVIII

SUCRE    Sucre en las altas tierras, desbordando
el amarillo perfil de los montes,
Hidalgo cae, Morelos recoge
el sonido, el temblor de una campana

propagado en la tierra y en la sangre.
Páez recorre los caminos
repartiendo aire conquistado,
cae el rocío en Cundinamarca
sobre la fraternidad de las heridas,
el pueblo insurge inquieto
desde la latitud a la secreta
célula, emerge un mundo
de despedidas y galopes,
nace a cada minuto una bandera
como una flor anticipada:
banderas hechas de pañuelos
sangrientos y de libros libres,
banderas arrastradas al polvo
de los caminos, destrozadas
por la caballería, abiertas
por estampidos y relámpagos.

LAS Nuestras banderas de aquel tiempo
BANDERAS fragante, bordadas apenas,
nacidas apenas, secretas
como un profundo amor, de pronto
encarnizadas en el viento
azul de la pólvora amada.

América, extensa cuna, espacio
de estrella, granada madura,
de pronto se llenó de abejas
tu geografía, de susurros
conducidos por los adobes
y las piedras, de mano en mano,
se llenó de trajes la calle
como un panal atolondrado.

En la noche de los disparos
el baile brillaba en los ojos,
subía como una naranja
el azahar a las camisas,

besos de adiós, besos de harina,
el amor amarraba besos,
y la guerra cantaba con
su guitarra por los caminos.


## XXIX

CASTRO  *Castro Alves del Brasil, tú para quién cantaste?*
ALVES   *Para la flor cantaste? Para el agua*
DEL     *cuya hermosura dice palabras a las piedras?*
BRASIL  *Cantaste para los ojos, para el perfil cortado*
        *de la que amaste entonces? Para la primavera?*

Sí, pero aquellos pétalos no tenían rocío,
aquellas aguas negras no tenían palabras,
aquellos ojos eran los que vieron la muerte,
ardían los martirios aun detrás del amor,
la primavera estaba salpicada de sangre.

–Canté para los esclavos, ellos sobre los barcos
como el racimo oscuro del árbol de la ira
viajaron, y en el puerto se desangró el navío
dejándonos el peso de una sangre robada.

–Canté en aquellos días contra el infierno,
contra las afiladas lenguas de la codicia,
contra el oro empapado en el tormento,
contra la mano que empuñaba el látigo,
contra los directores de tinieblas.

–Cada rosa tenía un muerto en sus raíces.
La luz, la noche, el cielo se cubrían de llanto,
los ojos se apartaban de las manos heridas
y era mi voz la única que llenaba el silencio.

–Yo quise que del hombre nos salváramos,
yo creía que la ruta pasaba por el hombre,

y que de allí tenía que salir el destino.
Yo canté para aquellos que no tenían voz.
Mi voz golpeó las puertas hasta entonces cerradas
para que, combatiendo, la Libertad entrase.

*Castro Alves del Brasil, hoy que tu libro puro*
*vuelve a nacer para la tierra libre,*
*déjame a mí, poeta de nuestra pobre América,*
*coronar tu cabeza con el laurel del pueblo.*
*Tu voz se unió a la eterna y alta voz de los hombres.*
*Cantaste bien. Cantaste como debe cantarse.*

## XXX

TOUSSAINT
L'OUVERTURE

Haití, de su dulzura enmarañada,
extrae pétalos patéticos,
rectitud de jardines, edificios
de la grandeza, arrulla
el mar como un abuelo oscuro
su antigua dignidad de piel y espacio.

Toussaint L'Ouverture anuda
la vegetal soberanía,
la majestad encadenada,
la sorda voz de los tambores
y ataca, cierra el paso, sube,
ordena, expulsa, desafía
como un monarca natural,
hasta que en la red tenebrosa
cae y lo llevan por los mares
arrastrado y atropellado
como el regreso de su raza,
tirado a la muerte secreta
de las sentinas y los sótanos.
Pero en la isla arden las peñas,
hablan las ramas escondidas,
se transmiten las esperanzas,

surgen los muros del baluarte.
La libertad es bosque tuyo,
oscuro hermano, preserva
tu memoria de sufrimientos
y que los héroes pasados
custodien tu mágica espuma.


# XXXI

MORAZÁN    Alta es la noche y Morazán vigila.
(1842)    Es hoy, ayer, mañana? Tú lo sabes.

Cinta central, américa angostura
que los golpes azules de dos mares
fueron haciendo, levantando en vilo
cordilleras y plumas de esmeralda:
territorio, unidad, delgada diosa
nacida en el combate de la espuma.

Te desmoronan hijos y gusanos,
se extienden sobre ti las alimañas
y una tenaza te arrebata el sueño
y un puñal con tu sangre te salpica
mientras se despedaza tu estandarte.

Alta es la noche y Morazán vigila.

Ya viene el tigre enarbolando un hacha.
Vienen a devorarte las entrañas.
Vienen a dividir la estrella.
                              Vienen,
pequeña América olorosa,
a clavarte en la cruz, a desollarte,
a tumbar el metal de tu bandera.

Alta es la noche y Morazán vigila.

Invasores llenaron tu morada.
Y te partieron como fruta muerta,
y otros sellaron sobre tus espaldas
los dientes de una estirpe sanguinaria,
y otros te saquearon en los puertos
cargando sangre sobre tus dolores.

Es hoy, ayer, mañana? Tú lo sabes.

Hermanos, amanece. (Y Morazán vigila.)

## XXXII

VIAJE POR   Juárez, si recogiéramos
LA NOCHE   la íntima estrata, la materia
DE JUÁREZ   de la profundidad, si cavando tocáramos
el profundo metal de las repúblicas,
esta unidad sería tu estructura,
tu impasible bondad, tu terca mano.

Quien mira tu levita,
tu parca ceremonia, tu silencio,
tu rostro hecho de tierra americana,
si no es de aquí, si no ha nacido en estas
llanuras, en la greda montañosa
de nuestras soledades, no comprende.
Te hablarán divisando una cantera.
Te pasarán como se pasa un río.
Darán la mano a un árbol, a un sarmiento,
a un sombrío camino de la tierra.
Para nosotros eres pan y piedra,
horno y producto de la estirpe oscura.
Tu rostro fue nacido en nuestro barro.
Tu majestad es mi región nevada,
tus ojos la enterrada alfarería.

Otros tendrán el átomo y la gota
de eléctrico fulgor, de brasa inquieta:
tú eres el muro hecho de nuestra sangre,
tu rectitud impenetrable
sale de nuestra dura geología.

No tienes nada que decir al aire,
al viento de oro que viene de lejos,
que lo diga la tierra ensimismada,
la cal, el mineral, la levadura.

Yo visité los muros de Querétaro,
toqué cada peñasco en la colina,
la lejanía, cicatriz y cráter,
los cactus de ramales espinosos:
nadie persiste allí, se fue el fantasma,
nadie quedó dormido en la dureza:
sólo existen la luz, los aguijones
del matorral, y una presencia pura:
Juárez, tu paz de noche justiciera,
definitiva, férrea y estrellada.


## XXXIII

EL VIENTO
SOBRE
LINCOLN

A veces el viento del Sur resbala
sobre la sepultura de Lincoln trayendo
voces y briznas de ciudades y árboles
nada pasa en su tumba las letras no se mueven
el mármol se suaviza con lentitud de siglos
el viejo caballero ya no vive
no existe el agujero de su antigua camisa
se han mezclado las fibras de tiempo y polvo humano
qué vida tan cumplida dice una temblorosa
señora de Virginia una escuela que canta
más de una escuela canta pensando en otras cosas
pero el viento del Sur la emanación de tierras
de caminos a veces se detiene en la tumba

su transparencia es un periódico moderno
vienen sordos rencores lamentos como aquéllos
el sueño inmóvil vencedor yacía
bajo los pies llenos de lodo que pasaron
cantando y arrastrando tanta fatiga y sangre
pues bien esta mañana vuelve al mármol el odio
el odio del Sur blanco hacia el viejo dormido
en las iglesias los negros están solos con Dios
con Dios según lo creen en las plazas
en los trenes el mundo tiene ciertos letreros
que dividen el cielo el agua el aire
qué vida tan perfecta dice la delicada
señorita y en Georgia matan a palos
cada semana a un joven negro
mientras Paul Robeson canta como la tierra
como el comienzo del mar y de la vida
canta sobre la crueldad y los avisos
de Coca-Cola canta para hermanos
de mundo a mundo entre los castigos
canta para los nuevos hijos para
que el hombre oiga y detenga su látigo
la mano cruel la mano que Lincoln abatiera
la mano que resurge como una blanca víbora
el viento pasa el viento sobre la tumba trae
conversaciones restos de juramentos algo
que llora sobre el mármol como una lluvia fina
de antiguos de olvidados dolores insepultos
el Klan mató a un bárbaro persiguiéndolo
colgando al pobre negro que aullaba quemándolo
vivo y agujereado por los tiros
bajo sus capuchones los prósperos rotarios
no saben así creen que sólo son verdugos
cobardes carniceros detritus del dinero
con la cruz de Caín regresan
a lavarse las manos a rezar el domingo
telefonean al Senado contando sus hazañas
de esto no sabe nada el muerto de Illinois
porque el viento de hoy habla un lenguaje

de esclavitud de furia de cadena
y a través de las losas el hombre ya no existe
es un desmenuzado polvillo de victoria
de victoria arrasada después de triunfo muerto
no sólo la camisa del hombre se ha gastado
no sólo el agujero de la muerte nos mata
sino la primavera repetida el transcurso
que roe al vencedor con su canto cobarde
muere el valor de ayer se derraman de nuevo
las furiosas banderas del malvado
alguien canta junto al monumento es un coro
de niñas escolares voces ácidas
que suben sin tocar el polvo externo
que pasan sin bajar al leñador dormido
a la victoria muerta bajo las reverencias
mientras el burlón y viajero viento del Sur sonríe

## XXXIV

MARTÍ     Cuba, flor espumosa, efervescente
(1890)      azucena escarlata, jazminero,
            cuesta encontrar bajo la red florida
            tu sombrío carbón martirizado,
            la antigua arruga que dejó la muerte,
            la cicatriz cubierta por la espuma.

            Pero dentro de ti como una clara
            geometría de nieve germinada,
            donde se abren tus últimas cortezas,
            yace Martí como una almendra pura.

            Está en el fondo circular del aire,
            está en el centro azul del territorio,
            y reluce como una gota de agua
            su dormida pureza de semilla.

            Es de cristal la noche que lo cubre.

Llanto y dolor, de pronto, crueles gotas
atraviesan la tierra hasta el recinto
de la infinita claridad dormida.
El pueblo a veces baja sus raíces
a través de la noche hasta tocar
el agua quieta en su escondido manto.
A veces cruza el rencor iracundo
pisoteando sembradas superficies
y un muerto cae en la copa del pueblo.

A veces vuelve el látigo enterrado
a silbar en el aire de la cúpula
y una gota de sangre como un pétalo
cae a la tierra y desciende al silencio.
Todo llega al fulgor inmaculado.
Los temblores minúsculos golpean
las puertas de cristal del escondido.

Toda lágrima toca su corriente.

Todo fuego estremece su estructura.
Y así de la yacente fortaleza,
del escondido germen caudaloso
salen los combatientes de la isla.

Vienen de un manantial determinado.

Nacen de una vertiente cristalina.

## XXXV

BALMACEDA
DE CHILE
(1891)

Mr. North ha llegado de Londres.
Es un magnate del nitrato.
Antes trabajó en la pampa,
de jornalero, algún tiempo,
pero se dio cuenta y se fue.

Ahora vuelve, envuelto en libras.
Trae dos caballitos árabes
y una pequeña locomotora
toda de oro. Son regalos
para el Presidente, un tal
José Manuel Balmaceda.

«You are very clever, Mr. North.»

Rubén Darío entra por esta casa,
por esta Presidencia como quiere.
Una botella de coñac le aguarda.
El joven Minotauro envuelto en niebla
de ríos, traspasado de sonidos
sube la gran escala que será
tan difícil subir a Mr. North.
El Presidente regresó hace poco
del desolado Norte salitroso,
allí dijo: «Esta tierra, esta riqueza
será de Chile, esta materia blanca
convertiré en escuelas, en caminos,
en pan para mi pueblo».
Ahora entre papeles, en palacio,
su fina forma, su intensa mirada
mira hacia los desiertos del salitre.

Su noble rostro no sonríe.

La cabeza, de pálida apostura,
tiene la antigua calidad de un muerto,
de un viejo antepasado de la patria.

Todo su ser es examen solemne.

Algo inquieta como una racha fría,
su paz, su movimiento pensativo.

Rechazó los caballos, la maquinita de oro
de Mr. North. Los alejó sin verlos

hacia su dueño, el poderoso gringo.
Movió apenas la desdeñosa mano.
«Ahora, Mr. North, no puedo
entregarle estas concesiones,
no puedo amarrar a mi patria
a los misterios de la City.»

Mr. North se instala en el Club.
Cien whiskies van para su mesa,
cien comidas para abogados,
para el Parlamento, champaña
para los tradicionalistas.
Corren agentes hacia el Norte,
las hebras van, vienen y vuelven.
Las suaves libras esterlinas
tejen como arañas doradas
una tela inglesa, legítima,
para mi pueblo, un traje sastre
de sangre, pólvora y miseria.

«You are very clever, Mr. North.»

Sitia la sombra a Balmaceda.
Cuando llega el día lo insultan,
lo escarnecen los aristócratas,
le ladran en el Parlamento,
lo fustigan y lo calumnian.
Dan la batalla, y han ganado.
Pero no basta: hay que torcer
la historia. Las buenas viñas
se «sacrifican» y el alcohol
llena la noche miserable.

Los elegantes jovencitos
marcan las puertas y una horda
asalta las casas, arroja
los pianos desde los balcones.
Aristocrático *picnic*

con cadáveres en la acequia
y *champagne* francés en el Club.

«You are very clever, Mr. North.»

La Embajada argentina abrió
sus puertas al Presidente.
Esa tarde escribe con la misma
seguridad de mano fina,
la sombra entra en sus grandes ojos
como una oscura mariposa,
de profundidad fatigada.

Y la magnitud de su frente
sale del mundo solitario,
de la pequeña habitación,
ilumina la noche oscura.
Escribe su nítido nombre,
las letras de largo perfil
de su doctrina traicionada.
Tiene el revólver en su mano.

Mira a través de la ventana
un trozo postrero de patria,
pensando en todo el largo cuerpo
de Chile, oscurecido
como una página nocturna.
Viaja, y sin ver cruzan sus ojos,
como en los vidrios de un tren,
rápidos campos, caseríos,
torres, riberas anegadas,
pobreza, dolores, harapos.
Él soñó un sueño preciso,
quiso cambiar el desgarrado
paisaje, el cuerpo consumido
del pueblo, quiso defenderlo.
Es tarde ya, escucha disparos
aislados, los gritos vencedores,

el salvaje malón, los aullidos
de la «aristocracia», escucha
el último rumor, el gran silencio,
y entra con él, recostado, a la muerte.

## XXXVI

A EMILIANO
ZAPATA CON
MÚSICA DE
TATA NACHO
Cuando arreciaron los dolores
en la tierra, y los espinares desolados
fueron la herencia de los campesinos,
y como antaño, las rapaces
barbas ceremoniales, y los látigos,
entonces, flor y fuego galopado...

> *Borrachita me voy*
> *hacia la capital*

se encabritó en el alba transitoria
la tierra sacudida de cuchillos,
el peón de sus amargas madrigueras
cayó como un elote desgranado
sobre la soledad vertiginosa.

> *a pedirle al patrón*
> *que me mandó llamar*

Zapata entonces fue tierra y aurora.
En todo el horizonte aparecía
la multitud de su semilla armada.
En un ataque de aguas y fronteras
el férreo manantial de Coahuila,
las estelares piedras de Sonora:
todo vino a su paso adelantado,
a su agraria tormenta de herraduras.

> *que si se va del rancho*
> *muy pronto volverá*

Reparte el pan, la tierra:
                    te acompaño.
Yo renuncio a mis párpados celestes.
Yo, Zapata, me voy con el rocío
de las caballerías matutinas,
en un disparo desde los nopales
hasta las casas de pared rosada.

> *cintitas pa tu pelo*
> *no llores por tu Pancho*

La luna duerme sobre las monturas.
La muerte amontonada y repartida
yace con los soldados de Zapata.
El sueño esconde bajo los baluartes
de la pesada noche su destino,
su incubadora sábana sombría.
La hoguera agrupa el aire desvelado:
grasa, sudor y pólvora nocturna.

> *Borrachita me voy*
> *para olvidarte*

Pedimos patria para el humillado.
Tu cuchillo divide el patrimonio
y tiros y corceles amedrentan
los castigos, la barba del verdugo.
La tierra se reparte con un rifle.
No esperes, campesino polvoriento,
después de tu sudor la luz completa
y el cielo parcelado en tus rodillas.
Levántate y galopa con Zapata.

> *Yo la quise traer*
> *dijo que no*

México, huraña agricultura, amada
tierra entre los oscuros repartida:

de las espaldas del maíz salieron
al sol tus centuriones sudorosos.
De la nieve del Sur vengo a cantarte.
Déjame galopar en tu destino
y llenarme de pólvora y arados.

*Que si habrá de llorar*
*pa qué volver...*

## XXXVII

SANDINO    Fue cuando en tierra nuestra
(1926)    se enterraron
las cruces, se gastaron
inválidas, profesionales.
Llegó el dólar de dientes agresivos
a morder territorio,
en la garganta pastoril de América.
Agarró Panamá con fauces duras,
hundió en la tierra fresca sus colmillos,
chapoteó en barro, whisky, sangre,
y juró un Presidente con levita:
«Sea con nosotros el soborno
de cada día».
                Luego, llegó el acero,
y el canal dividió las residencias,
aquí los amos, allí la servidumbre.

Corrieron hacia Nicaragua.

Bajaron, vestidos de blanco,
tirando dólares y tiros.
Pero allí surgió un capitán
que dijo: «No, aquí no pones
tus concesiones, tu botella».
Le prometieron un retrato
de Presidente, con guantes,

banda terciada y zapatitos
de charol recién adquiridos.
Sandino se quitó las botas,
se hundió en los trémulos pantanos,
se terció la banda mojada
de la libertad en la selva,
y, tiro a tiro, respondió
a los «civilizadores».

La furia norteamericana
fue indecible: documentados
embajadores convencieron
al mundo que su amor era
Nicaragua, que alguna vez
el orden debía llegar
a sus entrañas soñolientas.

Sandino colgó a los intrusos.

Los héroes de Wall Street
fueron comidos por la ciénaga,
un relámpago los mataba,
más de un machete los seguía,
una soga los despertaba
como una serpiente en la noche,
y colgando de un árbol eran
acarreados lentamente
por coleópteros azules
y enredaderas devorantes.

Sandino estaba en el silencio,
en la Plaza del Pueblo, en todas
partes estaba Sandino,
matando norteamericanos,
ajusticiando invasores.
Y cuando vino la aviación,
la ofensiva de los ejércitos
acorazados, la incisión

de aplastadores poderíos,
Sandino con sus guerrilleros,
como un espectro de la selva,
era un árbol que se enroscaba
o una tortuga que dormía
o un río que se deslizaba.
Pero árbol, tortuga, corriente
fueron la muerte vengadora,
fueron sistema de la selva,
mortales síntomas de araña.

(En 1948
un guerrillero
de Grecia, columna de Esparta,
fue la urna de luz atacada
por los mercenarios del dólar.

Desde los montes echó fuego
sobre los pulpos de Chicago,
y como Sandino, el valiente
de Nicaragua, fue llamado
«bandolero de las montañas».)

Pero cuando fuego, sangre
y dólar no destruyeron
la torre altiva de Sandino,
los guerreros de Wall Street
hicieron la paz, invitaron
a celebrarla al guerrillero,

y un traidor recién alquilado

le disparó su carabina.

Se llama Somoza. Hasta hoy
está reinando en Nicaragua:
los treinta dólares crecieron
y aumentaron en su barriga.

Ésta es la historia de Sandino,
capitán de Nicaragua,
encarnación desgarradora
de nuestra arena traicionada,
dividida y acometida,
martirizada y saqueada.


# XXXVIII

La tierra, el metal de la tierra, la compacta
hermosura, la paz ferruginosa
que será lanza, lámpara o anillo,
materia pura, acción
del tiempo, salud
de la tierra desnuda.

El mineral fue como estrella
hundida, y enterrada.
A golpes de planeta, gramo a gramo,
fue escondida la luz.
Áspera capa, arcilla, arena
cubrieron tu hemisferio.

Pero yo amé tu sal, tu superficie.
Tu goterón, tu párpado, tu estatua.

En el quilate de pureza dura
cantó mi mano: en la égloga
nupcial de la esmeralda fui citado,
y en el hueco del hierro puse mi rostro un día
hasta emanar abismo, resistencia y aumento.

Pero yo no sabía nada.

El hierro, el cobre, las sales lo sabían.

Cada pétalo de oro fue arrancado con sangre,
Cada metal tiene un soldado.

*El cobre*  Yo llegué al cobre, a Chuquicamata.
Era tarde en las cordilleras.
El aire era como una copa
fría, de seca transparencia.
Antes viví en muchos navíos,
pero en la noche del desierto
la inmensa mina resplandecía
como un navío cegador
con el rocío deslumbrante
de aquellas alturas nocturnas.

Cerré los ojos: sueño y sombra
extendían sus gruesas plumas
sobre mí como aves gigantes.
Apenas y de tumbo en tumbo,
mientras bailaba el automóvil,
la oblicua estrella, el penetrante
planeta, como una lanza,
me arrojaban un rayo helado
de fuego frío, de amenaza.

*La noche en*  Era alta noche ya, noche profunda,
*Chuquicamata*  como interior vacío de campana.
Y ante mis ojos vi los muros implacables,
el cobre derribado en la pirámide.
Era verde la sangre de esas tierras.

Alta hasta los planetas empapados
era la magnitud nocturna y verde.
Gota a gota una leche de turquesa,
una aurora de piedra,
fue construida por el hombre
y ardía en la inmensidad,
en la estrellada tierra abierta
de toda la noche arenosa.

Paso a paso, entonces, la sombra
me llevó

de la mano hacia el Sindicato.
                              Era el mes de julio
en Chile, en la estación fría.

        Junto a mis pasos, muchos días
        (o siglos) (o simplemente meses
        de cobre, piedra y piedra y piedra,
        es decir, de infierno en el tiempo:
        del infinito sostenido
        por una mano sulfurosa),
        iban otros pasos y pies
        que sólo el cobre conocía.

              Era una multitud grasienta,
              hambre y harapo, soledades,
              la que cavaba el socavón.
              Aquella noche no vi
              desfilar su herida sin número
              en la costa cruel de la mina.

              Pero yo fui de esos tormentos.

        Las vértebras del cobre estaban húmedas,
        descubiertas a golpes de sudor
        en la infinita luz del aire andino.
        Para excavar los huesos minerales
        de la estatua enterrada por los siglos,
        el hombre construyó las galerías
        de un teatro vacío.
        Pero la esencia dura,
        la piedra en su estatura, la victoria
        del cobre huyó dejando un cráter
        de ordenado volcán, como si aquella
        estatua, estrella verde,
        fuera arrancada al pecho de un dios ferruginoso
        dejando un hueco pálido socavado en la altura.

*Los chilenos*   Todo eso fue tu mano.

Tu mano fue, la uña
del compatriota mineral, del «roto»
combatido, del pisoteado
material humano, del hombrecito con harapos.
Tu mano fue como la geografía:
cavó este cráter de tiniebla verde,
fundó un planeta de piedra oceánica.

Anduvo por las maestranzas
manejando las palas rotas
y poniendo pólvora en todas
partes, como huevos
de gallina ensordecedora.

Se trata de un cráter remoto:
aun desde la luna llena
se veía su profundidad
hecha mano a mano por
un tal Rodríguez, un tal Carrasco,
un tal Díaz Iturrieta,
un tal Abarca, un tal Gumersindo,
un tal chileno llamado Mil.

Esta inmensidad, uña a uña,
el desgarrado chileno, un día
y otro día, otro invierno, a pulso,
a velocidad, en la lenta
atmósfera de las alturas,
la recogió de la argamasa,
la estableció entre las regiones.

*El héroe*   No fue sólo firmeza tumultuosa
de muchos dedos, no sólo fue la pala,
no sólo el brazo, la cadera, el peso
de todo el hombre y su energía:
fueron dolor, incertidumbre y furia

los que cavaron el centímetro
de altura calcárea, buscando
las venas verdes de la estrella,
los finales fosforescentes
de los cometas enterrados.

Del hombre gastado en su abismo
nacieron las sales sangrientas.

Porque es el Reinaldo agresivo,
busca piedras, el infinito
Sepúlveda, tu hijo, sobrino de
tu tía Eduviges Rojas,
el héroe ardiendo, el que desvencija
la cordillera mineral.

Así fue como conociendo,
entrando como a la uterina
originalidad de la entraña,
en tierra y vida, fui venciéndome:
hasta sumirme en hombre, en agua
de lágrimas como estalactitas,
de pobre sangre despeñada,
de sudor caído en el polvo.

*Oficios*  Otras veces con Lafertte, más lejos,
entramos en Tarapacá,
desde Iquique azul y ascético,
por los límites de la arena.

Me mostró Elías las palas
de los derripiadores, hundido
en las maderas cada dedo
del hombre: estaban gastadas
por el roce de cada yema.

Las presiones de aquellas manos derritieron
los pedernales de la pala,
y así abrieron los corredores
de tierra y piedra, metal y ácido,
estas uñas amargas, estos
ennegrecidos cinturones
de manos que rompen planetas,
y elevan las sales al cielo,
diciendo como en el cuento,
en la historia celeste: «Éste
es el primer día de la tierra».

Así aquel que nadie vio antes
(antes de aquel día de origen),
el prototipo de la pala,
se levantó sobre las cáscaras
del infierno: las dominó
con sus rudas manos ardientes,
abrió las hojas de la tierra,
y apareció en camisa azul
el capitán de dientes blancos,
el conquistador del salitre.

*El desierto*  El duro mediodía de las grandes arenas
ha llegado:
el mundo está desnudo,
ancho, estéril y limpio hasta las últimas
fronteras arenales:
escuchad el sonido quebradizo
de la sal viva, sola en los salares:
el sol rompe sus vidrios en la extensión vacía
y agoniza la tierra con un seco
y ahogado ruido de sal que gime.

*Nocturno*

Ven al circuito del desierto,
a la alta aérea noche de la pampa,
al círculo nocturno, espacio y astro,

donde la zona del Tamarugal recoge
todo el silencio perdido en el tiempo.

Mil años de silencio en una copa
de azul calcáreo, de distancia y luna,
labran la geografía desnuda de la noche.

Yo te amo, pura tierra, como tantas
cosas amé contrarias:
la flor, la calle, la abundancia, el rito.

Yo te amo, hermana pura del océano.
Para mí fue difícil esta escuela vacía
en que no estaba el hombre, ni el muro, ni la planta
para apoyarme en algo.

Estaba solo.
Era llanura y soledad la vida.

Era éste el pecho varonil del mundo.

Y amé el sistema de tu forma recta,

la extensa precisión de tu vacío.

El *páramo*    En el páramo el hombre vivía
mordiendo tierra, aniquilado.
Me fui derecho a la madriguera,
metí la mano entre los piojos,
anduve por los rieles hasta
el amanecer desolado,
dormí sobre las tablas duras,
bajé de la faena en la tarde,
me quemaron el vapor y el yodo,
estreché la mano del hombre,
conversé con la mujercita,
puertas adentro entre gallinas,
entre harapos, en el olor
de la pobreza abrasadora.

Y cuando tantos dolores
reuní, cuando tanta sangre
recogí en el cuenco del alma,
vi venir del espacio puro
de las pampas inabarcables
un hombre hecho de su misma arena,
un rostro inmóvil y extendido,
un traje con un ancho cuerpo,

unos ojos entrecerrados
como lámparas indomables.

Recabarren era su nombre.

## XXXIX

RECABARREN  Tu nombre era Recabarren.
(1921)

Bonachón, corpulento, espacioso,
clara mirada, frente firme,
su ancha compostura cubría,
como la arena numerosa,
los yacimientos de la fuerza.

Mirad en la pampa de América
(ríos ramales, clara nieve,
cortaduras ferruginosas)
a Chile con su destrozada
biología, como un ramaje
arrancado, como un brazo
cuyas falanges dispersó
el tráfico de las tormentas.

Sobre las áreas musculares
de los metales y el nitrato,
sobre la atlética grandeza
del cobre recién excavado,

el pequeño habitante vive,
acumulado en el desorden,
con un contrato apresurado,
lleno de niños andrajosos,
extendidos por los desiertos
de la superficie salada.

Es el chileno interrumpido
por la cesantía o la muerte.

Es el durísimo chileno
sobreviviente de las obras
o amortajado por la sal.

Allí llegó con sus panfletos
este capitán del pueblo.
Tomó al solitario ofendido
que, envolviendo sus mantas rotas
sobre sus hijos hambrientos,
aceptaba las injusticias
encarnizadas, y le dijo:
«Junta tu voz a otra voz»,
«Junta tu mano a otra mano».
Fue por los rincones aciagos
del salitre, llenó la pampa
con su investidura paterna
y en el escondite invisible
lo vio toda la minería.

Llegó cada «gallo» golpeado,
vino cada uno de los lamentos:
entraron como fantasmas
de pálida voz triturada
y salieron de sus manos
con una nueva dignidad.
En toda la pampa se supo.
Y fue por la patria entera
fundando pueblo, levantando

los corazones quebrantados.
Sus periódicos recién impresos
entraron en las galerías
del carbón, subieron al cobre,
y el pueblo besó las columnas
que por primera vez llevaban
la voz de los atropellados.

Organizó las soledades.
Llevó los libros y los cantos
hasta los muros del terror,
juntó una queja y otra queja,
y el esclavo sin voz ni boca,
el extendido sufrimiento,
se hizo nombre, se llamó Pueblo,
Proletariado, Sindicato,
tuvo persona y apostura.

Y este habitante transformado
que se construyó en el combate,
este organismo valeroso,
esta implacable tentativa,
este metal inalterable,
esta unidad de los dolores,
esta fortaleza del hombre,
este camino hacia mañana,
esta cordillera infinita,
esta germinal primavera,
este armamento de los pobres,
salió de aquellos sufrimientos,
de los más hondo de la patria,
de lo más duro y más golpeado,
de lo más alto y más eterno
y se llamó Partido.
                            *Partido*
*Comunista.*
                    Ése fue su nombre.
Fue grande la lucha. Cayeron

como buitres los dueños del oro.
Combatieron con la calumnia.
«Este Partido Comunista
está pagado por el Perú,
por Bolivia, por extranjeros.»
Cayeron sobre las imprentas,
adquiridas gota por gota
con sudor de los combatientes,
y las atacaron quebrándolas,
quemándolas, desparramando
la tipografía del pueblo.
Persiguieron a Recabarren.
Le negaron entrada y paso.
Pero él congregó su semilla
en los socavones desiertos
y fue defendido el baluarte.

Entonces, los empresarios
norteamericanos e ingleses,
sus abogados, senadores,
sus diputados, presidentes,
vertieron la sangre en la arena,
acorralaron, amarraron,
asesinaron nuestra estirpe,
la fuerza profunda de Chile,
dejaron junto a los senderos
de la inmensa pampa amarilla
cruces de obreros fusilados,
cadáveres amontonados
en los repliegues de la arena.

Una vez a Iquique, en la costa,
hicieron venir a los hombres
que pedían escuela y pan.
Allí confundidos, cercados
en un patio, los dispusieron
para la muerte.
                                    Dispararon

con silbante ametralladora,
con fusiles tácticamente
dispuestos, sobre el hacinado
montón de dormidos obreros.
La sangre llenó como un río
la arena pálida de Iquique,
y allí está la sangre caída,
ardiendo aún sobre los años
como una corola implacable.

Pero sobrevivió la resistencia.
La luz organizada por las manos
de Recabarren, las banderas rojas
fueron desde las minas a los pueblos,
fueron a las ciudades y a los surcos,
rodaron con las ruedas ferroviarias,
asumieron las bases del cemento,
ganaron calles, plazas, alquerías,
fábricas abrumadas por el polvo,
llagas cubiertas por la primavera:
todo cantó y luchó para vencer
en la unidad del tiempo que amanece.

Cuánto ha pasado desde entonces.
Cuánta sangre sobre la sangre,
cuántas luchas sobre la tierra.
Horas de espléndida conquista,
triunfos ganados gota a gota,
calles amargas, derrotadas,
zonas oscuras como túneles,
traiciones que parecían
cortar la vida con su filo,
represiones armadas de odio,
coronadas militarmente.

Parecía hundirse la tierra.

Pero la lucha permanece.

*Envío*　　Recabarren, en estos días
*(1949)*　　de persecución, en la angustia
de mis hermanos relegados,
combatidos por un traidor,
y con la patria envuelta en odio,
herida por la tiranía,
recuerdo la lucha terrible
de tus prisiones, de tus pasos
primeros, tu soledad
de torreón irreductible,
y cuando, saliendo del páramo,
un hombre y otro a ti vinieron
a congregar el amasijo
del pan humilde defendido
por la unidad del pueblo augusto.

*Padre*　　Recabarren, hijo de Chile,
*de Chile*　padre de Chile, padre nuestro,
en tu construcción, en tu línea
fraguada en tierras y tormentos
nace la fuerza de los días
venideros y vencedores.

Tú eres la patria, pampa y pueblo,
arena, arcilla, escuela, casa,
resurrección, puño, ofensiva,
orden, desfile, ataque, trigo,
lucha, grandeza, resistencia.

Recabarren, bajo tu mirada
juramos limpiar las heridas
mutilaciones de la patria.

Juramos que la libertad
levantará su flor desnuda
sobre la arena deshonrada.

Juramos continuar tu camino
hasta la victoria del pueblo.

# XL

Brasil augusto, cuánto amor quisiera
para extenderme en tu regazo,
para envolverme en tus hojas gigantes,
en desarrollo vegetal, en vivo
detritus de esmeraldas: acecharte,
Brasil, desde los ríos
sacerdotales que te nutren,
bailar en los terrados a la luz
de la luna fluvial, y repartirme
por tus inhabitados territorios
viendo salir del barro el nacimiento
de gruesas bestias rodeadas
por metálicas aves blancas.

Cuánto recodo me darías.
Entrar de nuevo en la alfandega,
salir a los barrios, oler
tu extraño rito, descender
a tus centros circulatorios,
a tu corazón generoso.

Pero no puedo.

Una vez, en Bahía, las mujeres
del barrio dolorido,
del antiguo mercado de esclavos
(donde hoy la nueva esclavitud, el hambre,
el harapo, la condición doliente,
viven como antes en la misma tierra),
me dieron unas flores y una carta,
unas palabras tiernas y unas flores.

No puedo apartar mi voz de cuanto sufre.
Sé cuánto me darían
de invisible verdad tus espaciosas
riberas naturales.

Sé que la flor secreta, la agitada
muchedumbre de mariposas,
todos los fértiles fermentos
de las vidas y de los bosques
me esperan con su teoría
de inagotables humedades,

pero no puedo, no puedo

sino arrancar de tu silencio
una vez más la voz del pueblo,
elevarla como la pluma
más fulgurante de la selva,
dejarla a mi lado y amarla
hasta que cante por mis labios.

Por eso veo a Prestes caminando
hacia la libertad, hacia las puertas
que parecen en ti, Brasil, cerradas,
clavadas al dolor, impenetrables.
Veo a Prestes, a su columna vencedora
del hambre, cruzando la selva,
hacia Bolivia, perseguida
por el tirano de ojos pálidos.
Cuando vuelve a su pueblo y toca
su campanario combatiente
lo encierran, y su compañera
entregan al pardo verdugo
de Alemania.
                    (Poeta, buscas en tu libro
los antiguos dolores griegos,
los orbes encadenados
por las antiguas maldiciones,

corren tus párpados torcidos
por los tormentos inventados,
y no ves en tu propia puerta
los océanos que golpean
el oscuro pecho del pueblo.)
En el martirio nace su hija.
Pero ella desaparece
bajo el hacha, en el gas, tragada
por las ciénagas asesinas
de la Gestapo.

             Oh, tormento
de prisionero! Oh, indecibles
padecimientos separados
de nuestro herido capitán!
(Poeta, borra de tu libro
a Prometeo y su cadena.
La vieja fábula no tiene
tanta grandeza calcinada,
tanta tragedia aterradora.)

Once años guardan a Prestes
detrás de las barras de hierro,
en el silencio de la muerte,
sin atreverse a asesinarlo.

No hay noticias para su pueblo.
La tiranía borra el nombre
de Prestes en su mundo negro.
Y once años su nombre fue mudo.

Vivió su nombre como un árbol
en medio de todo su pueblo,
reverenciado y esperado.

Hasta que la libertad
llegó a buscarlo a su presidio,
y salió de nuevo a la luz,
amado, vencedor y bondadoso,

despojado de todo el odio
que echaron sobre su cabeza.

Recuerdo que en 1945
estuve con él en São Paulo.

(Frágil y firme su estructura,
pálido como el marfil
desenterrado en la cisterna,
fino como la pureza
del aire en las soledades,
puro como la grandeza
custodiada por el dolor.)

Por primera vez a su pueblo
hablaba, en Pacaembú.

El gran estadio pululaba
con cien mil corazones rojos
que esperaban verlo y tocarlo.

Llegó en una indecible
ola de canto y de ternura,
cien mil pañuelos saludaban
como un bosque su bienvenida.

Él miró con ojos profundos
a mi lado, mientras hablé.


XLI

DICHO EN
PACAEMBÚ
(Brasil, 1945) Cuántas cosas quisiera decir hoy, brasileños,
cuántas historias, luchas, desengaños, victorias
que he llevado por años en el corazón para decirlos,
    pensamientos
y saludos. Saludos de las nieves andinas,
saludos del Océano Pacífico, palabras que me han
    dicho
al pasar los obreros, los mineros, los albañiles, todos
los pobladores de mi patria lejana.
Qué me dijo la nieve, la nube, la bandera?
Qué secreto me dijo el marinero?
Qué me dijo la niña pequeñita dándome unas espigas?

Un mensaje tenían: era: Saluda a Prestes.
Búscalo, me decían, en la selva o el río.
Aparta sus prisiones, busca su celda, llama.
Y si no te permiten hablarle, míralo hasta cansarte
y cuéntanos mañana lo que has visto.

Hoy estoy orgulloso de verlo rodeado
de un mar de corazones victoriosos.
Voy a decirle a Chile: «Lo saludé en el aire
de las banderas libres de su pueblo».

Yo recuerdo en París, hace años, una noche
hablé a la multitud, vine a pedir ayuda
para España republicana, para el pueblo en su lucha.
España estaba llena de ruinas y de gloria.
Los franceses oían mi llamado en silencio.
Les pedí ayuda en nombre de todo lo que existe
y les dije: «Los nuevos héroes, los que en España luchan,
     mueren,
Modesto, Líster, Pasionaria, Lorca,
son hijos de los héroes de América, son hermanos
de Bolívar, de O'Higgins, de San Martín, de Prestes».
Y cuando dije el nombre de Prestes fue como un rumor
     inmenso
en el aire de Francia: París lo saludaba.
Viejos obreros con los ojos húmedos
miraban hacia el fondo del Brasil y hacia España.

Os voy a contar aún otra pequeña historia.

Junto a las grandes minas de carbón, que avanzan bajo el mar
en Chile, en el frío puerto de Talcahuano,
llegó una vez, hace tiempo, un carguero soviético.
(Chile no establecía aún relaciones
con la Unión de Repúblicas Socialistas Soviéticas.
Por eso la policía estúpida
prohibió bajar a los marinos rusos,
subir a los chilenos.)

Cuando llegó la noche
vinieron por millares los mineros desde las grandes minas,
hombres, mujeres, niños, y desde las colinas
con sus pequeñas lámparas mineras,
toda la noche hicieron señales encendiendo
y apagando
hacia el barco que venía de los puertos soviéticos.

Aquella noche oscura tuvo estrellas:
las estrellas humanas, las lámparas del pueblo.

Hoy también desde los rincones
de nuestra América, desde México libre, desde el Alto Perú
    sediento,
desde Cuba, desde Argentina populosa,
desde Uruguay, refugio de hermanos asilados,
el pueblo te saluda, Prestes, con sus pequeñas lámparas
en que brillan las altas esperanzas del hombre.
Por eso me mandaron por el aire de América,
para que te mirara y les contara luego
cómo eras, qué decía su capitán callado
por tantos años duros de soledad y sombra.

Voy a decirles que no guardas odio.
Que sólo quieres que tu patria viva.

Y que la libertad crezca en el fondo
del Brasil como un árbol eterno.

Yo quisiera contarte, Brasil, muchas cosas calladas,
llevadas estos años entre la piel y el alma,
sangre, dolores, triunfos, lo que deben decirse
los poetas y el pueblo: será otra vez, un día.

Hoy pido un gran silencio de volcanes y ríos.

Un gran silencio pido de tierras y varones.
Pido silencio a América de la nieve a la pampa.

Silencio: La Palabra al Capitán del Pueblo.

Silencio: Que el Brasil hablará por su boca.

## XLII

DE NUEVO  Hoy de nuevo la cacería
LOS  se extiende por el Brasil,
TIRANOS  lo busca la fría codicia
de los mercaderes de esclavos:
en Wall Street decretaron
a sus satélites porcinos
que enterraran sus colmillos
en las heridas del pueblo,
y comenzó la cacería
en Chile, en Brasil, en todas
nuestras Américas arrasadas
por mercaderes y verdugos.

Mi pueblo escondió mi camino,
cubrió mis versos con sus manos,
me preservó de la muerte,
y en Brasil la puerta infinita
del pueblo cierra los caminos
en donde Prestes otra vez
rechaza de nuevo al malvado.

Brasil, que te sea salvado
tu capitán doloroso,
Brasil, que no tengas mañana
que recoger de su recuerdo
brizna por brizna su efigie
para elevarla en piedra austera,
sin haberlo dejado en medio
de tu corazón disfrutar
la libertad que aún, aún
puede conquistarte, Brasil.

# XLIII

LLEGARÁ
EL DÍA Libertadores, en este crepúsculo
de América, en la despoblada
oscuridad de la mañana,
os entrego la hoja infinita
de mis pueblos, el regocijo
de cada hora de la lucha.

Húsares azules, caídos
en la profundidad del tiempo,
soldados en cuyas banderas
recién bordadas amanece,
soldados de hoy, comunistas,
combatientes herederos
de los torrentes metalúrgicos,
escuchad mi voz nacida
en los glaciares, elevada
a la hoguera de cada día
por simple deber amoroso:
somos la misma tierra, el mismo
pueblo perseguido,
la misma lucha ciñe la cintura
de nuestra América:
Habéis visto
por las tardes la cueva sombría
del hermano?
Habéis traspasado
su tenebrosa vida?
El corazón disperso
del pueblo abandonado y sumergido!

Alguien que recibió la paz del héroe
la guardó en su bodega, alguien robó los frutos
de la cosecha ensangrentada
y dividió la geografía
estableciendo márgenes hostiles,
zonas de desolada sombra ciega.

Recoged de las tierras el confuso
latido del dolor, las soledades,
el trigo de los suelos desgranados:
algo germina bajo las banderas:
la voz antigua nos llama de nuevo.
Bajad a las raíces minerales,
y a las alturas del metal desierto,
tocad la lucha del hombre en la tierra,
a través del martirio que maltrata
las manos destinadas a la luz.

No renunciéis al día que os entregan
los muertos que lucharon. Cada espiga
nace de un grano entregado a la tierra,
y como el trigo, el pueblo innumerable
junta raíces, acumula espigas,
y en la tormenta desencadenada
sube a la claridad del universo.

## V

## LA ARENA TRAICIONADA

*Tal vez, tal vez el olvido sobre la tierra como una copa*
*puede desarrollar el crecimiento y alimentar la vida*
*(puede ser), como el humus sombrío en el bosque.*

*Tal vez, tal vez el hombre como un herrero acude*
*a la brasa, a los golpes del hierro sobre el hierro,*
*sin entrar en las ciegas ciudades del carbón,*
*sin cerrar la mirada, precipitarse abajo*
*en hundimientos, aguas, minerales, catástrofes.*
*Tal vez, pero mi plato es otro, mi alimento es distinto:*
*mis ojos no vinieron para morder olvido:*
*mis labios se abren sobre todo el tiempo, y todo el tiempo,*
*no sólo una parte del tiempo ha gastado mis manos.*

*Por eso te hablaré de estos dolores que quisiera apartar,*
*te obligaré a vivir una vez más entre sus quemaduras,*
*no para detenernos como en una estación, al partir,*
*ni tampoco para golpear con la frente la tierra,*
*ni para llenarnos el corazón con agua salada,*
*sino para caminar conociendo, para tocar la rectitud*
*con decisiones infinitamente cargadas de sentido,*
*para que la severidad sea una condición de la alegría, para*
*que así seamos invencibles.*

# I

LOS<br>VERDUGOS  Sauria, escamosa América enrollada
al crecimiento vegetal, al mástil
erigido en la ciénaga:
amamantaste hijos terribles
con venenosa leche de serpiente,
tórridas cunas incubaron
y cubrieron con barro amarillo,
una progenie encarnizada.
El gato y la escorpiona fornicaron
en la patria selvática.

Huyó la luz de rama en rama,
pero no despertó el dormido.

Olía a caña la frazada,
habían rodado los machetes
al más huraño sitio de la siesta,
y en el penacho enrarecido
de las cantinas escupía
su independencia jactanciosa
el jornalero sin zapatos.

*El doctor*  El Paraná en las zonas marañosas,
*Francia*  húmedas, palpitantes de otros ríos
donde la red del agua, Yabebirí,
Acaray, Igurey, joyas gemelas
teñidas de quebracho, rodeadas
por las espesas copas del copal,
transcurre hacia las sábanas atlánticas
arrastrando el delirio
del nazaret morado, las raíces
del curupay en su sueño arenoso.

Del légamo caliente, de los tronos
del yacaré devorador, en medio

de la pestilencia silvestre
cruzó el doctor Rodríguez de Francia
hacia el sillón del Paraguay.
Y vivió entre los rosetones
de rosada mampostería
como una estatua sórdida y cesárea
cubierta por los velos de la araña sombría.

Solitaria grandeza en el salón
lleno de espejos, espantajo
negro sobre felpa roja
y ratas asustadas en la noche.
Falsa columna, perversa
academia, agnosticismo
de rey leproso, rodeado
por la extensión de los yerbales
bebiendo números platónicos
en la horca del ajusticiado,
contando triángulos de estrellas,
midiendo claves estelares,
acechando el anaranjado
atardecer del Paraguay
con un reloj en la agonía
del fusilado en su ventana,
con una mano en el cerrojo
del crepúsculo maniatado.

Los estudios sobre la mesa,
los ojos en el acicate
del firmamento, en los volcados
cristales de la geometría,
mientras la sangre intestinal
del hombre muerto a culatazos
bajaba por los escalones
chupada por verdes enjambres
de moscas que centelleaban.

Cerró el Paraguay como un nido
de su majestad, amarró

tortura y barro a las fronteras.
Cuando en las calles su silueta
pasa, los indios se colocan
con la mirada hacia los muros:
su sombra resbala dejando
dos paredes de escalofríos.

Cuando la muerte llega a ver
al doctor Francia está mudo,
inmóvil, atado en sí mismo,
solo en su cueva, detenido
por las sogas de la parálisis,
y muere solo, sin que nadie
entre en la cámara: nadie se atreve
a tocar la puerta del amo.

Y amarrado por sus serpientes,
deslenguado, hervido en su médula,
agoniza y muere perdido
en la soledad del palacio,
mientras la noche establecida
como una cátedra, devora
los capiteles miserables
salpicados por el martirio.

*Rosas*   Es tan difícil ver a través de la tierra
*(1829-1849)*   (no del tiempo, que eleva su copa transparente
iluminando el alto resumen del rocío),
pero la tierra espesa de harinas y rencores,
bodega endurecida con muertos y metales
no me deja mirar hacia abajo, en el fondo
donde la entrecruzada soledad me rechaza.

Pero hablaré con ellos, los míos, los que un día
a mi bandera huyeron, cuando era la pureza
estrella de cristal en su tejido.

Sarmiento, Alberdi, Oro, del Carril:
mi patria pura, después mancillada,

guardó para vosotros
la luz de su metálica angostura
y entre pobres y agrícolas adobes
los desterrados pensamientos
fueron hilándose con dura minería,
y aguijones de azúcar viñatera.

Chile los repartió en su fortaleza,
les dio la sal de su ruedo marino,
y esparció las simientes desterradas.
Mientras tanto el galope en la llanura.
La argolla se partió sobre las hebras
de la cabellera celeste,
y la pampa mordió las herraduras
de las bestias mojadas y frenéticas.

Puñales, carcajadas de mazorca
sobre el martirio. Luna coronada
de río a río sobre la blancura
con un penacho de sombra indecible!

Argentina robada a culatazos
en el vapor del alba, castigada
hasta sangrar y enloquecer, vacía,
cabalgada por agrios capataces!

Te hiciste procesión de viñas rojas,
fuiste una máscara, un temblor sellado,
y te substituyeron en el aire
por una mano trágica de cera.
Salió de ti una noche, corredores,
losas de piedra ennegrecida, escaleras
donde se hundió el sonido, encrucijadas
de carnaval, con muertos y bufones,
y un silencio de párpado que cae
sobre todos los ojos de la noche.

Dónde huyeron tus trigos espumosos?
Tu apostura frutal, tu extensa boca,
todo lo que se mueve por tus cuerdas
para cantar, tu cuero trepidante
de gran tambor, de estrella sin medida,
enmudecieron bajo la implacable
soledad de la cúpula encerrada.

Planeta, latitud, claridad poderosa,
en tu borde, en la cinta de nieve compartida
se recogió el silencio nocturno que llegaba
montado sobre un mar vertiginoso,
y ola tras ola el agua desnuda, relataba,
el viento gris temblando desataba su arena,
la noche nos hería con su llanto estepario.

Pero el pueblo y el trigo se amasaron: entonces
se alisó la cabeza terrenal, se peinaron
las hebras enterradas de la luz, la agonía
probó las puertas libres, destrozadas del viento,
y de las polvaredas en el camino, una
a una, dignidades sumergidas, escuelas,
inteligencias, rostros, en el polvo ascendieron
hasta hacerse unidades estrelladas,
estatuas de la luz, puras praderas.

*Ecuador*   Dispara Tunguragua aceite rojo,
Sangay sobre la nieve
derrama miel ardiendo,
Imbabura de tus cimeras
iglesias nevadas arroja
peces y plantas, ramas duras
del infinito inaccesible,
y hacia los páramos, cobriza
luna, edificación crepitante,
deja caer tus cicatrices
como venas sobre Antisana,
en la arrugada soledad

de Pumachaca, en la sulfúrica
solemnidad de Pambamarca,
volcán y luna, frío y cuarzo,
llamas glaciales, movimiento
de catástrofes, vaporoso
y huracanado patrimonio.

Ecuador, Ecuador, cola violeta
de un astro ausente, en la irisada
muchedumbre de pueblos que te cubren
con infinita piel de frutería,
ronda la muerte con su embudo,
arde la fiebre en los poblados pobres,
el hambre es un arado
de ásperas púas en la tierra,
y la misericordia te golpea
el pecho con sayales y conventos,
como una enfermedad humedecida
en las fermentaciones de las lágrimas.

*García*   De allí salió el tirano.
*Moreno*   García Moreno es su nombre.
           Chacal enguantado, paciente
           murciélago de sacristía,
           recoge ceniza y tormento
           en su sombrero de seda
           y hunde las uñas en la sangre
           de los ríos ecuatoriales.

           Con los pequeños pies metidos
           en escarpines charolados,
           santiguándose y encerándose
           en las alfombras del altar,
           con los faldones sumergidos
           en las aguas procesionales,
           baila en el crimen arrastrando
           cadáveres recién fusilados,

desgarra el pecho de los muertos,
pasea sus huesos volando
sobre los féretros, vestido
con plumas de paño agorero.

En los pueblos indios, la sangre
cae sin dirección, hay miedo
en todas las calles y sombras
(bajo las campanas hay miedo
que suena y sale hacia la noche),
y pesan sobre Quito las gruesas
paredes de los monasterios,
rectas, inmóviles, selladas.
Todo duerme con los florones
de oro oxidado en las cornisas,
los ángeles duermen colgados
en sus perchas sacramentales,
todo duerme como una tela
de sacerdocio, todo sufre
bajo la noche membranosa.

Pero no duerme la crueldad.
La crueldad de bigotes blancos
pasea con guantes y garras
y clava oscuros corazones
sobre la verja del dominio.
Hasta que un día entra la luz
como un puñal en el palacio
y abre el chaleco hundiendo un rayo
en la pechera inmaculada.

Así salió García Moreno
del palacio una vez más, volando
a inspeccionar las sepulturas,
empeñosamente mortuorio,
pero esta vez rodó hasta el fondo
de las masacres, retenido,
entre las víctimas sin nombre,
a la humedad del pudridero.

*Los brujos* Centro América hollada por los búhos,
*de América* engrasada por ácidos sudores,
antes de entrar en tu jazmín quemado
considérame fibra de tu nave,
ala de tu madera combatida
por la espuma gemela,
y lléname de arrobador aroma
polen y pluma de tu copa,
márgenes germinales de tus aguas,
líneas rizadas de tu nido.
Pero los brujos matan los metales
de la resurrección, cierran las puertas
y entenebrecen la morada
de las aves deslumbradoras.

*Estrada* Viene tal vez Estrada, chiquito,
en su chaqué de antiguo enano
y entre una tos y otra los muros
de Guatemala fermentan
regados incesantemente
por los orines y las lágrimas.

*Ubico* O es Ubico por los senderos,
atravesando los presidios
en motocicleta, frío
como una piedra, mascarón
de la jerarquía del miedo.

*Gómez* Gómez, tembladeral de Venezuela,
sumerge lentamente rostros,
inteligencia, en su cráter.
El hombre cae de noche en él
moviendo los brazos, tapándose
el rostro de los golpes crueles,
y se lo tragan cenagales,
se hunde en las bodegas subterráneas,
aparece en las carreteras

cavando cargado de hierro,
hasta morir despedazado,
desaparecido, perdido.

*Machado*    Machado en Cuba arreó su Isla
con máquinas, importó tormentos
hechos en Estados Unidos,
silbaron las ametralladoras
derribando la florescencia,
el néctar marino de Cuba,
y el estudiante apenas herido
era tirado al agua donde
los tiburones terminaban
la obra del benemérito.
Hasta México llegó la mano
del asesino, y rodó Mella
como un discóbolo sangrante
sobre la calle criminal
mientras la Isla ardía, azul,
empapelada en lotería,
hipotecada con azúcar.

*Melgarejo*    Bolivia muere en sus paredes
como una flor enrarecida:
se encaraman en sus monturas
los generales derrotados
y rompen cielos a pistolazos.
Máscara de Melgarejo,
bestia borracha, espumarajo
de minerales traicionados,
barba de infamia, barba horrenda
sobre los montes rencorosos,
barba arrastrada en el delirio,
barba cargada de coágulos,
barba hallada en las pesadillas
de la gangrena, barba errante
galopada por los potreros,
amancebada en los salones,

mientras el indio y su carga cruzan
la última sábana de oxígeno
trotando por los corredores
desangrados de la pobreza.

*Bolivia*     Belzu ha triunfado. Es de noche. La Paz arde
*(22 de marzo*   con los últimos tiros. Polvo seco
*de 1865)*    y baile triste hacia la altura
suben trenzados con alcohol lunario
y horrenda púrpura recién mojada.
Melgarejo ha caído, su cabeza
golpea contra el filo mineral
de la cima sangrienta, los cordones
de oro, la casaca
tejida de oro, la camisa
rota empapada de sudor maligno,
yacen junto al detritus del caballo
y a los sesos del nuevo fusilado.
Belzu en palacio, entre los guantes
y las levitas, recibe sonrisas,
se reparte el dominio del oscuro
pueblo en la altura alcoholizada,
los nuevos favoritos se deslizan
por los salones encerados
y las luces de lágrimas y lámparas
caen al terciopelo despeinado
por unos cuantos fogonazos.

Entre la muchedumbre
va Melgarejo, tempestuoso espectro
apenas sostenido por la furia.
Escucha el ámbito que fuera suyo,
la masa ensordecida, el grito
despedazado, el fuego de la hoguera
alto sobre los montes, la ventana
del nuevo vencedor.
               Su vida (trozo
de fuerza ciega y ópera desatada

sobre los cráteres y las mesetas,
sueño de regimiento, en que los trajes
se vierten sobre tierras indefensas
con sables de cartón, pero hay heridas
que mancillan, con muerte verdadera
y degollados, las plazas rurales,
dejando tras el coro enmascarado
y los discursos del Eminentísimo,
estiércol de caballos, seda, sangre
y los muertos de turno, rotos, rígidos
atravesados por el atronante
disparo de los rápidos rifleros)
ha caído en lo más hondo del polvo,
de lo desestimado y lo vacío,
de una tal vez muerte inundada
de humillación, pero de la derrota
como un toro imperial saca las fauces,
escarba las metálicas arenas
y empuja el bestial paso vacilante
el minotauro boliviano andando
hacia las salas de oro clamoroso.
Entre la multitud cruza cortando
masa sin nombre, escala
pesadamente el trono enajenado,
y al vencedor caudillo asalta. Rueda
Belzu, manchado el almidón, roto el cristal
que cae derramando su luz líquida
agujereado el pecho para siempre,
mientras el asaltante solitario
búfalo ensangrentado del incendio
sobre el balcón apoya su estatura,
gritando: «Ha muerto Belzu», «Quién vive»,
«Responded». Y de la plaza,
ronco un grito de tierra, un grito negro
de pánico y de horror, responde: «Viva,
sí, Melgarejo, viva Melgarejo»,
la misma multitud del muerto, aquella
que festejó el cadáver desangrándose

en la escalera del palacio. «Viva»,
grita el fantoche colosal, que cubre
todo el balcón con traje desgarrado,
barro de campamento y sangre sucia.

*Martínez*   Martínez, el curandero
*(1932)*   de El Salvador reparte frascos
de remedios multicolores,
que los ministros agradecen
con prosternación y zalemas.
El brujito vegetariano
vive recetando en palacio
mientras el hambre tormentosa
aúlla en los cañaverales.
Martínez entonces decreta:
y en unos días veinte mil
campesinos asesinados
se pudren en las aldeas
que Martínez manda incendiar
con ordenanzas de higiene.
De nuevo en palacio retorna
a sus jarabes, y recibe
las rápidas felicitaciones
del embajador norteamericano.
«Está asegurada –le dice–
la cultura occidental,
el cristianismo de Occidente
y además los buenos negocios,
las concesiones de bananas
y los controles aduaneros.»
Y beben juntos una larga
copa de *champagne*, mientras cae
la lluvia caliente en las pútridas
agrupaciones del osario.

*Las satrapías*   Trujillo, Somoza, Carías,
hasta hoy, hasta este amargo
mes de septiembre

del año 1948,
con Moriñigo (o Natalicio)
en Paraguay, hienas voraces
de nuestra historia, roedores
de las banderas conquistadas
con tanta sangre y tanto fuego,
encharcados en sus haciendas,
depredadores infernales,
sátrapas mil veces vendidos
y vendedores, azuzados
por los lobos de Nueva York.
Máquinas hambrientas de dólares,
manchadas en el sacrificio
de sus pueblos martirizados,
prostituidos mercaderes
del pan y el aire americano,
cenagales verdugos, piara
de prostibularios caciques,
sin otra ley que la tortura
y el hambre azotada del pueblo.

Doctores *honoris causa*
de Columbia University,
con la toga sobre las fauces
y sobre el cuchillo, feroces
trashumantes del Waldorf Astoria
y de las cámaras malditas
donde se pudren las edades
eternas del encarcelado.

Pequeños buitres recibidos
por Mr. Truman, recargados
de relojes, condecorados
por «Loyalty», desangradores
de patrias, sólo hay uno
peor que vosotros, sólo hay uno
y ése lo dio mi patria un día
para desdicha de mi pueblo.

## II

LAS
OLIGARQUÍAS No, aún no secaban las banderas,
aún no dormían los soldados
cuando la libertad cambió de traje,
se transformó en hacienda:
de las tierras recién sembradas
salió una casta, una cuadrilla
de nuevos ricos con escudo,
con policía y con prisiones.

Hicieron una línea negra:
«Aquí nosotros, porfiristas
de México, "caballeros"
de Chile, pitucos
del Jockey Club de Buenos Aires,
engomados filibusteros
del Uruguay, pisaverdes
ecuatorianos, clericales
señoritos de todas partes».

«Allá vosotros, rotos, cholos,
pelados de México, gauchos,
amontonados en pocilgas,
desamparados, andrajosos,
piojentos, pililos, canalla,
desbaratados, miserables,
sucios, perezosos, pueblo.»

Todo se edificó sobre la línea.
El arzobispo bautizó este muro
y estableció anatemas incendiarios
sobre el rebelde que desconociera
la pared de la casta.

Quemaron por la mano del verdugo
los libros de Bilbao.

El policía
custodió la muralla, y al hambriento
que se acercó a los mármoles sagrados
le dieron con un palo en la cabeza
o lo enchufaron en un cepo agrícola
o a puntapiés lo nombraron soldado.

Se sintieron tranquilos y seguros.
El pueblo fue por calles y campiñas
a vivir hacinado, sin ventanas,
sin suelo, sin camisa,
sin escuela, sin pan.

Anda por nuestra América un fantasma
nutrido de detritus, iletrado,
errante, igual en nuestras latitudes,
saliendo de las cárceles fangosas,
arrabalero y prófugo, marcado
por el temible compatriota lleno
de trajes, órdenes y corbatines.

En México produjeron pulque
para él, en Chile
vino litriado de color violeta,
lo envenenaron, le rasparon
el alma pedacito a pedacito,
le negaron el libro y la luz,
hasta que fue cayendo en polvo,
hundido en el desván tuberculoso,
y entonces no tuvo entierro
litúrgico: su ceremonia
fue meterlo desnudo entre otras
carroñas que no tienen nombre.

*Promulgación* Ellos se declararon patriotas.
*de la Ley* En los clubs se condecoraron
*del Embudo* y fueron escribiendo la historia.
Los Parlamentos se llenaron

de pompa, se repartieron
después la tierra, la ley,
las mejores calles, el aire,
la Universidad, los zapatos.

Su extraordinaria iniciativa
fue el Estado erigido en esa
forma, la rígida impostura.
Lo debatieron, como siempre,
con solemnidad y banquetes,
primero en círculos agrícolas,
con militares y abogados.
Y al fin llevaron al Congreso
la Ley suprema, la famosa,
la respetada, la intocable
Ley del Embudo.
                              Fue aprobada.

Para el rico la buena mesa.

La basura para los pobres.

El dinero para los ricos.

Para los pobres el trabajo.

Para los ricos la casa grande.

El tugurio para los pobres.

El fuero para el gran ladrón.

La cárcel al que roba un pan.

París, París, para los señoritos.

El pobre a la mina, al desierto.

El señor Rodríguez de la Crota
habló en el Senado con voz
meliflua y elegante.

    «Esta ley, al fin, establece
la jerarquía obligatoria
y sobre todo los principios
de la cristiandad.

    Era
tan necesaria como el agua.
Sólo los comunistas, venidos
del infierno, como se sabe,
pueden discutir este Código
del Embudo, sabio y severo.
Pero esta oposición asiática,
venida del sub-hombre, es sencillo
refrenarla: a la cárcel todos,
al campo de concentración,
así quedaremos sólo
los caballeros distinguidos
y los amables yanaconas
del Partido Radical.»

Estallaron los aplausos
de los bancos aristocráticos:
qué elocuencia, qué espiritual,
qué filósofo, qué lumbrera!
Y corrió cada uno a llenarse
los bolsillos en su negocio,
uno acaparando la leche,
otro estafando en el alambre,
otro robando en el azúcar
y todos llamándose a voces
patriotas con el monopolio
del patriotismo, consultado
también en la Ley del Embudo.

*Elección en* En Chimbarongo, en Chile, hace tiempo
*Chimbarongo* fui a una elección senatorial.
*(1947)* Vi cómo eran elegidos

los pedestales de la patria.
A las once de la mañana
llegaron del campo las carretas
atiborradas de inquilinos.

Era en invierno, mojados,
sucios, hambrientos, descalzos,
los siervos de Chimbarongo
descienden de las carretas.
Torvos, tostados, harapientos,
son apiñados, conducidos
con una boleta en la mano,
vigilados y apretujados
vuelven a cobrar la paga,
y otra vez hacia las carretas
enfilados como caballos
los han conducido.
                        Más tarde
les han tirado carne y vino
hasta dejarlos bestialmente
envilecidos y olvidados.

Escuché más tarde el discurso,
del senador así elegido:
«Nosotros, patriotas cristianos,
nosotros, defensores del orden,
nosotros, hijos del espíritu».

Y estremecía su barriga
su voz de vaca aguardentosa
que parecía tropezar
como una trompa de mamuth
en las bóvedas tenebrosas
de la silbante prehistoria.

*La crema*    Grotescos, falsos aristócratas
de nuestra América, mamíferos
recién estucados, jóvenes

estériles, pollinos sesudos,
hacendados malignos, héroes
de la borrachera en el Club,
salteadores de banca y bolsa,
pijes, granfinos, pitucos,
apuestos tigres de Embajada,
pálidas niñas principales,
flores carnívoras, cultivos
de las cavernas perfumadas,
enredaderas chupadoras
de sangre, estiércol y sudor,
lianas estranguladoras,
cadenas de boas feudales.

Mientras temblaban las praderas
con el galope de Bolívar,
o de O'Higgins (soldados pobres,
pueblo azotado, héroes descalzos),
vosotros formasteis las filas
del rey, del pozo clerical,
de la traición a las banderas,
pero cuando el viento arrogante
del pueblo, agitando sus lanzas,
nos dejó la patria en los brazos,
surgisteis alambrando tierras,
midiendo cercas, hacinando
áreas y seres, repartiendo
la policía y los estancos.

El pueblo volvió de las guerras,
se hundió en las minas, en la oscura
profundidad de los corrales,
cayó en los surcos pedregosos,
movió las fábricas grasientas,
procreando en los conventillos,
en las habitaciones repletas
con otros seres desdichados.

Naufragó en vino hasta perderse,
abandonado, invadido
por un ejército de piojos
y de vampiros, rodeado
de muros y comisarías,
sin pan, sin música, cayendo
en la soledad desquiciada
donde Orfeo le deja apenas
una guitarra para su alma,
una guitarra que se cubre
de cintas y desgarraduras
y canta encima de los pueblos
como el ave de la pobreza.

LOS POETAS   Qué hicisteis vosotros, gidistas
CELESTES   intelectualistas, rilkistas,
misterizantes, falsos brujos
existenciales, amapolas
surrealistas encendidas
en una tumba, europeizados
cadáveres de la moda,
pálidas lombrices del queso
capitalista, qué hicisteis
ante el reinado de la angustia,
frente a este oscuro ser humano,
a esta pateada compostura,
a esta cabeza sumergida
en el estiércol, a esta esencia
de ásperas vidas pisoteadas?

No hicisteis nada sino la fuga:
vendisteis hacinado detritus,
buscasteis cabellos celestes,
plantas cobardes, uñas rotas,
«belleza pura», «sortilegio»,
obras de pobres asustados
para evadir los ojos, para
enmarañar las delicadas

pupilas, para subsistir
con el plato de restos sucios
que os arrojaron los señores,
sin ver la piedra en agonía,
sin defender, sin conquistar,
más ciegos que las coronas
del cementerio, cuando cae
la lluvia sobre las inmóviles
flores podridas de las tumbas.

LOS           Así fue devorada,
EXPLOTADORES  negada, sometida, arañada, robada,
              joven América, tu vida.

De los despeñaderos de la cólera
donde el caudillo pisoteó cenizas
y sonrisas recién tumbadas,
hasta las máscaras patriarcales
de los bigotudos señores
que presidieron la mesa dando
la bendición a los presentes
y ocultando los verdaderos
rostros de oscura saciedad,
de concupiscencia sombría
y cavidades codiciosas:
fauna de fríos mordedores
de la ciudad, tigres terribles,
comedores de carne humana,
expertos en la cacería
del pueblo hundido en las tinieblas,
desamparado en los rincones,
en los sótanos de la tierra.

LOS SIÚTICOS  Entre la miasma ganadera
o papelera, o coctelera
vivió el producto azul, el pétalo
de la podredumbre altanera.

Fue el «siútico» de Chile, el Raúl
Aldunatillo (conquistador
de revistas con manos ajenas,
con manos que mataron indios),
el Teniente cursi, el Mayor
Negocio, el que compra letras
y se estima letrado, compra
sable y se cree soldado,
pero no puede comprar pureza
y escupe entonces como víbora.

Pobre América revendida
en los mercados de la sangre,
por los mugrones enterrados
que resurgen en el salón
de Santiago, de Minas Geraes
haciendo «elegancia», caninos
caballeretes de *boudoir*,
pecheras inútiles, palos
del golf de la sepultura.
Pobre América, enmascarada
por elegantes transitorios,
falsificadores de rostros,
mientras, abajo, el viento negro
hiere el corazón derribado
y rueda el héroe del carbón
hacia el osario de los pobres,
barrido por la pestilencia,
cubierto por la oscuridad,
dejando siete hijos hambrientos
que arrojarán a los caminos.

LOS    En el espeso queso cárdeno
VALIDOS  de la tiranía amanece
         otro gusano: el favorito.

Es el cobardón arrendado
para alabar las manos sucias.

Es orador o periodista.
Despierta de pronto en palacio,
y mastica con entusiasmo
las deyecciones del soberano,
elucubrando largamente
sobre sus gestos, enturbiando
el agua y pescando sus peces
en la laguna purulenta.
Llamémosle Darío Poblete,
o Jorge Delano «Coke».
(Es igual, podría llamarse
de otra manera, existió cuando
Machado calumniaba a Mella,
después de haberlo asesinado.)

Allí Poblete hubiera escrito
sobre los «viles enemigos»
del «Pericles de La Habana».
Más tarde Poblete besaba
las herraduras de Trujillo,
la montura de Moriñigo,
el ano de Gabriel González.

Fue ayer igual, recién salido
de la montonera, alquilado
para mentir, para ocultar
ejecuciones y saqueos,
que hoy, levantando su cobarde
pluma sobre los tormentos
de Pisagua, sobre el dolor
de miles de hombres y mujeres.

Siempre el tirano en nuestra negra
geografía martirizada
halló un bachiller cenagoso
que repartiera la mentira
y que dijera: *El Serenísimo,*
*el Constructor, el Gran República*

*que nos gobierna*, y deslizara
entre la tinta emputecida
sus garras negras de ladrón.
Cuando el queso está consumido
y el tirano cae al infierno,
el Poblete desaparece,
el Delano «Coke» se esfuma,
el gusano vuelve al estiércol,
esperando la rueda infame
que aleja y trae tiranías,
para aparecer sonriente
con un nuevo discurso escrito
para el déspota que despunta.

Por eso, pueblo, antes que a nadie,
busca al gusano, rompe su alma
y que su líquido aplastado,
su oscura materia viscosa
sea la última escritura,
la despedida de una tinta
que borraremos de la tierra.

LOS       Infierno americano, pan nuestro
ABOGADOS  empapado en veneno, hay otra
DEL DÓLAR lengua en tu pérfida fogata:
          es el abogado criollo
          de la compañía extranjera.

Es el que remacha los grillos
de la esclavitud en su patria,
y desdeñoso se pasea
con la casta de los gerentes
mirando con aire supremo
nuestras banderas harapientas.

Cuando llegan de Nueva York
las avanzadas imperiales,
ingenieros, calculadores,

agrimensores, expertos,
y miden tierra conquistada,
estaño, petróleo, bananas,
nitrato, cobre, manganeso,
azúcar, hierro, caucho, tierra,
se adelanta un enano oscuro,
con una sonrisa amarilla,
y aconseja, con suavidad,
a los invasores recientes:

*No es necesario pagar tanto*
*a estos nativos, sería*
*torpe, señores, elevar*
*estos salarios. No conviene.*
*Estos rotos, estos cholitos*
*no sabrían sino embriagarse*
*con tanta plata. No, por Dios.*
*Son primitivos, poco más*
*que bestias, los conozco mucho.*
*No vayan a pagarles tanto.*

Es adoptado. Le ponen
librea. Viste de gringo,
escupe como gringo. Baila
como gringo, y sube.
Tiene automóvil, whisky, prensa,
lo eligen juez y diputado,
lo condecoran, es ministro,
y es escuchado en el Gobierno.
Él sabe quién es sobornable.
Él sabe quién es sobornado.
Él lame, unta, condecora,
halaga, sonríe, amenaza.
Y así vacían por los puertos
las repúblicas desangradas.

Dónde habita, preguntaréis,
este virus, este abogado,

este fermento del detritus,
este duro piojo sanguíneo,
engordado con nuestra sangre?
Habita las bajas regiones
ecuatoriales, el Brasil,
pero también es su morada
el cinturón central de América.

Lo encontraréis en la escarpada
altura de Chuquicamata.
Donde huele riqueza, sube
los montes, cruza los abismos,
con las recetas de su código
para robar la tierra nuestra.
Lo hallaréis en Puerto Limón,
en Ciudad Trujillo, en Iquique,
en Caracas, en Maracaibo,
en Antofagasta, en Honduras,
encarcelando a nuestro hermano,
acusando a su compatriota,
despojando peones, abriendo
puertas de jueces y hacendados,
comprando prensa, dirigiendo
la policía, el palo, el rifle
contra su familia olvidada.

Pavoneándose, vestido
de *smoking*, en las recepciones,
inaugurando monumentos
con esta frase: *Señores,*
*la Patria antes que la vida,*
*es nuestra madre, es nuestro suelo,*
*defendamos el orden, hagamos*
*nuevos presidios, otras cárceles.*

Y muere glorioso, «el patriota»
senador, patricio eminente,
condecorado por el Papa,

ilustre, próspero, temido,
mientras la trágica ralea
de nuestros muertos, los que hundieron
la mano en el cobre, arañaron
la tierra profunda y severa,
mueren golpeados y olvidados,
apresuradamente puestos
en sus cajones funerales:
un nombre, un número en la cruz
que el viento sacude, matando
hasta la cifra de los héroes.

DIPLOMÁTICOS   Si usted nace tonto en Rumania
(1948)   sigue la carrera de tonto,
si usted es tonto en Avignon
su calidad es conocida
por las viejas piedras de Francia,
por las escuelas y los chicos
irrespetuosos de las granjas.
Pero si usted nace tonto en Chile
pronto lo harán embajador.

Llámese usted tonto Mengano,
tonto Joaquín Fernández, tonto
Fulano de Tal, si es posible
tenga una barba acrisolada.
Es todo cuanto se le exige
para «entablar negociaciones».

Informará después, sabihondo,
sobre su espectacular
presentación de credenciales,
diciendo: *Etc., la carroza,*
*etc., Su Excelencia, etc.,*
*frases, etc., benévolas.*

Tome una voz ahuecada y un
tono de vaca protectiva,

condecórese mutuamente
con el enviado de Trujillo,
mantenga discretamente
una *garçonnière* («usted sabe,
las conveniencias de estas cosas
para los Tratados de Límites»),
remita en algo disfrazado
el editorial del periódico
doctoral, que desayunando
leyó anteayer: es un «informe».

Júntese con lo «granado»
de la «sociedad», con los tontos
de aquel país, adquiera cuanta
platería pueda comprar,
hable en los aniversarios
junto a los caballos de bronce,
diciendo: *Ejem, los vínculos,*
*etc., ejem, etc.,*
*ejem, los descendientes*
*etc., la raza, ejem, el puro,*
*el sacrosanto, ejem, etc.*

Y quédese tranquilo, tranquilo:
es usted un buen diplomático
de Chile, es usted un tonto
condecorado y prodigioso.

LOS
BURDELES
De la prosperidad nació el burdel,
acompañando el estandarte
de los billetes hacinados:
sentina respetada
del capital, bodega de la nave
de mi tiempo.
                    Fueron mecanizados
burdeles en la cabellera
de Buenos Aires, carne fresca
exportada por el infortunio

de las ciudades y los campos
remotos, en donde el dinero
acechó los pasos del cántaro
y aprisionó la enredadera.
Rurales lenocinios, de noche,
en invierno, con los caballos
a la puerta de las aldeas
y las muchachas atolondradas
que cayeron de venta en venta
en la mano de los magnates.
Lentos prostíbulos provinciales
en que los hacendados del pueblo
—dictadores de la vendimia—
aturden la noche venérea
con espantosos estertores.
Por los rincones, escondidas,
grey de rameras, inconstantes
fantasmas, pasajeras
del tren mortal, ya os tomaron,
ya estáis en la red mancillada,
ya no podéis volver al mar,
ya os acecharon y cazaron,
ya estáis muertas en el vacío
de lo más vivo de la vida,
ya podéis deslizar la sombra
por las paredes: a ninguna
otra parte sino a la muerte
van estos muros por la tierra.

PROCESIÓN
EN LIMA
(1947)

Eran muchos, llevaban el ídolo
sobre los hombros, era espesa
la cola de la muchedumbre
como una salida del mar
con morada fosforescencia.

Saltaban bailando, elevando
graves murmullos masticados
que se unían a la fritanga
y a los tétricos tamboriles.

Chalecos morados, zapatos
morados, sombreros
llenaban de manchas violetas
las avenidas como un río
de enfermedades pustulosas
que desembocaba en los vidrios
inútiles de la catedral.
Algo infinitamente lúgubre
como el incienso, la copiosa
aglomeración de las llagas
hería los ojos uniéndose
con las llamas afrodisíacas
del apretado río humano.

Vi al obeso terrateniente
sudando en las sobrepellices,
rascándose los goterones
de sagrada esperma en la nuca.

Vi al zarrapastroso gusano
de las estériles montañas,
al indio de rostro perdido
en las vasijas, al pastor
de llamas dulces, a las niñas
cortantes de las sacristías,
a los profesores de aldea
con rostros azules y hambrientos.
Narcotizados bailadores
con camisones purpurinos
iban los negros pataleando
sobre tambores invisibles.
Y todo el Perú se golpeaba
el pecho mirando la estatua
de una señora remilgada,
azul-celeste y rosadilla
que navegaba las cabezas
en su barco de confitura
hinchado de aire sudoroso.

LA
STANDARD
OIL CO.

Cuando el barreno se abrió paso
hacia las simas pedregales
y hundió su intestino implacable
en las haciendas subterráneas,
y los años muertos, los ojos
de las edades, las raíces
de las plantas encarceladas
y los sistemas escamosos
se hicieron estratas del agua,
subió por los tubos el fuego
convertido en líquido frío,
en la aduana de las alturas
a la salida de su mundo
de profundidad tenebrosa,
encontró un pálido ingeniero
y un título de propietario.

Aunque se enreden los caminos
del petróleo, aunque las napas
cambien su sitio silencioso
y muevan su soberanía
entre los vientres de la tierra,
cuando sacude el surtidor
su ramaje de parafina,
antes llegó la Standard Oil
con sus letrados y sus botas,
con sus cheques y sus fusiles,
con sus gobiernos y sus presos.

Sus obesos emperadores
viven en New York, son suaves
y sonrientes asesinos,
que compran seda, *nylon*, puros,
tiranuelos y dictadores.

Compran países, pueblos, mares,
policías, diputaciones,
lejanas comarcas en donde

los pobres guardan su maíz
como los avaros el oro:
la Standard Oil los despierta,
los uniforma, les designa
cuál es el hermano enemigo,
y el paraguayo hace su guerra
y el boliviano se deshace
con su ametralladora en la selva.

Un presidente asesinado
por una gota de petróleo,
una hipoteca de millones
de hectáreas, un fusilamiento
rápido en una mañana
mortal de luz, petrificada,
un nuevo campo de presos
subversivos, en Patagonia,
una traición, un tiroteo
bajo la luna petrolada,
un cambio sutil de ministros
en la capital, un rumor
como una marea de aceite,
y luego el zarpazo, y verás
cómo brillan, sobre las nubes,
sobre los mares, en tu casa,
las letras de la Standard Oil
iluminando sus dominios.

LA ANACONDA      Nombre enrollado de serpiente,
COOPPER      fauce insaciable, monstruo verde,
MINING CO.      en las alturas agrupadas,
en la montura enrarecida
de mi país, bajo la luna
de la dureza, excavadora,
abres los cráteres lunarios
del mineral, las galerías
del cobre virgen, enfundado
en sus arenas de granito.

Yo he visto arder en la noche eterna
de Chuquicamata, en la altura,
el fuego de los sacrificios,
la crepitación desbordante
del cíclope que devoraba
la mano, el peso, la cintura
de los chilenos, enrollándolos
bajo sus vértebras de cobre,
vaciándoles la sangre tibia,
triturando los esqueletos
y escupiéndolos en los montes
de los desiertos desolados.

El aire suena en las alturas
de Chuquicamata estrellada.
Los socavones aniquilan
con manos pequeñitas de hombre
la resistencia del planeta,
trepida el ave sulfurosa
de las gargantas, se amotina
el férreo frío del metal
con sus hurañas cicatrices,
y cuando aturden las bocinas
la tierra se traga un desfile
de hombres minúsculos que bajan
a las mandíbulas del cráter.
Son pequeñitos capitanes,
sobrinos míos, hijos míos,
y cuando vierten los lingotes
hacia los mares, y se limpian
la frente y vuelven trepidando
en el último escalofrío,
la gran serpiente se los come,
los disminuye, los tritura,
los cubre de baba maligna,
los arroja por los caminos,
los mata con la policía,
los hace pudrir en Pisagua,

los encarcela, los escupe,
compra un Presidente traidor
que los insulta y los persigue,
los mata de hambre en las llanuras
de la inmensidad arenosa.

Y hay una y otra cruz torcida
en las laderas infernales
como única leña dispersa
del árbol de la minería.

LA CUANDO sonó la trompeta, estuvo
UNITED todo preparado en la tierra
FRUIT CO. y Jehová repartió el mundo
a Coca-Cola Inc., Anaconda,
Ford Motors, y otras entidades:
la Compañía Frutera Inc.
se reservó lo más jugoso,
la costa central de mi tierra,
la dulce cintura de América.
Bautizó de nuevo sus tierras
como «Repúblicas Bananas»
y sobre los muertos dormidos,
sobre los héroes inquietos
que conquistaron la grandeza,
la libertad y las banderas,
estableció la ópera bufa:
enajenó los albedríos,
regaló coronas de César,
desenvainó la envidia, atrajo
la dictadura de las moscas,
moscas Trujillo, moscas Tachos,
moscas Carías, moscas Martínez,
moscas Ubico, moscas húmedas
de sangre humilde y mermelada,
moscas borrachas que zumban
sobre las tumbas populares,
moscas de circo, sabias moscas
entendidas en tiranía.

Entre las moscas sanguinarias
la Frutera desembarca,
arrasando el café y las frutas
en sus barcos que deslizaron
como bandejas el tesoro
de nuestras tierras sumergidas.

Mientras tanto, por los abismos
azucarados de los puertos,
caían indios sepultados
en el vapor de la mañana:
un cuerpo rueda, una cosa
sin nombre, un número caído,
un racimo de fruta muerta
derramada en el pudridero.

LAS TIERRAS   Viejos terratenientes incrustados
Y LOS HOMBRES en la tierra como huesos
de pavorosos animales,
supersticiosos herederos
de la encomienda, emperadores
de una tierra oscura, cerrada
con odio y cercados de púa.

Entre los cercos el estambre
del ser humano fue ahogado,
el niño fue enterrado vivo,
se le negó el pan y la letra,
se le marcó como inquilino,
se le condenó a los corrales.
Pobre peón infortunado
entre las zarzas, amarrado
a la no existencia, a la sombra
de las praderías salvajes.

Sin libro fuiste carne inerme,
y luego insensato esqueleto,
comprado de una vida a otra,

rechazado en la puerta blanca
sin más amor que una guitarra
desgarradora en su tristeza
y el baile apenas encendido
como una ráfaga mojada.

Pero no sólo fue en los campos
la herida del hombre. Más lejos,
más cerca, más hondo clavaron:
en la ciudad, junto al palacio,
creció el conventillo leproso,
pululante de porquería,
con su acusadora gangrena.

Yo he visto en los agrios recodos
de Talcahuano, en la encharcada
cenicería de los cerros,
hervir los pétalos inmundos
de la pobreza, el amasijo
de corazones degradados,
la pústula abierta en la sombra
del atardecer submarino,
la cicatriz de los harapos,
y la substancia envejecida
del hombre hirsuto y apaleado.

Yo entré en las casas profundas,
como cuevas de ratas, húmedas
de salitre y de sal podrida,
vi arrastrarse seres hambrientos,
oscuridades desdentadas,
que trataban de sonreírme
a través del aire maldito.

Me atravesaron los dolores
de mi pueblo, se me enredaron
como alambrados en el alma:
me crisparon el corazón:

salí a gritar por los caminos,
salí a llorar envuelto en humo,
toqué las puertas y me hirieron
como cuchillos espinosos,
llamé a los rostros impasibles
que antes adoré como estrellas
y me mostraron su vacío.

Entonces me hice soldado:
número oscuro, regimiento,
orden de puños combatientes,
sistema de la inteligencia,
fibra del tiempo innumerable,
árbol armado, indestructible
camino del hombre en la tierra.

Y vi cuántos éramos, cuántos
estaban junto a mí, no eran
nadie, eran todos los hombres,
no tenían rostro, eran pueblo,
eran metal, eran caminos.
Y anduve con los mismos pasos
de la primavera en el mundo.

LOS    Junto a las catedrales, anudados
MENDIGOS  al muro, acarrearon
sus pies, sus bultos, sus miradas negras,
sus crecimientos lívidos de gárgolas,
sus latas andrajosas de comida,
y desde allí, desde la dura
santidad de la piedra,
se hicieron flora de la calle, errantes
flores de las legales pestilencias.

El parque tiene sus mendigos
como sus árboles de torturados
ramajes y raíces:
a los pies del jardín vive el esclavo,

como al final del hombre, hecho basura,
aceptada su impura simetría,
listo para la escoba de la muerte.
La caridad lo entierra
en su agujero de tierra leprosa:
sirve de ejemplo al hombre de mis días.
Debe aprender a pisotear, a hundir
la especie en los pantanos del desprecio,
a poner los zapatos en la frente
del ser con uniforme de vencido,
o por lo menos debe comprenderlo
en los productos de la naturaleza.
Mendigo americano, hijo del año
1948, nieto
de catedrales, yo no te venero,
yo no voy a poner marfil antiguo,
barbas de rey en tu escrita figura,
como te justifican en los libros,
yo te voy a borrar con esperanza:
no entrarás a mi amor organizado,
no entrarás a mi pecho con los tuyos,
con los que te crearon escupiendo
tu forma degradada,
yo apartaré tu arcilla de la tierra
hasta que te construyan los metales
y salgas a brillar como una espada.

LOS INDIOS    El indio huyó desde su piel al fondo
de antigua inmensidad de donde un día
subió como las islas: derrotado,
se transformó en atmósfera invisible,
se fue abriendo en la tierra, derramando
su secreta señal sobre la arena.

El que gastó la luna, el que peinaba
la misteriosa soledad del mundo,
el que no transcurrió sin levantarse
en altas piedras de aire coronadas,

el que duró como la luz celeste
bajo la magnitud de su arboleda,
se gastó de repente hasta ser hilo,
se convirtió en arrugas,
desmenuzó sus torres torrenciales
y recibió su paquete de harapos.

Yo lo vi en las alturas imantadas
de Amatitlán, royendo las orillas
del agua impenetrable: anduve un día
sobre la majestad abrumadora
del monte boliviano, con sus restos
de pájaro y raíz.
                    Yo vi llorar
a mi hermano de loca poesía,
Alberti, en los recintos araucanos,
cuando lo rodearon como a Ercilla
y eran, en vez de aquellos dioses rojos,
una cadena cárdena de muertos.

Más lejos, en la red de agua salvaje
de la Tierra del Fuego,
los vi subir, oh lobos, desgreñados,
a las piraguas rotas,
a mendigar el pan en el Océano.

Allí fueron matando cada fibra
de sus desérticos dominios,
y el cazador de indios recibía
sucios billetes por traer cabezas,
de los dueños del aire, de los reyes
de la nevada soledad antártica.

Los que pagaron crímenes se sientan
hoy en el Parlamento, matriculan
sus matrimonios en las Presidencias,
viven con cardenales y gerentes,
y sobre la garganta acuchillada
de los dueños del Sur crecen las flores.

Ya de la Araucanía los penachos
fueron desbaratados por el vino,
raídos por la pulpería,
ennegrecidos por los abogados
al servicio del robo de su reino,
y a los que fusilaron a la tierra,
a los que en los caminos defendidos
por el gladiador deslumbrante
de nuestra propia orilla
entraron disparando y negociando,
llamaron «Pacificadores»
y les multiplicaron charreteras.

Así perdió sin ver, así invisible
fue para el indio el desmoronamiento
de su heredad: no vio los estandartes,
no echó a rodar la flecha ensangrentada,
sino que lo royeron, poco a poco,
magistrados, rateros, hacendados,
todos tomaron su imperial dulzura,
todos se le enredaron en la manta
hasta que lo tiraron desangrándose
a las últimas ciénagas de América.

Y de las verdes láminas, del cielo
innumerable y puro del follaje,
de la inmortal morada construida
con pétalos pesados de granito,
fue conducido a la cabaña rota,
al árido albañal de la miseria.
De la fulguradora desnudez,
dorados pechos, pálida cintura,
o de los ornamentos minerales
que unieron a su piel todo el rocío,
lo llevaron al hilo del andrajo,
le repartieron pantalones muertos
y así paseó su majestad parchada
por el aire del mundo que fue suyo.

Así fue cometido este tormento.

El hecho fue invisible como entrada
de traidor, como impalpable cáncer,
hasta que fue agobiado nuestro padre,
hasta que le enseñaron a fantasma
y entró a la única puerta que le abrieron
la puerta de otros pobres, la de todos
los azotados pobres de la tierra.

LOS JUECES   Por el alto Perú, por Nicaragua,
sobre la Patagonia, en las ciudades,
no tuviste razón, no tienes nada:
copa de miseria, abandonado
hijo de las Américas, no hay
ley, no hay juez que te proteja
la tierra, la casita con maíces.

Cuando llegó la casta de los tuyos,
de los señores tuyos, ya olvidado
el sueño antiguo de garras y cuchillos,
vino la ley a despoblar tu cielo,
a arrancarte terrones adorados,
a discutir el agua de los ríos,
a robarte el reinado de los árboles.

Te atestiguaron, te pusieron sellos
en la camisa, te forraron
el corazón con hojas y papeles,
te sepultaron en edictos fríos,
y cuando despertaste en la frontera
de la más despeñada desventura,
desposeído, solitario, errante,
te dieron calabozo, te amarraron,
te maniataron para que nadando
no salieras del agua de los pobres,
sino que te ahogaras pataleando.

El juez benigno te lee el inciso
número Cuatromil, Tercer acápite,
el mismo usado en toda
la geografía azul que libertaron
otros que fueron como tú y cayeron,
y te instituye por su codicilo
y sin apelación, perro sarnoso.

Dice tu sangre, cómo entretejieron
al rico y a la ley? Con qué tejido
de hierro sulfuroso, cómo fueron
cayendo pobres al juzgado?

Cómo se hizo la tierra tan amarga
para los pobres hijos, duramente
amamantados con piedra y dolores?

Así pasó y así lo dejo escrito.
Las vidas lo escribieron en mi frente.

### III

LOS MUERTOS
DE LA PLAZA
(28 de enero de
1948, Santiago
de Chile)

Yo no vengo a llorar aquí donde cayeron:
vengo a vosotros, acudo a los que viven.
Acudo a ti y a mí y en tu pecho golpeo.
Cayeron otros antes. Recuerdas? Sí, recuerdas.
Otros que el mismo nombre y apellido tuvieron.
En San Gregorio, en Lonquimay lluvioso,
en Ranquil, derramados por el viento,
en Iquique, enterrados en la arena,
a lo largo del mar y del desierto,
a lo largo del humo y de la lluvia,
desde las pampas a los archipiélagos
fueron asesinados otros hombres,
otros que como tú se llamaban Antonio
y que eran como tú pescadores o herreros:
carne de Chile, rostros

cicatrizados por el viento,
martirizados por la pampa,
firmados por el sufrimiento.

Yo encontré por los muros de la patria,
junto a la nieve y su cristalería,
detrás del río de ramaje verde,
debajo del nitrato y de la espiga,
una gota de sangre de mi pueblo
y cada gota, como el fuego, ardía.

*Las masacres* Pero entonces la sangre fue escondida
detrás de las raíces, fue lavada
y negada
(fue tan lejos), la lluvia del Sur la borró de la tierra
(tan lejos fue), el salitre la devoró en la pampa:
y la muerte del pueblo fue como siempre ha sido:
como si no muriera nadie, nada,
como si fueran piedras las que caen
sobre la tierra, o agua sobre el agua.

De Norte a Sur, adonde trituraron
o quemaron los muertos,
fueron en las tinieblas sepultados,
o en la noche quemados en silencio,
acumulados en un pique
o escupidos al mar sus huesos:
nadie sabe dónde están ahora,
no tienen tumba, están dispersos
en las raíces de la patria
sus martirizados dedos:
sus fusilados corazones:
la sonrisa de los chilenos:
los valerosos de la pampa:
los capitanes del silencio.

Nadie sabe dónde enterraron
los asesinos estos cuerpos,

pero ellos saldrán de la tierra
a cobrar la sangre caída
en la resurrección del pueblo.

En medio de la Plaza fue este crimen.

No escondió el matorral la sangre pura
del pueblo, ni la tragó la arena de la pampa.

Nadie escondió este crimen.

Este crimen fue en medio de la Patria.

*Los hombres* Yo estaba en el salitre, con los héroes oscuros,
*del nitrato* con el que cava nieve fertilizante y fina
en la corteza dura del planeta,
y estreché con orgullo sus manos de tierra.

Ellos me dijeron: «Mira,
hermano, cómo vivimos,
aquí en "Humberstone", aquí en "Mapocho",
en "Ricaventura", en "Paloma",
en "Pan de Azúcar", en "Piojillo"».

Y me mostraron sus raciones
de miserables alimentos,
su piso de tierra en las casas,
el sol, el polvo, las vinchucas,
y la soledad inmensa.

Yo vi el trabajo de los derripiadores,
que dejan sumida, en el mango
de la madera de la pala,
toda la huella de sus manos.

Yo escuché una voz que venía
desde el fondo estrecho del pique,
como de un útero infernal,

y después asomar arriba
una criatura sin rostro,
una máscara polvorienta
de sudor, de sangre y de polvo.

Y ése me dijo: «Adonde vayas,
habla tú de estos tormentos,
habla tú, hermano, de tu hermano
que vive abajo, en el infierno».

*La muerte* Pueblo, aquí decidiste dar tu mano
al perseguido obrero de la pampa, y llamaste,
llamaste al hombre, a la mujer, al niño,
hace un año, a esta Plaza.
                               Y aquí cayó tu sangre.
En medio de la patria fue vertida,
frente al palacio, en medio de la calle,
para que la mirara todo el mundo
y no pudiera borrarla nadie,
y quedaron sus manchas rojas
como planetas implacables.

Fue cuando mano y mano de chileno
alargaron sus dedos a la pampa,
y con el corazón entero
iría la unidad de sus palabras:
fue cuando ibas, pueblo, a cantar
una vieja canción con lágrimas,
con esperanza y con dolores:
vino la mano del verdugo
y empapó de sangre la plaza!

*Cómo* Están así hasta hoy nuestras banderas.
*nacen las* El pueblo las bordó con su ternura,
*banderas* cosió los trapos con su sufrimiento.

Clavó la estrella con su mano ardiente.

Y cortó, de camisa o firmamento,
azul para la estrella de la patria.

El rojo, gota a gota, iba naciendo.

*Los llamo*  Uno a uno hablaré con ellos esta tarde.
Uno a uno, llegáis en el recuerdo,
esta tarde, a esta plaza.

Manuel Antonio López,
camarada.

Lisboa Calderón,
otros te traicionaron, nosotros continuamos tu
jornada.

Alejandro Gutiérrez,
el estandarte que cayó contigo
sobre toda la tierra se levanta.

César Tapia,
tu corazón está en estas banderas,
palpita hoy en el viento de la plaza.

Filomeno Chávez,
nunca estreché tu mano, pero aquí está tu mano:
es una mano pura que la muerte no mata.

Ramona Parra, joven
estrella iluminada,
Ramona Parra, frágil heroína,
Ramona Parra, flor ensangrentada,
amiga nuestra, corazón valiente,
niña ejemplar, guerrillera dorada:
juramos en tu nombre continuar esta lucha
para que así florezca tu sangre derramada.

**Los enemigos** Ellos aquí trajeron los fusiles repletos
de pólvora, ellos mandaron el acerbo exterminio,
ellos aquí encontraron un pueblo que cantaba,
un pueblo por deber y por amor reunido,
y la delgada niña cayó con su bandera,
y el joven sonriente rodó a su lado herido,
y el estupor del pueblo vio caer a los muertos
con furia y con dolor.
Entonces, en el sitio
donde cayeron los asesinados,
bajaron las banderas a empaparse de sangre
para alzarse de nuevo frente a los asesinos.

Por esos muertos, nuestros muertos,
pido castigo.

Para los que de sangre salpicaron la patria,
pido castigo.

Para el verdugo que mandó esta muerte,
pido castigo.

Para el traidor que ascendió sobre el crimen,
pido castigo.

Para el que dio la orden de agonía,
pido castigo.

Para los que defendieron este crimen,
pido castigo.

No quiero que me den la mano
empapada con nuestra sangre.
Pido castigo.
No los quiero de embajadores,
tampoco en su casa tranquilos,
los quiero ver aquí juzgados
en esta plaza, en este sitio.

Quiero castigo.

*Están aquí* He de llamar aquí como si aquí estuvieran.
Hermanos: sabed que nuestra lucha
continuará en la tierra.

Continuará en la fábrica, en el campo,
en la calle, en la salitrera.
En el cráter del cobre verde y rojo,
en el carbón y su terrible cueva.
Estará nuestra lucha en todas partes,
y en nuestro corazón, estas banderas
que presenciaron vuestra muerte,
que se empaparon en la sangre vuestra,
se multiplicarán como las hojas
de la infinita primavera.

*Siempre* Aunque los pasos toquen mil años este sitio,
no borrarán la sangre de los que aquí cayeron.

Y no se extinguirá la hora en que caísteis,
aunque miles de voces crucen este silencio.
La lluvia empapará las piedras de la plaza,
pero no apagará vuestros nombres de fuego.

Mil noches caerán con sus alas oscuras,
sin destruir el día que esperan estos muertos.

El día que esperamos a lo largo del mundo
tantos hombres, el día final del sufrimiento.

Un día de justicia conquistada en la lucha,
y vosotros, hermanos caídos, en silencio,
estaréis con nosotros en ese vasto día
de la lucha final, en ese día inmenso.

# IV

CRÓNICA
DE 1948
(AMÉRICA)

*Mal año, año de ratas, año impuro!*

Alta y metálica es tu línea
en las orillas del océano
y del aire, como un alambre
de tempestades y tensión.
Pero, América, también eres
nocturna, azul y pantanosa:
ciénaga y cielo, una agonía
de corazones aplastados
como negras naranjas rotas
en tu silencio de bodega.

Paraguay

Desenfrenado Paraguay!
De qué sirvió la luna pura
de la geometría dorada?
Para qué sirvió el pensamiento
heredado de las columnas
y de los números solemnes?

Para este agujero abrumado
de sangre podrida, para
este hígado equinoccial
arrebatado por la muerte.

Para Moriñigo, reinante,
sentado sobre las prisiones
en su charca de parafina,
mientras las plumas escarlatas
de los colibríes eléctricos
vuelan y fulguran sobre
los pobres muertos de la selva.

*Mal año, año de rosas desmedradas,*
*año de carabinas, mira, bajo tus ojos*
*no te ciegue*
*el aluminio del avión, la música*
*de su velocidad seca y sonora:*
*mira tu pan, tu tierra, tu multitud raída,*
*tu estirpe rota!*
           *Miras ese valle*
*verde y ceniza desde el alto cielo?*
*Pálida agricultura, minería*
*harapienta, silencio y llanto*
*como el trigo, cayendo*
*y naciendo*
           *en una eternidad malvada.*

*Brasil*    Brasil, el Dutra, el pavoroso
pavo de las tierras calientes,
engordado por las amargas
ramas del aire venenoso:
sapo de las negras ciénagas
de nuestra luna americana:
botones dorados, ojillos
de rata gris amoratada:
Oh, Señor de los intestinos
de nuestra pobre madre hambrienta,
de tanto sueño y resplandecientes
libertadores, de tanto
sudor sobre los agujeros
de la mina, de tanta y tanta
soledad en las plantaciones,
América, elevas de pronto
a tu claridad planetaria
a un Dutra sacado del fondo
de tus reptiles, de tu sorda
profundidad y prehistoria.

Y así sucedió!
         Albañiles

del Brasil, golpead la frontera,
pescadores, llorad de noche
sobre las aguas litorales,
mientras Dutra, con sus pequeños
ojos de cerdo selvático,
rompe con un hacha la imprenta,
quema los libros en la plaza,
encarcela, persigue y fustiga
hasta que el silencio se hace
en nuestra noche tenebrosa.

*Cuba*   En Cuba están asesinando!

Ya tienen a Jesús Menéndez
en un cajón recién comprado.
Él salió, como un rey, del pueblo,
y anduvo mirando raíces,
deteniendo a los transeúntes,
golpeando el pecho a los dormidos,
estableciendo las edades,
componiendo las almas rotas,
y levantando del azúcar
los sangrientos cañaverales,
el sudor que pudre las piedras,
preguntando por las cocinas
pobres: quién eres? cuánto comes?
tocando este brazo, esta herida,
y acumulando estos silencios
en una sola voz, la ronca
voz entrecortada de Cuba.

Lo asesinó un capitancito,
un generalito: en un tren
le dijo: ven, y por la espalda
hizo fuego el generalito,
para que callara la voz
ronca de los cañaverales.

*Centro-* Mal año, ves más allá de la espesa
*américa* sombra de matorrales la cintura
de nuestra geografía?
                    Una ola estrella,
como un panal, sus abejas azules
contra la costa y vuelan los destellos
del doble mar sobre la tierra angosta...

Delgada tierra como un látigo,
calentada como un tormento,
tu paso en Honduras, tu sangre
en Santo Domingo, de noche,
tus ojos desde Nicaragua
me tocan, me llaman, me exigen,
y por la tierra americana
toco las puertas para hablar,
toco las lenguas amarradas,
levanto las cortinas, hundo
la mano en la sangre:
                    Oh, dolores
de tierra mía, oh, estertores
del gran silencio establecido,
oh, pueblos de larga agonía,
oh, cintura de los sollozos.

*Puerto Rico* Mr. Truman llega a la Isla
de Puerto Rico,
                    viene al agua
azul de nuestros mares puros
a lavar sus dedos sangrientos.
Acaba de ordenar la muerte
de doscientos jóvenes griegos,
sus ametralladoras funcionan
estrictamente,
                    cada día
por sus órdenes las cabezas
dóricas –uva y oliva–,
ojos del mar antiguo, pétalos
de la corola corinthiana,

caen al polvo griego.
                                        Los asesinos
alzan la copa
dulce de Chipre con los
expertos norteamericanos,
entre grandes risotadas, con
los bigotes chorreantes
de aceite frito y sangre griega.

Truman a nuestras aguas llega
a lavarse las manos rojas
de la sangre lejana. Mientras,
decreta, predica y sonríe
en la Universidad, en su idioma,
cierra la boca castellana,
cubre la luz de las palabras
que allí circularon como un
río de estirpe cristalina
y estatuye: «Muerte a tu lengua,
Puerto Rico».

*Grecia*          (La sangre griega
baja en esta hora. Amanece
en las colinas.
                         Es un simple
arroyo entre el polvo y las piedras:
los pastores pisan la sangre
de otros pastores:
                              es un simple
hilo delgado que desciende
desde los montes hasta el mar,
hasta el mar que conoce y canta.)


*...A tu tierra, a tu mar vuelve los ojos,*
*mira la claridad en las australes*
*aguas y nieves, construye el sol las uvas,*
*brilla el desierto, el mar de Chile surge*
*con su línea golpeada...*

En Lota están las bajas minas
del carbón: es un puerto frío,
del grave invierno austral, la lluvia
cae y cae sobre los techos, alas
de gaviotas color de niebla,
y bajo el mar sombrío el hombre
cava y cava el recinto negro.
La vida del hombre es oscura
como el carbón, noche andrajosa,
pan miserable, duro día.

Yo por el mundo anduve largo,
pero jamás por los caminos
o las ciudades, nunca vi
más maltratados a los hombres.
Doce duermen en una pieza.
Las habitaciones tienen
techos de restos sin nombre:
pedazos de hojalata, piedras,
cartones, papeles mojados.
Niños y perros, en el vapor
húmedo de la estación fría,
se agrupan hasta darse el fuego
de la pobre vida que un día
serán otra vez hambre y tinieblas.

*Los tormentos* Una huelga más, los salarios
no alcanzan, las mujeres lloran
en las cocinas, los mineros
juntan una a una sus manos
y sus dolores.
           Es la huelga
de los que bajo el mar excavaron,
tendidos en la cueva húmeda,
y extrajeron con sangre y fuerza
el terrón negro de las minas.
Esta vez vinieron soldados.
Rompieron sus casas, de noche.

Los condujeron a las minas
como a un presidio y saquearon
la pobre harina que guardaban,
el grano de arroz de los hijos.

Luego, golpeando las paredes,
los exiliaron, los hundieron,
los acorralaron, marcándolos
como a bestias, y en los caminos,
en un éxodo de dolores,
los capitanes del carbón
vieron expulsados sus hijos,
atropelladas sus mujeres
y a centenares de mineros
trasladados y encarcelados,
a Patagonia, en el frío antártico,
o a los desiertos de Pisagua.

*El traidor*   Y encima de estas desventuras
un tirano que sonreía
escupiendo las esperanzas
de los mineros traicionados.
Cada pueblo con sus dolores,
cada lucha con sus tormentos,
pero venid aquí a decirme
si entre los sanguinarios,
entre todos los desmandados
déspotas, coronados de odio,
con cetros de látigos verdes,
alguno fue como el de Chile?

Éste traicionó pisoteando
sus promesas y sus sonrisas,
éste del asco hizo su cetro,
éste bailó sobre los dolores
de su pobre pueblo escupido.

Y cuando en las prisiones llenas
por sus desleales decretos
se acumularon ojos negros
de agraviados y de ofendidos,
él bailaba en Viña del Mar,
rodeado de alhajas y copas.

Pero los negros ojos miran
a través de la noche negra.

*Tú qué hiciste? No vino tu palabra*
*para el hermano de las bajas minas,*
*para el dolor de los traicionados,*
*no vino a ti la sílaba de llamas*
*para clamar y defender tu pueblo?*

*Acuso*  Acusé entonces al que había
estrangulado la esperanza,
llamé a los rincones de América
y puse su nombre en la cueva
de las deshonras.
                    Entonces crímenes
me reprocharon, la jauría
de los vendidos y alquilados:
los «secretarios de gobierno»,
los policías, escribieron
con alquitrán su espeso insulto
contra mí, pero las paredes
miraban cuando los traidores
escribían con grandes letras
mi nombre, y la noche borraba,
con sus manos innumerables,
manos del pueblo y de la noche,
la ignominia que vanamente
quieren arrojar a mi canto.

Fueron de noche a quemar entonces
mi casa (el fuego marca ahora

el nombre de quien los enviara),
y los jueces se unieron todos
para condenarme, buscándome,
para crucificar mis palabras
y castigar estas verdades.

Cerraron las cordilleras
de Chile para que no partiera
a contar lo que aquí sucede,
y cuando México abrió sus puertas
para recibirme y guardarme,
Torres Bodet, pobre poeta,
ordenó que se me entregara
a los carceleros furiosos.

Pero mi palabra está viva,
y mi libre corazón acusa.

> *Qué pasará, qué pasará? En la noche*
> *de Pisagua, la cárcel, las cadenas,*
> *el silencio, la patria envilecida,*
> *y este mal año, año de ratas ciegas,*
> *este mal año de ira y de rencores*
> *qué pasará, preguntas, me preguntas?*

*El pueblo* Está mi corazón en esta lucha.
*victorioso* Mi pueblo vencerá. Todos los pueblos
vencerán, uno a uno.
               Estos dolores
se exprimirán como pañuelos hasta
estrujar tantas lágrimas vertidas
en socavones del desierto, en tumbas,
en escalones del martirio humano.
Pero está cerca el tiempo victorioso.
Que sirva el odio para que no tiemblen
las manos del castigo,
                    que la hora
llegue a su horario en el instante puro,

y el pueblo llene las calles vacías
con sus frescas y firmes dimensiones.

Aquí está mi ternura para entonces.
La conocéis. No tengo otra bandera.

## V

GONZÁLEZ    De las antiguas cordilleras salieron los verdugos
VIDELA,    como huesos, como espinas americanas en el hir-
EL TRAIDOR    suto lomo
DE CHILE    de una genealogía de catástrofes: establecidos fueron,
(EPÍLOGO)    enquistados en la miseria de nuestras poblaciones.
1949    Cada día la sangre manchó sus alamares.

Desde las cordilleras como bestias huesudas
fueron procreados por nuestra arcilla negra.
Aquéllos fueron los saurios tigres, los dinastas gla-
    ciales,
recién salidos de nuestras cavernas y de nuestras
    derrotas.
Así desenterraron los maxilares de Gómez
bajo las carreteras manchadas por cincuenta años
    de nuestra sangre.

La bestia oscurecía las tierras con sus costillas
cuando después de las ejecuciones se torcía el bigote
junto al embajador norteamericano que le servía
    el té.

Los monstruos envilecieron, pero no fueron viles.
Ahora
en el rincón que la luz reservó a la pureza,
en la nevada patria blanca de Araucanía,
un *traidor* sonríe sobre un trono podrido.

En mi patria preside la vileza.

Es González Videla la rata que sacude
su pelambrera llena de estiércol y de sangre
sobre la tierra mía que vendió. Cada día
saca de sus bolsillos las monedas robadas
y piensa si mañana venderá territorio o sangre.

Todo lo ha *traicionado*.
Subió como una rata a los hombros del pueblo
y desde allí, royendo la bandera sagrada
de mi país, ondula su cola roedora
diciendo al hacendado, al extranjero, dueño
del subsuelo de Chile: «Bebed toda la sangre
de este pueblo, yo soy el mayordomo
de los suplicios».
                    Triste *clown*, miserable
mezcla de mono y rata, cuyo rabo
peinan en Wall Street con pomada de oro,
no pasarán los días sin que caigas del árbol
y seas el montón de inmundicia evidente
que el transeúnte evita pisar en las esquinas!

Así ha sido. La *traición* fue Gobierno de Chile.
Un traidor ha dejado su nombre en nuestra
    historia.
*Judas* enarbolando dientes de calavera
vendió a mi hermano,
dio veneno a mi patria,
fundó Pisagua, demolió nuestra estrella,
escupió los colores de una bandera pura.

*Gabriel González Videla*. Aquí dejo su nombre,
para que cuando el tiempo haya borrado
la ignominia, cuando mi patria limpie
su rostro iluminado por el trigo y la nieve,
más tarde, los que aquí busquen la herencia
que en estas líneas dejo como una brasa verde,
hallen también el nombre del *traidor* que trajera
la copa de agonía que rechazó mi pueblo.

Mi pueblo, pueblo mío, levanta tu destino!
Rompe la cárcel, abre los muros que te cierran!
Aplasta el paso torvo de la rata que manda
desde el palacio: sube tus lanzas a la aurora,
y en lo más alto deja que tu estrella iracunda
fulgure, iluminando los caminos de América.

# VI

## AMÉRICA, NO INVOCO TU NOMBRE
## EN VANO

### I

DESDE Lo recorrido, el aire
ARRIBA indefinible, la luna de los cráteres,
(1942) la seca luna derramada
sobre las cicatrices,
el calcáreo agujero de la túnica rota,
el ramaje de venas congeladas, el pánico del cuarzo,
del trigo, de la aurora,
las llaves extendidas en las rocas secretas,
la aterradora línea
del Sur despedazado,
el sulfato dormido en su estatura
de larga geografía,
y las disposiciones de turquesa
rodando en torno de la luz cortada,
del acre ramo sin cesar florido,
de la espaciosa noche de espesura.

### II

UN La cintura manchada por el vino
ASESINO cuando el dios tabernario
DUERME pisa los vasos rotos y desgreña
la luz del alba desencadenada:
la rosa humedecida en el sollozo
de la pequeña prostituta, el viento de los días febriles
que entra por la ventana sin cristales

donde el vengado duerme con los zapatos puestos
en un olor amargo de pistolas,
en un color azul de ojos perdidos.


## III

EN LA En Santos, entre el olor dulceagudo de los plátanos
COSTA que, como un río de oro blando, abierto en las
   espaldas,
  deja en las márgenes la estúpida saliva
  del paraíso desquiciado,
  y un clamor férreo de sombras de agua y locomotora,
  una corriente de sudor y plumas,
  algo que baja y corre desde el fondo de las hojas
   ardientes
  como desde un sobaco palpitante:
  una crisis de vuelos, una remota
  espuma.


## IV

INVIERNO Yo he traspasado la corteza mil
EN EL veces agredida por los golpes australes:
SUR, A he sentido el cogote del caballo dormirse
CABALLO bajo la piedra fría de la noche del Sur,
  tiritar en la brújula del monte deshojado,
  ascender en la pálida mejilla que comienza:
  yo conozco el final del galope en la niebla,
  el harapo del pobre caminante:
  y para mí no hay dios, sino la arena oscura,
  el lomo interminable de la piedra y la noche,
  el insociable día
  con un advenimiento
  de mala ropa, de alma exterminada.

# V

LOS
CRÍMENES

Tal vez tú, de las noches oscuras has recorrido
el grito con puñal, la pisada en la sangre:
el solitario filo de nuestra cruz mil veces
pisoteada,
los grandes golpes en la callada puerta,
el abismo o el rayo que tragó al asesino
cuando ladran los perros y la violenta policía
llega entre los dormidos
a torcer fuertemente los hilos de la lágrima
tirándolos del párpado aterrado.

# VI

JUVENTUD

Un perfume como una ácida espada
de ciruelas en un camino,
los besos del azúcar en los dientes,
las gotas vitales resbalando en los dedos,
la dulce pulpa erótica,
las eras, los pajares, los incitantes
sitios secretos de las casas anchas,
los colchones dormidos en el pasado, el agrio valle
verde
mirado desde arriba, desde el vidrio escondido:
toda la adolescencia mojándose y ardiendo
como una lámpara derribada en la lluvia.

# VII

LOS
CLIMAS

En el otoño caen desde el álamo
las altas flechas, el renovado olvido:
se hunden los pies en su frazada pura:
el frío de las hojas irritadas
es un espeso manantial de oro,

y un esplendor de espinas pone cerca del cielo
los secos candelabros de estatura erizada,
y el jaguar amarillo, entre las uñas,
huele una gota viva.

## VIII

VARADERO
EN CUBA

Fulgor de Varadero desde la costa eléctrica
cuando, despedazándose, recibe en la cadera
la Antilla, el mayor golpe de luciérnaga y agua,
el sinfín fulgurario del fósforo y la luna,
el intenso cadáver de la turquesa muerta:
y el pescador oscuro saca de los metales
una cola erizada de violetas marinas.

## IX

LOS
DICTADORES

Ha quedado un olor entre los cañaverales:
una mezcla de sangre y cuerpo, un penetrante
pétalo nauseabundo.
Entre los cocoteros las tumbas están llenas
de huesos demolidos, de estertores callados.
El delicado sátrapa conversa
con copas, cuellos y cordones de oro.
El pequeño palacio brilla como un reloj
y las rápidas risas enguantadas
atraviesan a veces los pasillos
y se reúnen a las voces muertas
y a las bocas azules frescamente enterradas.
El llanto está escondido como una planta
cuya semilla cae sin cesar sobre el suelo
y hace crecer sin luz sus grandes hojas ciegas.
El odio se ha formado escama a escama,
golpe a golpe, en el agua terrible del pantano,
con un hocico lleno de légamo y silencio.

# X

CENTRO-
AMÉRICA
Qué luna como una culata ensangrentada,
qué ramaje de látigos,
qué luz atroz de párpado arrancado
te hacen gemir sin voz, sin movimiento,
rompen tu padecer sin voz, sin boca:
oh, cintura central, oh, paraíso
de llagas implacables.
De noche y día veo los martirios,
de día y noche veo al encadenado,
al rubio, al negro, al indio
escribiendo con manos golpeadas y fosfóricas
en las interminables paredes de la noche.

# XI

HAMBRE
EN EL SUR
Veo el sollozo en el carbón de Lota
y la arrugada sombra del chileno humillado
picar la amarga veta de la entraña, morir,
vivir, nacer en la dura ceniza
agachados, caídos como si el mundo
entrara así y saliera así
entre polvo negro, entre llamas,
y sólo sucediera
la tos en el invierno, el paso
de un caballo en el agua negra, donde ha caído
una hoja de eucaliptus como un cuchillo muerto.

# XII

PATAGONIA
Las focas están pariendo
en la profundidad de las zonas heladas,
en las crepusculares grutas que forman
los últimos hocicos del océano,

las vacas de la Patagonia
se destacan del día
como un tumulto, como un vapor pesado
que levanta en el frío su caliente columna
hacia las soledades.

Desierta eres, América, como una campana:
llena por dentro de un canto que no se eleva,
el pastor, el llanero, el pescador
no tienen una mano, ni una oreja, ni un piano,
ni una mejilla cerca: la luna los vigila,
la extensión los aumenta, la noche los acecha,
y un viejo día lento como los otros, nace.

## XIII

UNA   Veo una rosa junto al agua, una pequeña copa
ROSA   de párpados bermejos,
sostenida en la altura por un sonido aéreo:
una luz de hojas verdes toca los manantiales
y transfigura el bosque con solitarios seres
de transparentes pies:
el aire está poblado de claras vestiduras
y el árbol establece su magnitud dormida.

## XIV

VIDA   Vuela la mariposa de Muzo en la tormenta:
Y MUERTE   todos los hilos equinocciales,
DE UNA   la pasta helada de las esmeraldas,
MARIPOSA   todo vuela en el rayo,
se sacuden las últimas consecuencias del aire
y entonces una lluvia de estambres verdes
el polen asustado de la esmeralda sube:
sus grandes terciopelos de fragancia mojada
caen en las riberas azules del ciclón,

se unen a las caídas levaduras terrestres,
regresan a la patria de las hojas.

## XV

EL HOMBRE    De tango a tango, si alcanzara
ENTERRADO    a rayar el dominio, las praderas,
EN LA        si ya dormido
PAMPA        saliendo de mi boca el cereal salvaje,
             si yo escuchara en las llanuras
             un trueno de caballos,
             una furiosa tempestad de patas
             pasar sobre mis dedos enterrados,
             besaría sin labios la semilla
             y amarraría a ella los vestigios
             de mis ojos
             para ver el galope que amó mi turbulencia:
             mátame, vidalita,
             mátame y se derrame mi substancia
             como el ronco metal de las guitarras.

## XVI

OBREROS      En Valparaíso, los obreros del mar
MARÍTIMOS    me invitaron: eran pequeños y duros,
             y sus rostros quemados eran la geografía
             del Océano Pacífico: eran una corriente
             adentro de las inmensas aguas, una ola muscular,
             un ramo de alas marinas en la tormenta.
             Era hermoso verlos como pequeños dioses pobres,
             semidesnudos, malnutridos, era hermoso
             verlos luchar y palpitar con otros hombres más
                 allá del océano,
             con otros hombres de otros puertos miserables,
                 y oírlos,
             era el mismo lenguaje de españoles y chinos,

el lenguaje de Baltimore y Kronstadt,
y cuando cantaron «La Internacional» canté con
 ellos:
me subía del corazón un himno, quise decirles:
 «Hermanos»,
pero no tuve sino ternura que se me hacía canto
y que iba con su canto desde mi boca hasta el mar.
Ellos me reconocían, me abrazaban con sus poderosas miradas
sin decirme nada, mirándome y cantando.

## XVII

UN RÍO  Yo quiero ir por el Papaloapán
como tantas veces por el terroso espejo,
tocando con las uñas el agua poderosa:
quiero ir hacia las matrices, hacia la contextura
de sus originales ramajes de cristal:
ir, mojarme la frente, hundir en la secreta
confusión del rocío
la piel, la sed, el sueño.
El sábalo saliendo del agua
como un violín de plata,
y en la orilla las flores atmosféricas
y las alas inmóviles
en un calor de espacio defendido
por espadas azules.

## XVIII

AMÉRICA  Estoy, estoy rodeado
por madreselva y páramo, por chacal y centella,
por el encadenado perfume de las lilas:
estoy, estoy rodeado
por días, meses, aguas que sólo yo conozco,
por uñas, peces, meses que sólo yo establezco,

estoy, estoy rodeado
por la delgada espuma combatiente
del litoral poblado de campanas.
La camisa escarlata del volcán y del indio,
el camino, que el pie desnudo levantó entre las hojas
y las espinas entre las raíces,
llega a mis pies de noche para que lo camine.
La oscura sangre como en un otoño
derramada en el suelo,
el temible estandarte de la muerte en la selva,
los pasos invasores deshaciéndose, el grito
de los guerreros, el crepúsculo de las lanzas dormidas,
el sobresaltado sueño de los soldados, los grandes
ríos en que la paz del caimán chapotea,
tus recientes ciudades de alcaldes imprevistos,
el coro de los pájaros de costumbre indomable,
en el pútrido día de la selva, el fulgor
tutelar de la luciérnaga,
cuando en tu vientre existo, en tu almenada
tarde, en tu descanso, en el útero de tus nacimientos,
en el terremoto, en el diablo de los campesinos, en la ceniza
que cae de los ventisqueros, en el espacio,
en el espacio puro, circular inasible,
en la garra sangrienta de los cóndores, en la paz humillada
de Guatemala, en los negros,
en los muelles de Trinidad, en La Guayra:
todo es mi noche, todo
es mi día, todo
es mi aire, todo
es lo que vivo, sufro, levanto y agonizo.
América, no de noche
ni de luz están hechas las sílabas que canto.
De tierra es la materia apoderada
del fulgor y del pan de mi victoria,
y no es sueño mi sueño sino tierra.
Duermo rodeado de espaciosa arcilla
y por mis manos corre cuando vivo
un manantial de caudalosas tierras.

Y no es vino el que bebo sino tierra,
tierra escondida, tierra de mi boca,
tierra de agricultura con rocío,
vendaval de legumbres luminosas,
estirpe cereal, bodega de oro.

## XIX

AMÉRICA,    América, no invoco tu nombre en vano.
NO INVOCO   Cuando sujeto al corazón la espada,
TU NOMBRE   cuando aguanto en el alma la gotera,
EN VANO     cuando por las ventanas
            un nuevo día tuyo me penetra,
            soy y estoy en la luz que me produce,
            vivo en la sombra que me determina,
            duermo y despierto en tu esencial aurora:
            dulce como las uvas, y terrible,
            conductor del azúcar y el castigo,
            empapado en esperma de tu especie,
            amamantado en sangre de tu herencia.

# VII

## CANTO GENERAL DE CHILE

ETERNIDAD  *Escribo para una tierra recién secada, recién*
*fresca de flores, de polen, de argamasa,*
*escribo para unos cráteres cuyas cúpulas de tiza*
*repiten su redondo vacío junto a la nieve pura,*
*dictamino de pronto para lo que apenas*
*lleva el vapor ferruginoso recién salido del abismo,*
*hablo para las praderas que no conocen apellido,*
*sino la pequeña campanilla del liquen o el estambre*
*  quemado*
*o la áspera espesura donde la yegua arde.*

*De dónde vengo, sino de estas primerizas, azules*
*materias que se enredan o se encrespan o se des-*
*  tituyen*
*o se esparcen a gritos o se derraman sonámbulas,*
*o se trepan y forman el baluarte del árbol,*
*o se sumen y amarran la célula del cobre*
*o saltan a la rama de los ríos, o sucumben*
*en la raza enterrada del carbón o relucen*
*en las tinieblas verdes de la uva?*

*En las noches duermo como los ríos, recorriendo*
*algo incesantemente, rompiendo, adelantando*
*la noche natatoria, levantando las horas*
*hacia la luz, palpando las secretas*
*imágenes que la cal ha desterrado, subiendo por*
*  el bronce*
*hasta las cataratas recién disciplinadas, y toco*
*en un camino de ríos lo que no distribuye*
*sino la rosa nunca nacida, el hemisferio ahogado.*

La tierra es una catedral de párpados pálidos,
eternamente unidos y agregados en un
vendaval de segmentos, en una sal de bóvedas,
en un color final de otoño perdonado.

No habéis, no habéis tocado jamás en el camino
lo que la estalactita desnuda determina,
la fiesta entre las lámparas glaciales,
el alto frío de las hojas negras,
no habéis entrado conmigo en las fibras
que la tierra ha escondido,
no habéis vuelto a subir después de muertos
grano a grano las gradas de la arena
hasta que las coronas del rocío
de nuevo cubran una rosa abierta,
no podéis existir sin ir muriendo
con el vestuario usado de la dicha.

Pero yo soy el nimbo metálico, la argolla
encadenada a espacio, a nubes, a terrenos
que toca despeñadas y enmudecidas aguas,
y vuelve a desafiar la intemperie infinita.

## I

HIMNO    Patria, mi patria, vuelvo hacia ti la sangre.
Y REGRESO    Pero te pido, como a la madre el niño
(1939)    lleno de llanto.
                    Acoge
esta guitarra ciega
y esta frente perdida.
Salí a encontrarte hijos por la tierra,
salí a cuidar caídos con tu nombre de nieve,
salí a hacer una casa con tu madera pura,
salí a llevar tu estrella a los héroes heridos.

Ahora quiero dormir en tu substancia.
Dame tu clara noche de penetrantes cuerdas,
tu noche de navío, tu estatura estrellada.

Patria mía: quiero mudar de sombra.
Patria mía: quiero cambiar de rosa.
Quiero poner mi brazo en tu cintura exigua
y sentarme en tus piedras por el mar calcinadas,
a detener el trigo y mirarlo por dentro.

Voy a escoger la flora delgada del nitrato,
voy a hilar el estambre glacial de la campana,
y mirando tu ilustre y solitaria espuma
un ramo litoral tejeré a tu belleza.

Patria, mi patria
toda rodeada de agua combatiente
y nieve combatida,
en ti se junta el águila al azufre,
y en tu antártica mano de armiño y de zafiro
una gota de pura luz humana
brilla encendiendo el enemigo cielo.

Guarda tu luz, oh patria!, mantén
tu dura espiga de esperanza en medio
del ciego aire temible.
En tu remota tierra ha caído toda esta luz difícil,
este destino de los hombres
que te hace defender una flor misteriosa
sola, en la inmensidad de América dormida.

## II

QUIERO   Enfermo en Veracruz, recuerdo un día
VOLVER   del Sur, mi tierra, un día de plata
AL SUR   como un rápido pez en el agua del cielo.
(1941)   Loncoche, Lonquimay, Carahue, desde arriba

esparcidos, rodeados por silencio y raíces,
sentados en sus tronos de cueros y maderas.
El Sur es un caballo echado a pique
coronado con lentos árboles y rocío,
cuando levanta el verde hocico caen las gotas,
la sombra de su cola moja el gran archipiélago
y en su intestino crece el carbón venerado.
Nunca más, dime, sombra, nunca más, dime, mano,
nunca más, dime, pie, puerta, pierna, combate,
trastornarás la selva, el camino, la espiga,
la niebla, el frío, lo que, azul, determinaba
cada uno de tus pasos sin cesar consumidos?
Cielo, déjame un día de estrella a estrella irme
pisando luz y pólvora, destrozando mi sangre
hasta llegar al nido de la lluvia!
                                        Quiero ir
detrás de la madera por el río
Toltén fragante, quiero salir de los aserraderos,
entrar en las cantinas con los pies empapados,
guiarme por la luz del avellano eléctrico,
tenderme junto al excremento de las vacas,
morir y revivir mordiendo trigo.
                                        Océano, tráeme
un día del Sur, un día agarrado a tus olas,
un día de árbol mojado, trae un viento
azul polar a mi bandera fría!


## III

MELANCOLÍA   Qué hay para ti en el Sur sino un río, una noche,
CERCA DE     unas hojas que el aire frío manifiesta
ORIZABA      y extiende hasta cubrir las riberas del cielo?
(1942)       Es que la cabellera del amor desemboca
             como otra nieve o agua del deshecho archipiélago,
             como otro movimiento subterráneo del fuego
             y espera en los galpones otra vez,
             donde las hojas caen tantas veces

temblando, devoradas por esa boca espesa,
y el brillo de la lluvia cierra su enredadera
desde la reunión de los granos secretos
hasta el follaje lleno de campanas y gotas?

Donde la primavera trae una voz mojada
que zumba en las orejas del caballo dormido
y luego cae al oro del trigo triturado
y luego asoma un dedo transparente en la uva.
Qué hay para ti esperándote, dónde, sin corredores,
sin paredes, te llama el Sur?
Como el llanero escuchas en tu mano la copa
de la tierra, poniendo tu oído en las raíces:
desde lejos un viento de hemisferio temible,
el galope en la escarcha de los carabineros;
donde la aguja cose con agua fina el tiempo
y su desmenuzada costura se destruye:
qué hay para ti en la noche de costado salvaje
aullando con la boca toda llena de azul?

Hay un día tal vez detenido, una espina
clava en el viejo día su aguijón degradado
y su antigua bandera nupcial se despedaza.
Quién ha guardado un día de bosque negro, quién
ha esperado unas horas de piedra, quién rodea
la herencia lastimada por el tiempo, quién huye
sin desaparecer en el centro del aire?
Un día, un día lleno de hojas desesperadas,
un día, una luz rota por el frío zafiro,
un silencio de ayer preservado en el hueco
de ayer, en la reserva del territorio ausente.
Amo tu enmarañada cabellera de cuero,
tu antártica hermosura de intemperie y ceniza
tu doloroso peso de cielo combatiente:
amo el vuelo del aire del día en que me esperas
sé que no cambia el beso de la tierra, y no cambia,
sé que no cae la hoja del árbol, y no cae:
sé que el mismo relámpago detiene sus metales

y la desamparada noche es la misma noche,
pero es mi noche, pero es mi planta, el agua
de las glaciales lágrimas que conocen mi pelo.

Sea yo lo que ayer me esperaba en el hombre:
lo que en laurel, ceniza, cantidad, esperanza,
desarrolla su párpado en la sangre,
en la sangre que puebla la cocina y el bosque,
las fábricas que el hierro cubre de plumas negras,
las minas taladradas por el sudor sulfúrico.

No sólo el aire agudo del vegetal me espera:
no sólo el trueno sobre el nevado esplendor:
lágrimas y hambre como dos escalofríos
suben al campanario de la patria y repican:
de ahí que en medio del fragante cielo,
de ahí que cuando octubre estalla, y corre
la primavera antártica sobre el fulgor del vino,
hay un lamento y otro y otro lamento y otro
hasta que cruzan nieve, cobre, caminos, naves,
y pasan a través de la noche y la tierra
hasta mi desangrada garganta que los oye.

Pueblo mío, qué dices? Marinero,
peón, alcalde, obrero del salitre, me escuchas?
Yo te oigo, hermano muerto, hermano vivo, te oigo,
lo que tú deseabas, lo que enterraste, todo,
la sangre que en la arena y en el mar derramabas,
el corazón golpeado que resiste y asusta.

Qué hay para ti en el Sur? La lluvia dónde cae?
Y desde el intersticio, qué muertos ha azotado?
Los míos, los del Sur, los héroes solos,
el pan diseminado por la cólera amarga,
el largo luto, el hambre, la dureza y la muerte,
las hojas sobre ellos han caído, las hojas,
la luna sobre el pecho del soldado, la luna,

el callejón del miserable, y el silencio
del hombre en todas partes, como un mineral duro
cuya veta de frío hiela la luz de mi alma
antes de construir la campana en la altura.
Patria llena de gérmenes, no me llames, no puedo
dormir sin tu mirada de cristal y tiniebla.
Tu ronco grito de aguas y seres me sacude
y ando en el sueño al borde de tu espuma solemne
hasta la última isla de tu cintura azul.
Me llamas dulcemente como una novia pobre.
Tu larga luz de acero me enceguece y me busca
como una espada llena de raíces.
Patria, tierra estimable, quemada luz ardiendo:
como el carbón adentro del fuego precipita
tu sal temible, tu desnuda sombra.
Sea yo lo que ayer me esperaba, y mañana
resista en un puñado de amapolas y polvo.

## IV

OCÉANO   Si tu desnudo aparecido y verde,
si tu manzana desmedida, si
en las tinieblas tu mazurca, dónde
está tu origen?
Noche
más dulce que la noche,
sal
madre, sal sangrienta, curva madre del agua,
planeta recorrido por la espuma y la médula:
titánica dulzura de estelar longitud:
noche con una sola ola en la mano:
tempestad contra el águila marina,
ciega bajo las manos del sulfato insondable:
bodega en tanta noche sepultada,
corola fría toda de invasión y sonido,
catedral enterrada a golpes en la estrella.

Hay el caballo herido que en la edad de tu orilla
recorre, por el fuego glacial substituido,
hay el abeto roto transformado en plumaje
y deshecho en tus manos de atroz cristalería,
y la incesante rosa combatida en las islas
y la diadema de agua y luna que estableces.
Patria mía, a tu tierra
todo este cielo oscuro!
Toda esta fruta universal, toda esta
delirante corona!
Para ti esta copa de espumas donde el rayo
se pierde como un albatros ciego, y donde el sol del Sur
se levanta mirando tu condición sagrada.

## V

TALABARTERÍA    Para mí esta montura dibujada
como pesada rosa en plata y cuero,
suave de hondura, lisa y duradera.
Cada recorte es una mano, cada
costura es una vida, en ella vive
la unidad de las vidas forestales,
una cadena de ojos y caballos.
Los granos de la avena la formaron,
la hicieron dura matorrales y agua,
la cosecha opulenta le dio orgullo,
metal y tafiletes trabajados:
y así de desventuras y dominio
este trono salió por las praderas.

ALFARERÍA    Torpe paloma, alcancía de greda,
en tu lomo de luto un signo, apenas
algo que te descifra. Pueblo mío,
cómo con tus dolores a la espalda,
apaleado y rendido, cómo fuiste
acumulando ciencia deshojada?
Prodigio negro, mágica materia

elevada a la luz por dedos ciegos,
mínima estatua en que lo más secreto
de la tierra nos abre sus idiomas,
cántaro de Pomaire en cuyo beso
tierra y piel se congregan, infinitas
formas del barro, luz de las vasijas,
la forma de una mano que fue mía,
el paso de una sombra que me llama,
sois reunión de sueños escondidos,
cerámica, paloma indestructible!

TELARES   Sabéis que allí la nieve vigilando
los valles, o más bien
la primavera oscura del Sur, las aves negras
a cuyo pecho sólo una gota de sangre
vino a temblar, la bruma
de un gran invierno que extendió las alas,
así es el territorio, y su fragancia
sube de flores pobres, derribadas
por el peso de cobre y cordilleras.
Y allí el telar hilo a hilo, buscando
reconstruyó la flor, subió la pluma
a su imperio escarlata, entretejiendo
azules y azafranes, la madeja
del fuego y su amarillo poderío,
la estirpe del relámpago violeta,
el verde enarenado del lagarto.
Manos del pueblo mío en los telares,
manos pobres que tejen, uno a uno,
los plumajes de estrella que faltaron
a tu piel, Patria de color oscuro,
substituyendo hebra por hebra el cielo
para que cante el hombre sus amores
y galope encendiendo cereales!

# VI

INUNDA-
CIONES

Los pobres viven abajo esperando que el río
se levante en la noche y se los lleve al mar.
He visto pequeñas cunas que flotaban, destrozos
de viviendas, sillas, y una cólera augusta
de lívidas aguas en que se confunden el cielo y el terror.
Sólo es para ti, pobre, para tu esposa y tu sembrado,
para tu perro y tus herramientas, para que aprendas
    a mendigo.
El agua no sube hasta las casas de los caballeros
cuyos nevados cuellos vuelan desde las lavanderías,
como este fango arrollador y estas ruinas que nadan
con tus muertos vagando dulcemente hacia el mar,
entre las pobres mesas y los perdidos árboles
que van de tumbo en tumbo mostrando sus raíces.

TERRE-
MOTO

Desperté cuando la tierra de los sueños faltó
bajo mi cama.
Una columna ciega de ceniza se tambaleaba en medio
de la noche,
                yo te pregunto: he muerto?
Dame la mano en esta ruptura del planeta
mientras la cicatriz del cielo morado se hace estrella.
Ay!, pero recuerdo, dónde están?, dónde están?
Por qué hierve la tierra llenándose de muerte?
Oh máscaras bajo las viviendas arrolladas, sonrisas
que no alcanzaron el espanto, seres despedazados
bajo las vigas, cubiertos por la noche.

Y hoy amaneces, oh día azul, vestido
para un baile, con tu cola de oro
sobre el mar apagado de los escombros, ígneo,
buscando el rostro perdido de los insepultos.

# VII

ATACAMA Voz insufrible, diseminada
sal, substituida
ceniza, ramo negro
en cuyo extremo aljófar aparece la luna
ciega, por corredores enlutados de cobre.
Qué material, qué cisne hueco
hunde en la arena su desnudo agónico
y endurece su luz líquida y lenta?
Qué rayo duro rompe su esmeralda
entre sus piedras indomables hasta
cuajar la sal perdida?
Tierra, tierra
sobre el mar, sobre el aire, sobre el galope
de la amazona llena de corales:
bodega amontonada donde el trigo
duerme en la temblorosa raíz de la campana:
oh madre del océano! productora
del ciego jaspe y la dorada sílice:
sobre tu pura piel de pan, lejos del bosque,
nada sino tus líneas de secreto,
nada sino tu frente de arena,
nada sino las noches y los días del hombre,
pero junto a la sed del cardo, allí
donde un papel hundido y olvidado, una piedra
marca las hondas cunas de la espada y la copa,
indica los dormidos pies del calcio.

# VIII

TOCOPILLA De Tocopilla al sur, al norte, arena,
cales caídas, el lanchón, las tablas
rotas, el torcido hierro.
Quién a la línea pura del planeta,
áurea y cocida, sueño, sal y pólvora

agregó el utensilio deshecho, la inmundicia?
Quién puso el techo hundido, quién dejó las paredes
abiertas, con un ramo
de papeles pisados?
Lóbrega luz del hombre en ti destituido,
siempre volviendo al cuenco de tu luna calcárea,
apenas recibido por tu letal arena!
Gaviota enrarecida de las obras, arenque,
petrel ensortijado,
frutos, vosotros, hijos del espinel sangriento
y de la tempestad, habéis visto al chileno?
Habéis visto al humano, entre las dobles líneas del frío
y de las aguas, bajo la dentadura
de la línea de tierra, en la bahía?

Piojos, piojos ardientes atacando la sal,
piojos, piojos de costa, poblaciones, mineros,
desde una cicatriz del desierto hasta otra,
contra la costa de la luna, fuera!
picando el sello frío sin edad.
Más allá de los pies del alcatraz, cuando
agua ni pan ni sombra tocan la dura etapa,
el ejercicio del salitre asoma
o la estatua del cobre decide su estatura.
Es todo como estrellas enterradas,
como puntas amargas, como infernales
flores
blancas, nevadas de luz temblorosa
o verde y negra rama de esplendores pesados.
No vale allí la pluma, sino la mano rota
del oscuro chileno, no sirve allí la duda.
Sólo la sangre. Sólo ese golpe duro
que en la vena pregunta por el hombre.
En la vena, en la mina, en la horadada cueva
sin agua y sin laurel.

Oh pequeños
compatriotas quemados por esta luz más agria

que el baño de la muerte, héroes oscurecidos
por el amanecer de la sal en la tierra,
dónde hacéis vuestro nido, errantes hijos?
Quién os ha visto entre las hebras rotas
de los puertos desérticos?
                                            Bajo
la niebla de salmuera
o detrás de la costa metálica,
o tal vez o tal vez,
bajo el desierto ya, bajo
su palabra de polvo
para siempre!
Chile, Metal y Cielo,
y vosotros, chilenos,
semilla, hermanos duros,
todo dispuesto en orden y silencio
como la permanencia de las piedras.


## IX

PEUMO  Quebré una hoja enlosada de matorral: un dulce
aroma de los bordes cortados
me tocó como un ala profunda que volara
desde la tierra, desde lejos, desde nunca.
Peumo, entonces vi tu follaje, tu verdura
minuciosa, encrespada, cubrir con sus impulsos
tu tronco terrenal y tu anchura olorosa.
Pensé cómo eres toda mi tierra: mi bandera
debe tener aroma de peumo al desplegarse,
un olor de fronteras que de pronto
entran en ti con toda la patria en su corriente.
Peumo puro, fragancia de años y cabelleras
en el viento, en la lluvia, bajo la curvatura
de la montaña, con un ruido de agua que baja
hasta nuestras raíces, oh amor, oh tiempo agreste
cuyo perfume puede nacer, desenredarse
desde una hoja y llenarnos hasta que derramamos
la tierra, como viejos cántaros enterrados!

QUILAS   Entre las hojas rectas que no saben sonreír
escondes tu plantel de lanzas clandestinas.
Tú no olvidaste. Cuando paso por tu follaje
murmura la dureza, y despiertan palabras
que hieren, sílabas que amamantan espinas.
Tú no olvidas. Eras argamasa mojada
con sangre, eras columna de la casa y la guerra,
esa bandera, techo de mi madre araucana,
espada del guerrero silvestre, Araucanía
erizada de flores que hirieron y mataron.
Ásperamente escondes las lanzas que fabricas
y que conoce el viento de la región salvaje,
la lluvia, el águila de los bosques quemados,
y el furtivo habitante recién desposeído.
Tal vez, tal vez: no digas a nadie tu secreto.
Guárdame a mí una lanza silvestre, o la madera
de una flecha. Yo tampoco he olvidado.

DRIMIS   Plantas sin nombre, hojas
WINTEREI  y cuerdas montañosas,
ramas tejidas de aire verde, hilos
recién bordados, ganchos de metales oscuros,
innumerable flora coronaria
de la humedad, del vasto vapor, del agua inmensa.
Y entre toda la forma que buscó esta enramada,
entre estas hojas cuyo molde intacto
equilibró en la lluvia su prodigio,
oh árbol, despertaste como un trueno
y en tu copa poblada por toda la verdura
se durmió como un pájaro el invierno.

## X

ZONAS    Término abandonado! Línea loca
ERIALES  en que la hoguera o cardo enfurecido
forman capas de azul electrizado.
Piedras golpeadas por

las agujas del cobre, carreteras
de material silencio, ramas hundidas
en la sal de las piedras.
Aquí estoy, aquí estoy,
boca humana entregada al paso pálido
de un detenido tiempo como copa o cadera,
central presidio de agua sin salida,
árbol de corporal flor derribada,
únicamente sorda y brusca arena.
Patria mía, terrestre y ciega como
nacidos aguijones de la arena, para ti toda
la fundación de mi alma, para ti los perpetuos
párpados de mi sangre, para ti de regreso
mi plato de amapolas.

Dame de noche, en medio de las plantas terrestres,
la huraña rosa de rocío que duerme en tu bandera,
dame de luna o tierra tu pan espolvoreado
con tu temible sangre oscura:
bajo tu luz de arena
no hay muertos, sino largos ciclos de sal, azules
ramas de misterioso metal muerto.

## XI

CHERCANES Me gustaría que no desconfiarais: es verano,
el agua me regó y levantó un deseo
como una rama, un canto mío me sostiene
como un tronco arrugado, con ciertas cicatrices.
Minúsculos, amados, venid a mi cabeza.
Anidad en mis hombros en los que pasea
el fulgor de un lagarto, en mis pensamientos
sobre los que han caído tantas hojas,
oh círculos pequeños de la dulzura, granos
de alado cereal, huevecillo emplumado,
formas purísimas en que el ojo
certero dirige vuelo y vida,

aquí, anidad en mi oreja, desconfiados
y diminutos: ayudadme:
quiero ser más pájaro cada día.


LOICA   Cerca de mí, sangrienta, pero ausente.
Con tu máscara cruel y tus ojos guerreros,
entre los terrones, saltando de un tesoro
a otro, en la plenitud pura y salvaje.
Cuéntame cómo entre todas,
entre toda la oscura formación anidada
en nuestros matorrales que la lluvia
tiñó con sus lamentos, cómo, sola,
tu pechera recoge todo el carmín del mundo?
Ay, eres espolvoreada por el verano rojo,
has entrado en la gruta del polen escarlata
y tu mancha recoge todo el fuego.
Y a esta mirada más que al firmamento
y a la noche nevada en su baluarte andino
cuando abre el abanico de cada día, nada
la detiene: sólo tu zarza
que sigue ardiendo sin quemar la tierra.


CHUCAO   En el frío follaje multiplicado, de pronto
la voz del chucao como si nadie existiera
sino ese grito de toda la soledad unida,
como esa voz de todos los árboles mojados.
Pasó la voz temblando y oscura sobre mi caballo,
más lenta y más profunda que un vuelo: me detuve,
dónde estaba? Qué días eran ésos?
Todo lo que viví galopando en aquellas
estaciones perdidas, el mundo de la lluvia
en las ventanas, el puma en la intemperie
rondando con dos puntas de fuego sanguinario.
Y el mar de los canales, entre túneles verdes
de empapada hermosura, la soledad, el beso
de la que amé más joven bajo los avellanos,
todo surgió de pronto cuando en la selva el grito
del chucao cruzó con sus sílabas húmedas.

# XII

BOTÁNICA  El sanguinario litre y el benéfico boldo
diseminan su estilo
en irritantes besos de animal esmeralda
o antologías de agua oscura entre las piedras.

El chupón en la cima del árbol establece
su dentadura nívea
y el salvaje avellano construye su castillo
de páginas y gotas.
La altamisa y la chépica rodean
los ojos del orégano
y el radiante laurel de la frontera
perfuma las lejanas intendencias.

Quila y quelenquelén de las mañanas.
Idioma frío de las fucsias,
que se va por las piedras tricolores
gritando viva Chile con la espuma!

El dedal de oro espera
los dedos de la nieve
y rueda el tiempo sin su matrimonio
que uniría a los ángeles del fuego y del azúcar.

El mágico canelo
lava en la lluvia su racial ramaje,
y precipita sus lingotes verdes
bajo la vegetal agua del Sur.

La dulce aspa del ulmo
con fanegas de flores
sube las gotas del copihue rojo
a conocer el sol de las guitarras.

La agreste delgadilla
y el celestial poleo
bailan en las praderas con el joven rocío
recientemente armado por el río Toltén.

La indescifrable doca
decapita su púrpura en la arena
y conduce sus triángulos marinos
hacia las secas lunas litorales.

La bruñida amapola,
relámpago y herida, dardo y boca,
sobre el quemante trigo
pone sus puntuaciones escarlata.

La patagua evidente
condecora sus muertos
y teje sus familias
con manantiales aguas y medallas de río.

El paico arregla lámparas
en el clima del Sur, desamparado,
cuando viene la noche
del mar nunca dormido.

El roble duerme solo,
muy vertical, muy pobre, muy mordido,
muy decisivo en la pradera pura
con su traje de roto maltratado
y su cabeza llena de solemnes estrellas.


# XIII

ARAUCARIA  Todo el invierno, toda la batalla,
todos los nidos del mojado hierro,
en tu firmeza atravesada de aire,
en tu ciudad silvestre se levantan.

La cárcel renegada de las piedras,
los hilos sumergidos de la espina,
hacen de tu alambrada cabellera
un pabellón de sombras minerales.

Llanto erizado, eternidad del agua,
monte de escamas, rayo de herraduras,
tu atormentada casa se construye
con pétalos de pura geología.

El alto invierno besa tu armadura
y te cubre de labios destruidos:
la primavera de violento aroma
rompe su sed en tu implacable estatua:
y el grave otoño espera inútilmente
derramar oro en tu estatura verde.

## XIV

TOMÁS
LAGO

Otras gentes se acostaron entre las páginas
                                    durmiendo
como insectos elzevirianos, entre ellos
se han disputado ciertos libros recién impresos
como en el *football*, dándose goles de sabiduría.
Nosotros cantamos entonces en la primavera,
junto a los ríos que arrastran piedras de los Andes,
y estábamos trenzados con nuestras mujeres sorbiendo
más de un panal, devorando hasta el azufre del mundo.
No sólo eso, sino mucho más: compartimos
la vida con humildes amigos que amamos,
y que nos enseñaron con las flechas del vino
el alfabeto honrado de la arena, el reposo
de los que han conseguido en la dureza
salir cantando. Oh días en que juntos
visitamos la cueva y los tugurios,
destrozamos las telas de araña, y en las márgenes
del Sur bajo la noche y su argamasa

removida viajamos:
todo era flor y patria pasajera,
todo era lluvia y material del humo.
Qué ancha carretera caminamos, deteniendo
el paso en las posadas, dirigiendo
la atención a un extremo crepúsculo, a una piedra,
a una pared escrita por un carbón, a un grupo
de fogoneros que de pronto
nos enseñaron todas las canciones del invierno.
Pero no sólo el orugo andaba camaleando,
en nuestras ventanas, bañado en celulosa,
cada vez más celestial en su papel de culto,
sino el ferruginoso, el iracundo, el vaquero
que nos quería cobrar con dos pistolas al pecho,
amenazándonos con comerse a nuestras madres
y empeñar nuestras posesiones
(llamando a todo esto *heroísmo* y otras cosas).
Los dejamos pasar mirándonos, no pudieron
sacarnos una cáscara, doblegar un latido,
y se dirigieron cada uno a su tumba,
de diarios europeos o pesos bolivianos.
Nuestras lámparas siguen encendidas, ardiendo
más altas que el papel y que los forajidos.

RUBÉN  Hacia las islas! dijimos. Eran días de confianza
AZÓCAR  y estábamos sostenidos por árboles ilustres:
nada nos parecía lejano, todo podía enredarse
de un momento a otro en la luz que producíamos.
Llegamos con zapatos de cuero grueso: llovía,
llovía en las islas, así se mantenía el territorio
como una mano verde, como un guante
cuyos dedos flotaban
                          entre las algas rojas.
Llenamos de tabaco el archipiélago, fumábamos
hasta tarde en el Hotel Nilsson, y disparábamos
ostras frescas hacia todos los puntos cardinales.
La ciudad tenía una fábrica religiosa
de cuyas puertas grandes, en la tarde inanimada,

salía como un largo coleóptero un desfile
negro, de sotanillas bajo la triste lluvia:
acudíamos a todos los borgoñas, llenábamos
el papel con los signos de un dolor jeroglífico.
Yo me evadí de pronto: por muchos años, distante,
en otros climas que acaudalaron mis pasiones
recordé las barcas bajo la lluvia, contigo,
que allí te quedabas para que tus grandes cejas
echaran sus raíces mojadas en las islas.

JUVENCIO Juvencio, nadie sabe como tú y yo el secreto
VALLE del bosque de Boroa: nadie
conoce ciertos senderos de tierra enrojecida
sobre los que despierta la luz del avellano.
Cuando la gente no nos oye no sabe
que escuchamos llover sobre árboles y techos
de cinc, y que aún amamos a la telegrafista.
Aquella, aquella muchacha que como nosotros
conoce el grito hundido de las locomotoras
de invierno, en las comarcas.
      Sólo tú, silencioso,
entraste en el aroma que la lluvia derriba,
incitaste el aumento dorado de la flora,
recogiste el jazmín antes de que naciera.
El barro triste, frente a los almacenes,
el barro triturado por las graves carretas
como la negra arcilla de ciertos sufrimientos,
está, quién como tú lo sabe?, derramado
detrás de la profunda primavera.
      También
tenemos en secreto otros tesoros:
hojas que como lenguas escarlata
cubren la tierra, y piedras suavizadas
por la corriente, piedras de los ríos.

DIEGO No sólo nos defendimos, así parece, con descubri-
MUÑOZ mientos
y signos extendidos en papel tempestuoso,

sino que, capitanes, corregimos
a puñetazos la calle maligna
y luego entre acordeones elevamos
el corazón con aguas y cordajes.
Marinero, ya has regresado de tus puertos,
de Guayaquil, olores de frutas polvorientas,
y de toda la tierra un sol de acero
que te hizo derramar victoriosas espadas.
Hoy sobre los carbones de la patria ha llegado
una hora –dolores y amor– que compartimos,
y del mar sobresale sobre tu voz el hilo
de una fraternidad más ancha que la tierra.

## XV

JINETE   Fundamentales aguas, paredes de agua, trébol
EN LA   y avena combatida,
LLUVIA   cordelajes ya unidos a la red de una noche
húmeda, goteante, salvajemente hilada,
gota desgarradora repetida en lamento,
cólera diagonal cortando cielo.
Galopan los caballos de perfume empapado,
bajo el agua, golpeando el agua, interviniéndola
con sus ramajes rojos de pelo, piedra y agua:
y el vapor acompaña como una leche loca
el agua endurecida con fugaces palomas.
No hay día, sino los cisternales
del clima duro, del verde movimiento
y las patas anudan veloz tierra y transcurso
entre bestial aroma de caballo con lluvia.
Mantas, monturas, pellones agrupados
en sombrías granadas sobre los
ardientes lomos de azufre que golpean
la selva decidiéndola.
      Más allá, más allá, más allá, más allá,
más allá, más allá, más allá, más alláaaaaa,
los jinetes derriban la lluvia, los jinetes

pasan bajo los avellanos amargos, la lluvia
tuerce en trémulos rayos su trigo sempiterno.
Hay luz del agua, relámpago confuso
derramado en la hoja, y del mismo sonido del galope
sale un agua sin vuelo, herida por la tierra.
Húmeda rienda, bóveda enramada,
pasos de pasos, vegetal nocturno
de estrellas rotas como hielo o luna, ciclónico caballo
cubierto por las flechas como un helado espectro,
lleno de nuevas manos nacidas en la furia,
golpeante manzana rodeada por el miedo
y su gran monarquía de temible estandarte.


XVI

MARES En lejanas regiones
DE tus pies de espuma, tu esparcida orilla
CHILE regué con llanto desterrado y loco.

Hoy a tu boca vengo, hoy a tu frente.

No al coral sanguinario, no a la quemada estrella,
ni a las incandescentes y derribadas aguas
entregué el respetuoso secreto, ni la sílaba.
Guardé tu voz enfurecida, un pétalo
de tutelar arena
entre los muebles y los viejos trajes.

Un polvo de campanas, una mojada rosa.

Y muchas veces era el agua misma
de Arauco, el agua dura:
pero yo conservaba mi sumergida piedra
y en ella, el palpitante sonido de tu sombra.

Oh, mar de Chile, oh agua
alta y ceñida como aguda hoguera,

presión y sueño y uñas de zafiro,
oh, terremoto de sal y leones!
Vertiente, origen, costa
del planeta, tus párpados
abren el mediodía de la tierra
atacando el azul de las estrellas.
La sal y el movimiento se desprenden de ti
y reparten océano a las grutas del hombre
hasta que más allá de las islas tu peso
rompe y extiende un ramo de substancias totales.

Mar del desierto norte, mar que golpea el cobre
y adelanta la espuma hacia la mano
del áspero habitante solitario,
entre alcatraces, rocas de frío sol y estiércol,
costa quemada al paso de una aurora inhumana!

Mar de Valparaíso, ola
de luz sola y nocturna,
ventana al océano
en que se asoma
la estatua de mi patria
viendo con ojos todavía ciegos.

Mar del Sur, mar, océano,
mar, luna misteriosa,
por Imperial aterrador de robles,
por Chiloé a la sangre asegurado
y desde Magallanes hasta el límite
todo el silbido de la sal, toda la luna loca,
y el estelar caballo desbocado del hielo.

# XVII

ODA DE
INVIERNO
AL RÍO
MAPOCHO Oh, sí, nieve imprecisa,
oh, sí, temblando en plena flor de nieve,
párpado boreal, pequeño rayo helado
quién, quién te llamó hacia el ceniciento valle,
quién, quién te arrastró desde el pico del águila
hasta donde tus aguas puras tocan
los terribles harapos de mi patria?
Río, por que conduces
agua fría y secreta,
agua que el alba dura de las piedras
guardó en su catedral inaccesible,
hasta los pies heridos de mi pueblo?
Vuelve, vuelve a tu copa de nieve, río amargo,
vuelve, vuelve a tu copa de espaciosas escarchas,
sumerge tu plateada raíz en tu secreto origen
o despéñate y rómpete en otro mar sin lágrimas!
Río Mapocho, cuando la noche llega
y como negra estatua echada
duerme bajo tus puentes con un racimo negro
de cabezas golpeadas por el frío y el hambre
como por dos inmensas águilas, oh río,
oh duro río parido por la nieve,
por qué no te levantas como inmenso fantasma
o como nueva cruz de estrellas para los olvidados?
No, tu brusca ceniza corre ahora
junto al sollozo echado al agua negra,
junto a la manga rota que el viento endurecido
hace temblar debajo de las hojas de hierro.
Río Mapocho, adónde llevas
plumas de hielo para siempre heridas,
siempre junto a tu cárdena ribera
la flor salvaje nacerá mordida por los piojos
y tu lengua de frío rasgará las mejillas
de mi patria desnuda?
                    Oh, que no sea,

oh, que no sea, y que una gota de tu espuma negra
salte del légamo a la flor del fuego
y precipite la semilla del hombre!

# VIII

## LA TIERRA SE LLAMA JUAN

### I

CRISTÓBAL    Te conocí, Cristóbal, en las lanchas
MIRANDA    de la bahía, cuando baja
(Palero,    el salitre, hacia el mar, en la quemante
Tocopilla)    vestidura de un día de noviembre.
Recuerdo aquella extática apostura,
los cerros de metal, el agua quieta.
Y sólo el hombre de las lanchas, húmedo
de sudor, moviendo nieve.
Nieve de los nitratos, derramada
sobre los hombros del dolor, cayendo
a la barriga ciega de las naves.
Allí, paleros, héroes de una aurora
carcomida por ácidos, sujeta
a los destinos de la muerte, firmes,
recibiendo el nitrato caudaloso.
Cristóbal, este recuerdo para ti.
Para los camaradas de la pala,
a cuyos pechos entra el ácido
y las emanaciones asesinas,
hinchando como águilas aplastadas
los corazones, hasta que cae el hombre,
hasta que rueda el hombre hacia las calles,
hacia las cruces rotas de la pampa.
Bien, no digamos más, Cristóbal, ahora
este papel que te recuerda, a todos,
a los lancheros de bahía, al hombre
ennegrecido de los barcos, mis ojos
van con vosotros en esta jornada

y mi alma es una pala que levanta
cargando y descargando sangre y nieve
junto a vosotros, vidas del desierto.


## II

JESÚS
GUTIÉRREZ
(Agrarista)

En Monterrey murió mi padre,
Genovevo Gutiérrez, se fue
con Zapata. De noche los caballos
cerca de casa, el humo
de los federales, los tiros en el viento,
el huracán que sale del maíz,
llevé el fusil de lado a lado,
desde las tierras de Sonora,
a ratos dormíamos, medíamos
ríos y bosques, a caballo,
entre muertos, a defender
la tierra del pobre, frijoles,
tortilla, guitarra, rodábamos
hasta el límite, éramos polvo,
los señores nos madrugaban,
hasta que de cada piedra
nacían nuestros fusiles.
Aquí está mi casa, mi tierra
pequeña, el certificado
firmado por mi general
Cárdenas, los guajolotes,
los patitos en la laguna,
ahora ya no se pelea,
mi padre quedó en Monterrey
y aquí colgado en la pared
junto a la puerta la canana,
el fusil listo, el caballo listo,
por la tierra, por nuestro pan,
mañana tal vez de galope,
si mi general lo aconseja.

# III

LUIS   Camarada, me llamo Luis Cortés.
CORTÉS  Cuando vino la represión, en Tocopilla
(de    me agarraron. Me tiraron a Pisagua.
Tocopilla)  Usted sabe, camarada, cómo es eso.
           Muchos cayeron enfermos, otros
           enloquecieron. Es el peor
           campo de concentración de González
           Videla. Vi morir a Ángel Veas,
           del corazón, una mañana. Fue terrible
           verlo morir en esa arena asesina,
           rodeados de alambradas, después de toda
           su vida generosa. Cuando me sentí enfermo
           también del corazón, me trasladaron
           a Garitaya. Usted no conoce, camarada.
           Es en lo alto, en la frontera con Bolivia.
           Un punto desolado, a 5.000 metros de altura.
           Hay un agua salobre para beber, salobre
           más que el agua del mar, y llena de pulgones
           como gusanos rosados que pululan.
           Hace frío y el cielo parece que encima
           de la soledad cayera sobre nosotros,
           sobre mi corazón que ya no pudo más.
           Los mismos carabineros tuvieron piedad,
           y contra las órdenes de dejarnos morir
           sin que jamás quisieran enviar una camilla,
           me amarraron a una mula y bajamos las montañas:
           26 horas caminó la mula, y mi cuerpo
           ya no resistía, camarada, entre la cordillera sin ca-
               minos,
           y mi corazón enfermo, aquí me tiene, fíjese
           en las magulladuras, no sé cuánto viviré,
           pero a usted le toca, no pienso pedir nada,
           diga usted, camarada, lo que hace al pueblo el maldito,
           a los que lo llevamos a la altura en que ríe
           con risa de hiena sobre nuestros dolores,

usted, camarada, dígalo, dígalo, no importa mi muerte
ni nuestros sufrimientos porque la lucha es larga,
pero que se conozcan estos padecimientos,
que se conozcan, camarada, no se olvide.

## IV

OLEGARIO   Olegario Sepúlveda me llamo.
SEPÚLVEDA  Soy zapatero, estoy
(Zapatero,  cojo desde el gran terremoto.
Talcahuano) Sobre el conventillo un pedazo de cerro
            y el mundo sobre mi pierna.
            Allí grité dos días,
            pero la boca se me llenó de tierra,
            grité más suavemente
            hasta que me dormí para morir.
            Fue un gran silencio el terremoto,
            el terror en los cerros,
            las lavanderas lloraban,
            una montaña de polvo
            enterró las palabras.
            Aquí me ve con esta suela
            frente al mar, lo único limpio,
            las olas no debieran
            llegar azules a mi puerta.
            Talcahuano, tus gradas sucias,
            tus corredores de pobreza,
            en las colinas agua podrida,
            madera rota, cuevas negras
            donde el chileno mata y muere.
            (Oh! dolores del filo abierto
            de la miseria, lepra del mundo,
            arrabal de muertos, gangrena
            acusadora y venenosa!
            Habéis llegado del sombrío
            Pacífico, de noche, al puerto?
            Habéis tocado entre las pústulas

la mano del niño, la rosa
salpicada de sal y orina?
Habéis levantado los ojos
por los escalones torcidos?
Habéis visto la limosnera
como un alambre en la basura
temblar, levantar las rodillas
y mirar desde el fondo donde
ya no quedan lágrimas ni odio?)
Soy zapatero en Talcahuano.
Sepúlveda, frente al dique grande.
Cuando quiera, señor, los pobres
nunca cerramos la puerta.

## V

ARTURO   Junio 1948. Querida Rosaura, aquí
CARRIÓN   me tienes, en Iquique, preso, mándame una camisa
(Navegante,   y tabaco. No sé
Iquique)   hasta cuándo durará este baile.
Cuando me embarqué en el *Glenfoster*
pensé en ti, te escribí desde Cádiz,
allí fusilaban a gusto, luego fue más
triste en Atenas, aquella mañana
en la cárcel a bala mataron
a doscientos setenta y tres muchachos:
la sangre corría fuera del muro,
vimos salir a los oficiales
griegos con los jefes norteamericanos, venían rién-
    dose:
la sangre del pueblo les gusta,
pero había como un humo negro
en la ciudad, estaba escondido el llanto, el dolor,
    el luto,
te compré un tarjetero, allí
conocí a un paisano chilote,
tiene un pequeño restaurante, me dijo

están mal las cosas, hay odio:
luego fue mejor en Hungría,
los campesinos tienen tierra,
reparten libros, en Nueva York
encontré tu carta, pero todos
se juntan, palo y palo al pobre,
ya ves, yo, marinero viejo
y porque soy del sindicato,
apenas desde la cubierta
me sacaron, me preguntaron
sandeces, me dejaron preso,
policía por todas partes,
lágrimas también en la pampa:
hasta cuándo estas cosas
duran, todos se preguntan, hoy es uno
y el otro palo para el pobre,
dicen que en Pisagua hay dos mil,
yo pregunto qué le pasa al mundo,
pero no hay derecho a preguntas
así, dice la policía: no te olvides el tabaco, habla con Rojas
si no está preso, no llores,
el mundo tiene demasiadas
lágrimas, hace falta otra cosa
y aquí te digo hasta pronto, te
abraza y besa tu esposo amante
Arturo Carrión Cornejo, cárcel
de Iquique.

## VI

ABRAHAM   Jesús Brito es su nombre, Jesús Parrón o pueblo,
JESÚS   y fue haciéndose agua por los ojos,
BRITO   y por las manos se fue haciendo raíces,
(Poeta   hasta que lo plantaron de nuevo donde estuvo
popular)   antes de ser, antes de que brotara
del territorio, entre las piedras pobres.

Y fue entre mina y marinero un ave
nudosa, un patriarcal talabartero
de la corteza suave de la patria terrible:
mientras más fría, más azul la hallaba:
mientras más duro el suelo, más luna le salía:
cuanto más hambre, más cantaba.

    Y todo el mundo ferroviario abría
con su llave y su lira sarmentosa,
y por la espuma de la patria andaba
lleno de paquetitos estrellados,
él, el árbol del cobre, iba regando
cada pequeño trébol sucedido,
el espantoso crimen, el incendio,
y el ramo de los ríos tutelares.

    Su voz era la de los roncos gritos
perdidos en la noche de los raptos,
él llevaba campanas torrenciales
recogidas de noche en su sombrero,
y recogía en su harapiento saco
las desbordantes lágrimas del pueblo.
Iba por los ramales arenosos,
por la extensión hundida del salitre,
por los ásperos cerros litorales
construyendo el romance clavo a clavo,
y teja a teja levantando el verso:
dejando en él la mancha de las manos
y las goteras de la ortografía.

    Brito, por las paredes capitales,
entre el rumor de las cafeterías,
andabas como un árbol peregrino
buscando tierra con los pies profundos,
hasta que fuiste haciéndote raíces,
piedra y terrón y minería oscura.

Brito, tu majestad fue golpeada
como un tambor de majestuoso cuero
y era una monarquía a la intemperie
tu señorío de arboleda y pueblo.

Árbol errante, ahora tus raíces
cantan bajo la tierra, y en silencio.
Un poco más profundo eres ahora.
Ahora tienes tierra y tienes tiempo.

## VII

ANTONINO
BERNALES
(Pescador,
Colombia)

El río Magdalena anda como la luna,
lento por el planeta de hojas verdes,
un ave roja aúlla, zumba el sonido
de viejas alas negras, las riberas
tiñen el transcurrir de aguas y de aguas.
Todo es el río, toda vida es río,
y Antonino Bernales era río.
Pescador, carpintero, boga, aguja
de red, clavo para las tablas,
martillo y canto, todo era Antonino
mientras el Magdalena como la luna lenta
arrastraba el caudal de las vidas del río.
Más alto, en Bogotá, llamas, incendio,
sangre, se oye decir, no está bien claro,
Gaitán ha muerto. Entre las hojas
como un chacal la risa de Laureano
azuza las hogueras, un temblor
de pueblo como un escalofrío
recorre el Magdalena.
Es Antonino Bernales el culpable.
No se movió de su pequeña choza.
Pasó durmiendo aquellos días.
Pero los abogados lo decretan.
Enrique Santos quiere sangre.
Todos se unen bajo las levitas.

Antonino Bernales ha caído
asesinado en la venganza,
cayó abriendo los brazos en el río,
volvió a su río como al agua madre.
El Magdalena lleva al mar su cuerpo
y del mar a otros ríos, a otras aguas
y a otros mares y a otros pequeños ríos
girando alrededor de la tierra.
                                    Otra vez
entra en el Magdalena, son las márgenes
que él ama, abre los brazos de agua roja,
pasa entre sombras, entre luz espesa,
y otra vez sigue su camino de agua.
Antonino Bernales, nadie puede
distinguirte en el cauce, yo sí, yo te recuerdo
y oigo arrastrar tu nombre que no puede
morir, y que envuelve la tierra,
apenas nombre, entre los nombres, pueblo.

## VIII

MARGARITA   Estoy muerta. Soy de María Elena.
NARANJO   Toda mi vida la viví en la pampa.
(Salitrera   Dimos la sangre para la Compañía
«María Elena»,   norteamericana, mis padres antes, mis hermanos.
Antofagasta)   Sin que hubiera huelga, sin nada nos rodearon.
Era de noche, vino todo el Ejército,
iban de casa en casa despertando a la gente,
llevándola al campo de concentración.
Yo esperaba que nosotros no fuéramos.
Mi marido ha trabajado tanto para la Compañía,
y para el Presidente, fue el más esforzado,
consiguiendo los votos aquí, es tan querido,
nadie tiene nada que decir de él, él lucha
por sus ideales, es puro y honrado
como pocos. Entonces vinieron a nuestra puerta,
mandados por el coronel Urízar,

y lo sacaron a medio vestir y a empellones
lo tiraron al camión que partió en la noche,
hacia Pisagua, hacia la oscuridad. Entonces
me pareció que no podía respirar más, me parecía
que la tierra faltaba debajo de los pies,
es tanta la traición, tanta la injusticia,
que me subió a la garganta algo como un sollozo
que no me dejó vivir. Me trajeron comida
las compañeras, y les dije: «No comeré hasta que vuelva».
Al tercer día hablaron al señor Urízar,
que se rió con grandes carcajadas, enviaron
telegramas y telegramas que el tirano en Santiago
no contestó. Me fui durmiendo y muriendo,
sin comer, apreté los dientes para no recibir
ni siquiera la sopa o el agua. No volvió, no volvió,
y poco a poco me quedé muerta, y me enterraron:
aquí, en el cementerio de la oficina salitrera,
había en esa tarde un viento de arena,
lloraban los viejos y las mujeres y cantaban
las canciones que tantas veces canté con ellos.
Si hubiera podido, habría mirado a ver si estaba
Antonio, mi marido, pero no estaba, no estaba,
no lo dejaron venir ni a mi muerte: ahora,
aquí estoy muerta, en el cementerio de la pampa
no hay más que soledad en torno a mí, que ya no existo,
que ya no existiré sin él, nunca más, sin él.

## IX

JOSÉ CRUZ     Sí, señor, José Cruz Achachalla,
ACHACHALLA   de la Sierra de Granito, al sur de Oruro.
(Minero,      Pues allí debe vivir aún
Bolivia)      mi madre Rosalía:
              a unos señores trabaja,
              lavándoles, pues, la ropa.
              Hambre pasábamos, capitán,
              y con una varilla golpeaban

a mi madre todos los días.
Por eso me hice minero.
Me escapé por las grandes sierras
una hojita de coca, señor,
unas ramas sobre la cabeza
y andar, andar, andar. Los buitres
me perseguían desde el cielo,
y pensaba: son mejores
que los señores blancos de Oruro,
y así anduve hasta el territorio
de las minas.
                          Hace ya
cuarenta años, era yo entonces
un niño hambriento. Los mineros
me recogieron. Fui aprendiz
y en las oscuras galerías,
uña por uña contra la tierra,
recogí el estaño escondido.
No sé adónde ni para qué
salen los lingotes plateados:
vivimos mal, las casas rotas,
y el hambre, otra vez, señor,
y cuando
nos reunimos, capitán,
para un peso más de salario,
el viento rojo, el palo, el fuego,
la policía nos golpeaba,
y aquí estoy, pues, capitán,
despedido de los trabajos,
dígame dónde me voy,
nadie me conoce en Oruro,
estoy viejo como las piedras,
ya no puedo cruzar los montes,
qué voy a hacer por los caminos,
aquí mismo me quedo ahora,
que me entierren en el estaño,
sólo el estaño me conoce.
José Cruz Achachalla, sí,

no sigas moviendo los pies,
hasta aquí llegaste, hasta aquí,
Achachalla, hasta aquí llegaste.


X


EUFROSINO   Teníamos que tomar las planchas calientes
RAMÍREZ   del cobre con las manos, y entregárselas
(Casa   a la pala mecánica. Salían casi ardiendo,
Verde,   pesaban como el mundo, íbamos extenuados
Chuqui-   transportando las láminas de mineral, a veces
camata)   una de ellas caía sobre un pie quebrantándolo,
sobre una mano dejándola convertida en muñón.
Vinieron los gringos y dijeron: «Llévenlas
en menos tiempo, y váyanse a sus casas».
A duras penas, para irnos más temprano,
hicimos la tarea. Pero volvieron ellos:
«Ahora trabajan menos, ganen menos».
Fue la huelga en la Casa Verde, diez semanas,
huelga, y cuando volvimos al trabajo,
con un pretexto: dónde está su herramienta?
me echaron a la calle. Usted mire estas manos,
son sólo callos que hizo el cobre,
óigame el corazón, no le parece
que da saltos?, el cobre lo machaca,
y apenas puedo andar de un sitio a otro
buscando, hambriento, trabajo que no encuentro:
parece que me ven agachado, llevando
las hojas invisibles del cobre que me mata.


XI


JUAN   Usted es Neruda? Pase, camarada.
FIGUEROA   Sí, de la Casa del Yodo, ya no quedan
(Casa del Yodo,   otros viviendo. Yo me aguanto.
«María Elena»,   Sé que ya no estoy vivo, que me espera
Antofagasta)   la tierra de la pampa. Son cuatro horas

al día, en la Casa del Yodo.
Viene por unos tubos, sale como una masa,
como una goma cárdena. La entramos
de batea en batea, la envolvemos
como criatura. Mientras tanto,
el ácido nos roe, nos socava,
entrando por los ojos y la boca,
por la piel, por las uñas.
De la Casa del Yodo no se sale
cantando, compañero. Y si pedimos
que nos den otros pesos de salario
para los hijos que no tienen zapatos,
dicen: «Moscú los manda», camarada,
y declaran estado de sitio, y nos rodean
como si fuéramos bestias y nos golpean,
y así son, camarada, estos hijos de puta!
Aquí me tiene usted, ya soy el último:
dónde está Sánchez? dónde está Rodríguez?
Podridos bajo el polvo de Polvillo.
Al fin la muerte les dio lo que pedíamos:
sus rostros tienen máscaras de yodo.

## XII

EL MAESTRO
HUERTA
(De la mina
«La Des-
preciada»,
Antofagasta)

Cuando usted vaya al Norte, señor
vaya a la mina «La Despreciada»,
y pregunte por el maestro Huerta.
Desde lejos no verá nada,
sino los grises arenales.
Luego, verá las estructuras,
el andarivel, los desmontes.
Las fatigas, los sufrimientos
no se ven, están bajo tierra
moviéndose, rompiendo seres,
o bien descansan, extendidos,
transformándose silenciosos.
Era «picano» el maestro Huerta.

Medía 1,95 metros.
Los picanos son los que rompen
el terreno hacia el desnivel,
cuando la veta se rebaja.
500 metros abajo,
con el agua hasta la cintura,
el picano pica que pica.
No sale del infierno sino
cada cuarenta y ocho horas,
hasta que las perforadoras
en la roca, en la obscuridad,
en el barro, dejan la pulpa
por donde camina la mina.
El maestro Huerta, gran picano,
parecía que llenaba el pique
con sus espaldas. Entraba
cantando como un capitán.
Salía agrietado, amarillo,
corcovado, reseco, y sus ojos
miraban como los de un muerto.
Después se arrastró por la mina.
Ya no pudo bajar al pique.
El antimonio le comió las tripas.
Enflaqueció, que daba miedo.
Pero no podía andar.
Las piernas las tenía picadas
como por puntas, y como era
tan alto, parecía
como un fantasma hambriento
pidiendo sin pedir, usted sabe.
No tenía treinta años cumplidos.
Pregunte dónde está enterrado.
Nadie se lo podrá decir,
porque la arena y el viento derriban
y entierran las cruces, más tarde.
Es arriba, en «La Despreciada»,
donde trabajó el maestro Huerta.

## XIII

AMADOR
CEA
(De Coronel,
Chile, 1949)

Como habían detenido a mi padre
y pasó el Presidente que elegimos
y dijo que todos éramos libres, yo pedí que a mi
   viejo lo soltaran.
Me llevaron y me pegaron todo un día.
No conozco a nadie en el cuartel. No sé, no puedo
ni recordar sus caras. Era la policía.
Cuando perdía el conocimiento, me tiraban
agua en el cuerpo y me seguían pegando.
En la tarde, antes de salir, me llevaron
arrastrando a una sala de baño,
me empujaron la cabeza adentro de una taza
de W.C. llena de excrementos. Me ahogaba.
«Ahora, sal a pedir libertad al Presidente,
que te manda este regalo», me decían.
Me siento apaleado, esta costilla me la rompieron.
Pero por dentro estoy como antes, camarada.
A nosotros no nos rompen sino matándonos.

## XIV

BENILDA
VARELA
(Concepción,
Ciudad
Universitaria,
Chile, 1949)

Arreglé la comida a mis chiquillos y salí.
Quise entrar a Lota a ver a mi marido.
Como se sabe, mandan la policía
y nadie puede entrar sin su permiso.
Les cayó mal mi cara. Eran las órdenes
de González Videla, antes de entrar
a decir sus discursos, para que nuestra gente
tenga miedo. Así pasó: me agarraron,
me desnudaron, me tiraron al suelo a golpes.
Perdí el sentido. Me desperté en el suelo
desnuda, con una sábana mojada sobre
mi cuerpo sangrante. Reconocí a un verdugo:
se llama Víctor Molina ese bandido.

Apenas abrí los ojos, me siguieron golpeando
con pedazos de goma. Tengo todo morado
con sangre, y no puedo moverme.
Eran cinco, y los cinco me golpeaban
como a un saco. Y esto duró seis horas.
Si no he muerto, es para decirles, camaradas:
tenemos que luchar mucho más, hasta que desaparezcan
estos verdugos de la faz de la tierra.
Que conozcan los pueblos sus discursos
en la ONU sobre la «libertad»,
mientras los bandidos matan a golpes a las mujeres
en los sótanos, sin que nadie lo sepa.
Aquí no ha pasado nada, dirán, y don Enrique
Molina nos hablará del triunfo del «espíritu».
Pero no pasará todo esto siempre.
Un fantasma recorre el mundo, y pueden empezar de nuevo
a golpear en los sótanos: ya pagarán sus crímenes.

## XV

CALERO,
TRABA-
JADOR
DEL
BANANO
(Costa Rica,
1940)

No te conozco. En las páginas de Fallas leí tu vida,
gigante oscuro, niño golpeado, harapiento y errante.

De aquellas páginas vuelan tu risa y las canciones
entre los bananeros, en el barro sombrío, la lluvia y
el sudor.
Qué vida la de los nuestros, qué alegrías segadas,
qué fuerzas destruidas por la comida innoble,
qué cantos derribados por la vivienda rota,
qué poderes del hombre deshechos por el hombre!

Pero cambiaremos la tierra. No irá tu sombra alegre
de charco en charco hacia la muerte desnuda.
Cambiaremos, uniendo tu mano con la mía,
la noche que te cubre con su bóveda verde.

(Las manos de los muertos que cayeron
con estas y otras manos que construyen
están selladas, como las alturas andinas
con la profundidad de su hierro enterrado.)

Cambiaremos la vida para que tu linaje
sobreviva y construya su luz organizada.

## XVI

CATÁSTROFE
EN SEWELL

Sánchez, Reyes, Ramírez, Núñez, Álvarez.
Estos nombres son como los cimientos de Chile.
El pueblo es el cimiento de la patria.
Si los dejáis morir, la patria va cayendo,
va desangrándose hasta quedar vacía.
Ocampo nos ha dicho: cada minuto
hay un herido, y cada hora un muerto.
Cada minuto y cada hora
la sangre nuestra cae, Chile muere.
Hoy es el humo del incendio, ayer fue el gas grisú,
anteayer el derrumbe, mañana el mar o el frío,
la máquina y el hambre, la imprevisión o el ácido.
Pero allí donde muere el marinero,
pero allí donde mueren los pampinos,
pero allí donde en Sewell se perdieron,
está todo cuidado, las máquinas, los vidrios,
los hierros, los papeles,
menos el hombre, la mujer o el niño.
No es el gas: es la codicia la que mata en Sewell.
Ese grifo cerrado de Sewell para que no cayera
ni una gota de agua para el pobre café de los mineros,
ahí está el crimen, el fuego no es culpable.
Por todas partes al pueblo se le cierran los grifos
para que el agua de la vida no se reparta.
Pero el hambre y el frío y el fuego que devora
nuestra raza, la flor, los cimientos de Chile,
los harapos, la casa miserable,

eso no se raciona, siempre hay bastante
para que cada minuto haya un herido
y cada hora un muerto.
Nosotros no tenemos dioses donde acudir.
Las pobres madres vestidas de negro
habrán rezado mientras lloraron ya todas sus lágrimas.

Nosotros no rezamos.
Stalin dijo: «Nuestro mejor tesoro
es el hombre»,
los cimientos, el pueblo.
Stalin alza, limpia, construye, fortifica,
preserva, mira, protege, alimenta,
pero también castiga.
Y esto es cuanto quería deciros, camaradas:
hace falta el castigo.
No puede ser este derrumbe humano,
esta sangre que cae del corazón del pueblo
cada minuto, esta muerte
de cada hora.
Yo me llamo como ellos, como los que murieron.
Yo soy también Ramírez, Muñoz, Pérez, Fernández.
Me llamo Álvarez, Núñez, Tapia, López, Contreras.
Soy pariente de todos los que mueren, soy pueblo,
y por toda esta sangre que cae estoy de luto.
Compatriotas, hermanos muertos de Sewell, muertos
de Chile, obreros, hermanos, camaradas,
hoy que estáis silenciosos, vamos a hablar nosotros.
Y que vuestro martirio nos ayude
a construir una patria severa
que sepa florecer y castigar.

# XVII

LA TIERRA
SE LLAMA
JUAN

Detrás de los libertadores estaba Juan
trabajando, pescando y combatiendo,
en su trabajo de carpintería o en su mina mojada.
Sus manos han arado la tierra y han medido
los caminos.
       Sus huesos están en todas partes.
Pero vive. Regresó de la tierra. Ha nacido.
Ha nacido de nuevo como una planta eterna.
Toda la noche impura trató de sumergirlo
y hoy afirma en la aurora sus labios indomables.
Lo ataron, y es ahora decidido soldado.
Lo hirieron, y mantiene su salud de manzana.
Le cortaron las manos, y hoy golpea con ellas.
Lo enterraron, y viene cantando con nosotros.
Juan, es tuya la puerta y el camino.
       La tierra
es tuya, pueblo, la verdad ha nacido
contigo, de tu sangre.
       No pudieron exterminarte. Tus raíces,
árbol de humanidad,
árbol de eternidad,
hoy están defendidas con acero,
hoy están defendidas con tu propia grandeza
en la patria soviética, blindada
contra las mordeduras del lobo agonizante.

Pueblo, del sufrimiento nació el orden.

Del orden tu bandera de victoria ha nacido.

Levántala con todas las manos que cayeron,
defiéndela con todas las manos que se juntan:
y que avance a la lucha final, hacia la estrella
la unidad de tus rostros invencibles.

# IX

## QUE DESPIERTE EL LEÑADOR

*... Y tú, Capharnaum, que hasta los cielos*
*estás levantada, hasta los infiernos serás*
*abajada...*
SAN LUCAS, X, 15

# I

QUE
DESPIERTE
EL LEÑADOR
(1948)

Al oeste de Colorado River
hay un sitio que amo.
Acudo allí con todo lo que palpitando
transcurre en mí, con todo
lo que fui, lo que soy, lo que sostengo.
Hay unas altas piedras rojas, el aire
salvaje de mil manos
las hizo edificadas estructuras:
el escarlata ciego subió desde el abismo
y en ellas se hizo cobre, fuego y fuerza.
América extendida como la piel del búfalo,
aérea y clara noche del galope,
allí hacia las alturas estrelladas,
bebo tu copa de verde rocío.

Sí, por agria Arizona y Wisconsin nudoso,
hasta Milwaukee levantada contra el viento y la
nieve
o en los enardecidos pantanos de West Palm,
cerca de los pinares de Tacoma, en el espeso
olor de acero de tus bosques,
anduve pisando tierra madre,
hojas azules, piedras de cascada,
huracanes que temblaban como toda la música,

ríos que rezaban como los monasterios,
ánades y manzanas, tierras y aguas,
infinita quietud para que el trigo nazca.

Allí pude, en mi piedra central, extender al aire
ojos, oídos, manos, hasta oír
libros, locomotoras, nieve, luchas,
fábricas, tumbas, vegetales pasos,
y de Manhattan la luna en el navío,
el canto de la máquina que hila,
la cuchara de hierro que come tierra,
la perforadora con su golpe de cóndor
y cuanto corta, oprime, corre, cose:
seres y ruedas repitiendo y naciendo.

Amo el pequeño hogar del *farmer*. Recientes madres
  duermen
aromadas como el jarabe del tamarindo, las telas
recién planchadas. Arde
el fuego en mil hogares rodeados de cebollas.
(Los hombres cuando cantan cerca del río tienen
una voz ronca como las piedras del fondo:
el tabaco salió de sus anchas hojas
y como un duende del fuego llegó a estos hogares.)
Missouri adentro venid, mirad el queso y la harina,
las tablas olorosas, rojas como violines,
el hombre navegando la cebada,
el potro azul recién montado huele
el aroma del pan y de la alfalfa:
campanas, amapolas, herrerías,
y en los destartalados cinemas silvestres
el amor abre su dentadura
en el sueño nacido de la tierra.
Es tu paz lo que amamos, no tu máscara.
No es hermoso tu rostro de guerrero.
Eres hermosa y ancha, Norte América.
Vienes de humilde cuna como una lavandera,
junto a tus ríos, blanca.

Edificada en lo desconocido,
es tu paz de panal lo dulce tuyo.
Amamos tu hombre con las manos rojas
de barro de Oregón, tu niño negro
que te trajo la música nacida
en su comarca de marfil: amamos
tu ciudad, tu substancia,
tu luz, tus mecanismos, la energía
del Oeste, la pacífica
miel, de colmenar y aldea,
el gigante muchacho en el tractor,
la avena que heredaste
de Jefferson, la rueda rumorosa
que mide tu terrestre oceanía,
el humo de una fábrica y el beso
número mil de una colonia nueva:
tu sangre labradora es la que amamos:
tu mano popular llena de aceite.

Bajo la noche de las praderas hace ya tiempo
reposan sobre la piel del búfalo en un grave
silencio las sílabas, el canto
de lo que fui antes de ser, de lo que fuimos.
Melville es un abeto marino, de sus ramas
nace una curva de carena, un brazo
de madera y navío. Whitman innumerable
como los cereales, Poe en su matemática
tiniebla, Dreiser, Wolfe,
frescas heridas de nuestra propia ausencia,
Lockridge reciente, atados a la profundidad,
cuántos otros, atados a la sombra:
sobre ellos la misma aurora del hemisferio arde
y de ellos está hecho lo que somos.
Poderosos infantes, capitanes ciegos,
entre acontecimientos y follajes amedrentados a veces,
interrumpidos por la alegría y por el duelo,
bajo las praderas cruzadas de tráfico,
cuántos muertos en las llanuras antes no visitadas:

inocentes atormentados, profetas recién impresos,
sobre la piel del búfalo de las praderas.

De Francia, de Okinawa, de los atolones
de Leyte (Norman Mailer lo ha dejado escrito),
del aire enfurecido y de las olas,
han regresado casi todos los muchachos.
Casi todos... Fue verde y amarga la historia
de barro y sudor: no oyeron
bastante el canto de los arrecifes
ni tocaron tal vez sino para morir en las islas, las coronas
de fulgor y fragancia: sangre y estiércol
los persiguieron, la mugre y las ratas,
y un cansado y desolado corazón que luchaba.
Pero ya han vuelto,
                    los habéis recibido
en el ancho espacio de las tierras extendidas
y se han cerrado (los que han vuelto) como una corola
de innumerables pétalos anónimos
para renacer y olvidar.

## II

Pero además han encontrado
un huésped en la casa,
o trajeron nuevos ojos (o fueron ciegos antes)
o el hirsuto ramaje les rompió los párpados
o nuevas cosas hay en las tierras de América.
Aquellos negros que combatieron contigo, los
duros y sonrientes, mirad:
                    han puesto una cruz ardiendo
frente a sus caseríos,
han colgado y quemado a tu hermano de sangre:
le hicieron combatiente, hoy le niegan
palabra y decisión: se juntan
de noche los verdugos
encapuchados, con la cruz y el látigo.

(Otra cosa
se oía en ultramar combatiendo.)
                    Un huésped imprevisto
como un viejo octopus roído,
inmenso, circundante,
se instaló en tu casa, soldadito:
la prensa destila el antiguo veneno, cultivado en Berlín.
Los periódicos (*Times*, *Newsweek*, etc.) se han convertido
en amarillas hojas de delación: Hearst,
que cantó el canto de amor a los nazis, sonríe
y afila las uñas para que salgáis de nuevo
hacia los arrecifes o las estepas
a combatir por este huésped que ocupa tu casa.
No te dan tregua: quieren seguir vendiendo
acero y balas, preparan nueva pólvora
y hay que venderla pronto, antes de que se adelante
la fresca pólvora y caiga en nuevas manos.
Por todas partes los amos instalados
en tu mansión alargan sus falanges,
aman a España negra y una copa de sangre te ofrecen
(un fusilado, cien): el *cocktail Marshall*.
Escoged sangre joven: campesinos
de China, prisioneros
de España,
sangre y sudor de Cuba azucarera,
lágrimas de mujeres
de las minas de cobre y del carbón en Chile,
luego batid con energía,
como un golpe de garrote,
no olvidando trocitos de hielo y algunas gotas
del canto *Defendemos la cultura cristiana*.
Es amarga esta mezcla?
Ya te acostumbrarás, soldadito, a beberla.
En cualquier sitio del mundo, a la luz de la luna,
o en la mañana, en el hotel de lujo,
pida usted esta bebida que vigoriza y refresca
y páguela con un buen billete
con la imagen de Washington.

Has encontrado también que Carlos Chaplin, el último
padre de la ternura en el mundo,
debe huir, y que los escritores (Howard Fast, etc.),
los sabios y los artistas
en tu tierra
deben sentarse para ser enjuiciados por *un-american* pensa-
    mientos
ante un tribunal de mercaderes enriquecidos por la guerra.
Hasta los últimos confines del mundo llega el miedo.
Mi tía lee estas noticias asustada,
y todos los ojos de la tierra miran
esos tribunales de vergüenza y venganza.
Son los estrados de los Babbits sangrientos,
de los esclavistas, de los asesinos de Lincoln,
son las nuevas inquisiciones levantadas ahora
no por la cruz (y entonces era horrible e inexplicable),
sino por el oro redondo que golpea
las mesas de los prostíbulos y los bancos
y que no tiene derecho a juzgar.

En Bogotá se unieron Moriñigo, Trujillo,
González Videla, Somoza, Dutra, y aplaudieron.
Tú, joven americano, no los conoces: son
los vampiros sombríos de nuestro cielo, amarga
es la sombra de sus alas:
                          prisiones,
martirio, muerte, odio: las tierras
del Sur con petróleo y nitrato
concibieron monstruos.
                    De noche, en Chile, en Lota,
en la humilde y mojada casa de los mineros,
llega la orden del verdugo. Los hijos
se despiertan llorando.
                    Miles de ellos
encarcelados, piensan.
                    En Paraguay
la densa sombra forestal esconde
los huesos del patriota asesinado, un tiro

suena
en la fosforescencia del verano.
                    Ha muerto
allí la verdad.
          Por qué no intervienen
en Santo Domingo a defender el Occidente Mr. Vandenberg,
Mr. Armour, Mr. Marshall, Mr. Hearst?
Por qué en Nicaragua el señor Presidente,
despertado de noche, atormentado, tuvo
que huir para morir en el destierro?
(Hay allí bananas que defender y no *libertades*,
y para eso basta con Somoza.)
                    Las *grandes*
victoriosas ideas están en Grecia
y en China para auxilio
de gobiernos manchados como alfombras inmundas.
                    Ay, soldadito!


                         III

Yo también más allá de tus tierras, América,
ando y hago mi casa errante, vuelo, paso,
canto y converso a través de los días.
Y en el Asia, en la URSS, en los Urales me detengo
y extiendo el alma empapada de soledades y resina.

Amo cuanto en las extensiones
a golpe de amor y lucha el hombre ha creado.
Aún rodea mi casa en los Urales
la antigua noche de los pinos
y el silencio como una alta columna.
Trigo y acero aquí han nacido
de la mano del hombre, de su pecho.
Y un canto de martillos alegra el bosque antiguo
como un nuevo fenómeno azul.
Desde aquí miro extensas zonas de hombre,
geografía de niños y mujeres, amor,

fábricas y canciones, escuelas
que brillan como alhelíes en la selva
donde habitó hasta ayer el zorro salvaje.
Desde este punto abarca mi mano en el mapa
el verde de las praderas, el humo
de mil talleres, los aromas
textiles, el asombro
de la energía dominada.
Vuelvo en las tardes
por los nuevos caminos recién trazados
y entro en las cocinas
donde hierve el repollo y de donde sale
un nuevo manantial para el mundo.

También aquí regresaron los muchachos,
pero muchos millones quedaron atrás,
enganchados, colgados de las horcas,
quemados en hornos especiales,
destruidos hasta no quedar de ellos
sino el nombre en el recuerdo.
Fueron asesinadas también sus poblaciones:
la tierra soviética fue asesinada:
millones de vidrios y de huesos se confundieron,
vacas y fábricas, hasta la primavera
desapareció tragada por la guerra.
Volvieron los muchachos, sin embargo,
y el amor por la patria construida
se había mezclado en ellos con tanta sangre
que *Patria* dicen con las venas,
Unión Soviética cantan con la sangre.
Fue alta la voz de los conquistadores
de Prusia y de Berlín cuando volvieron
para que renacieran las ciudades,
los animales y la primavera.
Walt Whitman, levanta tu barba de hierba,
mira conmigo desde el bosque,
desde estas magnitudes perfumadas.
Qué ves allí, Walt Whitman?

Veo, me dice mi hermano profundo,
veo cómo trabajan las usinas,
en la ciudad que los muertos recuerdan,
en la capital pura,
en la resplandeciente Stalingrado.
Veo desde la planicie combatida,
desde el padecimiento y el incendio,
nacer en la humedad de la mañana
un tractor rechinante hacia las llanuras.
Dame tu voz y el peso de tu pecho enterrado,
Walt Whitman, y las graves
raíces de tu rostro
para cantar estas reconstrucciones!
Cantemos juntos lo que se levanta
de todos los dolores, lo que surge
del gran silencio, de la grave
victoria:
              Stalingrado, surge tu voz de acero,
renace piso a piso la esperanza
como una casa colectiva,
y hay un temblor de nuevo en marcha
enseñando,
cantando
y construyendo.
Desde la sangre surge Stalingrado
como una orquesta de agua, piedra y hierro
y el pan renace en las panaderías,
la primavera en las escuelas,
suben nuevos andamios, nuevos árboles,
mientras el viejo y férreo Volga palpita.
                                    Estos libros,
en frescas cajas de pino y cedro,
están reunidos sobre la tumba
de los verdugos muertos:
estos teatros hechos en las ruinas
cubren martirio y resistencia:
libros claros como monumentos:
un libro sobre cada héroe,

sobre cada milímetro de muerte.
Sobre cada pétalo de esta gloria inmutable.
Unión Soviética, si juntáramos
toda la sangre derramada en tu lucha,
toda la que diste como una madre al mundo
para que la libertad agonizante viviera,
tendríamos un nuevo océano
grande como ninguno,
profundo como ninguno,
viviente como todos los ríos,
activo como el fuego de los volcanes araucanos.
En ese mar hunde tu mano,
hombre de todas las tierras,
y levántala después para ahogar en él
al que olvidó, al que ultrajó,
al que mintió y al que manchó,
al que se unió con cien pequeños canes
del basural de Occidente
para insultar tu sangre. Madre de los libres!

Desde el fragante olor de los pinos urales
miro la biblioteca que nace
en el corazón de Rusia,
el laboratorio en que el silencio
trabaja, miro los trenes que llevan
madera y canciones a las nuevas ciudades,
y en esta paz balsámica crece un latido
como en un nuevo pecho:
a la estepa muchachas y palomas
regresan agitando la blancura,
los naranjales se pueblan de oro:
el mercado tiene hoy
cada amanecer
un nuevo aroma,
un nuevo aroma que llega desde las altas tierras
en donde el martirio fue más grande:
los ingenieros hacen temblar el mapa
de las llanuras con sus números

y las cañerías se envuelven como largas serpientes
en las tierras del nuevo invierno vaporoso.

En tres habitaciones del viejo Kremlin
vive un hombre llamado José Stalin.
Tarde se apaga la luz de su cuarto.
El mundo y su patria no le dan reposo.
Otros héroes han dado a luz una patria,
él además ayudó a concebir la suya,
a edificarla
a defenderla.
Su inmensa patria es, pues, parte de él mismo
y no puede descansar porque ella no descansa.
En otro tiempo la nieve y la pólvora
lo encontraron frente a los viejos bandidos
que quisieron (como ahora otra vez) revivir
el *knut*, y la miseria, la angustia de los esclavos,
el dormido dolor de millones de pobres.
Él estuvo contra los que como Wrangel y Denikin
fueron enviados desde Occidente para «defender la
    Cultura».
Allí dejaron el pellejo aquellos defensores
de los verdugos, y en el ancho terreno
de la URSS, Stalin trabajó noche y día.
Pero más tarde vinieron en una ola de plomo
los alemanes cebados por Chamberlain.
Stalin los enfrentó en todas las vastas fronteras,
en todos los repliegues, en todos los avances
y hasta Berlín sus hijos como un huracán de pueblos
llegaron y llevaron la paz ancha de Rusia.

Mólotov y Voroshílov
están allí, los veo,
con los otros, los altos generales,
los indomables.
Firmes como nevados encinares.
Ninguno de ellos tiene palacios.
Ninguno de ellos tiene regimientos de siervos.

Ninguno de ellos se hizo rico en la guerra
vendiendo sangre.
Ninguno de ellos va como un pavo real
a Río de Janeiro o a Bogotá
a dirigir a pequeños sátrapas manchados de tortura:
ninguno de ellos tiene doscientos trajes:
ninguno de ellos tiene acciones en fábricas de armamentos,
y todos ellos tienen
acciones
en la alegría y en la construcción
del vasto país donde resuena la aurora
levantada en la noche de la muerte.
Ellos dijeron: «Camarada» al mundo.
Ellos hicieron rey al carpintero.
Por esa aguja no entrará un camello.
Lavaron las aldeas.
Repartieron la tierra.
Elevaron al siervo.
Borraron al mendigo.
Aniquilaron a los crueles.
Hicieron luz en la espaciosa noche.

Por eso a ti, muchacha de Arkansas o más bien
a ti, joven dorado de West Point o mejor
a ti, mecánico de Detroit o bien
a ti, cargador de la vieja Orleáns, a todos
hablo y digo: afirma el paso,
abre tu oído al vasto mundo humano,
no son los elegantes del State Department
ni los feroces dueños del acero
los que te están hablando,
sino un poeta del extremo Sur de América,
hijo de un ferroviario de Patagonia,
americano como el aire andino,
hoy fugitivo de una patria en donde
cárcel, tormento, angustia imperan
mientras cobre y petróleo lentamente
se convierten en oro para reyes ajenos.

                                             Tú no eres
el ídolo que en una mano lleva el oro
y en la otra la bomba.
                         Tú eres
lo que soy, lo que fui, lo que debemos
amparar, el fraternal subsuelo
de América purísima, los sencillos
hombres de los caminos y las calles.
Mi hermano Juan vende zapatos
como tu hermano John,
mi hermana Juana pela papas,
como tu prima Jane,
y mi sangre es minera y marinera
como tu sangre, Peter.
Tú y yo vamos a abrir las puertas
para que pase el aire de los Urales
a través de la cortina de tinta,
tú y yo vamos a decir al furioso:
«*My dear guy*, hasta aquí no más llegaste»,
más acá la tierra nos pertenece
para que no se oiga el silbido
de la ametralladora, sino una
canción, y otra canción, y otra canción.


                        IV


Pero si armas tus huestes, Norte América,
para destruir esa frontera pura
y llevar al matarife de Chicago
a gobernar la música y el orden
que amamos,
                saldremos de las piedras y del aire
para morderte:
                saldremos de la última ventana
para volcarte fuego:
                saldremos de las olas más profundas
para clavarte con espinas:

saldremos del surco para que la semilla
golpee como un puño colombiano,

saldremos para negarte el pan y el agua,
saldremos para quemarte en el infierno.

No pongas la planta entonces, soldado,
en la dulce Francia, porque allí estaremos
para que las verdes viñas den vinagre
y las muchachas pobres te muestren el sitio
donde está fresca la sangre alemana.
No subas las secas sierras de España
porque cada piedra se convertirá en fuego,
y allí mil años combatirán los valientes:
no te pierdas entre los olivares porque nunca
volverás a Oklahoma, pero no entres
en Grecia, que hasta la sangre que hoy estás derramando
se levantará de la tierra para deteneros.
No vengáis entonces a pescar a Tocopilla
porque el pez espada conocerá vuestros despojos
y el oscuro minero desde la Araucanía
buscará las antiguas flechas crueles
que esperan enterradas nuevos conquistadores.
No confiéis del gaucho cantando una vidalita,
ni del obrero de los frigoríficos. Ellos
estarán en todas partes con ojos y puños,
como los venezolanos que os esperan para entonces
con una botella de petróleo y una guitarra en las manos.
No entres, no entres a Nicaragua tampoco.
Sandino duerme en la selva hasta ese día,
su fusil se ha llenado de lianas y de lluvia,
su rostro no tiene párpados,
pero las heridas con que lo matasteis están vivas
como las manos de Puerto Rico que esperan
la luz de los cuchillos.
                        Será implacable el mundo para vosotros.
No sólo serán las islas despobladas, sino el aire
que ya conoce las palabras que le son queridas.

No llegues a pedir carne de hombre
al alto Perú: en la niebla roída de los monumentos
el dulce antepasado de nuestra sangre afila
contra ti sus espadas de amatista,
y por los valles el ronco caracol de batalla
congrega a los guerreros, a los honderos
hijos de Amaru. Ni por las cordilleras mexicanas
busques hombres para llevarlos a combatir la aurora,
los fusiles de Zapata no están dormidos,
son aceitados y dirigidos a las tierras de Texas.
No entres a Cuba, que del fulgor marino
de los cañaverales sudorosos
hay una sola oscura mirada que te espera
y un solo grito hasta matar o morir.
                                    No llegues
a tierra de partisanos en la rumorosa
Italia: no pases de las filas de los soldados con *jacquet*
que mantienes en Roma, no pases de San Pedro:
más allá los santos rústicos de las aldeas,
los santos marineros del pescado
aman el gran país de la estepa
en donde floreció de nuevo el mundo.
                                    No toques
los puentes de Bulgaria, no te darán el paso
los ríos de Rumania, les echaremos sangre hirviendo
para que quemen a los invasores:
no saludes al campesino que hoy conoce
la tumba de los feudales, y vigila
con su arado y su rifle: no lo mires
porque te quemará como una estrella.
                                    No desembarques
en China: ya no estará Chang el Mercenario
rodeado de su podrida corte de mandarines:
habrá para esperaros una selva
de hoces labriegas y un volcán de pólvora.

En otras guerras existieron fosos con agua
y luego alambradas repetidas, con púas y garras,

pero este foso es más grande, estas aguas más hondas,
estos alambres más invencibles que todos los metales.
Son un átomo y otro del metal humano,
son un nudo y mil nudos de vidas y vidas:
son los viejos dolores de los pueblos
de todos los remotos valles y reinos,
de todas las banderas y navíos,
de todas las cuevas donde se amontonaron,
de todas las redes que salieron contra la tempestad,
de todas las ásperas arrugas de la tierra,
de todos los infiernos en las calderas calientes,
de todos los telares y las fundiciones,
de todas las locomotoras perdidas o congregadas.
Este alambre da mil vueltas al mundo:
parece dividido, desterrado,
y de pronto se juntan sus imanes
hasta llenar la tierra.
Pero aún
más allá, radiantes y determinados,
acerados, sonrientes,
para cantar o combatir
os esperan
hombres y mujeres de la tundra y la taiga,
guerreros del Volga que vencieron la muerte,
niños de Stalingrado, gigantes de Ucrania,
toda una vasta y alta pared de piedra y sangre,
hierro y canciones, coraje y esperanza.
Si tocáis ese muro caeréis
quemados como el carbón de las usinas,
las sonrisas de Rochester se harán tinieblas
que luego esparcirá el aire estepario
y luego enterrará para siempre la nieve.
Vendrán los que lucharon desde Pedro
hasta los nuevos héroes que asombraron la tierra
y harán de sus medallas pequeñas balas frías
que silbarán sin tregua desde toda
la vasta tierra que hoy es alegría.
Y desde el laboratorio cubierto de enredaderas

saldrá también el átomo desencadenado
hacia vuestras ciudades orgullosas.

## V

Que nada de esto pase.
Que despierte el Leñador.
Que venga Abraham con su hacha
y con su plato de madera
a comer con los campesinos.
Que su cabeza de corteza,
sus ojos vistos en las tablas,
en las arrugas de la encina,
vuelvan a mirar el mundo
subiendo sobre los follajes,
más altos que las sequoias.
Que entre a comprar en las farmacias,
que tome un autobús a Tampa,
que muerda una manzana amarilla,
que entre en un cine, que converse
con toda la gente sencilla.

Que despierte el Leñador.

Que venga Abraham, que hinche
su vieja levadura la tierra
dorada y verde de Illinois,
y levante el hacha en su pueblo
contra los nuevos esclavistas,
contra el látigo del esclavo,
contra el veneno de la imprenta,
contra la mercadería
sangrienta que quieren vender.
Que marchen cantando y sonriendo
el joven blanco, el joven negro,
contra las paredes de oro,
contra el fabricante de odio,

contra el mercader de su sangre,
cantando, sonriendo y venciendo.

Que despierte el Leñador.

## VI

Paz para los crepúsculos que vienen,
paz para el puente, paz para el vino,
paz para las letras que me buscan
y que en mi sangre suben enredando
el viejo canto con tierra y amores,
paz para la ciudad en la mañana
cuando despierta el pan, paz para el río
Mississippi, río de las raíces:
paz para la camisa de mi hermano,
paz en el libro como un sello de aire,
paz para el gran koljós de Kíev,
paz para las cenizas de estos muertos
y de estos otros muertos, paz para el hierro
negro de Brooklyn, paz para el cartero
de casa en casa como el día,
paz para el coreógrafo que grita
con un embudo a las enredaderas,
paz para mi mano derecha,
que sólo quiere escribir Rosario:
paz para el boliviano secreto
como una piedra de estaño, paz
para que tú te cases, paz para todos
los aserraderos de Bío Bío,
paz para el corazón desgarrado
de España guerrillera:
paz para el pequeño Museo de Wyoming
en donde lo más dulce
es una almohada con un corazón bordado,
paz para el panadero y sus amores
    y paz para la harina: paz
    para todo el trigo que debe nacer,

para todo el amor que buscará follaje,
paz para todos los que viven: paz
para todas las tierras y las aguas.

Yo aquí me despido, vuelvo
a mi casa, en mis sueños,
vuelvo a la Patagonia en donde
el viento golpea los establos
y salpica hielo el Océano.
Soy nada más que un poeta: os amo a todos,
ando errante por el mundo que amo:
en mi patria encarcelan mineros
y los soldados mandan a los jueces.
Pero yo amo hasta las raíces
de mi pequeño país frío.
Si tuviera que morir mil veces
allí quiero morir:
si tuviera que nacer mil veces
allí quiero nacer,
cerca de la araucaria salvaje,
del vendaval del viento sur,
de las campanas recién compradas.
Que nadie piense en mí.
Pensemos en toda la tierra,
golpeando con amor en la mesa.
No quiero que vuelva la sangre
a empapar el pan, los frijoles,
la música: quiero que venga
conmigo el minero, la niña,
el abogado, el marinero,
el fabricante de muñecas,
que entremos al cine y salgamos
a beber el vino más rojo.

Yo no vengo a resolver nada.

Yo vine aquí para cantar
y para que cantes conmigo.

# X

## EL FUGITIVO
(1948)

### I

Por la alta noche, por la vida entera,
de lágrima a papel, de ropa en ropa,
anduve en estos días abrumados.
Fui el fugitivo de la policía:
y en la hora de cristal, en la espesura
de estrellas solitarias,
crucé ciudades, bosques,
chacarerías, puertos,
de la puerta de un ser humano a otro,
de la mano de un ser a otro ser, a otro ser.
Grave es la noche, pero el hombre
ha dispuesto sus signos fraternales,
y a ciegas por caminos y por sombras
llegué a la puerta iluminada, al pequeño
punto de estrella que era mío,
al fragmento de pan que en el bosque los lobos
no habían devorado.

Una vez, a una casa, en la campiña,
llegué de noche, a nadie
antes de aquella noche había visto,
ni adivinado aquellas existencias.
Cuanto hacían, sus horas
eran nuevas en mi conocimiento.
Entré, eran cinco de familia:
todos como en la noche de un incendio
se habían levantado.
                          Estreché una

y otra mano, vi un rostro y otro rostro,
que nada me decían: eran puertas
que antes no vi en la calle,
ojos que no conocían mi rostro,
y en la alta noche, apenas
recibido, me tendí al cansancio,
a dormir la congoja de mi patria.

Mientras venía el sueño,
el eco innumerable de la tierra
con sus roncos ladridos y sus hebras
de soledad, continuaba la noche,
y yo pensaba: «Dónde estoy? Quiénes
son? Por qué me guardan hoy?
Por qué ellos, que hasta hoy no me vieron,
abren sus puertas y defienden mi canto?».
Y nadie respondía
sino un rumor de noche deshojada,
un tejido de grillos construyéndose:
la noche entera apenas
parecía temblar en el follaje.
Tierra nocturna, a mi ventana
llegabas con tus labios,
para que yo durmiera dulcemente
como cayendo sobre miles de hojas,
de estación a estación, de nido a nido,
de rama en rama, hasta quedar de pronto
dormido como un muerto en tus raíces.

II

Era el otoño de las uvas.
Temblaba el parral numeroso.
Los racimos blancos, velados,
escarchaban sus dulces dedos,
y las negras uvas llenaban
sus pequeñas ubres repletas

de un secreto río redondo.
El dueño de casa, artesano
de magro rostro, me leía
el pálido libro terrestre
de los días crepusculares.
Su bondad conocía el fruto,
la rama troncal y el trabajo
de la poda que deja al árbol
su desnuda forma de copa.
A los caballos conversaba
como a inmensos niños: seguían
detrás de él los cinco gatos
y los perros de aquella casa,
unos enarcados y lentos,
otros corriendo locamente
bajo los fríos durazneros.
Él conocía cada rama,
cada cicatriz de los árboles,
y su antigua voz me enseñaba
acariciando a los caballos.


### III

Otra vez a la noche acudí entonces.
Al cruzar la ciudad la noche andina,
la noche derramada abrió su rosa
sobre mi traje.
                        Era invierno en el Sur.
La nieve había
subido a su alto pedestal, el frío
quemaba con mil puntas congeladas.

El río Mapocho era de nieve negra.
Y yo, entre calle y calle de silencio
por la ciudad manchada del tirano.
Ay!, era yo como el mismo silencio
mirando cuánto amor y amor caía

a través de mis ojos en mi pecho.
Porque esa calle y la otra y el dintel
de la noche nevada, y la nocturna
soledad de los seres, y mi pueblo
hundido, oscuro, en su arrabal de muertos,
todo, la última ventana
con su pequeño ramo de luz falsa,
el apretado coral negro
de habitación y habitación, el viento
nunca gastado de mi tierra,
todo era mío, todo
hacia mí en el silencio levantaba
una boca de amor llena de besos.

## IV

Una joven pareja abrió una puerta
que antes tampoco conocí.
                              Era ella
dorada como el mes de junio,
y él era un ingeniero de altos ojos.
Desde entonces con ellos pan y vino
compartí,
              poco a poco
llegué a su intimidad desconocida.
Me dijeron: «Estábamos
separados,
nuestra disensión era ya eterna:
hoy nos unimos para recibirte,
hoy te esperamos juntos».
Allí, en la pequeña
habitación reunidos,
hicimos silenciosa fortaleza.
Guardé silencio hasta en el sueño.
Estaba en plena
palma de la ciudad, casi escuchaba
los pasos del Traidor, junto a los muros

que me apartaban, oía
las voces sucias de los carceleros,
sus carcajadas de ladrón, sus sílabas
de borrachos metidos entre balas
en la cintura de la patria mía.
Casi rozaban mi piel silenciosa
los eructos de Holgers y Pobletes,
sus pasos, arrastrándose, tocaban
casi mi corazón y sus hogueras:
ellos enviando al tormento a los míos,
yo reservando mi salud de espada.
Y otra vez, en la noche, adiós, Irene,
adiós, Andrés, adiós, amigo nuevo,
adiós a los andamios, a la estrella,
adiós tal vez a la casa inconclusa
que frente a mi ventana parecía
poblarse de fantasmas lineales.
Adiós al punto ínfimo de monte
que recogía en mis ojos cada tarde,
adiós a la luz verde neón que abría
con su relámpago cada nueva noche.

## V

Otra vez, otra noche, fui más lejos.
Toda la cordillera de la costa,
el ancho margen hacia el mar Pacífico,
y luego entre las calles torcidas,
calleja y callejón, Valparaíso.
Entré a una casa de marineros.
La madre me esperaba.
«No lo supe hasta ayer –me dijo–: el hijo
me llamó, y el nombre de Neruda
me recorrió como un escalofrío.
Pero le dije: qué comodidades,
hijos, podemos ofrecerle?» «Él pertenece
a nosotros, los pobres –me respondió–,

él no hace burla ni desprecio
de nuestra pobre vida, él la levanta
y la defiende.» «Yo le dije: sea,
y ésta es su casa desde hoy.»
Nadie me conocía en esa casa.
Miré el limpio mantel, la jarra de agua
pura como esas vidas que del fondo
de la noche como alas
de cristal a mí llegaban.
Fui a la ventana: Valparaíso abría sus mil párpados
que temblaban, el aire
del mar nocturno entró en mi boca,
las luces de los cerros, el temblor
de la luna marítima en el agua,
la oscuridad como una monarquía
aderezada de diamantes verdes,
todo el nuevo reposo que la vida
me entregaba.
                Miré: la mesa estaba puesta,
el pan, la servilleta, el vino, el agua,
y una fragancia de tierra y ternura
humedeció mis ojos de soldado.


Junto a esa ventana de Valparaíso
pasé días y noches.
Los navegantes de mi nueva casa
cada día buscaban
un barco en qué partir.
                        Eran
engañados una vez y otra vez.
                        El *Atomena*
no podía llevarlos, el *Sultana*
tampoco. Me explicaron:
ellos pagaban la mordida o coima,
a unos y otros jefes. Otros
daban más.
                Todo estaba podrido
como en el Palacio de Santiago.

Aquí se abrían los bolsillos
del caporal, del Secretario,
no eran tan grandes como los bolsillos
del Presidente, pero roían
el esqueleto de los pobres.
Triste república azotada
como una perra por ladrones,
aullando sola en los caminos,
golpeada por la policía.
Triste nación gonzalizada,
arrojada por los tahúres
al vómito del delator,
vendida en las esquinas rotas,
desmantelada en un remate.
Triste república en la mano
del que vendió su propia hija
y su propia patria entregó
herida, muda y maniatada.
Volvían los dos marineros
y partían a cargar al hombro
sacos, bananas, comestibles,
añorando la sal de las olas,
el pan marino, el alto cielo.
En mi día solitario el mar
se alejaba: miraba entonces
la llama vital de los cerros,
cada casa colgando, el
latido de Valparaíso:
los altos cerros desbordantes
de vidas, las puertas pintadas
de turquesa, escarlata y rosa,
los escalones desdentados,
los racimos de puertas pobres,
las viviendas desvencijadas,
la niebla, el humo extendiendo sus
redes de sal sobre las cosas,
los árboles desesperados
agarrándose a las quebradas,

la ropa colgada en los brazos
de las mansiones inhumanas,
el ronco silbato de pronto
hijo de las embarcaciones,
el sonido de la salmuera,
de la niebla, la voz marina,
hecha de golpes y susurros,
todo eso envolvía mi cuerpo
como un nuevo traje terrestre,
y habité la bruma de arriba,
el alto pueblo de los pobres.

## VI

Ventana de los cerros! Valparaíso, estaño frío,
roto en un grito y otro de piedras populares!
Mira conmigo desde mi escondite
el puerto gris tachonado de barcas,
agua lunar apenas movediza,
inmóviles depósitos del hierro.
En otra hora lejana,
poblado estuvo tu mar, Valparaíso,
por los delgados barcos del orgullo,
los Cinco Mástiles con susurro de trigo,
los diseminadores del salitre,
los que de los océanos nupciales
a ti vinieron, colmando tus bodegas.
Altos veleros del día marino,
comerciales cruzados, estandartes
henchidos por la noche marinera,
con vosotros el ébano y la pura
claridad del marfil, y los aromas
del café y de la noche en otra luna,
Valparaíso, a tu paz peligrosa
vinieron envolviéndote en perfume.
Temblaba el *Potosí* con sus nitratos
avanzando en el mar, pescado y flecha,

turgencia azul, ballena delicada,
hacia otros negros puertos de la tierra.
Cuánta noche del Sur sobre las velas
enrolladas, sobre los empinados
pezones de la máscara del buque,
cuando sobre la Dama del navío,
rostro de aquellas proas balanceadas,
toda la noche de Valparaíso,
la noche austral del mundo, descendía.


## VII

Era el amanecer del salitre en las pampas.
Palpitaba el planeta del abono
hasta llenar a Chile como un barco
de nevadas bodegas.
Hoy miro cuanto quedó de todos
los que pasaron sin dejar sus huellas
en las arenas del Pacífico.
                    Mirad lo que yo miro,
el huraño detritus
que dejó en la garganta de mi patria
como un collar de pus, la lluvia de oro.
Que te acompañe, caminante,
esta mirada inmóvil que perfora,
atada al cielo de Valparaíso.


   Vive el chileno
   entre basura y vendaval, oscuro
   hijo de la dura Patria.
   Vidrios despedazados, techos rotos,
   muros aniquilados, cal leprosa,
   puerta enterrada, piso de barro,
   sujetándose apenas al vestigio
   del suelo.
   Valparaíso, rosa inmunda,
   pestilencial sarcófago marino!

No me hieras con tus calles de espinas,
con tu corona de agrios callejones,
no me dejes mirar al niño herido
por tu miseria de mortal pantano!
Me duele en ti mi pueblo,
toda mi patria americana,
todo lo que han roído de tus huesos
dejándote ceñida por la espuma
como una miserable diosa despedazada,
en cuyo dulce pecho roto
orinan los perros hambrientos.


# VIII

Amo, Valparaíso, cuanto encierras,
y cuanto irradias, novia del océano,
hasta más lejos de tu nimbo sordo.
Amo la luz violeta con que acudes
al marinero en la noche del mar,
y entonces eres –rosa de azahares–
luminosa y desnuda, fuego y niebla.
Que nadie venga con un martillo turbio
a golpear lo que amo, a defenderte:
nadie sino mi ser por tus secretos:
nadie sino mi voz por tus abiertas
hileras de rocío, por tus escalones
en donde la maternidad salobre
del mar te besa, nadie sino mis labios
en tu corona fría de sirena,
elevada en el aire de la altura,
oceánico amor, Valparaíso,
reina de todas las costas del mundo,
verdadera central de olas y barcos,
eres en mí como la luna o como
la dirección del aire en la arboleda.
Amo tus criminales callejones,
tu luna de puñal sobre los cerros,

y entre tus plazas la marinería
revistiendo de azul la primavera.

Que se entienda, te pido, puerto mío,
que yo tengo derecho
a escribirte lo bueno y lo malvado
y soy como las lámparas amargas
cuando iluminan las botellas rotas.


# IX

Yo recorrí los afamados mares,
el estambre nupcial de cada isla,
soy el más marinero del papel
y anduve, anduve, anduve
hasta la última espuma,
pero tu penetrante amor marino
fue señalado en mí como ninguno.
Eres la montañosa
cabeza capital
del gran océano,
y en tu celeste grupa de centaura
tus arrabales lucen la pintura
roja y azul de las jugueterías.
Cabrías en un frasco marinero
con tus pequeñas casas y el *Latorre*
como una plancha gris en una sábana
si no fuera porque la gran tormenta
del más inmenso mar,
                            el golpe verde
de las rachas glaciales, el martirio
de tus terrenos sacudidos, el horror
subterráneo, el oleaje
de todo el mar contra tu antorcha,
te hicieron magnitud de piedra umbría,
huracanada iglesia de la espuma.
Te declaro mi amor, Valparaíso,

y volveré a vivir tu encrucijada,
cuando tú y yo seamos libres
de nuevo, tú en tu trono
de mar y viento, yo en mis húmedas
tierras filosofales. Veremos cómo surge
la libertad entre el mar y la nieve.
Valparaíso, reina sola,
sola en la soledad del solitario
Sur del Océano,
               miré cada peñasco
amarillo de tu altura,
toqué tu pulso torrencial, tus manos
de portuaria me dieron el abrazo
que mi alma te pidió en la hora nocturna
y te recuerdo reinando en el brillo
de fuego azul que tu reino salpica.
No hay otra como tú sobre la arena,
Albacora del Sur, reina del agua.


X


Así, pues, de noche en noche,
aquella larga hora, la tiniebla
hundida en todo el litoral chileno,
fugitivo pasé de puerta en puerta.
Otras casas humildes, otras manos
en cada arruga de la Patria estaban
esperando mis pasos.
              Tú pasaste
mil veces por esa puerta que no te dijo nada,
por ese muro sin pintar, por esas
ventanas con marchitas flores.
Para mí era el secreto:
estaba para mí palpitando,
era en las zonas del carbón,
empapadas por el martirio,
era en los puertos de la costa

junto al antártico archipiélago,
era, escucha, tal vez en esa
calle sonora, entre la música
del mediodía de las calles,
o junto al parque esa ventana
que nadie distinguió entre las otras
ventanas, y que me esperaba
con un plato de sopa clara
y el corazón sobre la mesa.
Todas las puertas eran mías,
todos dijeron: «Es mi hermano,
tráelo a esta casa pobre»,
mientras mi patria se teñía
con tantos castigos
como un lagar de vino amargo.
Vino el pequeño hojalatero,
la madre de aquellas muchachas,
el campesino desgarbado,
el hombre que hacía jabones,
la dulce novelista, el joven
clavado como un insecto
a la oficina desolada,
vinieron y en su puerta había
un signo secreto, una llave
defendida como una torre
para que yo entrara de pronto,
de noche, de tarde o de día
y sin conocer a nadie
dijera: «Hermano, ya sabes quién soy,
me parece que me esperabas».

## XI

Qué puedes tú, maldito, contra el aire?
Qué puedes tú, maldito, contra todo
lo que florece y surge y calla y mira,
y me espera y te juzga?

Maldito, con tus traiciones
está lo que compraste, lo que debes
regar a cada rato con monedas.
Maldito, puedes
relegar, apresar y dar tormentos,
y apresuradamente pagar pronto,
antes de que el vendido se arrepienta,
podrás dormir apenas
rodeado de compradas carabinas,
mientras en el regazo de mi patria
vivo yo, el fugitivo de la noche!

Qué triste es tu pequeña y pasajera
victoria! Mientras Aragon, Ehremburg,
Éluard, los poetas
de París, los valientes
escritores
de Venezuela y otros y otros y otros
están conmigo,
tú, maldito,
entre Escanilla y Cuevas,
Peluchoneaux y Poblete!
Yo por escalas que mi pueblo asume,
en socavones que mi pueblo esconde,
sobre mi patria y su ala de paloma
duermo, sueño y derribo tus fronteras.

## XII

A todos, a vosotros,
los silenciosos seres de la noche
que tomaron mi mano en las tinieblas, a vosotros,
lámparas
de la luz inmortal, líneas de estrella,
pan de las vidas, hermanos secretos,
a todos, a vosotros,
digo: no hay gracias,

nada podrá llenar las copas
de la pureza,
nada puede
contener todo el sol en las banderas
de la primavera invencible,
como vuestras calladas dignidades.
Solamente
pienso
que he sido tal vez digno de tanta
sencillez, de flor tan pura,
que tal vez soy vosotros, eso mismo,
esa miga de tierra, harina y canto,
ese amasijo natural que sabe
de dónde sale y dónde pertenece.
No soy una campana de tan lejos,
ni un cristal enterrado tan profundo
que tú no puedas descifrar, soy sólo
pueblo, puerta escondida, pan oscuro,
y cuando me recibes, te recibes
a ti mismo, a ese huésped
tantas veces golpeado
y tantas veces
renacido.
     A todo, a todos,
a cuantos no conozco, a cuantos nunca
oyeron este nombre, a los que viven
a lo largo de nuestros largos ríos,
al pie de los volcanes, a la sombra
sulfúrica del cobre, a pescadores y labriegos,
a indios azules en la orilla
de lagos centelleantes como vidrios,
al zapatero que a esta hora interroga
clavando el cuero con antiguas manos,
a ti, al que sin saberlo me ha esperado,
yo pertenezco y reconozco y canto.

## XIII

Arena americana, solemne
plantación, roja cordillera,
hijos, hermanos desgranados
por las viejas tormentas,
juntemos todo el grano vivo
antes de que vuelva a la tierra,
y que el nuevo maíz que nace
haya escuchado tus palabras
y las repita y se repitan.
Y se canten de día y de noche,
y se muerdan y se devoren,
y se propaguen por la tierra,
y se hagan, de pronto, silencio,
se hundan debajo de las piedras,
encuentren las puertas nocturnas,
y otra vez salgan a nacer,
a repartirse, a conducirse
como el pan, como la esperanza,
como el aire de los navíos.
El maíz te lleva mi canto,
salido desde las raíces
de mi pueblo, para nacer,
para construir, para cantar,
y para ser otra vez semilla
más numerosa en la tormenta.

Aquí están mis manos perdidas.
Son invisibles, pero tú
las ves a través de la noche,
a través del viento invisible.
Dame tus manos, yo las veo
sobre las ásperas arenas
de nuestra noche americana,
y escojo la tuya y la tuya,
esa mano y aquella otra mano,

la que se levanta a luchar
y la que vuelve a ser sembrada.

> *No me siento solo en la noche,*
> *en la oscuridad de la tierra.*
> *Soy pueblo, pueblo innumerable.*
> *Tengo en mi voz la fuerza pura*
> *para atravesar el silencio*
> *y germinar en las tinieblas.*
> *Muerte, martirio, sombra, hielo,*
> *cubren de pronto la semilla.*
> *Y parece enterrado el pueblo.*
> *Pero el maíz vuelve a la tierra.*
> *Atravesaron el silencio*
> *sus implacables manos rojas.*
> *Desde la muerte renacemos.*

# XI

## LAS FLORES DE PUNITAQUI

### I

EL VALLE  Hoy ha caído, 25 de abril,
DE LAS  sobre los campos de Ovalle,
PIEDRAS  la lluvia, la esperada, el agua de 1946.
(1946)

En este primer jueves mojado, un día de vapor
construye sobre los cerros su gris ferretería.
Es este jueves de las pequeñas semillas
que en sus bolsas guardaron los campesinos ham-
    brientos:
hoy apresuradamente picarán la tierra y en ella
dejarán caer sus granitos de verde vida.

Recién hoy subí Río Hurtado hacia arriba:
hacia arriba, entre los ásperos cerros quisquillosos,
erizados de espinas, porque el gran cactus andino,
como un cruel candelabro, aquí se establece.

Y sobre sus eriales espinas, como una vestidura
escarlata, o como una mancha de terrible arrebol,
como sangre de un cuerpo arrastrado sobre un millar de púas,
el quintral ha encendido sus lámparas sangrientas.

Las rocas son inmensas bolsas coaguladas
en la edad del fuego, sacos ciegos de piedra
que rodaron hasta fundirse en estas
implacables estatuas que vigilan el valle.

El río lleva un dulce y agónico rumor
de últimas aguas entre la sauceoscura
multitud del follaje, y los álamos
dejan caer a gotas su delgado amarillo.

Es el otoño de Norte Chico, el atrasado otoño.

Aquí más parpadea la luz en el racimo.

Como una mariposa, se detiene más tiempo
el transparente sol hasta cuajar la uva,
y brillan sobre el valle sus paños moscateles.

II

HERMANO   Mas hoy los campesinos vienen a verme: «Hermano,
PABLO   no hay agua, hermano Pablo, no hay agua, no ha
          llovido.

        Y la escasa corriente
        del río
        siete días circula, siete días se seca.

Nuestras vacas han muerto arriba en la cordillera.

        Y la sequía empieza a matar niños.
        Arriba, muchos no tienen qué comer.
        Hermano Pablo, tú hablarás al ministro».

(Sí, hermano Pablo hablará al ministro, pero ellos
   no saben
cómo me ven llegar
esos sillones de cuero ignominioso
y luego la madera ministerial, fregada
y pulida por la saliva aduladora.
Mentirá el ministro, se sobará las manos,
y las ganaderías del pobre comunero,

con el burro y el perro, por las deshilachadas
rocas caerán, de hambre en hambre, hacia abajo.)

### III

EL HAMBRE Y LA IRA

Adiós, adiós a tu predio, a la sombra
que ganaste, a la rama
transparente, a la tierra consagrada,
al buey, adiós, al agua avara,
adiós, a las vertientes, a la música
que no llegó en la lluvia, al cinto pálido
de la resaca y pedregosa aurora.

Juan Ovalle, la mano te di, mano sin agua,
mano de piedra, mano de pared y sequía.
Y te dije: a la parda oveja, a las más ásperas
estrellas, a la luna como cárdeno cardo,
maldice, el ramo roto de los labios nupciales,
pero al hombre no toques, al hombre aún no
    derrames
pegándole en las venas, aún no tiñas la arena,
aún no enciendas el valle con el árbol
de las caídas ramas arteriales.

Juan Ovalle, no mates. Y tu mano
me contestó: «Estas tierras
quieren matar, buscan de noche
venganza, el viejo aire ambarino
en la amargura es aire de veneno,
y la guitarra es como una cadera
de crimen, y el viento es un cuchillo».

# IV

LES QUITAN
LA TIERRA

Porque detrás del valle y la sequía,
detrás del río y la delgada hoja,
acechando el terrón y la cosecha,
el ladrón de las tierras.

Mira aquel árbol de sonante púrpura,
contempla su estandarte arrebolado,
y detrás de su estirpe matutina,
el ladrón de tierras.

Oyes como la sal del arrecife
el viento de cristal en los nogales,
pero sobre el azul de cada día
el ladrón de tierras.

Sientes entre las capas germinales
latir el trigo en su flecha dorada,
pero entre el pan y el hombre hay una máscara:
el ladrón de tierras.

# V

HACIA LOS
MINERALES

Después a las altas piedras
de sal y de oro, a la enterrada
república de los metales
subí:
eran los dulces muros en que una
piedra se amarra con otra,
con un beso de barro oscuro.

Un beso entre piedra y piedra
por los caminos tutelares,
un beso de tierra y tierra
entre las grandes uvas rojas,

y como un diente junto a otro diente
la dentadura de la tierra,
las pircas de materia pura,
las que llevan el interminable
beso de las piedras del río
a los mil labios del camino.

Subamos desde la agricultura al oro.
Aquí tenéis los altos pedernales.

El peso de la mano es como un ave.
Un hombre, un ave, una substancia de aire,
de obstinación, de vuelo, de agonía,
un párpado tal vez, pero un combate.

Y de allí en la transversal cuna del oro,
en Punitaqui, frente a frente
con los callados palanqueros
del pique, de la pala, ven,
Pedro, con tu paz de cuero,
ven, Ramírez, con tus abrasadas
manos que indagaron el útero
de las cerradas minerías,
salud, en las gradas, en
los calcáreos subterráneos
del oro, abajo en sus matrices,
quedaron vuestras digitales
herramientas marcadas con fuego.

## VI

LAS FLORES · Era dura la patria allí como antes.
DE · Era una sal perdida el oro,
PUNITAQUI ·                          era
un pez enrojecido y en el terrón colérico
su pequeño minuto triturado
nacía, iba naciendo de las uñas sangrientas.

Entre el alba como un almendro frío,
bajo los dientes de las cordilleras,
el corazón perfora su agujero,
rastrea, toca, sufre, sube y a la altura
más esencial, más planetaria, llega
con camiseta rota.

Hermano de corazón quemado,
junta en mi mano esta jornada,
y bajemos una vez más a las capas dormidas
en que tu mano como una tenaza
agarró el oro vivo que quería volar
aún más profundo, aún más abajo, aún.
Y allí con unas flores
las mujeres de allí, las chilenas de arriba,
las minerales hijas de la mina,
un ramo entre mis manos, unas flores
de Punitaqui, unas rojas flores,
geranios, flores pobres
de aquella tierra dura,
depositaron en mis manos como
si hubieran sido halladas en la mina más honda,
si aquellas flores hijas de agua roja
volvieran desde el fondo sepultado del hombre.

Tomé sus manos y sus flores, tierra
despedazada y mineral, perfume
de pétalos profundos y dolores.
Supe al mirarlas de dónde vinieron
hasta la soledad dura del oro,
me mostraron como gotas de sangre
las vidas derramadas.

Eran en su pobreza
la fortaleza florecida, el ramo
de la ternura y su metal remoto.

Flores de Punitaqui, arterias, vidas, junto
a mi cama, en la noche, vuestro aroma
se levanta y me guía por los más subterráneos
corredores del duelo,
por la altura picada, por la nieve, y aun
por las raíces donde sólo las lágrimas alcanzan.

Flores, flores de altura,
flores de mina y piedra, flores
de Punitaqui, hijas
del amargo subsuelo: en mí, nunca olvidadas,
quedasteis vivas, construyendo
la pureza inmortal, una corola
de piedra que no muere.


# VII

EL ORO  Tuvo el oro ese día de pureza.
Antes de hundir de nuevo su estructura
en la sucia salida que lo aguarda,
recién llegado, recién desprendido
de la solemne estatua de la tierra,
fue depurado por el fuego, envuelto
por el sudor y las manos del hombre.

Allí se despidió el pueblo del oro.
Y era terrestre su contacto, puro
como la madre gris de la esmeralda.
Igual era la mano sudorosa
que recogió el lingote enmarañado,
a la cepa de tierra reducida
por la infinita dimensión del tiempo,
al color terrenal de las semillas,
al suelo poderoso de secretos,
a la tierra que labra los racimos.

Tierras del oro sin manchar, humanos
materiales, metal inmaculado
del pueblo, virginales minerías,
que se tocan sin verse en la implacable
encrucijada de sus dos caminos:
el hombre seguirá mordiendo el polvo,
seguirá siendo tierra pedregosa,
y el oro subirá sobre su sangre
hasta herir y reinar sobre el herido.

## VIII

EL    Entrad, señor, comprad patria y terreno,
CAMINO    habitaciones, bendiciones, ostras,
DEL ORO    todo se vende aquí donde llegasteis.
No hay torre que no caiga en vuestra pólvora,
no hay presidencia que rechace nada,
no hay red que no reserve su tesoro.

Como somos tan «libres» como el viento,
podéis comprar el viento, la cascada,
y en la desarrollada celulosa
ordenar las impuras opiniones,
o recoger amor sin albedrío,
destronado en el lino mercenario.

El oro se cambió de ropa usando
formas de trapo, de papel raído,
fríos hilos de lámina invisible, cinturones de dedos
enroscados.

A la doncella en su nuevo castillo
llevó el padre de abierta dentadura
el plato de billetes
que devoró la bella disputándolo
en el suelo a golpes de sonrisa.
Al obispo subió la investidura

de los siglos del oro, abrió la puerta
de los jueces, mantuvo las alfombras,
hizo temblar la noche en los burdeles,
corrió con los cabellos en el viento.

(Yo he vivido la edad en que reinaba.
He visto consumida podredumbre,
pirámides de estiércol abrumadas
por el honor: llevados y traídos
césares de la lluvia purulenta,
convencidos del peso que ponían
en las balanzas, rígidos
muñecos de la muerte, calcinados
por su ceniza dura y devorante.)


## IX

LA       Fui más allá del oro:
HUELGA   entré en la huelga.
Allí duraba el hilo delicado
que une a los seres, allí la cinta pura
del hombre estaba viva.
                    La muerte los mordía,
el oro, ácidos dientes y veneno
estiraba hacia ellos, pero el pueblo
puso sus pedernales en la puerta,
fue terrón solidario que dejaba
transcurrir la ternura y el combate
como dos aguas paralelas,
                              hilos
de las raíces, olas de la estirpe.

Vi la huelga en los brazos reunidos
que apartan el desvelo
y en una pausa trémula de lucha
vi por primera vez lo único vivo!
La unidad de las vidas de los hombres.

En la cocina de la resistencia
con sus fogones pobres, en los ojos
de las mujeres, en las manos insignes
que con torpeza se inclinaban
hacia el ocio de un día
como en un mar azul desconocido,
en la fraternidad del pan escaso,
en la reunión inquebrantable, en todos
los gérmenes de piedra que surgían
en aquella granada valerosa
elevada en la sal del desamparo,
hallé por fin la fundación perdida,
la remota ciudad de la ternura.

## X

EL POETA   Antes anduve por la vida, en medio
de un amor doloroso: antes retuve
una pequeña página de cuarzo
clavándome los ojos en la vida.
Compré bondad, estuve en el mercado
de la codicia, respiré las aguas
más sordas de la envidia, la inhumana
hostilidad de máscaras y seres.
Viví un mundo de ciénaga marina
en que la flor, de pronto, la azucena
me devoraba en su temblor de espuma,
y donde puse el pie resbaló mi alma
hacia las dentaduras del abismo.
Así nació mi poesía, apenas
rescatada de ortigas, empuñada
sobre la soledad como un castigo,
o apartó en el jardín de la impudicia
su más secreta flor hasta enterrarla.
Aislado así como el agua sombría
que vive en sus profundos corredores,
corrí de mano en mano, al aislamiento

de cada ser, al odio cuotidiano.
Supe que así vivían, escondiendo
la mitad de los seres, como peces
del más extraño mar, y en las fangosas
inmensidades encontré la muerte.
La muerte abriendo puertas y caminos.
La muerte deslizándose en los muros.


## XI

LA
MUERTE
EN EL
MUNDO

La muerte iba mandando y recogiendo
en lugares y tumbas su tributo:
el hombre con puñal o con bolsillo,
a mediodía o en la luz nocturna,
esperaba matar, iba matando,
iba enterrando seres y ramajes,
asesinando y devorando muertos.
Preparaba sus redes, estrujaba,
desangraba, salía en las mañanas
oliendo sangre de la cacería,
y al volver de su triunfo estaba envuelto
por fragmentos de muerte y desamparo,
y matándose entonces enterraba
con ceremonia funeral sus pasos.

Las casas de los vivos eran muertas.
Escoria, techos rotos, orinales,
agusanados callejones, cuevas
acumuladas con el llanto humano.
–Así debes vivir –dijo el decreto.
–Púdrete en tu substancia –dijo el jefe.
–Eres inmundo –razonó la Iglesia.
–Acuéstate en el lodo –te dijeron.
Y unos cuantos armaron la ceniza
para que gobernara y decidiera,
mientras la flor del hombre se golpeaba
contra los muros que le construyeron.

El cementerio tuvo pompa y piedra.
Silencio para todos y estatura
de vegetales altos y afilados.
Al fin estás aquí, por fin nos dejas
un hueco en medio de la selva amarga,
por fin te quedas tieso entre paredes
que no traspasarás. Y cada día
las flores como un río de perfume
se juntaron al río de los muertos.
Las flores que la vida no tocaba
cayeron sobre el hueco que dejaste.

## XII

EL HOMBRE  Aquí encontré el amor. Nació en la arena,
creció sin voz, tocó los pedernales
de la dureza y resistió a la muerte.
Aquí el hombre era vida que juntaba
la intacta luz, el mar sobreviviente,
y atacaba y cantaba y combatía
con la misma unidad de los metales.
Aquí los cementerios eran tierra
apenas levantada, cruces rotas,
sobre cuyas maderas derretidas
se adelantaban los vientos arenosos.

## XIII

LA HUELGA  Extraña era la fábrica inactiva.
Un silencio en la planta, una distancia
entre máquina y hombre, como un hilo
cortado entre planetas, un vacío
de las manos del hombre que consumen
el tiempo construyendo, y las desnudas
estancias sin trabajo y sin sonido.
Cuando el hombre dejó las madrigueras

de la turbina, cuando desprendió
los brazos de la hoguera y decayeron
las entrañas del horno, cuando sacó los ojos
de la rueda y la luz vertiginosa
se detuvo en su círculo invisible,
de todos los poderes poderosos,
de los círculos puros de potencia,
de la energía sobrecogedora,
quedó un montón de inútiles aceros
y en las salas sin hombre, el aire viudo,
el solitario aroma del aceite.

Nada existía sin aquel fragmento
golpeando, sin Ramírez,
sin el hombre de ropa desgarrada.
Allí estaba la piel de los motores,
acumulada en muerto poderío,
como negros cetáceos en el fondo
pestilente de un mar sin oleaje,
o montañas hundidas de repente
bajo la soledad de los planetas.

## XIV

EL PUEBLO Paseaba el pueblo sus banderas rojas
y entre ellos en la piedra que tocaron
estuve, en la jornada fragorosa
y en las altas canciones de la lucha.
Vi cómo paso a paso conquistaban.
Sólo su resistencia era camino,
y aislados eran como trozos rotos
de una estrella, sin boca y sin brillo.
Juntos en la unidad hecha silencio,
eran el fuego, el canto indestructible,
el lento paso del hombre en la tierra
hecho profundidades y batallas.
Eran la dignidad que combatía

lo que fue pisoteado, y despertaba
como un sistema, el orden de las vidas
que tocaban la puerta y se sentaban
en la sala central con sus banderas.

## XV

LA LETRA  Así fue. Y así será. En las sierras
calcáreas, y a la orilla
del humo, en los talleres,
hay un mensaje escrito en las paredes
y el pueblo, sólo el pueblo puede verlo.
Sus letras transparentes se formaron
con sudor y silencio. Están escritas.
Las amasaste, pueblo, en tu camino
y están sobre la noche como el fuego
abrasador y oculto de la aurora.
Entra, pueblo, en las márgenes del día.
Anda como un ejército, reunido,
y golpea la tierra con tus pasos
y con la misma identidad sonora.
Sea uniforme tu camino como
es uniforme el sudor en la batalla,
uniforme la sangre polvorienta
del pueblo fusilado en los caminos.

Sobre esta claridad irá naciendo
la granja, la ciudad, la minería,
y sobre esta unidad como la tierra
firme y germinadora se ha dispuesto
la creadora permanencia, el germen
de la nueva ciudad para las vidas.
Luz de los gremios maltratados, patria
amasada por manos metalúrgicas,
orden salido de los pescadores
como un ramo del mar, muros armados
por la albañilería desbordante,

escuelas cereales, armaduras
de fábricas amadas por el hombre.
Paz desterrada que regresas, pan
compartido, aurora, sortilegio
del amor terrenal, edificado
sobre los cuatro vientos del planeta.

## XII

## LOS RÍOS DEL CANTO

### I

CARTA Un viajero me trajo tu carta escrita
A MIGUEL con palabras invisibles, sobre su traje, en sus ojos.
OTERO Qué alegre eres, Miguel, qué alegres somos!
SILVA, Ya no queda en un mundo de úlceras estucadas
EN sino nosotros, indefinidamente alegres.
CARACAS Veo pasar al cuervo y no me puede hacer daño.
(1949) Tú observas el escorpión y limpias tu guitarra.
Vivimos entre las fieras, cantando, y cuando tocamos
un hombre, la materia de alguien en quien creíamos,
y éste se desmorona como un pastel podrido,
tú en tu venezolano patrimonio recoges
lo que puede salvarse, mientras que yo defiendo
la brasa de la vida.
        Qué alegría, Miguel!
Tú me preguntas dónde estoy? Te contaré
– dando sólo detalles *útiles* al Gobierno –
que en esta costa llena de piedras salvajes
se unen el mar y el campo, olas y pinos,
águilas y petreles, espumas y praderas.
Has visto desde muy cerca y todo el día
cómo vuelan los pájaros del mar? Parece
que llevaran las cartas del mundo a sus destinos.
Pasan los alcatraces como barcos del viento,
otras aves que vuelan como flechas y traen
los mensajes de los reyes difuntos, de los príncipes
enterrados con hilos de turquesa en las costas andinas,
y las gaviotas hechas de blancura redonda,
que olvidan continuamente sus mensajes.

Qué azul es la vida, Miguel, cuando hemos puesto en ella
amor y lucha, palabras que son el pan y el vino,
palabras que ellos no pueden deshonrar todavía,
porque nosotros salimos a la calle con escopeta y cantos.
Están perdidos con nosotros, Miguel.
Qué pueden hacer sino matarnos y aun así
les resulta un mal negocio, sólo pueden
tratar de alquilar un piso frente a nosotros y seguirnos
para aprender a reír y a llorar como nosotros.
Cuando yo escribía versos de amor, que me brotaban
por todas partes, y me moría de tristeza,
errante, abandonado, royendo el alfabeto,
me decían: «Qué grande eres, oh Teócrito!».
Yo no soy Teócrito: tomé a la vida,
me puse frente a ella, la besé hasta vencerla,
y luego me fui por los callejones de las minas
a ver cómo vivían otros hombres.
Y cuando salí con las manos teñidas de basura y dolores,
las levanté mostrándolas en las cuerdas de oro,
y dije: «Yo no comparto el crimen».
Tosieron, se disgustaron mucho, me quitaron el saludo,
me dejaron de llamar Teócrito, y terminaron
por insultarme y mandar toda la policía a encarcelarme,
porque no seguía preocupado exclusivamente de asuntos meta-
    físicos.
Pero yo había conquistado la alegría.
Desde entonces me levanté leyendo las cartas
que traen las aves del mar desde tan lejos,
cartas que vienen mojadas, mensajes que poco a poco
voy traduciendo con lentitud y seguridad: soy meticuloso
como un ingeniero en este extraño oficio.
Y salgo de repente a la ventana. Es un cuadrado
de transparencia, es pura la distancia
de hierbas y peñascos, y así voy trabajando
entre las cosas que amo: olas, piedras, avispas,
con una embriagadora felicidad marina.
Pero a nadie le gusta que estemos alegres, a ti te asignaron
un papel bonachón: «Pero no exagere, no se preocupe»,

y a mí me quisieron clavar en un insectario, entre las lágrimas,
para que éstas me ahogaran y ellos pudieran decir sus discursos
  en mi tumba.

Yo recuerdo un día en la pampa arenosa
del salitre, había quinientos hombres
en huelga. Era la tarde abrasadora
de Tarapacá. Y cuando los rostros habían recogido
toda la arena y el desangrado sol seco del desierto,
yo vi llegar a mi corazón, como una copa que odio,
la vieja melancolía. Aquella hora de crisis,
en la desolación de los salares, en ese minuto débil de
la lucha, en que podríamos haber sido vencidos,
una niña pequeñita y pálida venida de las minas
dijo con una voz valiente en que se juntaban el cristal y el acero
un poema tuyo, un viejo poema tuyo que rueda entre los ojos
  arrugados
de todos los obreros y labradores de mi patria, de América.
Y aquel trozo de canto tuyo refulgió de repente
en mi boca como una flor purpúrea
y bajó hacia mi sangre, llenándola de nuevo
con una alegría desbordante nacida de tu canto.
Y yo pensé no sólo en ti, sino en tu Venezuela amarga.
Hace años vi un estudiante que tenía en los tobillos
la señal de las cadenas que un general le había impuesto,
y me contó cómo los encadenados trabajaban en los caminos
y los calabozos donde la gente se perdía. Porque así ha sido
  nuestra América:
una llanura con ríos devorantes y constelaciones
de mariposas (en algunos sitios, las esmeraldas son espesas
  como manzanas),
pero siempre a lo largo de la noche y de los ríos
hay tobillos que sangran, antes cerca del petróleo,
hoy cerca del nitrato, en Pisagua, donde un déspota sucio
ha enterrado la flor de mi patria para que muera, y él pueda
  comerciar con los huesos.
Por eso cantas, por eso, para que América deshonrada y herida
haga temblar sus mariposas y recoja sus esmeraldas

sin la espantosa sangre del castigo, coagulada
en las manos de los verdugos y de los mercaderes.
Yo comprendí qué alegre estarías, cerca del Orinoco,
   cantando,
seguramente, o bien comprando vino para tu casa,
ocupando tu puesto en la lucha y en la alegría,
ancho de hombros, como son los poetas de este tiempo
–con trajes claros y zapatos de camino–.
Desde entonces, he ido pensando que alguna vez te
   escribiría,
y cuando el amigo llegó, todo lleno de historias tuyas
que se le desprendían de todo el traje
y que bajo los castaños de mi casa se derramaron,
me dije: «Ahora», y tampoco comencé a escribirte.
Pero hoy ha sido demasiado: pasó por mi ventana
no sólo un ave del mar, sino millares,
y recogí las cartas que nadie lee y que ellas llevan
por las orillas del mundo hasta perderlas.
Y entonces en cada una leía palabras tuyas
y eran como las que yo escribo y sueño y canto,
y entonces decidí enviarte esta carta, que termino aquí
para mirar por la ventana el mundo que nos pertenece.


## II

A
RAFAEL
ALBERTI
(Puerto de
Santa María,
España)

Rafael, antes de llegar a España me salió al camino
tu poesía, rosa literal, racimo biselado,
y ella hasta ahora ha sido no para mí un recuerdo,
sino luz olorosa, emanación de un mundo.

A tu tierra reseca por la crueldad trajiste
el rocío que el tiempo había olvidado,
y España despertó contigo en la cintura,
otra vez coronada de aljófar matutino.

Recordarás lo que yo traía: sueños despedazados
por implacables ácidos, permanencias

en aguas desterradas, en silencios
de donde las raíces amargas emergían
como palos quemados en el bosque.
Cómo puedo olvidar, Rafael, aquel tiempo?

A tu país llegué como quien cae
a una luna de piedra, hallando en todas partes
águilas del erial, secas espinas,
pero tu voz allí, marinero, esperaba
para darme la bienvenida y la fragancia
del alhelí, la miel de los frutos marinos.

Y tu poesía estaba en la mesa, desnuda.

Los pinares del Sur, las razas de la uva
dieron a tu diamante cortado sus resinas,
y al tocar tan hermosa claridad, mucha sombra
de la que traje al mundo, se deshizo.

Arquitectura hecha en la luz, como los pétalos,
a través de tus versos de embriagador aroma
yo vi el agua de antaño, la nieve hereditaria,
y a ti más que a ninguno debo España.
Con tus dedos toqué panal y páramo,
conocí las orillas gastadas por el pueblo
como por un océano, y las gradas
en que la poesía fue estrellando
toda su vestidura de zafiros.

Tú sabes que no enseña sino el hermano. Y en esa
hora no sólo aquello me enseñaste,
no sólo la apagada pompa de nuestra estirpe,
sino la rectitud de tu destino,
y cuando una vez más llegó la sangre a España
defendí el patrimonio del pueblo que era mío.

Ya sabes tú, ya sabe todo el mundo estas cosas.
Yo quiero solamente estar contigo,

y hoy que te falta la mitad de la vida,
tu tierra, a la que tienes más derecho que un árbol,
hoy que de las desdichas de la patria no sólo
el luto del que amamos, sino tu ausencia cubren
la herencia del olivo que devoran los lobos,
te quiero dar, ay!, si pudiera, hermano grande,
la estrellada alegría que tú me diste entonces.

Entre nosotros dos la poesía
se toca como piel celeste,
y contigo me gusta recoger un racimo,
este pámpano, aquella raíz de las tinieblas.

La envidia que abre puertas en los seres
no pudo abrir tu puerta ni la mía. Es hermoso
como cuando la cólera del viento
desencadena su vestido afuera
y están el pan, el vino y el fuego con nosotros
dejar que aúlle el vendedor de furia,
dejar que silbe el que pasó entre tus pies,
y levantar la copa llena de ámbar
con todo el rito de la transparencia.
Alguien quiere olvidar que tú eres el primero?
Déjalo que navegue y encontrará tu rostro.
Alguien quiere enterrarnos precipitadamente?
Está bien, pero tiene la obligación del vuelo.

Vendrán, pero quién puede sacudir la cosecha
que con la mano del otoño fue elevada
hasta teñir el mundo con el temblor del vino?

Dame esa copa, hermano, y escucha: estoy rodeado
de mi América húmeda y torrencial, a veces
pierdo el silencio, pierdo la corola nocturna,
y me rodea el odio, tal vez nada, el vacío
de un vacío, el crepúsculo
de un perro, de una rana,
y entonces siento que tanta tierra mía nos separe,

y quiero irme a tu casa en que, yo sé, me esperas,
sólo para ser buenos como sólo nosotros
podemos serlo. No debemos nada.

Y a ti sí que te deben, y es una patria: espera.

Volverás, volveremos. Quiero contigo un día
en tus riberas ir embriagados de oro
hacia tus puertos, puertos del Sur que entonces no alcancé.
Me mostrarás el mar donde sardinas
y aceitunas disputan las arenas,
y aquellos campos con los toros de ojos verdes
que Villalón (amigo que tampoco
me vino a ver, porque estaba enterrado)
tenía, y los toneles del jerez, catedrales
en cuyos corazones gongorinos
arde el topacio con pálido fuego.

Iremos, Rafael, adonde yace
aquel que con sus manos y las tuyas
la cintura de España sostenía.
El muerto que no pudo morir, aquel a quien tú guardas,
porque sólo tu existencia lo defiende.
Allí está Federico, pero hay muchos que, hundidos, ente-
    rrados,
entre las cordilleras españolas, caídos
injustamente, derramados,
perdido cereal en las montañas,
son nuestros, y nosotros estamos en su arcilla.

Tú vives porque siempre fuiste un dios milagroso.
A nadie más que a ti te buscaron, querían
devorarte los lobos, romper tu poderío.
Cada uno quería ser gusano en tu muerte.

Pues bien, se equivocaron. Es tal vez la estructura
de tu canción, intacta transparencia,
armada decisión de tu dulzura,

dureza, fortaleza, delicada,
la que salvó tu amor para la tierra.

Yo iré contigo para probar el agua
del Genil, del dominio que me diste,
a mirar en la plata que navega
las efigies dormidas que fundaron
las sílabas azules de tu canto.

Entraremos también en las herrerías: ahora
el metal de los pueblos allí espera
nacer en los cuchillos: pasaremos cantando
junto a las redes rojas que mueve el firmamento.
Cuchillos, redes, cantos borrarán los dolores.
Tu pueblo llevará con las manos quemadas
por la pólvora, como laurel de las praderas,
lo que tu amor fue desgranando en la desdicha.

Sí, de nuestros destierros nace la flor, la forma
de la patria que el pueblo reconquista con truenos,
y no es un día solo el que elabora
la miel perdida, la verdad del sueño,
sino cada raíz que se hace canto
hasta poblar el mundo con sus hojas.
Tú estás allí, no hay nada que no mueva
la luna diamantina que dejaste:

la soledad, el viento en los rincones,
todo toca tu puro territorio,
y los últimos muertos, los que caen
en la prisión, leones fusilados,
y los de las guerrillas, capitanes
del corazón, están humedeciendo
tu propia investidura cristalina,
tu propio corazón con sus raíces.

Ha pasado el tiempo desde aquellos días en que compartimos
dolores que dejaron una herida radiante,
el caballo de la guerra que con sus herraduras
atropelló la aldea destrozando los vidrios.
Todo aquello nació bajo la pólvora,
todo aquello te aguarda para elevar la espiga,
y en ese nacimiento se envolverán de nuevo
el humo y la ternura de aquellos duros días.

Ancha es la piel de España y en ella tu acicate
vive como una espada de ilustre empuñadura,
y no hay olvido, no hay invierno que te borre,
hermano fulgurante, de los labios del pueblo.
Así te hablo, olvidando tal vez una palabra,
contestando al fin cartas que no recuerdas
y que cuando los climas del Este me cubrieron
como aroma escarlata, llegaron
hasta mi soledad.
                        Que tu frente dorada
encuentre en esta carta un día de otro tiempo,
y otro tiempo de un día que vendrá.
                        Me despido
hoy, 1948, dieciséis de diciembre,
en algún punto de América en que canto.


## III

A Cuando la noche devoró los sonidos humanos, y
GONZÁLEZ   desplomó
CARBALHO   su sombra línea a línea,
(En Río de  oímos, en el silencio acrecentado, más allá de los
la Plata)   seres,
            el rumor de río de González Carbalho,
            su agua profunda y permanente, su transcurso que
               parece
            inmóvil como el crecimiento del árbol o del tiempo.

Este gran poeta fluvial acompaña el silencio del mundo,
con sonora austeridad, y el que quiera en medio
de los tráfagos oírlo, que ponga (como lo hace en los
bosques o en los llanos, el explorador extraviado) su oído
sobre la tierra: y aun en medio de la calle, oirá subir
entre los pasos del estruendo, esta poesía: las voces
profundas de la tierra y del agua.

Entonces, bajo la ciudad y su atropello, bajo las lámparas
de falda escarlata, como el trigo que nace, irrumpiendo en
toda latitud, este río que canta.

Sobre su cauce, asustadas aves de
crepúsculo, gargantas de arrebol que dividen el espacio,
hojas purpúreas que descienden.

Todos los hombres que se atrevan a mirar la soledad:
los que toquen la cuerda abandonada, todos los
inmensamente puros, y aquellos que desde la nave escucharon
sal, soledad y noche reunirse,
oirán el coro de González Carbalho surgir alto y cristalino
desde su primavera nocturna.
Recordáis otro? Príncipe de Aquitania: a su torre
abolida,
substituyó en la hora inicial, el rincón de las lágrimas
que el hombre milenario trasvasó copa a copa.
Y que lo sepa aquel que no miró los rostros, el vencedor
o el vencido:
preocupados del viento de zafiro o de la copa amarga:
más allá de la calle y la calle, más allá de una hora,
tocad esas tinieblas, y continuemos juntos.

Entonces, en el mapa desordenado de las pequeñas vidas
con tinta azul: el río, el río de las aguas que cantan,
hecho de la esperanza del padecer perdido,
del agua sin angustia que sube a la victoria.

Mi hermano hizo este río:
de su alto y subterráneo canto se construyeron
estos graves sonidos mojados de silencio.
Mi hermano es este río que rodea las cosas.

Donde estéis, en la noche, de día, de camino,
sobre los desvelados trenes de las praderas,
o junto a la empapada rosa del alba fría,
o más bien
en medio de los trajes, tocando
el torbellino,
caed en tierra, que vuestro rostro reciba
este gran latido de agua secreta que circula.

Hermano, eres el río más largo de la tierra:
detrás del orbe suena tu voz grave de río,
y yo mojo las manos en tu pecho
fiel a un tesoro nunca interrumpido,
fiel a la transparencia de la lágrima augusta,
fiel a la eternidad agredida del hombre.

## IV

A
SILVESTRE
REVUELTAS,
DE MÉXICO,
EN SU
MUERTE
(ORATORIO
MENOR)

Cuando un hombre como Silvestre Revueltas
vuelve definitivamente a la tierra,
hay un rumor, una ola
de voz y llanto que prepara y propaga su partida.
Las pequeñas raíces dicen a los cereales: «Murió
    Silvestre»,
y el trigo ondula su nombre en las laderas
y luego el pan lo sabe.
Todos los árboles de América ya lo saben
y también las flores heladas de nuestra región ártica.

Las gotas de agua lo transmiten,
los ríos indomables de la
                    Araucanía ya saben la noticia.

De ventisquero a lago, de lago a planta,
de planta a fuego, de fuego a humo:
todo lo que arde, canta, florece, baila y revive,
todo lo permanente, alto y profundo de nuestra América lo
    acogen:
pianos y pájaros, sueños y sonido, la red palpitante
que une en el aire todos nuestros climas,
tiembla y traslada el coro funeral.
Silvestre ha muerto, Silvestre ha entrado en su música total,
en su silencio sonoro.

Hijo de la tierra, niño de la tierra, desde hoy entras en el
    tiempo.
Desde hoy tu nombre lleno de música volará cuando se
    toque tu patria, como desde una campana,
con un sonido nunca oído, con el sonido de lo que fuiste,
    hermano.
Tu corazón de catedral nos cubre en este instante, como el
    firmamento,
y tu canto grande y grandioso, tu ternura volcánica,
llena toda la altura como una estatua ardiendo.
Por qué has derramado la vida? Por qué
has vertido
en cada copa tu sangre? Por qué
has buscado
como un ángel ciego, golpeándose contra las puertas oscuras?
Ah, pero de tu nombre sale música
y de tu música, como de un mercado,
salen coronas de laurel fragante
y manzanas de olor y simetría.

En este día solemne de despedida eres tú el despedido,
pero tú ya no oyes,
tu noble frente falta y es como si faltara
un gran árbol en medio de la casa del hombre.

Pero la luz que vemos es otra luz desde hoy,
la calle que doblamos es una nueva calle,

la mano que tocamos desde hoy tiene tu fuerza,
todas las cosas toman vigor en tu descanso
y tu pureza subirá desde las piedras
a mostrarnos la claridad de la esperanza.

Reposa, hermano, el día tuyo ha terminado,
con tu alma dulce y poderosa lo llenaste
de luz más alta que la luz del día
y de un sonido azul como la voz del cielo.
Tu hermano y tus amigos me han pedido
que repita tu nombre en el aire de América,
que lo conozca el toro de la pampa, y la nieve,
que lo arrebate el mar, que lo discuta el viento.

Ahora son las estrellas de América tu patria
y desde hoy tu casa sin puertas es la Tierra.

## V

A MIGUEL Llegaste a mí directamente del Levante. Me traías,
HERNÁNDEZ, pastor de cabras, tu inocencia arrugada,
ASESINADO la escolástica de viejas páginas, un olor
EN LOS a Fray Luis, a azahares, al estiércol quemado
PRESIDIOS sobre los montes, y en tu máscara
DE ESPAÑA la aspereza cereal de la avena segada
y una miel que medía la tierra con tus ojos.

También el ruiseñor en tu boca traías.
Un ruiseñor manchado de naranjas, un hilo
de incorruptible canto, de fuerza deshojada.
Ay, muchacho, en la luz sobrevino la pólvora
y tú, con ruiseñor y con fusil, andando
bajo la luna y bajo el sol de la batalla.

Ya sabes, hijo mío, cuánto no pude hacer, ya sabes
que para mí, de toda la poesía, tú eras el fuego azul.
Hoy sobre la tierra pongo mi rostro y te escucho,
te escucho, sangre, música, panal agonizante.

No he visto deslumbradora raza como la tuya,
ni raíces tan duras, ni manos de soldado,
ni he visto nada vivo como tu corazón
quemándose en la púrpura de mi propia bandera.

Joven eterno, vives, comunero de antaño,
inundado por gérmenes de trigo y primavera,
arrugado y oscuro como el metal innato,
esperando el minuto que eleve tu armadura.

No estoy solo desde que has muerto. Estoy con los que te
    buscan.
Estoy con los que un día llegarán a vengarte.
Tú reconocerás mis pasos entre aquellos
que se despeñarán sobre el pecho de España
aplastando a Caín para que nos devuelva
los rostros enterrados.
Que sepan los que te mataron que pagarán con sangre.
Que sepan los que te dieron tormento que me verán un día.
Que sepan los malditos que hoy incluyen tu nombre
en sus libros, los Dámasos, los Gerardos, los hijos
de perra, silenciosos cómplices del verdugo,
que no será borrado tu martirio, y tu muerte
caerá sobre toda su luna de cobardes.
Y a los que te negaron en su laurel podrido,
en tierra americana, el espacio que cubres
con tu fluvial corona de rayo desangrado,
déjame darles yo el desdeñoso olvido
porque a mí me quisieron mutilar con tu ausencia.

   Miguel, lejos de la prisión de Osuna, lejos
   de la crueldad, Mao Tse-tung dirige
   tu poesía despedazada en el combate
   hacia nuestra victoria.
                    Y Praga rumorosa
construyendo la dulce colmena que cantaste,
Hungría verde limpia sus graneros
y baila junto al río que despertó del sueño.

Y de Varsovia sube la sirena desnuda
que edifica mostrando su cristalina espada.

Y más allá la tierra se agiganta,
                      la tierra
que visitó tu canto, y el acero
que defendió tu patria están seguros,
acrecentados sobre la firmeza
de Stalin y sus hijos.
                      Ya se acerca
la luz a tu morada.
                      Miguel de España, estrella
de tierras arrasadas, no te olvido, hijo mío,
no te olvido, hijo mío!
                      Pero aprendí la vida
con tu muerte: mis ojos se velaron apenas,
y encontré en mí no el llanto,
sino las armas
inexorables!
                      Espéralas! Espérame!

## XIII

## CORAL DE AÑO NUEVO PARA LA PATRIA EN TINIEBLAS

### I

SALUDO  Feliz año, chilenos, para la patria en tinieblas,
(1949)  feliz año para todos, para cada uno menos uno,
somos tan pocos, feliz año, compatriotas, hermanos,
hombres, mujeres, niños, hoy a Chile, a vosotros
vuela mi voz, golpea como un pájaro ciego
tu ventana, y te llama desde lejos.

Patria, el verano cubre tu cuerpo dulce y duro.
Las aristas de donde se ha marchado la nieve
galopando al océano con labios turbulentos,
se ven azules y altas como carbón del cielo.
Tal vez hoy, a esta hora, llevas la verde túnica
que adoro, bosques, aguas, y en la cintura el trigo.
Y junto al mar, amada patria marina, mueves
tu universo irisado de arenas y de ostras.

Tal vez tal vez... Quién soy para tocar de lejos
tu nave, tu perfume? Soy parte tuya: círculo
secreto de madera sorprendido en tus árboles,
crecimiento callado como tu suave azufre,
estentórea ceniza de tu alma subterránea.
Cuando salí de ti perseguido, erizado
de barbas y pobreza, sin ropa, sin papel
para escribir las letras que son mi vida, sin
nada más que un pequeño saco, traje dos libros
y una sección de espino recién cortada al árbol.

(Los libros: una Geografía
y el Libro de las Aves de Chile.)

Todas las noches leo tu descripción, tus ríos:
ellos guían mi sueño, mi exilio, mi frontera.
Toco tus trenes, paso la mano a tus cabellos,
me detengo a pensar en la ferruginosa
piel de tu geografía, bajo los ojos
a la lunaria esfera de arrugas y de cráteres,
y hacia el Sur mientras duermo va mi silencio envuelto
en tus finales truenos de sal desmoronada.

Cuando despierto (es otro el aire, la luz, otra
la calle, el campo, las estrellas) toco
la rodaja de espino tuyo que me acompaña,
cortada en Melipilla de un árbol que me dieron.

Y miro en la coraza del espino tu nombre,
áspero Chile, patria, corazón de corteza,
veo en su forma dura como la tierra, el rostro
de los que amo y me dieron sus manos como espinos,
los hombres del desierto, del nitrato y el cobre.

El corazón del árbol espinoso
es un círculo liso como un metal bruñido,
ocre como una mancha de dura sangre seca,
rodeada por un iris azufrado de leña,
y tocando este puro prodigio de la selva,
recuerdo sus hostiles y ensortijadas flores
cuando por las guirnaldas espinudas y espesas
el perfume violento de su fuerza te arroja.
Y así vidas y olores de mi país me siguen,
viven conmigo, encienden su terca llamarada
dentro de mí, gastándome y naciendo.
En otras tierras miran a través de mi ropa,
me ven como una lámpara que pasa por las calles,
dando una luz marina que traspasa las puertas:
es la espada encendida que me diste y que guardo,
como el espino, pura, poderosa, indomable.

## II

LOS
HOMBRES
DE
PISAGUA

Pero la mano que te acaricia se detiene
junto al desierto, al borde de la costa marítima,
en un mundo azotado por la muerte.
Eres tú, Patria, eres ésta, éste es tu rostro?
Este martirio, esta corona roja
de alambres oxidados por el agua salobre?
Es Pisagua también tu rostro ahora?
Quién te hizo daño, cómo atravesaron
con un cuchillo tu desnuda miel?

Antes que a nadie, a ellos mi saludo,
a los hombres, al plinto de dolores,
a las mujeres, ramas de mañío,
a los niños, escuelas transparentes,
que sobre las arenas de Pisagua
fueron la patria perseguida, fueron
todo el honor de la tierra que amo.
Será el honor sagrado de mañana
haber sido arrojado a tus arenas,
Pisagua: haber sido de pronto
recogido a la noche del terror
por orden de un felón envilecido
y haber llegado a tu calcáreo infierno
por defender la dignidad del hombre.

No olvidaré tu costa muerta donde
del mar hostil la sucia dentellada
ataca las paredes del tormento
y a pique se levantan los baluartes
de los pelados cerros infernales:
no olvidaré cómo miráis las aguas
hacia el mundo que olvida vuestros rostros,
no olvidaré cuando con ojos llenos
de interrogante luz, volvéis la cara
hacia las tierras pálidas de Chile
dominadas por lobos y ladrones.

Sé cómo os han tirado la comida,
como a perros sarnosos, en el suelo,
hasta que hicisteis de pequeñas latas
vacías vuestros platos:
sé cómo os arrojaron a dormir
y cómo en fila recibisteis,
ceñudos y valientes,
los inmundos frijoles
que tantas veces a la arena echasteis.
Sé cómo, cuando recibíais
ropa, alimentos que de toda
la extensión de la patria se juntaron,
sentisteis con orgullo
que tal vez, que tal vez no estabais solos.
Valientes, acerados compatriotas
que dais un nuevo sentido a la tierra:
os escogieron en la cacería,
para que por vosotros todo el pueblo
sufriera en desterrados arenales.
Y escogieron infierno examinando
el mapa, hasta que hallaron
esta salobre cárcel, estos muros
de soledad, de sobrecogedora
angustia, para que machacarais la cabeza
bajo los pies del ínfimo tirano.

Pero no hallaron su propia materia:
no estáis hechos de estiércol como el pútrido,
agusanado traidor: mintieron
sus informes, hallaron
la firmeza metálica del pueblo,
el corazón del cobre y su silencio.

    Es el metal que fundará la patria
    cuando el viento del pueblo enarenado
    expulse al capitán de la basura.

Firmes, firmes, hermanos,
firmes cuando en camiones, agredidos,
de noche en las cabañas, empujados,
amarrados los brazos con alambre,
sin despertar, apenas sorprendidos
y atropellados, fuisteis a Pisagua,
llevados por armados carceleros.

Después volvieron ellos
y llenaron camiones con familias
desamparadas, golpeando a los niños.

Y un llanto de hijos dulces aparece
aún en la noche del desierto, un llanto
de millares de bocas infantiles,
como un coro que busca el duro viento
para que oigamos, para que no olvidemos.

### III

LOS     Félix Morales, Ángel Veas,
HÉROES  asesinados en Pisagua,
        feliz año nuevo, hermanos,
        bajo la dura tierra que amasteis,
        que defendisteis. Hoy estáis
        bajo los salares que crujen
        diciendo vuestros nombres puros,
        bajo las rosas extendidas
        del salitre, bajo la arena
        cruel del desierto ilimitado.

        Feliz año nuevo, hermanos
        míos, cuánto amor
        me habéis enseñado, cuánta
        extensión sobre la ternura
        habéis abarcado en la muerte!

Sois como las islas que nacen
de pronto en medio del océano
sustentadas por el espacio
y la firmeza submarina.

Yo aprendí el mundo de vosotros:
la pureza, el pan infinito.
Me mostrasteis la vida, el área
de la sal, la cruz de los pobres.
Crucé las vidas del desierto
como un barco en un mar oscuro
y me mostrabais a mi lado
los trabajos del hombre, el suelo,
la casa andrajosa, el silbido
de la miseria en las llanuras.

Félix Morales, te recuerdo
pintando un retrato alto, fino,
esbelto y joven como un nuevo
tamarugo, en las extensiones
sedientas de la pampa.

Tu melena bravía golpeaba
tu frente pálida, pintabas
el retrato de un demagogo
para las próximas elecciones.

Te recuerdo dando la vida
en tu pintura, encaramado
en la escalera, resumiendo
toda su dulce juventud.

Ibas haciendo la sonrisa
de tu verdugo en la tela,
agregando blanco, midiendo,
añadiendo luz a la boca
que ordenó después tu agonía.

Ángel, Ángel, Ángel Veas,
obrero de la pampa, puro
como el metal desenterrado,
ya te asesinaron, ya estás
donde quisieron que estuvieras
los amos del suelo de Chile:
bajo las piedras devoradoras
que con tus manos tantas veces
levantaste hacia la grandeza.

Nada más puro que tu vida.

Sólo los párpados del aire.

Sólo las madres del agua.

Sólo el metal inaccesible.

Llevaré por la vida entera
el honor de haber estrechado
tu noble mano combatiente.

Eras tranquilo, eras madera
educada en el sufrimiento
hasta ser herramienta pura.
Te recuerdo cuando se honraba
la Intendencia de Iquique contigo,
trabajador, asceta, hermano.

Faltaba pan, harina. Entonces
te levantabas antes del alba
y con tus manos repartías
el pan para todos. Nunca
te vi más grande, eras el pan,
eras el pan del pueblo, abierto
con tu corazón en la tierra.

Y cuando tarde en la jornada
volvías cargando el volumen
del día de lucha terrible,
sonreías como la harina,
entrabas a tu paz de pan,
y te repartías de nuevo,
hasta que el sueño reunía
tu desgranado corazón.

## IV

GONZÁLEZ Quién fue? Quién es? Donde estoy, me preguntan
VIDELA en otras tierras en donde voy errante.
En Chile no preguntan, los puños hacia el viento,
los ojos en las minas se dirigen a un punto,
a un vicioso traidor que con ellos lloraba
cuando pidió sus votos para trepar al trono.
Lo vieron estos hombres de Pisagua, los bravos
titanes del carbón: derramaba las lágrimas,
se sacaba los dientes prometiendo,
abrazaba y besaba a los niños que ahora
se limpian con arena la huella de su pústula.
En mi pueblo, en mi tierra lo conocemos. Duerme
el labrador pensando cuándo sus duras manos
podrán rodear su cuello de perro mentiroso,
y el minero en la sombra de su cueva intranquila
estira el pie soñando que aplastó con la planta
a este piojo maligno, degradado insaciable.

Sabe quién es el que habla detrás de una cortina
de bayonetas, o detrás de animales de feria,
o detrás de los nuevos mercaderes,
pero nunca detrás del pueblo que lo busca
para hablar una hora con él, su última hora.

A mi pueblo arrancó su esperanza, sonriendo
la vendió en las tinieblas a su mejor postor,

y en vez de casas frescas y libertad, lo hirieron,
lo apalearon en la garganta de la mina,
le dictaron salario detrás de una cureña,
mientras una tertulia gobernaba bailando
con dientes afilados de caimanes nocturnos.

## V

YO NO   Pero tú no sufriste? Yo no sufrí. Yo sufro
SUFRÍ   sólo los sufrimientos de mi pueblo. Yo vivo
adentro, adentro de mi patria, célula
de su infinita y abrasada sangre.
No tengo tiempo para mis dolores.
Nada me hace sufrir sino estas vidas
que a mí me dieron su confianza pura,
y que un traidor hizo rodar al fondo
del agujero muerto, desde donde
hay que volver a levantar la rosa.
Cuando el verdugo presionó a los jueces
para que condenaran
mi corazón, mi enjambre decidido,
el pueblo abrió su laberinto inmenso,
el sótano en que duermen sus amores,
y allí me sostuvieron, vigilando
hasta la entrada de la luz y el aire.
Me dijeron: «Te debes a nosotros,
eres el que pondrá la marca fría
sobre los sucios nombres del malvado».
Y no sufrí sino no haber sufrido.
Sino no haber recorrido las oscuras
cárceles de mi hermano y de mi hermano,
con toda mi pasión como una herida,
y cada paso roto a mí rodaba,
cada golpe en tu espalda me golpeaba,
cada gota de sangre del martirio
resbaló hacia mi canto que sangraba.

# VI

EN ESTE
TIEMPO Feliz año... Hoy tú que tienes
mi tierra a tus dos lados, feliz eres, hermano.
Yo soy errante hijo de lo que amo.
Respóndeme, piensa que estoy contigo
preguntándote, piensa que soy el viento de enero,
viento Puelche, viento viejo de las montañas
que cuando abres la puerta te visita
sin entrar, aventando sus rápidas preguntas.
Dime, has entrado a un campo de trigo o de cebada,
están dorados? Háblame de un día de ciruelas.
Lejos de Chile pienso en un día redondo,
morado, transparente, de azúcar en racimos,
y de granos espesos y azules que gotean
en mi boca sus copas cargadas con delicia.
Dime, mordiste hoy la grupa pura
de un durazno, llenándote de inmortal ambrosía,
hasta que fuiste fuente tú también de la tierra,
fruto y fruto entregados al esplendor del mundo?

# VII

ANTES
ME
HABLARON Por estas mismas tierras forasteras anduve
en otro tiempo: el nombre de mi patria brillaba
como los constelados secretos de su cielo.
El perseguido en todas las latitudes, ciego,
abrumado por la amenaza y la ignominia,
me tocaba las manos, me decía: «chileno»
con una voz teñida por la esperanza. Entonces
tu voz tenía el eco de un himno, eran pequeñas
tus manos arenosas, Patria, pero cubrieron
más de una herida, rescataron
más de una primavera desolada.
Llevas guardada toda esa esperanza,
reprimida en tu paz, bajo la tierra,

ancha semilla para todo el hombre,
resurrección segura de la estrella.

## VIII

LAS
VOCES
DE CHILE

Antes la voz de Chile fue metálica
voz de la libertad, de viento y plata,
antes sonó en la altura
del planeta recién cicatrizado,
de nuestra América agredida
por matorrales y centauros.
Hasta la nieve intacta, en el desvelo,
subió tu coro de hojas honorables,
el canto de aguas libres de tus ríos,
la majestad azul de tu decoro.
Era Isidoro Errázuriz vertiendo
su combatiente estrella cristalina,
sobre pueblos oscuros y amarrados,
era Bilbao con su frente
de pequeño planeta tumultuoso,
fue Vicuña Mackenna transportando
su innumerable y germinal follaje
preñado de señales y semillas
por otros pueblos en que la ventana
fue cerrada a la luz. Ellos entraron
y encendieron la lámpara en la noche,
y en el amargo día de otros pueblos
fueron la luz más alta de la nieve.

## IX

LOS
MENTIROSOS

Hoy se llaman Gajardo, Manuel Trucco,
Hernán Santa Cruz, Enrique Berstein,
Germán Vergara, los que –previo pago–
dicen hablar, oh Patria, en tu sagrado
nombre y pretenden defenderte hundiendo

tu herencia de león en la basura.
Enanos amasados como píldoras
en la botica del traidor, ratones
del presupuesto, mínimos
mentirosos, cicateros
de nuestra fuerza, pobres
mercenarios de manos extendidas
y lenguas de conejos calumniosos.
No son mi patria, lo declaro
a quien me quiera oír en estas tierras,
no son el hombre grande del salitre,
no son la sal del pueblo transparente,
no son las lentas manos que construyen
el monumento de la agricultura,
no son, no existen, mienten y razonan
para seguir, sin existir, cobrando.

## X

SERÁN
NOMBRADOS
Mientras escribo mi mano izquierda me reprocha.
Me dice: por qué los nombras, qué son, qué sig-
nifican?
Por qué no los dejaste en su anónimo lodo
de invierno, en ese lodo que orinan los caballos?
Y mi mano derecha le responde: «Nací
para golpear las puertas, para empuñar los golpes,
para encender las últimas y arrinconadas sombras
en donde se alimenta la araña venenosa».
Serán nombrados. No me entregaste, Patria,
el dulce privilegio de nombrarte
sólo en tus alhelíes y espuma,
no me diste palabras, Patria, para llamarte
sólo con nombres de oro, de polen, de fragancia,
para esparcir sembrando las gotas de rocío
que caen de tu negra cabellera imperiosa:
me diste con la leche y la carne las sílabas
que nombrarán también los pálidos gusanos

que viajan en tu vientre,
los que acosan tu sangre saqueándote la vida.

## XI

LOS
GUSANOS
DEL
BOSQUE

Algo del bosque antiguo cayó, fue la tormenta
tal vez, purificando crecimientos y capas,
y en los troncos caídos fermentaron los hongos,
las babosas cruzaron sus hilos nauseabundos,
y la madera muerta que cayó de la altura
se llenó de agujeros y larvas espantosas.
Así está tu costado, Patria, la desdichada
gobernación de insectos que pueblan tus heridas,
los gruesos traficantes, que mastican alambre,
los que desde Palacio negocian con el oro,
los gusanos que juntan micros y pesquerías,
los que te roen algo cubierto por el manto
del traidor que baila su samba enardecida,
el periodista que encarcela a sus camaradas,
el sucio delator que hace gobierno,
el cursi que se adueña de una revista cursi
con el oro robado a los yaganes,
el almirante tonto como un tomate, el gringo
que escupe a sus vasallos una bolsa con dólares.

## XII

PATRIA,
TE
QUIEREN
REPARTIR

«Lo llamaban chileno», dicen de mí estas larvas.
Quieren quitarme patria bajo los pies, desean
cortarte para ellos como baraja sucia
y repartirte entre ellos como carne grasienta.
No los amo. Ellos creen que ya te tienen muerta,
cuarteada, y en la orgía de sus designios sucios
te gastan como dueños. No los amo. A mí déjame
amarte en tierra y pueblo, déjame perseguir
mi sueño en tus fronteras marinas y nevadas,

déjame recoger todo el perfume amargo
tuyo que en una copa llevo por los caminos,
pero no puedo estar con ellos, no me pidas
cuando muevas los hombros y caigan en el suelo
con sus germinaciones de animales podridos,
no me pidas que crea que son tus hijos. Es otra
la madera sagrada de mi pueblo.

                Mañana
serás en tu angostura de embarcación ceñida,
entre tus dos mareas de océano y de nieve,
la más amada, el pan, la tierra, el hijo.
De día el noble rito del tiempo libertado,
de noche la entidad estrellada del cielo.

## XIII

reciben Pero detrás de todos ellos hay que buscar, hay algo
órdenes detrás de los traidores y las ratas que roen,
contra hay un imperio que pone la mesa,
chile que sirve las comidas y las balas.
Quieren hacer de ti lo que logran en Grecia.
Los señoritos griegos en el banquete, y balas
al pueblo en las montañas: hay que extirpar el vuelo
de la nueva Victoria de Samotracia, hay que ahorcar,
matar, perder, hundir el cuchillo asesino
empuñado en New York, hay que romper con fuego
el orgullo del hombre que asomaba
por todas partes como si naciera
de la tierra regada por la sangre.
Hay que armar a Chiang y al ínfimo Videla,
hay que darles dinero para cárceles, alas
para que bombardeen compatriotas, hay que darles
un mendrugo, unos dólares, ellos hacen el resto,
ellos mienten, corrompen, bailan sobre los muertos
y sus esposas lucen los «visones» más caros.
No importa la agonía del pueblo, este martirio
necesitan los amos dueños del cobre: hay hechos:

los generales dejan el ejército y sirven
de asistentes al *Staff* en Chuquicamata,
y en el salitre el general «chileno»
manda con su charrasca cuánto deben pedir
como alza de salario los hijos de la pampa.
Así mandan de arriba, de la bolsa con dólares,
así recibe la orden del enano traidor,
así los generales hacen de policías,
así se pudre el tronco del árbol de la patria.


## XIV

RECUERDO   Chileno, has ido al mar en este tiempo?
EL MAR   Anda en mi nombre, moja tus manos y levántalas
y yo desde otras tierras adoraré esas gotas
que caen desde el agua infinita en tu rostro.
Yo conozco, he vivido toda la costa mía,
el grueso mar del Norte, de los páramos, hasta
el peso tempestuoso de la espuma en las islas.
Recuerdo el mar, las cosas agrietadas y férreas
de Coquimbo, las aguas altaneras de Tralca,
las solitarias olas del Sur, que me crearon.
Recuerdo en Puerto Montt o en las islas, de noche,
al volver por la playa, la embarcación que espera,
y nuestros pies dejaban en sus huellas el fuego,
las llamas misteriosas de un dios fosforescente.
Cada pisada era un reguero de fósforo.
Íbamos escribiendo con estrellas la tierra.
Y en el mar resbalando la barca sacudía
un ramaje de fuego marino, de luciérnagas,
una ola innumerable de ojos que despertaban
una vez y volvían a dormir en su abismo.

# XV

NO HAY
PERDÓN

Yo quiero tierra, fuego, pan, azúcar, harina,
mar, libros, patria para todos, por eso
ando errante: los jueces del traidor me persiguen
y sus turiferarios tratan, como los micos
amaestrados, de encharcar mi recuerdo.
Yo fui con él, con éste que preside, a la boca
de la mina, al desierto de la aurora olvidada,
yo fui con él y dije a mis pobres hermanos:
«No guardaréis los hilos de la ropa harapienta,
no tendréis este día sin pan, seréis tratados
como si fuerais hijos de la patria». «Ahora
vamos a repartir la belleza, y los ojos
de las mujeres no llorarán por sus hijos.»
Y cuando en vez de amor repartido, en la noche
al hambre y al martirio sacaron a ese mismo,
a ese que lo escuchó, a ese que su fuerza
y su ternura de árbol poderoso entregara,
entonces yo no estuve con el pequeño sátrapa,
sino con aquel hombre sin nombre, con mi pueblo.
Yo quiero mi país para los míos, quiero
la luz igual sobre la cabellera
de mi patria encendida,
quiero el amor del día y del arado,
quiero borrar la línea que con odio
hacen para apartar el pan del pueblo,
y al que desvió la línea de la patria
hasta entregarla como carcelero,
atada, a los que pagan por herirla,
yo no voy a cantarlo ni callarlo,
voy a dejar su número y su nombre
clavado en la pared de la deshonra.

# XVI

TÚ  Este año nuevo, compatriota, es tuyo.
LUCHARÁS  Ha nacido de ti más que del tiempo, escoge
lo mejor de tu vida y entrégalo al combate.
Este año que ha caído como un muerto en su
    tumba
no puede reposar con amor y con miedo.
Este año muerto es año de dolores que acusan.
Y cuando sus raíces amargas en la hora
de la fiesta, en la noche, se desprendan y caigan
y suba otro cristal ignorado al vacío
de un año que tu vida llenara poco a poco,
dale la dignidad que requiere mi patria,
la tuya, esta angostura de volcanes y vinos.
Ya no soy ciudadano de mi país: me escriben
que el *clown* indecoroso que gobierna ha borrado
con otros miles de nombres el mío
de las listas que eran la ley de la República.
Mi nombre está borrado para que yo no exista,
para que el torvo buitre de la mazmorra vote
y voten los bestiales encargados que dan
los golpes y el tormento en los sótanos
del gobierno, para que voten bien garantizados
los mayordomos, caporales, socios
del negociante que entregó la Patria.
Yo estoy errante, vivo la angustia de estar lejos
del preso y de la flor, del hombre y de la tierra,
pero tú lucharás para cambiar la vida.
Tú lucharás para borrar la mancha
de estiércol sobre el mapa, tú lucharás sin duda
para que la vergüenza de este tiempo termine
y se abran las prisiones del pueblo y se levanten
las alas de la victoria traicionada.

# XVII

FELIZ Feliz año, este año, para ti, para todos
AÑO los hombres, y las tierras, Araucanía amada.
PARA MI Entre tú y mi existencia hay esta noche nueva
PATRIA EN que nos separa, y bosques y ríos y caminos.
TINIEBLAS Pero hacia ti, pequeña patria mía,
como un caballo oscuro mi corazón galopa:
entro por sus desiertos de pura geografía,
paso los valles verdes donde la uva acumula
sus verdes alcoholes, el mar de sus racimos.
Entro en tus pueblos de jardín cerrado,
blancos como camelias en el agrio
olor de tus bodegas, y penetro
como un madero al agua de los ríos que tiemblan
trepidando y cantando con labios desbordados.

Recuerdo, en los caminos, tal vez en este tiempo,
o más bien en otoño, sobre las casas dejan
las mazorcas doradas del maíz a secarse,
y cuántas veces fui como un niño arrobado
viendo el oro en los techos de los pobres.

Te abrazo, debo ahora
retornar a mi sitio escondido. Te abrazo
sin conocerte: dime quién eres, reconoces
mi voz en el coro de lo que está naciendo?
Entre todas las cosas que te rodean, oyes
mi voz, no sientes cómo te rodea mi acento
emanado como agua natural de la tierra?

Soy yo que abrazo toda la superficie dulce,
la cintura florida de mi patria y te llamo
para que hablemos cuando se apague la alegría
y entregarte esta hora como una flor cerrada.
Feliz año nuevo para mi patria en tinieblas.
Vamos juntos, está el mundo coronado de trigo,

el alto cielo corre deslizando y rompiendo
sus altas piedras puras contra la noche; apenas
se ha llenado la nueva copa con un minuto
que ha de juntarse al río del tiempo que nos lleva.
Este tiempo, esta copa, esta tierra son tuyos:
conquístalos y escucha cómo nace la aurora.

## XIV

## EL GRAN OCÉANO

### I

EL GRAN
OCÉANO Si de tus dones y de tus destrucciones, Océano, a mis
manos
pudiera destinar una medida, una fruta, un fermento,
escogería tu reposo distante, las líneas de tu acero,
tu extensión vigilada por el aire y la noche,
y la energía de tu idioma blanco
que destroza y derriba sus columnas
en su propia pureza demolida.

No es la última ola con su salado peso
la que tritura costas y produce
la paz de arena que rodea el mundo:
es el central volumen de la fuerza,
la potencia extendida de las aguas,
la inmóvil soledad llena de vidas.
Tiempo, tal vez, o copa acumulada
de todo movimiento, unidad pura
que no selló la muerte, verde víscera
de la totalidad abrasadora.

Del brazo sumergido que levanta una gota
no queda sino un beso de la sal. De los cuerpos
del hombre en tus orillas una húmeda fragancia
de flor mojada permanece. Tu energía
parece resbalar sin ser gastada,
parece regresar a su reposo.

La ola que desprendes,
arco de identidad, pluma estrellada,
cuando se despeñó fue sólo espuma,
y regresó a nacer sin consumirse.

Toda tu fuerza vuelve a ser origen.
Sólo entregas despojos triturados,
cáscaras que apartó tu cargamento,
lo que expulsó la acción de tu abundancia,
todo lo que dejó de ser racimo.

Tu estatua está extendida más allá de las olas.

Viviente y ordenada como el pecho y el manto
de un solo ser y sus respiraciones,
en la materia de la luz izadas,
llanuras levantadas por las olas,
forman la piel desnuda del planeta.
Llenas tu propio ser con tu substancia.

Colmas la curvatura del silencio.

Con tu sal y tu miel tiembla la copa,
la cavidad universal del agua,
y nada falta en ti como en el cráter
desollado, en el vaso cerril:
cumbres vacías, cicatrices, señales
que vigilan el aire mutilado.

Tus pétalos palpitan contra el mundo,
tiemblan tus cereales submarinos,
las suaves ovas cuelgan su amenaza,
navegan y pululan las escuelas,
y sólo sube al hilo de las redes
el relámpago muerto de la escama,
un milímetro herido en la distancia
de tus totalidades cristalinas.

## II

Cuando se transmutaron las estrellas
en tierra y en metal, cuando apagaron
la energía y volcada fue la copa
de auroras y carbones, sumergida
la hoguera en sus moradas,
el mar cayó como una gota ardiendo
de distancia en distancia, de hora en hora:
su fuego azul se convirtió en esfera,
el aire de sus ruedas fue campana,
su interior esencial tembló en la espuma,
y en la luz de la sal fue levantada
la flor de su espaciosa autonomía.

Mientras que como lámparas letárgicas
dormían las estrellas segregadas
adelgazando su pureza inmóvil,
el mar llenó de sal y mordeduras
su magnitud, pobló de llamaradas
y movimientos la extensión del día,
creó la tierra y desató la espuma,
dejó rastros de goma en sus ausencias,
invadió con estatuas el abismo,
y en sus orillas se fundó la sangre.

Estrella de oleajes, agua madre,
madre materia, médula invencible,
trémula iglesia levantada en lodo:
la vida en ti palpó piedras nocturnas,
retrocedió cuando llegó a la herida,
avanzó con escudos y diademas,
extendió dentaduras transparentes,
acumuló la guerra en su barriga.
Lo que formó la oscuridad quebrada
por la substancia fría del relámpago,
Océano, en tu vida está viviendo.

La tierra hizo del hombre su castigo.
Dimitió bestias, abolió montañas,
escudriñó los huevos de la muerte.

Mientras tanto, en tu edad sobrevivieron
las aspas del trascurso sumergido
y la creada magnitud mantiene
las mismas esmeraldas escamosas,
los abetos hambrientos que devoran
con bocas azuladas de sortija,
el cabello que absorbe ojos ahogados,
la madrépora de astros combatientes
y en la fuerza aceitada del cetáceo
se desliza la sombra triturando.
Se construyó la catedral sin manos,
con golpes de marea innumerable,
la sal se adelgazó como una aguja,
se hizo lámina de agua incubadora,
y seres puros, recién extendidos,
pulularon tejiendo las paredes
hasta que como nidos agrupados
con el gris atavío de la esponja,
se deslizó la túnica escarlata,
vivió la apoteosis amarilla,
creció la flor calcárea de amaranto.

Todo era ser, substancia temblorosa,
pétalos carniceros que mordían,
acumulada cantidad desnuda,
palpitación de plantas seminales,
sangría de las húmedas esferas,
perpetuo viento azul que derribaba
los límites abruptos de los seres.
Y así la luz inmóvil fue una boca
y mordió su morada pedrería.
Fue, Océano, la forma menos dura,
la translúcida gruta de la vida,
la masa existencial, deslizadora

de racimos, las telas del ovario,
los germinales dientes derramados,
las espadas del suero matutino,
los órganos acerbos del enlace:
todo en ti palpitó llenando el agua
de cavidades y estremecimientos.
Así la copa de las vidas tuvo
su turbulento aroma, sus raíces,
y estrellada invasión fueron las olas:
cintura y plenitud sobrevivieron,
penacho y latitud enarbolaron
los huéspedes dorados de la espuma.
Y tembló para siempre en las orillas
la voz del mar, los tálamos del agua,
la huracanada piel derribadora,
la leche embravecida de la estrella.

### III

LOS PECES    De pronto vi pobladas las regiones
Y EL    de intensidad, de formas aceradas,
AHOGADO    bocas como una línea que cortaba,
relámpagos de plata sumergida,
peces de luto, peces ojivales,
peces de firmamento tachonado,
peces cuyos lunares resplandecen,
peces que cruzan como escalofríos,
blanca velocidad, ciencias delgadas
de la circulación, bocas ovales
de la carnicería y el aumento.

Hermosa fue la mano o la cintura
que rodeada de luna fugitiva
vio trepidar la población pesquera,
húmedo río elástico de vidas,
crecimiento de estrella en las escamas,
ópalo seminal diseminado
en la sábana oscura del océano.

Vio arder las piedras de plata que mordían,
estandartes de trémulo tesoro,
y sometió su sangre descendiendo
a la profundidad devoradora,
suspendido por bocas que recorren
su torso con sortijas sanguinarias
hasta que desgreñado y dividido
como espiga sangrienta, es un escudo
de la marea, un traje que trituran
las amatistas, una herencia herida
bajo el mar, en el árbol numeroso.


## IV

LOS
HOMBRES
Y LAS
ISLAS

Los hombres oceánicos despertaron, cantaban
las aguas en las islas, de piedra en piedra verde:
las doncellas textiles cruzaban el recinto
en que el fuego y la lluvia entrelazados
procreaban diademas y tambores.
                                    La luna melanésica
fue una dura madrépora, las flores azufradas
venían del océano, las hijas
de la tierra temblaban como olas
en el viento nupcial de las palmeras
y entraron a la carne los arpones
persiguiendo las vidas de la espuma.

Canoas balanceadas en el día desierto,
desde las islas como puntos de polen hacia
la metálica masa de América nocturna:
diminutas estrellas sin nombre, perfumadas
como manantiales secretos, rebosantes
de plumas y corales, cuando
los ojos oceánicos descubrieron la altura
sombría de la costa del cobre, la escarpada
torre de nieve, y los hombres de arcilla
vieron bailar los estandartes húmedos

y los ágiles hijos atmosféricos
de la remota soledad marina,
llegó la rama
del azahar perdido, vino el viento
de la magnolia oceánica, la dulzura
del acicate azul en las caderas,
el beso de las islas sin metales,
puras como la miel desordenada,
sonoras como sábanas del cielo.


## V

RAPA   Tepito-Te-Henúa, ombligo del mar grande,
NUI   taller del mar, extinguida diadema.
De tu lava escorial subió la frente
del hombre más arriba del Océano,
los ojos agrietados de la piedra
midieron el ciclónico universo,
y fue central la mano que elevaba
la pura magnitud de tus estatuas.

Tu roca religiosa fue cortada
hacia todas las líneas del Océano
y los rostros del hombre aparecieron
surgiendo de la entraña de las islas,
naciendo de los cráteres vacíos
con los pies enredados al silencio.

Fueron los centinelas y cerraron
el ciclo de las aguas que llegaban
desde todos los húmedos dominios,
y el mar frente a las máscaras detuvo
sus tempestuosos árboles azules.
Nadie sino los rostros habitaron
el círculo del reino. Era callado
como la entrada de un planeta, el hilo
que envolvía la boca de la isla.

Así, en la luz del ábside marino
la fábula de piedra condecora
la inmensidad con sus medallas muertas,
y los pequeños reyes que levantan
toda esta solitaria monarquía
para la eternidad de las espumas,
vuelven al mar en la noche invisible,
vuelven a sus sarcófagos de sal.

Sólo el pez luna que murió en la arena.

Sólo el tiempo que muerde los moais.

Sólo la eternidad en las arenas
conocen las palabras:
la luz sellada, el laberinto muerto,
las llaves de la copa sumergida.

## VI

LOS CONSTRUCTORES DE ESTATUAS (Rapa Nui)

Yo soy el constructor de las estatuas. No tengo nombre.
No tengo rostro. El mío se desvió hasta correr
sobre la zarza y subir impregnando las piedras.
Ellas tienen mi rostro petrificado, la grave
soledad de mi patria, la piel de Oceanía.

Nada quieren decir, nada quisieron
sino nacer con todo su volumen de arena,
subsistir destinadas al tiempo silencioso.

Tú me preguntarás si la estatua en que tantas
uñas y manos, brazos oscuros fui gastando,
te reserva una sílaba del cráter, un aroma
antiguo, preservado por un signo de lava?

No es así, las estatuas son lo que fuimos, somos
nosotros, nuestra frente que miraba las olas,
nuestra materia a veces interrumpida, a veces
continuada en la piedra semejante a nosotros.

Otros fueron los dioses pequeños y malignos,
peces, pájaros que entretuvieron la mañana,
escondiendo las hachas, rompiendo la estatura
de los más altos rostros que concibió la piedra.

Guarden los dioses el conflicto, si lo quieren,
de la cosecha postergada, y alimenten
el azúcar azul de la flor en el baile.

Suban ellos y bajen la llave de la harina:
empapen ellos todas las sábanas nupciales
con el polen mojado que imperceptible danza
adentro de la roja primavera del hombre,
pero hasta estas paredes, a este cráter, no vengas
sino tú, pequeñito, mortal, picapedrero.

Se van a consumir esta carne y la otra,
la flor perecerá tal vez, sin armadura,
cuando estéril aurora, polvo reseco, un día
venga la muerte al cinto de la isla orgullosa,
y tú, estatua, hija del hombre, quedarás
mirando con los ojos vacíos que subieron
desde una mano y otra de inmortales ausentes.

Arañarás la tierra hasta que nazca
la firmeza, hasta que caiga la sombra en la estructura
como sobre una abeja colosal que devora
su propia miel perdida en el tiempo infinito.

Tus manos tocarán la piedra hasta labrarla
dándole la energía solitaria que pueda
subsistir, sin gastarse los nombres que no existen,
y así desde una vida a una muerte, amarrados

en el tiempo como una sola mano que ondula,
elevamos la torre calcinada que duerme.

La estatua que creció sobre nuestra estatura.

Miradlas hoy, tocad esta materia, estos labios
tienen el mismo idioma silencioso que duerme
en nuestra muerte, y esta cicatriz arenosa,
que el mar y el tiempo como lobos han lamido,
eran parte de un rostro que no fue derribado,
punto de un ser, racimo que derrotó cenizas.

Así nacieron, fueron vidas que labraron
su propia celda dura, su panal en la piedra.
Y esta mirada tiene más arena que el tiempo.
Más silencio que toda la muerte en su colmena.

Fueron la miel de un grave designio que habitaba
la luz deslumbradora que hoy resbala en la piedra.


## VII

LA LLUVIA  No, que la reina no reconozca
(Rapa Nui)  tu rostro, es más dulce
          así, amor mío, lejos de las efigies, el peso
          de tu cabellera en mis manos, recuerdas
          el árbol de Mangareva cuyas flores caían
          sobre tu pelo? Estos dedos no se parecen
          a los pétalos blancos: míralos, son como raíces,
          son como tallos de piedra sobre los que resbala
          el lagarto. No temas, esperemos que caiga la lluvia,
              desnudos,
          la lluvia, la misma que cae sobre Manu Tara.

          Pero así como el agua endurece sus rasgos en la piedra,
          sobre nosotros cae llevándonos suavemente
          hacia la oscuridad, más abajo del agujero

de Ranu Raraku. Por eso
que no te divise el pescador ni el cántaro. Sepulta
tus pechos de quemadura gemela en mi boca,
y que tu cabellera sea una pequeña noche mía,
una oscuridad cuyo perfume mojado me cubre.
De noche sueño que tú y yo somos dos plantas
que se elevaron juntas, con raíces enredadas,
y que tú conoces la tierra y la lluvia como mi boca,
porque de tierra y de lluvia estamos hechos. A veces
pienso que con la muerte dormiremos abajo,
en la profundidad de los pies de la efigie, mirando
el Océano que nos trajo a construir y a amar.

Mis manos no eran férreas cuando te conocieron, las aguas
de otro mar las pasaban como a una red: ahora
agua y piedras sostienen semillas y secretos.

Ámame dormida y desnuda, que en la orilla
eres como la isla: tu amor confuso, tu amor
asombrado, escondido en la cavidad de los sueños,
es como el movimiento del mar que nos rodea.

Y cuando yo también vaya durmiéndome
en tu amor, desnudo,
deja mi mano entre tus pechos para que palpite
al mismo tiempo que tus pezones mojados en la lluvia.

## VIII

LOS
OCEÁNICOS

Sin más dioses que el cuero de las focas podridas,
honor del mar, *yámanas* azotados
por el látigo antártico, alacalufes
untados con aceites y detritus:
entre los muros de cristal y abismo
la pequeña canoa, en la erizada
enemistad de témpanos y lluvias,
llevó el amor errante de los lobos

y las brasas del fuego sustentadas
sobre las últimas aguas mortales.
Hombre, si el exterminio
no bajó de los ríos de la nieve
ni de la luna endurecida
sobre el vapor glacial de los glaciares,
sino del hombre que hasta en la substancia
de la nieve perdida y de las aguas
finales del Océano,
especuló con huesos desterrados
hasta empujarte más allá de todo,
y hoy más allá de todo y de la nieve
y de la tempestad desatada del hielo
va tu piragua por la sal salvaje
y la furiosa soledad buscando
la guarida del pan, eres, Océano,
gota del mar y de su azul furioso,
y tu raído corazón me llama
como increíble fuego que no muere.

Amo la helada planta combatida
por el aullido del viento espumoso,
y al pie de las gargantas,
el diminuto pueblo lucernario
que arde sobre las lámparas crustáceas
del agua removida por el frío,
y la antártica aurora en su castillo
de pálido esplendor imaginario.

Amo hasta las raíces turbulentas
de las plantas quemadas por la aurora
de manos transparentes,
pero hacia ti, sombra del mar, hijo
de las plumas glaciales, harapiento
oceánida, va esta ola
nacida en las rupturas, dirigida
como el amor herido bajo el viento.

# IX

ANTÁRTICA Antártica, corona austral, racimo
de lámparas heladas, cineraria
de hielo desprendida
de la piel terrenal, iglesia rota
por la pureza, nave desbocada
sobre la catedral de la blancura,
inmoladora de quebrados vidrios,
huracán estrellado en las paredes
de la nieve nocturna,
dame tu noble pecho removido
por la invasora soledad, el cauce
del viento aterrador enmascarado
por todas las corolas del armiño,
con todas las bocinas del naufragio
y el hundimiento blanco de los mundos,
o tu pecho de paz que limpia el frío
como un puro rectángulo de cuarzo,
y lo no respirado, el infinito
material transparente, el aire abierto,
la soledad sin tierra y sin pobreza.
Reino del mediodía más severo,
arpa de hielo susurrada, inmóvil,
cerca de las estrellas enemigas.

Todos los mares son tu mar redondo.

Todas las resistencias del Océano
concentraron en ti su transparencia,
y la sal te pobló con sus castillos,
el hielo hizo ciudades elevadas
sobre una aguja de cristal, el viento
recorrió tu salado paroxismo
como un tigre quemado por la nieve.

Tus cúpulas parieron el peligro
desde la nave de los ventisqueros,
y en tu dorsal desierto está la vida
como una viña bajo el mar, ardiendo
sin consumirse, reservando el fuego
para la primavera de la nieve.

## X

LOS HIJOS   Parias del mar, antárticos
DE LA   perros azotados,
COSTA   yaganes muertos sobre cuyos huesos
bailan los propietarios que pagaron
por tarifa los cuellos altaneros
cercenados a golpe de navaja.

Changos de Antofagasta y de la costa seca,
parias, piojos helados del océano,
nietos de Rapa, pobres de Anga-Roa,
lémures rotos, leprosos de Hotu-Iti,
siervos de las Galápagos, codiciados
haraposos de los archipiélagos,
ropas deshilachadas que a través
del parche sucio muestran
la contextura del combate,
la piel salada por el aire, el valiente
trozo de ser humano y ambarino.
A la patria del mar vino el embarque,
vino la cuerda, el sello, el fundamento,
el billete con un perfil borroso,
detritus de botellas en la playa,
vino el gobernador, el diputado,
y el corazón del mar se hizo costura,
se hizo bolsillo, yodo y agonía.

Cuando llegaron a vender fue dulce
el amanecer, las camisas

eran como la nieve en el navío,
y los hijos celestes se encendieron,
flor y fogata, luna y movimiento.

Piojos del mar, comed ahora estiércol,
acechad los despojos, los zapatos
rotos del navegante, del gerente,
oled a deyecciones y a pescado.
Ya entrasteis en el círculo
de donde no saldréis sino a morir.
No a la muerte del mar, con agua y luna,
sino a los desquiciados agujeros
de la necrología, porque ahora
si queréis olvidar, estáis perdidos.
Antes la muerte tuvo territorios,
transmigración, etapas, estaciones,
y pudisteis subir bailando envueltos
en el rocío diurno de la rosa
o en la navegación del pez de plata:
hoy estáis muertos para siempre: hundidos
en el decreto tétrico del fraile
y sólo sois gusanos de la tierra
que cuando más revolverán la cola
bajo las notarías del infierno.

Venid y pululad por las orillas
del mar: os aceptamos
aún, podéis salir a pescar siempre
que nuestra Sociedad Pesquera Inc.
sea garantizada: podéis iros
rascando las costillas en los muelles,
cargando sacos de garbanzos,
durmiendo en las escorias litorales.
Sois en verdad una amenaza, roñosos
desheredados de la espuma; es mucho
mejor que, si el sacerdote os da permiso,
entréis en el navío que os espera,
y que, con todo y piojos, a la nada

os llevará sin ataúd, mordidos
por las últimas olas y desdichas,
siempre que no se paguen, a la muerte.


## XI

LA       Escualos parecidos a las ovas,
MUERTE   al naval terciopelo del abismo,
         y que de pronto como angostas lunas
         aparecéis con filo empurpurado:
         aletas aceitadas en tiniebla,
         luto y velocidad, naves del miedo
         a las que asciende como una corola
         el crimen con su luz vertiginosa,
         sin una voz, en una hoguera verde,
         en la cuchillería de un relámpago.

         Puras formas sombrías que resbalan
         bajo la piel del mar, como el amor,
         como el amor que invade la garganta,
         como la noche que brilla en las uvas,
         como el fulgor del vino en los puñales:
         anchas sombras de cuero desmedido
         como estandartes de amenaza: ramos
         de brazos, bocas, lenguas que rodean
         con ondulante flor lo que devoran.

En la mínima gota de la vida
aguarda una indecisa primavera
que cerrará con su sistema inmóvil
la cinta ultravioleta que desliza
lo que tembló al caer en el vacío:
un cinturón de fósforo perverso
en la agonía negra del perdido,
y el tapiz del ahogado recubierto
por un bosque de lanzas y murenas
temblorosas y activas como el telar que teje
en la profundidad devoradora.

# XII

LA OLA  La ola viene del fondo, con raíces
hijas del firmamento sumergido.
Su elástica invasión fue levantada
por la potencia pura del Océano:
su eternidad apareció inundando
los pabellones del poder profundo
y cada ser le dio su resistencia,
desgranó fuego frío en su cintura
hasta que de las ramas de la fuerza
despegó su nevado poderío.

Viene como una flor desde la tierra
cuando avanzó con decidido aroma
hasta la magnitud de la magnolia,
pero esta flor del fondo que ha estallado
trae toda la luz que fue abolida,
trae todas las ramas que no ardieron
y todo el manantial de la blancura.

Y así cuando sus párpados redondos,
su volumen, sus copas, sus corales
hinchan la piel del mar apareciendo
todo este ser de seres submarinos:
es la unidad del mar que se construye:
la columna del mar que se levanta:
todos sus nacimientos y derrotas.

La escuela de la sal abrió las puertas,
voló toda la luz golpeando el cielo,
creció desde la noche hasta la aurora
la levadura del metal mojado,
toda la claridad se hizo corola,
creció la flor hasta gastar la piedra,
subió a la muerte el río de la espuma,
atacaron las plantas procelarias,

se desbordó la rosa en el acero:
los baluartes del agua se doblaron
y el mar desmoronó sin derramarse
su torre de cristal y escalofrío.


## XIII

los puertos

Acapulco, cortado como una piedra azul,
cuando despierta, el mar amanece en tu puerta
irisado y bordado como una caracola,
y entre tus piedras pasan peces como relámpagos
que palpitan cargados por el fulgor marino.

Eres la luz completa, sin párpados, el día
desnudo, balanceado como una flor de arena,
entre la infinidad extendida del agua
y la altura encendida con lámparas de arcilla.

Junto a ti las lagunas me dieron el amor
de la tarde caliente con bestias y manglares,
los nidos como nudos en las ramas de donde
el vuelo de las garzas elevaba la espuma,
y en el agua escarlata como un crimen hervía
un pueblo encarcelado de bocas y raíces.
Topolobampo, apenas trazado en las orillas
de la dulce y desnuda California marina,
Mazatlán estrellado, puerto de noche, escucho
las olas que golpean tu pobreza
y tus constelaciones, el latido
de tus apasionados orfeones,
tu corazón sonámbulo que canta
bajo las redes rojas de la luna.

Guayaquil, sílaba de lanza, filo
de estrella ecuatorial, cerrojo abierto
de las tinieblas húmedas que ondulan
como una trenza de mujer mojada:

puerta de hierro maltratado
por el sudor amargo
que moja los racimos,
que gotea el marfil en los ramajes
y resbala a la boca de los hombres
mordiendo como un ácido marino.

Subí a las rocas de Mollendo, blancas,
árido resplandor y cicatrices,
cráter cuyo agrietado continente
sujeta entre las piedras su tesoro,
la angostura del hombre acorralado
en las calvicies del despeñadero,
sombra de las metálicas gargantas,
promontorio amarillo de la muerte.

Pisagua, letra del dolor, manchada
por el tormento, en tus ruinas vacías,
en tus acantilados pavorosos,
en tu cárcel de piedra y soledades
se pretendió aplastar la planta humana,
se quiso hacer de corazones muertos
una alfombra, bajar la desventura
como marca rabiosa hasta romper
la dignidad: allí por los salobres
callejones vacíos, los fantasmas
de la desolación mueven sus mantos,
y en las desnudas grietas ofendidas
está la historia como un monumento
golpeado por la espuma solitaria.
Pisagua, en el vacío de tus cumbres,
en la furiosa soledad, la fuerza
de la verdad del hombre se levanta
como un desnudo y noble monumento.

No es sólo un hombre, no es sólo una sangre
lo que manchó la vida en tus laderas,
son todos los verdugos amarrados

a la ciénaga herida, a los suplicios,
al matorral de América enlutada,
y cuando se poblaron con cadenas
tus desérticas piedras escarpadas
no sólo fue mordida una bandera,
no fue sólo un bandido venenoso,
sino la fauna de las aguas viles
que repite sus dientes en la historia,
atravesando con mortal cuchillo
el corazón del pueblo desdichado,
maniatando la tierra que los hizo,
deshonrando la arena de la aurora.

Oh puertos arenosos, inundados
por el salitre, por la sal secreta
que deja los dolores en la patria
y lleva el oro al dios desconocido
cuyas uñas rasparon la corteza
de nuestros dolorosos territorios.

Antofagasta, cuya voz remota
desemboca en la luz cristalizada
y se amontona en sacos y bodegas
y se reparte en la aridez matutina
hacia la dirección de los navíos.

Rosa reseca de madera, Iquique,
entre tus blancas balaustradas, junto
a tus muros de pino que la luna
del desierto y del mar han impregnado,
fue vertida la sangre de mi pueblo,
fue asesinada la verdad, deshecha
en sanguinaria pulpa la esperanza:
el crimen fue enterrado por la arena
y la distancia hundió los estertores.

Tocopilla espectral, bajo los montes,
bajo la desnudez llena de agujas

corre la nieve seca del nitrato
sin extinguir la hora de su designio
ni la agonía de la mano oscura
que sacudió la muerte en los terrones.

Desamparada costa que rechazas
el agua ahogada del amor humano,
escondido en tus márgenes calcáreas
como el metal mayor de la vergüenza.
A tus puertos bajó el hombre enterrado
a ver la luz de las calles vendidas,
a desatar el corazón espeso,
a olvidar arenales y desdichas.
Tú cuando pasas, quién eres, quién resbala
por tus ojos dorados, quién sucede
en los cristales? Bajas y sonríes,
aprecias el silencio en las maderas,
tocas la luna opaca de los vidrios
y nada más: el hombre está guardado
por carnívoras sombras y barrotes,
está extendido en su hospital durmiendo
sobre los arrecifes de la pólvora.

Puertos del Sur, que deshojaron
la lluvia de las hojas en mi frente:
coníferas amargas del invierno
de cuyo manantial lleno de agujas
llovió la soledad en mis dolores.
Puerto Saavedra, helado en las riberas
del Imperial: las desembocaduras
enarenadas, el glacial lamento
de las gaviotas que me parecían
surgir como azahares tempestuosos,
sin que nadie arrullara sus follajes,
dulces desviadas hacia mi ternura,
despedazadas por el mar violento
y salpicadas en las soledades.

Más tarde mi camino fue la nieve
y en las casas dormidas del Estrecho
en Punta Arenas, en Puerto Natales,
en la extensión azul del aullido,
en la silbante, en la desenfrenada
noche final de la tierra, vi las tablas
que resistieron, encendí las lámparas
bajo el viento feroz, hundí mis manos
en la desnuda primavera antártica
y besé el polvo frío de las últimas flores.


XIV

LOS    Los barcos de la seda sobre la luz llevados,
NAVÍOS   erigidos en la violeta matutina,
cruzando el sol marítimo con rojos pabellones
deshilachados como estambres andrajosos,
el olor caluroso de las cajas doradas
que la canela hizo sonar como violines,
y la codicia fría que susurró en los puertos
en una tempestad de manos restregadas,
las bienvenidas suavidades verdes
de los jades, y el pálido cereal de la seda,
todo paseó en el mar como un viaje del viento,
como un baile de anémonas que desaparecieron.

Vinieron las delgadas velocidades, finas
herramientas del mar, peces de trapo,
dorados por el trigo, destinados
por sus mercaderías cenicientas,
por piedras desbordantes que brillaron
como el fuego cayendo entre sus velas,
o repletos de flores sulfurosas
recogidas en páramos salinos.
Otros cargaron razas, dispusieron
en la humedad de abajo, encadenados,
ojos cautivos que agrietaron con lágrimas

la pesada madera del navío.
Pies recién separados del marfil, amarguras
amontonadas como frutos malheridos,
dolores desollados como ciervos: cabezas
que desde los diamantes del verano cayeron
a la profundidad del estiércol infame.
Barcos llenos de trigo que temblaron
sobre las olas como en las llanuras
el viento cereal de las espigas:
naves de las ballenas, erizadas
de corazones duros como harpones,
lentas de cacería, desplazando
hacia Valparaíso sus bodegas,
velas grasientas que se sacudieron
heridas por el hielo y el aceite
hasta colmar las copas de la nave
con la cosecha blanda de la bestia.
Barcas desmanteladas que cruzaron
de tumbo en tumbo en el furor marino
con el hombre agarrado a sus recuerdos
y a los andrajos últimos del buque,
antes que, como manos cercenadas,
los fragmentos del mar los condujeran
a las delgadas bocas que poblaron
el espumoso mar en su agonía.
Naves de los nitratos, aguzadas
y alegres, como indómitos delfines
hacia las siete espumas deslizadas
por el viento en sus sábanas gloriosas,
finas como los dedos y las uñas,
veloces como plumas y corceles,
navegadoras de la mar morena
que pica los metales de mi patria.

## XV

En las arenas de Magallanes te recogimos cansada
navegante, inmóvil
bajo la tempestad que tantas veces tu pecho dulce
   y doble
desafió dividiendo en sus pezones.

Te levantamos otra vez sobre los mares del Sur, pero
   ahora
fuiste la pasajera de lo oscuro, de los rincones, igual
al trigo y al metal que custodiaste
en alta mar, envuelta por la noche marina.

Hoy eres mía, diosa que el albatros gigante
rozó con su estatura extendida en el vuelo,
como un manto de música dirigida en la lluvia
por tus ciegos y errantes párpados de madera.

Rosa del mar, abeja más pura que los sueños,
almendrada mujer que desde las raíces
de una encina poblada por los cantos
te hiciste forma, fuerza de follaje con nidos,
boca de tempestades, dulzura delicada
que iría conquistando la luz con sus caderas.

Cuando ángeles y reinas que nacieron contigo
se llenaron de musgo, durmiendo destinados
a la inmovilidad con un honor de muertos,
tú subiste a la proa delgada del navío
y ángel y reina y ola, temblor del mundo fuiste.
El estremecimiento de los hombres subía
hasta tu noble túnica con pechos de manzana,
mientras tus labios eran oh dulce! humedecidos
por otros besos dignos de tu boca salvaje.

Bajo la noche extraña tu cintura dejaba
caer el peso puro de la nave en las olas
cortando en la sombría magnitud un camino
de fuego derribado, de miel fosforescente.
El viento abrió en tus rizos su caja tempestuosa,
el desencadenado metal de su gemido,
y en la aurora la luz te recibió temblando
en los puertos, besando tu diadema mojada.

A veces detuviste sobre el mar tu camino
y el barco tembloroso bajó por su costado,
como una gruesa fruta que se desprende y cae,
un marinero muerto que acogieron la espuma
y el movimiento puro del tiempo y del navío.
Y sólo tú entre todos los rostros abrumados
por la amenaza, hundidos en un dolor estéril,
recibiste la sal salpicada en tu máscara,
y tus ojos guardaron las lágrimas saladas.
Más de una pobre vida resbaló por tus brazos
hacia la eternidad de las aguas mortuorias,
y el roce que te dieron los muertos y los vivos
gastó tu corazón de madera marina.

Hoy hemos recogido de la arena tu forma.
Al final, a mis ojos estabas destinada.
Duermes tal vez, dormida, tal vez has muerto, muerta:
tu movimiento, al fin, ha olvidado el susurro
y el esplendor errante cerró su travesía.
Iras del mar, golpes del cielo han coronado
tu altanera cabeza con grietas y rupturas,
y tu rostro como una caracola reposa
con heridas que marcan tu frente balanceada.

Para mí tu belleza guarda todo el perfume,
todo el ácido errante, toda su noche oscura.
Y en tu empinado pecho de lámpara o de diosa,
torre turgente, inmóvil amor, vive la vida.
Tú navegas conmigo, recogida, hasta el día
en que dejen caer lo que soy en la espuma.

# XVI

EL
HOMBRE
EN LA
NAVE

Más allá de la línea de la nave
hilada por la sal en movimiento,
entre la grasa muerta que traspasa los sueños
el tripulante duerme con desnuda fatiga,
alguien de guardia arrastra un cabo de metal,
suena el mundo
del barco, rechina el viento en las maderas,
palpitan sordamente los hierros viscerales,
el fogonero mira su rostro en un espejo:
en un pedazo roto de vidrio, reconoce
de esa huesuda máscara manchada por el humo
unos ojos: aquellos ojos que amó Graciela
Gutiérrez, antes de que muriera, sin que junto
a su lecho estos ojos que amó pudieran verla,
llevarla en esa última embarcación, adentro
de la jornada, entre las brasas y el aceite.
No importa, con los besos que se unían
entre los viajes y los regalos aquellos, ahora nadie,
nadie en la casa. El amor en la noche del mar,
toca todos los lechos de los que duermen, vive
más abajo del barco, como un alga
nocturna que desliza sus ramas hacia arriba.

Hay otros extendidos en la noche del viaje,
en el vacío, sin mar bajo los sueños,
como la vida, alturas fragmentadas, pedazos
de la noche, pedruscos que apartaron
la destrozada red de los sueños.
                                            La tierra
de noche invade el mar con sus olas y cubre
el corazón del pobre pasajero dormido
con una sola sílaba de polvo, con una
cucharada de muerte que lo reclama.

Toda piedra oceánica es océano, la mínima
cintura ultravioleta de la medusa, el cielo
con todo su vacío constelado, la luna

tiene mar abolido en sus espectros:
pero el hombre cierra sus ojos, muerde un poco
sus pasos, amenaza su corazón pequeño,
y solloza y araña la noche con sus uñas,
buscando tierra, haciéndose gusanos.

Es tierra que las aguas no cubren y no matan.

Es orgullo de arcilla que morirá en el cántaro,
quebrándose, apartando las gotas que cantaron,
amarrando a la tierra su indecisa costura.

No busques en el mar esta muerte, no esperes
territorio, no guardes el puñado de polvo
para integrarlo intacto y entregarlo a la tierra.

Entrégalo a estos labios infinitos que cantan,
dónalos a este coro de movimiento y mundo,
destrúyete en la eterna maternidad del agua.

## XVII

LOS
ENIGMAS
Me habéis preguntado qué hila el crustáceo entre sus
patas de oro
y os respondo: El mar lo sabe.
Me decís qué espera la ascidia en su campana trans-
parente? Qué espera?
Yo os digo, espera como vosotros el tiempo.
Me preguntáis a quién alcanza el abrazo del alga
Macrocustis?
Indagadlo, indagadlo a cierta hora, en cierto mar que
conozco.
Sin duda me preguntaréis por el marfil maldito del
*narwhal*, para que yo os conteste

de qué modo el unicornio marino agoniza arponeado.
Me preguntáis tal vez por las plumas alcionarias que tiemblan
en los puros orígenes de la marea austral?
Y sobre la construcción cristalina del pólipo habéis barajado,
 sin duda,
una pregunta más, desgranándola ahora?
Queréis saber la eléctrica materia de las púas del fondo?
La armada estalactita que camina quebrándose?
El anzuelo del pez pescador, la música extendida
en la profundidad como un hilo en el agua?

Yo os quiero decir que esto lo sabe el mar, que la vida en
 sus arcas
es ancha como la arena, innumerable y pura
y entre las uvas sanguinarias el tiempo ha pulido
la dureza de un pétalo, la luz de la medusa
y ha desgranado el ramo de sus hebras corales
desde una cornucopia de nácar infinito.

Yo no soy sino la red vacía que adelanta
ojos humanos, muertos en aquellas tinieblas,
dedos acostumbrados al triángulo, medidas
de un tímido hemisferio de naranja.

Anduve como vosotros escarbando
la estrella interminable,
y en mi red, en la noche, me desperté desnudo,
única presa, pez encerrado en el viento.


# XVIII

LAS Oceánicas, no tenéis la materia
PIEDRAS que emerge de las tierras vegetales
DE LA entre la primavera y las espigas.
ORILLA

El tacto azul del aire que navega
entre las uvas, no conoce el rostro
que de la soledad sale al océano.

El rostro de las rocas destrozadas,
que no conoce abejas, que no tiene
más que la agricultura de las olas,
el rostro de las piedras que aceptaron
la desolada espuma del combate
en sus eternidades agrietadas.

Ásperas naves de granito hirsuto
entregado a la cólera, planetas
en cuya inmóvil dimensión detienen
las banderas del mar su movimiento.

Tronos de la intemperie huracanada.

Torres de soledades sacudidas.

Tenéis, rocas del mar, el victorioso
color del tiempo, el material gastado
por una eternidad en movimiento.

El fuego hizo nacer estos lingotes
que el mar estremeció con sus granadas.

Esta arruga en que el cobre y la salmuera
se unieron: este hierro anaranjado,
estas manchas de plata y de paloma,
son el muro mortal y la frontera
de la profundidad con sus racimos.

Piedras de soledad, piedras amadas
de cuyas duras cavidades cuelga
el tumultuoso frío de las algas,
y a cuyo borde ornado por la luna
sube la soledad de las orillas.
Desde los pies perdidos en la arena
qué aroma se perdió, qué movimiento
de corola nupcial trepó temblando?

Plantas de arena, triángulos carnosos,
aplanadas substancias que llegaron
a encender su fulgor sobre las piedras,
primavera marina, delicada
copa sobre las piedras erigida,
pequeño rayo de amaranto apenas
encendido y helado por la furia,
dadme la condición que desafía
las arenas del páramo estrellado.

Piedras del mar, centellas detenidas
en el combate de la luz, campanas
doradas por el óxido, filudas
espadas del dolor, cúpulas rotas
en cuyas cicatrices se construye
la estatua desdentada de la tierra.

## XIX

MOLLUSCA    De California traje un múrex espinoso,
GONGORINA   la sílice en sus púas, ataviada con humo
su erizada apostura de rosa congelada,
y su interior rosado de paladar ardía
con una suave sombra de corola carnosa.

Mas tuve una *cyprea* cuyas manchas cayeron
sobre su capa, ornando su terciopelo puro
con círculos quemados de pólvora o pantera,
y otra llevó en su lomo liso como una copa
una rama de ríos tatuados en la luna.

Mas la línea espiral, no sostenida
sino por aire y mar, oh
escalera, *scalaria* delicada,
oh monumento frágil de la aurora
que un anillo con ópalo amasado
enrolla deslizando la dulzura.

Saqué del mar, abriendo las arenas,
la ostra erizada de coral sangriento,
*spondylus*, cerrando en sus mitades
la luz de su tesoro sumergido,
cofre envuelto en agujas escarlatas,
o nieve con espinas agresoras.

La oliva grácil recogí en la arena,
húmeda caminante, pie de púrpura,
alhaja humedecida en cuya forma
la fruta endureció su llamarada,
pulió el cristal su condición marina
y ovaló la paloma su desnudo.

La caracola del tritón retuvo
la distancia en la gruta del sonido
y en la estructura de su cal trenzada
sostiene el mar con pétalos, su cúpula.

Oh *rostellaria*, flor impenetrable
como un signo elevado en una aguja,
mínima catedral, lanza rosada,
espada de la luz, pistilo de agua.

Pero en la altura de la aurora asoma
el hijo de la luz, hecho de luna,
el argonauta que un temblor dirige,
que un trémulo contacto de la espuma
amasó, navegando en una ola
con su nave espiral de jazminero.

Y entonces escondida en la marea,
boca ondulante de la mar morada,
sus labios de titánica violeta,
la *tridacna* cerró como un castillo,
y allí su rosa colosal devora
las azules estirpes que la besan:
monasterio de sal, herencia inmóvil
que encarceló una ola endurecida.

Pero debo nombrar, tocando apenas
oh Nautilus, tu alada dinastía,
la redonda ecuación en que navegas
deslizando tu nave nacarada,
tu espiral geometría en que se funden,
reloj del mar, el nácar y la línea,
y debo hacia las islas, en el viento,
irme contigo, dios de la estructura.


## XX

LAS AVES
MALTRATADAS

Alta sobre Tocopilla está la pampa nitrosa,
los páramos, la mancha de los salares, es el
desierto sin una hoja, sin un escarabajo,
sin una brizna, sin una sombra, sin tiempo.

Allí la garuma de los mares hizo sus nidos,
hace tiempo, en la arena solitaria y caliente,
dejó sus huevos desgranando el vuelo
desde la costa, en olas de plumaje,
hacia la soledad, hacia el remoto
cuadrado del desierto que alfombraron
con el tesoro suave de la vida.

Hermoso río desde el mar, salvaje
soledad del amor, plumas del viento
redondeadas en globos de magnolia,
vuelo arterial, palpitación alada
en que todas las vidas acumulan
en un río reunido, sus presiones:
así la sal estéril fue poblada,
fue coronado el páramo de plumas
y el vuelo se incubó en los arenales.

Llegó el hombre. Tal vez llenaron
su miseria de pálido extraviado
del desierto, las ramas del arrullo

que como el mar temblaba en el desierto,
tal vez lo deslumbró como una estrella
la extensión crepitante de blancura,
pero vinieron otros en sus pasos.

Llegaron en el alba, con garrotes
y con cestos, robaron el tesoro,
apalearon las aves, derrotaron
nido a nido la nave de las plumas,
sopesaron los huevos y aplastaron
aquellos que tenían criatura.

Los levantaron a la luz y arrojaron
contra la tierra del desierto, en medio
del vuelo y del graznido y de la ola
del rencor, y las aves extendieron
toda su furia en el aire invadido,
y cubrieron el sol con sus banderas:
pero la destrucción golpeó los nidos,
enarboló el garrote y arrasada
fue la ciudad del mar en el desierto.

Más tarde la ciudad, en la salmuera
vespertina de nieblas y borrachos
oyó pasar los cestos que vendían
huevos de ave de mar, frutos salvajes
de páramo en que nada sobrevive,
sino la soledad sin estaciones,
y la sal agredida y rencorosa.

## XXI

LEVIATHAN  Arca, paz iracunda, resbalada
noche bestial, antártica extranjera,
no pasarás junto a mí desplazando
tu témpano de sombra sin que un día
entre por tus paredes y levante
tu armadura de invierno submarino.

Hacia el Sur crepitó tu fuego negro
de expulsado planeta, el territorio
de tu silencio que movió las algas
sacudiendo la edad de la espesura.

Fue sólo forma, magnitud cerrada
por un temblor del mundo en que desliza
su majestad de cuero amedrentado
por su propia potencia y su ternura.

Arca de cólera encendida
con las antorchas de la nieve negra,
cuando tu sangre ciega fue fundada
la edad del mar dormía en los jardines,
y en su extensión la luna deshacía
la cola de su imán fosforescente.
La vida crepitaba
como una hoguera azul, madre medusa,
multiplicada tempestad de ovarios,
y todo el crecimiento era pureza,
palpitación de pámpano marino.

Así fue tu gigante arboladura
dispuesta entre las aguas como el paso
de la maternidad sobre la sangre,
y tu poder fue noche inmaculada
que resbaló inundando las raíces.
Extravío y terror estremecieron
la soledad, y huyó tu continente
más allá de las islas esperadas:
pero el terror pasó sobre los globos
de la luna glacial, y entró en tu carne,
agredió soledades que ampararon
tu aterradora lámpara apagada.
La noche fue contigo: te envolvía
adhiriéndote un limo tempestuoso
y revolvió tu cola huracanada
el hielo en que dormían las estrellas.

Oh gran herida, manantial caliente
revolviendo sus truenos derrotados
en la comarca del arpón, teñido
por el mar de la sangre, desangrada,
dulce y dormida bestia conducida
como un ciclón de rotos hemisferios
hasta las barcas negras de la grasa
pobladas por rencor y pestilencia.

Oh gran estatua muerta en los cristales
de la luna polar, llenando el cielo
como una nube de terror que llora
y cubre los océanos de sangre.

## XXII

PHALACRO-
CORAX

Aves estercolarias de las islas,
multiplicada voluntad del vuelo,
celeste magnitud, innumerable
emigración del viento de la vida,
cuando vuestros cometas se deslizan
enarenando el cielo sigiloso
del callado Perú, vuela el eclipse.
Oh lento amor, salvaje primavera
que desarraiga su colmada copa
y navega la nave de la especie
con un fluvial temblor de agua sagrada
desplazando su cielo caudaloso
hacia las islas rojas del estiércol.

Yo quiero sumergirme en vuestras alas,
ir hacia el Sur durmiendo, sostenido
por toda la espesura temblorosa.
Ir en el río oscuro de las flechas
con una voz perdida, dividirme
en la palpitación inseparable.
Después, lluvia del vuelo, las calcáreas

islas abren su frío paraíso
donde cae la luna del plumaje,
la tormenta enlutada de las plumas.

El hombre inclina entonces la cabeza
ante el arrullo de las aves madres,
y escarba estiércol con las manos ciegas
que levantan las gradas una a una,
raspa la claridad del excremento,
acumula las heces derramadas,
y se prosterna en medio de las islas
de la fermentación, como un esclavo,
saludando las ácidas riberas
que coronan los pájaros ilustres.


## XXIII

NO SÓLO
EL
ALBATROS

No de la primavera, no esperadas
sois, no en la sed de la corola,
no en la morada miel
que se entreteje
hebra por hebra en cepas y racimos,
sino en la tempestad, en la andrajosa
cúpula torrencial del arrecife,
en la grieta horadada por la aurora,
y más aún, sobre las lanzas verdes
del desafío, en la desmoronada
soledad de los páramos marinos.

Novias de sal, palomas procelarias,
a todo aroma impuro de la tierra
disteis el dorso por el mar mojado,
y en la salvaje claridad hundisteis
la geometría celestial del vuelo.

Sagradas sois, no sólo la que anduvo
como gota ciclónica en la rama

del vendaval: no sólo la que anida
en las vertientes de la furia, sino
la gaviota de nieve redondeada,
la forma del guanay sobre la espuma,
la plateada fardela de platino.

Cuando cayó cerrado como un nudo
el alcatraz, hundiendo su volumen,
y cuando navegó la profecía
en las alas extensas del albatros,
y cuando el viento del petrel volaba
sobre la eternidad en movimiento,
más allá de los viejos cormoranes,
mi corazón se recogió en su copa
y extendió hacia los mares y las plumas
la desembocadura de su canto.

Dadme el estaño helado que en el pecho
lleváis hacia las piedras tempestuosas,
dadme la condición que se congrega
en las garras del águila marina,
o la estatura inmóvil que resiste
todos los crecimientos y rupturas,
el viento de azahar desamparado
y el sabor de la patria desmedida.

## XXIV

LA Noche marina, estatua blanca y verde,
NOCHE te amo, duerme conmigo. Fui por todas
MARINA las calles calcinándome y muriendo,
creció conmigo la madera, el hombre
conquistó su ceniza y se dispuso
a descansar rodeado por la tierra.

Cerró la noche para que tus ojos
no vieran su reposo miserable:
quiso proximidad, abrió los brazos
custodiado por seres y por muros,
y cayó al sueño del silencio, bajando
a tierra funeral con sus raíces.
Yo, noche Océano, a tu forma abierta,
a tu extensión que Aldebarán vigila,
a la boca mojada de tu canto
llegué con el amor que me construye.

Te vi, noche del mar, cuando nacías
golpeada por el nácar infinito:
vi tejerse las hebras estrelladas
y la electricidad de tu cintura
y el movimiento azul de los sonidos
que acosan tu dulzura devorada.

Ámame sin amor, sangrienta esposa.

Ámame con espacio, con el río
de tu respiración, con el aumento
de todos tus diamantes desbordados:
ámame sin la tregua de tu rostro,
dame la rectitud de tu quebranto.

Hermosa eres, amada, noche hermosa:
guardas la tempestad como una abeja
dormida en tus estambres alarmados,
y sueño y agua tiemblan en las copas
de tu pecho acosado de vertientes.

Nocturno amor, seguí lo que elevabas,
tu eternidad, la torre temblorosa
que asume las estrellas, la medida
de tu vacilación, las poblaciones
que levanta la espuma en tus costados:
estoy encadenado a tu garganta
y a los labios que rompes en la arena.

Quién eres? Noche de los mares, dime
si tu escarpada cabellera cubre
toda la soledad, si es infinito
este espacio de sangre y de praderas.
Dime quién eres, llena de navíos,
llena de lunas que tritura el viento,
dueña de todos los metales, rosa
de la profundidad, rosa mojada
por la intemperie del amor desnudo.

Túnica de la tierra, estatua verde,
dame una ola como una campana,
dame una ola de azahar furioso,
la multitud de hogueras, los navíos
del cielo capital, el agua en que navego,
la multitud del fuego celeste: quiero un solo
minuto de extensión y más que todos
los sueños, tu distancia:
toda la púrpura que mides, el grave
pensativo sistema constelado:
toda tu cabellera que visita
la oscuridad, y el día que preparas.

Quiero tener tu frente simultánea,
abrirla en mi interior para nacer
en todas tus orillas, ir ahora
con todos los secretos respirados,
con tus oscuras líneas resguardadas
en mí como la sangre o las banderas,
llevando estas secretas proporciones
al mar de cada día, a los combates
que en cada puerta –amores y amenazas–
viven dormidos.
                    Pero entonces
entraré en la ciudad con tantos ojos
como los tuyos, y sostendré la vestidura
con que me visitaste, y que me toquen
hasta el agua total que no se mide:

pureza y destrucción contra toda la muerte,
distancia que no puede gastarse, música
para los que duermen y para los que despiertan.

# XV

## YO SOY

### I

LA
FRONTERA
(1904)

Lo primero que vi fueron árboles, barrancas
decoradas con flores de salvaje hermosura,
húmedo territorio, bosques que se incendiaban
y el invierno detrás del mundo, desbordado.
Mi infancia son zapatos mojados, troncos rotos
caídos en la selva, devorados por lianas
y escarabajos, dulces días sobre la avena,
y la barba dorada de mi padre saliendo
hacia la majestad de los ferrocarriles.

Frente a mi casa el agua austral cavaba
hondas derrotas, ciénagas de arcillas enlutadas,
que en el verano eran atmósfera amarilla
por donde las carretas crujían y lloraban
embarazadas con nueve meses de trigo.
Rápido sol del Sur:

                    rastrojos, humaredas
en caminos de tierras escarlatas, riberas
de ríos de redondo linaje, corrales y potreros
en que reverberaba la miel del mediodía.

El mundo polvoriento entraba grado a grado
en los galpones, entre barricas y cordeles,
a bodegas cargadas con el resumen rojo
del avellano, todos los párpados del bosque.

Me pareció ascender en el tórrido traje
del verano, con las máquinas trilladoras,
por las cuestas, en la tierra barnizada de boldos,

erguida entre los robles, indeleble,
pegándose en las ruedas como carne aplastada.

Mi infancia recorrió las estaciones: entre
los rieles, los castillos de madera reciente,
la casa sin ciudad, apenas protegida
por reses y manzanos de perfume indecible
fui yo, delgado niño cuya pálida forma
se impregnaba de bosques vacíos y bodegas.


## II

EL
HONDERO
(1919)

Amor, tal vez amor indeciso, inseguro:
sólo un golpe de madreselvas en la boca,
sólo unas trenzas cuyo movimiento subía
hacia mi soledad como una hoguera negra,
y lo demás: el río nocturno, las señales
del cielo, la fugaz primavera mojada,
la enloquecida frente solitaria, el deseo
levantando sus crueles tulipas en la noche.
Yo deshojé las constelaciones, hiriéndome,
afilando los dedos en el tacto de estrellas,
hilando hebra por hebra la contextura helada
de un castillo sin puertas,
                              oh estrellados amores
cuyo jazmín detiene su transparencia en vano,
oh nubes que en el día del amor desembocan
como un sollozo entre las hierbas hostiles,
desnuda soledad amarrada a una sombra,
a una herida adorada, a una luna indomable.
Nómbrame, dije tal vez a los rosales:
ellos tal vez, la sombra de confusa ambrosía,
cada temblor del mundo conocía mis pasos,
me esperaba el rincón más oculto, la estatua
del árbol soberano en la llanura:
todo en la encrucijada llegó a mi desvarío
desgranando mi nombre sobre la primavera.

Y entonces, dulce rostro, azucena quemada,
tú la que no dormiste con mi sueño, bravía,
medalla perseguida por una sombra, amada
sin nombre, hecha de toda la estructura del polen,
de todo el viento ardiendo sobre estrellas impuras:
oh amor, desenredado jardín que se consume,
en ti se levantaron mis sueños y crecieron
como una levadura de panes tenebrosos.

### III

LA CASA   Mi casa, las paredes cuya madera fresca
recién cortada huele aún: destartalada
casa de la frontera, que crujía
a cada paso, y silbaba con el viento de guerra
del tiempo austral, haciéndose elemento
de tempestad, ave desconocida
bajo cuyas heladas plumas creció mi canto.
Vi sombras, rostros que como plantas
en torno a mis raíces crecieron, deudos
que cantaban tonadas a la sombra de un árbol
y disparaban entre los caballos mojados,
mujeres escondidas en la sombra
que dejaban las torres masculinas,
galopes que azotaban la luz,
                                    enrarecidas
noches de cólera, perros que ladraban.
Mi padre con el alba oscura
de la tierra, hacia qué perdidos archipiélagos
en sus trenes que aullaban se deslizó?
Más tarde amé el olor del carbón en el humo,
los aceites, los ejes de precisión helada,
y el grave tren cruzando el invierno extendido
sobre la tierra, como una oruga orgullosa.
De pronto trepidaron las puertas.
                                    Es mi padre.
Lo rodean los centuriones del camino:

ferroviarios envueltos en sus mantas mojadas,
el vapor y la lluvia con ellos revistieron
la casa, el comedor se llenó de relatos
enronquecidos, los vasos se vertieron,
y hasta mí, de los seres, como una separada
barrera, en que vivían los dolores,
llegaron las congojas, las ceñudas
cicatrices, los hombres sin dinero,
la garra mineral de la pobreza.


# IV

COMPAÑEROS    Luego llegué a la capital, vagamente impregnado
DE VIAJE    de niebla y lluvia. Qué calles eran ésas?
(1921)    Los trajes de 1921 pululaban
en un olor atroz de gas, café y ladrillos.
Entre los estudiantes pasé sin comprender,
reconcentrando en mí las paredes, buscando
cada tarde en mi pobre poesía las ramas,
las gotas y la luna que se habían perdido.
Acudí al fondo de ella, sumergiéndome
cada tarde en sus aguas, agarrando impalpables
estímulos, gaviotas de un mar abandonado,
hasta cerrar los ojos y naufragar en medio
de mi propia substancia.
                                        Fueron tinieblas, fueron
sólo escondidas, húmedas hojas del subsuelo?
De qué materia herida se desgranó la muerte
hasta tocar mis miembros, conducir mi sonrisa
y cavar en las calles un pozo desdichado?

Salí a vivir: crecí y endurecido
fui por los callejones miserables,
sin compasión, cantando en las fronteras
del delirio. Los muros se llenaron de rostros:
ojos que no miraban la luz, aguas torcidas
que iluminaban un crimen, patrimonios

de solitario orgullo, cavidades
llenas de corazones arrasados.
Con ellos fui: sólo en su coro
mi voz reconoció las soledades
donde nació.

Entré a ser hombre
cantando entre las llamas, acogido
por compañeros de condición nocturna
que cantaron conmigo en los mesones,
y que me dieron más de una ternura,
más de una primavera defendida
por sus hostiles manos,
único fuego, planta verdadera
de los desmoronados arrabales.

## V

LA
ESTUDIANTE
(1923)

Oh, tú, más dulce, más interminable
que la dulzura, carnal enamorada
entre las sombras: de otros días
surges llenando de pesado polen
tu copa, en la delicia.
                    Desde la noche llena
de ultrajes, noche como el vino
desbocado, noche de oxidada púrpura,
a ti caí como una torre herida,
y entre las pobres sábanas tu estrella
palpitó contra mí quemando el cielo.

Oh redes del jazmín, oh fuego físico
alimentado en esta nueva sombra,
tinieblas que tocamos apretando
la cintura central, golpeando el tiempo
con sanguinarias ráfagas de espigas.

Amor sin nada más, en el vacío
de una burbuja, amor con calles muertas,
amor, cuando murió toda la vida
y nos dejó encendiendo los rincones.

Mordí mujer, me hundí desvaneciéndome
desde mi fuerza, atesoré racimos,
y salí a caminar de beso en beso,
atado a las caricias, amarrado
a esta gruta de fría cabellera,
a estas piernas por labios recorridas:
hambriento entre los labios de la tierra,
devorando con labios devorados.

## VI

EL VIAJERO  Y salí por los mares a los puertos.
(1927)  El mundo entre las grúas
y las bodegas de la orilla sórdida
mostró en su grieta chusmas y mendigos,
compañías de hambrientos espectrales
en el costado de los barcos.
                                Países
recostados, resecos, en la arena,
trajes talares, mantos fulgurantes
salían del desierto, armados
como escorpiones, guardando el agujero
del petróleo, en la polvorienta
red de los calcinados poderíos.

Viví en Birmania, entre las cúpulas
de metal poderoso, y la espesura
donde el tigre quemaba sus anillos
de oro sangriento. Desde mis ventanas
en Dalhousie Street, el olor
indefinible, musgo en las pagodas,
perfumes y excrementos, polen, pólvora,
de un mundo saturado por la humedad humana,

subió hasta mí.
        Las calles me llamaron
con sus innumerables movimientos
de telas de azafrán y escupos rojos,
junto al sucio oleaje del Irrawadhy, del
agua cuyo espesor, sangre y aceite,
venía descargando su linaje
desde las tierras altas cuyos dioses
por lo menos dormían rodeados por su barro.

## VII

LEJOS  India, no amé tu desgarrado traje,
DE AQUÍ  tu desarmada población de harapos.
        Por años fui con ojos que querían
trepar los promontorios del desprecio,
entre ciudades como cera verde,
entre los talismanes, las pagodas
cuya pastelería sanguinaria
esparcía terribles aguijones.
Vi el miserable acumulado, encima
de otro, del sufrimiento de su hermano,
las calles como ríos de congoja,
las pequeñas aldeas aplastadas
entre las gruesas uñas de las flores,
y fui en la muchedumbre, centinela
del tiempo, separando ennegrecidas
cicatrices, certámenes de esclavos.
Entré a los templos, estuco y pedrería
hacen las gradas, sangre y muerte sucias,
y los bestiales sacerdotes, ebrios
del estupor ardiente, disputándose
monedas revolcadas en el suelo,
mientras, oh pequeño ser humano,
los grandes ídolos de pies fosfóricos
estiraban las lenguas vengativas,
o sobre un falo de piedra escarlata
resbalaban las flores trituradas.

# VIII

LAS No amé... No sé si fue piedad o vómito.
MÁSCARAS Corrí por las ciudades, Saigón, Madrás,
DE YESO Khandy, hasta las enterradas, majestuosas
piedras de Anuradhapura, y en la roca
de Ceilán, como ballenas
las efigies de Siddharta, fui más lejos:
en el polvillo de Penang, por las riberas
de los ríos, en la selva
de silencio purísimo, colmado
por el rebaño de las intensas vidas
más allá de Bangkok, las vestiduras
de bailarinas con máscara de yeso.
Golfos pestilenciales elevaban
techos de pedrería desbordante,
y en anchos ríos, la vivienda
de millares de pobres, apretados
en las embarcaciones, y otros, todos
cubría la infinita tierra,
más allá de los ríos amarillos,
como una sola piel de fiera rota,
piel de los pueblos, pelaje humillado
por unos amos y otros.
                           Capitanes y príncipes
vivían sobre el húmedo estertor
de agonizantes lámparas, desangrando
la vida de los pobres artesanos,
y entre garras y látigos, más alto
era la concesión, el europeo,
el norteamericano de petróleo,
fortificando templos de aluminio,
arando sobre la piel desamparada,
estableciendo nuevos sacrificios de sangre.

# IX

EL BAILE En la profundidad de Java, entre las sombras
(1929) territoriales: aquí está el palacio iluminado.
Paso entre arqueros verdes, adheridos
a los muros, entro
en la sala del trono. Está el monarca,
apoplético cerdo, pavo impuro,
cargado de cordones, constelado,
entre dos de sus amos holandeses,
mercaderes ceñudos que vigilan.
Qué repugnante grupo de insectos, cómo arrojan
sobre los seres concienzudamente
paladas de vileza.

        Los centinelas sórdidos
de las lejanas tierras, y el monarca
como un saco ciego, arrastrando
su carne espesa y sus estrellas falsas
sobre una humilde patria de plateros.

        Pero entraron de pronto
desde el remoto fondo del palacio
diez bailarinas, lentas como un sueño
bajo las aguas.

        Cada pie se acercaba
de costado avanzando miel nocturna
como un pez de oro, y sus máscaras ocre
llevaban sobre el pelo de aceitada espesura
una corona fresca de azahares.

        Hasta que se situaron
frente al sátrapa, y con ellas la música, un rumor
de élitros de cristal, la danza pura
que creció como flor, las manos claras
construyendo una estatua fugitiva,
la túnica golpeada en los talones
por un golpe de ola o de blancura,
y en cada movimiento de paloma
hecha en metal sagrado, el susurrante

aire del archipiélago, encendido
como un árbol nupcial en primavera.


# X

LA GUERRA  España, envuelta en sueño, despertando
(1936)  como una cabellera con espigas,
te vi nacer, tal vez entre las breñas
y las tinieblas, labradora,
levantarte entre las encinas y los montes
y recorrer el aire con las venas abiertas.
Pero te vi atacada en las esquinas
por los antiguos bandoleros. Iban
enmascarados, con sus cruces hechas
de víboras, con los pies metidos
en el glacial pantano de los muertos.
Entonces vi tu cuerpo desprendido
de matorrales, roto
sobre la arena encarnizada, abierto,
sin mundo, aguijoneado en la agonía.
Hasta hoy corre el agua de tus peñas
entre los calabozos, y sostienes
tu corona de púas en silencio,
a ver quién puede más, si tus dolores
o los rostros que cruzan sin mirarte.
Yo viví con tu aurora de fusiles,
y quiero que de nuevo pueblo y pólvora
sacudan los ramajes deshonrados
hasta que tiemble el sueño y se reúnan
los frutos divididos en la tierra.


# XI

EL AMOR  El firme amor, España, me diste con tus dones.
Vino a mí la ternura que esperaba
y me acompaña la que lleva el beso

más profundo a mi boca.
         No pudieron
apartarla de mí las tempestades
ni las distancias agregaron tierra
al espacio de amor que conquistamos.
Cuando antes del incendio, entre las mieses
de España apareció tu vestidura,
yo fui doble noción, luz duplicada,
y la amargura resbaló en tu rostro
hasta caer sobre piedras perdidas.
De un gran dolor, de arpones erizados
desemboqué en tus aguas, amor mío,
como un caballo que galopa en medio
de la ira y la muerte, y lo recibe
de pronto una manzana matutina,
una cascada de temblor silvestre.
Desde entonces, amor, te conocieron
los páramos que hicieron mi conducta,
el océano oscuro que me sigue
y los castaños del otoño inmenso.

    Quién no te vio, amorosa, dulce mía,
en la lucha, a mi lado, como una
aparición, con todas las señales
de la estrella? Quién, si anduvo
entre las multitudes a buscarme,
porque soy grano del granero humano,
no te encontró apretada a mis raíces,
elevada en el canto de mi sangre?

    No sé, mi amor, si tendré tiempo y sitio
de escribir otra vez tu sombra fina
extendida en mis páginas, esposa:
son duros estos días y radiantes,
y recogemos de ellos la dulzura
amasada con párpados y espinas.
Ya no sé recordar cuándo comienzas:
estabas antes del amor,
               venías

con todas las esencias del destino,
y antes de ti, la soledad fue tuya,
fue tal vez tu dormida cabellera.
Hoy, copa de mi amor, te nombro apenas,
título de mis días, adorada,
y en el espacio ocupas como el día
toda la luz que tiene el universo.

## XII

MÉXICO    México, de mar a mar te viví, traspasado
(1940)    por tu férreo color, trepando montes
sobre los que aparecen monasterios
llenos de espinas,
                            el ruido venenoso
de la ciudad, los dientes solapados
del pululante poetiso, y sobre
las hojas de los muertos y las gradas
que construyó el silencio irreductible,
como muñones de un amor leproso,
el esplendor mojado de las ruinas.

Pero del acre campamento, huraño
sudor, lanzas de granos amarillos,
sube la agricultura colectiva
repartiendo los panes de la patria.

Otras veces calcáreas cordilleras
interrumpieron mi camino,
                            formas
de los ametrallados ventisqueros
que despedazan la corteza oscura
de la piel mexicana, y los caballos
que cruzan como el beso de la pólvora
bajo las patriarcales arboledas.

Aquellos que borraron bravamente
la frontera del predio y entregaron

la tierra conquistada por la sangre
entre los olvidados herederos,
también aquellos dedos dolorosos
anudados al sur de las raíces
la minuciosa máscara tejieron,
poblaron de floral juguetería
y de fuego textil el territorio.

No supe qué amé más, si la excavada
antigüedad de rostros que guardaron
la intensidad de piedras implacables,
o la rosa creciente, construida
por una mano ayer ensangrentada.

Y así de tierra a tierra fui tocando
el barro americano, mi estatura,
y subió por mis venas el olvido
recostado en el tiempo, hasta que un día
estremeció mi boca su lenguaje.

## XIII

EN LOS  Los países se tienden junto a los ríos, buscan
MUROS  el suave pecho, los labios del planeta,
DE  tú, México, tocaste
MÉXICO  los nidos de la espina,
(1943)  la desértica altura del águila sangrienta,
la miel de la columna combatida.

Otros hombres buscaron el ruiseñor, hallaron
el humo, el valle, regiones como la piel humana:
tú, México, enterraste las manos en la tierra,
tú creciste en la piedra de mirada salvaje.
Cuando llegó a tu boca la rosa de rocío
el látigo del cielo la convirtió en tormento.
Fue tu origen un viento de cuchillos
entre dos mares de irritada espuma.

Tus párpados se abrieron en la espesa amapola
de un día enfurecido
y la nieve extendía su espaciosa blancura
en donde el fuego vivo comenzaba a habitarte.
Conozco tu corona de nopales
y sé que bajo sus raíces
tu subterránea estatua, México, se construye
con las aguas secretas de la tierra
y los lingotes ciegos de las minas.

Oh, tierra, oh esplendor
de tu perpetua y dura geografía,
la derramada rosa del mar de California,
el rayo verde que Yucatán derrama,
el amarillo amor de Sinaloa,
los párpados rosados de Morelia,
y el largo hilo del henequén fragante
que amarra el corazón a tu estatura.

México augusto de rumor y espadas,
cuando la noche en la tierra era más grande,
repartiste la cuna del maíz a los hombres.
Levantaste la mano llena de polvo santo
y la pusiste en medio de tu pueblo
como una nueva estrella de pan y de fragancia.
El campesino entonces a la luz de la pólvora
miró su tierra desencadenada
brillar sobre los muertos germinales.

Canto a Morelos. Cuando caía
su fulgor taladrado,
una pequeña gota iba llamando
bajo la tierra hasta llenar la copa
de sangre, y de la copa un río
hasta llegar a toda la silenciosa orilla
de América, empapándola de misteriosa esencia.

Canto a Cuauhtémoc. Toco
su linaje de luna
y su fina sonrisa de dios martirizado.
Dónde estás, has perdido,
antiguo hermano, tu dureza dulce?
En qué te has convertido?
En dónde vive tu estación de fuego?

Vive en la piel de nuestra mano oscura,
vive en los cenicientos cereales:
cuando, después de la nocturna sombra
se desgranan las cepas de la aurora,
los ojos de Cuauhtémoc abren su luz remota
sobre la vida verde del follaje.

Canto a Cárdenas. Yo estuve:
yo viví la tormenta de Castilla.
Eran los días ciegos de las vidas.
Altos dolores como ramas crueles
herían nuestra madre acongojada.
Era el abandonado luto, los muros del silencio cuando
se traicionaba, se asaltaba y hería
a esa patria del alba y del laurel.
Entonces
sólo la estrella roja de Rusia y la mirada
de Cárdenas brillaron en la noche del hombre.
General, Presidente de América, te dejo en este canto
algo del resplandor que recogí en España.

México, has abierto las puertas y las manos
al errante, al herido,
al desterrado, al héroe.
Siento que esto no pueda decirse en otra forma
y quiero que se peguen mis palabras
otra vez como besos en tus muros.
De par en par abriste tu puerta combatiente
y se llenó de extraños hijos tu cabellera
y tú tocaste con tus duras manos

las mejillas del hijo
que te parió con lágrimas la tormenta del mundo.

Aquí termino, México,
aquí te dejo esta caligrafía
sobre las sienes para que la edad
vaya borrando ese nuevo discurso
de quien te amó por libre y por profundo.
Adiós te digo, pero no me voy.
Me voy, pero no puedo
decirte adiós.

Porque en mi vida, México, vives como una pequeña
águila equivocada que circula en mis venas
y sólo al fin la muerte le doblará las alas
sobre mi corazón de soldado dormido.

## XIV

EL
REGRESO
(1944)

Regresé... Chile me recibió con el rostro amarillo
del desierto.
            Peregriné sufriendo
de árida luna en cráter arenoso
y encontré los dominios eriales del planeta,
la lisa luz sin pámpanos, la rectitud vacía.
Vacía? Pero sin vegetales, sin garras, sin estiércol
me reveló la tierra su dimensión desnuda
y a lo lejos su larga línea fría en que nacen
aves y pechos ígneos de suave contextura.

Pero más lejos hombres cavaban las fronteras,
recogían metales duros, diseminados
unos como la harina de amargos cereales,
otros como la altura calcinada del fuego,
y hombres y luna, todo me envolvió en su mortaja
hasta perder el hilo vacío de los sueños.

Me entregué a los desiertos y el hombre de la escoria
salió de su agujero, de su aspereza muda
y supe los dolores de mi pueblo perdido.

Entonces fui por calles y curules y dije
cuanto vi, mostré las manos que tocaron
los terrones ahítos de dolor, las viviendas
de la desamparada pobreza, el miserable
pan y la soledad de la luna olvidada.

Y codo a codo con mi hermano sin zapatos
quise cambiar el reino de las monedas sucias.

Fui perseguido, pero nuestra lucha sigue.

La verdad es más alta que la luna.

La ven como si fueran en un navío negro
los hombres de las minas cuando miran la noche.

Y en la sombra mi voz es repartida
por la más dura estirpe de la tierra.

## XV

LA  Yo soy un carpintero ciego, sin manos.
LÍNEA                                He vivido
DE  bajo las aguas, consumiendo frío,
MADERA  sin construir las cajas fragantes, las moradas
que cedro a cedro elevan la grandeza,
pero mi canto fue buscando hilos del bosque,
secretas fibras, ceras delicadas,
y fue cortando ramas, perfumando
la soledad con labios de madera.

Amé cada materia, cada gota
de púrpura o metal, agua y espiga
y entré en espesas capas resguardadas
por espacio y arena temblorosa,
hasta cantar con boca destruida,
como un muerto, en las uvas de la tierra.

Arcilla, barro, vino me cubrieron,
enloquecí tocando las caderas
de la piel cuya flor fue sostenida
como un incendio bajo mi garganta,
y en la piedra pasearon mis sentidos
invadiendo cerradas cicatrices.

Cómo cambié sin ser, desconociendo
mi oficio antes de ser,
                la metalurgia
que estaba destinada a mi dureza,
o los aserraderos olfateados
por las cabalgaduras en invierno?

Todo se hizo ternura y manantiales
y no serví sino para nocturno.


## XVI

LA
BONDAD
COMBATIENTE

Pero no tuve la bondad muerta en las calles.
Rechacé su acueducto purulento
y no toqué su mar contaminado.

    Extraje el bien como un metal, cavando
más allá de los ojos que mordían,
y entre las cicatrices fue creciendo
mi corazón nacido en las espadas.
No salí desbocado, descargando
tierra o puñal entre los hombres.
                    No era
mi oficio el de la herida o el veneno.

No sujeté al inerme en ataduras
que le cruzaran látigos helados,
no fui a la plaza a buscar enemigos
acechando con mano enmascarada:
no hice más que crecer con mis raíces,
y el suelo que extendió mi arboladura
descifró los gusanos que yacían.

Vino a morderme Lunes y le di algunas hojas.
Vino a insultarme Martes y me quedé dormido.
Llegó Miércoles luego con dientes iracundos.
Yo lo dejé pasar construyendo raíces.
Y cuando Jueves vino con una venenosa
lanza negra de ortigas y de escamas
lo esperé en medio de mi poesía
y en plena luna le rompí un racimo.

Vengan aquí a estrellarse en esta espada.

Vengan a deshacerse en mis dominios.

Vengan en amarillos regimientos,
o en la congregación de sulfurosos.

Morderán sombra y sangre de campanas
bajo las siete leguas de mi canto.

## XVII

se
REÚNE
EL ACERO
(1945)

He visto al mal y al malo, pero no en sus cubiles.

Es una historia de hadas la maldad con caverna.

A los pobres después de haber caído
al harapo, a la mina desdichada,
les han poblado con brujas el camino.
Encontré la maldad sentada en tribunales:

en el Senado la encontré vestida
y peinada, torciendo los debates
y las ideas hacia los bolsillos.
                        El mal y el malo
recién salían de bañarse: estaban
encuadernados en satisfacciones,
y eran perfectos en la suavidad
de su falso decoro.
                        He visto al mal, y para
desterrar esta pústula he vivido
con otros hombres, agregando vidas,
haciéndome secreta cifra, metal sin nombre,
invencible unidad de pueblo y polvo.

El orgulloso estaba fieramente
combatiendo en su armario de marfil
y pasó la maldad en meteoro
diciendo: «Es admirable
su solitaria rectitud.
Dejadlo».

    El impetuoso sacó su alfabeto
    y montado en su espada se detuvo
    a perorar en la calle desierta.
    Pasó el malo y le dijo: «Qué valiente!»
    y se fue al Club a comentar la hazaña.

Pero cuando fui piedra y argamasa,
torre y acero, sílaba asociada:
cuando estreché las manos de mi pueblo
y fui al combate con el mar entero;
cuando dejé mi soledad y puse
mi orgullo en el museo, mi vanidad en el
desván de los carruajes desquiciados,
cuando me hice partido con otros hombres, cuando
se organizó el metal de la pureza,
entonces vino el mal y dijo: «Duro
con ellos, a la cárcel, mueran!».

Pero era tarde ya, y el movimiento
del hombre, mi partido,
es la invencible primavera, dura
bajo la tierra, cuando fue esperanza
y fruto general para más tarde.

## XVIII

EL VINO Vino de primavera... Vino de otoño, dadme
mis compañeros, una mesa en que caigan
hojas equinocciales, y el gran río del mundo
que palidezca un poco moviendo su sonido
lejos de nuestros cantos.
                              Soy buen compañero.

No entraste en esta casa para que te arrancara
un pedazo de ser. Tal vez cuando te vayas
te lleves algo mío, castañas, rosas o
una seguridad de raíces o naves
que quise compartir contigo, compañero.

Canta conmigo hasta que las copas
se derramen dejando púrpura desprendida
sobre la mesa.
                    Esa miel viene a tu boca
desde la tierra, desde sus oscuros racimos.

Cuántos me faltan, sombras del canto,
                                        compañeros
que amé dando la frente, sacando de mi vida
la incomparable ciencia varonil que profeso,
la amistad, arboleda de rugosa ternura.

Dame la mano, encuéntrate conmigo,
simple, no busques nada en mis palabras
sino la emanación de una planta desnuda.

Por qué me pides más que a un obrero? Ya sabes
que a golpes fui forjando mi enterrada herrería,
y que no quiero hablar sino como es mi lengua.
Sal a buscar doctores si no te gusta el viento.

Nosotros cantaremos con el vino fragoso
de la tierra: golpearemos las copas del otoño,
y la guitarra o el silencio irán trayendo
líneas de amor, lenguaje de ríos que no existen,
estrofas adoradas que no tienen sentido.

## XIX

LOS
FRUTOS
DE LA
TIERRA

Cómo sube la tierra por el maíz buscando
lechosa luz, cabellos, marfil endurecido,
la primorosa red de la espiga madura
y todo el reino de oro que se va desgranando!

Quiero comer cebollas, tráeme del mercado
una, un globo colmado de nieve cristalina,
que transformó la tierra en cera y equilibrio
como una bailarina detenida en su vuelo.
Dame unas codornices de cacería, oliendo
a musgo de las selvas, un pescado vestido
como un rey, destilando profundidad mojada
sobre la fuente,
                             abriendo pálidos ojos de oro
bajo el multiplicado pezón de los limones.

Vámonos, y bajo el castaño la fogata
dejará su tesoro blanco sobre las brasas,
y un cordero con toda su ofrenda irá dorando
su linaje hasta ser ámbar para tu boca.

Dadme todas las cosas de la tierra, torcazas
recién caídas, ebrias de racimos salvajes,
dulces angulas que al morir, fluviales,

alargaron sus perlas diminutas,
y una bandeja de ácidos erizos
darán su anaranjado submarino
al fresco firmamento de lechugas.

Y antes de que la liebre marinada
llene de aroma el aire del almuerzo
como silvestre fuga de sabores,
a las ostras del Sur, recién abiertas,
en sus estuches de esplendor salado,
va mi beso empapado en las substancias
de la tierra que amo y que recorro
con todos los caminos de mi sangre.

## XX

LA **La sombra que indagué ya no me pertenece.**
GRAN Yo tengo la alegría duradera del mástil,
ALEGRÍA la herencia de los bosques, el viento del camino
y un día decidido bajo la luz terrestre.

No escribo para que otros libros me aprisionen
ni para encarnizados aprendices de lirio,
sino para sencillos habitantes que piden
agua y luna, elementos del orden inmutable,
escuelas, pan y vino, guitarras y herramientas.

Escribo para el pueblo, aunque no pueda
leer mi poesía con sus ojos rurales.
Vendrá el instante en que una línea, el aire
que removió mi vida, llegará a sus orejas,
y entonces el labriego levantará los ojos,
el minero sonreirá rompiendo piedras,
el palanquero se limpiará la frente,
el pescador verá mejor el brillo
de un pez que palpitando le quemará las manos,
el mecánico, limpio, recién lavado, lleno

de aroma de jabón mirará mis poemas,
y ellos dirán tal vez: «Fue un camarada».

Eso es bastante, ésa es la corona que quiero.

Quiero que a la salida de fábricas y minas
esté mi poesía adherida a la tierra,
al aire, a la victoria del hombre maltratado.
Quiero que un joven halle en la dureza
que construí, con lentitud y con metales,
como una caja, abriéndola, cara a cara, la vida,
y hundiendo el alma toque las ráfagas que hicieron
mi alegría, en la altura tempestuosa.

## XXI

LA MUERTE  He renacido muchas veces, desde el fondo
de estrellas derrotadas, reconstruyendo el hilo
de las eternidades que poblé con mis manos,
y ahora voy a morir, sin nada más, con tierra
sobre mi cuerpo, destinado a ser tierra.

No compré una parcela del cielo que vendían
los sacerdotes, ni acepté tinieblas
que el metafísico manufacturaba
para despreocupados poderosos.

Quiero estar en la muerte con los pobres
que no tuvieron tiempo de estudiarla,
mientras los apaleaban los que tienen
el cielo dividido y arreglado.

Tengo lista mi muerte, como un traje
que me espera, del color que amo,
de la extensión que busqué inútilmente,
de la profundidad que necesito.

Cuando el amor gastó su materia evidente
y la lucha desgrana sus martillos
en otras manos de agregada fuerza,
viene a borrar la muerte las señales
que fueron construyendo tus fronteras.

## XXII

LA  Que otro se preocupe de los osarios...
VIDA                                El mundo
tiene un color desnudo de manzana: los ríos
arrastran un caudal de medallas silvestres
y en todas partes vive Rosalía la dulce
y Juan el compañero...
                                Ásperas piedras hacen
el castillo, y el barro más suave que las uvas
con los restos del trigo hizo mi casa.
Anchas tierras, amor, campanas lentas,
combates reservados a la aurora,
cabelleras de amor que me esperaron,
depósitos dormidos de turquesa:
casas, caminos, olas que construyen
una estatua barrida por los sueños,
panaderías en la madrugada,
relojes educados en la arena,
amapolas del trigo circulante,
y estas manos oscuras que amasaron
los materiales de mi propia vida:
hacia vivir se encienden la naranjas
sobre la multitud de los destinos!

Que los sepultureros escarben las materias
aciagas: que levanten
los fragmentos sin luz de la ceniza
y hablen en el idioma del gusano.
Yo tengo frente a mí sólo semillas,
desarrollos radiantes y dulzura.

# XXIII

TESTAMENTO   Dejo a los sindicatos
(I)   del cobre, del carbón y del salitre
mi casa junto al mar de Isla Negra.
Quiero que allí reposen los maltratados hijos
de mi patria, saqueada por hachas y traidores,
desbaratada en su sagrada sangre,
consumida en volcánicos harapos.

Quiero que al limpio amor que recorriera
mi dominio, descansen los cansados,
se sienten a mi mesa los oscuros,
duerman sobre mi cama los heridos.

Hermano, ésta es mi casa, entra en el mundo
de flor marina y piedra constelada
que levanté luchando en mi pobreza.
Aquí nació el sonido en mi ventana
como en una creciente caracola
y luego estableció sus latitudes
en mi desordenada geología.

Tú vienes de abrasados corredores,
de túneles mordidos por el odio,
por el salto sulfúrico del viento:
aquí tienes la paz que te destino,
agua y espacio de mi oceanía.

# XXIV

TESTAMENTO   Dejo mis viejos libros, recogidos
(II)   en rincones del mundo, venerados
en su tipografía majestuosa,
a los nuevos poetas de América,
a los que un día

hilarán en el ronco telar interrumpido
las significaciones de mañana.

Ellos habrán nacido cuando el agreste puño
de leñadores muertos y mineros
haya dado una vida innumerable
para limpiar la catedral torcida,
el grano desquiciado, el filamento
que enredó nuestras ávidas llanuras.
Toquen ellos infierno, este pasado
que aplastó los diamantes, y defiendan
los mundos cereales de su canto,
lo que nació en el árbol del martirio.

Sobre los huesos de caciques, lejos
de nuestra herencia traicionada, en pleno
aire de pueblos que caminan solos,
ellos van a poblar el estatuto
de un largo sufrimiento victorioso.

Que amen como yo amé mi Manrique, mi Góngora,
mi Garcilaso, mi Quevedo:
                              fueron
titánicos guardianes, armaduras
de platino y nevada transparencia,
que me enseñaron el rigor, y busquen
en mi Lautréamont viejos lamentos
entre pestilenciales agonías.
Que en Mayakovski vean cómo ascendió la estrella
y cómo de sus rayos nacieron las espigas.

## XXV

DISPOSI-    Compañeros, enterradme en Isla Negra,
CIONES    frente al mar que conozco, a cada área rugosa
de piedras y de olas que mis ojos perdidos
no volverán a ver.

Cada día de océano
me trajo niebla o puros derrumbes de turquesa,
o simple extensión, agua rectilínea, invariable,
lo que pedí, el espacio que devoró mi frente.

Cada paso enlutado de cormorán, el vuelo
de grandes aves grises que amaban el invierno,
y cada tenebroso círculo de sargazo
y cada grave ola que sacude su frío,
y más aún, la tierra que un escondido herbario
secreto, hijo de brumas y de sales, roído
por el ácido viento, minúsculas corolas
de la costa pegadas a la infinita arena:
todas las llaves húmedas de la tierra marina
conocen cada estado de mi alegría,
                                    saben
que allí quiero dormir entre los párpados
del mar y de la tierra...
                        Quiero ser arrastrado
hacia abajo en las lluvias que el salvaje
viento del mar combate y desmenuza,
y luego por los cauces subterráneos, seguir
hacia la primavera profunda que renace.

Abrid junto a mí el hueco de la que amo, y un día
dejadla que otra vez me acompañe en la tierra.

## XXVI

voy Yo no voy a morirme. Salgo ahora,
A VIVIR en este día lleno de volcanes
(1949) hacia la multitud, hacia la vida.
Aquí dejo arregladas estas cosas
hoy que los pistoleros se pasean
con la «cultura occidental» en brazos,
con las manos que matan en España
y las horcas que oscilan en Atenas

y la deshonra que gobierna a Chile
y paro de contar.
Aquí me quedo
con palabras y pueblos y caminos
que me esperan de nuevo, y que golpean
con manos consteladas en mi puerta.

## XXVII

A Me has dado la fraternidad hacia el que no conozco.
MI Me has agregado la fuerza de todos los que viven.
PARTIDO Me has vuelto a dar la patria como en un naci-
miento.
Me has dado la libertad que no tiene el solitario.
Me enseñaste a encender la bondad, como el fuego.
Me diste la rectitud que necesita el árbol.
Me enseñaste a ver la unidad y la diferencia de
los hombres.
Me mostraste cómo el dolor de un ser ha muerto
en la victoria de todos.
Me enseñaste a dormir en las camas duras de mis
hermanos.
Me hiciste construir sobre la realidad como sobre
una roca.
Me hiciste adversario del malvado y muro del fre-
nético.
Me has hecho ver la claridad del mundo y la posi-
bilidad de la alegría.
Me has hecho indestructible porque contigo no
termino en mí mismo.

# XXVIII

TERMINO
AQUÍ
(1949) Este libro termina aquí. Ha nacido
de la ira como una brasa, como los territorios
de bosques incendiados, y deseo
que continúe como un árbol rojo
propagando su clara quemadura.
Pero no sólo cólera en sus ramas
encontraste: no sólo sus raíces
buscaron el dolor, sino la fuerza,
y fuerza soy de piedra pensativa,
alegría de manos congregadas.

Por fin, soy libre adentro de los seres.

Entre los seres, como el aire vivo,
y de la soledad acorralada
salgo a la multitud de los combates,
libre porque en mi mano va tu mano,
conquistando alegrías indomables.

Libro común de un hombre, pan abierto
es esta geografía de mi canto,
y una comunidad de labradores
alguna vez recogerá su fuego,
y sembrará sus llamas y sus hojas
otra vez en la nave de la tierra.

Y nacerá de nuevo esta palabra,
tal vez en otro tiempo sin dolores,
sin las impuras hebras que adhirieron
negras vegetaciones en mi canto,
y otra vez en la altura estará ardiendo
mi corazón quemante y estrellado.
Así termina este libro, aquí dejo
mi *Canto general* escrito
en la persecución, cantando bajo

las alas clandestinas de mi patria.
Hoy 5 de febrero, en este año
de 1949, en Chile, en «Godomar
de Chena», algunos meses antes
de los cuarenta y cinco años de mi edad.

# Los versos del Capitán

[1951-1952]

# Explicación

*Mucho se discutió el anonimato de este libro. Lo que yo discutía en mi interior, mientras tanto, era si debía o no sacarlo de su origen íntimo: revelar su progenitura era desnudar la intimidad de su nacimiento. Y no me parecía que tal acción fuera leal a los arrebatos de amor y furia, al clima desconsolado y ardiente del destierro que le dio nacimiento.*

*Por otra parte pienso que todos los libros debieran ser anónimos. Pero entre quitar a todos los míos mi nombre o entregarlo al más misterioso, cedí, por fin, aunque sin mucha ganas.*

*¿Que por qué guardó su misterio por tanto tiempo? Por nada y por todo, por lo de aquí y lo de más allá, por alegrías impropias, por sufrimientos ajenos. Cuando Paolo Ricci, compañero luminoso, lo imprimió por primera vez en Nápoles en 1952 pensamos que aquellos escasos ejemplares que él cuidó y preparó con excelencia desaparecerían sin dejar huellas en las arenas del Sur.*

*No ha sido así. Y la vida que reclamó su estallido secreto hoy me lo impone como presencia del inconmovible amor.*

*Entrego, pues, este libro sin explicarlo más, como si fuera mío y no lo fuera: basta con que pudiera andar solo por el mundo y crecer por su cuenta. Ahora que lo reconozco espero que su sangre furiosa me reconocerá también.*

PABLO NERUDA
Isla Negra, noviembre de 1963

## Carta-prólogo

Habana, 3 de octubre de 1951

Estimado señor:

Me permito enviarle estos papeles que creo le interesarán y que no he podido dar a la publicidad hasta ahora.

Tengo todos los originales de estos versos. Están escritos en los sitios más diversos, como trenes, aviones, cafés y en pequeños papelitos extraños en los que no hay casi correcciones. En una de sus últimas cartas venía *La carta en el camino*. Muchos de estos papeles por arrugados y cortados son casi ilegibles, pero creo que he logrado descifrarlos.

Mi persona no tiene importancia, pero soy la protagonista de este libro y eso me hace estar orgullosa y satisfecha de mi vida.

Este amor, este gran amor, nació un agosto de un año cualquiera, en mis giras que hacía como artista por los pueblos de la frontera franco-española.

Él venía de la guerra de España. No venía vencido. Era del partido de Pasionaria, estaba lleno de ilusiones y de esperanzas para su pequeño y lejano país, en Centroamérica.

Siento no poder dar su nombre. Nunca he sabido cuál era el verdadero, si Martínez, Ramírez o Sánchez. Yo lo llamo simplemente mi Capitán y éste es el nombre que quiero conservar en este libro.

Sus versos son como él mismo: tiernos, amorosos, apasionados, y terribles en su cólera. Era fuerte y su fuerza la sentían todos los que a él se acercaban. Era un hombre privilegiado de los que nacen para grandes destinos. Yo sentía su fuerza y mi placer más grande era sentirme pequeña a su lado.

Entró a mi vida, como él lo dice en un verso, echando la puerta abajo. No golpeó la puerta con timidez de enamorado.

Desde el primer instante, él se sintió dueño de mi cuerpo y de mi alma. Me hizo sentir que todo cambiaba en mi vida, esa pequeña vida mía de artista, de comodidad, de blandura, se transformó como todo lo que él tocaba.

No sabía de sentimientos pequeños, ni tampoco los aceptaba. Me dio su amor, con toda la pasión que él era capaz de sentir y yo lo amé como nunca me creí capaz de amar. Todo se transformó en mi vida. Entré a un mundo que antes nunca soñé que existía. Primero tuve miedo, hubo momentos de duda, pero el amor no me dejó vacilar mucho tiempo.

Este amor me traía todo. La ternura dulce y sencilla cuando buscaba una flor, un juguete, una piedra de río y me la entregaba con sus ojos húmedos de una ternura infinita. Sus grandes manos eran en este momento de una blandura dulce y en sus ojos se asomaba entonces un alma de niño.

Pero había en mí un pasado que él no conocía y había celos y furias incontenibles. Éstas eran como tempestades furiosas que azotaban su alma y la mía, pero nunca tuvieron fuerza para destrozar la cadena que nos unía, que era nuestro amor, y de cada tempestad salíamos más unidos, más fuertes, más seguros de nosotros mismos.

En todos estos momentos, él escribía estos versos, que me hacían subir al cielo o bajar al mismo infierno, con la crudeza de sus palabras que me quemaban como brasas.

Él no podía amar de otra manera. Estos versos son la historia de nuestro amor, grande en todas sus manifestaciones. Tenía la misma pasión que él ponía en sus combates, en sus luchas contra las injusticias. Le dolía el sufrimiento y la miseria, no sólo de su pueblo, sino de todos los pueblos, todas las luchas por combatirlas eran suyas y se entregaba entero, con toda su pasión.

Yo soy muy poco literaria y no puedo hablar del valor de estos versos, fuera del valor humano que indiscutiblemente tienen. Tal vez el Capitán nunca pensó que estos versos se publicarían, pero ahora creo que es mi deber darlos al mundo.

Saluda atentamente a usted

ROSARIO DE LA CERDA

# EL AMOR

## En ti la tierra

Pequeña
rosa,
rosa pequeña,
a veces,
diminuta y desnuda,
parece
que en una mano mía
cabes,
que así voy a cerrarte
y a llevarte a mi boca,
pero
de pronto
mis pies tocan tus pies y mi boca tus labios,
has crecido,
suben tus hombros como dos colinas,
tus pechos se pasean por mi pecho,
mi brazo alcanza apenas a rodear la delgada
línea de luna nueva que tiene tu cintura:
en el amor como agua de mar te has desatado:
mido apenas los ojos más extensos del cielo
y me inclino a tu boca para besar la tierra.

## La reina

Yo te he nombrado reina.
Hay más altas que tú, más altas.
Hay más puras que tú, más puras.
Hay más bellas que tú, hay más bellas.
Pero tú eres la reina.

Cuando vas por las calles
nadie te reconoce.
Nadie ve tu corona de cristal, nadie mira
la alfombra de oro rojo
que pisas donde pasas,
la alfombra que no existe.

Y cuando asomas
suenan todos los ríos
en mi cuerpo, sacuden
el cielo las campanas,
y un himno llena el mundo.

Sólo tú y yo,
sólo tú y yo, amor mío,
lo escuchamos.

## El alfarero

Todo tu cuerpo tiene
copa o dulzura destinada a mí.

Cuando subo la mano
encuentro en cada sitio una paloma

que me buscaba, como
si te hubieran, amor, hecho de arcilla
para mis propias manos de alfarero.

Tus rodillas, tus senos,
tu cintura
faltan en mí como en el hueco
de una tierra sedienta
de la que desprendieron
una forma,
y juntos
somos completos como un solo río,
como una sola arena.

## 8 de septiembre

Hoy, este día fue una copa plena,
hoy, este día fue la inmensa ola,
hoy, fue toda la tierra.

Hoy el mar tempestuoso
nos levantó en un beso
tan alto que temblamos
a la luz de un relámpago
y, atados, descendimos
a sumergirnos sin desenlazarnos.

Hoy nuestros cuerpos se hicieron extensos,
crecieron hasta el límite del mundo
y rodaron fundiéndose
en una sola gota
de cera o meteoro.

Entre tú y yo se abrió una nueva puerta
y alguien, sin rostro aún,
allí nos esperaba.

## Tus pies

Cuando no puedo mirar tu cara
miro tus pies.

Tus pies de hueso arqueado,
tus pequeños pies duros.

Yo sé que te sostienen,
y que tu dulce peso
sobre ellos se levanta.

Tu cintura y tus pechos,
la duplicada púrpura
de tus pezones,
la caja de tus ojos
que recién han volado,
tu ancha boca de fruta,
tu cabellera roja,
pequeña torre mía.

Pero no amo tus pies
sino porque anduvieron
sobre la tierra y sobre
el viento y sobre el agua,
hasta que me encontraron.

## Tus manos

Cuando tus manos salen,
amor, hacia las mías,
qué me traen volando?

Por qué se detuvieron
en mi boca, de pronto,
por qué las reconozco
como si entonces, antes,
las hubiera tocado,
como si antes de ser
hubieran recorrido
mi frente, mi cintura?

Su suavidad venía
volando sobre el tiempo,
sobre el mar, sobre el humo,
sobre la primavera,
y cuando tú pusiste
tus manos en mi pecho,
reconocí esas alas
de paloma dorada,
reconocí esa greda
y ese color de trigo.

Los años de mi vida
yo caminé buscándolas.
Subí las escaleras,
crucé los arrecifes,
me llevaron los trenes,
las aguas me trajeron,
y en la piel de las uvas
me pareció tocarte.
La madera de pronto
me trajo tu contacto,
la almendra me anunciaba
tu suavidad secreta,
hasta que se cerraron
tus manos en mi pecho
y allí como dos alas
terminaron su viaje.

## Tu risa

Quítame el pan, si quieres,
quítame el aire, pero
no me quites tu risa.

No me quites la rosa,
la lanza que desgranas,
el agua que de pronto
estalla en tu alegría,
la repentina ola
de plata que te nace.

Mi lucha es dura y vuelvo
con los ojos cansados
a veces de haber visto
la tierra que no cambia,
pero al entrar tu risa
sube al cielo buscándome
y abre para mí todas
las puertas de la vida.

Amor mío, en la hora
más oscura desgrana
tu risa, y si de pronto
ves que mi sangre mancha
las piedras de la calle,
ríe, porque tu risa
será para mis manos
como una espada fresca.

Junto al mar en otoño,
tu risa debe alzar
su cascada de espuma,
y en primavera, amor,

quiero tu risa como
la flor que yo esperaba,
la flor azul, la rosa
de mi patria sonora.

Ríete de la noche,
del día, de la luna,
ríete de las calles
torcidas de la isla,
ríete de este torpe
muchacho que te quiere,
pero cuando yo abro
los ojos y los cierro,
cuando mis pasos van,
cuando vuelven mis pasos,
niégame el pan, el aire,
la luz, la primavera,
pero tu risa nunca
porque me moriría.

## El inconstante

Los ojos se me fueron
detrás de una morena
que pasó.
Era de nácar negro,
era de uvas moradas,
y me azotó la sangre
con su cola de fuego.

Detrás de todas
me voy.

Pasó una clara rubia
como una planta de oro

balanceando sus dones.
Y mi boca se fue
como con una ola
descargando en su pecho
relámpagos de sangre.

Detrás de todas
me voy.

Pero a ti, sin moverme,
sin verte, tú distante,
van mi sangre y mis besos,
morena y clara mía,
alta y pequeña mía,
ancha y delgada mía,
mi fea, mi hermosura,
hecha de todo el oro
y de toda la plata,
hecha de todo el trigo
y de toda la tierra,
hecha de toda el agua
de las olas marinas,
hecha para mis brazos,
hecha para mis besos,
hecha para mi alma.

## La noche en la isla

Toda la noche he dormido contigo
junto al mar, en la isla.
Salvaje y dulce eras entre el placer y el sueño,
entre el fuego y el agua.

Tal vez muy tarde
nuestros sueños se unieron

en lo alto o en el fondo,
arriba como ramas que un mismo viento mueve,
abajo como rojas raíces que se tocan.

Tal vez tu sueño
se separó del mío
y por el mar oscuro
me buscaba
como antes
cuando aún no existías,
cuando sin divisarte
navegué por tu lado,
y tus ojos buscaban
lo que ahora
–pan, vino, amor y cólera–
te doy a manos llenas
porque tú eres la copa
que esperaba los dones de mi vida.

He dormido contigo
toda la noche mientras
la oscura tierra gira
con vivos y con muertos,
y al despertar de pronto
en medio de la sombra
mi brazo rodeaba tu cintura.
Ni la noche, ni el sueño
pudieron separarnos.

He dormido contigo
y al despertar tu boca
salida de tu sueño
me dio el sabor de tierra,
de agua marina, de algas,
del fondo de tu vida,
y recibí tu beso
mojado por la aurora
como si me llegara
del mar que nos rodea.

## El viento en la isla

El viento es un caballo:
óyelo cómo corre
por el mar, por el cielo.

Quiere llevarme: escucha
cómo recorre el mundo
para llevarme lejos.

Escóndeme en tus brazos
por esta noche sola,
mientras la lluvia rompe
contra el mar y la tierra
su boca innumerable.

Escucha cómo el viento
me llama galopando
para llevarme lejos.

Con tu frente en mi frente,
con tu boca en mi boca,
atados nuestros cuerpos
al amor que nos quema,
deja que el viento pase
sin que pueda llevarme.

Deja que el viento corra
coronado de espuma,
que me llame y me busque
galopando en la sombra,
mientras yo, sumergido
bajo tus grandes ojos,
por esta noche sola
descansaré, amor mío.

## La infinita

Ves estas manos? Han medido
la tierra, han separado
los minerales y los cereales,
han hecho la paz y la guerra,
han derribado las distancias
de todos los mares y ríos,
y sin embargo
cuando te recorren
a ti, pequeña,
grano de trigo, alondra,
no alcanzan a abarcarte,
se cansan alcanzando
las palomas gemelas
que reposan o vuelan en tu pecho,
recorren las distancias de tus piernas,
se enrollan en la luz de tu cintura.
Para mí eres tesoro más cargado
de inmensidad que el mar y sus racimos
y eres blanca y azul y extensa como
la tierra en la vendimia.
En ese territorio,
de tus pies a tu frente,
andando, andando, andando,
me pasaré la vida.

## Bella

Bella,
como en la piedra fresca
del manantial, el agua

abre un ancho relámpago de espuma,
así es la sonrisa en tu rostro,
bella.

Bella,
de finas manos y delgados pies
como un caballito de plata,
andando, flor del mundo,
así te veo,
bella.

Bella,
con un nido de cobre enmarañado
en tu cabeza, un nido
color de miel sombría
donde mi corazón arde y reposa,
bella.

Bella,
no te caben los ojos en la cara,
no te caben los ojos en la tierra.
Hay países, hay ríos
en tus ojos,
mi patria está en tus ojos,
yo camino por ellos,
ellos dan luz al mundo
por donde yo camino,
bella.

Bella,
tus senos son como dos panes hechos
de tierra cereal y luna de oro,
bella.

Bella,
tu cintura
la hizo mi brazo como un río cuando
pasó mil años por tu dulce cuerpo,
bella.

Bella,
no hay nada como tus caderas,
tal vez la tierra tiene
en algún sitio oculto
la curva y el aroma de tu cuerpo,
tal vez en algún sitio,
bella.

Bella, mi bella,
tu voz, tu piel, tus uñas,
bella, mi bella,
tu ser, tu luz, tu sombra,
bella,
todo eso es mío, bella,
todo eso es mío, mía,
cuando andas o reposas,
cuando cantas o duermes,
cuando sufres o sueñas,
siempre,
cuando estás cerca o lejos,
siempre,
eres mía, mi bella,
siempre.

## La rama robada

En la noche entraremos
a robar
una rama florida.

Pasaremos el muro,
en las tinieblas del jardín ajeno,
dos sombras en la sombra.

Aún no se fue el invierno,
y el manzano aparece
convertido de pronto
en cascada de estrellas olorosas.

En la noche entraremos
hasta su tembloroso firmamento,
y tus pequeñas manos y las mías
robarán las estrellas.

Y sigilosamente,
a nuestra casa,
en la noche y la sombra,
entrará con tus pasos
el silencioso paso del perfume
y con pies estrellados
el cuerpo claro de la primavera.

## El hijo

Ay hijo, sabes, sabes
de dónde vienes?

De un lago con gaviotas
blancas y hambrientas.

Junto al agua de invierno
ella y yo levantamos
una fogata roja
gastándonos los labios
de besarnos el alma,
echando al fuego todo,
quemándonos la vida.

Así llegaste al mundo.

Pero ella para verme
y para verte un día
atravesó los mares
y yo para abrazar
su pequeña cintura
toda la tierra anduve,
con guerras y montañas,
con arenas y espinas.

Así llegaste al mundo.

De tantos sitios vienes,
del agua y de la tierra,
del fuego y de la nieve,
de tan lejos caminas
hacia nosotros dos,
desde el amor terrible
que nos ha encadenado,
que queremos saber
cómo eres, qué nos dices,
porque tú sabes más
del mundo que te dimos.

Como una gran tormenta
sacudimos nosotros
el árbol de la vida
hasta las más ocultas
fibras de las raíces
y apareces ahora
cantando en el follaje,
en la más alta rama
que contigo alcanzamos.

# La tierra

La tierra verde se ha entregado
a todo lo amarillo, oro, cosechas,
terrones, hojas, grano,
pero cuando el otoño se levanta
con su estandarte extenso
eres tú la que veo,
es para mí tu cabellera
la que reparte las espigas.

Veo los monumentos
de antigua piedra rota,
pero si toco
la cicatriz de piedra
tu cuerpo me responde,
mis dedos reconocen
de pronto, estremecidos,
tu caliente dulzura.

Entre los héroes paso
recién condecorados
por la tierra y la pólvora
y detrás de ellos, muda,
con tus pequeños pasos,
eres o no eres?

Ayer, cuando sacaron
de raíz, para verlo,
el viejo árbol enano,
te vi salir mirándome
desde las torturadas
y sedientas raíces.

Y cuando viene el sueño
a extenderme y llevarme
a mi propio silencio
hay una gran viento blanco
que derriba mi sueño
y caen de él las hojas,
caen como cuchillos
sobre mí desangrándome.

Y cada herida tiene
la forma de tu boca.

## Ausencia

Apenas te he dejado,
vas en mí, cristalina
o temblorosa,
o inquieta, herida por mí mismo
o colmada de amor, como cuando tus ojos
se cierran sobre el don de la vida
que sin cesar te entrego.

Amor mío,
nos hemos encontrado
sedientos y nos hemos
bebido toda el agua y la sangre,
nos encontramos
con hambre
y nos mordimos
como el fuego muerde,
dejándonos heridas.

Pero espérame,
guárdame tu dulzura.
Yo te daré también
una rosa.

## EL DESEO

## El tigre

Soy el tigre.
Te acecho entre las hojas
anchas como lingotes
de mineral mojado.

El río blanco crece
bajo la niebla. Llegas.

Desnuda te sumerges.
Espero.

Entonces en un salto
de fuego, sangre, dientes,
de un zarpazo derribo
tu pecho, tus caderas.

Bebo tu sangre, rompo
tus miembros uno a uno.

Y me quedo velando
por años en la selva
tus huesos, tu ceniza,
inmóvil, lejos
del odio y de la cólera,
desarmado en tu muerte,
cruzado por las lianas,
inmóvil en la lluvia,
centinela implacable
de mi amor asesino.

## El cóndor

Yo soy el cóndor, vuelo
sobre ti que caminas
y de pronto en un ruedo
de viento, pluma, garras,
te asalto y te levanto
en un ciclón silbante
de huracanado frío.

Y a mi torre de nieve,
a mi guarida negra
te llevo y sola vives,
y te llenas de plumas
y vuelas sobre el mundo,
inmóvil, en la altura.

Hembra cóndor, saltemos
sobre esta presa roja,
desgarremos la vida
que pasa palpitando
y levantemos juntos
nuestro vuelo salvaje.

## El insecto

De tus caderas a tus pies
quiero hacer un largo viaje.

Soy más pequeño que un insecto.

Voy por estas colinas,
son de color de avena,
tienen delgadas huellas
que sólo yo conozco,
centímetros quemados,
pálidas perspectivas.

Aquí hay una montaña.
No saldré nunca de ella.
Oh qué musgo gigante!
Y un cráter, una rosa
de fuego humedecido!

Por tus piernas desciendo
hilando una espiral
o durmiendo en el viaje
y llego a tus rodillas
de redonda dureza
como a las cimas duras
de un claro continente.

Hacia tus pies resbalo,
a las ocho aberturas
de tus dedos agudos,
lentos, peninsulares,
y de ellos al vacío
de la sábana blanca
caigo, buscando ciego
y hambriento tu contorno
de vasija quemante!

## LAS FURIAS

### El amor

Qué tienes, qué tenemos,
qué nos pasa?
Ay, nuestro amor es una cuerda dura
que nos amarra hiriéndonos
y si queremos
salir de nuestra herida,
separarnos,
nos hace un nuevo nudo y nos condena
a desangrarnos y quemarnos juntos.

Qué tienes? Yo te miro
y no hallo nada en ti sino dos ojos
como todos los ojos, una boca
perdida entre mil bocas que besé, más hermosas,
un cuerpo igual a los que resbalaron
bajo mi cuerpo sin dejar memoria.

Y qué vacía por el mundo ibas
como una jarra de color de trigo
sin aire, sin sonido, sin substancia!
Yo busqué en vano en ti
profundidad para mis brazos
que excavan, sin cesar, bajo la tierra:
bajo tu piel, bajo tus ojos
nada,
bajo tu doble pecho levantado
apenas
una corriente de orden cristalino

que no sabe por qué corre cantando.
Por qué, por qué, por qué,
amor mío, por qué?


## Siempre


Antes de mí
no tengo celos.

Ven con un hombre
a la espalda,
ven con cien hombres en tu cabellera,
ven con mil hombres entre tu pecho y tus pies,
ven como un río
lleno de ahogados
que encuentra el mar furioso,
la espuma eterna, el tiempo!

Tráelos todos
adonde yo te espero:
siempre estaremos solos,
siempre estaremos tú y yo
solos sobre la tierra,
para comenzar la vida!


## El desvío


Si tu pie se desvía de nuevo,
será cortado.

Si tu mano te lleva
a otro camino
se caerá podrida.

Si me apartas tu vida
morirás
aunque vivas.

Seguirás muerta o sombra,
andando sin mí por la tierra.


## La pregunta


Amor, una pregunta
te ha destrozado.

Yo he regresado a ti
desde la incertidumbre con espinas.

Te quiero recta como
la espada o el camino.

Pero te empeñas
en guardar un recodo
de sombra que no quiero.

Amor mío,
compréndeme,
te quiero toda,
de ojos a pies, a uñas,
por dentro,
toda la claridad, la que guardabas.

Soy yo, amor mío,
quien golpea tu puerta.
No es el fantasma, no es
el que antes se detuvo
en tu ventana.
Yo echo la puerta abajo:

yo entro en toda tu vida:
vengo a vivir en tu alma:
tú no puedes conmigo.

Tienes que abrir puerta a puerta,
tienes que obedecerme,
tienes que abrir los ojos
para que busque en ellos,
tienes que ver cómo ando
con pasos pesados
por todos los caminos
que, ciegos, me esperaban.

No me temas,
soy tuyo,
pero
no soy el pasajero ni el mendigo,
soy tu dueño,
el que tú esperabas,
y ahora entro
en tu vida,
para no salir más,
amor, amor, amor,
para quedarme.


## La pródiga


Yo te escogí entre todas las mujeres
para que repitieras
sobre la tierra
mi corazón que baila con espigas
o lucha sin cuartel cuando hace falta.

Yo te pregunto, dónde está mi hijo?

No me esperaba en ti, reconociéndome,
y diciéndome: «Llámame para salir sobre la tierra
a continuar tus luchas y tus cantos»?

Devuélveme a mi hijo!

Lo has olvidado en las puertas
del placer, oh pródiga
enemiga,
has olvidado que viniste a esta cita,
la más profunda, aquella
en que los dos, unidos, seguiremos hablando
por su boca, amor mío,
ay todo aquello
que no alcanzamos a decirnos?

Cuando yo te levanto en una ola
de fuego y sangre, y se duplica
la vida entre nosotros,
acuérdate
que alguien nos llama
como nadie jamás nos ha llamado,
y que no respondemos
y nos quedamos solos y cobardes
ante la vida que negamos.

Pródiga,
abre las puertas,
y que en tu corazón
el nudo ciego
se desenlace y vuele
con tu sangre y la mía
por el mundo!

# El daño

Te he hecho daño, alma mía,
he desgarrado tu alma.

Entiéndeme.
Todos saben quién soy,
pero ese Soy
es además un hombre
para ti.

En ti vacilo, caigo
y me levanto ardiendo.
Tú entre todos los seres
tienes derecho
a verme débil.
Y tu pequeña mano
de pan y de guitarra
debe tocar mi pecho
cuando sale al combate.

Por eso busco en ti la firme piedra.
Ásperas manos en tu sangre clavo
buscando tu firmeza
y la profundidad que necesito,
y si no encuentro
sino tu risa de metal, si no hallo
nada en qué sostener mis duros pasos,
adorada, recibe
mi tristeza y mi cólera,
mis manos enemigas
destruyéndote un poco
para que te levantes de la arcilla,
hecha de nuevo para mis combates.

# El pozo

A veces te hundes, caes
en tu agujero de silencio,
en tu abismo de cólera orgullosa,
y apenas puedes
volver, aún con jirones
de lo que hallaste
en la profundidad de tu existencia.

Amor mío, qué encuentras
en tu pozo cerrado?
Algas, ciénagas, rocas?
Qué ves con ojos ciegos,
rencorosa y herida?

Mi vida, no hallarás
en el pozo en que caes
lo que yo guardo para ti en la altura:
un ramo de jazmines con rocío,
un beso más profundo que tu abismo.

No me temas, no caigas
en tu rencor de nuevo.
Sacude la palabra mía que vino a herirte
y déjala que vuele por la ventana abierta.
Ella volverá a herirme
sin que tú la dirijas
puesto que fue cargada con un instante duro
y ese instante será desarmado en mi pecho.

Sonríeme radiosa
si mi boca te hiere.
No soy un pastor dulce
como en los cuentos de hadas,

sino un buen leñador que comparte contigo
tierra, viento y espinas de los montes.

Ámame tú, sonríeme,
ayúdame a ser bueno.
No te hieras en mí, que será inútil,
no me hieras a mí porque te hieres.

## El sueño

Andando en las arenas
yo decidí dejarte.

Pisaba un barro oscuro
que temblaba,
y hundiéndome y saliendo
decidí que salieras
de mí, que me pesabas
como piedra cortante,
y elaboré tu pérdida
paso a paso:
cortarte las raíces,
soltarte sola al viento.

Ay, en ese minuto,
corazón mío, un sueño
con sus alas terribles
te cubría.

Te sentías tragada por el barro,
y me llamabas y yo no acudía,
te ibas, inmóvil,
sin defenderte
hasta ahogarte en la boca de arena.

Después
mi decisión se encontró con tu sueño,
y desde la ruptura
que nos quebraba el alma,
surgimos limpios otra vez, desnudos,
amándonos
sin sueño, sin arena,
completos y radiantes,
sellados por el fuego.

## Si tú me olvidas

Quiero que sepas
una cosa.

Tú sabes cómo es esto:
si miro
la luna de cristal, la rama roja
del lento otoño en mi ventana,
si toco
junto al fuego
la impalpable ceniza
o el arrugado cuerpo de la leña,
todo me lleva a ti,
como si todo lo que existe,
aromas, luz, metales,
fueran pequeños barcos que navegan
hacia las islas tuyas que me aguardan.

Ahora bien,
si poco a poco dejas de quererme
dejaré de quererte poco a poco.

Si de pronto
me olvidas

no me busques,
que ya te habré olvidado.

Si consideras largo y loco
el viento de banderas
que pasa por mi vida
y te decides
a dejarme a la orilla
del corazón en que tengo raíces,
piensa
que en ese día,
a esa hora
levantaré los brazos
y saldrán mis raíces
a buscar otra tierra.

Pero
si cada día,
cada hora
sientes que a mí estás destinada
con dulzura implacable.
Si cada día sube
una flor a tus labios a buscarme,
ay amor mío, ay mía,
en mí todo ese fuego se repite,
en mí nada se apaga ni se olvida,
mi amor se nutre de tu amor, amada,
y mientras vivas estará en tus brazos
sin salir de los míos.


## El olvido

Todo el amor en una copa
ancha como la tierra, todo
el amor con estrellas y espinas

te di, pero anduviste
con pies pequeños, con tacones sucios
sobre el fuego, apagándolo.

Ay gran amor, pequeña amada!

No me detuve en la lucha.
No dejé de marchar hacia la vida,
hacia la paz, hacia el pan para todos,
pero te alcé en mis brazos
y te clavé a mis besos
y te miré como jamás
volverán a mirarte ojos humanos.

Ay gran amor, pequeña amada!

Entonces no mediste mi estatura,
y al hombre que para ti apartó
la sangre, el trigo, el agua
confundiste
con el pequeño insecto que te cayó en la falda.

Ay gran amor, pequeña amada!

No esperes que te mire en la distancia
hacia atrás, permanece
con lo que te dejé, pasea
con mi fotografía traicionada,
yo seguiré marchando,
abriendo anchos caminos contra la sombra, haciendo
suave la tierra, repartiendo
la estrella para los que vienen.

Quédate en el camino.
Ha llegado la noche para ti.
Tal vez de madrugada
nos veremos de nuevo.

Ay gran amor, pequeña amada!

## Las muchachas

Muchachas que buscabais
el gran amor, el gran amor terrible,
qué ha pasado, muchachas?

Tal vez
el tiempo, el tiempo!

Porque ahora,
aquí está, ved cómo pasa
arrastrando las piedras celestes,
destrozando las flores y las hojas,
con un ruido de espumas azotadas
contra todas las piedras de tu mundo,
con un olor de esperma y de jazmines,
junto a la luna sangrienta!

Y ahora
tocas el agua con tus pies pequeños,
con tu pequeño corazón
y no sabes qué hacer!

Son mejores
ciertos viajes nocturnos,
ciertos departamentos,
ciertos divertidísimos paseos,
ciertos bailes sin mayor consecuencia
que continuar el viaje!

Muérete de miedo o de frío,
o de duda,
que yo con mis grandes pasos
la encontraré,
dentro de ti

o lejos de ti,
y ella me encontrará,
la que no temblará frente al amor,
la que estará fundida
conmigo
en la vida o la muerte!


## Tú venías


No me has hecho sufrir
sino esperar.

Aquellas horas
enmarañadas, llenas
de serpientes,
cuando
se me caía el alma y me ahogaba,
tú venías andando,
tú venías desnuda y arañada,
tú llegabas sangrienta hasta mi lecho,
novia mía,
y entonces
toda la noche caminamos
durmiendo
y cuando despertamos
eras intacta y nueva,
como si el grave viento de los sueños
de nuevo hubiera dado
fuego a tu cabellera
y en trigo y plata hubiera sumergido
tu cuerpo hasta dejarlo deslumbrante.

Yo no sufrí, amor mío,
yo sólo te esperaba.
Tenías que cambiar de corazón

y de mirada
después de haber tocado la profunda
zona de mar que te entregó mi pecho.
Tenías que salir del agua
pura como una gota levantada
por una ola nocturna.

Novia mía, tuviste
que morir y nacer, yo te esperaba.
Yo no sufrí buscándote,
sabía que vendrías,
una nueva mujer con lo que adoro
de la que no adoraba,
con tus ojos, tus manos y tu boca
pero con otro corazón
que amaneció a mi lado
como si siempre hubiera estado allí
para seguir conmigo para siempre.

## LAS VIDAS

## El monte y el río

En mi patria hay un monte.
En mi patria hay un río.

Ven conmigo.

La noche al monte sube.
El hambre baja al río.

Ven conmigo.

¿Quiénes son los que sufren?
No sé, pero son míos.

Ven conmigo.

No sé, pero me llaman
y me dicen: «Sufrimos».

Ven conmigo.

Y me dicen: «Tu pueblo,
tu pueblo desdichado,
entre el monte y el río,

con hambre y con dolores,
no quiere luchar solo,
te está esperando, amigo».

Oh tú, la que yo amo,
pequeña, grano rojo
de trigo,
será dura la lucha,
la vida será dura,
pero vendrás conmigo.


## La pobreza


Ay no quieres,
te asusta
la pobreza,

no quieres
ir con zapatos rotos al mercado
y volver con el viejo vestido.

Amor, no amamos,
como quieren los ricos,
la miseria. Nosotros
la extirparemos como diente maligno
que hasta ahora ha mordido el corazón del hombre.

Pero no quiero
que la temas.
Si llega por mi culpa a tu morada,
si la pobreza expulsa
tus zapatos dorados,
que no expulse tu risa que es el pan de mi vida.
Si no puedes pagar el alquiler
sal al trabajo con paso orgulloso,
y piensa, amor, que yo te estoy mirando
y somos juntos la mayor riqueza
que jamás se reunió sobre la tierra.

## Las vidas

Ay qué incómoda a veces
te siento
conmigo, vencedor entre los hombres!
Porque no sabes
que conmigo vencieron
miles de rostros que no puedes ver,
miles de pies y pechos que marcharon conmigo,
que no soy,
que no existo,
que sólo soy la frente de los que van conmigo,
que soy más fuerte
porque llevo en mí
no mi pequeña vida
sino todas las vidas,
y ando seguro hacia delante
porque tengo mil ojos,
golpeo con peso de piedra
porque tengo mil manos
y mi voz se oye en las orillas
de todas las tierras
porque es la voz de todos
los que no hablaron,
de los que no cantaron
y cantan hoy con esta boca
que a ti te besa.

## La bandera

Levántate conmigo.

Nadie quisiera
como yo quedarse

sobre la almohada en que tus párpados
quieren cerrar el mundo para mí.
Allí también quisiera
dejar dormir mi sangre
rodeando tu dulzura.

Pero levántate,
tú, levántate,
pero conmigo levántate
y salgamos reunidos
a luchar cuerpo a cuerpo
contra las telarañas del malvado,
contra el sistema que reparte el hambre,
contra la organización de la miseria.

Vamos,
y tú, mi estrella, junto a mí,
recién nacida de mi propia arcilla,
ya habrás hallado el manantial que ocultas
y en medio del fuego estarás
junto a mí,
con tus ojos bravíos,
alzando mi bandera.

## El amor del soldado

En plena guerra te llevó la vida
a ser el amor del soldado.

Con tu pobre vestido de seda,
tus uñas de piedra falsa,
te tocó caminar por el fuego.

Ven acá, vagabunda,
ven a beber sobre mi pecho
rojo rocío.

No querías saber dónde andabas,
eras la compañera de baile,
no tenías partido ni patria.

Y ahora a mi lado caminando
ves que conmigo va la vida
y que detrás está la muerte.

Ya no puedes volver a bailar
con tu traje de seda en la sala.

Te vas a romper los zapatos,
pero vas a crecer en la marcha.

Tienes que andar sobre las espinas
dejando gotitas de sangre.

Bésame de nuevo, querida.

Limpia ese fusil, camarada.


## No sólo el fuego


Ay sí, recuerdo,
ay tus ojos cerrados
como llenos por dentro de luz negra,
todo tu cuerpo como una mano abierta,
como un racimo blanco de la luna,
y el éxtasis,
cuando nos mata un rayo,
cuando un puñal nos hiere en las raíces
y nos rompe una luz la cabellera,
y cuando
vamos de nuevo
volviendo a la vida,

como si del océano saliéramos,
como si del naufragio
volviéramos heridos
entre las piedras y las algas rojas.

Pero
hay otros recuerdos,
no sólo flores del incendio,
sino pequeños brotes
que aparecen de pronto
cuando voy en los trenes
o en las calles.

Te veo
lavando mis pañuelos,
colgando en la ventana
mis calcetines rotos,
tu figura en que todo,
todo el placer como una llamarada
cayó sin destruirte,
de nuevo,
mujercita
de cada día,
de nuevo ser humano,
humildemente humano,
soberbiamente pobre,
como tienes que ser para que seas
no la rápida rosa
que la ceniza del amor deshace,
sino toda la vida,
toda la vida con jabón y agujas,
con el aroma que amo
de la cocina que tal vez no tendremos
y en que tu mano entre las papas fritas
y tu boca cantando en invierno
mientras llega el asado
serían para mí la permanencia
de la felicidad sobre la tierra.

Ay vida mía,
no sólo el fuego entre nosotros arde,
sino toda la vida,
la simple historia,
el simple amor
de una mujer y un hombre
parecidos a todos.

## La muerta

Si de pronto no existes,
si de pronto no vives,
yo seguiré viviendo.

No me atrevo,
no me atrevo a escribirlo,
si te mueres.

Yo seguiré viviendo.

Porque donde no tiene voz un hombre
allí, mi voz.

Donde los negros sean apaleados,
yo no puedo estar muerto.
Cuando entren en la cárcel mis hermanos
entraré yo con ellos.

Cuando la victoria,
no mi victoria,
sino la gran victoria
llegue,
aunque esté mudo debo hablar:
yo la veré llegar aunque esté ciego.

No, perdóname.
Si tú no vives,
si tú, querida, amor mío,
si tú
te has muerto,
todas las hojas caerán en mi pecho,
lloverá sobre mi alma noche y día,
la nieve quemará mi corazón,
andaré con frío y fuego y muerte y nieve,
mis pies querrán marchar hacia donde tú duermes,
pero
seguiré vivo,
porque tú me quisiste sobre todas las cosas
indomable,
y, amor, porque tú sabes que soy no sólo un hombre
sino todos los hombres.


## Pequeña América


Cuando miro la forma
de América en el mapa,
amor, a ti te veo:
las alturas del cobre en tu cabeza,
tus pechos, trigo y nieve,
tu cintura delgada,
veloces ríos que palpitan, dulces
colinas y praderas
y en el frío del sur tus pies terminan
su geografía de oro duplicado.

Amor, cuando te toco
no sólo han recorrido
mis manos tu delicia,
sino ramas y tierra, frutas y agua,
la primavera que amo,

la luna del desierto, el pecho
de la paloma salvaje,
la suavidad de las piedras gastadas
por las aguas del mar o de los ríos
y la espesura roja
del matorral en donde
la sed y el hambre acechan.
Y así mi patria extensa me recibe,
pequeña América, en tu cuerpo.

Aún más, cuando te veo recostada
veo en tu piel, en tu color de avena,
la nacionalidad de mi cariño.
Porque desde tus hombros
el cortador de caña
de Cuba abrasadora
me mira, lleno de sudor oscuro,
y desde tu garganta
pescadores que tiemblan
en las húmedas casas de la orilla
me cantan su secreto.
Y así a lo largo de tu cuerpo,
pequeña América adorada,
las tierras y los pueblos
interrumpen mis besos
y tu belleza entonces
no sólo enciende el fuego
que arde sin consumirse entre nosotros,
sino que con tu amor me está llamando
y a través de tu vida
me está dando la vida que me falta
y al sabor de tu amor se agrega el barro,
el beso de la tierra que me aguarda.

## ODA Y GERMINACIONES

### I

El sabor de tu boca y el color de tu piel,
piel, boca, fruta mía de estos días veloces,
dímelo, fueron sin cesar a tu lado
por años y por viajes y por lunas y soles
y tierra y llanto y lluvia y alegría
o sólo ahora, sólo
salen de tus raíces
como a la tierra seca el agua trae
germinaciones que no conocía
o a los labios del cántaro olvidado
sube en el agua el gusto de la tierra?

No sé, no me lo digas, no lo sabes.
Nadie sabe estas cosas.
Pero acercando todos mis sentidos
a la luz de tu piel, desapareces,
te fundes como el ácido
aroma de una fruta
y el calor de un camino,
el olor del maíz que se desgrana,
la madreselva de la tarde pura,
los nombres de la tierra polvorienta,
el perfume infinito de la patria:
magnolia y matorral, sangre y harina,
galope de caballos,
la luna polvorienta de la aldea,
el pan recién nacido:
ay todo de tu piel vuelve a mi boca,

vuelve a mi corazón, vuelve a mi cuerpo,
y vuelvo a ser contigo
la tierra que tú eres:
eres en mí profunda primavera:
vuelvo a saber en ti cómo germino.


## II


Años tuyos que yo debí sentir
crecer cerca de mí como racimos
hasta que hubieras visto cómo el sol y la tierra
a mis manos de piedra te hubieran destinado,
hasta que uva con uva hubieras hecho
cantar en mis venas el vino.
El viento o el caballo
desviándose pudieron
hacer que yo pasara por tu infancia,
el mismo cielo has visto cada día,
el mismo barro del invierno oscuro,
la enramada sin fin de los ciruelos
y su dulzura de color morado.
Sólo algunos kilómetros de noche,
las distancias mojadas
de la aurora campestre,
un puñado de tierra nos separó, los muros
transparentes
que no cruzamos, para que la vida,
después, pusiera todos
los mares y la tierra
entre nosotros, y nos acercáramos
a pesar del espacio,
paso a paso buscándonos,
de un océano a otro,
hasta que vi que el cielo se incendiaba
y volaba en la luz tu cabellera

y llegaste a mis besos con el fuego
de un desencadenado meteoro
y al fundirte en mi sangre, la dulzura
del ciruelo salvaje
de nuestra infancia recibí en mi boca,
y te apreté a mi pecho como
si la tierra y la vida recobrara.


III


Mi muchacha salvaje, hemos tenido
que recobrar el tiempo
y marchar hacia atrás, en la distancia
de nuestras vidas, beso a beso,
recogiendo de un sitio lo que dimos
sin alegría, descubriendo en otro
el camino secreto
que iba acercando tus pies a los míos,
y así bajo mi boca
vuelves a ver la planta insatisfecha
de tu vida alargando sus raíces
hacia mi corazón que te esperaba.
Y una a una las noches
entre nuestras ciudades separadas
se agregan a la noche que nos une.
La luz de cada día,
su llama o su reposo
nos entregan, sacándolos del tiempo,
y así se desentierra
en la sombra o la luz nuestro tesoro,
y así besan la vida nuestros besos:
todo el amor en nuestro amor se encierra:
toda la sed termina en nuestro abrazo.
Aquí estamos al fin frente a frente,
nos hemos encontrado,

no hemos perdido nada.
Nos hemos recorrido labio a labio,
hemos cambiado mil veces
entre nosotros la muerte y la vida,
todo lo que traíamos
como muertas medallas
lo echamos al fondo del mar,
todo lo que aprendimos
no nos sirvió de nada:
comenzamos de nuevo,
terminamos de nuevo
muerte y vida.
Y aquí sobrevivimos,
puros, con la pureza que nosotros creamos,
más anchos que la tierra que no pudo extraviarnos,
eternos como el fuego que arderá
cuanto dure la vida.

## IV

Cuando he llegado aquí se detiene mi mano.
Alguien pregunta: —Dime por qué, como las olas
en una misma costa, tus palabras
sin cesar van y vuelven a su cuerpo?
Ella es sólo la forma que tú amas?
Y respondo: mis manos no se sacian
en ella, mis besos no descansan,
por qué retiraría las palabras
que repiten la huella de su contacto amado,
que se cierran guardando
inútilmente como en la red el agua,
la superficie y la temperatura
de la ola más pura de la vida?
Y, amor, tu cuerpo no sólo es la rosa
que en la sombra o la luna se levanta,

o sorprendo o persigo.
No sólo es movimiento o quemadura,
acto de sangre o pétalo del fuego,
sino que para mí tú me has traído
mi territorio, el barro de mi infancia,
las olas de la avena,
la piel redonda de la fruta oscura
que arranqué de la selva,
aroma de maderas y manzanas,
color de agua escondida donde caen
frutos secretos y profundas hojas.
Oh amor, tu cuerpo sube
como una línea pura de vasija
desde la tierra que me reconoce
y cuando te encontraron mis sentidos
tú palpitaste como si cayeran
dentro de ti la lluvia y las semillas!
Ay que me digan cómo
pudiera yo abolirte
y dejar que mis manos sin tu forma
arrancaran el fuego a mis palabras!
Suave mía, reposa
tu cuerpo en estas líneas que te deben
más de lo que me das en tu contacto,
vive en estas palabras y repite
en ellas la dulzura y el incendio,
estremécete en medio de sus sílabas,
duerme en mi nombre como te has dormido
sobre mi corazón, y así mañana
el hueco de tu forma
guardarán mis palabras
y el que las oiga un día recibirá una ráfaga
de trigo y amapolas:
estará todavía respirando
el cuerpo del amor sobre la tierra!

## V

Hilo de trigo y agua,
de cristal o de fuego,
la palabra y la noche,
el trabajo y la ira,
la sombra y la ternura,
todo lo has ido poco a poco cosiendo
a mis bolsillos rotos,
y no sólo en la zona trepidante
en que amor y martirio son gemelos
como dos campanas de incendio,
me esperaste, amor mío,
sino en las más pequeñas
obligaciones dulces.
El aceite dorado de Italia hizo tu nimbo,
santa de la cocina y la costura,
y tu coquetería pequeñuela,
que tanto se tardaba en el espejo,
con tus manos que tienen
pétalos que el jazmín envidiaría
lavó los utensilios y mi ropa,
desinfectó las llagas.
Amor mío, a mi vida
llegaste preparada
como amapola y como guerrillera:
de seda el esplendor que yo recorro
con el hambre y la sed
que sólo para ti traje a este mundo,
y detrás de la seda
la muchacha de hierro
que luchará a mi lado.
Amor, amor, aquí nos encontramos.
Seda y metal, acércate a mi boca.

# VI

Y porque Amor combate
no sólo en su quemante agricultura,
sino en la boca de hombres y mujeres,
terminaré saliéndole al camino
a los que entre mi pecho y tu fragancia
quieran interponer su planta oscura.
De mí nada más malo
te dirán, amor mío,
de lo que yo te dije.
Yo viví en las praderas
antes de conocerte
y no esperé el amor sino que estuve
acechando y salté sobre la rosa.
Qué más pueden decirte?
No soy bueno ni malo sino un hombre,
y agregarán entonces el peligro
de mi vida, que conoces
y que con tu pasión has compartido.
Y bien, este peligro
es peligro de amor, de amor completo
hacia toda la vida,
hacia todas las vidas,
y si este amor nos trae
la muerte o las prisiones,
yo estoy seguro que tus grandes ojos,
como cuando los beso
se cerrarán entonces con orgullo,
en doble orgullo, amor,
con tu orgullo y el mío.
Pero hacia mis orejas vendrán antes
a socavar la torre
del amor dulce y duro que nos liga,
y me dirán: – «Aquella

que tú amas,
no es mujer para ti,
por qué la quieres? Creo
que podrías hallar una más bella,
más seria, más profunda,
más otra, tú me entiendes, mírala qué ligera,
y qué cabeza tiene,
y mírala cómo se viste
y etcétera y etcétera».
Y yo en estas líneas digo:
así te quiero, amor,
amor, así te amo,
así como te vistes
y como se levanta
tu cabellera y como
tu boca se sonríe,
ligera como el agua
del manantial sobre las piedras puras,
así te quiero, amada.
Al pan yo no le pido que me enseñe
sino que no me falte
durante cada día de la vida.
Yo no sé nada de la luz, de dónde
viene ni dónde va,
yo sólo quiero que la luz alumbre,
yo no pido a la noche
explicaciones,
yo la espero y me envuelve,
y así tú, pan y luz
y sombra eres.
Has venido a mi vida
con lo que tú traías,
hecha
de luz y pan y sombra te esperaba,
y así te necesito,
así te amo,
y a cuantos quieran escuchar mañana
lo que no les diré, que aquí lo lean,

y retrocedan hoy porque es temprano
para estos argumentos.
Mañana sólo les daremos
una hoja del árbol de nuestro amor, una hoja
que caerá sobre la tierra
como si la hubieran hecho nuestros labios,
como un beso que cae
desde nuestras alturas invencibles
para mostrar el fuego y la ternura
de un amor verdadero.

# EPITALAMIO

Recuerdas cuando
en invierno
llegamos a la isla?
El mar hacia nosotros levantaba
una copa de frío.
En las paredes las enredaderas
susurraban dejando
caer hojas oscuras
a nuestro paso.
Tú eras también una pequeña hoja
que temblaba en mi pecho.
El viento de la vida allí te puso.
En un principio no te vi: no supe
que ibas andando conmigo,
hasta que tus raíces
horadaron mi pecho,
se unieron a los hilos de mi sangre,
hablaron por mi boca,
florecieron conmigo.
Así fue tu presencia inadvertida,
hoja o rama invisible
y se pobló de pronto
mi corazón de frutos y sonidos.
Habitaste la casa
que te esperaba oscura
y encendiste las lámparas entonces.
Recuerdas, amor mío,
nuestros primeros pasos en la isla:
las piedras grises nos reconocieron,
las rachas de la lluvia,
los gritos del viento en la sombra.

Pero fue el fuego
nuestro único amigo,
junto a él apretamos
el dulce amor de invierno
a cuatro brazos.
El fuego vio crecer nuestro beso desnudo
hasta tocar estrellas escondidas,
y vio nacer y morir el dolor
como una espada rota
contra el amor invencible.
Recuerdas,
oh dormida en mi sombra,
cómo de ti crecía
el sueño,
de tu pecho desnudo
abierto con sus cúpulas gemelas
hacia el mar, hacia el viento de la isla
y cómo yo en tu sueño navegaba
libre, en el mar y en el viento
atado y sumergido sin embargo
al volumen azul de tu dulzura.
O dulce, dulce mía,
cambió la primavera
los muros de la isla.
Apareció una flor como una gota
de sangre anaranjada,
y luego descargaron los colores
todo su peso puro.
El mar reconquistó su transparencia,
la noche en el cielo
destacó sus racimos
y ya todas las cosas susurraron
nuestro nombre de amor, piedra por piedra
dijeron nuestro nombre y nuestro beso.
La isla de piedra y musgo
resonó en el secreto de sus grutas
como en tu boca el canto,
y la flor que nacía

entre los intersticios de la piedra
con su secreta sílaba
dijo al pasar tu nombre
de planta abrasadora,
y la escarpada roca levantada
como el muro del mundo
reconoció mi canto, bienamada,
y todas las cosas dijeron
tu amor, mi amor, amada,
porque la tierra, el tiempo, el mar, la isla,
la vida, la marea,
el germen que entreabre
sus labios en la tierra,
la flor devoradora,
el movimiento de la primavera,
todo nos reconoce.
Nuestro amor ha nacido
fuera de las paredes,
en el viento,
en la noche,
en la tierra,
y por eso la arcilla y la corola,
el barro y las raíces
saben cómo te llamas,
y saben que mi boca
se juntó con la tuya
porque en la tierra nos sembraron juntos
sin que sólo nosotros lo supiéramos
y que crecemos juntos
y florecemos juntos
y por eso
cuando pasamos,
tu nombre está en los pétalos
de la rosa que crece en la piedra,
mi nombre está en las grutas.
Ellos todo lo saben,
no tenemos secretos,
hemos crecido juntos

pero no lo sabíamos.
El mar conoce nuestro amor, las piedras
de la altura rocosa
saben que nuestros besos florecieron
con pureza infinita,
como en sus intersticios una boca
escarlata amanece:
así conocen nuestro amor y el beso
que reúnen tu boca y la mía
en una flor eterna.
Amor mío,
la primavera dulce,
flor y mar, nos rodean.
No la cambiamos
por nuestro invierno,
cuando el viento
comenzó a descifrar tu nombre
que hoy en todas las horas repite,
cuando
las hojas no sabían
que tú eras una hoja,
cuando
las raíces
no sabían que tú me buscabas
en mi pecho.
Amor, amor,
la primavera
nos ofrece el cielo,
pero la tierra oscura
es nuestro nombre,
nuestro amor pertenece
a todo el tiempo y la tierra.
Amándonos, mi brazo
bajo tu cuello de arena,
esperaremos
cómo cambia la tierra y el tiempo
en la isla,
cómo caen las hojas

de las enredaderas taciturnas,
cómo se va el otoño
por la ventana rota.
Pero nosotros
vamos a esperar
a nuestro amigo,
a nuestro amigo de ojos rojos,
el fuego,
cuando de nuevo el viento
sacuda las fronteras de la isla
y desconozca el nombre
de todos,
el invierno
nos buscará, amor mío,
siempre,
nos buscará, porque lo conocemos,
porque no lo tememos,
porque tenemos
con nosotros
el fuego
para siempre.
Tenemos
la tierra con nosotros
para siempre,
la primavera con nosotros
para siempre,
y cuando se desprenda
de las enredaderas
una hoja
tú sabes, amor mío,
qué nombre viene escrito
en esa hoja,
un nombre que es el tuyo y es el mío,
nuestro nombre de amor, un solo
ser, la flecha
que atravesó el invierno,
el amor invencible,
el fuego de los días,

una hoja
que me cayó en el pecho,
una hoja del árbol
de la vida
que hizo nido y cantó,
que echó raíces,
que dio flores y frutos.
Y así ves, amor mío,
cómo marcho
por la isla,
por el mundo,
seguro en medio de la primavera,
loco de luz en el frío,
andando tranquilo en el fuego,
levantando tu peso
de pétalo en mis brazos,
como si nunca hubiera caminado
sino contigo, alma mía,
como si no supiera caminar
sino contigo,
como si no supiera cantar
sino cuando tú cantas.

## LA CARTA EN EL CAMINO

Adiós, pero conmigo
serás, irás adentro
de una gota de sangre que circule en mis venas
o fuera, beso que me abrasa el rostro
o cinturón de fuego en mi cintura.
Dulce mía, recibe
el gran amor que salió de mi vida
y que en ti no encontraba territorio
como el explorador perdido
en las islas del pan y de la miel.
Yo te encontré después
de la tormenta,
a la lluvia lavó el aire
y en el agua
tus dulces pies brillaron como peces.

Adorada, me voy a mis combates.

Arañaré la tierra para hacerte una cueva
y allí tu Capitán
te esperará con flores en el lecho.
No pienses más, mi dulce,
en el tormento
que pasó entre nosotros
como un rayo de fósforo
dejándonos tal vez su quemadura.
La paz llegó también porque regreso
a luchar a mi tierra,
y como tengo el corazón completo
con la parte de sangre que me diste
para siempre,

y como
llevo
las manos llenas de tu ser desnudo,
mírame,
mírame,
mírame por el mar, que voy radiante,
mírame por la noche que navego,
y mar y noche son los ojos tuyos.
No he salido de ti cuando me alejo.
Ahora voy a contarte:
mi tierra será tuya,
yo voy a conquistarla,
no sólo para dártela,
sino que para todos,
para todo mi pueblo.
Saldrá el ladrón de su torre algún día.
Y el invasor será expulsado.
Todos los frutos de la vida
crecerán en mis manos
acostumbrados antes a la pólvora.
Y sabré acariciar las nuevas flores
porque tú me enseñaste la ternura.
Dulce mía, adorada,
vendrás conmigo a luchar cuerpo a cuerpo
porque en mi corazón viven tus besos
como banderas rojas,
y si caigo, no sólo
me cubrirá la tierra
sino este gran amor que me trajiste
y que vivió circulando en mi sangre.
Vendrás conmigo,
en esa hora te espero,
en esa hora y en todas las horas,
en todas las horas te espero.
Y cuando venga la tristeza que odio
a golpear a tu puerta,
dile que yo te espero
y cuando la soledad quiera que cambies

la sortija en que está mi nombre escrito,
dile a la soledad que hable conmigo,
que yo debí marcharme
porque soy un soldado,
y que allí donde estoy,
bajo la lluvia o bajo
el fuego,
amor mío, te espero,
te espero en el desierto más duro
y junto al limonero florecido:
en todas partes donde esté la vida,
donde la primavera está naciendo,
amor mío, te espero.
Cuando te digan: «Ese hombre
no te quiere», recuerda
que mis pies están solos en esa noche, y buscan
los dulces y pequeños pies que adoro.
Amor, cuando te digan
que te olvidé, y aun cuando
sea yo quien lo dice,
cuando yo te lo diga,
no me creas,
quién y cómo podrían
cortarte de mi pecho
y quién recibiría
mi sangre
cuando hacia ti me fuera desangrando?
Pero tampoco puedo
olvidar a mi pueblo.
Voy a luchar en cada calle,
detrás de cada piedra.
Tu amor también me ayuda:
es una flor cerrada
que cada vez me llena con su aroma
y que se abre de pronto
dentro de mí como una gran estrella.

Amor mío, es de noche.

El agua negra, el mundo
dormido, me rodean.
Vendrá luego la aurora,
y yo mientras tanto te escribo
para decirte: «Te amo».
Para decirte: «Te amo», cuida,
limpia, levanta,
defiende
nuestro amor, alma mía.
Yo te lo dejo como si dejara
un puñado de tierra con semillas.
De nuestro amor nacerán vidas.
En nuestro amor beberán agua.
Tal vez llegará un día
en que un hombre
y una mujer, iguales
a nosotros,
tocarán este amor, y aún tendrá fuerza
para quemar las manos que lo toquen.
Quiénes fuimos? Qué importa?
Tocarán este fuego
y el fuego, dulce mía, dirá tu simple nombre
y el mío, el nombre
que tú sola supiste porque tú sola
sobre la tierra sabes
quién soy, y porque nadie me conoció como una,
como una sola de tus manos,
porque nadie
supo cómo, ni cuándo
mi corazón estuvo ardiendo:
tan sólo
tus grandes ojos pardos lo supieron,
tu ancha boca,
tu piel, tus pechos,
tu vientre, tus entrañas
y el alma tuya que yo desperté
para que se quedara
cantando hasta el fin de la vida.

Amor, te espero.

Adiós, amor, te espero.

Amor, amor, te espero.

Y así esta carta se termina
sin ninguna tristeza:
están firmes mis pies sobre la tierra,
mi mano escribe esta carta en el camino,
y en medio de la vida estaré
siempre
junto al amigo, frente al enemigo,
con tu nombre en la boca
y un beso que jamás
se apartó de la tuya.

# Las uvas y el viento

[1950-1953]

# Prólogo

TENÉIS QUE
OÍRME

Yo *fui cantando errante*
*entre las uvas*
*de Europa*
*y bajo el viento,*
*bajo el viento en el Asia.*

*Lo mejor de las vidas*
*y la vida,*
*la dulzura terrestre,*
*la paz pura,*
*fui recogiendo, errante,*
*recogiendo.*

*Lo mejor de una tierra*
*y otra tierra*
*yo levanté en mi boca*
*con mi canto:*
*la libertad del viento,*
*la paz entre las uvas.*

*Parecían los hombres*
*enemigos,*
*pero la misma noche*
*los cubría*
*y era una sola claridad*
*la que los despertaba:*
*la claridad del mundo.*

*Yo entré en las casas cuando*
*comían en la mesa,*

venían de las fábricas,
reían o lloraban.

Todos eran iguales.

Todos tenían ojos
hacia la luz, buscaban
los caminos.

Todos tenían boca,
cantaban
hacia la primavera.

Todos.

Por eso
yo busqué entre las uvas
y el viento
lo mejor de los hombres.

Ahora tenéis que oírme.

# I

## LAS UVAS DE EUROPA

### I

SÓLO EL  Yo atravesé las hostiles
HOMBRE  cordilleras,
entre los árboles pasé a caballo.
El humus ha dejado
en el suelo
su alfombra de mil años.

Los árboles se tocan en la altura,
en la unidad temblorosa.
Abajo, oscura es la selva.
Un vuelo corto, un grito
la atraviesan,
los pájaros del frío,
los zorros de eléctrica cola,
una gran hoja que cae,
y mi caballo pisa el blando
lecho del árbol dormido,
pero bajo la tierra
los árboles de nuevo
se entienden y se tocan.
La selva es una sola,
un solo gran puñado de perfume,
una sola raíz bajo la tierra.

Las púas me mordían,
las duras piedras herían mi caballo,
el hielo iba buscando bajo mi ropa rota
mi corazón para cantarle y dormirlo.

Los ríos que nacían
ante mi vista bajaban veloces
y querían matarme.
De pronto un árbol ocupaba el camino
como si hubiera
echado a andar y entonces
lo hubiera derribado
la selva, y allí estaba
grande como mil hombres,
lleno de cabelleras,
pululado de insectos,
podrido por la lluvia,
pero desde la muerte
quería detenerme.

Yo salté el árbol,
lo rompí con el hacha,
acaricié sus hojas hermosas como manos,
toqué las poderosas
raíces que mucho más que yo
conocían la tierra.
Yo pasé sobre el árbol,
crucé todos los ríos,
la espuma me llevaba,
las piedras me mentían,
el aire verde que creaba
alhajas a cada minuto
atacaba mi frente,
quemaba mis pestañas.
Yo atravesé las altas cordilleras
porque conmigo un hombre,
otro hombre, un hombre
iba conmigo.
No venían los árboles,
no iba conmigo el agua
vertiginosa que quiso matarme,
ni la tierra espinosa.
Sólo el hombre,

sólo el hombre estaba conmigo.
No las manos del árbol,
hermosas como rostros, ni las graves
raíces que conocen la tierra
me ayudaron.
Sólo el hombre.
No sé cómo se llama.
Era tan pobre como yo, tenía
ojos como los míos, y con ellos
descubría el camino
para que otro hombre pasara.
Y aquí estoy.
Por eso existo.

Creo
que no nos juntaremos en la altura.
Creo
que bajo la tierra nada nos espera,
pero sobre la tierra
vamos juntos.
Nuestra unidad está sobre la tierra.


II

EL RÍO Yo entré en Florencia. Era
de noche. Temblé escuchando
casi dormido lo que el dulce río
me contaba. Yo no sé
lo que dicen los cuadros ni los libros
(no todos los cuadros ni todos los libros,
sólo algunos),
pero sé lo que dicen
todos los ríos.
Tienen el mismo idioma que yo tengo.
En las tierras salvajes
el Orinoco me habla
y entiendo, entiendo

historias que no puedo repetir.
Hay secretos míos
que el río se ha llevado,
y lo que me pidió lo voy cumpliendo
poco a poco en la tierra.
Reconocí en la voz del Arno entonces
viejas palabras que buscaban mi boca,
como el que nunca conoció la miel
y halla que reconoce su delicia.
Así escuché las voces
del río de Florencia,
como si antes de ser me hubieran dicho
lo que ahora escuchaba:
sueños y pasos que me unían
a la voz del río,
seres en movimiento,
golpes de luz en la historia,
tercetos encendidos como lámparas.
El pan y la sangre cantaban
con la voz nocturna del agua.

### III

LA CIUDAD    Y cuando en el Palacio
Viejo,
bello como un agave de piedra,
subí los escalones gastados,
atravesé las antiguas estancias,
y salió a recibirme
un obrero,
jefe de la ciudad, del viejo río,
de las casas cortadas como en piedra de luna,
yo no me sorprendí:
la majestad del pueblo gobernaba.
Y miré detrás de su boca
los hilos deslumbrantes
de la tapicería,

la pintura que desde estas calles torcidas
salió a mostrar la flor de la belleza
a todas las calles del mundo.
La cascada infinita
que el delgado poeta de Florencia
dejó cayendo siempre
sin que pueda morir,
porque de fuego rojo y agua verde
están hechas sus sílabas.
Todo detrás de su cabeza obrera
yo divisé. Pero no era,
detrás de él, la aureola
del pasado su esplendor:
era la sencillez del presente.
Cómo un hombre,
desde el telar o el arado,
desde la fábrica oscura,
subió los escalones
con su pueblo
y en el Viejo Palacio, sin seda y sin espada,
el pueblo, el mismo
que atravesó conmigo el frío
de las cordilleras andinas,
estaba allí. De pronto,
detrás de su cabeza,
vi la nieve,
los grandes árboles que en la altura se unieron
y aquí, de nuevo
sobre la tierra,
me recibía con una sonrisa
y me daba la mano,
la misma
que me mostró el camino
allá lejos en las ferruginosas
cordilleras hostiles que vencí.
Y aquí no era la piedra
convertida en milagro, ni la luz
procreadora, ni el beneficio azul de la pintura,
ni todas las voces del río

los que me dieron la ciudadanía
de la vieja ciudad de piedra y plata,
sino un obrero, un hombre,
como todos los hombres.

Por eso creo
cada noche en el día,
y cuando tengo sed creo en el agua,
porque creo en el hombre.
Creo que vamos subiendo
el último peldaño.
Desde allí veremos
la verdad repartida,
la sencillez implantada en la tierra,
el pan y el vino para todos.


## IV

DESVIANDO     Fue en el verano de Rumania, acero
EL RÍO        verde de los pinares hacia el mar,
              y hacia el mar encontré que caminaba un río:

el Danubio amarillo de Rumania.

Pero no caminaba
por voluntad de río,
sino que el hombre le iba abriendo lecho.
El hombre lo empujaba,
lo atacaba con manos violentas
que socavaban la tierra.
La dinamita levantaba
un ramo de humo de color violeta.
Se estremecía la cintura
del río, y caminaba.
Por otras regiones marchaba.
Sin querer iba andando,
fertilizando arenas,
pariendo fruta y trigo.

El río no quería,
pero, detrás, el hombre
lo empujaba,
le azotaba las ancas,
lo golpeaba en la espuma,
lo frenaba y vencía,
y hacia otro lado del mar marchaba el río
y con el río marchaba la vida.

Yo vi los muchachos manchados
de polvo y sudor, pequeñitos
frente a la tierra hostil y estéril,
orgullosos y pequeñitos,
abriendo el camino del río,
y mostrándome la central
futura de la fuerza, cuando
el agua diera la luz
en aquellas regiones negras.
Los vi, los toqué. Yo creo
que los grandes dioses de antaño
se parecían a los niños
sonrientes que enderezaban
el curso amarillo del río
para que mañana amanezcan
las nuevas uvas en la tierra.

## V

LOS FRUTOS  Dulces olivas verdes de Frascati,
pulidas como puros pezones,
frescas como gotas de océano,
reconcentrada, terrenal esencia!

De la vieja tierra
arañada y cantada,
renovados en cada primavera,
con la misma argamasa

de los seres humanos,
con la misma materia
de nuestra eternidad, perecederos
y nacedores, repetidos
y nuevos, olivares
de las secas tierras de Italia,
del generoso vientre
que a través del dolor
sigue pariendo delicia.
Aquel día la oliva,
el vino nuevo,
la canción de mi amigo,
mi amor a la distancia,
la tierra humedecida,
todo tan simple,
tan eterno
como el grano de trigo,
allí en Frascati
los muros perforados
por la muerte,
los ojos de la guerra en las ventanas,
pero la paz me recibía
con un sabor de aceite y vino,
mientras todo era simple como el pueblo
que me entregaba
su tesoro verde:
las pequeñas olivas,
frescura, sabor puro,
medida deliciosa,
pezón del día azul,
amor terrestre.


# VI

LOS       Nuevos puentes de Praga, habéis nacido
PUENTES  en la vieja ciudad, rosa y ceniza,
         para que el hombre nuevo

pase el río.
Mil años gastaron los ojos
de los dioses de piedra
que desde el viejo Puente Carlos
han visto ir y venir y no volver
las viejas vidas,
desde Malá Strana los pies que hacia Moravia
se dirigieron, los pesados
pies del tiempo,
los pies del viejo cementerio judío
bajo veinte capas de tiempo y polvo
pasaron y bailaron sobre el puente,
mientras las aguas color de humo
corrían del pasado, hacia la piedra.

Moldava, poco a poco
te ibas haciendo estatua,
estatua gris de un río que moría
con su vieja corona de hierro en la frente,
pero de pronto el viento
de la historia sacude
tus pies y tus rodillas,
y cantas, río, y bailas, y caminas
con una nueva vida.
Las usinas trabajan de otro modo.
El retrato olvidado
del pueblo en las ventanas
sonríe saludando,
y he aquí ahora
los nuevos puentes:
la claridad los llena,
su rectitud invita
y dice: «Pueblo, adelante,
hacia todos los años que vienen,
hacia todas las tierras del trigo,
hacia el tesoro negro de la mina
repartido entre todos los hombres».

Y pasa el río
bajo los nuevos puentes
cantando con la historia
palabras puras
que llenarán la tierra.

No son pies invasores los que cruzan
los nuevos puentes, ni los crueles carros
del odio y de la guerra:
son pies pequeños de niños, firmes
pasos de obrero.
Sobre los nuevos puentes
pasas, oh primavera,
con tu cesta de pan y tu vestido fresco,
mientras el hombre, el agua, el viento
amanecen cantando.

## VII

PICASSO En Vallauris en cada casa
tienen un prisionero.
Es el mismo siempre.
Es el humo.
A veces lo vigilan
padres de cejas blancas,
muchachas de color de avena.
Cuando tú pasas
notas que los guardianes
del humo
se han dormido,
y por los techos, entre vasijas rotas,
una conversación azul
entre el cielo y el humo.

Pero en el sitio donde trabaja
en libertad el fuego,
y el humo es una rosa de alquitrán

que ha teñido de negro las paredes,
allí Picasso,
entre las líneas y el infierno,
con su pan de barro,
cociéndolo,
puliéndolo, rompiéndolo
hasta que el barro se ha vuelto cintura,
pétalo de sirena,
guitarra de oro húmedo.
Y entonces con un pincel lo lame,
y el océano viene
o la vendimia.
El barro entrega su racimo oculto
y al fin inmoviliza su cadera calcárea.
Después Picasso vuelve a su taller.
Los pequeños centauros que lo esperan
crecen, galopan.
El silencio ha nacido
en las ubres
de la cabra de hierro.
Y otra vez Picasso en su gruta
entra o sale dejando
paredes arañadas,
estalactitas rojas
o huellas genitales.

Y durante las horas que siguen
habla con el barbero.


## VIII

EHREMBURG  Cuántos perros hirsutos,
hociquillos de punta brillante,
colas detrás de un mueble,
y de pronto más pelos,
mechones grises, ojos
más viejos que el mundo,

y una mano
sobre el papel,
implantando la paz,
derribando mitos,
volcando fuego y silbando,
o hablando de simple amor
con la ternura
de un pobre panadero.
Es Ehremburg.
Es su casa
en Moscú.
Ay cuántas veces,
encerrado en su casa,
pensé que no tenía paredes.
Allí entre cuatro muros
el río de la vida,
el río humano
entra y sale dejando
vidas, hechos, combates,
y el antiguo Ehremburg,
el joven Ilyá,
con ese río de tierras y vidas
recoge aquí y allá
fragmentos, chispas,
olas, besos, sombreros,
y elabora
como un brujo.
Todo lo echa en su horno,
de día y de noche.
De allí salen metales,
salen espadas rojas,
grandes panes de fuego,
salen olas de ira,
banderas,
armas para dos siglos,
hierro para millones,
y él muy tranquilo,
hirsuto,

con sus mechones grises,
fumando y lleno
de ceniza.

De cuando en cuando
sale del horno
y cuando crees
que te va a fulminar,
lo ves andando,
sonriente,
con los más arrugados pantalones del mundo:
va a plantar un jazmín
en su casa de campo:
abre el hueco,
mete las manos,
como si fueran de seda
trata las raíces,
las entierra,
las riega,
y entonces con pasitos cortos,
con ceniza, con barro, con hojas,
con jazmín, con historia,
con todas las cosas del mundo
sobre los hombros,
se aleja fumando.

Si quieres saber algo de jazmines,
escríbele una carta.

## IX

PALABRAS  Yo, americano de las tierras pobres,
A EUROPA  de las metálicas mesetas,
en donde el golpe del hombre contra el hombre
se agrega al de la tierra sobre el hombre.
Yo, americano errante,
huérfano de los ríos y de los

volcanes que me procrearon,
a vosotros, sencillos europeos
de las calles torcidas,
humildes propietarios de la paz y el aceite,
sabios tranquilos como el humo,
yo os digo: aquí he venido
a aprender de vosotros,
de unos y otros, de todos,
porque de qué me serviría
la tierra, para qué se hicieron
el mar y los caminos,
sino para ir mirando y aprendiendo
de todos los seres un poco.
No me cerréis la puerta
(como las puertas negras, salpicadas de sangre
de mi materna España).
No me mostréis la guadaña enemiga
ni el escuadrón blindado,
ni las antiguas horcas para el nuevo ateniense,
en las anchas vías gastadas
por el resplandor de las uvas.
No quiero ver un soldadito muerto
con los ojos comidos.
Mostradme de una patria a otra
el infinito hilo de la vida
cosiendo el traje de la primavera.
Mostradme una máquina pura,
azul de acero bajo el grueso aceite,
lista para avanzar en los trigales.
Mostradme el rostro lleno de raíces
de Leonardo, porque ese rostro
es vuestra geografía,
y en lo alto de los montes,
tantas veces descritos y pintados,
vuestras banderas juntas
recibiendo
el viento electrizado.

Traed agua del Volga fecundo
al agua del Arno dorado.
Traed semillas blancas
de la resurrección de Polonia,
y de vuestras viñas llevad
el dulce fuego rojo
al Norte de la nieve!
Yo, americano, hijo
de las más anchas soledades del hombre,
vine a aprender la vida de vosotros
y no la muerte, y no la muerte!
Yo no crucé el océano,
ni las mortales cordilleras,
ni la pestilencia salvaje
de las prisiones paraguayas,
para venir a ver
junto a los mirtos que sólo conocía
en los libros amados,
vuestras cuencas sin ojos y vuestra sangre seca
en los caminos.
Yo a la miel antigua y al nuevo
esplendor de la vida he venido.
Yo a vuestra paz y a vuestras puertas,
a vuestras lámparas encendidas,
a vuestras bodas he venido.
A vuestras bibliotecas solemnes
desde tan lejos he venido.
A vuestras fábricas deslumbrantes
llego a trabajar un momento
y a comer entre los obreros.
En vuestras casas entro y salgo.
En Venecia, en Hungría la bella,
en Copenhague me veréis,
en Leningrado, conversando
con el joven Pushkin, en Praga
con Fučik, con todos los muertos
y todos los vivos, con todos
los metales verdes del Norte

y los claveles de Salerno.
Yo soy el testigo que llega
a visitar vuestra morada.
Ofrecedme la paz y el vino.

Mañana temprano me voy.

Me está esperando en todas partes
la primavera.

## II

## EL VIENTO EN EL ASIA

### I

VOLANDO Desde las extensiones arrugadas
HACIA del Norte, Noroeste, fui volando
EL SOL hasta Pekín anaranjado y verde.
Yennan bajo mi vuelo
era una sola cáscara amarilla
de luna mineral y de vacío.
Los motores y el viento,
el sol aéreo,
saludaron la tierra sagrada,
las cuevas desde donde
la libertad acumuló su pólvora.
Ya los héroes no estaban
entre las cicatrices de la tierra:
su semilla
alta y libre crecía
desgranada y reunida.
Ardía la piel seca
del desierto de Gobi, las regiones
de las fronteras lunares,
las ramas arenosas
de tu ancho mundo, China,
hasta que el vuelo bajo
descifró las praderas,
las aguas, los jardines,
y de pronto en tu orilla,
Pekín antiguo y nuevo,
me recibiste. Entonces
rumor de tierra y trigo y primavera,

pasos en los caminos,
calles pobladas hasta lo infinito,
como si reunieras
en una copa pura
todo el rumor del agua
hacia mí levantaste
las vidas de tu pueblo:
los agudos silbatos,
los ruidos del acero,
temblor de cielo y seda.
Yo levanté en mi copa
tus numerosas vidas
y el antiguo silencio.

Era el don que me dabas, una fuerza
de antigua piedra que canta,
de viejo río que fecunda
la joven primavera.

Vi de pronto
el viejo árbol del mundo
cubierto de flores y frutas.
Oí de pronto
el río de la vida
pasar colmado y firme
de idiomas cristalinos.
Bebí en tu antigua copa
la dura transparencia,
el nuevo día:
sabor de estrella y tierra se fundieron
en mi boca. Y divisé tu rostro entre los rostros,
antigua y joven madre
sonriente,
sembrando con tu traje de guerrilla,
y resguardando el trigo
y la paz de tu pueblo
con tu sonrisa armada
y tu dulzura de acero.

## II

EL DESFILE    Frente a Mao Tse-tung
el pueblo desfilaba.
No eran aquellos
hambrientos y descalzos
que descendieron
las áridas gargantas,
que vivieron en cuevas,
que comieron raíces,
y que cuando bajaron
fueron viento de acero,
viento de acero de Yennan y el Norte.
Hoy otros hombres desfilaban,
sonrientes y seguros,
decididos y alegres,
pisando fuertemente la tierra liberada
de la patria más ancha.

Y así pasó la joven orgullosa, vestida
de azul obrero, y junto a su sonrisa,
como una cascada de nieve,
cuarenta mil bocas textiles,
las fábricas de seda que marchan y sonríen,
los nuevos constructores de motores,
los viejos artesanos del marfil,
andando, andando,
frente a Mao,
toda la vasta China, grano a grano,
de férreos cereales,
y la seda escarlata palpitando en el cielo
como los pétalos al fin reunidos
de la rosa terrestre,
y el gran tambor pasaba
frente a Mao,
y un trueno oscuro
de él subía

saludándolo.
Era la voz antigua
de China, voz de cuero,
voz del tiempo enterrado,
la vieja voz, los siglos
lo saludaban.
Y entonces como un árbol
de flores repentinas
los niños,
por millares,
saludaron, y así
los nuevos frutos y la vieja tierra,
el tiempo, el trigo,
las banderas del hombre al fin reunidas,
allí estaban.

Allí estaban, y Mao sonreía
porque desde las alturas
sedientas del Norte
nació este río humano,
porque de las cabezas
de muchachas
cortadas por los norteamericanos
(o por Chiang, su lacayo),
en la plazas,
nació esta vida grande.
Porque de la enseñanza del Partido,
en pequeñitos libros mal impresos,
salió esta lección para el mundo.
Sonreía, pensando
en los ásperos años
pasados,
la tierra llena de extranjeros, hambre
en las humildes chozas,
el Yang Tzé mostrando en su lomo
los reptiles de acero
acorazados
de los imperialistas invasores,

la patria saqueada
y hoy, ahora,
limpia la tierra,
la vasta China limpia,
y pisando lo suyo.

Respirando la patria
desfilaban los hombres
frente a Mao
y con zapatos nuevos
golpeaban la tierra,
desfilando,
mientras el viento en las banderas rojas
jugaba y en lo alto
Mao Tse-tung sonreía.

## III

DANDO
UNA
MEDALLA
A
MADAME
SUN
YAT SEN

Esta medalla que Ehremburg te ha dejado en el pecho es una espiga de oro de la cosecha del gran país de la paz, de la Unión Soviética.

Tu pecho es digno de esta espiga de oro, Sung Sin Ling.

Te conocemos desde aquellos tiempos en que China despertó,
y luego cuando China fue traicionada y martirizada, una vez más, por sus viejos enemigos,
y desde el primer día te vimos cuando China fue liberada en la primera fila, en la vanguardia con los liberadores.

Así te vimos, querida amiga, al llegar al aeropuerto:
nos pareciste más joven de cuanto pensamos y más sencilla,
como tu pueblo que ha sufrido y combatido tanto
y que, en la victoria, sonríe y saluda a todos los pueblos del mundo.

Nosotros, los hombres de Latinoamérica, conocemos a vuestros enemigos.

Nuestro continente tiene toda la riqueza, el petróleo, el cobre, el azúcar, el nitrato, el estaño,

pero todo esto pertenece a nuestros enemigos, a los mismos que habéis expulsado para siempre.

Mientras que nuestra gente de los campos y aldeas no tienen zapatos ni cultura,

ellos han levantado, con el producto del saqueo, casas de cincuenta pisos en New York

y con nuestras riquezas han fabricado las armas para esclavizar a otros pueblos.

Por eso la victoria del pueblo chino es nuestra victoria.

Por eso la nueva China es amada y respetada por todos los pueblos.

Unos cuantos diplomáticos en San Francisco y en Washington no quieren «reconocer» a China Popular. Estos señores no saben que existe.

Podrían también no «reconocer» a la Tierra y sin embargo ésta se mueve,

y se mueve hacia adelante, no hacia atrás, como ellos quisieran.

Los señores de San Francisco no «reconocen» a la nueva China,

pero podrían hacer ellos una encuesta a lo largo de América

y si les preguntaran a miles de mineros, de campesinos, al profesor y al poeta, al viejo y al joven,

desde Alaska hasta el Polo Sur, tendrían la respuesta:

«Reconocemos y amamos a Mao Tse-tung. Es nuestro gran hermano».

Por eso, querida amiga de la paz, Sung Sin Ling,

esta espiga de oro que desde la generosa tierra de Stalin

ha llegado a tu pecho de mujer grande y sencilla,

no ha llegado allí por casualidad o capricho, sino porque te amamos

y amamos la paz que tú defiendes no sólo para tu pueblo, sino para que todos los pueblos

se reconozcan y puedan construir su vida libremente.

# IV

TODO ES
TAN SIMPLE

De mañana en la aldea
los niños y la luz me recibieron.
Los campesinos me mostraron todas
sus tierras conquistadas,
la cosecha común,
los graneros, las casas
del propietario antiguo.
Me mostraron el sitio
en que las madres pobres
despeñaban sus hijas,
o las vendían, no hace tanto tiempo,
ay!, no hace tanto tiempo. Ahora parece
un sueño malo,
la peste, el hambre,
los norteamericanos,
los japoneses, los banqueros
de Londres y de Francia,
todos venían a civilizar
a China sacándole las entrañas,
vendiéndola
en las Bolsas del Mundo,
prostituyéndola en Shanghai.
Querían hacer de ella
un vasto cabaret para las tropas
de desembarco, un sitio
de seda y hambre.
Iban los esqueletos
junto al río
amontonándose,
las aldeas lloraban
humo negro
y pestilencia.
«Aay! cómo caben
en la muerte
tantos muertos de China»,

exclamaba
la señora elegante
leyendo los periódicos.
Junto al río los muertos
eran montañas de ceniza, el hambre
caminaba en las rutas de China
y en New York, Chiang Kai Shek
adquiría edificios
en sociedad con Truman y Eisenhower.
Olía a estiércol y opio
la antigua ciudadela
de la melancolía.
Las cárceles
se llenaban
también de muertos.
Los estudiantes eran degollados
por un decreto norteamericano
en la plaza del pueblo,
y mientras tanto la revista *Life*
publicaba la foto
de Mme. Chiang Kai Shek, cada vez
más elegante.

Aléjate, mal sueño!
Aléjate de China!
Aléjate del mundo!

Ven conmigo a la aldea!

Entro
y veo los graneros,
la sonrisa
de China
liberada:
los campesinos
repartieron la tierra.
Desde Yennan
bajó la libertad

con pies descalzos o zapatos rotos
de campesino y soldado.
Oh libertad de China,
eres mi musa,
vas vestida de azul
en un camino
polvoriento.
No has podido lavarte
ni secarte la sangre, pero marchas y marchas
y contigo
la tierra oscura marcha,
marcha Bolivia olvidada
por la libertad, marcha Chile,
vendrá el Irán contigo,
entran contigo en la aldea,
con mi musa.
Muchachita vestida
de azul guerrero,
musa del viento,
de las tierras libres,
a ti te canto:
al cinturón de cuero y a tu rifle,
a tu boca seca,
yo canto.

Musa mía,
entra con fuego y pólvora
en todas las calles del mundo,
entra con sudor y sangre,
ya tendrás tiempo
de lavarte, ahora
avanza, avanza, avanza!

Todo lo vi en la aldea
de China liberada.
Nada a mí me dijeron.
Los niños derramados
no me dejaban transitar.

Comí su arroz, sus frutas,
bebí su vino de arroz pálido.
Todo me lo mostraron
con un orgullo
que conocí en Rumania,
que conocí en Polonia,
que conocí en Hungría.
Es el orgullo nuevo
del campesino que a la luz del mundo
de mañana,
por primera vez ve la harina,
por primera vez mira las frutas,
por primera vez ve crecer el trigo,
y entonces
aunque sea más viejo que el mundo
te muestra el arroz y las uvas,
los huevos de gallina,
y no saben qué decir.
Todo es suyo
por vez primera.
Todo el arroz,
toda la tierra,
toda la vida.

Qué fácil es cuando se ha conseguido
la felicidad, qué simple
es todo.
Cuando tú y yo, amor mío, nos besamos,
qué sencillez es ser felices.
Pero tú olvidas
cuánto anduviste
sin encontrarme
y cuántas veces
te desviaste
hasta caer cansada.
Y bien,
tú no sabías
que yo andaba buscándote

y que mi corazón se iba desviando
a la amargura
o al vacío.
No sabíamos
que si marchábamos
adelante, adelante,
recto, recto,
siempre, siempre,
tú me encontrarías
y yo te encontraría.
Ves tú, así a los pueblos
les sucede:
no saben,
no comprenden,
pueden equivocarse,
pero andan siempre
y se encuentran,
se encuentran a sí mismos,
como tú me encontraste,
y entonces
todo parece simple,
pero no fue sencillo
andar a ciegas.

Había que aprender de la vida,
del enemigo, de la oscuridad,
con sus textos,
y allí estaba Mao enseñando
y allí estaba el Partido
con su severidad y su ternura,
y ahora muchachos chinos,
de los campos,
musa joven,
no olvidemos:
todo parece simple
como el agua.
No es verdad.
La lucha no es el agua,

es la sangre.
Viene de lejos.
Hay muertos:
nuestros hermanos caídos.
Todo el camino
está lleno de muertos
que no olvidaremos.
Y la aldea
no es simple,
el aire no es sencillo,
trae palabras,
trae canciones,
trae rostros,
trae días pasados,
trae cárceles,
trae muros
salpicados de sangre
y ahora
dulce es la aldea,
dulce es la victoria.

Levantemos la copa
por la musa,
por los que no olvidamos
y los que reconstruyen,
por los que cayeron
y siguen viviendo
en todas partes,
porque ancho es el mundo
y en todas partes siempre
cayó la sangre,
la misma:
nuestra sangre.
Ahora
entro en la aldea
del campo liberado
y dulce es el aire
como ninguno

y respiro la vida,
la tierra,
la victoria.

La tierra, si extendemos
sobre su piel las manos,
es la misma,
aquí o en Patagonia
o en las islas del mar.
La tierra es siempre
la misma,
y ahora
entrando en tu aldea,
olor de pan,
olor de humo,
olor de trigo,
olor de agua y vino,
es mi tierra,
es toda la tierra.
Y entonces
saludé con respeto
al territorio antiguo,
su belleza,
su agricultura unánime,
su rostro de polvo y rocío,
la libertad brillando
en la sonrisa,
y pensé en mis orillas,
en mi bandera,
en mi arena, en mi espuma,
en todas mis estrellas.
Y así en esa mañana
de la aldea de China
entré cantando,
porque mi corazón
se transformó en guitarra
y todas las cuerdas sonaron
recordando mi tierra,

cantaron
recordando a mi patria,
allá, en América.
Cuando una vez yo llegue
a la casa del pueblo
en tierra libre,
todo
parecerá tan simple,
tan sencillo,
como el beso que ahora
nos damos, amor mío.

## V

LAS CICADAS      Llenaba la mañana de la aldea
el otoño estridente
de las cicadas sonoras.
Me acerqué: las cautivas
en sus pequeñas jaulas
eran la compañía de los niños,
eran el violonchelo innumerable
de la pequeña aldea
y de China el rumor
y el movimiento de oro.

Divisé apenas a las prisioneras
en sus jaulas minúsculas
de bambú fresco,
pero cuando volví para partir
los campesinos
pusieron el castillo de cicadas
en mis manos.

Yo recuerdo en mi infancia los peones
del tren en que mi padre trabajaba,
los coléricos hijos
de la intemperie, apenas

vestidos con harapos,
los rostros maltratados por la lluvia o la arena,
las frentes divididas
por cicatrices ásperas,
y aquéllos me llevaban
huevos empavonados de perdiz,
escarabajos verdes,
cantáridas de color de luna,
y todo ese tesoro
de las manos gigantes maltratadas
a mis manos de niño,
todo eso
me hizo reír y llorar,
me hizo pensar y cantar,
allá en los bosques
lluviosos
de mi infancia.

Y ahora
estas cicadas
en su castillo de bambú oloroso,
del fondo de la tierra china,
rascando su estridente
nota de oro,
llegaban a mis manos
de manos bautizadas por la pólvora
que conquistó la libertad, llegaban
desde las anchas tierras
liberadas,
pero eran las manos del pueblo,
las grandes manos,
que en las mías dejaban
su tesoro.
Yo recordé mi infancia
y cuanto por la tierra
he ido midiendo
y cantando,
pero nada,

nada
como esto,
este tesoro vivo.
Y entonces conmigo anduvieron,
me acompañaron
durante mis días de China.

En la mañana, en mi pieza de hotel,
treinta cicadas
decían mi nombre
con un sonido agudo
de acero verde
y yo les daba hojas
que comían,
sacando de sus jaulas pequeñas máscaras
de guerreros pintados, y en la tarde,
cuando en las vastas tierras
el sol caía,
un día más había afirmado en la patria
la libertad del pueblo.

En mi ventana
las cicadas con una sola voz
metálica,
cantaban
hacia los campos,
hacia los niños,
hacia las otras cicadas,
hacia las hojas y hacia las cosechas,
hacia toda la tierra:
despedían el día
con la altura increíble de su canto,
y así, de mi ventana,
de día y de noche,
te saludaba, China,
una voz de la tierra
que las manos del pueblo
me entregaron,

una multiplicada voz que va cantando
conmigo, en los caminos.

## VI

China, por mucho tiempo nos mostraron tu efigie
pintada especialmente para occidentales:
eras una viejecilla arrugada,
infinitamente pobre,
con un cuenco vacío de arroz
en la puerta de un templo.

Entraban y salían los soldados
de todos los países,
la sangre salpicaba las paredes,
te saqueaban como a casa sin dueño,
y tú dabas al mundo un aroma extraño,
mezcla de té y ceniza,
mientras a la puerta del templo con tu plato
vacío, nos mirabas con tu mirada antigua.
En Buenos Aires se vendía tu retrato
hecho especialmente para señoras cultas,
y en las conferencias tus sílabas mágicas
surgían de pronto como luz enterrada.

Todos sabían algo de las dinastías
y al decir Ming o Celadon fruncían los labios
como si se comieran una fresa,
y así querían que para nosotros fueras
una tierra sin hombres, una patria
en donde el viento entraba por los templos vacíos
y salía cantando, solo, por las montañas.

Querían que creyéramos
que dormías,
que dormirías con un sueño eterno,
que eras la «misteriosa»,
intraducible, extraña,

una madre mendiga con harapos de seda,
mientras de cada uno de tus puertos
se alejaban los barcos cargados de tesoros
y los aventureros entre sí disputaban
tu herencia: minerales
y marfiles, planeando,
después de desangrarte, cómo se llevarían
un buen barco cargado con tus huesos.


## VII

LA GRAN  Pero pasaba algo en el mundo.
MARCHA   Tu retrato no nos satisfacía.
Era hermosa tu pobre majestad,
pero no nos bastaba.
La bandera soviética ondulaba
besada por la pólvora
entre los corazones de los hombres.
Tú, China, nos faltabas, y a través de los mares
oímos de pronto que la voz del viento
ya no cantaba sola por tus anchos caminos.

Se incorpora Mao
y a lo largo de China
y a lo ancho
de tantos sufrimientos,
vimos subir sus hombros
envueltos por la aurora.
Desde lejos, de América, a cuya orilla
mi pueblo escucha cada ola del mar,
vimos surgir su tranquila cabeza,
y sus zapatos dirigirse hacia el Norte.
Hacia Yennan con polvoriento traje
se dirige su grave movimiento:
y vimos desde entonces que las desnudas tierras
de China le entregaban hombres,
pequeños hombres, arrugados viejos,
sonrisas infantiles.

Vimos la vida.

No estaba solo el viejo territorio.
No era la luna de agua
llenando la espectral arqueología.
De cada piedra un hombre,
un nuevo corazón con un fusil,
y te vimos poblada, China, por tus soldados,
por los tuyos, al fin, comiendo pasto,
sin pan, sin agua, andando el largo día
para que el alba pudiera nacer.


## VIII

EL   No eras misterio, ni jade celeste.
GIGANTE  Eras como nosotros, pueblo puro,
y cuando pies desnudos y zapatos,
campesino y soldado, en la distancia
marcharon defendiendo
tu integridad, vimos el rostro,
vimos las manos
del que trabaja el hierro, nuestras manos,
y en el largo camino distinguimos
los nombres de tu pueblo: eran los nuestros.
Sonaban de otro modo, pero bajo
las sílabas agudas,
eran al fin los rostros y los pasos
que con Mao marchaban
a través del desierto y de la nieve
a preservar el germen
de nuestra propia primavera.

Alto estaba el gigante midiendo paso a paso
su arroz, su pan, su tierra, su morada,
y fue reconocido por los pueblos del mundo:
«Cómo has crecido de repente, hermano».
Pero también lo miró el enemigo.

Desde los bancos grises de New York y la City
los bolsillos que allí se alimentan de sangre
se dijeron con miedo: Quién es éste?

El tranquilo gigante no contestó: Miraba
las anchas tierras duras de China. Recogía
con una sola mano toda la pesadumbre
y la miseria, y con la otra
mostraba el rojo trigo de mañana,
todo lo que la tierra entregaría,
y en su gran rostro fue creciendo
una sonrisa que ondulaba al viento,
una sonrisa como un cereal,
una sonrisa como estrellas de oro
sobre toda la sangre derramada.
Y así se levantaron tus banderas.
Ya los pueblos te vieron limpiar tu vasta tierra,
unidad, huracán en la amenaza,
martillo sobre el mal, luz vencedora
sobre el viejo enemigo, victoriosa.


## IX

PARA TI   República, extendiste
LAS   tus anchos brazos por todo tu cuerpo
ESPIGAS   y fundaste la paz en tu destino!
           Los malvados que vienen de más allá del mar
           a saquear tu existencia, fueron bien recibidos,
           y hacia Formosa encadenada vuelan
           a alimentar el nido de escorpiones.
           Luego bajaron a Corea. Sangre
           y duelo y destrucción, su acostumbrada
           tarea: muros vacíos y mujeres muertas,
           pero de pronto un día
           llegó el baluarte de tus voluntarios
           a cumplir la sagrada fraternidad del hombre.

De mar a mar, de tierra a nieve,
todos los hombres te contemplan, China.
Qué poderosa hermana joven nos ha nacido!

El hombre en las Américas, inclinado en su surco,
rodeado del metal de su máquina ardiente,
el pobre de los trópicos, el valiente
minero de Bolivia, el ancho obrero
del profundo Brasil, el pastor
de la Patagonia infinita,
te miran, China Popular, te saludan
y conmigo te envían este beso en tu frente.

No eres para nosotros lo que quisieron: la imagen
de una mendiga ciega junto al templo,
sino una fuerte y dulce capitana del pueblo,
aún con tus victoriosas armas en una mano,
con un creciente ramo de espigas en el pecho
y sobre tu cabeza
la estrella de todos los pueblos!

III

## REGRESÓ LA SIRENA

I

YO CANTO   Desde el estío báltico,
Y CUENTO   azul acero, ámbar y espuma,
hasta donde los Cárpatos coronan
las sienes de Polonia
con las diademas pálidas de Europa,
yo atravesé la tierra
de los martirios y de los nacimientos,
la piel descuartizada,
el infinito trigo que renace,
las grutas del carbón, y me mostraron
antigua sangre en la nieve,
rascando las praderas,
el hombre y su cocina sepultados,
el niño y su pequeño cochecito,
la flor sobre los huesos de la madre.
Testigo de estos días
yo soy y siento y canto
y no hay cuerdas de oro
para mí en este tiempo.
El arpa y su dulzura se quemaron
con el incendio del mundo
y a contar y cantar resurrecciones
he venido.
Recibidme
y ved lo que yo saco de la tierra arrasada,
un trozo de violín, una sortija muerta
y el olvido.
Aceptad lo que traigo,
canto y cuento,

porque no sólo sangre sumergida,
ruina, llanto y ceniza,
vienen conmigo ahora.
Traigo en mi saco
la lluvia gris del Norte:
sobre nuevos sembrados
cae y cae,
y el pan inmenso crece
como nunca en la tierra.
El martillo golpea,
la pala sube y baja,
suenan las piedras en las construcciones,
sube la vida.

Oh Polonia, oh amor,
oh primavera,
vienes conmigo
para que yo te muestre
contando y cantando
por todos los caminos,
y en el fondo,
más allá de los muertos,
canta y cuenta la vida,
porque ése es el canto y la cuenta,
lo que tú me enseñaste,
Polonia, y lo que enseño:
la fe en la vida, más profunda
cuando desde más lejos ha venido,
de la muerte,
la fe en el hombre cuando pudo triunfar
del hombre mismo,
la fe en la casa cuando pudo nacer
de la ceniza inmensa,
la fe en el canto que pudo cantarse
cuando ya no había boca!
Polonia, me has enseñado a ser
de nuevo
y a cantar de nuevo,

y esto es lo que el peregrino con guitarra
saca del saco y lo muestra cantando:
la flor indestructible
y la nueva esperanza,
los antiguos dolores sepultados
y la reconstrucción de la alegría.


## II

PRIMAVERA Yo recorrí la primavera
EN EL verde y abrasadora
NORTE de Polonia.
Temblaban en la luz los cereales
de la abundancia, la leche deslizaba
un río blanco
hacia el mar
desde la agricultura colectiva,
los campos húmedos, olor de suelo,
flores como relámpagos azules
o puntuaciones rápidas de sangre.
Desde el invierno largo los pinares
movían sus costados de navío
como embarcándose en la primavera,
y debajo, en la sombra turbadora,
las fresas entreabrían sus pezones.

El aire era metálico,
un aire nuevo de resurrección,
porque no sólo el bosque,
el mar, la tierra,
sino el hombre,
allí resucitaban.
Allí el diluvio fue de sangre,
el arca clandestina de la lucha
navegó entre los muertos.
Por eso la violenta primavera
de Polonia tenía

sabor ferruginoso
para mi boca, era
un eléctrico líquido,
el beso de la tierra,
el corazón del hombre
en la copa estrellada de la vida!

III

Gdansk, acribillado por la guerra,
rosas despedazada,
como espectro entre espectros,
entre el olor marino
y el alto cielo blanco,
anduve entre tus ruinas,
entre trozos de plata anaranjada.
La niebla entró conmigo,
los vapores glaciales,
y errante
desenredé las calles
sin casas y sin hombres.
Yo conozco la guerra
y ese rostro sin ojos y sin labios,
esas ventanas muertas
las conozco,
las vi en Madrid, en Berlín, en Varsovia,
pero esta gótica nave
con su ceniza de ladrillos rojos
junto al mar, en la puerta
de los antiguos viajes,
esta figura mercantil de proa,
balandra verde de los mares fríos,
con sus desgarradoras aberturas,
sus muros en muñones,
su orgullo demolido,
me entraron en el alma
como rachas de nieve, polvo y humo,

algo enceguecedor, desesperado.
La casa de los gremios
con sus signos caídos,
los bancos en que el oro tintineaba
cayendo en la garganta de Europa
los malecones rojos
en donde un río
de cereales trajo
como una ola terrestre
el olor del verano,
todo era polvo, montes
de materia deshecha,
y el viento del Báltico férreo
volando en el vacío.

## IV

LA PAZ     Pero la vida
CONSTRUYENDO   allí también estaba.
En otras partes y otras horas
de mi vida, la muerte
me esperó en las esquinas.
Aquí la vida espera.
He visto en Gdansk la vida
repoblándose.
Me besaron
los motores con labios de acero.
El agua trepidaba.
He visto majestuosas
pasar como castillos sobre el agua
las grúas de hierro marino,
recién reconstruidas.
He visto el gigantesco
ovillo machacado
del hierro sobre el hierro
bombardeado
dar a luz poco a poco

la forma de las grúas,
y despertar del fondo de la muerte
la majestad azul del astillero.
He visto con mis ojos
pulular el rocío de la ola
en la resurrección de las carenas,
de las proas bordadas
por el hombre recién desenterrado.
He visto
cómo nacía un puerto,
pero no de las aguas y las tierras
lavadas y lustradas,
sino de la catástrofe.
Y yo te he visto, titánica paloma,
blanca y azul, marina,
nacer y levantarte
volando firme y fuerte
desde la destrucción enmarañada
y desde la sangrienta soledad
del viento y las cenizas!


V


LOS    Hacia los bosques fríos y los lagos
BOSQUES  del Norte verde,
las aguas masurianas,
entrando en todas partes,
estanques anchos invadidos
por el pálido cielo,
lagunas como agujas,
todas las formas plácidas del agua
allí quedaron como si una estrella
se hubiera destrozado
o luna verde en gotas
cayendo de la altura.
Hermoso es el aire, y el viento
peina las erizadas cabelleras

de los pinares acerados.
Hermoso es el aire, fresco
y azul bajo los pinos.

De pronto el viento viste
su trémulo vestido
de oxígeno y agujas.
Solemne es el viento en la selva.
Hace pequeños ruidos
como cartas que caen,
o suena con un llanto de botella
o rompe piedras, busca
fragmentos de madera
que arrastra con manos de padre
o sopla y sube
de un árbol a otro
asustando a los pájaros.

Hermoso es el viento del Norte,
hermano de la nieve,
en la profundidad de los pinares.
Y marcho sin sombrero.
En mi cabeza el aire
me corona de frío,
frescos labios me muerden.
Entro cantando
en la frescura verde
como en un alto océano.
Canto
y piso la hierba
recién condecorada
con pequeñas estrellas amarillas.
Hermoso Norte de anchos hombros,
de lagos y pinares,
te saludo:
déjame respirarte,
andar entre los pinos y las aguas
cantando y silbando

y descansar en tu mojada alfombra
como un árbol caído
bajo tu sueño verde.


## VI

REGRESÓ Amor, como si un día
LA SIRENA te murieras,
y yo cavara
y yo cavara
noche y día
en tu sepulcro
y te recompusiera,
levantara tus senos desde el polvo,
la boca que adoré, de sus cenizas,
construyera de nuevo
tus brazos y tus piernas y tus ojos,
tu cabellera de metal torcido,
y te diera la vida
con el amor que te ama,
te hiciera andar de nuevo,
palpitar otra vez en mi cintura,
así, amor, levantaron de nuevo
la ciudad de Varsovia.

Yo llegaría ciego a tus cenizas
pero te buscaría,
y poco a poco irías elevando
los edificios dulces de tu cuerpo,
y así encontraron ellos
en la ciudad amada
sólo viento y ceniza,
fragmentos arrasados,
carbones que lloraban en la lluvia,
sonrisas de mujer bajo la nieve.
Muerta estaba la bella,
no existían ventanas,

la noche se acostaba sobre la blanca muerta,
el día iluminaba la pradera vacía.

Y así la levantaron,
con amor, y llegaron
ciegos y sollozantes,
pero cavaron hondo,
limpiaron la ceniza.
Era tarde, la noche,
el cansancio, la nieve
detenían la pala,
y ellos cavando hallaron
primero la cabeza,
los blancos senos de la dulce muerta,
su traje de sirena,
y al fin el corazón bajo la tierra,
enterrado y quemado pero vivo,
y hoy vive vivo, palpitando en medio
de la reconstrucción de su hermosura.

Ahora comprendes cómo
el amor construyó las avenidas,
hizo cantar la luna en los jardines.
Hoy cuando
pétalo a pétalo cae la nieve
sobre los techos y los puentes
y el invierno golpea
las puertas de Varsovia,
el fuego, el canto
viven de nuevo en los hogares
que edificó el amor sobre la muerte.

Ay de aquellos que huyeron y creyeron
escapar con la poesía:
no saben que el amor está en Varsovia,
y que cuando la muerte
allí fue derrotada,
y cuando el río pasa,

reconociendo seres y destinos,
como dos flores de perfume y plata,
ciudad y poesía,
Varsovia y poesía,
en sus cúpulas claras
guardan la luz, el fuego y el pan de su destino.

Varsovia milagrosa,
corazón enterrado
de nuevo vivo y libre,
ciudad en que se prueba
cómo el hombre es más grande
que toda la desdicha,
Varsovia, déjame
tocar tus muros.
No están hechos de piedra o de madera,
de esperanza están hechos,
y el que quiera tocar la esperanza,
materia firme y dura,
tierra tenaz que canta,
metal que reconstruye,
arena indestructible,
cereal infinito,
miel para todos los siglos,
martillo eterno,
estrella vencedora,
herramienta invencible,
cemento de la vida,
la esperanza,
que aquí la toquen,
que aquí sientan en ella cómo sube
la vida y la sangre de nuevo,
porque el amor, Varsovia,
levantó tu estatura de sirena
y si toco tus muros,
tu piel sagrada,
comprendo
que eres la vida y que en tus muros
ha muerto, al fin, la muerte.

# VII

CANTA
POLONIA

La guerra allí en el fondo
de los grandes bosques,
la guerra junto al agua
lenta y multiplicada
salió a insultarme, en medio
de la paz
en el reino silvestre:
allí estaba.
Goering había dejado
sus cubos de cemento.
Allí estaba la horrible arquitectura
inhumana, angulosa,
ranuras entreabiertas
como ojos de reptil, formas desnudas
de la crueldad, allí, escondido,
en las nuevas covachas de las fieras
planearon el ataque
contra la luz soviética.
Allí desde la sombra
atacaron la estrella
reuniendo toda fuerza repulsiva,
uniendo los gusanos y el veneno,
las llamas destructoras,
los planes de la muerte.
Ya el bosque iba cubriendo
con su esplendor oscuro
las señales malignas,
pero allí agazapados los fortines,
las redes rotas que los escondían
eran la voz del metal terrible,
la boca desdentada de la guerra.

Como hoy en las tranquilas salas claras
de los colegios militares
de América del Norte,

con obstinada precisión se estudia
el poder del microbio
para que a las aldeas
entre con su carga de vómitos
y asesine a los niños con el agua,
así los pensamientos del incendio
y del asesinato se incubaron
en estas grutas de los bosques fríos.

Pero la ola asesina se detuvo
contra un muro de piedra:
la unánime muralla
del socialismo, el peso
del puño de Stalin,
y desde el Este nevado
volvió la paz al bosque.
Los invasores que de aquí salieron
no regresaron, pero
el aire luminoso
de Stalingrado vino,
atravesó los bosques de Polonia,
abrió las puertas
del invasor sangriento
y crecen desde entonces
las lianas en el bosque,
el agua espera las hojas que caen,
las ardillas eléctricas
bailan con traje nuevo.
Denso es el aire como un líquido
que llenara la copa de la tierra,
se hunden mis pasos en el musgo
como si caminara en el olvido,
un fragmento de leña
se llenó de adherencias
como un violín de música,
las hojas tejen hilos que atraviesan
de un árbol a otro
hilando el perforado
silencio de la selva.

Al pie del bosque las praderas
sienten nacer el trigo,
más allá el carbón corre
hacia el acero,
las ciudades se pueblan,
marcha el hombre,
marchan los hombres,
crecen las naves,
de noche el cielo muestra
a Polonia con larga
luz de estrellas
diciendo: «Hombres de todas
las tierras y los mares,
ved cómo crece
la hija de acero».
Y la luna se asombra
porque en el hueco
de ayer, carbonizado,
hoy un techo devuelve
la dulce luz nocturna,
el sol entra temprano
en las panaderías,
se sienta en las escuelas,
vive la vida,
construye el hombre,
el brazo duro enlaza
un talle de paloma.

Buenos días, Polonia!
Buenas noches, Polonia!
Hasta mañana, te amo!
Buenos días y noches!
Buenos años y siglos!
Te amo, Polonia, y de ti me despido
llevándome una flor y dejando en tu frente
un largo beso que tomó la forma
de todos mis besos: de un canto.

## IV

## EL PASTOR PERDIDO

VUELVE,  *España, España corazón violeta,*
ESPAÑA  *me has faltado del pecho, tú me faltas*
*no como falta el sol en la cintura*
*sino como la sal en la garganta,*
*como el pan en los dientes, como el odio*
*en la colmena negra, como el día*
*sobre los sobresaltos de la aurora,*
*pero no es eso aún, como el tejido*
*del elemento visceral, profundo*
*párpado que no mira y que no cede,*
*terreno mineral, rosa de hueso*
*abierta en mi razón como un castillo.*

*A quién puedo llamar sino a tu boca?*

*Tengo otros labios que me representen?*

*Estás abandonada o estoy mudo?*

*Qué significa tu callada esfera?*

*Dónde voy sin tu voz, arena madre?*

*Qué soy sin tu fanal crucificado?*

*Dónde estoy sin el agua de tu roca?*

*Quién eres tú si no me diste sangre?*

*Oh tormento! Recóbrame, recíbeme*
*antes de que mi nombre y mis espigas*

desaparezcan en la primavera.
Porque a tus soledades iracundas
va mi destino encadenado, al peso
de tu victoria. A ti voy conducido.

España, eres más grave que una fecha,
que una adivinación, que una tormenta,
y no importa la torre despiadada
de tu perdida voz, sino la dura
resistencia, la piedra que sostiene.

Pero por qué, si soy arena tuya,
agua en tus aguas, sangre en tus heridas,
hoy me niegas la boca que me llama,
tu voz, la construcción de mi existencia?

Pido a lo que en tu ser es mi substancia,
a tu desgarradura de cuchillos,
que se abran hoy, sobre la desventura,
las iluminaciones de tu rostro,
y te levantes, horadando el cielo,
rompiendo las tinieblas y los signos,
hasta surgir, harina y alborada,
luna encendida sobre los osarios.

Matarás. Mata, España, santa virgen,
levántate empuñando la ternura
como una ciega rosa desatada
sobre las pedrerías infernales.

Ven a mí, devuélveme la torre
que me robaron,
                    devuélveme la lengua
y el pueblo que me esperan, asómbrame
con la unidad final de tu hermosura.
Levántate en tu sangre y en tu fuego:
la sangre que tú diste, la primera,
y el fuego, nido de tu luz sagrada.

# I

España, no hay recuerdos
tuyos, no eres memoria.
Si quiero recordar
los azahares,
o el mercado amarillo
o las ácidas sombras de Valencia,
cierro la frente,
abro los ojos
y me muerdo la boca.
No, no tengo recuerdos.
No quiero nada con tu forma seca
ni con tu generosa cabellera,
no quiero tus espigas,
no quiero ir recogiéndolas
en la melancolía de un camino.
Te quiero intacta, entera,
a mí restituida
con hechos y palabras,
con todos tus sentidos,
desenlazada y libre,
metálica y abierta!
Granada roja y dura,
topacio negro, España,
amor mío, cadera
y esqueleto del mundo,
guitarra incandescente,
fuego sin mutilar, oh dolorosa
piedra amada,
si yo te recordara
el corazón se me desangraría
y necesito sangre
para reconquistar tus hermosuras,
para que tu silencio
de golpe se arrodille
vencido, terminado,

y se oiga la voz de tus pueblos
en el nuevo coro del mundo.


## II

LLEGARÁ  Hay algo,
NUESTRO  fermentaciones, lágrimas,
HERMANO  lunas, duelos, dolores.
Se advierte
que pasa algo,
un punto, algo
como un cometa
de color escarlata:
son todas tus estrellas,
España,
tus hombres, tus mujeres,
España.
Hay un océano,
un vasto viento eléctrico
que fabrica relámpagos,
algo crece en tu vientre,
España.
Reconocemos
al hermano que viene,
levántalo a la luz,
nútrelo con tu sangre,
que corra
apenas si nacido,
que muera
ahora,
dale
leche de piedra salvaje,
fuerza de tierra atómica,
dale todos tus huesos,
los huesos que no olvidan,
dale las cuencas abiertas
de nuestros fusilados,

dale tu vida y la mía,
si la quieres,
y entonces,
entrégale cuchillos,
fusiles escondidos.
Araña
bajo tu lecho,
busca
en las sementeras,
saca del aire las armas,
y déjalo que luche,
España, que luche tu hijo,
que luche tu hijo, España.
Rompe
tu cárcel, abre
todos tus ojos,
levanta
tu antiguo corazón
porque ésa es tu bandera,
la nueva estrella en medio
de tu sangre vertida.
Levántate
y clama,
levántate
y derriba,
levántate y construye,
segadora,
echa al mundo tu hijo,
amasa tu pan de nuevo,
la tierra está esperando
tus manos y tu harina.
Es tu victoria
la que nos hace falta,
la que buscamos antes de dormir,
la que esperamos
antes de despertar.
Tu victoria olvidada
va errante en los caminos,

déjala entrar,
deja entrar tu victoria,
abre las puertas,
que tu hijo abra la puerta
con recias rojas manos de minero,
que se abran las puertas de España,
porque ésa es la victoria
que nos falta
y sin esa victoria
no hay honor en la tierra.

## III

EL PASTOR      Se llamaba Miguel. Era un pequeño
PERDIDO        pastor de las orillas
      de Orihuela.
      Lo amé y puse en su pecho
      mi masculina mano,
      y creció su estatura poderosa
      hasta que en la aspereza
      de la tierra española
      se destacó su canto
      como una brusca encina
      en la que se juntaron
      todos los enterrados ruiseñores,
      todas las aves del sonoro cielo,
      el esplendor del hombre duplicado
      en el amor de la mujer amada,
      el zumbido oloroso
      de las rubias colmenas,
      el agrio olor materno
      de las cabras paridas,
      el telégrafo puro
      de las cigarras rojas.
      Miguel hizo de todo
      —territorio y abeja,
      novia, viento y soldado—

barro para su estirpe vencedora
de poeta del pueblo,
y así salió caminando
sobre las espinas de España
con una voz que ahora
sus verdugos
tienen que oír, escuchan,
aquellos
que conservan las manos
manchadas
con su sangre indeleble,
oyen su canto
y creen
que es sólo tierra
y agua.
No es cierto.
Es sangre,
sangre,
sangre de España, sangre
de todos los pueblos de España,
es su sangre que canta
y nombra
y llama,
nombra todas las cosas
porque él todo lo amaba,
pero esa voz no olvida,
esa sangre no olvida
de dónde viene
y para quiénes canta.
Canta
para que se abran las cárceles
y ande la libertad por los caminos.
A mí me llama
para mostrarme todos los lugares
por donde lo arrastraron,
a él, luz de los pueblos,
relámpago de idiomas,
para mostrarme

el presidio de Ocaña,
en donde gota a gota
lo sangraron,
en donde cercenaron
su garganta,
en donde lo mataron siete años
encarnizándose
en su canto
porque cuando mataron esos labios
se apagaron las lámparas de España.

Y así me llama y me dice:
«Aquí me ajusticiaron lentamente».
Así el que amó y llevaba
bajo su pobre ropa
todos los manantiales españoles
fue asesinado bajo
la sombra de los muros
mientras tocaban todas las campanas
en honor del verdugo,
pero
los azahares
dieron olor al mundo aquellos días
y aquel aroma era
el corazón martirizado
del pastor de Orihuela
y era Miguel su nombre.

Aquellos días y años
mientras agonizaba,
en la historia
se sepultó la luz,
pero allí palpitaba
y volverá mañana.
Aquellos días y siglos
en que a Miguel Hernández,
los carceleros
dieron tormento y agonía,

la tierra echó de menos
sus pasos de pastor sobre los montes
y el guerrillero muerto,
al caer, victorioso,
escuchó de la tierra
levantarse un rumor, un latido,
como si se entreabrieran las estrellas
de un jazmín silencioso:
era la poesía de Miguel.
Desde la tierra hablaba,
desde la tierra
hablará para siempre,
es la voz de su pueblo,
él fue entre los soldados
como una torre ardiente.

Él era
fortaleza
de cantos y estampidos,
fue como un panadero:
con sus manos hacía
sus sonetos.
Toda su poesía
tiene tierra porosa,
cereales, arena,
barro y viento,
tiene forma
de jarra levantina,
de cadera colmada,
de barriga de abeja,
tiene olor
a trébol en la lluvia,
a ceniza amaranto,
a humo de estiércol, tarde,
en las colinas.
Su poesía
es maíz agrupado
en un racimo de oro,

es viña de uvas negras, es botella
de cristal deslumbrante
llena de vino y agua, noche y día,
es espiga escarlata,
estrella anunciadora,
hoz y martillo escritos con diamantes
en la sombra de España.

Miguel Hernández, toda
la anaranjada greda o levadura
de tu tierra y tu pueblo
revivirá contigo.
Tú la guardaste
con la mano más torpe, en la agonía,
porque tú estabas hecho
para el amanecer y la victoria,
estabas hecho de agua y tierra virgen,
de estupor insaciable,
de plantas y de nidos.
Eras
la germinación invencible
de la materia que canta,
eras
patria de la entereza y dispusiste
contra los enemigos,
el moro y el franquista,
una mano pesada
llena de enredaderas y metales.
Con tu espada en los brazos, invisible,
morías,
pero no estabas solo.
No sólo la hierba quemada
en las pobres colinas de Orihuela
esparcieron tu voz y tu perfume
por el mundo.
Tu pueblo parecía
mudo,
no miraba

tu muerte,
no oía
las misas del desprecio
pero, anda,
anda y pregunta,
anda y ve si hay alguno
que no sepa tu nombre.

Todos sabían,
en las cárceles,
mientras los carceleros
cenaban con Cossío,
tu nombre.
Era un fulgor mojado
por las lágrimas
tu voz de miel salvaje.
Tu revolucionaria
poesía
era, en silencio, en celdas,
de una cárcel a otra,
repetida,
atesorada,
y ahora
despunta el germen,
sale tu grano a la luz,
tu cereal violento
acusa,
en cada calle,
tu voz toma el camino
de las insurrecciones.

Nadie, Miguel, te ha olvidado.
Aquí te llevamos todos
en mitad del pecho.

Hijo mío, recuerdas
cuando
te recibí y te puse

mi amistad de piedra en las manos?
Y bien, ahora,
muerto,
todo me lo devuelves.
Has crecido y crecido,
eres,
eres eterno,
eres España,
eres tu pueblo,
ya no pueden matarte.
Ya has levantado
tu pecho de granero,
tu cabeza
llena de rayos rojos,
ya no te detuvieron.
Ahora
quieren hincarse
como frailes tardíos
en tu recuerdo,
quieren regar con baba
tu rostro, guerrillero comunista.
No pueden.
No los dejaremos.
Ahora
quédate puro,
quédate silencioso,
permanece sonoro,
deja
que recen,
deja
que caiga el hilo negro
de sus catafalcos podridos
y bocas medievales.
No saben otra cosa.
Ya llegará
tu viento,
el viento del pueblo,
el rostro de Dolores,

el paso victorioso
de nuestra nunca muerta
España,
y entonces,
arcángel de las cabras,
pastor caído,
gigantesco poeta de tu pueblo,
hijo mío,
verás
que tu rostro arrugado
estará en las banderas,
vivirá en la victoria,
revivirá cuando reviva el pueblo,
marchará con nosotros sin que nadie
pueda apartarte más del regazo de España.

## V

## CONVERSACIÓN DE PRAGA

*A Julius Fučik*

### I

MI AMIGO DE LAS CALLES   Por las calles de Praga en invierno cada día
pasé junto a los muros de la casa de piedra
en que fue torturado Julius Fučik.
La casa no dice nada, piedra color de invierno,
barras de hierro, ventanas sordas.
Pero cada día yo pasé por allí,
miré, toqué los muros, busqué el eco,
la palabra, la voz, la huella pura
del héroe.
Y así salió su frente
una vez, y sus manos otra tarde,
y luego todo el hombre fue acompañándome,
fue acompañándome,
a través de la plaza Wenceslas, un buen amigo,
conmigo por el viejo mercado de Havelska,
por el jardín de Starhov, desde donde
Praga se eleva como una rosa gris.

### II

ASÍ HUBIERA PASADO   Así hubiera pasado, así habría pasado
si no hubieras también, casi invisible,
entrado para siempre en la historia.
Nos habríamos visto cada día,
habríamos cambiado ciertos libros que amamos,

yo te hubiera contado
cuentos de pescadores y mineros
de mi patria marina,
y hubiéramos reído
de tal manera que los transeúntes
hubieran encontrado peligrosa
nuestra gran alegría.

## III

TÚ LO     Ha habido muchos hombres,
HICISTE    muchos Fučik
que hicieron bien todas las cosas de la vida.
Tú, Julius Fučik,
también las hiciste.
Los pequeños y grandes deberes dolorosos
y los indispensables
pequeños movimientos,
cumplir, cumplir:
la rectitud es un punto severo
que se repite hasta ser una línea,
una norma, un camino,
y ese punto lo hiciste
como todos los hombres sencillos
por deber y por alegría,
porque así tenemos que ser.

## IV

EL DEBER    Pero cuando al reloj llegó la larga hora
DE MORIR    de la muerte, cumpliste,
cumpliste con la misma tranquilidad alegre,
cumpliste con el deber de morir.
Nada se rompe entre tu vida y tu muerte:
es una sola línea sin ruptura
la que has edificado.

La línea sigue viva,
sigue recta y creciente
andando, andando siempre,
desde la muerte tuya hasta otras vidas,
andando, andando siempre, acumulando seres,
acumulando seres, existencias,
como un gran río se llena de otros ríos,
como en la música el sonido
se enriquece y se eleva,
así tu voz, tu vida continúan
andando por toda la tierra.
No son herencia sino sangre viva,
no son recuerdo sino acción segura,
y eres el héroe humano,
no el semidiós de piedra,
el que llenó su dimensión de hombre
con todo el contenido de la vida,
no de su sola vida
sino también de todas,
de todas nuestras vidas,
y en ti la libertad no son dos alas
en un escudo, ni una estatua muerta,
sino la firme mano del Partido
que sostiene la tuya
y así de tu firmeza,
que en ti creció de muchas otras vidas,
las nuevas vidas recogieron
y sembraron simientes.
Los hombres continuaron,
desde el minuto en que cayó tu rostro,
la lucha, y se tiñó nuestra bandera
con la sangre sagrada
de tu corazón invencible.

# V

ERAS LA VIDA Por las calles de Praga
tu figura,
pero no un dios alado,
sino el pálido rostro perseguido
que después de la muerte nos sonríe.
El héroe que no lleva
en su cabeza inmóvil
los laureles de piedra olvidada,
sino un sombrero viejo
y en el bolsillo el último
recado del Partido,
el clandestino de la medianoche
y el alba organizada,
la circular que mancha
con su tinta fresca,
y así calle tras calle
Fučik, con tus consignas,
Fučik, con tus folletos,
con tu viejo sombrero, sin orgullo
ni humildad, acerando
las armas de la resistencia,
y andando hacia la muerte
con la tranquilidad del transeúnte
que debe verla en la próxima esquina,
por las calles de perla antigua
el invierno de Praga,
mientras el enemigo en el castillo
ladraba a su jauría,
de una calle a otra calle
organizabas
la unidad de tu pueblo, la victoria
que hoy corona la paz de tu patria.

# VI

ESTÁS EN
TODAS
PARTES

Estirpe de Fučik, linaje
de alegres silenciosos,
por toda la tierra extendéis
el hierro humano inextinguible.
Corea, tierra amada, probaste
a los bestiales invasores
de Filadelfia que la raza
de Fučik, sobre la ceniza,
sobre el incendio y el martirio,
sigue encendida y vence a la muerte.
Lejos, en el Paraguay oscuro
y venenosamente verde,
los pequeños encarcelados,
los perseguidos en la selva,
al caer sobre las hojas
ensangrentadas, junto al río,
cierran para siempre la misma
boca sobrehumana de Fučik.
En el Irán el petróleo
vuelve a las manos del pueblo
escribiendo con letras rojas
tu nombre, Julio de Praga.
Y la muchacha del Vietnam
que con dulces manos de flor
maneja la ametralladora,
en su cartera desgarrada
por las espinas de la selva,
lleva tu libro en caracteres
que tú no podrías leer:
el libro que en los últimos días
los ajusticiados de Atenas
llevan escrito en los nobles rostros
para que los asesinos
hallen de nuevo tus palabras
sobre la sangre polvorienta.

# VII

SI LES    Hace miles de años un hombre fue crucificado,
HABLO...  murió en su fe, pensando más allá de la tierra.
          Su cruz pesó sobre la vida humana
          y amasó la congoja y la esperanza.
          Nosotros tenemos millones de crucificados
          y nuestra esperanza está sobre la tierra.
          Que levante los ojos el que quiera verla.
          Dame la mano si tú quieres tocarla.
          En los nuevos arrozales de China está nuestra espe-
              ranza.
          Y cuando los dientes blancos del arroz sonríen,
          no es verdad que la tierra está feliz?
          No es verdad que el trigo y la carne, no es verdad que
              la escuela,
          la casa limpia, el trabajo asegurado y justo,
          la paz para los hijos, el amor,
          el libro en que la alegría y la sabiduría se juntaron,
          no es verdad que son éstas las conquistas del hombre,
          y estas simples verdades forman nuestra esperanza?
          Por qué queréis que a los campesinos aymarás de la
              desdichada Bolivia,
          deshilachados por el hambre y el frío de las grandes
              alturas
          yo llegué mañana a prometerles el cielo?
          Ya no me crucificaríais porque ellos seguirían ham-
              brientos.
          Pero si les hablo de una cooperativa agrícola que vi
              en Polonia,
          donde la leche, el pan y el libro eran comunes tesoros,
          entonces me pegaréis con un palo en las costillas
          y me crucificaréis si no me defienden los míos.
          Tenemos un crucificado en cada kilómetro de tierra,
          y cerca de la próspera New York, cerca del Stork Club,
          crucifican a un negro y a un blanco cada día.
          Pero nosotros no nos quedamos tranquilos

esperando el martirio ni el incienso,
nosotros lucharemos cada día de nuestra vida,
nosotros venceremos y ahora te llamamos,
y así desde su horca y su cruz, como la llames no me importa,
el corazón muerto de Julius Fučik derrotó a sus verdugos.

## VIII

RADIANTE    Radiante Julius –del panal de las vidas
JULIUS    célula férrea y dulce, hecha de miel y fuego!–
danos hoy como el pan de cada día
tu esencia, tu presencia,
tu simple rectitud de rayo puro.
Ven a nosotros hoy, mañana, siempre,
porque, sencillo héroe,
eres la arquitectura
del hombre de mañana.
Cuando la muerte te golpeó, la luz
brilló sobre el planeta
con el color de abeja de tus ojos,
y el germen de la miel y de la lucha,
de la dulzura y de la dureza,
quedaron implantados
en la vida del hombre.
Tu decisión destruyó el miedo,
y tu ternura, las tinieblas.
Entraste, hombre desnudo,
en la boca de nuestro infierno
y con el cuerpo lacerado,
intacta, sin romper fue tu apostura
y la verdad activa
que a pesar de la muerte preservaste.

# IX

CON MI
AMIGO
DE PRAGA

Feliz tu patria, Checoslovaquia, madre
de ojos de acero, pétalo preferido
de Europa, coronada
por la paz de tu pueblo!
Dulces colinas, aguas, techos rojos,
y temblorosos como lluvia verde
eleva el lúpulo sus hilos verticales,
mientras en Gotwaldov una colmena
de inteligencia y de razón sostiene
la nueva rosa del trabajo humano.
Oh, Fučik, ven, visita
conmigo,
conmigo el limpio suelo de tu patria,
verde, blanco y dorado,
y en ella iluminándola,
la claridad del pueblo!
Honor al nuevo surco
y a la nueva jornada,
y al acero invencible de Kladno!
Al hombre nuevo que entra
en los talleres y en las plazas,
a los nuevos puentes seguros
sobre el temblor del viejo río,
a través de Fučik, mi amigo,
mi compañero silencioso,
que fue conmigo mostrándome todo
en el color de invierno de Praga,
con su viejo sombrero invisible
y su dulce sonrisa muda,
a través de la vida y la muerte,
la herencia y el don que nos hizo.
Julius Fučik, yo te saludo,
Checoslovaquia renovada,
madre de muchachos sencillos,

tierra de los callados héroes,
república de niebla y cristal,
racimo, espiga, acero, pueblo!

# VI

## ES ANCHO EL NUEVO MUNDO

CONTIGO
POR LAS
CALLES

*Quiero contar y cantar las cosas*
*de la ancha tierra rusa.*
*Sólo unas pocas cosas,*
*porque no caben todas en mi canto.*
*Humildes hechos, plantas,*
*personas,*
*pájaros,*
*empresas de los hombres.*
*Muchas siempre existieron,*
*otras*
*están naciendo,*
*porque aquélla es la tierra*
*del nacimiento infinito.*
*Y así comienzo, andando*
*contigo por las calles,*
*por los campos,*
*cerca del mar en invierno.*
*Eres mi amigo, ven,*
*vamos andando.*

# I

CAMBIA
LA HISTORIA

Era el tiempo de Pushkin,
la primavera plana,
una ola de aire
como la vela pura
de un barco transparente
iba por las praderas
levantando la hierba y el aroma

de las germinaciones.
Cerca de Leningrado los abetos
bailaban un vals lento
de horizonte marino.
Hacia el Este
marchaban los motores,
las ruedas, la energía,
los muchachos y las muchachas.
Trepidaba la estepa,
los corderos ponían
su puntuación nevada
en la inmensa extensión de la ternura.

Ancha es la Unión Soviética,
como ninguna tierra.
Tiene espacio
para la más pequeña flor azul
y para la usina gigante.
Tiemblan y cantan grandes ríos
sobre su piel extensa
y allí vive
el esturión que guarda envuelto en plata
diminutos racimos
de frescura y delicia.
El oso en las montañas
va con pies delicados
como un antiguo monje en la aurora
de una basílica verde.
Pero es el hombre el rey
de las tierras soviéticas,
el pequeño hombre
que acaba de nacer,
se llama Iván o Pedro,
y llora
y pide leche:
es él, el heredero.

Ancho es el reino y mullido
con tapices de hierba y nieve.
La noche apenas cubre
con su diadema fría
la cabeza, la cima
de los montes Urales,
y el mar lame el contorno
de hielo o tierra dulce,
glaciales territorios
o países de uva.
Todo lo tiene:
la tierra en movimiento
como una vasta empresa
en la que él debe,
desde que nace,
cantar y trabajar,
porque el reino fecundo
es obra de hombres.
Antes fue oscura la tierra,
hambre y dolor llenaron
el tiempo y el espacio.
Entonces en la historia
vino Lenin,
cambió la tierra,
luego Stalin
cambió el hombre.
Luego la paz, la guerra,
la sangre, el trigo:
difícilmente todo
se fue cumpliendo
con fuerza y alegría,
y hoy Iván heredó
de mar a mar la primavera roja,
por donde yo te llevo de la mano.

Escucha, escucha
este canto de pájaros:
silba la plata en el temblor mojado

de su voz matutina,
lo persigo entre agujas
y abanicos de pinos,
otro canto responde,
se puebla el bosque
de voces en la altura.
De bosque a bosque cantan,
de semana a semana,
de aurora a aurora cambian
trinos recién nacidos.
De aldea a aldea se responden,
de usina a usina,
de río a río,
de metal a metal, de canto a canto.

El vasto reino canta,
se responde cantando.
Rocío tienen las hojas
en la mañana clara.
Sabor a estrella fresca
tiene el bosque.
Como por un planeta
va lentamente andando
la primavera por la tierra rusa,
y espigas y hombres nacen
bajo sus pies de plata.

## II

TRANSIBERIANO  Atravieso el otoño siberiano:
cada abedul un candelabro de oro.
De pronto un árbol negro, un árbol rojo,
muestra una herida o una llamarada.
La estepa, el rostro
de áspera inmensidad, anchura verde,
planeta cereal, terrestre océano.

Pasé de noche
Novosibirsk, fundada
por la nueva energía.
En la extensión sus luces trabajaban
en medio de la noche, el hombre nuevo
haciendo nueva la naturaleza.
Y tú, gran río Yenisey, me dijiste
con ancha voz al pasar, tu palabra:
«Ahora no corren en vano mis aguas.
Soy sangre de la vida que despierta».

La pequeña estación en que la lluvia
deja un recuerdo de agua en los rincones
y arriba las antiguas, dulces casas
de madera, fragmentos de los bosques,
tienen huéspedes nuevos, una hilera
de hierro: son los nuevos tractores
que ayer llegaron, rígidos, uniformes
soldados de la tierra,
armas del pan, ejército
de la paz y la vida.
Trigos, maderas, frutos
de Siberia, bienvenidos
en la casa del hombre:
nadie os daba derecho a nacer,
nadie podía saber que existíais,
hasta que se rompió la nieve
y entre las alas blancas del deshielo
entró el hombre soviético
a extender las semillas.
Oh tierras siberianas,
a la luz amarilla
del más extenso otoño de la tierra,
alegres son las hojas de oro,
toda la luz os cubre con su copa volcada!

El tren transiberiano
va devorando el planeta.
Cada día una hora

desaparece ante nosotros,
cae detrás del tren,
se hace semilla.
Junto a los Urales
dejamos el buen frío del otoño
y antes de Krasnoyarsk, antes de un día,
la primavera invisible
vistió de nuevo su tibio traje azul.
En la cabina siguiente
viaja el joven geólogo
con su mujer y un niño pequeñito.
La isla de Sajalin les espera
con sus cuarenta grados
de frío y soledad,
pero también esperan los metales
que han dado cita a los descubridores.

Adelante, niño soviético!
Cómo venceremos la soledad,
cómo venceremos el frío,
cómo ganaremos la paz,
si tú no vas por el transiberiano
a fecundar las islas?
El tren va repartiendo
hasta Vladivostok, y aun
entre los archipiélagos de color de acero,
a los muchachos que cambiarán la vida,
que cambiarán frío y soledad y viento
en flores y metales.
Adelante, muchachos
que en este tren transiberiano,
a lo largo de siete días de marcha
soñáis sueños precisos
de hierro y de cosechas.

Adelante, tren siberiano,
tu voluntad tranquila
casi da vuelta al globo!

Extensión, ancha tierra, recorriéndote,
resbalando en el tren días y días,
amé tus latitudes esteparias,
tus cultivos, tus pueblos, tus usinas,
tus hombres reduciéndote a substancia
y tu otoño infinito que me cubría de oro
mientras el tren vencía la luz y la distancia!

Desde ahora te llevaré en mis ojos,
Siberia, madre
amarilla, inabarcable
primavera futura!

## III

TERCER
CANTO DE
AMOR A
STALINGRADO  Stalingrado con las alas tórridas
del verano, las blancas
mansiones elevándose:
una ciudad cualquiera.
La gente apresurada
a su trabajo.
Un perro cruza
el día polvoriento.
Una muchacha corre
con un papel en la mano.
No pasa nada,
sino el Volga
de aguas oscuras.
Una a una las casas
se levantaron
desde el pecho del hombre,
y volvieron los sellos de correo,
los buzones,
los árboles,
volvieron los niños,
las escuelas,
volvió el amor,

las madres
han parido,
volvieron las cerezas
a las ramas,
el viento
al cielo,
y entonces?

Sí, es la misma,
no cabe duda.
Aquí estuvo la línea,
la calle,
la esquina,
el metro y el centímetro
en donde nuestra vida y la razón
de todas nuestras vidas
fue ganada
con sangre.
Aquí se cortó el nudo
que apretó la garganta
de la historia.
Aquí fue. Si parece mentira
que podamos
pisar la calle y ver
la muchacha y el perro,
escribir una carta,
mandar un telegrama,
pero tal vez
para esto,
para este día igual
a cada día,
para este sol sencillo
en la paz de los hombres
fue la victoria,
aquí, en esta ceniza
de la tierra sagrada.

Pan de hoy, libro de hoy, pino reciente
plantado esta mañana,
luminosa avenida
recién llegada del papel
en donde el ingeniero
la trazó bajo el viento de la guerra,
niña que pasas, perro
que atraviesas el día polvoriento,
oh milagros,
milagros de la sangre,
milagros del acero y del Partido,
milagros de nuestro nuevo mundo.

Rama de acacia con espinas y flores,
en dónde, en dónde
tendrás mayor perfume
que en este sitio en que todo perfume fue borrado,
en que todo cayó
menos el hombre,
el hombre de estos días,
el soldado soviético?

Oh, rama perfumada,
hueles
aquí
más que una reunida primavera!

Aquí hueles a hombre y a esperanza,
aquí, rama de acacia,
no pudo quemarte el fuego
ni sepultarte el viento de la muerte.
Aquí resucitaste cada día
sin haber muerto nunca,
y hoy en tu aroma el infinito humano
de ayer y de mañana,
de pasado mañana,
nos vuelve a dar su eternidad florida.
Eres como la usina de tractores:

hoy florecen de nuevo
grandes flores metálicas
que entrarán en la tierra
para que la semilla
sea multiplicada.
También la usina
fue ceniza,
hierro torcido, espuma
sangrienta de la guerra,
pero su corazón no se detuvo,
fue aprendiendo a morir y a renacer.

Stalingrado enseñó al mundo
la suprema lección de la vida:
nacer, nacer, nacer,
y nacía
muriendo,
disparaba
naciendo,
se iba de bruces y se levantaba
con un rayo en la mano.
Toda la noche se iba desangrando
y ya en la aurora
podía prestar sangre
a todas las ciudades de la tierra.
Palidecía con la nieve negra
y toda la muerte cayendo
y cuando tú mirabas
para verla caer, cuando llorábamos
su final de fortaleza,
ella nos sonreía,
Stalingrado
nos sonreía.

Y ahora
la muerte se ha ido:
sólo algunas paredes,
alguna contorsión de hierro

bombardeado y torcido,
sólo algún rastro
como una cicatriz de orgullo,
hoy todo es claridad, luna y espacio,
decisión y blancura,
y en lo alto
una rama de acacia,
hojas, flores, espinas defensoras,
la extensa primavera
de Stalingrado,
el invencible aroma
de Stalingrado!

## IV

EL ÁNGEL   Hacía ciento cincuenta años
SOVIÉTICO   que yacía enterrado.
En Petrograd de seda y sangre
cayó con una bala sucia
en alguna parte del pecho.
Pasó el tiempo.
Por más de cien inviernos cayó nieve
sobre techos y calles,
pero abierta y sangrando
estuvo aquella
pequeña herida roja
en el pecho de piedra, seda y oro
de Petrograd. Un hilo
de sangre acusaba. Iba
y venía,
subía por las cúpulas,
corría por la seda
de las casacas bordadas,
de pronto aparecía
como piedra preciosa
sobre el *décolleté*
de una belleza,

y ay, era sólo un coágulo
de sangre que acusaba.

Así era,
así era la sangre de Pushkin
asesinado.
Iba por todas partes
como un hilo
infinito.
En el silencio
de Petrograd, en la piedra y el agua
de la ciudad dormida,
en la estatua de Pedro y su caballo,
el hilo,
el hilo de sangre
caminaba,
caminaba buscando.

Hasta que un día
amaneció la aurora disparando.
En las escalas
del Palacio de Invierno
apareció un tapiz
de extraña contextura:
era hombre y cólera,
era esperanza y fuego,
eran cabezas jóvenes y grises,
la frente de los pueblos.
Y luego Lenin
con una firma
al pie de la esperanza
cambió la Historia.

Entonces
aquel hilo de sangre que acusaba
se retiró a su sitio
y claro, aéreo y rojo,
el ángel pensativo

vivió de nuevo.
Pushkin
se miró la camisa:
ya no sangraba el agujero sucio
que dejara la bala asesina.
El pueblo
había expulsado
a los espadachines
de casacas doradas,
a los verdugos
condecorados con gotas de sangre
y ahora
con la herida cerrada
recibió en la cabeza
el viento de laureles
y echó a andar por las calles,
acompañó a su pueblo.

Y, vivo de nuevo,
fulgurante en su estatua,
ondulando en el cielo
como una gran bandera,
mezclándose a los hombres
a la salida del establecimiento,
en la campiña
con el pelo mojado
o descansando un poco
junto a los haces de trigo,
vi al joven Pushkin.
Mi amigo
no hablaba,
había que leerlo.
Yo caminé la vasta geografía
de la URSS,
mirándolo y leyéndolo,
y él con su antigua voz me descifraba
las vidas y las tierras.
Un reposado orgullo,

como un sueño,
invadía su rostro
cuando a mi lado
iba volando
transparente en el aire transparente,
sobre la libertad espaciosa
de las ciudades y de las praderas.


## V

EN SU    Camarada Stalin, yo estaba junto al mar en la Isla
MUERTE    Negra,
descansando de luchas y de viajes,
cuando la noticia de tu muerte llegó como un golpe
de océano.

Fue primero el silencio, el estupor de las cosas, y luego
llegó del mar una ola grande.
De algas, metales y hombres, piedras, espuma y lágrimas estaba hecha esta ola.
De historia, espacio y tiempo recogió su materia
y se elevó llorando sobre el mundo
hasta que frente a mí vino a golpear la costa
y derribó a mis puertas su mensaje de luto
con un grito gigante
como si de repente se quebrara la tierra.
Era en 1914.
En las fábricas se acumulaban basuras y dolores.
Los ricos del nuevo siglo
se repartían a dentelladas el petróleo y las islas, el
cobre y los canales.
Ni una sola bandera levantó sus colores
sin las salpicaduras de la sangre.
Desde Hong Kong a Chicago la policía
buscaba documentos y ensayaba
las ametralladoras en la carne del pueblo.
Las marchas militares desde el alba

mandaban soldaditos a morir.
Frenético era el baile de los gringos
en las *boîtes* de París llenas de humo.
Se desangraba el hombre.
Una lluvia de sangre
caía del planeta,
manchaba las estrellas.
La muerte estrenó entonces armaduras de acero.
El hambre
en los caminos de Europa
fue como un viento helado aventando hojas secas y
    quebrantando huesos.
El otoño soplaba los harapos.
La guerra había erizado los caminos.
Olor a invierno y sangre
emanaba de Europa
como de un matadero abandonado.
Mientras tanto los dueños
del carbón,
del hierro,
del acero,
de humo,
de los bancos,
del gas,
del oro,
de la harina,
del salitre,
del diario *El Mercurio*,
los dueños de burdeles,
los senadores norteamericanos,
los filibusteros
cargados de oro y sangre
de todos los países,
eran también los dueños
de la Historia.
Allí estaban sentados
de frac, ocupadísimos
en dispensarse condecoraciones,

en regalarse cheques a la entrada
y robárselos a la salida,
en regalarse acciones de la carnicería
y repartirse a dentelladas
trozos de pueblo y de geografía.

Entonces con modesto
vestido y gorra obrera,
entró el viento,
entró el viento del pueblo.
Era Lenin.
Cambió la tierra, el hombre, la vida.
El aire libre revolucionario
trastornó los papeles
manchados. Nació una patria
que no ha dejado de crecer.
Es grande como el mundo, pero cabe
hasta en el corazón del más
pequeño
trabajador de usina o de oficina,
de agricultura o barco.
Era la Unión Soviética.

Junto a Lenin
Stalin avanzaba
y así, con blusa blanca,
con gorra gris de obrero,
Stalin,
con su paso tranquilo,
entró en la Historia acompañado
de Lenin y del viento.
Stalin desde entonces
fue construyendo. Todo
hacía falta. Lenin
recibió de los zares
telarañas y harapos.
Lenin dejó una herencia
de patria libre y ancha.

Stalin la pobló
con escuelas y harina,
imprentas y manzanas.
Stalin desde el Volga
hasta la nieve
del Norte inaccesible
puso su mano y en su mano un hombre
comenzó a construir.
Las ciudades nacieron.
Los desiertos cantaron
por primera vez con la voz del agua.
Los minerales
acudieron,
salieron
de sus sueños oscuros,
se levantaron,
se hicieron rieles, ruedas,
locomotoras, hilos
que llevaron las sílabas eléctricas
por toda la extensión y la distancia.
Stalin
construía.
Nacieron
de sus manos
cereales,
tractores,
enseñanzas,
caminos,
y él allí,
sencillo como tú y como yo,
si tú y yo consiguiéramos
ser sencillos como él.
Pero lo aprenderemos.
Su sencillez y su sabiduría,
su estructura
de bondadoso pan y de acero inflexible
nos ayuda a ser hombres cada día,
cada día nos ayuda a ser hombres.

Ser hombres! Es ésta
la ley staliniana!
Ser comunista es difícil.
Hay que aprender a serlo.
Ser hombres comunistas
es aún más difícil,
y hay que aprender de Stalin
su intensidad serena,
su claridad concreta,
su desprecio
al oropel vacío,
a la hueca abstracción editorial.
Él fue directamente
desentrañando el nudo
y mostrando la recta
claridad de la línea,
entrando en los problemas
sin las frases que ocultan
el vacío,
derecho al centro débil
que en nuestra lucha rectificaremos
podando los follajes
y mostrando el designio de los frutos.
Stalin es el mediodía,
la madurez del hombre y de los pueblos.
En la guerra lo vieron
las ciudades quemadas
extraer del escombro
la esperanza,
refundirla de nuevo,
hacerla acero,
y atacar con sus rayos
destruyendo
la fortificación de las tinieblas.

Pero también ayudó a los manzanos
de Siberia
a dar sus frutas bajo la tormenta.

Enseñó a todos
a crecer, a crecer,
a plantas y metales,
a criaturas y ríos
les enseñó a crecer,
a dar frutos y fuego.
Les enseñó la Paz
y así detuvo
con su pecho extendido
los lobos de la guerra.


Stalinianos. Llevamos este nombre con orgullo.
Stalinianos. Es ésta la jerarquía de nuestro tiempo!
Trabajadores, pescadores, músicos stalinianos!
Forjadores de acero, padres del cobre, stalinianos!
Médicos, calicheros, poetas stalinianos!
Letrados, estudiantes, campesinos stalinianos!
Obreros, empleados, mujeres stalinianas,
salud en este día! No ha desaparecido la luz,
no ha desaparecido el fuego,
sino que se acrecienta
la luz, el pan, el fuego y la esperanza
del invencible tiempo staliniano!


En sus últimos años la paloma,
la Paz, la errante rosa perseguida,
se detuvo en sus hombros y Stalin, el gigante,
la levantó a la altura de su frente.
Así vieron la paz pueblos distantes.
Desde estepas y mares, praderas, reuniones,
los ojos de los hombres dirigieron
su mirada a este faro con palomas,
y ni el salvaje encono ni el veneno arrogante
de los encarnizados, ni la mueca
de Churchill o Eisenhower o Trujillo,
ni el ladrido radial de los vendidos,
ni el gutural gruñido del chacal derrotado,
disminuyeron su épica estatura
ni salpicaron su sencilla fuerza.

Frente al mar de Isla Negra, en la mañana,
icé a media asta la bandera de Chile.
Estaba solitaria la costa y una niebla de plata
se mezclaba a la espuma solemne del océano.
A mitad de su mástil, en el campo de azul,
la estrella solitaria de mi patria
parecía una lágrima entre el cielo y la tierra.
Pasó un hombre del pueblo, saludó comprendiendo,
y se sacó el sombrero.
Vino un muchacho y me estrechó la mano.

Más tarde el pescador de erizos, el viejo buzo
y poeta,
Gonzalito, se acercó a acompañarme bajo la bandera.
«Era más sabio que todos los hombres juntos», me dijo
mirando el mar con sus viejos ojos, con los viejos
ojos del pueblo.
Y luego por largo rato no nos dijimos nada.
Una ola
estremeció las piedras de la orilla.
«Pero Malenkov ahora continuará su obra», prosiguió
levantándose el pobre pescador de chaqueta raída.
Yo lo miré sorprendido pensando: Cómo, cómo lo sabe?
De dónde, en esta costa solitaria?
Y comprendí que el mar se lo había enseñado.

Y allí velamos juntos, un poeta,
un pescador y el mar
al Capitán lejano que al entrar en la muerte
dejó a todos los pueblos, como herencia, su vida.

VII

LA PATRIA DEL RACIMO

I

LA TÚNICA   Yo en los caminos,
VERDE   en los montes anduve.
Las viñas me cubrieron con su túnica verde,
probé el vino y el agua.
En mis manos
voló la harina, resbaló el aceite,
pero
es el pueblo de Italia
la producción más fina de la tierra.
Yo anduve por las fábricas,
conversé con los hombres,
conozco la sonrisa
blanca de los ennegrecidos rostros,
y es como harina dura esa sonrisa:
la áspera tierra es su molino.
Yo anduve
entre los pescadores en las islas,
conozco el canto
de un hombre solo,
solo en las soledades pedregosas,
he subido las redes del pescado,
he visto en las laderas calcinadas
del sur, rascar la entraña
de la tierra más pobre.
He visto el sitio
en que mi amigo el guerrillero Benedetti
inmóvil con su explosivo en la mano
dejó allí para siempre
el rostro pero no la sonrisa.

Por todas partes
he tocado
la materia humana
y este contacto
fue para mí como tierra nutricia.
Yo había andado mucho
conversando con trajes,
saludando sombreros,
dando la mano a guantes.
Yo anduve mucho
entre hombres sin hombre,
mujeres sin mujer,
casas sin puertas.
Italia, la medida
del hombre simple elevas
como el granero al trigo,
acumulando granos,
caudal tesoro puro,
germinación profunda
de la delicadeza y la esperanza.
En las mañanas
la más antigua
de las mujeres, gris color de olivo,
me traía
flores de roca, rosas arrancadas
al difícil perfil de las laderas.
Rosas y aceite verde, eran los dones
que yo recogí, pero
sobre todo
sabiduría y canto
aprendí de tus islas.
Adonde vaya llevaré en mis manos
como si fuera el tacto
de una madera pura,
musical y fragante
que guardaran mis dedos,
el paso de los seres,
la voz y la sustancia,

la lucha y la sonrisa,
las rosas y el aceite,
la tierra, el agua, el vino
de tu tierra y tu pueblo.
Yo no viví con las estatuas rotas
ni con los templos cuya dentadura
cayó con sus antiguas jerarquías.
Yo no viví tampoco
sólo de azul y aroma,
yo recibí las hondas sacudidas
del océano
humano:
en la mayor miseria
de los desmantelados arrabales
metí mi corazón
como una red nocturna,
y conozco las lágrimas y el hambre
de los niños,
pero
también conozco el paso
de la organización y la victoria.
Yo no dejé mi pecho
como una lira inmóvil
deshacerse en dulzura,
sino que caminé por las usinas
y sé que el rostro
de Italia cambiará. Toqué en el fondo
la germinación incesante
de mañana, y espero.
Yo me bañé en las aguas
de un manantial eterno.

## II

CABELLERA   Capri, reina de roca,
DE CAPRI   en tu vestido
         de color amaranto y azucena

viví desarrollando
la dicha y el dolor, la viña llena
de radiantes racimos
que conquisté en la tierra,
el trémulo tesoro
de aroma y cabellera,
lámpara cenital, rosa extendida,
panal de mi planeta.
Desembarqué en invierno.
Su traje de zafiro
la isla en sus pies guardaba,
y desnuda surgía en su vapor
de catedral marina.
Era de piedra su hermosura. En cada
fragmento de su piel reverdecía
la primavera pura
que escondía en las grietas su tesoro.
Un relámpago rojo y amarillo
bajo la luz delgada
yacía soñoliento
esperando la hora
de desencadenar su poderío.
En la orilla de pájaros inmóviles,
en mitad del cielo,
un ronco grito, el viento
y la indecible espuma.
De plata y piedra tu vestido, apenas
la flor azul estalla
bordando el manto hirsuto
con su sangre celeste.
Oh soledad de Capri, vino
de las uvas de plata,
copa de invierno, plena
de ejercicio invisible,
levanté tu firmeza,
tu delicada luz, tus estructuras,
y tu alcohol de estrella
bebí como si fuera
naciendo en mí la vida.

Isla, de tus paredes
desprendí la pequeña flor nocturna
y la guardo en mi pecho.
Y desde el mar girando en tu contorno
hice un anillo de agua
que allí quedó en las olas,
encerrando las torres orgullosas
de piedra florecida,
las cumbres agrietadas
que mi amor sostuvieron
y guardarán con manos implacables
la huella de mis besos.

### III

LA POLICÍA  Nosotros somos
de la policía.
–Y usted? Quién es?
De dónde viene, a dónde
pretende dirigirse?
Su padre? Su cuñado?
Con quién durmió las siete noches últimas?
–Yo dormí con mi amor, yo soy tal vez,
tal vez, tal vez,
soy de la Poesía.
Y así una góndola
más negra que las otras
detrás de mí los transportó en Venecia,
en Bologna en la noche,
en el tren: soy una sombra errante
seguida por las sombras.
Yo vi en Venecia, erguido el Campanile
elevando entre las palomas de San Marcos
su tricornio de policía.
Y Paulina, desnuda, en el museo,
cuando besé su bella boca fría
me dijo: Tiene en orden sus papeles?

En la casa de Dante
bajo los viejos techos florentinos
hay interrogatorios, y David
con sus ojos de mármol, sin pupilas
se olvidó de su padre, Buonarroti,
porque lo obligan cada día a contar
lo que con ojos ciegos ha mirado.
Sin embargo aquel día
en que me trasladaban a la frontera suiza
la policía se encontró de pronto
que le salía al paso
la militante poesía.
No olvidaré la multitud romana
que en la estación, de noche,
me sacó de las manos
de la perseguidora policía.

Cómo olvidar el gesto guerrillero
de Guttuso y el rostro de Giuliano,
la ola de ira, el golpe en las narices
de los sabuesos, cómo olvidar a Mario,
de quien en el exilio
aprendí a amar la libertad de Italia,
y ahora iracunda su cabeza blanca
divisé confundiéndose
en el mar agitado
de mis amigos y de mis enemigos?
No olvidaré el pequeño
paraguas de Elsa Morante
cayendo sobre un pecho policial
como el pesado pétalo
de una fuerza florida.
Y así en Italia
por voluntad del pueblo,
peso de poesía,
firmeza solidaria,
acción de la ternura,
se quedó mi destino.

Y así fue cómo
fue este libro naciendo
rodeado de mar y limoneros,
escuchando en silencio,
detrás del muro de la policía,
cómo luchaba y lucha,
cómo cantaba y canta
el valeroso pueblo
que ganó una batalla para que yo pudiera
descansar en la isla que me esperaba
con una rama en flor de jazmín en su boca
y en sus pequeñas manos la fuente de mi canto.

## IV

LOS Desde hace siglos vive la miseria
DIOSES en el sur de Italia. Mirad su trono:
HARAPIENTOS cuelgan de él como tapicerías
las temblorosas telarañas negras
y ratas grises roen
las antiguas maderas.
Agujereado trono que a través
de las ventanas rotas
de la noche de Nápoles respira
con estertor terrible,
y entre los agujeros
los negros rizos caen en las sienes
de los niños hermosos
como pequeños dioses harapientos.
Oh Italia, en tu morada
de mármol y esplendor, quiénes habitan?
Así tratas, antigua loba roja,
a tu progenie de oro?
Triste es la voz del sur en los caminos.
Ácida sombra el cielo
deja caer sobre las casas rotas,
desde las puertas sale

el ramo desgreñado
del hambre y la pobreza
y sin embargo canta
tu cabeza sonora.
Triste es la voz del sur en los caminos.
Los pueblos adelantan
más de una boca hambrienta
que sin embargo canta.
El rojo vino bebo
levantando en la copa
no sólo el sol maduro,
sino la luz antigua de la ira.

Marchan hacia la tierra
los campesinos de Italia.
Se fatigaron
de rascar la piedra
y entraron al dominio,
al feudal territorio.
Hombres, mujeres, niños
de pronto se agruparon bajo un árbol
y de inmediato
a limpiar la tierra,
a cavarla,
a romperla,
y en el surco
cae el trigo,
el puñado de trigo que guardaron
como si fuera oro
las manos de los pobres,
y entonces
la primera cocina echando humo,
el fuego,
la ropa que se lava,
la vida.

Vinieron
los soldados,

el gobierno cristiano.
«No podéis sembrar,
no podéis hacer fuego.
La tierra
de los señores
debe seguir estéril.
Sacad el trigo,
deshaced el surco,
apagad el fuego.»
Los viejos rostros,
las arrugadas manos,
tan parecidos a la tierra, surcos, semillas, fuego,
se quedaron inmóviles
y cuando levantaron los fusiles
los soldados cristianos
ellos cantaban, y cayeron
cantando.

La sangre regó el trigo
pero allí crece
un cereal indomable,
un cereal que canta hasta en la muerte.
Esto pasó cuando viví en Italia.
Pero los campesinos
así han conquistado la tierra.


## V

LLEGÓ Cuando llega la flota
LA FLOTA norteamericana
se esfuma la bandera
pastoril
de Italia.
Se termina el azul, y las guitarras
en dónde están? Aquella
ola de miel y luz
que envuelve

seres, conversaciones, monumentos,
todo se esconde, sólo
las presencias de acero en la bahía,
lentos reptiles,
lenguas
malditas de la guerra,
y en lo alto
la bandera
del invasor
con sus barras de cárcel
y sus estrellas robadas.
Los prostíbulos
crecen,
y allí de tumbo en tumbo
los marineros civilizadores
transitan,
se derriban,
entran a puñetazos
en los pobres hogares de la orilla,
exactamente como
antes pasó en La Habana,
en Panamá, en Valparaíso,
en Nicaragua, en México.
Cuando parte
la flota
los sigue un barco por la tierra.
En trenes, en camiones
se dirige un prostíbulo
al nuevo puerto en que los barcos grises
van a defender la cultura.
Ay, qué dificultades!
Faltan hoteles donde
situar a las muchachas
de manera estratégica en el puerto!
Ah pero para eso
todo el gobierno se ha movilizado.

Corre el señor de Gásperi vestido
con su chaqué más tétrico,
y el ministro de la policía
barre los dormitorios
para que todo
se desarrolle
con eficacia extrema.
Luego
los señores ministros italianos
se reúnen,
se felicitan
y el Presidente del Consejo, flaco
y funeral como un cajón de muerto,
declara con voz suave:
«Sobrepasando las dificultades
hemos cumplido con nuestros deberes
hacia la flota norteamericana.
Además esta tarde, con orgullo
lo declaro,
he prohibido una exposición de pintura,
he expulsado a un poeta peligroso
y he puesto en la frontera
al cuerpo de ballet de Leningrado.
Así
mostramos cómo aquí en Italia
defendemos
la cultura cristiana».
Mientras tanto en los puertos
la pastoril bandera,
la claridad de Italia
se esconde, y la sombra
de los acorazados
duerme en el agua, como
en las pútridas charcas de la selva
esperan los reptiles.
Sin embargo
azul es el cielo de Italia,
generosa su tierra pobre,

ancho el pecho del pueblo,
valiente su estatura
y lo que cuento existe,
pero no será eterno.

## VI

TE CONSTRUÍ   Yo te creé, yo te inventé en Italia.
CANTANDO   Estaba solo.
El mar entre las grietas
desataba violento
su seminal espuma.
Así se preparaba
la abrupta primavera.
Los gérmenes dormidos entreabrían
sus pezones mojados,
secreta sed y sangre
herían mi cabeza.
Yo de mar y de tierra
te construí cantando.
Necesité tu boca, el arco puro
de tu pequeño pie, tu cabellera
de cereal quemado.
Yo te llamé y viniste de la noche,
y a la luz entreabierta de la aurora
encontré que existías
y que de mí como del mar la espuma
tú naciste, pequeña diosa mía.
Fuiste primero un germen acostado
que esperaba
bajo la tierra oscura
el crecimiento de la primavera,
y yo dormido entonces
sentí que me tocabas
debajo de la tierra,
porque ibas a nacer, y yo te había
sembrado

dentro de mi existencia. Luego el tiempo
y el olvido vinieron
y yo olvidé que tú estabas conmigo
creciendo solitaria
dentro de mí, y de pronto
encontré que tu boca
se había levantado de la tierra
como una flor gigante.
Eras tú que existías.
Yo te había creado.
Mi corazón entonces
tembló reconociéndote
y quiso rechazarte.
Pero ya no pudimos.
La tierra estaba llena
de racimos sagrados.
Mar y tierra en tus manos
estallaban
con los dones maduros.
Y así fue tu dulzura derramándose
en mi respiración y en mis sentidos
porque por mí fuiste creada
para que me ayudaras
a vivir la alegría.
Y así, la tierra,
la flor y el fruto, fuiste,
así del mar venías
sumergida esperando
y te tendiste junto a mí en el sueño
del que no despertamos.

## VIII

## LEJOS, EN LOS DESIERTOS

### I

TIERRA Y CIELO  Alturas de Mongolia,
desérticas alturas,
de pronto vi mi patria,
el Norte Grande, Chile,
la piel seca, arañada
de la tierra en los límites del cielo.
Vi los montes de arena,
la extensión taciturna:
me recogí escuchando
el viento atroz de Gobi,
las tormentas
en el «techo del mundo»
todo tan parecido
a las regiones
de cobre y sal y cielo
de mi país andino.
Después el viento
trajo olor de camello,
una brizna quemada
se transformó en incienso,
la luz detuvo
un dedo
sobre la seda
de una bandera roja,
y vi que estaba lejos
de mi patria.
Los mongoles ya no eran
los errantes

jinetes
del viento y de la arena:
eran mis camaradas.
Me mostraron
sus laboratorios.

Dulce allí arriba era
la palabra
metalurgia.
Allí donde los magos
tejieron
sabiduría y telarañas,
en Durga, negra Durga,
ahora
relucía
el nuevo nombre,
Ulan Bator,
el nombre
de un capitán del pueblo.

Y era todo
tan simple.
Los jóvenes,
los universitarios del desierto,
inclinados
sobre los microscopios.
En las arenas frías
de la altura
relucían
los nuevos institutos,
las minas se horadaban,
los libros y la música
cantaban en el coro
del viento
y el hombre
renacía.

## II

ALLÍ ESTABA    Allí estuve.
MI HERMANO    Allí he visto
no sólo arena y aire,
no sólo
camellos y metales,
sino el hombre,
el remoto
hermano mío,
naciendo ahora en medio
de la soledad planetaria,
diferenciándose
de la naturaleza,
conociendo
el misterio
de la electricidad y de la vida,
dando la mano al Este
y al Oeste,
dando la mano al cielo
y a la tierra
repartiendo,
existiendo,
asegurando
el pan y la ternura
entre sus hijos.

Oh territorios duros,
contrafuertes lunares,
en vosotros
asciende
la semilla
del tiempo socialista
y sube
de la piedra
la flor y la hermosura,
la usina que habla al cielo

con palabras de humo
y con los minerales dominados
elabora herramientas y alegría.


### III


PERO DIO    Pero cuando
EL FRUTO    entre los áridos
            sistemas de las cumbres
            aparece
            el hombre,
            transformado,
            cuando
            de la *yurta*
            sale el hombre
            que luchará con la naturaleza,
            el hombre que es no sólo
            de una tribu,
            sino de la encendida masa humana,
            no el errante
            prófugo de las altas soledades,
            jinete de la arena,
            sino mi camarada,
            asociado al destino de su pueblo,
            solidario de todo el aire humano,
            hijo y continuador de la esperanza,
            entonces,
            se cumplió la tarea
            entre las cicatrices de los montes:
            allí también el hombre es nuestro hermano.

Allí la tierra dura dio su fruto.

# IX

## EL CAPITEL QUEBRADO

### I

EN ESTOS AÑOS    Ahora
en estos años
después del medio siglo,
un silencio medroso
de Occidente
tiembla, sobrecogido.
Otra vez, otra vez
tal vez la guerra.

El mapa frío
cruzado por cipreses,
por sombras verticales,
la noche atravesada
por puñal o relámpago.
Es así la amenaza
sobre el techo y el pan.
Silencio
de árbol con hojas negras,
la sombra
cubre a Grecia.
Otra vez agua amarga
sobre la edad radiante
de las estatuas ciegas.

Qué pasa?
Dónde estamos?

Hace ya tiempo un rey y una reina
fueron prefabricados,
«made in England».
Luego es la historia
de este tiempo terrible,
los crueles oficiales
resucitados
de la ópera sangrienta,
los norteamericanos que administran
la rosa
de Praxíteles
arrasando
con esto y con aquello.
Quién lo hubiera pensado,
quién
se hubiera
atrevido
a pensar que las piedras
más puras,
cortadas con el hilo de la aurora,
iban a ser manchadas,
que Grecia iba a caer
en una fosa negra
de Chicago.
Quién lo diría
sino los astros griegos,
las líneas
de la trágica musa
del tiempo más antiguo,
y así fue sucediendo.
Las abejas
zumban
elaborando
miel con sangre,
luz de martirio,
alvéolos
de arquitectura ultrajada.

## II

EL HÉROE   Así, entre las columnas,
BELOJANNIS   Belojannis:
              dórica es la aureola
de la luz en sus sienes.
No son los automóviles
iluminando el crimen.
Es un planeta,
es una estrella roja,
es el ígneo destello
de la antigua y la nueva
claridad de la tierra...
Cae,
le han disparado
desde el Pentágono
balas que atravesaron
el mar para clavarse
en su pecho clarísimo,
balas que recogieron
espinas inhumanas
para entrar en la gruta
verde y blanca de Grecia,
lacerando los muros,
salpicando
de sangre
las hojas del acanto.

## III

MIRADA   Oh lágrimas, no es tiempo
A GRECIA   de acudir a mis ojos,
              no es hora
de acudir a los ojos de los hombres,
párpados, levantaos
desde la oscuridad del sueño, claras

o sombrías pupilas,
ojos sin lágrimas, mirad a Grecia
crucificada en su madero.
Miradla toda
la noche, el año, el día,
vertiéndose la sangre de su pueblo,
golpeándose las sienes
en su terrible capitel de espinas.
Mirad, ojos del mundo,
lo que Grecia, la pura,
soporta, el latigazo
del mercader de esclavos,
y así de noche y año y mes y día
ved cómo se levanta la cabeza
de su pueblo orgulloso.
De cada gota
caída del martirio,
crece de nuevo el hombre,
el pensamiento teje sus banderas,
la acción confirma piedra a piedra
y mano a mano
la altura del castillo.

Oh Grecia clara,
si en ti volcó la oscuridad su saco
de estrellas negras, sabes
que en ti misma
está la claridad, que tú recoges
la noche entera en tu regazo
hasta que de tus manos
se levante la aurora,
vuelo blanco mojado de rocío.
A su luz te veremos,
antigua y clara madre de los hombres,
sonreír, victoriosa,
mostrándonos de nuevo tu blancura
de estatua, entre los montes.

## X

## LA SANGRE DIVIDIDA

### I

EN
BERLÍN
LA
MAÑANA

Desperté. Era Berlín. Por la ventana
vi el corazón desdentado,
la loca sepultura,
la ceniza,
las ruinas más pesadas,
con florones y frisos
malheridos,
balcones arrancados a una negra mandíbula,
muros que ya perdieron, que no encuentran
sus ventanas, sus puertas,
sus hombres, sus mujeres,
y una montaña adentro
de escombros hacinados,
sufrimiento y soberbia confundidos
en la harina final, en el molino
de la muerte.

Oh ciudadela, oh sangre
inútilmente desaparecida,
tal vez es ésta, es ésta
tu primera victoria,
aún entre escombros negros
la paz que has conocido,
limpiando las cenizas y elevando
tu ciudadela hacia todos los hombres,
sacando de tus ruinas
no a los muertos,
sino al hombre común,

al nuevo hombre,
al que edificará las estructuras
del amor y la paz y la vida.

## II

JÓVENES  Como una rama roja
ALEMANES  en un árbol quemado
aparece y en ella
la flor del tiempo brilla.
Así, Alemania, en tu rostro
quemado por la guerra,
tu nueva juventud ilumina
las quemaduras y las cicatrices
del infierno pasado.
Yo recibí junto al Elba,
junto a la transparencia
de su antiguo transcurso,
cuando desde Bohemia
el tren llegó a Alemania,
a la florida juventud de ahora
con sus firmes sonrisas
y las manos
llenas de flores que me daban
muchachos y muchachas
cargados de lilas.
Pero no eran las flores solamente
las que daban la luz sobre el agua,
era el nuevo brote humano,
la sonrisa arrancada a los cerezos,
la directa mirada,
las firmes manos que apretaban las tuyas,
y los ojos directamente azules.
Allí tembló la tierra
con toda la crueldad y el castigo,
y ahora,
jóvenes

del agua y de la tierra renacidos,
con flores en la boca,
levantando el amor sobre la tierra,
con la palabra Stalin
en millones de labios,
floreciendo.
Oh prodigio,
aquí de nuevo la vida,
árbol de luz, colmena,
granero inacabable,
la paz y la vida,
ramo y ramo,
agua y agua,
racimo con racimo,
desde las cicatrices derrotadas
hacia la nueva
madurez de la aurora.

Y yo olvidé las ruinas,
el alfabeto de piedra quemada,
la lección del fuego,
olvidé la guerra,
olvidé el odio,
porque vi la vida.
Oh jóvenes,
jóvenes alemanes,
nuevos preservadores de vuestra primavera,
firmes y francos jóvenes de la nueva Alemania,
mirad hacia el Este,
mirad hacia la vasta Unión
de las Repúblicas amadas.
Ved cómo también de sus ruinas
amanece en Polonia
una sonrisa firme.
China la gigantesca ha sacudido
sus cadenas llenas de sangre
y ahora es nuestra inmensa hermana.

Ante vosotros
está el tesoro del mundo,
no el antiguo tesoro del saqueo,
sino el nuevo tesoro,
el ancho espacio lleno
de seres fraternales,
la paz, viento de espigas, el encuentro
con el hombre remoto
que no viene a robarnos.
Va pasando y creciendo
por todas las tierras un hilo
de acero que cuidamos,
el mar cantando junto al hombre
su eterno himno de espuma,
y como un telegrama de cada día el aire
dejándonos noticias.

Cuántas usinas nuevas han nacido,
cuántas escuelas han borrado la sombra,
cuántos muchachos saben desde hoy
el idioma secreto
de los metales y de las estrellas,
cómo sacaremos pan del planeta
para todos
y daremos frescura a la tierra,
vieja madre de todos los hombres.
Inventaremos agua nueva,
arroz celeste,
motores de cristal.
Extenderemos
más allá de las islas el espacio.
En los desiertos de fuego y arena
veremos cómo danza
la primavera en nuestros brazos, porque
nada será olvidado,
ni la tierra,
ni el hombre.
El hombre no será olvidado

y es éste el tesoro.
Jóvenes que del fondo
de la guerra
traéis una sonrisa
que no será ahogada,
éste es el tesoro:
no olvidar el hombre.
Porque así es más grande la tierra
que todos los astros reunidos.
Así crecemos cada día y cada
día somos más ricos de hombres,
tenemos más hermanos,
en el aire, en las minas,
en las altas llanuras
de Mongolia metálica.
El hombre,
al Este, al Norte, al Sur,
al Oeste, hacia arriba,
donde camina el viento,
el hombre.
Mira, muchacho cómo te saludan,
mira cómo ha crecido tu familia,
grande es la tierra y tuya,
grande es la tierra y mía,
es de todos,
saluda,
saluda al mundo,
al nuevo mundo que ha nacido
y que contigo crecerá
porque tú eres semilla.
Crecerás, creceremos.
Ya nadie puede derribar el árbol
ni cortar sus raíces
porque en tu corazón están creciendo
y el árbol llenará toda la tierra
de flores y cantos y frutos.

# III

LA CIUDAD
HERIDA

Berlín cortado
continuaba sangrando
secreta sangre, oscura
la noche iba y venía.
El resplandor del tiempo
como un relámpago en Berlín del Este
iluminaba el paso
de los jóvenes libres
que levantaban la ciudad de nuevo.
En la sombra pasé de lado a lado
y la tristeza de una edad antigua
me llenó el corazón como una pala
cargada de inmundicia.
En Berlín custodiaba el Occidente
su «Libertad» inmunda,
y allí también estaba
la estatua con su falso
fanal, su mascarón leproso
pintado de alcohólico carmín,
y en la mano el garrote
recién desembarcado de Chicago.
Berlín Occidental, con tu mercado
de jóvenes rameras
y de soldados invasores ebrios,
Berlín Occidental, para vender tu pobre
mercancía
has llenado los muros
de afiches con piernas obscenas,
de vampiras semidesnudas,
y hasta los cigarrillos un sabor
de vicio negro tienen.
Los pederastas bailan apretándose
a los técnicos del State Department.
Las lesbianas hallaron
su protegido paraíso

y su santo: San Ridgway.
Berlín Occidental, eres la pústula
del rostro antiguo de Europa,
los viejos zorros nazis
resbalan en el moco
de tus iluminadas calles sucias,
y Coca-Cola y antisemitismo
corren en abundancia
sobre tus excrementos y tus ruinas.
Es la ciudad maldita, hija de la tortuga Truman
y del desenterrado cocodrilo hitleriano,
y le afilan los dientes,
y le dan bayonetas
mientras el *boogie-woogie*
desencadena el hilo delirante
del mercado sexual para soldados.
«Jovencita alemana
de diecinueve abriles
busca a viejo señor, o comerciante
establecido, para venderle pronto
su juventud», dice el periódico.

Y a la sombra terrible
de la noche que pasa
desembarcan los tanques.
Los gases que asesinaron
a la mitad de Europa
vuelven a fabricarse
con monopolio norteamericano.
Viejos verdugos nazis
salen de nuevo y ladran
en los cafés, olfateando la sangre,
el arte abstracto y el conflicto del «alma»
son temas de las artes, salpicadas
con sangre y sexo,
como en los buenos tiempos de Adolfo
cierran periódicos y golpean el vientre
de alguna muchachita comunista
que les escupe al rostro.

Así es la vida,
y en este Berlín cayeron hombres
a todos los racimos de la muerte.
Para esta ciudad negra,
pustular, venenosa,
la Libertad dio sus más grandes venas,
desangrándose desde el Volga
hasta las aguas negras del Sprea.
Para este baile norteamericano
y este garrotazo de Washington,
lucharon, ay, lucharon
todos los hombres
desde un mar hasta otro,
hasta todas las tierras y las islas.
Por eso vuelo paso a paso
a Berlín Oriental, también la noche
cubre los techos rotos,
pero yo veo el sueño,
sé que el trabajo duerme
para en la noche acumular su fuerza.
Veo los últimos jóvenes que cantan
volviendo de las fábricas.
Veo
la luz a través de la noche,
el color de las flores
que llenaban los trenes cuando llegué a Alemania.
Respiro porque el hombre
aquí es mi hermano.
Aquí no preparan al lobo,
aquí no afilan los dientes
para desenfrenar la cacería.
Aquí huele
a escuela barrida y regada,
huele a ladrillos recién transportados,
huele a agua fresca,
huele a panadería,
huele a verdad y a viento.

XI

NOSTALGIAS Y REGRESOS

*Intermedio*

I

LOS     En el sur de Italia, en la isla,
REGRESOS   recién llegado
        de Hungría deslumbrante, de la abrupta
        Mongolia,
        el sol sobre el invierno,
        el sol sobre el mar del invierno.
        Otra vez,
        otra vez comencemos,
        amor, de nuevo hagamos
        un círculo en la estrella.
        Sea la luz,
        sea la transparencia.
        Hagamos
        un círculo en el pan.
        Sea entre todos los hombres
        el reparto de todos los bienes.
        Hágase la justicia,
        haremos.

        Vida,
        me diste
        todo.
        Apartaste de mí la soledad,
        la solitaria lámpara
        y el muro.
        Me diste

amor a manos llenas,
batallas,
alegrías,
todo.
Y a ella me la entregaste
a pesar mío.
Cerré los ojos.
Yo no quería verla.
Viniste
a pesar de eso,
completa,
completa con todos tus dones
y con la herida que yo mismo puse
dentro de ti como una flor sangrienta
que me hizo tambalear sin derribarme.


## II

LA
PASAJERA
DE CAPRI

De dónde, planta o rayo,
de dónde, rayo negro o planta dura,
venías y viniste
hasta el rincón marino?

Sombra del continente más lejano
hay en tus ojos, luna abierta
en tu boca salvaje,
y tu rostro es el párpado de una fruta dormida.
El pezón satinado de una estrella es tu forma,
sangre y fuego de antiguas lanzas hay en tus labios.

De dónde recogiste
pétalos transparentes
de manantial, de dónde
trajiste la semilla
que reconozco? Y luego
el mar de Capri en ti, mar extranjero,
detrás de ti las rocas, el aceite,

la recta claridad bien construida,
pero tú, yo conozco,
yo conozco esa rosa,
yo conozco la sangre de esa rosa,
yo sé que la conozco,
yo sé de dónde viene,
y huelo el aire libre de ríos y caballos
que tu presencia trae a mi memoria.
Tu cabellera es una carta roja
llena de bruscos besos y noticias,
tu afirmación, tu investidura clara
me hablan a mediodía,
a medianoche llaman a mi puerta
como si adivinaran
adónde quieren regresar mis pasos.

Tal vez, desconocida,
la sal de Maracaibo
suena en tu voz llenándola de sueño,
o el frío viento de Valparaíso
sacudió tu razón cuando crecías.
Lo cierto es que hoy, mirándote al pasar
entre las aves de pecho rosado
de los farellones de Capri,
la llamarada de tus ojos, algo
que vi volar desde tu pecho, el aire
que rodea tu piel, la luz nocturna
que de tu corazón sin duda sale,
algo llegó a mi boca
con un sabor de flor que conocía,
algo tiñó mis labios con el licor oscuro
de las plantas silvestres de mi infancia,
y yo pensé: Esta dama,
aunque el clásico azul derrame todos
los racimos del cielo en su garganta,
aunque detrás de ella los templos
nimben con su blancura coronada
tanta hermosura,

ella no es, ella es otra,
algo crepita en ella que me llama:
toda la tierra que me dio la vida
está en esta mirada, y estas manos
sutiles
recogieron el agua en la vertiente
y estos menudos pies fueron midiendo
las volcánicas islas de mi patria.

Oh tú, desconocida, dulce y dura,
cuando ya tu paso
descendió hasta perderse,
y sólo las columnas
del templo roto y el zafiro verde
del mar que canta en mi destierro
quedaron solos, solos
conmigo y con tu sombra,
mi corazón dio un gran latido,
como si una gran piedra sostenida
en la invisible altura
cayera de repente
sobre el agua y saltaran las espumas.

Y desperté de tu presencia entonces
con el rostro regado
por tu salpicadura,
agua y aroma y sueño,
distancia y tierra y ola!

### III

CUÁNDO    Oh Chile, largo pétalo
DE CHILE   de mar y vino y nieve,
           ay cuándo
           ay cuándo y cuándo
           ay cuándo
           me encontraré contigo,
           enrollarás tu cinta

de espuma blanca y negra en mi cintura,
desencadenaré mi poesía
sobre tu territorio.

Hay hombres
mitad pez, mitad viento,
hay otros hombres hechos de agua.
Yo estoy hecho de tierra.
Voy por el mundo
cada vez más alegre:
cada ciudad me da una nueva vida.
El mundo está naciendo.
Pero si llueve en Lota
sobre mí cae la lluvia,
si en Lonquimay la nieve
resbala de las hojas
llega la nieve donde estoy.
Crece en mí el trigo oscuro de Cautín.
Yo tengo una araucaria en Villarrica,
tengo arena en el Norte Grande,
tengo una rosa rubia en la provincia,
y el viento que derriba
la última ola de Valparaíso
me golpea en el pecho
con un ruido quebrado
como si allí tuviera
mi corazón una ventana rota.

El mes de octubre ha llegado hace
tan poco tiempo del pasado octubre
que cuando éste llegó fue como si
me estuviera mirando el tiempo inmóvil.
Aquí es otoño. Cruzo
la estepa siberiana.
Día tras día todo es amarillo,
el árbol y la usina,
la tierra y lo que en ella el hombre nuevo crea:
hay oro y llama roja,
mañana inmensidad, nieve, pureza.

En mi país la primavera
viene de norte a sur con su fragancia.
Es como una muchacha
que por las piedras negras de Coquimbo,
por la orilla solemne de la espuma
vuela con pies desnudos
hasta los archipiélagos heridos.
No sólo territorio, primavera,
llenándome, me ofreces.
No soy un hombre solo.
Nací en el sur. De la frontera
traje las soledades y el galope
del último caudillo.
Pero el Partido me bajó del caballo
y me hice hombre, y anduve
los arenales y las cordilleras
amando y descubriendo.

Pueblo mío, verdad que en primavera
suena mi nombre en tus oídos
y tú me reconoces
como si fuera un río
que pasa por tu puerta?

Soy un río. Si escuchas
pausadamente bajo los salares
de Antofagasta, o bien
al sur de Osorno
o hacia la cordillera, en Melipilla,
o en Temuco, en la noche
de astros mojados y laurel sonoro,
pones sobre la tierra tus oídos,
escucharás que corro
sumergido, cantando.

Octubre, oh primavera,
devuélveme a mi pueblo.
Qué haré sin ver mil hombres,

mil muchachas,
qué haré sin conducir sobre mis hombros
una parte de la esperanza?
Qué haré sin caminar con la bandera
que de mano en mano en la fila
de nuestra larga lucha
llegó a las manos mías?

Ay Patria, Patria,
ay Patria, cuándo
ay cuándo y cuándo
cuándo
me encontraré contigo?

Lejos de ti
mitad de tierra tuya y hombre tuyo
he continuado siendo,
y otra vez hoy la primavera pasa.
Pero yo con tus flores me he llenado,
con tu victoria voy sobre la frente
y en ti siguen viviendo mis raíces.

Ay cuándo
encontraré tu primavera dura,
y entre todos tus hijos
andaré por tus campos y tus calles
con mis zapatos viejos.
Ay cuándo
iré con Elías Lafferte
por toda la pampa dorada.
Ay cuándo a ti te apretaré la boca,
chilena que me esperas,
con mis labios errantes?
Ay cuándo
podré entrar en la sala del Partido
a sentarme con Pedro Fogonero,
con el que no conozco y sin embargo
es más hermano mío que mi hermano.

Ay cuándo
me sacará del sueño un trueno verde
de tu manto marino.
Ay cuándo, Patria, en las elecciones
iré de casa en casa recogiendo
la libertad temerosa
para que grite en medio de la calle.
Ay cuándo, Patria,
te casarás conmigo
con ojos verdemar y vestido de nieve
y tendremos millones de hijos nuevos
que entregarán la tierra a los hambrientos.

Ay Patria, sin harapos,
ay primavera mía,
ay cuándo
ay cuándo y cuándo
despertaré en tus brazos
empapado de mar y de rocío.
Ay cuando yo esté cerca
de ti, te tomaré de la cintura,
nadie podrá tocarte,
yo podré defenderte
cantando,
cuando
vaya contigo, cuando
vayas conmigo, cuándo
ay cuándo.


## IV


EL
CINTURÓN
DE
ORINOCO
Carlos Augusto me ha mandado
un cinturón de cuero de Orinoco.

Ahora a la cintura
llevo un río,
aves nupciales que en su vuelo levantan
los pétalos de la espesura,

el ancho trueno que perdí en la infancia
hoy lo llevo amarrado,
cosido con relámpagos y lluvia,
sujetando mis viejos pantalones.
Cuero de litoral, cuero de río,
te amo y toco,
eres flor y madera, saurio y lodo,
eres arcilla extensa.
Paso mi mano sobre tus arrugas
como sobre mi patria. Tienes labios
de un beso que me busca.
Pero no sólo amor, oh tierra, tienes,
sé que también me guardas
la dentellada, el filo, el exterminio
que preguntan por mí todos los días,
porque tu costa, América, no tiene sólo plumas
de un abanico incendiario,
no tiene sólo azúcar luminoso,
frutas que parpadean,
sino que el venenoso susurro
de la cuchillada secreta.

Aquí sólo
me he probado el río:
no queda mal en mi cintura.
El Orinoco
es como un apellido que me falta.
Yo me llamo Orinoco,
yo debo ir con el agua a la cintura,
y desde ahora
esta línea de cuero
crecerá con la luna,
abrirá sus estuarios en la aurora,
caminará las calles
conmigo y entrará en las reuniones
recordándome
de dónde soy: de las tierras abruptas
de Sinaloa y de Magallanes,

de las puntas de hierro andino,
de las islas huracanadas,
pero más que de todos los sitios,
del río caimán verde,
del Orinoco, envuelto
por sus respiraciones,
que entre sus dos orillas siempre recién bordadas
va extendiendo su canto por la tierra.

Carlos Augusto, gracias,
joven hermano, porque a mi destierro
el agua patria me mandaste. Un día
verás aparecer en la corriente
del río
que desatada corre y nos reúne,
un rostro, nuestro pueblo,
alto y feliz cantando con las aguas.
Y cuando ese rostro nos mire
pensaremos «hicimos nuestra parte»
y cantaremos con nuestros ríos,
con nuestros pueblos cantaremos.

## V

UN DÍA  A ti, amor, este día
a ti te lo consagro.
Nació azul, con un ala
blanca en mitad del cielo.
Llegó la luz
a la inmovilidad de los cipreses.
Los seres diminutos
salieron a la orilla de una hoja
o a la mancha del sol en una piedra.
Y el día sigue azul
hasta que entre en la noche como un río
y haga temblar la sombra con sus aguas azules.
A ti, amor, este día.

Apenas, desde lejos, desde el sueño,
lo presentí y apenas
me tocó su tejido
de red incalculable
yo pensé: es para ella.
Fue un latido de plata,
fue sobre el mar volando un pez azul,
fue un contacto de arenas deslumbrantes,
fue el vuelo de una flecha
que entre el cielo y la tierra
atravesó mi sangre
y como un rayo recogí en mi cuerpo
la desbordada claridad del día.

Es para ti, amor mío.

Yo dije: es para ella.
Este vestido es suyo.
El relámpago azul que se detuvo
sobre el agua y la tierra
a ti te lo consagro.

A ti, amor, este día.

Como una copa eléctrica
o una corola de agua temblorosa,
levántalo en tus manos,
bébelo con los ojos y la boca,
derrámalo en tus venas para que arda
la misma luz en tu sangre y la mía.

Y te doy este día
con todo lo que traiga:
las transparentes uvas de zafiro
y la ráfaga rota
que acerque a tu ventana
los dolores del mundo.

Yo te doy todo el día.
De claridad y de dolor haremos
el pan de nuestra vida,
sin rechazar lo que nos traiga el viento
ni recoger sólo la luz del cielo,
sino las cifras ásperas
de la sombra en la tierra.

Todo te pertenece.
Todo este día con su azul racimo
y la secreta lágrima de sangre
que tú encontrarás en la tierra.

Y no te cegará la oscuridad
ni la luz deslumbrante:
de este amasijo humano
están hechas las vidas
y de este pan del hombre comeremos.

Y nuestro amor hecho de luz oscura
y de sombra radiante
será como este día vencedor
que entrará como un río
de claridad en medio de la noche.

Toma este día, amada.
Todo este día es tuyo.

Se lo doy a tus ojos, amor mío,
se lo doy a tu pecho,
te lo dejo en las manos y en el pelo,
como un ramo celeste.
Te lo doy para que hagas un vestido
de plata azul y de agua.
Cuando llegue
la noche que este día inundará
con su red temblorosa,
tiéndete junto a mí,

tócame y cúbreme
con todos los tejidos estrellados
de la luz y la sombra
y cierra tus ojos entonces
para que yo me duerma.

# XII

## LA FLOR DE SEDA

### I

EL LIRIO Corea, tu morada
LEJANO era un jardín activo
de nuevas flores que se construían.
Era tu paz de seda
un manto verde,
un lirio que elevaba
su rápido relámpago amarillo.

Del Asia recogías
la luz desenterrada.
Ibas tejiendo
con hilos anteriores
la nueva trama del vestido nuevo.
Tu traje de muñeca ensangrentada
se iba cambiando en pantalón de usina
y los hilos de seda
recogían caudal de las cascadas,
llevaban las palabras en el viento.

Querías con tus manos
cortar tu propia estrella y elevarla
en la edificación del firmamento.

### II

LOS Vinieron.
INVASORES
Los que arrasaron
antes Nicaragua.

Los que robaron Texas.

Los que humillaron a Valparaíso.

Los que con garras sucias
aprietan la garganta
de Puerto Rico.

A Corea llegaron.

Llegaron.

Con napalm y con dólares,
con destrucción, con sangre,
con cenizas y lágrimas.

Con la muerte.

Llegaron.

A la madre y al niño
quemaron vivos en la aldea.

A la escuela florida
dirigieron
su petróleo ardiendo.

A destruir las vidas y la vida.

A buscar desde el aire
hasta el último
pastor en las montañas
y matarlo.

A cercenar los pechos
de la radiante guerrillera.

A matar prisioneros en sus lechos.

Llegaron.

Con sus barras y sus estrellas.
Y sus aviones asesinos.

Llegaron.

Y pronto no hubo sino muerte.
Humo, cenizas, sangre, muerte.


### III

LA          En todo tiempo el hombre
ESPERANZA   da su prueba.
            Parece que se extinguen
            de pronto las semillas y las lámparas
            y no es verdad.
            Entonces
            aparece
            un hombre, una nación, una bandera,
            una bandera que no conocíamos,
            y sobre el mástil
            y el color que ondula,
            más alta que la sangre,
            vuelve a vivir la luz entre los hombres
            y la semilla vuelve a ser sembrada.
            Honor a ti, Corea,
            madre de nuestra época,
            madre nuestra de labios arrasados,
            madre nuestra cortada en el martirio,
            madre quemada en todas sus aldeas,
            madre ceniza, madre escombros, madre patria!


### IV

TU          Sí, sabemos,
SANGRE      sí, lo sabemos todo.

Tus hijos muertos y tus hijas muertas
estuvimos contándolos
uno por uno cada larga noche.
No hay número ni hay nombre
para tantos dolores,
pero tampoco hay número
para lo que nos diste,
para los desangrados
héroes que en esta hora
pusieron en tus manos,
Corea,
el tesoro orgulloso,
la libertad, no sólo
tu libertad, Corea,
sino la libertad entera,
la de todos,
la libertad del hombre.


# V

LA PAZ QUE    A tu sangre, Corea,
TE DEBEMOS    defensora
de flores,
debe la paz el mundo.

Con tu sangre, Corea,
con tu trágica mano desgarrada,
nos defendiste a todos!

Con tu sangre, Corea,
en mi época, en estos años duros,
la libertad pudo decir su nombre
y continuar su herencia.

Las lámparas
seguirán encendidas
y las semillas buscarán la tierra.

## XIII

## PASANDO POR LA NIEBLA

### I

LONDRES En la alta noche, Londres,
apenas entrevista,
ojos innumerables,
dura secreta sombra,
tiendas llenas de sillas,
sillas y sillas, sillas.
El cielo negro
sentado sobre Londres,
sobre su niebla negra,
zapatos y zapatos,
río y río,
calles desmoronadas por los dientes
de la miseria color de hierro,
y bajo la basura
el poeta Eliot
con su viejo frac
leyendo a los gusanos.
Me preguntaron cuándo
nací, por qué venía
a perturbar el Imperio.
Todo era policía
con libros y matracas.
Me preguntaron
por mi abuelo y mis tíos,
por mis personalísimos asuntos.
Eran fríos
los jóvenes cuchillos
sobre los cuales

se sienta
sienta
sienta
la matrona Inglaterra,
siempre sentada
sobre millones de desgarraduras,
sobre pobres naciones andrajosas,
sentada
sobre su océano
de reservado uso personal,
océano
de sudor, sangre y lágrimas
de otros pueblos.
Allí sentada
con sus viejos encajes
tomando té y oyendo
los mismos cuentos tontos
de princesas,
coronaciones
y duques conyugales.
Todo pasa entre hadas.
Mientras tanto
ronda la muerte con sombrero
victoriano
y esqueleto raído
por las ennegrecidas gusaneras
de los negros suburbios.
Mientras tanto
la policía te interroga:
es la palabra paz la que les clava
como una bayoneta.
Esta palabra paz
ellos quisieran
enterrarla,
pero
no pueden por ahora.
Le echan encima sombra,
niebla

de policía,
la amarran y la encierran,
la golpean,
la salpican de sangre y martirio,
la interrogan,
la echan al mar profundo
con una piedra en cada
sílaba,
la queman con un hierro,
con un sable
la cortan,
le echan vinagre, hiel, mentira,
la empaquetan,
la llenan de ceniza,
la despeñan.
Pero entonces
vuela
de nuevo
la paloma:
es la palabra paz con plumas nuevas,
es el jazmín del mundo
que avanza con sus pétalos,
es la estrella del sueño y del trabajo,
el ave blanca
de vuelo inmaculado,
la rosa que navega,
el pan de todas las vidas,
la estrella de todos los hombres.

## II

EL GRAN    Sin embargo,
AMOR     Inglaterra,
         hay algo de caoba
         en tu cintura,
         vieja madera usada
         por la mano del hombre,

silla de iglesia, coro
de catedral en la niebla.
Algo
a ti nos une,
hay algo
contenido
detrás de tus ventanas,
un viento brusco, un ave
de litoral salvaje,
una melancolía matutina,
algo imposiblemente solitario.
Amé la vida
de tus hombres, falsos
conquistadores conquistados,
derramados hacia los cuatro vientos del planeta
para llenar tu caja. Sin embargo,
si el oro los movió con su ola negra
no sólo fueron eso
sino seres,
tímidos seres en tinieblas, solos,
mientras el estandarte con leones
sofocaba la lucha de los pueblos.

Pobres niños ingleses, amos pobres
de un mundo desgranado,
yo sé que entre vosotros
es natural
el ruiseñor terrestre.
Shelley canta en la lluvia
y decora la lluvia
su cítara escarlata.
Nace en tu litoral el agresivo
puñal de proa hacia todos los mares,
pero en tu arena el perseguido
encontró el pan y construyó su casa.
Lenin bajo la niebla
entrando en el Museo
en busca de una línea,

de una fecha, de un nombre,
mientras toda la tierra
parecía abrumada,
soledad sola, estepa impenetrable,
allí, con sus anteojos
y su libro,
Lenin,
cambiando en luz la niebla.

Y bien, eso eras,
Inglaterra,
torre de asilo,
catedral de refugio,
y los que ahora
cierran con policía
las líneas, las palabras,
el tesoro
de las sabidurías que resguardas,
los que niegan tu arena
al peregrino de la paz errante,
no son dignos
de tu antigua verdad, de tu madera,
sino que te acuchillan,
matan en ti lo que te resguardaba,
no el corazón, sino el decoro.

Patria de aves marinas,
a mí me has enseñado
cuanto sé de los pájaros.
Me mostraste la escama
bruñida de los peces,
el tesoro plenario
de la naturaleza,
fuiste catalogando ríos, flores,
moluscos y volcanes.
A las encarnizadas
regiones de mi patria
llegó Darwin el joven,

con su lámpara
y su luz alumbró bajo la tierra
y bajo el mar profundo
todo lo que tenemos:
plantas, metales, vidas
que tejen la estructura
de nuestra oscura estrella.
Más tarde Hudson
en las praderas
se ocupó de los pájaros que habían
sido olvidados por los libros
y con ellos
llenó la geografía
que nos está pariendo poco a poco,
Inglaterra,
eres dulce
descubridora
de plumas y raíces,
has podido
ser el conocimiento enamorado,
y ahora
por qué permites
que en tu alero
vivan los destructores de aves,
los rapaces, los enterradores?
Fuiste
penetradora
del más secreto
laberinto
de la vida y las vidas,
y ahora,
cuando escuchamos
tu voz
oímos la ceniza,
la destrucción del polvo, la agonía.
Yo sé que cantas
y eres
sencilla como tu perdida gente

de suburbios y minas,
grave y chisporroteante
como el carbón que excavas.

Te pido,
Inglaterra,
que vuelvas
a ser
inglesa,
me oyes?
Sí, que seas
inglesa,
que no te chicaguisen,
que no te policíen, que respires,
que seas y que seas
lo que has sido
en tu campo y tus pueblos,
huerto frutal de pájaros y gentes,
humanidad sencilla,
refugio de los hombres perseguidos,
descubridora de aves.

Inglaterra,
te pido
que seas una reina de las islas,
no una vasalla isleña,
que obedezcas
a tu coro de pájaros marinos,
a tu sencilla estirpe
minera y marinera.
Yo voy a decirte en secreto
que queremos amarte.
Es difícil,
tú sabes
cuántas cosas pasaron
en los distantes territorios,
sangre, explotados,
etcétera y etcétera.

Y bien, ahora,
en la hora del amor
te queremos amar.
Prepárate como antes
para el amor que vuelve,
para el amor que sube
en la ola más alta
del océano humano.
Prepárate
a la paz,
y entonces,
vuelve a ser lo que amamos,
hombres como nosotros,
tierra como la nuestra,
eso es lo que queremos.
Todos
vivimos
en la tierra
bajo los mismos bosques,
sobre la misma arena.
No podemos
contrariar al otoño,
o luchar
contra la primavera,
tenemos
que vivir
sobre las mismas olas.
Son nuestras, de los hombres,
de los niños.
Todas
las olas,
no tienen sello alguno,
ni la tierra
tiene sello,
por eso
hombres de tantas razas y regiones
en esta época
de la fertilidad, de los destinos

y de las invenciones,
podemos descubrir
el gran amor
e implantarlo
sobre los mares y sobre la tierra.

## XIV

## LA LUZ QUEMADA

### I

LA Está la rosa de hoy en el anuncio
LLAMA de ayer sobre la rama.
NEGRA Es sólo claridad, luz construida,
borbotón de hermosura,
pequeño rayo rojo
levantado en la tierra.
Los pinos en el viento
derraman su sonido y sus agujas,
la sal del mar recoge
el peso azul, abrumador del cielo.

De paz es este día
ancho y abierto y claro
como el nuevo edificio de una escuela.
De paz está hecho el viento
que atraviesa la altura de los pinos.
De paz, mi amor, es esta
luz de tu cabellera
que cae por mis manos
cuando reclinas la cabeza y cierras,
por un solo minuto,
las puertas de la tierra,
del mar y de los pinos.
No es pétalo, no es rosa,
no es llamarada negra:
es sangre, ahora,
en este día más allá del viento.

## II

LA TIERRA
TEMPESTUOSA

Amor, amor, ahora
horada con tus ojos
la espesura.
Es en Vietnam, un agrio
olor de luz quemada,
un viento de perfume y sepultura.
Avanza
con tus ojos,
abre entre lianas y cañaverales
el camino del rayo de tus ojos.
Veo
a los héroes
desgarrados,
de sol a sol, sin noche, sin rocío,
pequeños capitanes
del sudor y la pólvora
defendiendo la piel enmarañada,
la tierra tempestuosa,
las flores de la patria.

Jóvenes de Vietnam oscurecidos
por selva, por silencio
y por mentira:
yo no merezco el mar,
yo no merezco
este día de paz y de jazmines.
Para vosotros es, para vosotros,
el tesoro terrestre,
para todos
los que del invasor y de su fuego
centímetro a centímetro,
con su sangre y sus huesos,
reconquistan la patria.
Para ellos
la paz del día y la paz de la mañana

que reunidas
en un rincón de selva o de cemento
habremos conquistado
para todos los hombres.

## XV

## LA LÁMPARA MARINA

### I

EL PUERTO  Cuando tú desembarcas
COLOR  en Lisboa,
DE CIELO  cielo celeste y rosa rosa,
estuco blanco y oro,
pétalos de ladrillo,
las casas,
las puertas,
los techos,
las ventanas
salpicadas del oro limonero,
del azul ultramar de los navíos.
Cuando tú desembarcas
no conoces,
no sabes que detrás de las ventanas
escuchan,
rondan
carceleros de luto,
retóricos, correctos,
arreando presos a las islas,
condenando al silencio,
pululando
como escuadras de sombras
bajo ventanas verdes,
entre montes azules,
la policía
bajo las otoñales cornucopias
buscando portugueses,
rascando el suelo,
destinando los hombres a la sombra.

## II

LA CÍTARA
OLVIDADA

Oh Portugal hermoso,
cesta de fruta y flores,
emerges
en la orilla plateada del océano,
en la espuma de Europa,
con la cítara de oro
que te dejó Camoens,
cantando con dulzura,
esparciendo en las bocas del Atlántico
tu tempestuoso olor de vinerías,
de azahares marinos,
tu luminosa luna entrecortada
por nubes y tormentas.

## III

LOS
PRESIDIOS

Pero,
portugués de la calle,
entre nosotros,
nadie nos escucha,
sabes
dónde
está Álvaro Cunhal?
Reconoces la ausencia
del valiente
Militao?
Muchacha portuguesa,
pasas como bailando
por las calles
rosadas de Lisboa,
pero,
sabes dónde cayó Bento Gonçalves,
el portugués más puro,
el honor de tu mar y de tu arena?

Sabes
que existe
una isla,
la Isla de la Sal,
y Tarrafal en ella
vierte sombra?
Sí, lo sabes, muchacha,
muchacho, sí, lo sabes.
En silencio
la palabra
anda con lentitud pero recorre
no sólo el Portugal, sino la tierra.
Sí sabemos,
en remotos países,
que hace treinta años
una lápida
espesa como tumba o como túnica
de clerical murciélago,
ahoga, Portugal, tu triste trino,
salpica tu dulzura
con gotas de martirio
y mantiene sus cúpulas de sombra.

## IV

EL MAR Y LOS JAZMINES

De tu mano pequeña en otra hora
salieron criaturas
desgranadas
en el asombro de la geografía.
Así volvió Camoens
a dejarte una rama de jazmines
que siguió floreciendo.
La inteligencia ardió como una viña
de transparentes uvas
en tu raza.
Guerra Junqueiro entre las olas
dejó caer su trueno

de libertad bravía
que transportó el océano en su canto,
y otros multiplicaron
tu esplendor de rosales y racimos
como si de tu territorio estrecho
salieran grandes manos
derramando semillas
para toda la tierra.

Sin embargo,
el tiempo te ha enterrado.
El polvo clerical
acumulado en Coimbra
cayó en tu rostro
de naranja oceánica
y cubrió el esplendor de tu cintura.

## V

LA
LÁMPARA
MARINA

Portugal,
vuelve al mar, a tus navíos,
Portugal, vuelve al hombre, al marinero,
vuelve a la tierra tuya, a tu fragancia,
a tu razón libre en el viento,
de nuevo
a la luz matutina
del clavel y la espuma.
Muéstranos tu tesoro,
tus hombres, tus mujeres.
No escondas más tu rostro
de embarcación valiente
puesta en las avanzadas del Océano.
Portugal, navegante,
descubridor de islas,
inventor de pimientas,
descubre el nuevo hombre,
las islas asombradas,

descubre el archipiélago en el tiempo.
La súbita
aparición
del pan
sobre la mesa,
la aurora,
tú, descúbrela,
descubridor de auroras.

Cómo es esto?

Cómo puedes negarte
al cielo de la luz tú, que mostraste
caminos a los ciegos?

Tú, dulce y férreo y viejo,
angosto y ancho padre
del horizonte, cómo
puedes cerrar la puerta
a los nuevos racimos
y al viento con estrellas del Oriente?

Proa de Europa, busca
en la corriente
las olas ancestrales,
la marítima barba
de Camoens.
Rompe
las telarañas
que cubren tu fragante arboladura,
y entonces
a nosotros los hijos de tus hijos,
aquellos para quienes
descubriste la arena
hasta entonces oscura
de la geografía deslumbrante,
muéstranos que tú puedes
atravesar de nuevo

el nuevo mar oscuro
y descubrir al hombre que ha nacido
en las islas más grandes de la tierra.
Navega, Portugal, la hora
llegó, levanta
tu estatura de proa
y entre las islas y los hombres vuelve
a ser camino.
En esta edad agrega
tu luz, vuelve a ser lámpara:

aprenderás de nuevo a ser estrella.

## XVI

## LA TIERRA Y LA PINTURA

### I

LLEGADA Desembarqué en Picasso a las seis de los días de
A otoño, recién
PUERTO el cielo anunciaba su desarrollo rosa, miré alrededor,
PICASSO Picasso
se extendía y encendía como el fuego del amanecer.
Lejos atrás
quedaban las cordilleras azules y entre ellas levantándose en el valle el Arlequín de ceniza.
He aquí: yo venía de Antofagasta y de Maracaibo,
yo venía de Tucumán
y de la tercera Patagonia, aquella de dientes helados
roídos por el trueno, aquella de bandera sumergida
en la nieve perpetua.

Y yo entonces desembarqué, y vi grandes mujeres
de color de manzana
en las orillas de Picasso, ojos desmedidos, brazos
que reconocí:
tal vez la Amazonia, tal vez era la Forma.

Y al oeste eran titiriteros desvalidos rodando hacia
el amarillo,
y músicos con todos los cuadros de la música, y aún
más, allá la geografía
se pobló de una desgarradora emigración de mujeres,
de aristas,
de pétalos y llamas,
y en medio de Picasso entre las dos llanuras y el árbol
de vidrio,

vi una Guernica en que permaneció la sangre como un
  gran río, cuya corriente
se convirtió en la copa del caballo y la lámpara:

ardiente sangre sube a los hocicos,
húmeda luz que acusa para siempre.

Así, pues, en las tierras de Picasso de Sur a Oeste,
toda la vida y las vidas hacían de morada
y el mar y el mundo allí fueron acumulando
su cereal y su salpicadura.

Encontré allí el arañado fragmento
de la tiza, la cáscara del cobre,
y la herradura muerta que desde sus heridas
hacia la eternidad de los metales crece,
y vi la tierra entrar como el pan en los hornos
y la vi aparecer con un hijo sagrado.

También el gallo negro de encefálica espuma
encontré, con un ramo de alambre y arrabales,
el gato azul con su abanico de uñas,
el tigre adelantado sobre los esqueletos.

Yo fui reconociendo las marcas que temblaron
en la desembocadura del agua en que nací.
Primero fue esta piedra con espinas, en donde
sobresalió, ilusoria, la rama desgarrada,
y la madera en cuya rota genealogía
nacen las bruscas aves de mi fuego natal.

Pero el toro asomó desde los corredores
en el centro terrestre, yo vi su voz, llegaba
escarbando las tierras de Picasso, se cubría
la efigie con los mantos de la tinta violeta,
y vi venir el cuello de su oscura catástrofe
y todos los bordados de su baba invencible.

Picasso de Altamira, Toro del Orinoco,
torre de aguas por el amor endurecidas,
tierra de minerales manos que convirtieron
como el arado, en parto la inocencia del musgo.

Aquí está el toro de cuya cola arrastra
la sal y la aspereza, y en su ruedo
tiembla el collar de España con un sonido seco,
como un saco de huesos que la luna derrama.

Oh circo en que la seda sigue ardiendo
como un olvido de amapolas en la arena
y ya no hay sino día, tiempo, tierra, destino
para enfrentarse, toro del aire desbocado.
Esta corrida tiene todo el morado luto,
la bandera del vino que rompió las vasijas:
y aún más: es la planta de polvo del arriero
y las acumuladas vestiduras que guardan
el distante silencio de la carnicería.
Sube España por estas escaleras, arrugas
de oro y de hambre, y el rostro cerrado de la cólera
y aún más, examinad su abanico: no hay párpados.
Hay una negra luz que nos mira sin ojos.

Padre de la Paloma, que con ella
desplegada en la luz llegaste al día,
recién fundada en su papel de rosa,
recién limpia de sangre y de rocío,
a la clara reunión de las banderas.

Paz o paloma, apostura radiante!

Círculo, reunión de lo terrestre!

Espiga pura entre las flechas rojas!
Súbita dirección de la esperanza!
Contigo estamos en el fondo revuelto
de la arcilla, y hoy en el duradero

metal de la esperanza.
                    «Es Picasso»,
dice la pescadora, atando plata,
y el nuevo otoño araña
                    el estandarte
del pastor: el cordero que recibe una hoja
del cielo en Vallauris,
y oye pasar los gremios a su colmena, cerca
del mar y su corona de cedro simultáneo.

Fuerte es nuestra medida cuando
arrojamos –amando al simple hombre–
tu brasa en la balanza, en la bandera.
No estaba en los designios del escorpión tu rostro.
Quiso morder a veces y encontró tu cristal
desmedido,
tu lámpara bajo la tierra
                    y entonces?
Entonces por la orilla de la tierra crecemos,
hacia la otra orilla de la tierra crecemos.

Quien no escuche estos pasos oye tus pasos. Oye
desde la infinidad del tiempo este camino.
Ancha es la tierra. No está tu mano sola.
Ancha es la luz. Enciéndela sobre nosotros.

## II

A
GUTTUSO,
DE
ITALIA
Guttuso, hasta tu patria llegó el color azul
a saber cómo es el cielo y a conocer el agua.
Guttuso, de tu patria vino la luz
y por la tierra fue naciendo el fuego.
En tu patria, Guttuso, la luna tiene olor
a uvas blancas, a miel, a limones caídos,
pero no hay tierra,
pero no hay pan!

Tú das la tierra, el pan, en tu pintura.

Buen panadero, dame tu mano que levanta
sobre nuestras banderas la rosa de la harina.
Agrónomo, has pintado la tierra que repartes.
Pescador, tu cosecha palpitante
sale de tus pinceles hacia las casas pobres.
Minero, has horadado con una flor de hierro
la oscuridad, y vuelves con el rostro manchado
a darnos la dureza de la noche excavada.
Soldado, trigo, y pólvora en la tela,
defiendes el camino.

Labriegos del Sur, hacia la tierra, en tus cuadros!
Gentes sin tierra, hacia la estrella terrestre!
Hombres sin rostros que en tu pintura tienen nombre!
Párpados del combate que avanzan hacia el fuego!
Pan de la lucha, puños de la cólera!
Corazones de tierra coronados
por la electricidad de las espigas!
Grave paso del pueblo hacia mañana,
hacia la decisión, hacia ser hombres,
hacia sembrar, hacia ordeñar dejando
en tu pintura su primer retrato.

Éstos –cómo se llaman? Desde los viejos muros
de tu patria preguntan los señores
de gran collar y de maligna espada
–quiénes son? Y desde su rotonda–
senos de azúcar– la imperial Paulina,
desnuda y fría –quiénes son?, pregunta.
–Somos la tierra, dicen las azadas.
–Hoy existimos, dice el segador.
–Somos el pueblo, canta el día.

Yo te pregunto –estamos solos? Y me responde un rostro
que tú dejaste entre otros campesinos: No es cierto!
Ya no es verdad que tú, solitario violín,
ineficaz nocturno, mirándote el espectro,
quieres volar sin que los pies conserven

fragmentos, tierra, bosques y batallas!
Ay, con estos zapatos he marchado contigo
midiendo sementeras y mercados!

Yo conocí un pintor de Nicaragua. Los árboles
allí son tempestuosos y desatan sus flores
como volcanes verdes. Los ríos aniquilan
en su corriente ríos superpuestos
de mariposas, y las cárceles
están llenas de gritos y de heridas!
Y este pintor llegó a París, y entonces
pintó un puntito de color ocre pálido
en una tela blanca, blanca, blanca,
y a esto le puso un marco, marco, marco.
Él vino a verme entonces y yo me puse triste,
porque detrás del pequeño hombrecito y su punto
Nicaragua lloraba, sin que la oyera nadie,
Nicaragua enterraba sus dolores
y sus carnicerías en la selva.

Pintura, pintura para nuestros héroes, para nuestros muertos!
Pintura color de manzana y de sangre para nuestros pueblos!
Pintura con los rostros y las manos que conocemos y que
no queremos olvidar! Y que surja el color de las reuniones,
el movimiento de las banderas, las víctimas de la policía.
Que sean alabadas y pintadas y escritas
las reuniones de obreros, el mediodía de la huelga,
el tesoro de los pescadores, la noche del fogonero,
los pasos de la victoria, la tempestad de China,
la respiración ilimitada de la Unión Soviética,
y el hombre: cada hombre con su oficio y su lámpara,
con la seguridad de su tierra y su pan.

Te abrazo, hermano, porque cumples en tu arena el destino
de lucha y luz de Italia.
Que el trigo de mañana
pinte sobre la tierra con sus líneas de oro
la paz del pueblo.

Entonces, cuando el aire
en una ola remueva la cosecha del mundo
cantará el pan en todas las praderas.

XVII

LA MIEL DE HUNGRÍA

I

YO VENÍA   Yo traía a la espalda
DE LEJOS    un saco
de negros sufrimientos,
la noche de las minas
de mi patria.
Cuando el carbón
de Lota
en la locomotora
arde
se pone rojo
y quema
no es fuego,
es sangre,
sangre de los mineros de mi patria,
oscura sangre que acusa.
Y así
doblado
bajo mi saco negro
de sangre y de carbón fui transgrediendo
los caminos de Europa,
la luna de plata gastada
por los ojos humanos,
los viejos puentes rotos
por la guerra,
las ciudades vacías
con sus ventanas huecas
y sus escombros en los que el pasto crece,
las ortigas,

el triste jaramago,
con miedo,
sin raíces.
Así fui por las calles bombardeadas
buscando la verde esperanza,
hasta que la encontré
vestida de agua y oro
en las orillas dobles
de Budapest un día.

## II

CRECEN  Hungría,
LOS AÑOS  doble es tu rostro como una medalla.
Yo te encontré en verano
y era
tu perfil bosque y trigo:
el rápido verano
con su manto de oro
tu dulce cuerpo verde recubría.
Más tarde
te vi llena de nieve,
oh bella sonrosada
de dientes blancos y corona blanca,
estrella del invierno,
patria de la blancura!

Y así tu doble rostro de medalla
amé pasando sobre tus pupilas
mis besos bienvenidos en la aurora,
porque tú construías
el sol que iba naciendo,
tu bandera,
el paso de tu pueblo
en las estepas,
las herramientas puras
de la liberación, el acero
con que se construyeron las estrellas.

Junto a mí crece
este tiempo,
esta época
como un rápido bosque,
como planta volcánica
llena de vida y hojas,
mi época
de sangre y claridad, de noche fría
y esplendor matutino.
Nuevas ciudades crecen,
amanecen banderas,
se afirman las repúblicas
del socialismo en marcha,
Vietnam palpita
porque en sangre y dolores
nace una nueva vida.

Mi época
laurel y luna llena,
amor y pólvora!

Yo he visto
nacer, crecer los años,
parir la vieja tierra
robustas, nuevas cosas.
Yo pienso
en el hombre perdido
de otro tiempo
que no vio nacer nada,
que se precipitó de calle en calle,
de noche en noche fría,
subió escaleras,
se llenó de humo,
y nunca vio dónde se terminaban
los peldaños ni el humo.
Aquel hombre
fue como un hongo en la selva,
en la humedad oscura

disipó sus herencias,
no vio sobre el bosque la altura
tatuada con estrellas,
no vio bajo sus pies
entrelazarse todos
los gérmenes del bosque.
Yo siento, miro, toco
el crecimiento
de lo que sobreviene,
voy de una tierra a otra constatando,
sumando lo indeleble,
agregando los pasos,
reuniendo las sílabas
del canto del viento en la tierra.


### III

ADELANTE! URSS,
China,
Repúblicas
populares,
oh mundo
socialista,
mundo
mío,
produce,
haz árboles, canales,
arroz, acero,
cereales, usinas,
libros, locomotoras,
tractores y ganados.
Saca del mar tus peces
y de la tierra rica las cosechas
más doradas del mundo.
Que desde las estrellas
se divisen
brillando como minas descubiertas

tus graneros,
que trepiden los pies en el planeta
con el ritmo de ataque
de las perforadoras,
que el carbón de su cuna
salga en un grito rojo
hacia las fundiciones eminentes,
y el pan de cada día
se desborde,
la miel, la carne
sean puros océanos,
las ruedas verdes de las maquinarias
se ajusten a los ejes oceánicos.
Busca bajo la nieve,
y en la altura,
que tus alas de paz deslumbradora
pueblen de música motorizada
las últimas esferas
de la patria celeste.
Yo habito
en el mundo del odio.
Leo la prensa del odio.
Quieren
que un viento atroz destruya las cosechas.
Que no se reincorporen tus ciudades.
Quieren
que estallen tus motores
y que no lleguen pan ni vino
a las múltiples bocas de tus pueblos.
Quieren negarte el agua,
la vida, el aire.
Por eso,
hombre del mundo socialista, asómate,
asómate sonriente,
coronado de flores y de usinas,
erguido sobre todos
los frutos de este mundo.

# XVIII

## FRANCIA FLORIDA, VUELVE!

*France, jadis on te soulait nommer*
*En tous pays, le trésor de noblesse*
*Par un chacun pouvoit en toi trouver*
*Bonté, bonheur, loyauté, gentillesse,*
*Clergie, sens, courtoisie, proesse.*
*Tous estrangiers amoient te suir.*
*Et maintenant voy dont j'ay desplaisance...*

CHARLES D'ORLÉANS (1430)

## I

LA ESTACIÓN SE INAUGURA

Cuando bajo la tierra
se preparan
las estaciones,
las savias, las raíces,
las semillas,
el fuego,
el agua
hablan
buscándose aderezos,
puliendo la caoba
de la castaña futura,
endureciendo el níveo
marfil de las almendras,
combinando los hilos
de las enredaderas,
levantando el azúcar
verde de los racimos,
entonces
todo está preparado:

el otoño de manos rojas,
o la primavera pura,
o el verano en los ríos,
o el invierno color de estrella,
y Francia abre las puertas:
se ha inaugurado el tiempo.

Porque allí son más bellos
los bailes de las hojas,
la seda crepitante
del otoño en los bosques.
Allí las aguas saben
cantar de acuerdo
con el violín del viento.
Catedral y pradera
hace ya muchos años
florecen recibiendo
el mismo beso doble de la lluvia.
Allí en el país de Francia
nació el vino,
luego en la transparencia de la copa
las palabras hallaron
forma y sonido de cristal maduro
y los hombres cantaron.

Allí
siempre los hombres cantaron.

Llegó la guerra
como un alquitrán implacable,
pero del luto
Francia salió cantando.
Cantaron los valientes en el muro
de los fusilamientos. Cantaron
los comunistas de la Commune.
Cantó, decapitada,
la hija de Jean Richard. Canta
el pueblo de Francia,

mientras los mercaderes
atlánticos
van preparando la carnicería.

Pero no sólo sala de espacioso otoño
o primaveral pedrería
eres, jardín
de Francia, calle
de Francia,
luchadora,
has escrito con piedra y sangre
tu nombre en la muralla
del destino,
y como en ti los ríos son seguros
de su armoniosa abundancia,
así tu pueblo,
hacia la plenitud, de orilla a orilla,
colmado de luchas y dones,
restaurará, cantando,
la alegría.

## II

Y SIN　Yo hice uso
EMBARGO　de Rabelais para la vida mía
como de los tomates.
Para mí
fue esencial su carnívora trompeta,
su principal algazara.
Y sin embargo...
Aquella noche sola,
pasé en la costa de los pobres ricos,
en la Francia lunática del sur.

Yo venía terrestre,
con el polvo del Sur, la nieve roja,
el azahar de todos los caminos.
Yo venía feliz.

Yo despertaba
con el cuello dorado
de la alegría
bajo mi brazo izquierdo,
con el pezón morado de una rosa
bajo mis nuevos besos,
y entonces
la policía,
muy correcta,
me ofreció cigarrillos
y me expulsó de Francia.

Era después de la primera noche
de Francia. Entre su tierra
y mi cuerpo dormido
el tiempo había pasado
y aquella noche, en sueños,
a mí subió la tierra
con estrofas y viñas.
Tembló mi corazón mientras dormía
la tierra lo llenaba
de eléctrica hermosura,
lo teñía de verde,
agua de Francia y vino,
pámpanos y raíces.

Antiguos muertos amados,
azafrán y jazmines,
me envolvían dormido,
y yo por las fragancias de la tierra
navegué, traspasado,
hasta que el día entró su espada blanca
con gotas de rocío
y entonces
vino
quién, sino ella,
la Francia de hoy,
la policía,

y aunque el navío me esperaba anclado
para volver a Chile,
allí, entre cigarrillos, me expulsaron
de casi todo lo que amo,
y de nada sirvió que yo sirviera
la memoria
de Charles d'Orléans, limpiando cada día
su guitarra de luto,
de nada me sirvió que Rimbaud viva
clandestino
en mi casa,
desde hace muchos años.
Ay de nada,
ay de nada.
Ni los ojos de Éluard como dos lámparas
de fuego azul sobre mis hombros.
Nada sirvió.
La policía
hablaba de instrucciones superiores,
y que quede bien claro:
no debo volver nunca.
No puedo
poner un solo zapato
en ese prohibido territorio.
Debo entender las cosas:
ni de tránsito,
ni volar por encima,
ni cruzar por debajo,
ni susurrar junto al mar, a las olas
de Normandía que amo.
No puedo
disfrazarme de árbol y recibir la lluvia,
dormir junto a los berros.
No debo junto a un río
cantar o llorar de alegría.
No puedo
comer queso silvestre
con las lechugas

que allí son como labios. No puedo
en Saint-Louis de la Isla
beber mi vino blanco,
ninguna,
ninguna
tarde más
de mi vida.

Fueron completamente claros
y enteramente oscuros.
Me expulsan. Está claro.
Por qué me expulsan? Oscuro.
Así, la policía
tomó en sus manos
la condecoración que en otro tiempo
el conde de Dampierre me dejó en la solapa,
la miraron
como si fuera un ajo sucio
o una colilla con gusto a jabón.
Ellos tenían
instrucciones
eminentemente superiores,
y así fue, caballeros y señoras,
como salí de Francia.
Es natural,
no necesito
explicarme.

Todos sabemos
que la Embajada
del Far West,
con sus vaqueros,
escupen en las lámparas de cristal en Versalles.
Que con tabaco en la boca
Jim Coca-Cola
orina las estatuas
de Fontainebleau, las ciegas
estatuas de reinas dormidas.

Todos sabemos eso,
pero,
no quiero hablar de ello,
no es mi tema.

Si yo hubiera tenido
veinte años
y así me hubieran
arrancado
Francia de la cintura,
éste sería un largo
lamento, un largo llanto.
Yo habría escrito
la muerte y las exequias
de la más olorosa
primavera.

Pero, ahora,
con tantas cicatrices
que aún no han logrado
matar mi corazón,
con la alegría
sin despertar aún entre mis brazos,
con toda la vida delante,
con la esperanza,
con todo lo que viene
cuando nosotros no seremos más,
con Francia que mañana
despertará también,
porque nunca ha dormido,
con todos los jazmines y las viñas,
las calles, los caminos,
y las canciones que amo,
y que nadie ni menos
la policía
podrán arrancarme del alma,
puedo decir, señores
y señoras,

que amo a la dulce Francia,
de la que me expulsaron.
Y que sigo
viviendo
como si allí viviera,
con su tierra y sus héroes,
con su vino y su pueblo,
y que no he despertado oficialmente
de aquella única noche
en que todo el aroma
de su profundidad y su dulzura
subió a mi sueño para despedirme.


## III

MÁS DE   Transparente
UNA   es la tierra:
FRANCIA   burbuja de agua y hierro,
copa verde
de océanos, praderas,
distancias,
olas de cuarzo y cobre
en ella se aquietaron.
El carbón en el fondo
de corredores ciegos
reposa su energía.
Frutas y cereales
como el manto
de un antiguo monarca
la cubren con estrellas
amarillas:

desbordante es la copa
de la tierra:

toda la luz y toda
la sombra la encienden

y la apagan,
ásperas, con espinas
del invierno,
dulce, llena de todas
las dulzuras:
planeta, guardas algo
más viviente
y eléctrico
que todos los metales:

es el hombre,
el pequeñito
ser que tiembla,
cae y levanta
la frente más herida
y con el brazo recién arañado
empuña los relámpagos.
Veo
los bosques calurosos,
la selva
en Laos,
insectos como hojas,
leopardos
de fuerza silenciosa
y cintura fosfórica,
los grandes árboles trenzados
a la antigua tierra,
los monumentos húmedos
con sus narices rotas
y los ojos por donde
irrumpen los ramajes.
Nada de esto
nos interesa:
atiende,
espera,
mira!
Aquí está lo que amas:

Un pequeño
hombre libre
con un rifle,
esperando.
Es él,
el guerrillero
de Cambodia.
Espera
el mecánico paso
del invasor blindado.
No piensa
en la fiebre que acecha,
en la serpiente
de eléctrico veneno:
sólo espera
al soldado
extranjero.

Allí en la selva
las hojas
son su patria,
cada sonido de ave
o agua,
cada vuelo
de mariposa o párpado,
es su patria.
La patria es un follaje
y a su sombra
el hombre,
el hombre pequeñito,
defendiendo
cada una
de sus hojas.
Vietnam del otro lado.
Hay ríos pardos, trémulos
de vidas y mensajes
que van de tierra a tierra.
Los franceses

de las ciudades
oyen el cuchicheo
del follaje.
Por qué dejaron
la frutal primavera
de Francia?
Les dijeron
que ellos traerían
la cultura
y desde entonces
las ametralladoras
y el napalm
de Eisenhower,
la ruina y el incendio,
desembarcan
con ellos, los franceses.

Los nietos
de Victor Hugo,
no traen
libros
sino
terribles balas,
dolores,
sangre.

Por eso
desde Saigón se eleva
un negro
murmullo
de humo y miedo
que atraviesa la tierra
y cae
sobre Francia,
sobre ciertas pequeñas
casas pobres
cae
el miedo de Indochina.

La muerte,
una noticia
con un nombre de luto,
llega
como un águila negra
de las alturas de Asia
y entra
en la primavera
matutina de Francia
con una sombra rápida
de garras.

## IV

HENRI      Henri Martin escucha
MARTIN    el rumor
que hacen el miedo y la sangre.

En su prisión de Francia
oye
las banderas del bosque.
Los suyos mueren
inútilmente,
se pudren, se los llevan
escarabajos color de estaño.
Caen
hijos de Francia
allá lejos.
Por qué?
Henri Martin se opuso
a la carnicería
sin gloria,
y ahora
con un traje rayado,
con un número a cuestas,
trabaja encarcelado
el radiante
honor de Francia.

Para desembarcar con aguacero
caliente, entre las moscas,
tanques y pústulas,
maldiciones, desgracias,
para desembarcar
muchachos
nacidos de la rosa
de Francia,
hijos
del jazmín y las uvas,
para matarlos,
para condecorarlos
y asesinarlos,
el gobiernillo
de Francia
debe crucificar el honor,
encarcelarlo,
ponerle traje a rayas,
numerarlo,
debe industrializar su estercolero
para venderlo
a los *cowboys* de Washington,
debe romper los huesos
del antiguo
honor nunca extinguido.
Por eso
Henri Martin,
radiante,
indomable
a través de las barras
que aprisionan
los ojos tricolores
de su pueblo,
mira
cómo cae
la sangre en los pantanos,
allá lejos,
sin gloria,

bajo las alas tórridas,
y los escarabajos
con sus pequeñas
bocas de estaño
acarreando
a las húmedas madrigueras,
hombres,
fragmentos de muchachos,
la fuerza y la dulzura
de Francia
sacrificada
para que los *cowboys*
de Filadelfia
bailen con la suavísima señora
del embajador de Francia.

Henri Martin: el trébol
del pasto matutino,
las cosas más humildes,
el banco
del carpintero,
la flor azul sin nombre
entre las piedras,
el terrible
viento sulfúrico
de Chuquicamata en la noche,
los hombres
hacinados
en las minas,
el pan,
el guerrillero
de nuestra dolorosa,
materna, desdichada,
heroica
Grecia de hoy,

todo

lo sencillo,
lo que sin aprender y sin saberlo
canta en todas las tierras y los ríos,

todo

te saluda,
Henri Martin, hermano
de cuanto existe, hermano
de la claridad y del sueño,
hermano
de la rectitud y del día,
hermano
de toda la esperanza,
marinero.

Yo paso y veo el mundo.
Allí estuve,
allí donde estuviste.
Conozco
la sangre y la muerte.
Por eso, porque eres
el hermano
de la vida,
Henri Martin, honor
de Francia, hoja
de la más alta encina,
laurel de las praderas,
héroe
de la paz y de la pureza,
te saludo
con la simplicidad
de la arena y la nieve
de mi patria distante.

## XIX

## AHORA CANTA EL DANUBIO

*... Danubio, río divino*
*que por fieras naciones*
*vas con tus claras ondas discurriendo.*
garcilaso de la vega, Canción III

### I

dedos    Rumania antigua, Bucarest dorado,
quemados   cómo te parecías
a nuestras infernales y celestes
repúblicas
de América.

Pastoril eras y sombría.
Espinas y asperezas resguardaban
tu miseria terrible,
mientras Mme. Charmante
divagaba en francés por los salones.
El látigo caía
sobre las cicatrices de tu pueblo,
mientras los elegantes literarios
en su revista *Sur* (seguramente)
estudiaban a Lawrence, el espía,
o a Heidegger o a «notre petit Drieu».
«Tout allait bien à Bucarest.»
El petróleo
dejaba quemaduras en los dedos
y ennegrecía rostros
de rumanos sin nombre,
pero se hacía coro

de libras esterlinas
en Nueva York y en Londres.
Por eso
era tan elegante Bucarest,
tan suaves las señoras.
«Ah quel charme, monsieur.»
Mientras el hambre
rondaba levantando
su tenedor vacío
por los suburbios negros
y el campo desdichado.
Ahí, sí señores, era
exactamente como Buenos Aires,
como Santiago o Lima,
Bogotá y São Paulo.
Bailaban unos pocos en la sala
intercambiándose suspiros,
el Club y las revistas literarias
eran muy europeos,
el hambre era rumana,
el frío era rumano,
el duelo de los pobres
en el común osario era rumano,
y así andaba la vida
de flor en flor como en mi continente
con las prisiones llenas
y el vals en los jardines.

*Oui, Madame*, qué mundo
se fue, qué irreparable
pérdida para toda
la gente distinguida!
Bucarest ya no existe.
Ese gusto, esa línea,
esa exquisita mezcla
de podredumbre y de *pâtisserie*!
Terrible me parece.
Me cuentan

que hasta el color local,
los pintorescos trajes harapientos,
los mendigos torcidos como pobres raíces,
las niñas que temblando
esperaban de noche
a las puertas del baile,
todo eso, horror, ha desaparecido.

Qué haremos, _chère Madame_?
En otra parte haremos
una revista _Sur_ de ganaderos
profundamente preocupados
de la _métaphysique_.


## II

LA BOCA
QUE CANTA

Voy desde los pinares
hasta las bocas bajas del Danubio,
el aire azul sacude
las vidas y la vida.
El aire limpia el fondo
de los salones, entra
por las ventanas
un viento de banderas populares.
Borrando en esta hora,
Rumania, con tus manos los harapos
de tu pueblo, has mostrado
una nueva cabeza, nuevos ojos,
nueva boca que canta,
y no sólo una raza de pastores
muestras hoy en la tierra,
sino una deslumbrante
construcción que camina.

# III

UNA
IMPRENTA

Yo vi una imprenta alzarse
tan poderosa
como en mi tierra un Banco.
Vi ladrillo a ladrillo
hacer la forma
de aquella catedral de la palabra,
subir los muros
y pronto
resplandecer las linotipias,
el acero aceitado,
y entrar la rotativa
como el tanque mayor
de la tipografía.

Era hermoso
ver cómo entraba
la férrea madre
de la luz escrita.
Rechinando
avanzaba
y a su lado,
como hormigas azules,
los obreros.
Olía a viento
con aceite férreo,
olía a fruta nueva
y a silencio,
olía a tiempo grande que venía.
Era hermoso,
más bello que las hojas y los árboles,
más bello que las flores,
ver cómo hacia la altura
caminaba la imprenta.
Allí donde las damas
antiguamente

se inclinaban
ante un pequeño crápula de Europa,
el coronado Carol,
allí crecía como
la catedral del viento
una imprenta
más grande
que un Banco de Occidente,
más grande que una usina
de fusiles,
más bella
que un plantel de azucenas encendidas,
más alta
que nuestros árboles americanos.


## IV

LOS
DIOSES
DEL RÍO

Ovidio y Garcilaso desterrados
ayer en tus riberas,
Rumania, te coronen,
te coronen y canten.
Aguas lleve tu río fecundando
las vidas y la arena,
puebla el amor tus casas y tus bosques,
con racimos se cubran
tus brazos y tus sienes.

No sólo al hombre
libre
de tus nuevas ciudades y campiñas
celebro.
No sólo a los trabajos creadores
de escuelas y de usinas
yo dedico mi canto.
No sólo a los canales
abiertos en la roca y en la tierra
para que vayan repartiendo espigas

las aguas del Danubio
yo mi lira consagro,
sino que a ti, Rumania,
a tu noble sabor de tierra y vino,
a tu pan generoso
repartido en tu pueblo,
al aroma de pinos y mimosas
que el viento te regala.
Yo canto
a la piel de tus uvas,
al brillo de los ojos
que desde allí se juntan a los míos
como dos rayos negros,
a tus danzas antiguas
que hoy brillan en la luz que has conquistado
como flores o fuego,
a la amistad de todos,
a la mano serena del Partido,
a la alegría
de la paz rumana,
a tu recuerdo innumerable
que canta como un río.

Rumania,
hoy desde las arenas de mi patria
yo te escribo esta carta.
Recíbela, Rumania.
Lleva salpicaduras del Pacífico,
lleva voces y besos,
lleva nieve de altísimas montañas,
lleva cantos y luchas
de mi pueblo.

Honor y amor, Rumania,
suben en ti como dos viñas nuevas.

La inteligencia mira con tus ojos.
En tu boca sonríen los racimos.

## XX

## EL ÁNGEL DEL COMITÉ CENTRAL

### I

EL ÁNGEL    En mi casa, de niño, me dijeron:
DE LA      «Escucha tú. Hay un ángel
GUARDA     que va contigo y te defiende:
           un ángel de la Guarda».

           Yo crecí, dolorido, en los rincones.
           Y el llanto acumulado fui dejando
           caer de gota en gota en mi escritura.

           Adolescente fui de peligro en peligro,
           de noche a noche, con mi propia espada
           defendiendo mi pan y mi poema,
           cortando el sitio de la calle oscura
           que debía cruzar, acumulando
           mi solitaria fuerza en el vacío.

           Quién no llegó a mi puerta a romper algo?
           Quién no me trajo corrosiva lava?
           Quién no llevó una piedra venenosa
           a la velocidad de mi existencia?

           El propietario me expulsó iracundo.
           El elegante desdeñó mi rostro.
           Y desde su letrilla mexicana,
           o desde cenicientos silabarios,
           malévolos barbudos, mercaderes
           de rosas muertas, poetas
           sin poesía, deslizaron tinta

contra mi combatiente cabellera.
Abrieron pozos de alma cenagosa
para que yo cayera entre sus dientes,
coronaron mi canto con cuchillos,
pero no quise huir, ni defenderme:
canté, canté llenándome de estrellas,
canté sin nadie que me defendiera,
sino el azul acero de mi canto.

## II

ENTONCES   En dónde estabas, ángel de la Guarda?
TE   Eras tú la vivienda con espinas
OCULTABAS   en que debí dormir? Eras la mesa
de la pobreza que me preparaban?
Eras el odio, alambre interminable
que tuve que cortar, o tal vez eras
la miseria de seres desdichados,
lo que yo fui encontrando en los caminos,
en las ciudades, en los socavones
de los abandonados? Ay, fuiste invisible,
puesto que sólo a golpes de desdicha,
sólo rompiendo puertas inhumanas,
vi crecer en mi voz todas las voces,
y salí entre las vidas al combate.

## III

YO SALÍ   Crucé las cordilleras a caballo.
DE MI
PATRIA   Un tiranuelo, un bailarín vendía
mi patria con metales y mineros,
y llenaba de muros y prisiones
el recinto ocupado por el alba.
Salí por las gargantas arañadas
de la naturaleza, galopando

bajo un silencio de arboleda oscura.
De pronto los helados palomares
del ventisquero despeñaban fuerza,
plumas glaciales, puro poderío:
de pronto tierra y árboles se hicieron
áspera adversidad y cicatrices,
tajamares de súbita madera,
impenetrable densidad tejida
como una catedral, entre las hojas,
o titánica sal resbaladiza,
o desdentado cinturón de piedra.

Aún más, bajé de pronto
la tierra vertical, y los jinetes
abrían con sus hachas el camino,
donde esperaba el dios vertiginoso
de un nuevo río desbordando espadas,
despeñando su música secreta
sobre la hostilidad de la espesura.

## IV

PRIMERA     Y allí cruzando el río,
APARICIÓN   cuando las aguas doblegaban
DEL ÁNGEL   la acción de las cabalgaduras,
            y de pronto una racha entraba
            como una flecha en mi garganta,
            cuando tropezaba la bestia
            y eran las aguas a mi lado
            un torrencial golpe de agujas,
            y la catarata esperaba
            como un relámpago en las piedras,
            allí miré detrás de mí,
            y sin afeitar, arrugado,
            con una pistola y un lazo
            vi por primera vez al ángel.
            Iba cuidándome el ángel,

iba sin alas junto a mí
el ángel del Comité Central.

## V

EL ÁNGEL
SOLIDARIO

Iba defendiéndose entonces
del aire indomable, del río,
de las piedras huracanadas
y de la aspereza espinosa.
Iba defendiéndome, el ángel,
de la jauría que me odiaba,
de los que esperaban aullando
mi sangre en las calles del crimen.

## VI

EL ÁNGEL
DE LAS
PAMPAS

Oh luna inabarcable, en las praderas,
oh sol azul sobre todo el espacio,
pampa de soledad, estrella recta
extendida en desiertas dimensiones.

Hierba argentina, tierra interminable,
olor de cielo cereal, camino
hecho de todos los caminos, ancha
primavera sin párpados, llanura.

Yo fui de cabo a cabo, trepidando
en la velocidad, cruzando el día
y la noche desnuda del planeta.

Y allí perdido en la distancia, cuando
el avestruz errante o la paloma
de la tierra salvaje aparecieron,
cuando cansancio y soledad llenaron
la copa transparente de la pampa,
cuando pude sentirme desamparado y último,

cuando fui sólo ausencia, sueño, sudor y polvo,
hacia la libertad con los ojos abiertos,
con otro rostro,
amarradas las manos al volante,
sin sueño y sonriendo a través de la noche,
allí estaba de nuevo, allí
estaba defendiendo mi fatiga:
no sé cómo se llama, tal vez López,
tal vez Ibieta, el ángel
del Comité Central.

# VII

EL ÁNGEL
DE LOS
RÍOS

Sabrás tal vez que entre los ríos férreos
de América pasé. El desarrollo
del Paraná me recibió temblando.
Era su lentitud como la luna
que se desborda sobre las praderas
y era poblado de secretos labios
que iban besando su actitud salvaje.

Ríos territoriales, hijos rojos
de las tinieblas húmedas de América,
yo vine a vuestras aguas, a la sangre
que noche y día a combatir arenas
transporta vuestro nombre numeroso,
yo fui una rama ecuatorial, un trozo
de tierra tuya, de fluvial follaje.

Las anchas aguas me contaron toda
su cantata de sangre paraguaya
y de Asunción las torres del martirio:
cómo cambia de tigre la espesura,
cómo el petróleo mancha el estandarte
y cómo aceite y lodo se derraman
sobre los pobres muertos de la patria.

Y el río me contó lo que los muertos
dicen hablando desde las raíces,
pidiendo ayuda aún desde la muerte,
sosteniendo banderas enterradas
mientras los extranjeros del petróleo
beben con el verdugo en el palacio.

Allí entre ríos te encontré, las aguas
aún iban dentro de mi propia sangre
enumerando páginas del bosque,
y allí, ángel nuevo, estabas en el fondo
de América
y sin reconocerte, «Camarada
ángel, eres tú?» te dije,
y largas tierras, trigos, amenazas,
olas y pinos anduvimos juntos
hasta que yo también sobre los mares
cerré los ojos y volé dormido.


## VIII

EL ÁNGEL   Unión Soviética, floreces
DE LA   con otras flores que en la tierra
POESÍA   no tienen nombre todavía.

Tu firmeza es la flor del árbol del acero.

Es tu fraternidad la flor del pan fragante.
Es tu invierno una flor en que la nieve
ilumina el amor sin amenaza.
Yo recorrí la tierra donde Pushkin volvía
a elevar en su canto la luz de los cristales,
y vi cómo su pueblo levantaba
esta constelación sobre las manos
acostumbradas a elevar el trigo.

Pushkin, tú fuiste el ángel
del Comité Central.
Contigo visité ruinas sagradas
en donde los soldados de tu pueblo
defendieron las sílabas de tu alma.

Contigo vi crecer de los escombros
el gigantesco vuelo de la vida,
las ruedas del tractor hacia el otoño,
nuevas ciudades llenas de sonidos,
aviones amarillos como abejas.

Y cuando entré al museo o a la casa,
a la fábrica, al río que te sigue cantando,
o cuando en la ciudad de Lenin vi borradas
las cicatrices del martirio augusto,
oh camarada transparente, estabas
junto a mi corazón dándome toda
la orgullosa estatura de tu patria.

Allí, en fin, un ángel no llevaba más arma
que un ramo cristalino de relámpagos
y él y toda su tierra defendían
las sílabas errantes de mi canto.

Allí por fin la paz me resguardaba.

Y Pushkin me decía: «Ven conmigo
hasta Novosibirsk, allá en las tierras
desérticas, pobladas
antes por soledad y por dolores,
hoy la bandera de mi voz pasea
sobre las construcciones orgullosas».

Ángel, querías que toda tu tierra
visitara, tocando las espigas,
enumerando fábricas y escuelas,
conversando con niños y soldados.

# IX

Ángel hirsuto de Polonia, Vyka,
tengo que hacerte estas preguntas:
atravesando toda la vida
de tu país, el resplandor ardiente
del hierro dominando en Katowicz,
los trigales que extienden su ondulada alegría
sobre toda tu tierra, las procesiones
de medioeval catolicismo, el humo
del territorio del carbón, el aire
de Cracovia, aire de libro seco,
el Báltico otra vez empujando sus blancas
alas y olas entre nuevas grúas,
el ladrillo amasado con el polvo
de la infinita destrucción subiendo
otra vez en el cielo de Varsovia,
y el metálico olor de los pinos encima
de los lagos masures, testigos transparentes
de la carnicería,
                              y de aldea en aldea
sobre la destrozada arquitectura
el hombre ha recobrado la belleza
de tu tierra, llenando con semillas
de su resurrección todo el silencio.
Esta fecundidad inesperada
hasta ayer, esta leche transmitida
de boca en boca como un signo nuevo,
y esa tierra que canta y se reparte
sin evadirse como el agua, sino
otorgando metales y graneros,
dime, ángel Vyka, tú que acompañaste
con descuidado corazón mis pasos,
qué tienes, qué tenemos que ocultar,
por qué quieren negar estas regiones,
estas cosechas, esta miel sencilla,
por qué quieren borrar esta grandeza

y rechazar esta victoria humana?
Tú fuiste cada día el silencioso
ángel amigo de estirpe oscura,
sólo para que el bosque resguardara
los mínimos pezones de sus fresas
para tu compañero de otros mares,
o la redonda caracola entrara
en mi ternura de naturalista,
y así entre arenas y pinares o entre
marítimos de Gdansk o entre motores
toda tu patria abierta me mostraste
iluminada como una sonrisa.


X


ÁNGEL    Guerrero solitario, ángel de todas
OH    las latitudes, apareces
CAMARADA    tal vez en las sombrías cavidades
de la mina, cuando la represión y la fatiga
van a doblar tus brazos, y levantas
tus alas minerales como escudo.

Es en aquella sombra entre los pueblos
cuando tu vuelo organizado cruza
las difíciles tierras de la espina,
las alambradas negras de la muerte.
Camarada, te espera el que sucumbe,
te espera el que reserva
su energía, el que sale del peligro
y el que vuelve al peligro. Estás en medio
del tiempo tempestuoso, de la cólera
con sombrero gastado, parecido
a todo el mundo, con las alas listas
bajo la luz común de una pobre chaqueta.
Eres tú la unidad de estos destinos.

Sobre toda la tierra estás volando.

Nadie te reconoce sino aquellos
que también leen en la noche negra
la radiante escritura de mañana.
Sin verte muchos hombres
junto a ti pasarán, junto a la esquina
en que apoyado a un muro serás calle
o árbol sin nombre en la arboleda humana.

Pero el que viene a ti sabe que existes.
Y ése, detrás de tus comunes ojos,
adivina la espada de los pueblos.

O bien a plena luz en las regiones
liberadas del Este nos recibes a todos,
no como a desterrados, sino que sonriente
para darnos
la paz, y el pan, las llaves
de la tierra.

# XXI

## MEMORIAL DE ESTOS AÑOS

### I

VINO
LA MUERTE
DE PAUL

En estos días recibí la muerte
de Paul Éluard.
Ahí, el pequeño sobre
del telegrama.
Cerré los ojos, era
su muerte, algunas letras,
y un gran vacío blanco.

Así es la muerte. Así
vino a través del aire
la flecha de su muerte
a traspasar mis dedos
y herirme como espina
de una rosa terrible.

Héroe o pan, no recuerdo
si su loca dulzura
fue la del coronado vencedor
o fue sólo la miel que se reparte.
Yo recuerdo
sus ojos,
gotas de aquel océano celeste,
flores de azul cerezo,
antigua primavera.

Cuántas cosas
caminan por la tierra y por el tiempo,
hasta formar un hombre.

Lluvia,
pájaros litorales cuyo grito
ronco resuena en la espuma,
torres,
jardines y batallas.

Eso
era Éluard: un hombre
hacia el que habían venido
caminando
rayas de lluvia, verticales hilos
de intemperie,
y espejo de agua clásica
en que se reflejaba y florecía
la torre de la paz y la hermosura.

## II

AHORA
SABEMOS

Sabemos todo el día,
la noche,
todo el mes sabemos,
todo el año sabemos.

En otro tiempo el hombre
estuvo aislado,
el placer le tapaba las orejas,
lo reclamaba el cielo,
lo llamaba
el infierno,
y además
era oscura
la geografía humana.
No podía afirmar con precisión
si eran hombres
los otros,
los hombres de las islas,
los lejanos,

aquellos que de pronto
mostraban en un diente de elefante
tanta sabiduría
como la puerta de una catedral.

Pero
allá lejos
entre nubes y humo,
las colonias,
los vegetales mismos
se confundían
con la piel de los saurios.

Ahora
todo
es diferente.
Pobre amigo,
sabes,
sabes que el hombre existe.
Cada día
te piden una firma
para sacar a un ser viviente
de una cárcel viviente,
y abrumado
vas conociendo
los subterráneos de la geografía.

Sabes, sabemos,
cada día sabemos,
durmiendo conocemos:
ya es imposible
cubrirnos las orejas
con el cielo.
La tierra nos visita
en la mañana
y nos da el desayuno:
sangre y aurora,
tinieblas o edificio,

guerra o agricultura,
y hay que escoger, amigo,
cada día,
sabiendo ahora,
sabiendo bien ahora
dónde están colocadas
tanto la nueva vida
como la vieja muerte.


## III

AQUÍ VIENE  Nazim, de las prisiones
NAZIM  recién salido,
HIKMET  me regaló su camisa bordada
con hilos de oro rojo
como su poesía.

Hilos de sangre turca
son sus versos,
fábulas verdaderas
con antigua inflexión, curvas o rectas,
como alfanjes o espadas,
sus clandestinos versos
hechos para enfrentarse
con todo el mediodía de la luz,
hoy son como las armas escondidas,
brillan bajo los pisos,
esperan en los pozos,
bajo la oscuridad impenetrable
de los ojos oscuros
de su pueblo.
De sus prisiones vino
a ser mi hermano
y recorrimos juntos
las nieves esteparias
y la noche encendida
con nuestras propias lámparas.

Aquí está su retrato
para que no se olvide su figura:

Es alto
como una torre
levantada en la paz de las praderas
y arriba
dos ventanas:
sus ojos
con la luz de Turquía.

Errantes
encontramos
la tierra firme bajo nuestros pies,
la tierra conquistada
por héroes y poetas,
las calles de Moscú, la luna llena
floreciendo en los muros,
las muchachas
que amamos,
el amor que adoramos,
la alegría,
nuestra única secta,
la esperanza total que compartimos,
y más que todo
una lucha
de pueblos
donde son una gota y otra gota,
gotas del mar humano,
sus versos y mis versos.

Pero
detrás de la alegría de Nazim
hay hechos,
hechos como maderos
o como fundaciones de edificios.

Años
de silencio y presidio.
Años
que no lograron
morder, comer, tragarse
su heroica juventud.

Me contaba
que por más de diez años
le dejaron
la luz de la bombilla eléctrica
toda la noche y hoy
olvida cada noche,
deja en la libertad
aún la luz encendida.
Su alegría
tiene raíces negras
hundidas en su patria
como flor de pantanos.
Por eso
cuando ríe,
cuando ríe Nazim,
Nazim Hikmet,
no es como cuando ríes:
es más blanca su risa,
en él ríe la luna,
la estrella,
el vino,
la tierra que no muere,
todo el arroz saluda con su risa,
todo su pueblo canta por su boca.

IV

ALBANIA     Nunca en Albania
estuve,
áspera tierra amada,

pedregosa
patria de los pastores.
Hoy
espero
llegar a ti como a una fiesta,
una nueva
fiesta terrestre: el sol
sobre la musculosa empuñadura
de tus sierras
y ver entre peñascos
cómo crece
el nuevo lirio tierno,
la cultura,
las letras que se extienden,
el respeto al antiguo campesino,
la cuna del obrero,
el monumento insigne
de la fraternidad, el crecimiento
de la bondad como una joven planta
que florece en las viejas tierras pobres.

Albania, pequeñita,
fuerte, firme y sonora,
tu cuerda en la guitarra
—hilo de agua y acero—
se reúne al sonido de la historia,
al canto del tiempo invencible,
con una voz de bosques
y edificios,
aromas y blancuras,
canto de todo el hombre y todo el bosque,
pájaros y manzanos,
vientos y olas.

Fuerza, firmeza y flor son tu regalo
en la edificación de lo terrestre.

# V

En la India
de nuevo,
otra vez
el aroma
de frutas muertas, el
graznido
de cuervos.
Sentí que se oprimía
dentro de un vaso roto
mi corazón, oí
pasos,
pasos que han muerto,
pasos.
Enramada
de razas y de túnicas,
India,
materna, entrelazada,
augusta, cruel, remota,
eras la misma.
Los grandes ríos sepultando cuerpos,
el color de azafrán en las colinas,
pero ahora
no era mi juventud, mi solitaria
adolescencia errante.
Ahora
las flores me esperaban,
cayeron en mi cuello,
y un nombre,
una carta,
una sencilla sílaba
venía
desde la cárcel a reconocerme.

Tierras de Telenghana,
mártires, criaturas

cogidas entre
dos fuegos,
las ametralladoras del gobierno,
las cárceles
del Nizam de Hyderabad.
Campesinos caídos
en las que ya creyeron
tierras suyas,
ahora
con Parlamento propio,
sin ingleses,
y la vieja miseria,
el hambre
aullando en las aldeas.
Esperando,
esperando
siempre vivió la India,
sentada
junto al río del tiempo,
esperando.

Pasaban los guerreros
de pies ensangrentados,
los príncipes
comedores de perlas,
los ingleses
impasibles,
los sacerdotes fríos
como saurios,
estudiando el ombligo
de la tierra y del cielo,
todos
devorándote algo,
pasajeros, piratas, mercenarios,
y tú, madre del mundo,
sentada junto al río
del tiempo,
hilando y esperando.

Ahora
los poetas,
Sirdard Jaffris o el otro,
el flaco o el barbudo,
salían de la cárcel.
La poesía
en la India
entraba al calabozo,
salía y regresaba,
aprendiendo
la libertad entre los prisioneros,
conociendo
las penas,
los dialectos, los dolores,
las palabras secretas
de los ensimismados campesinos,
la queja dolorosa,
las abiertas heridas,
la dulzura rebelde
que avanza levantando su estandarte
de estrellas y palomas.

Útero de la tierra, territorio
cerrado en que fermentan
las uvas de la historia.
Antigua hermana
de los viejos planetas,
yo supe ahora,
escuchando los cantos en los pueblos,
las iras desgranadas,
los puños en el viento,
supe
que se levantarán tus estaturas,
que se acumulará tu poderío,
que darás a tu pueblo
el pan que le negabas,
y que ya no veremos
pasar detrás del oro,

cruzar detrás del rito
deslumbrador de la teogonía,
el hambre con su escoba
barriendo pobres huesos y basuras
al lado del camino.

India, levanta
tu juventud, invita
tu reloj a marcar la hora que viene.
Adelántate y coge
en el horario el alto mediodía.

Son antiguas tus flechas.

Súbelas a tu frente
y clava en el horario tu destino.

## VI

DESDE      En Dobris, junto a Praga,
DOBRIS     conversando con
LA AURORA  Jorge Amado,
mi compañero de años y de luchas:
—De dónde
vienes tú ahora?

Yo, de los anchos ríos
de Guatemala y México,
del fulgor verde
del río Dulce, adentro.
Llevaba
fuego de aves salvajes,
rocío
de desembocadura.

Le conté mis caminos.
Él regresaba

de Bulgaria, traía
luz de rosales rojos
en el pecho,
y me contó las cosas,
los hombres, las empresas,
el socialismo en marcha
en aquella
tierra erizada, ahora constructora.

Era tarde, las brasas
ardían
en el hogar de piedra.
Afuera
el viento removía susurrando
las hojas de las hayas.

Juntos peregrinamos,
perseguidos,
y he aquí que la paz
nos reunía.

Teníamos
pan,
luz,
fuego,
tierra,
castillo.
No eran tan sólo nuestros,
eran de todos.

No queríamos
hablar. El viento
hablaba por nosotros.
Se extendía
en el bosque,
volaba
con las hojas desprendidas.
El viento

iba enseñando,
cantando
lo que nosotros éramos,
éramos y teníamos.

La claridad terrestre
nos rodeaba.

Solemne era el silencio.

Largos habían sido los caminos.

Y la aurora golpeaba las ventanas
de nuevo
para irse con nosotros por el mundo.

## EPÍLOGO

EL CANTO
REPARTIDO

*Entre la cordillera
y el mar de Chile
escribo.*

*La cordillera blanca.
El mar color de hierro.*

*Regresé de mis viajes
con los nuevos racimos.*

*Y el viento.*

*El viento sacudía
la tierra, las raíces.*

*Yo viajé con el viento.*

*Hoy entre mar y nieve
y tierra mía
yo dispuse los dones
que recogí en el mundo.*

*Yo establecí mi amor
como una zarza ardiendo
sobre la primavera
de mi patria.*

*Yo regresé cantando.*

*Donde estuve, la vida
creadora
me revistió de gérmenes
y frutos.*

Yo regresé vestido
de uvas y cereales.

Yo traje la semilla
de escuelas transparentes,
el follaje acerado
de las frescas usinas,
el latido
de la tenacidad y el movimiento
de la extensión poblándose de aroma.

En un sitio cualquiera
vi el pan disminuido
y más allá extenderse
los reinos de la espiga.

Vi en los pueblos la guerra
como despedazada
dentadura
y vi la paz redonda
en otras tierras
crecer como una copa,
como el hijo en la madre.

Yo he visto.

En donde estuve, aun
en las espinas
que quisieron herirme,
hallé que una paloma
iba cosiendo
en su vuelo
mi corazón con otros
corazones.
Hallé por todas partes
pan, vino, fuego, manos,
ternura.

Yo dormí bajo todas
las banderas
reunidas
como bajo las ramas
de un solo bosque verde
y las estrellas eran
mis estrellas.

De mis encarnizadas
luchas, de mis dolores,
yo no conservo nada
que no pueda serviros.

También como la tierra,
yo pertenezco a todos.
No hay una sola gota
de odio en mi pecho. Abiertas
van mis manos
esparciendo las uvas
en el viento.

Regresé de mis viajes.
Navegué construyendo
la alegría.

Que el amor nos defienda.

Que levante sus nuevas
vestiduras
la rosa. Que la tierra
siga sin fin florida
floreciendo.

Entre las cordilleras
y las olas nevadas
de Chile,
renacido en la sangre
de mi pueblo,

para vosotros todos,
para vosotros canto.

Que sea repartido
todo canto en la tierra.

Que suban los racimos.
Que los propague el viento.

Así sea.

# Notas

HERNÁN LOYOLA

# Abreviaturas

AGR   Margarita Aguirre, *Correspondencia Neruda-Eandi*, Buenos Aires, Sudamericana, 1980.

Alonso  Amado Alonso, *Poesía y estilo de Pablo Neruda*, Buenos Aires, Sudamericana, 1951.

AMT   Revista *Amauta*, Lima.

ANS   Neruda, *Anillos*, 1926.

ANT   Eduardo Anguita y Volodia Teitelboim, *Antología de poesía chilena nueva*, Santiago, Zig-Zag, 1935 (marzo).

AT   *Álbum Terusa 1923*, documento transcrito en *AUCh*, núm. 157-160, Santiago, 1971.

ATN   Revista *Atenea*, Concepción, Chile.

AUCh  Revista *Anales de la Universidad de Chile*, Santiago.

AVE   *El aviso de escarmentados del año que acaba y escarmiento de avisados para el que empieza en 1935*, libro-almanaque de Cruz y Raya, Madrid, 1935.

AZC   Rubén Azócar, *La poesía chilena moderna*, antología, Santiago, Ediciones Pacífico del Sur, 1931.

BC   Biblioteca Contemporánea, colección de Editorial Losada.

BCC   Biblioteca Clásica y Contemporánea, la misma con nuevo nombre.

CAT   Cátedra: Neruda, *Residencia en la tierra*, edición crítica de H. Loyola, Madrid, Cátedra, 1987.

CDB   Revista *Caballo de Bastos*, Santiago.

CDT   Neruda, *Cuadernos de Temuco*, Buenos Aires, Seix Barral, 1996.

CGN   Neruda, *Canto general*, 1950.

CHL   Neruda, *Cuaderno Helios 1920*, transcrito en *RIV*.

CHV   Neruda, *Confieso que he vivido*, Barcelona, Seix Barral, 1974.

CLA   Revista *Claridad*, Santiago.

CMR   Neruda, *Cartas de amor*, Madrid, Rodas, 1974.

CNR   Neruda, *Cuaderno Neftalí Reyes 1918-1920*, documento transcrito parcial y defectuosamente en *CDT*.

CPEA  Colección Poetas de España y América, editor Losada.

CRP   Neruda, *Crepusculario*, 1923.

CYR   *Cruz y Raya*: edición completa de *Residencia en la tierra*, Madrid, *Cruz y Raya*, 1935.

FDV        Neruda, *El fin del viaje*, Barcelona, Seix Barral, 1982.
           Compilación póstuma de textos dispersos.
FGL        Original dactiloscrito de «Oda a Federico García Lor-
           ca» en el archivo de la Fundación García Lorca.
HOE        Neruda, *El hondero entusiasta*, 1933.
HYE        Neruda, *El habitante y su esperanza*, 1926.
IILI       Instituto Internacional de Literatura Iberoamericana,
           Pittsburgh.
IND        Revista *Índice*, Santiago.
Loyola 1981 H. Loyola, prólogo a Pablo Neruda, *Antología poé-
           tica*, Madrid, Alianza, 1981. 8.ª reimpresión: 1999.
LTS        Revista *Letras*, Santiago.
MCR        Diario *El Mercurio*, Santiago.
N          Nascimento: edición del primer volumen de *Residencia
           en la tierra*, Santiago, Editorial Nascimento, 1933.
NAC        Diario *La Nación*, Santiago/Buenos Aires.
NGL        *Neruda-García Lorca*, compilación de testimonios de
           una amistad: edición de la Fundación Neruda, Santia-
           go, 1998.
NJV        *Neruda joven*, Madrid, edición del Banco Exterior de
           España, 1983.
OC         Neruda, *Obras completas*, 1957, 1962, 1968, 1973.
PNN        Neruda, *Para nacer he nacido*, Barcelona, Seix Barral,
           1978. Compilación póstuma de textos dispersos.
PPD        García Lorca y Neruda, *Paloma por dentro*, 1934. Do-
           cumento transcrito en *FDV* y en *NGL*. Ver nota al
           poema «Sólo la muerte», *RST* 2.
RIV        Neruda, *El río invisible*, Barcelona, Seix Barral, 1980.
           Compilación póstuma de textos dispersos.
ROC        *Revista de Occidente*, Madrid.
RST        Neruda, *Residencia en la tierra*, 1 y 2, 1933 y 1935.
TCM        Neruda, *Tres cantos materiales*, apartado. Homenaje de
           los poetas españoles, Madrid, Plutarco, 1935 (abril).
TER        Neruda, *Tercera residencia*, 1947.
THI        Neruda, *Tentativa del hombre infinito*, 1926.
UVT        Neruda, *Las uvas y el viento*, 1954.
VCP        Neruda, *Los versos del Capitán*, 1952.
VJS        Neruda, *Viajes*, 1955.
VPA        Neruda, *Veinte poemas de amor y una canción deses-
           perada*, 1924.
ZZG        Revista *Zig-Zag*, Santiago.

# Crepusculario

## Composición

El libro reunió textos escritos entre mayo de 1920 y mayo de 1923. De los textos más antiguos hay primeras versiones en *Cuaderno Neftalí Reyes 1918-1920*, parcial y defectuosamente publicado bajo el título *Cuadernos de Temuco* y en el *Cuaderno Helios 1920*, transcrito en *El río invisible*, 1980, pp. 55-102. Los textos procedentes de *CNR** son todos de 1920: «Pantheos» (mayo), «Sensación de olor» (¿octubre?), «Campesina» (noviembre), «Maestranzas de noche» (noviembre), «El nuevo soneto a Helena» (noviembre). Aparte de reproducir con variantes tres de éstos (1, 3, 5), *CHL* anticipó los poemas «Inicial», «Grita» y «Las palabras del ciego» [= «Viejo ciego, llorabas»], escritos entre octubre de 1920 y marzo de 1921, antes del traslado de Neruda desde Temuco a Santiago para iniciar estudios en la universidad. La fase siguiente de la escritura de *Crepusculario* (marzo 1921-marzo 1922) incluyó «Oración» y «Sinfonía de la trilla» que prolongaron el optimismo profético de la fase inicial. El resto de 1922 introdujo en cambio un período de transición caracterizado por las improvisas dudas e incertidumbres que registraron «Los jugadores», «El ciego de la pandereta», «Barrio sin luz», «Farewell», «Aromos rubios en los campos de Loncoche», poemas anticipados entre junio y octubre de ese año por la revista *Claridad*. La fase final (primera mitad de 1923) fue la que definió el título y el amargo sabor a derrota que terminó por impregnar la entera compilación: «Playa del Sur», «Morena, la Besadora», «El castillo maldito», «El estribillo del turco», «Tengo miedo» y toda la sección «Los crepúsculos de Maruri».

## Ediciones principales

(1) *Crepusculario*, Santiago, Editorial Claridad, 1923. Ilustraciones de Juan Gandulfo, Juan Francisco González (hijo) y Barack, 180 pp. sin numerar. Formato 13 × 13 cm. *Claridad* era una de las publicaciones de la Federación de Estudiantes [universitarios] de Chile,

* Ver «Abreviaturas», pp. 1131-1132.

FECh. La primera sección, «Helios y las canciones», traía este epígrafe de Frédéric Mistral: «lou souleu mi fai canta».

(2) *Crepusculario*, Santiago, Nascimento, 1926, 168 pp. Esta 2.ª edición modificó la primera así: (a) introdujo la dedicatoria a Juan Gandulfo; (b) la sección I suprimió su título mismo, «Helios», el epígrafe de F. Mistral y el poema «Inicial»; (c) la sección IV eliminó el poema «Égloga absurda» y lo sustituyó definitivamente por «El pueblo», ya publicado –con anterioridad a la primera edición– en *Zig-Zag*, núm. 941 (3.3.1923). Esta edición de 1926 será reproducida por las sucesivas hasta la de Buenos Aires, Losada, 1967.

(3) *Crepusculario*, Buenos Aires, Losada, 1961, 166 pp., BC, núm. 297. Primera edición impresa fuera de Chile en volumen autónomo.

(4) *Crepusculario*, Buenos Aires, Losada, 1967, 109 pp., BCC, núm. 297. Texto establecido por H. Loyola (con aprobación de Neruda). Esta edición, la más importante desde la de 1926, implicó una revisión crítica del texto y de la estructura misma del libro: (a) repuso el título «Helios y las canciones» y el poema «Inicial» en la sección I; (b) cerró al final de la estancia 4 –y no al final de la 3, como ocurría en las ediciones anteriores– el paréntesis del poema «Farewell», acogiendo así la sugerencia de Raúl Silva Castro en su *Pablo Neruda*, Santiago, Universitaria, 1964, p. 44; (c) precisó títulos y delimitó textos de la sección «Los crepúsculos de Maruri»; (d) mantuvo las restantes modificaciones de la edición de 1926, en particular la dedicatoria a Juan Gandulfo y el poema «El pueblo» en lugar de «Égloga absurda».

(5) *Crepusculario*, edición de Hernán Loyola, Santiago, Nascimento, 1971, 109 pp., Biblioteca Popular Nascimento. Reprodujo el texto establecido para la edición Losada de 1967, con una errata en el poema «Playa del Sur», v. 32: «con *la mano* en la frente...», en vez de «*las manos*».

(6) *Crepusculario [1920-1923]*, en Pablo Neruda, *Obras completas*, Buenos Aires, Losada, 1973, tomo I, pp. 35-79. Reprodujo el texto establecido por H. Loyola para la edición Losada de 1967.

## Apartados

(1) *Puentes*, Santiago, Imprenta Ferrocarriles del Estado, 1962. Tarjetón a colores, plegado.

(2) *Farewell*, Santiago, edición del Centro Brasileiro de Cultura, Embajada del Brasil en Chile, 1963 (marzo), 19 pp. Cuadernillo bilingüe: texto original y traducción al portugués por Thiago de Mello.

(3) «*Crepusculario*» *en germen*, Santiago, Dirección de Bibliotecas, Archivos y Museos (DIBAM), 1998. Carpeta con 10 facsímiles de originales manuscritos de *Crepusculario*.

## Textos: anticipaciones y variantes

INICIAL. (Página 111.) — (1) «Inicial», en *CHL*, versión original que falta en *RIV*. Variante: vv. 5-6, «Cerré, cerré los labios –Pero en rosas tremantes / se me escapó la voz que casi nadie siente». — (2) «Inicial», *Claridad*, núm. 12, Santiago, 22.1.1921.

PANTHEOS. (Página 112.) Es el más antiguo de los poemas del libro. — (1) «Pantheos», fechado «Mayo, 1920» en *CNR*, versión original reproducida (defectuosamente) en *CDT*, p. 181. Variantes: v. 2, «tus manos buenas»; v. 4, coma tras «tuviste»; v. 10, «qué es lo que eres»; v. 11, «de toda carne clara». — (2) «Pantheos», *Claridad*, núm. 12, Santiago, 22.1.1921.

VIEJO CIEGO, LLORABAS. (Páginas 112-113.) — (1) «Las palabras del ciego», en *CHL*, versión original que falta en *RIV*. Variantes: título; v. 6, «con las puertas cerradas de la tierra y el mar». — (2) «Las palabras del ciego», *Siembra*, núm. 10, Valparaíso, octubre 1920. La fecha real de publicación es probablemente más tardía: comienzos de 1921. — (3) «Las palabras del ciego», *Claridad*, núm. 12, Santiago, 22.1.1921. — (4) «Las palabras del ciego», diario *La Mañana*, Temuco, 6.2.1921.

EL NUEVO SONETO A HELENA. (Página 113.) Versión original fechada «XI-1920» en *CNR* y en *CHL*: falta en *CDT* (por descuido del editor) y en *RIV*. Variantes: v. 12, «porque murió mi adolescencia»; v. 13, «dan su esencia».

SENSACIÓN DE OLOR. (Página 114.) Hay versión original en *CNR* (recogida en *CDT*, p. 213), donde Neruda tachó con lápiz azul el título original, «Nostalgia», sustituyéndolo por el actual; v. 6, «En el cielo de seda»; v. 9, «Allá lejos campanas, novenas, misas, ansias»; v. 10, «vírgenes que tenían azules las pupilas»: sobre esta versión original Neruda tachó «azules» y escribió el «tan dulces» definitivo.

MORENA, LA BESADORA. (Páginas 115-116.) *Claridad*, núm. 86, Santiago, 5.5.1923.

ORACIÓN. (Páginas 116-118.) *Claridad*, núm. 43, Santiago, 19.11.1921.

EL ESTRIBILLO DEL TURCO. (Páginas 118-120.) *Claridad*, núm. 90, Santiago, 2.6.1923.

EL CASTILLO MALDITO. (Página 120.) *Claridad*, núm. 88, Santiago, 19.5.1923.

FAREWELL. (Páginas 121-123.) «Canción de adiós» en *Claridad*, núm. 66, Santiago, 26.8.1922. Desde la edición Losada de 1967, el paréntesis incluyó también –en coherencia con la estructura significante del texto– la estancia 4, no sólo la 3 como hasta entonces.

LOS JUGADORES. EL CIEGO DE LA PANDERETA. BARRIO SIN LUZ. (Páginas 124-126 y 130.) Estos tres poemas, reunidos bajo el título común «Glosas de la Ciudad» y dedicados a Magdalena Thompson, se publicaron en *Claridad*, núm. 57, Santiago, 24.6.1922.

MAESTRANZAS DE NOCHE. (Páginas 127-128.) — (1) Versión original en *CNR* fechada «XI-1920» (y recogida en *CDT*, p. 223): v. 5, «país desconsolado»; los vv. 9-10 venían encerrados por un paréntesis; v. 14, «Tanteando como niños recién nacidos corren». — (2) «Maestranza [*sic*] de noche», *Claridad*, núm. 12, Santiago, 22.1.1921.

AROMOS RUBIOS EN LOS CAMPOS DE LONCOCHE. (Página 128.) *Claridad*, núm. 72, Santiago, 7.10.1922.

GRITA. (Página 129.) Versión original en *CHL* (no recogida en *RIV*): v. 2, «cuida de no embrujarme»; vv. 3-4, «porque antes era bueno sin tus dos alas claras / y porque no tenía tu sangre ni tu voz»; v. 8, «sé rompiente que estalla»; los vv. 13-16 de la versión definitiva faltaban en *CHL*.

HOY, QUE ES EL CUMPLEAÑOS DE MI HERMANA. (Página 138.) Pegada a la última página del *Álbum Terusa 1923* hay una hoja de papel fino con una versión dactiloscrita de este poema, fechada al pie «Santiago, abril 18 / 1923», sin variantes de notar, salvo el título: «A mi hermana, porque es su cumpleaños, escribo».

TENGO MIEDO. (Página 140.) «Hora de otoño» en *Zig-Zag*, núm. 952, Santiago, 19.5.1923.

CAMPESINA. (Página 141.) — (1) Versión original en *CNR* fechada «noviembre 1920» (y recogida en *CDT*, p. 214): vv. 11-12, «humedecidas en el embeleso / de ser limpias así como un cristal». — (2) «Campesina», *Claridad*, núm. 12, Santiago, 22.1.1921.

PLAYA DEL SUR. (Páginas 144-145.) — (1) Versión original manuscrita en *AT*, fechada al pie «Imperial Bajo / Segundo mes de / 1923», con variantes sólo en la puntuación. — (2) «Playa del Sur», *Claridad*, núm. 85, Santiago, 28.4.1923.

MANCHA EN TIERRAS DE COLOR. (Página 146.) Versión original manuscrita en *AT*, fechada al pie «Febrero 9 o 10 [1923]»: v. 2, «durmiendo a la orilla»; v. 6, «movida y borrosa»; v. 7, «en el agua se copia mi camisa suelta», lección que Neruda corrigió sobre la marcha poniendo entre paréntesis «en» y «se copia» y escribiendo «retrata» sobre el verso; v. 13, «corazón de la tierra».

EL PUEBLO. (Página 147.) *Zig-Zag*, núm. 941, Santiago, 3.3.1923. Poema incorporado al libro desde la edición de 1926, en sustitución de «Égloga absurda».

FINAL. (Páginas 154-155.) *Claridad*, núm. 99, Santiago, 4.8.1923.

## Texto eliminado a partir de la 2.ª ed. (1926)

### *Égloga absurda*

Todos los versos que no he escrito
me van cantando en el corazón
con la sencillez de un pajarito
que al despertar da su canción.

Yo tengo el tiempo en las arterias
que desembocan en mi ser,
yo tengo en mí la noche seria,
el alba y el atardecer.

Cóncava copa de mis brazos
sostiene mi aroma espiritual,
oh maravilla esta del vaso
de carne unánime y sensual
que retoña en la poma sangrante
de la mejilla palpitante
y el pecho, caja de cristal...

Caja de cristal en donde
sensible y cálido se esconde
el pajarito del corazón
que canta un verso nunca escrito...

Oh canta y canta pajarito,
que está mi vida en tu canción!

# El hondero entusiasta

## Originales

Algunos originales manuscritos fueron conservados en *Álbum Terusa 1923*, documento transcrito en *Anales de la Universidad de Chile*, núm. 157-160 (1971), pp. 45-55. Primeros versos: «Déjame sueltas las manos», «Es cierto, amada mía, hermana mía, es cierto!», «Canción del macho y de la hembra!», «Cuando recuerdo que tienes que morirte» y «Amiga, no te mueras». De estos originales, los tres primeros corresponden a los poemas 6, 12 y 9 del libro. El cuarto permaneció inédito hasta la publicación de *AT** en *AUCh* (1971). El quinto es una versión embrionaria del poema 5.

Otros originales (manuscritos y dactiloscritos) fueron conservados por Albertina Azócar y publicados con posterioridad a la muerte de Neruda en dos diferentes compilaciones documentales: *Cartas de amor* y *Neruda Joven*. Primeros versos: «Eres toda de espumas delgadas y ligeras», «Siento tu ternura allegarse a mi tierra», «Sed de ti que me acosa en las noches hambrientas», «Amiga, no te mueras», «Alma mía! Alma mía! Raíz de mi sed viajera», «Llénate de mí», «Esclava mía, témeme. Ámame. Esclava mía!». De estos originales, los tres primeros corresponden a los poemas 3, 4 y 11 del libro y hay transcripción de ellos tanto en *CMR* como en *NJV*. Los sucesivos, que corresponden a los poemas 5, 7, 8 y 10, se transcriben sólo en *CMR*. La elegante y sofisticada edición *NJV* trae además facsímiles separados –y «realistas»– de cada uno de los originales transcritos (poemas y cartas).

## Composición

Desde comienzos de 1923, al menos desde febrero, hasta comienzos de 1924. El original manuscrito del poema 4, fechado «Marzo 1923», traía en un ángulo del reverso la fórmula *El Flechero Entusiasta*, probable título primitivo del proyecto. Importa señalar que los poemas conocidos del *Hondero* son los textos residuales de un *proyecto*: es decir, formaron parte de una serie de poemas *programáticamente* escritos a lo largo de 1923, en paralelismo con –y en

* Ver «Abreviaturas», pp. 1131-1132.

«oposición» a– la escritura en cambio *casual* de otros poemas que serán recogidos en *Veinte poemas de amor*. Eran los poemas del *Hondero* los que Neruda quería publicar bajo forma de libro en 1924
(para su vigésimo cumpleaños y para fundar su fama) y es muy probable que a fines de 1923 estuviera ya preparando un cuaderno con
los originales elegidos. Sólo en segundo o tercer término le interesaba reunir y publicar los textos que después (agregando otros nuevos) devendrán los *Veinte poemas de amor*. La respuesta positiva del
uruguayo Carlos Sabat Ercasty (a quien Neruda interrogó por carta
sobre si reconocía influencia de su poesía en los textos del *Hondero*
adjuntos) cambió los planes del poeta chileno. Herido en su orgullo
o, mejor, en la imagen idealizada de sí mismo que por entonces cul-
tivaba, a comienzos de 1924 Neruda abandonó a su suerte los textos
originales del proyecto *Hondero*, los relegó al olvido. Muchos se perdieron: «El libro original contenía un número mucho mayor de composiciones que, si faltan en este cuaderno, es porque se extraviaron
para siempre» (prólogo del autor a la 1.ª edición, enero de 1933).
«Este libro fue de sesenta o setenta largos poemas y, fuera de cuatro
publicados en *Dionysos* y uno salido en *Atenea*, los demás murieron
inéditos» («Refuta influencias indirectas», *La Nación*, Santiago, 14.10.1930: carta a Alone, fechada en Java, Indias Holandesas,
el 15.7.1930). Los dos citados testimonios de Neruda, a siete y a
nueve años de distancia de la escritura aludida, sugieren el recuerdo
de un voluminoso proyecto de libro. Otra carta a Alone (Hernán
Díaz Arrieta), pero de la segunda mitad de 1923, anunciaba en efecto: «He escrito un poco. Tengo "El hondero entusiasta", le enviaré
una copia, acúseme recibo. Seguirán en libros aparte: "La mujer del
hondero", "La ciudad del hondero" y "La trompeta en los bosques".
Poesía grande, pero pequeña delante de la que pienso» (cit. en *CMR*,
p. 81). La respuesta de Sabat Ercasty ahogó ese proyecto y determinó en cambio, como solución alternativa de repliegue, la publicación
de los *Veinte poemas* en junio de 1924.

Al regresar a Chile tras un largo «exilio» en Oriente (abril
1932), Neruda atravesó un año terrible en los planos económico,
afectivo y creativo. Peligraban su trabajo (?) en el Ministerio de
Relaciones Exteriores y su matrimonio. Situación deprimente. Para
compensar su crisis de esterilidad poética y el naufragio de sus nuevos esfuerzos, Neruda se dedicó a reeditar lo ya publicado (segunda edición de *Veinte poemas*, Nascimento, 1932) y a publicar lo ya
escrito (la primera *Residencia*, Nascimento, 1933). En esta óptica
se explica el desentierro del proyecto *Hondero* que a comienzos de
1924 había sepultado para siempre. Durante 1932 logró recupe-

rar, con la muy probable colaboración de su hermana Laura y de Albertina Azócar, los doce textos que constituirán el libro y a los cuales antepuso una «Advertencia» (fechada «Enero de 1933») que denunciaba su estado de ánimo aparte un cierto embarazo por tener que renegar de su antigua decisión al respecto.

## Ediciones principales

(1) *El hondero entusiasta 1923-1924*, Santiago, Empresa Letras, 1933 (enero 24), serie Cuadernos de Poesía, núm. 2, 34 pp. Fecha de impresión en solapa de cubierta: «24-I-1933». Empresa Letras era una editora popular (libros de difusión masiva a bajo precio) muy activa en Chile durante los años treinta (en competición con Ercilla y Zig-Zag). El opúsculo traía en la página 5 un retrato del poeta a tinta china, firmado Honorio, y en la misma página una «Advertencia del autor» fechada «Enero de 1933».

(2) *El hondero entusiasta 1923-1924*, Santiago, Empresa Letras, 1933 (mayo 5), serie Cuadernos de Poesía, núm. 2, segunda edición, 34 pp. En la solapa de cubierta: «5-V-1933». Reimpresión de la edición de enero 24, con esta diferencia gráfica: una caricatura firmada GEO (Georges Sauré), en lugar del retrato firmado Honorio, figuraba sobre la «Advertencia del autor» (que era la misma de la primera edición, de modo que cuando algunas ediciones posteriores –Ercilla 1938, e incluso OC 1957 y 1962– la reproduzcan a su vez llamándola «Advertencia a la segunda edición» se tratará sólo de un inútil equívoco). Las ediciones sucesivas del libro siguen hasta hoy el texto establecido por la *doble* primera edición de 1933.

(3) *El hondero entusiasta 1923-1924*, Santiago, Ercilla, 1938, colección Poetas de América, 86 pp. Edición reimpresa en 1940, 1941 y 1942. Que yo sepa, no hubo posteriores ediciones *autónomas* de este libro mientras vivió Neruda.

(4) *El hondero entusiasta. Tentativa del hombre infinito*, tomo 2 de *Obra poética de Pablo Neruda*, Santiago, Cruz del Sur, 1947. En esta edición los poemas traían como títulos las primeras palabras de cada verso inicial.

(5) *El hondero entusiasta*, en Pablo Neruda, *Poesías completas*, Buenos Aires, Losada, 1951, pp. 137-159. Por primera vez *HOE* se publicó fuera de Chile en esta compilación de Losada que precedió a la serie de *Obras completas* (1957, 1962, 1968, 1973).

(6) *El habitante y su esperanza. El hondero entusiasta. Tentativa*

*del hombre infinito. Anillos*, Buenos Aires, Losada, 1957 (enero), Biblioteca Contemporánea, núm. 271, 95 pp. *HOE*: pp. 27-51. Hay varias reimpresiones.

## Textos: anticipaciones y variantes

La historia de los textos conocidos de *El hondero entusiasta* es muy estable. Se pueden señalar sólo unas pocas variantes significativas en los originales manuscritos o dactiloscritos de *AT, CMR* y *NJV*.

[POEMA] 1. (Páginas 161-163.) Bajo el título «El hondero entusiasta» en *Atenea*, núm. 4, Concepción, Chile, julio 1924. Significativamente este poema fue el único de *HOE* excluido de la antología *Todo el amor* (Santiago, Nascimento, 1953), varias veces reeditada (cada vez con nuevos poemas) en vida de Neruda.

[POEMA] 2. (Páginas 163-165.) Incluido en Armando Donoso, ed., *Nuestros poetas*, antología, Santiago, Nascimento, 1924.

[POEMA] 3. (Páginas 165-166.) *CMR* y *NJV* reproducen el dactiloscrito original: v. 3, «resonancias y estrellas», el autor corrigió a mano «*de* estrellas»; vv. 13 y 24, «Sumérgeme en tu vida», «mi débil cabeza»: en estos versos tachó los términos *vida* y *débil* para sustituirlos a mano con los de *nido* y *estéril* definitivos. El dactiloscrito, que sigue el sistema ortográfico de Andrés Bello entonces común en Chile (*je* por *ge, i* por *y*), traía algunas correcciones de puntuación que serán definitivas.

[POEMA] 4. (Páginas 166-167.) *CMR, NJV*: Albertina conservó un precioso original manuscrito, fechado «Marzo 1923» y corregido por el autor: v. 4, «de mi afán gastado», tachó «gastado» y puso «de ti»; v. 17, tachó «mundo» como falso comienzo del verso; v. 21, tachó «de las hojas y el viento y la vida?» y escribió (con lápiz de otro color) el definitivo «de los vientos hambrientos y las hojas caídas?»; v. 25, «y latiendo sacude», tachó «sacude» y puso «se cimbra» (la ed. 1933 invirtió el orden: «se cimbra latiendo»); v. 35, tachó «que» y puso «y» al comienzo del verso; entre los vv. 43 y 44, eliminó con tachadura un verso que decía: «y torciéndose juntos como dos llamaradas»; v. 45, tachó «como los vinos ebrios al romperse las uvas» y escribió debajo el definitivo «como el licor del vino del centro de la uva». Al reverso del manuscrito Neruda escribió en un ángulo, en grandes caracteres y con lápiz verde: *El Flechero Entusiasta* (probable título original del proyecto).

[POEMA] 5. (Páginas 168-169.) — (1) Complejo y muy trabajado manuscrito, cuya reproducción es difícilmente legible en *CMR*: v. 7,

«Miro caer los frutos *en el viento cargado de bocas*», el autor tachó
y sustituyó: «[...] en la tierra sombría»; vv. 11-25, dispuestos en orden diverso al de la edición definitiva. — (2) *AT* traía sólo el fragmento inicial –embrionario e interrumpido– de una primera tentativa de composición del texto:

> Amiga, no te mueras!
> Escúchame estos gritos que me salen ardiendo
> y que nadie diría si yo no los dijera.
>
> Amiga, no te mueras!
>
> Yo soy el que te llama en la estrellada noche
> ebrio de amor, perdido de amor y de belleza.
> Sobre las hierbas verdes, cuando el viento solloza
> y abre las alas ebrias.
>
> Yo soy el que te acecha en la estrellada noche
> cuando danza la ronda de las sombras inmensas.
> Bajo el cielo del Sur, el que te nombra cuando
> el aire de la tarde como una boca besa.

[POEMA] 6. (Páginas 169-170.) — (1) Manuscrito en *AT*: v. 9,
«sacudiendo la selva»; v. 14, «hacia tu cuerpo, hacia la noche, hacia los astros», el autor tachó y debajo escribió «hacia tu cuerpo lleno, como la noche, de astros». — (2) *Dionysos*, núm. 1, Santiago,
diciembre 1923. Versión corregida. — (3) Armando Donoso, ed.,
*Nuestros poetas*, antología, Santiago, Nascimento, 1924.

[POEMA] 7. (Páginas 170-171.) Manuscrito original: reproducción difícilmente legible en *CMR*: entre los vv. 12 y 13 el autor eliminó con tachadura un verso que decía: «Ah ya me duelen todas las
voces que te alcanzan».

[POEMA] 8. (Páginas 171-173.) Manuscrito original: reproducción de difícil lectura en *CMR*: entre los vv. 8 y 9 el autor eliminó
con tachadura un verso que decía: «la hora tuya de este vértigo que
nos entrega juntos».

[POEMA] 9. (Páginas 173-174.) — (1) Manuscrito en *AT*: v. 5, «en
tu extendida carne»; vv. 11-14, respecto a la versión definitiva, inver-
tía los módulos comparativos: «Me recibes / como el surco a la siembra. / Te recibo / como al viento la vela». — (2) *Dionysos*, núm. 1,
Santiago, diciembre 1923. Versión corregida. — (3) Armando Donoso, ed., *Nuestros poetas*, antología, Santiago, Nascimento, 1924.

[POEMA] 10. (Página 174.) Manuscrito original: reproducción de difícil lectura en *CMR*: v. 7, «Fugante como un halo de nieblas perseguidas»; entre los vv. 7 y 8 el autor eliminó con tachaduras dos versos que decían: «Eres como la danza del sol en la [*ilegible*]. / Mi corazón, a veces, te busca y no te alcanza».

[POEMA] 11. (Páginas 174-175.) — (1) Manuscrito original: reproducción en *NJV* (facsímil) y en *CMR*: donde el v. 2 traía «Ávida mano roja» el autor tachó «Ávida» y escribió más arriba el «Trémula» definitivo; el v. 6 decía: «en viaje hacia mis ojos, entre todos los hombres», el autor tachó el segundo hemistiquio y abajo escribió el definitivo «esperándote entonces»; el v. 7 terminaba con «me siguen», el autor tachó «siguen» y debajo escribió «acechan»; el v. 21 decía «La boca tiene sed, para qué están tus labios», el autor tachó «boca» y «labios» y sustituyó ambos por «ojos», con lo cual evitó que el v. 22 fuese sólo una débil repetición. — (2) En *OC* 1973 el final v. 26 comenzaba «Y en *ello* se aniquila». Corrijo según el manuscrito original: «Y en *ella* [en la sed] se aniquila».

[POEMA] 12. (Páginas 175-176.) — (1) Manuscrito en *AT*: entre los vv. 8 y 9 de la versión definitiva, *AT* repetía el verso inicial: «Es cierto, amada mía, hermana mía, es cierto!», eliminado después; el final v. 13 comenzaba: «las pupilas que tengo», seguramente por desatención del autor (el v. 12 iniciaba con «las pupilas sedientas») que después procedió a sustituir con el definitivo: «estos ojos que tengo». — (2) *Dionysos*, núm. 1, Santiago, diciembre 1923. Versión corregida. — (3) Armando Donoso, ed., *Nuestros poetas*, antología, Santiago, Nascimento, 1924.

## Dos textos de la serie *Hondero* no recogidos por el libro

El primero de los dos poemas que siguen fue manuscrito por Neruda sólo en *AT*, en bien definida serie con los poemas 6, 9 y 12 –más el poema 5 en embrión– de *El hondero entusiasta*. Al momento de reunir los textos para la primera publicación de su libro, el *Álbum Terusa 1923* no era disponible para el poeta (que además muy probablemente lo había olvidado). Ello explicaría la exclusión del poema que ahora definitivamente rescatamos (antes lo publiqué en *AUCh*, núm. 157-160, 1971, pp. 51-52). El segundo fue publicado en el número 1 de la revista *Dionysos* (diciembre 1923), encabezando una serie de cuatro poemas sin títulos propios (reunidos bajo el título común *Poemas*) y designados por cifras: los poemas 2, 3 y 4 eran respectivamente –otra vez– los poemas 9, 12 y 6 de *El honde-*

*ro entusiasta.* Puesto que Neruda recordaba bien esta publicación de sus textos en *Dionysos* (ver carta del 15.7.1930 a Alone, arriba citada), cabe interrogarse en cambio por qué este segundo poema no fue recogido en *HOE* 1933. ¿Exclusión deliberada?

I

Cuando recuerdo que tienes que morirte
me dan deseos de no irme nunca,
de quedarme siempre!

Por qué vas a morirte? Cómo vas a morirte?

Te cerrarán los ojos, te juntarán las manos
como se las juntaron a mi madre al morirse,
y será el viaje, el hondo viaje que no conoces
y que yo no conozco porque tú me quisiste.

No te llevaré yo de la mano
y no descansarás en mis palabras tristes,
irás
como viniste,
sola, sin este cuerpo que arrullaron mis besos
y que se tragará la tierra en que dormiste.

Déjame poseerte para que en mí perdures,
deja que te cimbre el viento del corazón
y como una corola vácia tu perfume!

Bésame hasta el corazón.
Encuéntrame ahora para que después no me busques.
Entiérrate en los surcos que me van enterrando
y entrégate en mis frutos más altos y más dulces.
Que tus ojos se acaben de mirarse en los míos.
De llegar a mis labios que tus senos maduren.
Despréndete de mis canciones
como la lluvia de las nubes.
Sumérgete en las olas que de mí van naciendo.
Quémate para que me alumbres.

(*Álbum Terusa 1923*)

2

Mujer, quiero que seas como eres,
así surgiendo apenas de la oscuridad,
como te veo ahora, como nunca
más te veré.

Como nunca más. Por eso quiero
que seas como eres en este instante,
que se detenga el tiempo en tu mirada,
en este amor
que de ti se desprende como una fruta de una rama.

Inmóvil frente a mí, tú serás mi destino.
Yo, en cambio, no soy nada.
Soy la actitud mirante de todas las cosas
que hacia ti convergen y desde ti se apartan.

Soy el cerco apretado de musgos que rodea
la gloria del rosal que estalla,
o la cinta del río multiplicada en gotas
en cada piedra de las montañas.

Mujer, inútil el deseo
e inútiles todas las palabras.
Cambias como el dolor en el minuto,
como la luz en el agua.

Mírame mucho
en los ojos abiertos que cerraré mañana
para guardar en ellos tu mirada
contra el turbión del tiempo
que llueve siempre lágrimas!

(*Dionysos*, núm. 1, Santiago, diciembre 1923)

# Veinte poemas de amor
# y una canción desesperada

## Composición

El libro fue escrito entre 1923 y comienzos de 1924. En su última respuesta a Sabat Ercasty, fechada 14.2.1924 (ver arriba notas a *Hondero*), Neruda declaró: «He terminado aquí [Costa de Bajo Imperial = Puerto Saavedra] mi nuevo libro *Veinte poemas de amor y una canción desesperada*, que pienso publicar en el mes de abril», pero el ánimo de despecho que impregnaba la carta autoriza a leer el anuncio también como declaración de intenciones aún por realizar. De hecho *Veinte poemas de amor* no se publicó en abril sino en junio. Sabat Ercasty había «obligado» al poeta a renunciar al proyecto *Hondero* y a intentar una forma más ambiciosa para *VPA\**. Para ello tuvo que escribir textos integrativos, con seguridad el poema 1 y la reelaboración definitiva de una versión embrionaria (perdida) de «La canción desesperada», claves de la tardía estructuración del libro como parábola *narrativa* de una experiencia amorosa (desde el enamoramiento al desamor). La frase: «He terminado aquí mi nuevo libro» aludía no sólo a la escritura reciente o inminente de esos textos integrativos sino, sobre todo, a la fase final de reordenación, selección y disposición de todo el material pertinente (los textos amorosos circunstanciales, extraños a la programación del proyecto *Hondero*) según exigencias nuevas e imprevistas. Para detalles sobre esta importante transición remito a mi artículo «Neruda 1923: el año de la encrucijada», *Revista Chilena de Literatura*, núm. 40, Santiago, noviembre 1992, pp. 5-16; también en Nicola Bottiglieri y Gianna Carla Marras, eds., *A più voci / Omaggio a Dario Puccini*, Milano, Vanni Scheiwiller editore, 1994, pp. 259-272.

## Ediciones principales

(1) *Veinte poemas de amor y una canción desesperada*, Santiago, Nascimento, junio 1924, 96 pp. sin numerar. Algunos comentarios adversos al libro, en particular los escritos por Alone (*La Nación*, Santiago, 3.8.1924) y Mariano Latorre (*Zig-Zag*, Santiago,

---

\* Ver «Abreviaturas», pp. 1131-1132.

16.8.1924), provocaron la siguiente réplica de Neruda en *La Nación* del 20.8.1924:

*Exégesis y soledad*

Emprendí la más grande salida de mí mismo: la creación, queriendo iluminar las palabras. Diez años de tarea solitaria, que hacen con exactitud la mitad de mi vida, han hecho sucederse en mi expresión ritmos diversos, corrientes contrarias. Amarrándolos, trenzándolos sin hallar lo perdurable, porque no existe, ahí están *Veinte poemas de amor y una canción desesperada*. Dispersos como el pensamiento en su inasible variación, alegres y amargos, yo los he hecho y algo he sufrido haciéndolos. Sólo he cantado mi vida y el amor de algunas mujeres queridas, como quien comienza por saludar a gritos grandes la parte más cercana del mundo. Traté de agregar cada vez más la expresión de mi pensamiento y alguna victoria logré: me puse en cada cosa que salió de mí, con sinceridad y voluntad. Sin vacilar, gente honrada y desconocida –no empleados o pedagogos que me detestan personalmente– me han mostrado sus gestos cordiales, desde lejos. Sin darles importancia, concentrando mi fuerza para atajar la marea, no hice otra cosa que dar intensidad a mi trabajo. No me cansé de ninguna disciplina porque nunca la tuve: la ropa usada que conforma a los demás, me quedó chica o grande, y la reconocí sin mirarla. Buen meditador, mientras he vivido he dado alojamiento a demasiadas inquietudes para que éstas pasaran de golpe por lo que escribo. Sin mirar hacia ninguna dirección, libremente, inconteniblemente, se me soltaron mis poemas.

(2) *Veinte poemas de amor y una canción desesperada*, Santiago, Nascimento, junio 1932, 100 pp. Edición que Neruda preparó al regresar a Chile desde Oriente en 1932, revisando la primera en general y en importantes aspectos singulares: reelaboración de los poemas 2 y 4, sustitución del poema 9. Neruda asignó de hecho a esta segunda edición el estatuto de texto definitivo que las sucesivas ediciones reproducirán hasta hoy.

(3) *Veinte poemas de amor y una canción desesperada*, Buenos Aires, Tor, 1933. Célebre e importante edición pirata –reimpresa en 1934, 1938 y 1940 con el poema «Retrato de un poeta» de Lisardo Zía– que proyectó *VPA* a la fama internacional. Primera edición de un libro de Neruda fuera de Chile.

(4) *Veinte poemas de amor y una canción desesperada*, Santiago, Ercilla, enero 1938, 109 pp. Edición reimpresa en 1940, 1941 y 1942. Desde noviembre de 1934 (Anónimo, «El affaire Neruda-

Tagore», *Pro*, núm. 2) el poema 16 era tachado de ser el plagio de un poema de Rabindranath Tagore. A partir de tal «denuncia» hubo violentos ataques de prensa por parte de Pablo de Rokha, Vicente Huidobro, Alfonso Toledo Rojas y otros fiscales menores. En defensa de Neruda saltaron a la arena Tomás Lago, Diego Muñoz y Antonio Rocco del Campo. Esa batalla literaria –que fue sólo un episodio más en el itinerario de una larga guerra en la que Neruda participó sólo de soslayo– explica la advertencia del autor que encabezó esta edición, firmada P.N. y fechada «Santiago de Chile, / Diciembre, 1937»:

### Nota puesta a este libro en 1937

Metido todo el corazón en la guerra española, me sorprende la quinta vez que este libro va a las prensas sin tiempo para haberlo revisado siquiera. Una sola palabra final: el poema 16 es, en parte principal, paráfrasis de uno de Rabindranath Tagore, de *El Jardinero*. Esto ha sido siempre pública y publicadamente conocido. A los resentidos que intentaron aprovechar, en mi ausencia, esta circunstancia, les ha caído encima el olvido que les corresponde y la dura vitalidad de este libro adolescente. A mis queridos amigos, el gran escritor Diego Muñoz, a la centelleante inteligencia y nobleza de Tomás Lago, al corazón vivo y espléndido de Antonio Rocco del Campo va dedicada esta edición de un libro que ellos vieron salir de mí como planta irresistible o metal remoto que se determina.

(5) *Veinte poemas de amor y una canción desesperada*, Buenos Aires, Losada, 1944, 109 pp., BC, núm. 28. Reediciones BC en 1947, 1949, 1952, 1954, 1958.

(6) *Veinte poemas de amor y una canción desesperada*, tomo 3 de *Obra poética de Pablo Neruda*, Santiago, Cruz del Sur, 1947.

(7) *Veinte poemas de amor y una canción desesperada*, Buenos Aires, Pleamar, 1948 (diciembre), Colección Mirto, dirigida por Rafael Alberti. Edición ilustrada con 21 dibujos de Atilio Rossi.

(8) Texto completo en Pablo Neruda, *Todo el amor*, antología, Santiago, Nascimento, 1953 (abril). Lo mismo en las sucesivas ediciones, cada vez aumentadas, de esta antología: Nascimento, 1960; Losada, 1964 y 1968, ediciones encuadernadas, ilustradas con 23 dibujos de Silvio Baldessari; Losada, 1971, edición de bolsillo, BCC, núm. 377.

(9) *Veinte poemas de amor y una canción desesperada*, México, Editora Zarco, 1955, 107 pp. Edición no autorizada, índice de la creciente popularidad internacional del libro.

(10) *Veinte poemas de amor y una canción desesperada*, Buenos

Aires, Losada, 1956, 112 pp., colección Poetas de España y América. Ilustraciones de Raúl Soldi. Reediciones: 1961, 1966.

(11) *Veinte poemas de amor y una canción desesperada*, Buenos Aires, Losada, 1961 (junio), 120 pp., BC, núm. 28, 7.ª edición, conmemorativa «1.000.000 de ejemplares». Incluye: sobrecubierta especial; «Pequeña historia», nota en prosa especialmente escrita por Neruda para esta edición; facsímil del poema 20 manuscrito por el autor. Sin estos agregados, sucesivas reediciones normales en BC y BCC, núm. 28: 1963, 1965, 1966, 1967, 1968, 1969, 1970, 1971, 1972.

(12) *Veinte poemas de amor y una canción desesperada*, Santiago, Editorial Lord Cochrane, 1970, 150 pp. Edición de lujo, formato 41 × 40 cm, ilustrada con acuarelas de Mario Toral, 5.000 ejemplares numerados.

(13) *Veinte poemas de amor y una canción desesperada*, Buenos Aires, Losada, 1972 (diciembre), 124 pp., BCC, núm. 28, 17.ª edición, conmemorativa «2.000.000 de ejemplares». Ilustraciones de Raúl Soldi.

(14) *Veinte poemas de amor y una canción desesperada*, Buenos Aires, Torres Agüero Editor, 1974 (julio 12), 123 pp., colección Miniaturas del Andarín, núm. 2, formato 11 × 7 cm, con una nota de Margarita Aguirre e ilustraciones de Carlos Alonso.

(15) *Veinte poemas de amor y una canción desesperada*, Madrid, M. Montal editor, 1979. Edición de lujo, formato 50 × 36 cm, 200 ejemplares numerados que contienen 21 aguafuertes y 22 dibujos de Manuel Alcorlo, Carlos Alonso, José Caballero, José Hernández Quero, César Olmos y otros artistas. Textos de presentación de Rafael Alberti, José Donoso, Eduardo Galeano, Félix Grande, Juan Carlos Onetti, Luis Rosales y David Viñas.

(16) *Veinte poemas de amor y una canción desesperada*, edición, introducción y notas de Hugo Montes, Madrid, Editorial Castalia, 1987 (septiembre 2), 130 pp., colección Clásicos Castalia, núm. 160.

(17) *Veinte poemas de amor y una canción desesperada*, Santiago, Ismael Espinosa editor, 1988. Edición de lujo, formato 40 × 27 cm, ilustrada con 8 velaturas de Hernán Valdovinos. 500 ejemplares numerados, encuadernados en tela.

(18) *Veinte poemas de amor y una canción desesperada. A propósito de Pablo Neruda y su obra*, Bogotá, Editorial Norma, 1991, 52 + 119 pp., colección Cara y Cruz. Curioso volumen con dos ingresos: por la cubierta «Cara» se entra a la edición de *VPA*; por la cubierta «Cruz» a ensayos, cronologías y bibliografías pertinentes.

(19) *Veinte poemas de amor y una canción desesperada*, prólogo

de Jaime Ortiz [pseudónimo de Nicanor Vélez Ortiz], Barcelona, Círculo de Lectores, 1991, 123 pp.

(20) *Veinte poemas de amor y una canción desesperada*, Madrid, Alianza, 1994, 95 pp., colección Alianza Cien, núm. 22. Formato 14,5 × 10 cm.

(21) *Veinte poemas de amor y una canción desesperada*, edición, introducción, notas y actividades de Matías Barchino, Madrid, Editorial Bruño, 1994, 138 pp., colección Anaquel, núm. 34. Edición didáctica.

(22) *Veinte poemas de amor y una canción desesperada*, edición de Gabriele Morelli, Salamanca, Ediciones Colegio de España, 1995, 152 pp., Biblioteca Hispánica, núm. 31. Excelente edición crítica y anotada.

(23) *Veinte poemas de amor y una canción desesperada*, edición, introducción, notas y apéndice didáctico de José Carlos Rovira, Madrid, Editorial Espasa-Calpe, 1997, 245 pp., Colección Austral, núm. 400.

(24) *Veinte poemas de amor y una canción desesperada*, Barcelona, Boza Editor, 1997. Introducción de Antonio Skármeta. Edición de 67 ejemplares numerados, cada uno constituido por el libro de poemas más una *suite* de grabados de Pepe Yagües, todo ello dentro de una caja-escultura creada por el mismo artista, formato 25 × 25 cm.

A partir de 1944 y hasta la muerte del poeta el editor titular de sus libros fue Losada de Buenos Aires. Son prácticamente incontables las ediciones de *VPA* en español y las traducciones a todas las lenguas conocidas; entre ellas hay no pocas lujosamente impresas e ilustradas. Silencioso *best-seller* permanente, sus varios millones de ejemplares vendidos (y leídos) desde 1924 en todo el mundo hacen de *VPA* el libro de poesía más auténticamente popular del siglo xx. No hay que olvidar que este milagro de la cultura contemporánea fue producido por un muchacho que aún no cumplía 20 años. — Nuestra edición reproduce la de *OC* 1973, pero teniendo cuenta de la excelente edición crítica de *VPA* realizada por Gabriele Morelli (Salamanca, Ediciones Colegio de España, 1995).

Edición parcial

*Primeros poemas de amor*, Madrid, Ediciones Héroe, 1936, 32 pp. Opúsculo encuadernado, formato 12 × 10 cm. Contenido: poemas 1, 4, 9, 11, 13, 14, 17, 18 y «La canción desesperada» de *VPA*. Colofón: «Este libro se acabó de imprimir por Concha Méndez y Manuel Altolaguirre el 6 de marzo de 1936, en Viriato, 73, Madrid». Curiosa edición parcial –probablemente por lealtad a Nascimento– que además excluyó los más populares entre los veinte poemas (12, 15, 20). Su alto valor biobibliográfico es evidente, en particular por la identidad e importancia de los editores.

## Textos: anticipaciones, observaciones y variantes

Los poemas no mencionados en el siguiente elenco carecen de una historia de variantes significativas respecto a las versiones *VPA* 1924, *VPA* 1932 y *OC* 1973.

[POEMA] 1. (Página 179.) Escrito en los primeros meses de 1924, tras el abandono del proyecto *Hondero*, al cual remiten los vv. 7-8 como espacio *virtual* (y no *textual*, dado el aborto del libro) del pasado del Yo enunciador-protagonista, y también el v. 9 como situación actual de contraste.

[POEMA] 2. (Páginas 179-180.) El texto definitivo de 1932 fue una reelaboración (modulada y amplificada en lenguaje *residenciario*) del motivo enunciado en los primeros versos del muy diferente poema 2 de *VPA* 1924, del cual hay en *NJV* un original en facsímil, y que rezaba así:

> La última luz te envuelve
> en su llama mortal.
>
> Doliente. Seria. Absorta.
>
> Detrás de ti da vueltas
> el *carroussel* de las estrellas.
>
> Doliente. Absorta. Muda,
> estás diciendo una palabra inmensa.
>
> Doliente. Absorta. Pálida.
>
> Un racimo de sol
> me dice adiós desde tu vestido oscuro.
>
> Detrás de ti se aleja
> la hélice infinita del crepúsculo.

[POEMA] 4. (Página 181.) La versión definitiva de *VPA* 1932 sustituyó con sus cuatro últimos versos los dos conclusivos de la versión de *VPA* 1924 –anticipada en *Claridad*, núm. 109 (13.10.1923) bajo el título «La tempestad»– que decían:

> Viento que la retiene –tan pequeña y tan dulce!–
> como una hojita seca caída entre mis brazos.

De modo que la versión de 1932 aumentó a 14 versos los 12 de la versión de 1924. Los cuatro versos (11-14) que cerraron la versión de 1932 eran nuevos, de fresca escritura y, aunque se conectaban hábilmente a la vieja versión a través de la anáfora «Viento que...», no dejaban de denunciar su diversidad y su madurez (residenciarias) respecto al resto del poema. — Versión de *Claridad*, núm. 109, v. 3: «vagan las nubes»; *VPA* 1924 y 1932: «viajan las nubes».

[POEMA] 5. (Páginas 181-182.) *VPA* 1924, v. 12: «Éstas están huyendo». — *VPA* 1924 y 1932, v. 17: «para que tú *me* oigas». — *NJV* incluye facsímil de la copia carbón de un dactiloscrito original en papel seda con membrete «República de Chile / Ministerio de Instrucción Pública», sin firma y sin fecha, con la cifra 5 al margen izquierdo en alto, a modo de título del poema. El texto dactiloscrito coincide en todo con *VPA* 1932, particularmente en la corrección del v. 12 y en el modo de agrupar o separar los versos (cfr. notas al poema 5 en edición Morelli). Por lo cual, y por el detalle del membrete –referido al ministerio para el cual Neruda trabajó provisoriamente al regresar a Chile desde Oriente, en espera de un nuevo cargo consular–, presumo que se trata de una hoja desglosada del conjunto de una copia carbón de los originales entregados a Nascimento en 1932 para la segunda edición del libro. Hoja secretamente deslizada a las manos de Albertina, ahora casada, para quien la primera versión del poema había sido escrita en 1923.

[POEMA] 6. (Página 183.) *VPA* 1924, v. 4: «de su alma». — *VPA* 1924 y 1932, v. 6: «las horas recogían». — Hay versión primitiva del texto, con título «Pasado», en *Zig-Zag*, núm. 1.001 (26.4.1923):

> Te recuerdo como eras en el último otoño,
> eras la boina gris y el corazón en calma.
> En tus ojos peleaban las llamas del crepúsculo,
> y las hojas caían en el agua de tu alma.
>
> Dulce, doliente y dulce, aún amo a la de entonces.
> Cruzada de caminos, hecha de humo y distancia.

Hoguera de estupor en que mi sed ardía.
Triste jacinto azul torcido sobre mi alma.

Estás aún en mis brazos y aún como ayer me miras,
boina gris, voz de pájaro y corazón de casa,
hacia donde emigraban mis profundos anhelos
y caían mis besos alegres como brasas.

Cielo desde un navío, humo desde los cerros,
tu recuerdo es de luz, de agua, de estanque en calma.
En tus ojos ardían las llamas del crepúsculo.
Hojas secas de otoño giraban en tu alma.

[POEMA] 9. (Páginas 185-186.) Texto escrito en 1932, especialmente para la segunda edición de *VPA*. Muy probablemente concebido en cifrada relación a Albertina Rosa Azócar, su amante en 1923-1924, con quien tuvo secretos encuentros al regresar a Chile desde Oriente, en 1932. Encuentros secretos y además dolorosos porque durante el exilio del poeta Albertina Rosa se había casado con Ángel Cruchaga Santa María, gran poeta y buen amigo de Neruda, quien a su vez se había casado en Batavia con María Antonieta Hagenaar el 6.12.1930. (Toda la historia de las reticencias de Albertina en la «Introducción» y notas a mi edición crítica de *Residencia en la tierra*, Madrid, Cátedra, 1987.)

El oscuro sintagma *Ebrio de trementina* (verso 1) podría ser simplemente una irónica alusión a los vinos baratos, y por ello de calidad dudosa, que la escasez de dinero obligaba a Neruda y a sus amigos a beber en el Jote, el Hércules, el Venecia, el Bar Alemán y demás lugares de frecuentación nocturna durante 1932. Pero podría también ser la cifra o máscara (lúdica) de un hipotético *Ebrio de Albertina* (y de sus largos besos), completando la secreta alusión con las *rosas* (Albertina *Rosa*) de un cierto velero en el verso 2. En este último caso, la elección del término *trementina* se explicaría justamente porque su absurdidad en el contexto inicial del poema potenciaba la secreta consonancia con *Albertina*: un modo melancólicamente lúdico y oblicuo (muy nerudiano) de cifrar el nombre prohibido, así como veinte años más tarde los versos de un cierto Capitán cifrarán, además del propio, otro nombre no menos prohibido: Matilde. Durante ese terrible y desolado 1932 del regreso, la nostálgica relación con Albertina fue un desahogo emotivo que a su vez buscaba un desahogo poético practicable. Para ello Neruda habría introducido este «Ebrio de trementina», eliminando completamente el más débil de los textos de *VPA* 1924 sin intentar siquiera una versión corregida, como hizo en cambio con los poemas 2 y 4. Matilde Urrutia y Jorge Edwards recogieron en *RIV*, p. 119, bajo el título «El prisionero», el poema 9 de *VPA* 1924 eliminado (agregando en nota: «Neruda escribió el nuevo título en el manuscrito original») cuyo texto era:

> Fimbria rubia de un sol que no atardece nunca,
> que no se va, que aún amarilla el ambiente,
> con una humanidad de boca inmensa y pura
> que nos madura el alma besándonos la frente.
>
> Luminosa quietud de las cosas presentes.
> Silenciosa advertencia de las cosas lejanas:
> el dolor que renace junto al dolor que muere:
> sombra y lumbre que llegan por la misma ventana.
>
> Líbrame de tu amor, mujer lejana y bella,
> que por bella y lejana me dueles cada día.
> Rompe las claras cuerdas, suelta las blancas velas
> del barco que aprisionan tus manos todavía.
>
> Y oh minuto, no vuelvas a ser como ahora fuiste!
> Mi alma errante y nostálgica a toda sed se enreda.
> El mar inmenso y libre para nadie es más triste
> que para un barco atado por anclas de oro y seda!

[POEMA] 12. (Página 188.) Es el más antiguo de los poemas del libro. *VPA* 1932 conservó sin modificaciones de notar la versión de 1924, la cual en cambio ya había modificado una versión primitiva publicada bajo el título «Vaso de amor» en *Zig-Zag*, núm. 938 (10.2.1923) y cuyo texto era:

> Para mi corazón basta tu pecho,
> para tu libertad bastan mis alas.
> Desde mi boca llegará hasta el cielo
> lo que estaba dormido sobre tu alma.
>
> Recibe la ilusión de cada día,
> único lirio de mi obscuro huerto.
> Cierra los ojos ante su venida
> para que la recibas como un beso.

Así me encontrarás sin que me busques,
dentro de ti me encontrarás cantando.
Seré un camino que tu vida cruce.
A donde vayas te estaré esperando.

Que estás bordando, Amada, con mis sueños
este sendero en que camina mi alma.
Para mi corazón basta tu pecho
que tocará los astros con mis alas.

[POEMA] 14. (Páginas 189-190.) Anticipado bajo el título «Una poesía de Pablo Neruda» en *Claridad*, núm. 121, Santiago, mayo 1924. — *NJV* incluye facsímil de la copia carbón (defectuosa, poco legible) de un dactiloscrito sin firma, sin fecha ni título. Por los caracteres de la máquina de escribir, por el tipo de papel (que el facsímil repropone con propiedad y cuidado admirables) y por los dibujos a lápiz del reverso, deduzco que el original fue dactiloscrito en Temuco a fines de 1923 o a comienzos de 1924 (verano), quizás cuando Neruda no había renunciado aún al proyecto *Hondero*. Variantes de notar (aparte de las de puntuación): v. 3, «blanca cabecita que *apreto*», error gramatical presente en el facsímil *NJV*, subsistió en *VPA* 1924 y en *VPA* 1932; v. 15, el facsímil *NJV* traía «yo sólo puedo luchar *con* la fuerza de los hombres», *VPA* 1924 y 1932 precisaron: «luchar *contra* la fuerza»; sobre las variantes referidas a la disposición de los versos, cfr. edición Morelli.

[POEMA] 15. (Página 191.) Anticipado bajo el título «Poesía de su silencio» en *Zig-Zag*, núm. 985, Santiago, 5.1.1924. Las versiones de *VPA* 1924 y 1932 no presentan diferencias de notar entre ellas. Albertina conservó un precioso manuscrito sin fecha (probablemente: octubre 1923) que parece ser el primer borrador original, con tachaduras y correcciones sobre la marcha, y del cual *NJV* trae el facsímil. (Hago notar aquí un curioso cuanto lamentable defecto de *NJV*: en este caso –y sucede también en otros, p. ej. en el poema 14 y en «Lamento Lento»– la reproducción tipográfica del poema, p. 81, no corresponde al texto del manuscrito reproducido aparte en facsímil, como sería lógico esperar puesto que el editor mismo de *NJV* describe así el documento, p. 82: «Escrito en la tinta verde que empleara muchas veces y al reverso de una guía de equipajes de ferrocarril, presenta todas las correciones que el poeta le hiciera. Deteriorado por el paso del tiempo, el *Poema del silencio* es, sin duda, el más valioso documento de cuantos se conservan». Tiene razón el editor, y sin embargo es tal su desatención al «más valioso documento» que incluso equivoca el título que el manuscrito da al texto: «Poema de su silencio», no «Poema del silencio». Todo ello, tras haber dedicado la página anterior (81) a la banal –por poco interesante en este caso– reproducción de la versión canónica del poema 15, la que aparece en todas las normales ediciones de *VPA* y en las *OC* de Losada, o sea la misma que reproducimos en el presente volumen. Ignorando completamente, nuestro editor, la versión del precioso manuscrito que cuidadosamente, menos mal, él mismo había reproducido aparte en «realista» magnífico facsímil. Versión cuyo proceso de elaboración –visible en el texto y de excepcional interés no sólo por las variantes– examino a continuación.)

Facsímil *NJV* del manuscrito. Doble título del poema: en alto a la derecha: «Poema de su Silencio»; al centro, con escritura más grande: «Mariposa de Sueño». Verso 5: «Eres tal vez del viento que cantando se aleja», tentativa que el autor desechó, tachándola para proponer inmediatamente debajo el v. 5 definitivo: «Como todas las cosas están llenas de mi alma», verso que puso a Neruda en la justa escritura de las estrofas segunda y tercera. Pero no todavía de la cuarta, que decía:

> Déjame que te hable también con tu silencio
> claro como una lámpara, simple como un anillo.
> No voy a interrumpirte para que calles mucho
> y todo sea mío, tu silencio sencillo.

*VPA* 1924 sustituirá en efecto los dos últimos versos. Seguía una estrofa que *VPA* 1924 justamente eliminó:

> (¿Cómo callabas antes, cuando eras más pequeña?
> Así se te quedaban las manos sobre el pecho?)
> (Si tú no me lo dices tendré que preguntárselo
> a tu hermano, el poeta que se fue para México.)

El último verso aludía a Rubén Azócar, efectivamente en México por entonces (1923). A continuación el manuscrito registró –visualizó, mostró «en directa» como diríamos hoy– el interesantísimo proceso de elaboración de la última estrofa del poema 15. En un primer momento Neruda escribió:

> Me gustas cuando callas porque estás como ausente,
> porque estás como en viaje. Como si hubieras muerto.

Tachado por el autor el segundo de estos dos versos, la estrofa pasó a configurarse provisoriamente así:

Me gustas cuando callas porque estás como ausente,
tan callada y tan pálida como si hubieras muerto
y como yo le tengo tanto miedo a la muerte
después estoy alegre de que no sea cierto.

Aún insatisfecho, Neruda tachó los tres últimos versos y probó entonces una nueva solución, la última que registra el manuscrito:

Me gustas cuando callas porque estás como ausente,
dolorosa y distante como si hubieras muerto.
Una sonrisa entonces, y una palabra, bastan.
Y estoy alegre, alegre de que no sea cierto.

Todavía un par de inversiones en el orden de los términos y el poeta alcanzará la estrofa que buscaba. El manuscrito muestra en particular cómo Neruda llegó a ese verso final, tan sorprendente cuanto sugestivo en la forma definitiva del poema, resultante de la acertadísima eliminación del verso que daba lógica y prosaica cuenta del porqué el poeta está «alegre, alegre de que no sea cierto». Al desaparecer la explícita aclaración inclusa en la penúltima tentativa de escritura de la estrofa, el verso final adquirió esa fuerza de sugestión que le conocemos.

Pocos manuscritos de Neruda testimonian como éste la intensidad de su escribir, la batalla para superar los límites y obstáculos, «un desarrollo en la oscuridad, un aproximarse a las cosas con enorme dificultad para definirlas» (Neruda, 1964) y, en fin, un salto de calidad poética sorprendido en su actuación misma. Nada mal, tratándose de un muchacho de 19 años.

[POEMA] 16. (Páginas 191-192.) «[...] el poema 16 es, en parte principal, paráfrasis de uno de Rabindranath Tagore, de *El jardinero*. Esto ha sido siempre pública y publicadamente conocido» (de la «Nota» a *VPA* 1938). En 1934 este poema 16 había determinado que algunos enemigos de Neruda (en conexión con Vicente Huidobro y con Pablo de Rokha) lo acusaran públicamente de plagio. Neruda respondió desde Madrid con el violentísimo «Aquí estoy» de 1935 que circuló anónimo y clandestino en Santiago (la condición diplomática impedía el reconocimiento del texto). Ahora bien, dos textos de *La cosecha* de Tagore transcritos de propia mano por Neruda (con indicación al pie sobre el origen de los tex-

tos) abren el *Álbum Terusa 1923*. Ellos documentan que Neruda
no mintió al declarar años más tarde haber escrito el poema 16
para complacer (o para impresionar) a una muchacha que amaba
leer al poeta bengalí.

[POEMA] 20. (Páginas 195-196.) Anticipado bajo el título «Tristeza a la orilla de la noche» en *Claridad*, núm. 115, Santiago, 24.11.1923. Dentro de la parábola *narrativa* que los *VPA* desa-
rrollaron, correspondió al poema 20 registrar el fin de la historia.
La amada ya no está («ella no está conmigo»), pero a la muerte del
amor *algo* ha sobrevivido: el ejercicio mismo de la poesía: «Puedo
escribir los versos más tristes esta noche». Al *quiero* voluntarioso
del poema 5 (afín al *quiero* arrogante del *Hondero*) el poema 20
opuso un *puedo* cuya modestia fue la clave del triunfo verdadero.
Desde aquel «*Quiero* que [mis palabras] digan lo que *quiero* decirte» (poema 5) a este «*Puedo* escribir los versos más tristes esta noche» (poema 20), una nueva *ars poetica* maduró en el decurso de la
*narración* del amor.

LA CANCIÓN DESESPERADA. (Páginas 197-199.) Como el poema 1, esta *canción desesperada* (propuesta como *epílogo* de la historia de amor) adquirió su forma definitiva durante la fase final de
la escritura y organización de los *Veinte poemas*, posterior a la respuesta de Sabat Ercasty (no excluyo una versión embrionaria precedente, después destruida o perdida). *NJV* incluye el facsímil de una
tarjeta postal enviada por Neruda a Albertina desde Puerto Saavedra [Bajo Imperial] con fecha 5 de febrero [1924]: «Tu carta llegó
en el último vapor, en el más pequeño, el *Saturno* [desde Carahue
por vía fluvial]. Tú sabes, esta es una costa abandonada, triste, escribe más a este Abandonado. [...] No estudio, pero trabajo: he terminado un libro de versos y estoy satisfecho y alegre». En los datos
contenidos en estas pocas líneas había resonancias notorias, muy
características y reconocibles, de «La canción desesperada»:

> Emerge tu recuerdo de la noche en que estoy.
> El río anuda al mar su lamento obstinado.
>
> Abandonado como los muelles en el alba.
> Es la hora de partir, oh abandonado!

# Tentativa del hombre infinito

## Composición

Desde fines de 1924 hasta no más allá de octubre de 1925 Neruda escribió los quince textos de este libro, que se terminó de imprimir en las últimas semanas de ese año. Su escritura tuvo conexión sentimental al menos con dos figuras femeninas: una persistente, Albertina Azócar; la otra efímera y poco conocida, Laura Arrué (que hacia fines de la década se casó con Homero Arce, también amigo de Neruda como Ángel Cruchaga Santa María, el poeta que esposó a Albertina en ese mismo período). Gracias a ellas disponemos de dos originales manuscritos de *THI*\*, correspondientes a los poemas (o fragmentos del *poema* global) que comienzan: «al lado de mí mismo señorita enamorada» en una carta a Albertina (facsímil en *NJV*; transcrito en *CMR*); «cuando aproximo el cielo con las manos» en un álbum de Laura que forma parte de la nerudiana personal de Robert Pring-Mill (hay reproducción facsimilar en *AUCh*, 1971).

## Ediciones principales

(1) *Tentativa del hombre infinito*, Santiago de Chile, Editorial Nascimento, 1926 (enero), 44 pp. sin numerar. En p. 5: *poema de pablo neruda*. Texto dividido en 15 partes separadas por espacios blancos e impresas sin signos de puntuación ni mayúsculas. En realidad el libro se terminó de imprimir en diciembre de 1925. Hasta 1964 no habrá otra edición autónoma de esta breve compilación.

(2) *Tentativa del hombre infinito*, texto completo en Pablo Neruda, *Selección*, importante antología organizada y anotada por Arturo Aldunate Phillips, Santiago, Nascimento, 1943. Texto completo también en la 2.ª edición aumentada, Santiago, Nascimento, 1949.

(3) *Tentativa del hombre infinito*, texto completo en el tomo 2 de *Obra poética de Pablo Neruda*, Santiago, Cruz del Sur, 1947.

(4) *Tentativa del hombre infinito*, en Pablo Neruda, *Poesías completas*, Buenos Aires, Losada, 1951. Primera impresión fuera de Chile.

(5) *Tentativa del hombre infinito*, en Pablo Neruda, *Obras completas*, Buenos Aires, Losada, 1957 (enero). Ediciones 1962, 1968, 1973.

\* Ver «Abreviaturas», pp. 1131-1132.

(6) *Tentativa del hombre infinito*, en Pablo Neruda, *El habitante y su esperanza. El hondero entusiasta. Tentativa del hombre infinito. Anillos*, Buenos Aires, Losada, 1957 (enero), BC, núm. 271. Este volumen compilativo fue de hecho un *separatum* extraído de la contemporánea primera edición de *Obras completas*, Buenos Aires, Losada, 1957 (enero). Ediciones sucesivas en BC y BCC, núm. 271: 1964, 1968.

(7) *Tentativa del hombre infinito*, Santiago de Chile, Editorial Orbe, junio 1964, 47 pp., colección El Viento en la Llama, 2.ª serie, núm. 8, edición y nota bibliográfica de Jorge Sanhueza. Al cabo de 38 años, finalmente otra edición independiente, bastante fiable a pesar de algunos descuidos de detalle que señalo más abajo.

Nuestra edición se basa en *THI* 1926 (y teniendo cuenta de *THI* 1964), entre otras cosas porque la transcripción de *THI* en la última edición Losada de *Obras completas* (*OC* 1973) es particularmente descuidada, sobre todo en el establecimiento de los límites de los textos (así el fragmento 13 cuyo primer verso es «veo una abeja rondando no existe esa abeja ahora»). Pero nadie que intente editar el libro restará libre de pecados, si damos crédito a lo que el poeta recordará muchos años después:

> Ciertas erratas del pasado me traen la nostalgia de calles y caminos que ya no existen. Se trata de las que se conservan aún en las reimpresiones de mi libro *Tentativa del hombre infinito*.
>
> Por aquel tiempo abolíamos, como ahora se vuelve a hacer, signos y puntuación. Queríamos, en nuestra poesía, una pureza irreductible, lo más aproximado a la desnudez del pensamiento, al íntimo trabajo del alma.
>
> Así, cuando tuve en mis manos las primeras pruebas de aquel pequeño libro que editaba don Carlos Nascimento, divisé con placer un cardumen de erratas que palpitaban entre mis versos. En vez de corregirlas devolví intactas las pruebas a don Carlos, que, asombrado, me dijo:
>
> –¿Ninguna errata?
>
> –Las hay y las dejo –respondí con soberbia.
>
> («Erratas y erratones», *Ercilla*, núm. 1.782, Santiago, 13.8.1969, y en *Para nacer he nacido*, 1974, p. 246.)

## Textos: anticipaciones y variantes

La primera edición traía en p. 5: *poema de pablo neruda*, con lo cual el ánimo vanguardista del autor –transitoriamente extremo en esta ocasión– quiso proponer el libro como un poema único dividido en 15 partes o fragmentos, y no como una compilación de poemas. Aparte los espacios blancos de separación entre dichas partes, el texto no traía signos de puntuación ni mayúsculas. Pero la *Tentativa* no había sido escrita como un único poema sino como textos más o menos independientes a los que el autor impuso *a posteriori* un diseño formal arbitrario, convencionalmente unificante y al mismo tiempo abierto por ambos extremos, sugiriendo un solo texto sin comienzo ni fin (*infinito*, precisamente). A decir verdad ni siquiera el poeta mismo creía mucho en su propia convención, como lo prueban la inserción (más o menos «normalizada») de algunos fragmentos en cartas a sus mujeres y/o las publicaciones separadas de los mismos o de otros fragmentos. Los textos no incluidos en el siguiente elenco carecen de una significativa historia de variantes respecto a la versión de *THI* 1926 que aquí sigo.

[CIUDAD DESDE LOS CERROS...] (Página 203.) *OC* 1973: v. 9, «el pasto de tréboles negros».

[ESTRELLA RETARDADA...] (Página 204.) *OC* 1973: v. 8, «se da vuelta la noche».

[NO SÉ HACER EL CANTO DE LOS DÍAS...] (Páginas 205-206.) *THI* 1926: v. 7, «los planetas dan vuelta como husos entusiastas» (en este caso he preferido las lecciones de *THI* 1964 y *OC* 1973: *vueltas*). — *OC* 1973: v. 12, «hacia dónde».

[TORCIENDO HACIA ESE LADO...] (Páginas 206-207.) En *La Nación*, Santiago (23.1.1925), bajo el título «Un poema de Pablo Neruda» hay versión que difiere de *THI* 1926 y 1964 en lo siguiente: v. 11, «blancas ruedas de piedra»; v. 14, «moviéndose a la orilla de las redes»; v. 15, «tu cabeza venciéndose»; entre los vv. 17 y 18 hay tres versos que fueron eliminados por *THI* 1926: «tu cuerpo corre debajo de mi mano / la tarde se construye debajo de los árboles / porque te apoyas a ese lado fatigada querida»; en lugar de los vv. 20-21 definitivos, cuatro versos que fueron eliminados –casi completamente– por *THI* 1926: «grandes correas de viento fustigan el día retrasado / cascabeles a ese lado de la montaña / es que ese país sólo nos pertenece / y cada día levantamos el alba con las manos». — *THI* 1964, v. 2: «tus sonrisas».

[CUANDO APROXIMO EL CIELO CON LAS MANOS...] (Página 207.) *AUCh*, pp. 157-160 (1971) trae la reproducción fotográfica del original manuscrito por Neruda en el álbum de Laura Arrué, fechado «Santiago 26 de julio de 1925», cuya versión difiere de *THI* 1926 y 1964 en lo siguiente: v. 4, «gira el año de los calendarios y caen los días del mundo como hojas»; v. 6, «ahora el sur mojado o verde no me acuerdo»; en v. 12 falta «y» tras «parientes». — Hay anticipación en la revista *Andamios*, núm. 2, Santiago (enero 1925), que no he podido consultar. — *OC* 1973: invierte el orden de los vv. 3-4.

[AL LADO DE MÍ MISMO SEÑORITA ENAMORADA...] (Páginas 207-208.) La versión manuscrita por Neruda en carta sin fecha a
Albertina (facsímil en *NJV*, transcripción en *NJV* y en *CMR*) es una
versión parcialmente «normalizada» con algunos signos de puntuación y con algunas mayúsculas, sin duda para facilitar la lectura de
la destinataria. La misma versión, pero no *normalizada*, se publicó en
la revista *Dínamo*, núm. 1, Concepción (1925), bajo el título «Canción para su destino». *Dínamo* transcribió sin duda el verdadero original del texto en esa fase de la elaboración de *THI*, actualizando la
constante voluntad de vanguardismo formal que gobernó la escritura
del libro. Por lo cual los signos de *normalización* en el manuscrito
son, en rigor, desestimables, aunque a veces pueden aclarar la intención del texto, como es el caso del interrogativo que cierra el v. 2:
«quién sino tú como el alambre ebrio es una canción sin título?». —
Variantes (comunes a ambas versiones, salvo cuando se precisa diversamente): v. 13, «y te beso la boca mojada *de* crepúsculo»; v. 15, tanto el editor de *NJV* como el de *CMR* leen mal la palabra *criaría* que
trae el manuscrito (y que traen también *Dínamo* y *THI* 1926 y 1964)
y ambos transcriben «Para significarte *amaina* una espiga»: la curiosa coincidencia sobre *amaina*, término no frecuentísimo, indicaría
que muy probablemente el editor de *NJV*, con dificultad para descifrar en este punto la grafía del manuscrito, en vez de acudir a *OC* o a
cualquiera edición de *THI* consultó y repitió la equivocada lectura de
*CMR*, publicada antes; v. 22, «eres la luz distante que madura las frutas»; v. 24, «listo para la gran partida»; v. 25, falta el segmento «navío siempre en viaje» que cierra el verso y el poema. — *THI* 1964 y
*OC* 1973: v. 6, «en la noche de paredes azules *altas* sobre tu frente».

[ADMITIENDO EL CIELO...] (Páginas 209-210.) Presumo que la
publicación de este fragmento en el número 3 de *Caballo de Bastos*
(1925), título «Canto de las ansiedades», se basó en un original
apenas anterior al que Neruda entregó a Nascimento, pues no trae
variantes respecto a *THI* 1926 salvo ese *denantes* que encabeza
el v. 14: «denantes el cielo era una gota».

[VEO UNA ABEJA RONDANDO...]. (Páginas 210-212.) Fragmento
publicado también por *Caballo de Bastos*, núm. 3 (1925), título
«Poesía escrita de noche», con variantes que parecen confirmar un
original muy poco anterior al de *THI* 1926: v. 2, «mientras golpeas»; v. 26, «veo llenarse las paredes de caracoles». *CDB* fue una
revista que sustituyó a *Andamios* a partir de este número 3 arriba
mencionado, único que dirigió Pablo Neruda. — *THI* 1964: v. 7,

«estrellas»; v. 26, «como orillas de buque». (*CDB* 1925, *THI* 1926 y *OC* 1973: «estrella», «buques»). — *OC* 1973 (p. 112-113) equivoca el comienzo de este fragmento. — *OC* 1973: v. 30, «mi cinturón da muchas veces», donde *CDB* 1925 y *THI* 1926 y 1964 traen: «mi cinturón da *vuelta* muchas veces». — Problema en v. 2: *THI* 1926 dice «*golpes*» por errata, pero el tipógrafo ¿puso la «s» en lugar de la «a» (de *golpea*) u omitió la *a* (de *golpeas*)? *THI* 1964 y *OC* 1973 reportan «golpea». Arriesgo preferir la lección *golpeas* de *CDB* en cuanto versión prácticamente contemporánea a *THI* 1926.

# El habitante y su esperanza

## Composición

Texto en prosa, breve narración (extensión de cuento largo, estructura de novela corta) modulada en clave poética y simbólica, escrita casi por entero en Ancud, isla de Chiloé (a más de mil kilómetros al sur de Santiago), donde Neruda pasó algunos meses –durante la segunda mitad de 1925 y comienzos de 1926– por invitación de su amigo Rubén Azócar, recién nombrado profesor de castellano en el liceo de la ciudad. Relato de ambiente rural (en el extratexto: la costa de Puerto Saavedra, la provinciana Ancud) pero extraño a las mundonovistas *novelas de la tierra* del período (Gallegos, Rivera, Güiraldes, Latorre) y próximo en cambio a la prosa de vanguardia emergente. En la elaboración del texto se advierten indicios de lecturas-guías, en particular de *Los cuadernos de Malte Laurids Brigge* de Rilke (por entonces Neruda tradujo para *Claridad* un fragmento de ese libro) y de la novela *Mon frère Yves* de Pierre Loti (ver epígrafe al fragmento XIV).

## Ediciones

(1) *El habitante y su esperanza. Novela*, Santiago de Chile, Nascimento, 1926, 76 pp., con prólogo del autor.

(2) *El habitante y su esperanza. Novela*, Santiago de Chile, Ediciones Ercilla, 1939, 76 pp., reimpresa en 1940. El libro no tuvo otras ediciones autónomas en vida del autor.

(3) *El habitante y su esperanza. Anillos*, en tomo 4 de *Obra poética de Pablo Neruda*, Santiago, Cruz del Sur, 1947.

(4) *El habitante y su esperanza*, en Pablo Neruda, *Poesías completas*, Buenos Aires, Losada, 1951.

(5) *El habitante y su esperanza*, en Pablo Neruda, *Obras completas*, Buenos Aires, Losada, 1957 (enero). Ediciones sucesivas: 1962, 1968, 1973.

(6) *El habitante y su esperanza*, en Pablo Neruda, *El habitante y su esperanza. El hondero entusiasta. Tentativa del hombre infinito. Anillos*, Buenos Aires, Losada, 1957 (enero), BC, núm. 271. Ediciones sucesivas: 1964, 1968.

(7) *El habitante y su esperanza*, en Pablo Neruda, *El hondero entusiasta y otras obras [Anillos. Tentativa del hombre infinito. El habitante y su esperanza]*, Buenos Aires, Torres Agüero Editor, 1974 (julio 12), colección Miniaturas del Andarín, núm. 3, con notas de Margarita Aguirre e ilustraciones de Carlos Alonso.

## El texto

Establecido desde la primera edición, será reproducido sin modificaciones significativas en las posteriores. Se compone de quince fragmentos (o capítulos) numerados de I a XV y precedidos por un «Prólogo» (*HYE* 1939: «Prólogo a la primera edición»). El prólogo subrayó, en el contexto de una cierta fase del desarrollo de la poética y de la escritura del joven Neruda, la distinción entre alta y baja cultura por un lado, y por otro la asunción personal de una visión democrático-revolucionaria del mundo y de la historia. Aspectos caracterizantes, ambos, de la modernidad literaria del siglo XX por entonces en irrupción en todo el ámbito de la cultura occidental.

*Cantalao*. Topónimo ficticio (como Macondo) con sufijo vagamente mapuche que conecta el espacio narrativo (dominante) al de la *provincia de la infancia*, o sea a la Frontera y en particular a la zona costera de Puerto Saavedra.

*Florencio Rivas*. Amigo del Narrador-Protagonista, socio en actividades ilegales. Ambos personajes son cuatreros. Pero Rivas encarna al auténtico Hombre de Acción que el Narrador-Protagonista querría *también* ser, por lo cual configura su Antagonista y al mismo tiempo su *alter ego*. A fines de 1924 y comienzos de 1925 Neruda publicó en *Claridad*, bajo el pseudónimo Lorenzo Rivas, algunos poemas que tendían a integrar una controlada escritura de vanguardia con preocupaciones cívicas y nacionales (cfr. *RIV*, pp. 123-124). La relación *hermano mayor / hermano menor* entre el Capitán y el marinero Yves, personajes de la novela *Mon frère Yves* (menciona-

da en el epígrafe al fragmento xɪv), podría haber sugerido la representación de la *amistad/conflicto* entre Florencio Rivas y el Narrador-Protagonista.

[fragmento] ɪv. (Página 221.) El habitual uso poético y/o lúdico del material autobiográfico en Neruda autoriza a leer la mención
de un tal Diego Cóper, «también cuatrero, hombre altanero, de aire
orgulloso», como un guiño al amigo, escritor y compañero de parran-
das Diego Muñoz (cuyas presencia y carácter incluían los rasgos indicados), mientras se sabe de cierto que la mención hostil del tal
«Rojas Carrasco, tipo gordo, sucio, que no sé qué líos tiene con la
policía rural» [notar: *no* los líos de un cuatrero, no es uno de noso-
tros] caricaturizaba al profesor Guillermo Rojas Carrasco, al que
Neruda nunca perdonó haberle negado el primer premio en el concurso Juegos Florales del Maule de 1919 en Cauquenes (su poema
«Comunión Ideal», presentado bajo el pseudónimo Kundalini, obtuvo sólo el tercer lugar por presión de Rojas Carrasco, miembro
del jurado, que con escaso olfato prefirió dos de otros poetas).

[fragmento] v. (Páginas 221-222.) En la misma línea poético-
lúdica se sitúa la inserción ficticia del amigo Tomás Lago con quien
Neruda está publicando *Anillos*, reconocible además por el trata-
miento de *usted* que siempre, muy chilenamente, marcó la estrecha
fraternidad entre ellos. *Las Vásquez*: la alusión remite al espacio de
Bajo Imperial (= Puerto Saavedra) donde la familia de Teresa Vásquez (la Marisol de *Veinte Poemas*) tenía una casa.

[fragmento] vɪ. (Páginas 222-223.) Repongo la frase final,
«Pero la noche es larga», que OC 1973 omitió.

[fragmento] x. (Páginas 226-227.) A través del nombre y figura de José Silva, y dentro del juego característico del texto, tal vez quiso Neruda aludir al amigo Álvaro Hinojosa, pseudónimo Álvaro de
*Silva*, uno de los modelos de la figura de Florencio Rivas (ver el me-
dallón «Álvaro» en *Confieso que he vivido*, pp. 107-108).

[fragmento] xɪ. (Páginas 227-229.) Ficción elaborada sobre el
período que Neruda vivió en Ancud con su amigo Rubén Azócar,
que sería el Andrés del comienzo.

[fragmento] xv. (Páginas 233-235.) En el párrafo 4 *HYE* 1926
trae la frase: «Entonces tomé el hacha de mi compañera» (que repiten todas las ediciones), cuyo término final me parece necesario co-
rregir: *compañero*, pues alude al hacha de Florencio (más arriba llamado «mi antiguo compañero», párr. 2) que duerme.

# Anillos

## Composición

La estructura de *Anillos* dispuso en alternancia 21 prosas breves de Pablo Neruda y de Tomás Lago. Las 11 de Neruda fueron escritas: (a) en 1924: «El otoño de las enredaderas», «Primavera de agosto», «Provincia de la infancia» y «Atardecer»; (b) en 1925: «Imperial del Sur», «Alabanzas del día mejor» y «Soledad de los pueblos»; (c) en 1926: «Desaparición y muerte de un gato», «T.L. [Tomás Lago]», «Tristeza» y «La querida del alférez». Es bien advertible la evolución estilística de la escritura de Neruda a través de las tres fases.

## Ediciones

(1) *Anillos. Prosas de Pablo Neruda y Tomás Lago*, Santiago de Chile, Nascimento, 1926, 103 pp. Este libro no fue reeditado en su forma original durante las vidas de sus autores. Todas las 11 prosas de Neruda fueron recogidas en diversas compilaciones bajo el título *Anillos* –excluyendo las prosas de Tomás Lago– pero no fueron publicadas en volumen autónomo. La singular condición editorial de *Anillos* se repetirá, decenios más tarde, con el volumen *Comiendo en Hungría* (1969), resultante de una posmoderna colaboración entre Neruda y Miguel Ángel Asturias.

(2) *El habitante y su esperanza. Anillos*, tomo 4 de *Obra poética de Pablo Neruda*, Santiago, Cruz del Sur, 1947.

(3) *Anillos*, en Pablo Neruda, *Poesías completas*, Buenos Aires, Losada, 1951.

(4) *Anillos*, en Pablo Neruda, *Obras completas*, Buenos Aires, Losada, 1957 (enero). Ediciones sucesivas: 1962, 1968, 1973.

(5) *Anillos*, en Pablo Neruda, *El habitante y su esperanza. El hondero entusiasta. Tentativa del hombre infinito. Anillos*, Buenos Aires, Losada, 1957 (enero), BC*, núm. 271. Ediciones sucesivas: 1964, 1968.

(6) *Anillos*, en Pablo Neruda, *El hondero entusiasta y otras obras [Anillos. Tentativa del hombre infinito. El habitante y su esperanza]*, Buenos Aires, Torres Agüero Editor, 1974 (julio 12), colección

Miniaturas del Andarín, núm. 3, con notas de Margarita Aguirre e ilustraciones de Carlos Alonso.

(7) *Anillos. Prosas de Pablo Neruda y Tomás Lago*, Santiago, LOM Ediciones, 1997, 105 pp. Formato 20 × 20 cm. Segunda edición completa de las dos series de textos.

## Textos: anticipaciones y variantes

EL OTOÑO DE LAS ENREDADERAS. (Páginas 239-240.) *Zig-Zag*, núm. 1.009, Santiago, 21.6.1924.

IMPERIAL DEL SUR. (Páginas 240-241.) *El Mercurio*, Santiago, 1.3.1925. — *ANS* 1926, en párrafo 5, traía: «salpicado de techumbres rojas interceptado por sitios sin casas», sin la coma de *OC* 1973 tras «rojas» (corrección que acogemos).

PRIMAVERA DE AGOSTO. (Páginas 241-242.) Texto probablemente escrito hacia fines de agosto de 1924. En el primer párrafo *OC* 1973 (línea 8): «*desnudaste* sobre la palidez de los caminos, la pasional floresta de los aromos»; repongo el «*desanudaste*» original de *ANS* 1926, más en el espíritu del párrafo.

ALABANZAS DEL DÍA MEJOR. (Páginas 242-243.) *OC* 1973, párr. 4, línea 12: «Gerardo se mejora, el borracho, Tomás tiene una habitación»; pero *ANS* 1926, líneas 18-19: «Gerardo se mejora, el borracho Tomás tiene una habitación». Con la coma el borracho sería Gerardo; sin la coma, Tomás. Los referentes extratextuales de los nombres son los amigos de entonces Gerardo Seguel y Tomás Lago. Pero Tomás posee además un referente interior al libro: el personaje de la prosa «T.L.», del cual Neruda dice: «mi amigo con la botella negra y el cuchillo y la soledad»; «las copas vacías le cortan el semblante», y entonces por coherencia repongo la fórmula original de *ANS* 1926.

PROVINCIA DE LA INFANCIA. (Páginas 243-244.) Anticipación: «*Panorama del sur*: 1, Viaje; 2, Provincia de la infancia; 3, Atracción de la ciudad; 4, Volantín», en *El Mercurio*, Santiago, 19.10.1924. Esta publicación fue reproducida en *Boletín del Instituto de Literatura Chilena*, núm. 11, Santiago, diciembre 1965. Los textos 1, 3 y 4 no fueron recogidos en *Anillos*.

La anticipación de «Provincia de la infancia» era una redacción primitiva con algunas variantes de interés (que a continuación subrayo con la cursiva) respecto a las versiones reportadas por *ANS* 1926 y por *OC* 1973:

(1) «Pequeña *ciudadela* que forjé a fuerza de *sueño*, resurges»; *ANS* 1926 sustituyó *ciudadela* con *ciudad*, pero dejó *sueño*, que aquí corrijo según OC 1973: *sueños*; pero recuperando la coma original que OC 1973 eliminó;

(2) «pisando *piedras* y hierbas»; *ANS* 1926 y OC 1973: *tierras*;

(3) «Sin embargo, grande y oscura es tu sombra, provincia de mi infancia. *Grande y oscura, del lado del corazón, terreno de vientos subterráneos y umbelas apasionadas.* Grande y oscura tu sombra de aldea, besada por la fría travesía desteñida por el viento del norte»; *ANS* 1926 y OC 1973 eliminaron lo evidenciado; en lo que seguía, *ANS* 1926 introdujo comas en «Grande y oscura, tu sombra de aldea» (coma que aquí elimino por superflua) y en «besada por la travesía desteñida, por el viento del norte» (coma que aquí desplazo en función del sentido: «besada por la travesía, desteñida por el viento del norte»);

(4) «cuando de entre la humedad emerge el *buen* tiempo vacilando como una espiga»; ya *ANS* 1926 eliminó *buen*;

(5) «Aullaban, lloraban los trenes, perdidos en *los bosques*»; *ANS* 1926 y OC 1973: «perdidos en *el bosque*»; *ANS* 1926 traía «ahullaban», errata evidente;

(6) «Crujía la casa de tablas *acorralada* por la noche»; *ANS* 1926, «acorralada»; OC 1973, «acorraladas» por errata; repongo la forma original;

(7) «desesperado, violento, desertaba hacia el *sur*»; *ANS* 1926 y OC 1973, «hacia el mar»;

(8) «yo fui el *enamorado, el que* de la mano llevó a la señorita de grandes ojos»; siguiendo esta versión, repongo la coma que *ANS* 1926 y OC 1973 eliminaron por evidente error;

(9) «El niño que encaró la tempestad y crió debajo *de sus alas, amarga la boca*, ahora te sustenta»; *ANS* 1926 eliminó la coma tras *alas*; OC 1973: «y crió debajo de sus *alas amargas la boca*, ahora te sustenta»; corrijo según la lección de *ANS* 1926: «y crió debajo de sus alas amarga la boca» (= crió amarga la boca [el canto, la poesía] debajo de sus alas).

SOLEDAD DE LOS PUEBLOS. (Páginas 244-246.) — (1) OC 1973, en párr. 1, líneas 5-6: «como un aro de metales oscuros, lanzado desde el norte»; elimino la coma según *ANS* 1926, líneas 8-9. — (2) *ANS* 1926, en párr. 3, líneas 4-5: «Pardos, *amarillos, paralelógramos* de labranzas y siembras»; corrijo según OC 1973, líneas 3-4: «Pardos, *amarillentos paralelogramos* de labranzas y siembras».

ATARDECER. (Páginas 246-247.) Anticipación: *El Mercurio*, Santiago, 21.12.1924. — (1) OC 1973, en párr. 1, líneas 10-11: «y ebulle entre tus delgadas aguas *de* incertidumbre de tu cúpula»; corrijo la evidente errata según *ANS* 1926: «*la* incertidumbre». — (2) OC 1973, en párr. 4, líneas 6-7: «Entre timbal y timbal, al caer el viento pasa rompiéndose y atrae...»: repongo la coma original tras «caer», según *ANS* 1926, línea 10. — (3) *ANS* 1926, en párr. 5, línea 1: «Tu carpa, atardecer, *ocultas* fieras furiosas», errata que *OC* 1973 corrige: «oculta».

DESAPARICIÓN O MUERTE DE UN GATO. (Página 248.) Anticipación: «*Viñetas de Luto*: 1, Desaparición o muerte de un gato; 2, Tristeza; 3, La querida del alférez; 4, T.L.; 5, Oceana; 6, Soledad del otoño» en *Atenea*, núm. 3, Concepción, Chile, mayo 1926. Los textos 5 y 6 no fueron recogidos en *Anillos*. En el mismo número de *Atenea*: «La Noche», prosa de Tomás Lago recogida en *ANS* 1926. — (1) *ANS* 1926, en párr. 3, líneas 2-3: «jugando con los ojos a los *dedos*»; mejor la lección *dados* de *OC* 1973. — (2) *OC* 1973, en párr. 3: líneas 10-11: «con esa lejanía de ojos cerrados, pasan campos y países *consultar* puentes, cielos, no se llega nunca», cuyo extraño y discordante *consultar* sería en realidad un apunte (infiltrado en el texto por descuido) del corrector de pruebas, perplejo por el neologismo que en ese lugar traía en cambio el texto original: «pasan campos y países *debajan* puentes, cielos» (*ANS* 1926, líneas 16-17).

T.L. (Página 249.) *Atenea*, núm. 3, Concepción, Chile, mayo 1926. Ver nota precedente. Hacia el final del texto, *ANS* 1926 y *OC* 1973 (y demás ediciones) traen: «Después nos *reconocimos* desde lejos, dando vuelta un camino, y se trasluce la mano oscura de Pablo entre la mano blanca de Tom». Dentro de un texto deliberada, constante y uniformemente escrito en presente de indicativo, este «*nos reconocimos*» desentona a tal punto que me atrevo a suponer una desatención (gramatical) de Neruda, que sí habría escrito el pretérito *nos reconocimos* pero pensando en realidad el presente *nos reconocemos* que el texto mismo a mi entender solicitaba (la probabilidad de la desatención gramatical me parece reforzada por la confusión o asimilación que entre esas dos formas verbales –y entre otras similares por tiempo, persona y conjugación– suele establecer hasta hoy el uso popular/vulgar de la lengua en Chile, sin estricta distinción de estratos sociales ni culturales).

TRISTEZA. (Página 250.) — (1) *Panorama*, núm. 1, Santiago, abril 1926; — (2) *Atenea*, núm. 3, Concepción, Chile, mayo 1926. Ver nota a «Desaparición o muerte de un gato».

LA QUERIDA DEL ALFÉREZ. (Páginas 250-251.) *Atenea*, núm. 3, Concepción, Chile, mayo 1926. Ver nota a «Desaparición o muerte de un gato».

# Residencia en la tierra

## Composición

La escritura de *Residencia en la tierra* ocupó diez años de la vida de
Neruda: desde el invierno chileno de 1925 hasta la primavera madrileña de 1935. Y enlazó tres continentes: América del Sur (Chile y Argentina), Asia sudoriental (Birmania, India, Ceilán, hoy Sri Lanka
e Indias Holandesas, hoy Indonesia) y Europa (España). Propongo
aquí la más probable crono-topología de la escritura de los poemas:

### Residencia I

−1925, Chile (Santiago, Temuco-Puerto Saavedra): «Madrigal
escrito en invierno», «Serenata».

−1926, Chile (Santiago, Temuco-Puerto Saavedra, Ancud): «Galope muerto», «Alianza (sonata)», «Fantasma», «Débil del alba».

−1927, primera mitad, Chile (Santiago): «Unidad», «Sabor»,
«Caballo de los sueños».

−1927-1928, entre septiembre y marzo, océano Índico y Birmania
(Rangún): «Colección nocturna».

−1928, mayo-octubre, Birmania (Rangún): «Tiranía», «Sistema
sombrío», «La noche del soldado», «Juntos nosotros», «Sonata y
destrucciones», «El joven monarca», «Entierro en el este», «Diurno
doliente».

−1928, noviembre-diciembre, India (Calcuta): «Tango del viudo», «Arte poética».

−1929, Ceilán, hoy Sri Lanka (Colombo): «Monzón de mayo»,
«Ángela adónica», «Significa sombras», «Ausencia de Joaquín».

−1930, enero-mayo, Ceilán (Colombo): «Caballero solo», «Establecimientos nocturnos», «Ritual de mis piernas».

−1930, julio-diciembre, isla de Java, Indias Holandesas, hoy parte de Indonesia (Batavia, hoy Yacarta): «El deshabitado», «Comunicaciones desmentidas».

−1931, segunda mitad, Java (Batavia, hoy Yacarta): «Lamento
lento», «Cantares», «Trabajo frío».

−1932, febrero-marzo, océanos Índico y Atlántico sur (en alta
mar): «El fantasma del buque de carga».

Residencia II

–1933, abril-agosto, Chile (Santiago, Temuco-Puerto Saavedra): «Barcarola», «El Sur del Océano», «Un día sobresale», «Sólo la muerte».

–1933-1934, entre fines de agosto y comienzos de mayo, Argentina (Buenos Aires): «Walking Around», «Desespediente», «Oda con un lamento», «Material nupcial», «Agua sexual», «Maternidad».

–1934, mayo-agosto, España (Barcelona): «Alberto Rojas Giménez viene volando», «El reloj caído en el mar».

–1934, segunda mitad, España (Madrid): «Enfermedades en mi casa», «Vuelve el otoño».

–1934-1935, diciembre-enero, España (Madrid): «Entrada a la madera», «Apogeo del apio», «Estatuto del vino».

–1935, febrero-¿junio?, España (Madrid): «El desenterrado», «La calle destruida», «Melancolía en las familias», «No hay olvido (sonata)», «Josie Bliss», «Oda a Federico García Lorca».

Una primera tentativa de compilación –por mitad imaginaria: «serán 40 poemas», escribió a Eandi– surgió en Rangún (1928) sin encontrar destino. Pero en cambio produjo precozmente –en agosto 1928– el óptimo y definitivo título de toda la obra: *Residencia en la tierra*. Una segunda compilación –real esta vez: eran sólo 19 poemas– la envió Neruda en 1929 a Rafael Alberti, sin conocerlo personalmente, pero de los poemas enviados sólo tres se publicaron en la *Revista de Occidente* de Ortega y Gasset (por intervención de Pedro Salinas).

*Residencia 1*. La definitiva edición de *RST 1** (33 poemas) fue organizada por Neruda en Chile durante 1932. Las fechas *1925-1931* que dispuso Neruda para la portadilla dejaron fuera el poema «El fantasma del buque de carga», escrito durante el viaje de retorno (febrero-abril 1932). La división en secciones vacila entre el orden cronológico y el temático. La primera (20 poemas) parece reproponer con algunas modificaciones el proyecto de edición enviado a Alberti. Los diez poemas iniciales fueron agrupados bajo el signo de Chile, unos porque fueron escritos antes del viaje a Oriente, otros en cambio, si bien escritos en el exilio, porque tenían que ver con figuras chilenas («Ausencia de Joaquín», «Lamento Lento»). El tema de la sección II es la soledad y la extrañeza del destierro. Sección III, la desolación erótica. Sección IV, melancolía y propósitos conclusivos.

* Ver «Abreviaturas», pp. 1131-1132.

*Residencia* 2. La carta a Sara Tornú del 19.9.1934 parece indicar que hasta esa fecha Neruda no pensaba aún sus poemas post-*RST* 1 como integrantes de una segunda *Residencia* sino de un libro diverso, autónomo. Los eventos del otoño en Asturias (con sus secuelas) y la escritura-publicación de los «Tres cantos materiales» fueron decisivos para la definición y afirmación del nuevo proyecto unitario. La sección I agrupó los poemas, escritos en Chile a mediados de 1933, que marcaron la recuperación de la energía tras la grave crisis del retorno. La sección II incluyó textos escritos en Buenos Aires y en Madrid, secretamente conectados entre sí por un referente extratextual: la deteriorada situación familiar (María Antonieta, Malva Marina). La sección III reunió los tres textos del reflorecer de la vida erótica (extraconyugal) en Buenos Aires. Los «Tres cantos materiales» constituyeron la sección IV, mientras al agrupar en la sección V textos dedicados a tres poetas (Federico, Rojas Giménez y Villamediana) Neruda quiso tal vez definir el sitio de su propia obra dentro de la tradición poética de lengua castellana (presente y pasada, española y americana). La sección VI cerró toda la obra en clave privada y secreta: la recuperación de la memoria íntima a través del final confrontarse (hasta entonces eludido) con la más porfiada obsesión del corazón y del sexo: Josie Bliss.

## Ediciones principales

(1) *Residencia en la tierra 1925-1931*, Santiago de Chile, Nascimento, 1933, 176 pp. Fecha de colofón: 10.4.1933. Edición de 100 ejemplares numerados de 1 a 100 y firmados por el autor, más 10 ejemplares de autor marcados de A a J, todos en papel holandés Alfa Loeber. Formato 34 × 26 cm.

(2) *Residencia en la tierra 1. 1925-1931*, 180 pp. / *Residencia en la tierra 2. 1931-1935*, 166 pp., Madrid, Ediciones del Árbol [Cruz y Raya], 1935. Fecha de colofón, común a ambos tomos: 15.9.1935. Esta edición es conocida como *edición Cruz y Raya* porque Ediciones del Árbol era una colección de la editora y revista de ese nombre (director José Bergamín), según atestigua el *copyright*.

(3) *Residencia en la tierra. 1925-1931*, 180 pp. / *Residencia en la tierra. 1931-1935*, 180 pp., Santiago, Ercilla, 1938, colección Poetas de América. Reediciones, todas en 2 volúmenes: 1939, 1941 (marzo), 1942 (mayo).

(4) *Residencia en la tierra. 1925-1935*, Buenos Aires, Losada, 1944 (julio 15), 188 pp., CPEA. Edición en un solo volumen. Sucesivas reediciones en la misma colección: 1951, 1957, 1969.

(5) *Residencia en la tierra. 1925-1931*, 112 pp. / *Residencia en la tierra. 1931-1935*, 180 pp., tomos 5 y 6 de *Obra poética de Pablo Neruda*, Santiago, Cruz del Sur, 1947.

(6) *Residencia en la tierra. 1925-1935*, en Pablo Neruda, *Poesías completas*, Buenos Aires, Losada, 1951, pp. 161-298.

(7) *Residencia en la tierra. 1925-1935*, en Pablo Neruda, *Obras completas*, Buenos Aires, Losada, 1957 (enero). Ediciones sucesivas: 1962, 1968 y 1973.

(8) *Residencia en la tierra. 1925-1935*, Buenos Aires, Losada, 1958 (julio), 140 pp., BC, núm. 275. Primeras reediciones en BCC, núm. 275: 1966, 1969.

(9) *Residencia en la tierra [1925-1935]*, edición crítica, introducción, notas y apéndices de Hernán Loyola, Madrid, Cátedra, 1987, 1991, 1994, 1997, colección Letras Hispánicas, núm. 254.

## Ediciones parciales

(1) *Homenaje a Pablo Neruda de los poetas españoles. Tres cantos materiales*, Madrid, Plutarco, 1935 (abril), 16 pp. sin numerar. Poemas: «Entrada a la madera», «Apogeo del apio» y «Estatuto del vino». En p. 3: texto del homenaje firmado por Rafael Alberti, Vicente Aleixandre, Manuel Altolaguirre, Luis Cernuda, Gerardo Diego, León Felipe, Federico García Lorca, Jorge Guillén, Pedro Salinas, Miguel Hernández, José A. Muñoz Rojas, Leopoldo y Juan Panero, Luis Rosales, Arturo Serrano Plaja, Luis Felipe Vivanco.

(2) *Tres madrigales para canto y piano*. Partituras de Rudolph Holzmann sobre textos de Pablo Neruda, Buenos Aires, Editora Argentina de Música, 1946. Los madrigales: «Lamento lento», «Fantasma», «Madrigal escrito en invierno».

(3) *Tres cantos materiales. Three Material Songs*, New York, East River Editions, 1948, textos originales y traducciones al inglés por Ángel Flores, con ilustraciones de Nemesio Antúnez.

(4) *Agua sexual*, New York, edición privada de Lidia Guibert, 1966. Carpeta adjunta con grabados en metal.

## Esta edición

El texto de *RST* se constituyó en dos momentos, correspondientes a las ediciones *N* (1933) y *CYR* (1935). Cuando se publicó *N* (1933) Neruda no tenía en mente el segundo volumen que los años sucesivos le impusieron con naturalidad. Aunque la tradición ha conservado en cierta medida la distinción originaria entre las *Residencias* 1 y 2, y aunque hubo después una *Tercera residencia*, el autor mismo desde 1935 llamó *Residencia en la tierra* la unidad o fusión de las dos partes. De modo que las dos *Residencias* son como las dos partes del *Quijote*.

El texto de la presente edición, como el de mi edición crítica (*CAT* 1987), sigue el de *CYR* (que seguramente Neruda cuidó en persona y de cerca) corrigiéndolo sólo en sus pocas erratas evidentes y en algunos aspectos de puntuación, aparte la general actualización de la ortografía. Pero en esta edición, además, corrijo las fechas de escritura que anteceden a cada una de las partes del libro, ajustándolas a lo verificable: *Residencia 1*, 1925-1932; *Residencia 2*, 1933-1935. (Ver al respecto mis notas a los poemas.) La edición OC (1973) es descuidada y poco fiable, por lo cual la manejo –con reservas– sólo como documento de referencia, útil en casos de duda, en cuanto fue la última edición publicada en vida del poeta.

## Los textos

El siguiente elenco incluye algunas variantes significativas e informaciones que considero de particular interés en la historia de cada poema.

### Residencia I

GALOPE MUERTO. (Páginas 257-258.) Escrito en los primeros meses de 1926, «adentro del anillo del verano», publicado en *Claridad*, núm. 133 (agosto 1926) en versión casi definitiva. Aunque no es el poema más antiguo del libro, es su verdadero comienzo. — *CLA*, v. 21, traía «que *muere* a tumbos, guardabajo». En la lengua popular y coloquial de Chile, *caer guardabajo* significa exactamente caer a tumbos, precipitar o rodar (alguien o algo) desde una altura con violencia, de modo que *guardabajo* cumple en este verso una función adverbial reforzativa, intensificadora: «que cae a tumbos, [que cae] guardabajo».

ALIANZA (SONATA). (Páginas 258-259.) No conozco publicaciones de este poema anteriores a *N*, pero por su diseño simbólico y ciertos rasgos de lenguaje –todavía próximos a *THI*– lo presumo escrito en Chile, 1926, un poco antes o un poco después de «Galo-

Residencia en la tierra

pe muerto». El título alude a un pacto simbólico de fidelidad (*alianza*) que el Poeta establece con la Noche al abandonar su dominio (el protegido territorio de los Sueños y del Amor) para entrar en el espacio del Día (el hostil pero indispensable territorio de la Realidad y de la Acción). La Noche es en efecto la destinataria interna del discurso poético (y no la Amada). *Sonata* –a diferencia de cantata o sinfonía– indica el carácter íntimo y reservado de un texto donde el «elemento nacido del dolor busca una salida triunfante que no reniega en la altura su origen trastornado por la tristeza» (*CHV*, p. 138, a propósito de la sonata para violín y piano de César Franck, la proustiana frase de Vinteuil, «secreta influencia aquí confesada»). Los poemas que traen *(sonata)* en el título son poemas de nostalgia o de tristeza por algo que parece necesario abandonar: momentos de pasaje y crecimiento que exigen un íntimo sacrificio.

CABALLO DE LOS SUEÑOS. (Páginas 259-260.) El inminente inicio de una probable carrera diplomática (1927) determina la representación del conflicto entre dos opciones que simultáneamente atraen al Sujeto (Poeta Anarquista) con seducción contradictoria: tensión irresuelta entre dos espacios que se alternan: la *norma* (vv. 1-8, 15-25) y la *libertad* (vv. 9-14, 26-34). — Verso 2, *biógrafos*: en el lenguaje coloquial de Chile hasta 1940 significaba «salas de cine», por asociación inicial con los populares filmes mudos de la compañía Biograph: «tu carta [la] leí en un biógrafo y la rompí enseguida», escribió Neruda a Albertina (*NJV*, p. 48).

DÉBIL DEL ALBA. (Páginas 260-261.) La fórmula *día pálido*, probable resonancia del *jour pâle* de Pierre Loti (*Mon frère Yves*, caps. VI y LV).

UNIDAD. (Páginas 261-262.) OC 1973: falta el v. 10, «las cosas de cuero, de madera, de lana»; v. 15, «en lo *extremo* de las estaciones»: errata, por *extenso*.

SABOR. (Páginas 262-263.) Aunque no conozco anticipaciones de este poema ni del anterior, presumo que ambos fueron escritos durante la primera mitad de 1927 en Chile, antes de embarcarse Neruda hacia Rangún. Aparte los indicios textuales, cuenta el hecho de haber sido incluidos en el primer bloque de poemas (antes de «Colección nocturna»), todos ellos conectados de algún modo a la experiencia chilena anterior al exilio.

AUSENCIA DE JOAQUÍN. (Página 263.) Poema que Neruda escribió en Colombo al saber la muerte de su amigo Joaquín Cifuentes Sepúlveda (San Clemente 1900-Buenos Aires 1929), poeta chileno autor de *La Torre* (1922), personaje de vida inquieta y bohemia que murió de sífilis en Buenos Aires a los 29 años. — *AGR* repro-

duce la versión original titulada «Muerte de Joaquín», enviada a
Héctor Eandi con carta fechada «Wellawatta, Ceylán, enero de
1930», y que traía algunas variantes respecto a N y CYR: v. 5,
«pienso que parte»; v. 7, «del golpe suyo gotas se levantan»; v. 8,
«oigo producirse»; v. 10, «y de alguna parte, de alguna parte saltan y salpican estas aguas», y otras variantes menores.

MADRIGAL ESCRITO EN INVIERNO. (Página 264.) Neruda
en carta a Eandi (Batavia, 5.9.1931): poema «escrito en 1925,
publicado en 1926 [por *Atenea* de Concepción, título "Dolen-
cia"]». — *OC* 1973: v. 22, «tapándome» [*Atenea, AGR, RST* 1933
y 1935, «tapándote»]; *Atenea*, vv. 9-16:

> Flor de luces olvídame ahora.
> Acúdeme tu boca con besos.
> De qué estaba hecha, de llanto,
> de distancia, de separaciones.

> Ahora bien, en lo ilimitado,
> en lo sin orillas, olvidándose.
> Lo que de noche queda fuera de las cosas:
> los rieles, el grito de las lluvias.

FANTASMA. (Página 265.) Una versión primitiva, título «Tormentas», se publicó en *Atenea*, núm. 10 (diciembre 1926). Variantes de
notar: v. 6, «avanzaban en el infinito muerto»; v. 8, «de pájaros saliendo del mar»; vv. 13-20, en lugar de estas dos estrofas definitivas
*Atenea* traía las tres siguientes, de las cuales la primera fue después
desechada:

> es verdad oh ya inexistente oh robada
> negada desierta impedida
> tu luz de mujer la confianza
> el eco lo muerto

> el hombre que te amó de adolescente
> en el vigor de los días tuvo
> en tu rayo de luz se veía
> afirmado como en una espada

> buen día de los maridos de la tarde
> ella trae en su paloma grandes cosas
> la flor de la soledad, húmeda grande
> como la Tierra en un largo invierno.

LAMENTO LENTO. (Páginas 265-266.) *AGR* trae versión original con título «Duelo decorativo», fechada «Batavia, Java, 1931» y enviada, fresca de escritura, a Héctor Eandi con carta del 5.9.1931. *AGR*, v. 3, «en silencio cae y circula». — Este poema documentó la nostalgia de Albertina y, por vía implícita, el comienzo de la desintegración del matrimonio con María Antonieta Hagenaar, celebrado en Batavia menos de un año antes (el 6.12.1930).

COLECCIÓN NOCTURNA. (Páginas 266-268.) Es muy difícil datar este poema. Indicios textuales me hacen presumir que Neruda escribió al menos parte del poema en el barco de carga *Elsinor*, rumbo a Singapur con su amigo Álvaro Hinojosa, poco después de haber escrito la afín crónica en prosa «El sueño de la tripulación» que, fechada «Golfo de Bengala, setiembre de 1927», será publicada en *La Nación*, Santiago (26.2.1928), después recogida en *AUCh* (1971) y finalmente en *PNN*, pp. 36-38. Pero a mediados de enero de 1928 Neruda, instalado en Rangún desde octubre de 1927, emprendió un nuevo viaje por mar que, siempre en compañía de Álvaro Hinojosa, lo llevó a Bangkok, Singapur, Shangai y a otras ciudades del Extremo Oriente para regresar a Rangún a fines de marzo. No excluyo, antes bien es muy probable, que al menos algunas secciones de este complejo poema hayan sido escritas durante este viaje. Y que Neruda haya intentado dar una primera forma al texto apenas regresó a Rangún. Esa embrionaria versión de 1927-1928, dejada de lado provisoriamente, habría sido retomada, revisada y completada hacia finales de 1929 en Wellawatta, mientras Neruda preparaba los originales de *Residencia* que envió a Alberti en noviembre. Así se explicaría que el texto no haya sido publicado, ni enviado a Eandi, antes de 1930. — Antecedentes sobre el motivo *el soñar de los otros*, central al texto: lecturas de «La Cité dormante» de Marcel Schwob y de *Mon frère Yves* (cap. 28) de Pierre Loti; escrituras de *HYE*, fragmento XV; «Caballo de los sueños»; «El sueño de la tripulación».

JUNTOS NOSOTROS. (Páginas 269-270.) Copia de la versión original fue enviada a Eandi con carta del 8.9.1928 (*AGR*) por lo cual presumo que el poema fue escrito en agosto. Otra fue enviada a Chile puesto que el poema se publicó en *ATN*, núm. 9 (30.11.1928). La figura femenina es la misma Josie Bliss de otros textos de *RST* 1. El tono jubiloso y solar del poema –único en el libro– tradujo un momento excepcional de felicidad e integración durante el exilio. Nunca hubo antes un poema con una similar celebración de la pareja constituida: nunca hubo antes otro *juntos nosotros* tan convencido. Y para que otro *juntos nosotros* surja en el futuro será necesario que en la vida de Neruda aparezca Matilde Urrutia. — Aparte algunas varian-

tes menores de puntuación, y el plural *desploman* en vez del singular en el v. 46, *AGR* y *ATN* intercalaban entre los vv. 35-36 de la
versión definitiva (*N* 1933) una estrofa después desechada que
decía:

> Qué pompa joven de oro o reunidas frutas
> y qué disposición dulce, qué fulgor definido
> de uña, de seda súbita y fuerza sedienta,
> y un olor de perla ardiendo corre por tu cadera
> hasta tus pies cerrados en ribete de estío.

TIRANÍA. (Páginas 270-271.) Escrito entre mayo y julio 1928 en
Rangún. El título alude a la tiranía de una íntima obligación poética
(y «profética») que el aislamiento del exilio hace insoportable. Destinataria interna: la Noche, a la que el Sujeto dirige un extremo llamado de auxilio en una situación de riesgo. Comparar con «Alianza
(sonata)» y «Serenata», poemas enderezados asimismo a la Noche.

SERENATA. (Página 271.) Versión original en *ZZG*, núm. 1.086
(12.12.1925). Otra versión, poco posterior y con ligeras variantes,
en *CDB*, núm. 3 (1925), y fue después recogida en *AZC*. La versión
enviada a Alberti en 1929 fue publicada en *ROC*, núm. LXXXI,
Madrid (marzo 1930). — Variantes significativas respecto a nuestra
versión: v. 5, en vez de «temblando», *ZZG*, *CDB* y *AZC* traían
«cantando» mientras *ROC*: «de tus pisadas brotan, *latiendo*, los
dulces sapos»; vv. 5-6, entre estos dos versos *ZZG*, *CDB* y *AZC*
traían la siguiente estrofa (de lenguaje próximo al de *THI*) que
*ROC* y *N* 1933 desecharon:

> Al hombre apasionado en tu altura, de pronto,
> lo sobrecoge tu alegría planetaria,
> oh noche soltera y alegre, tu vestidura es mía,
> pegado a tus embarcaderos mi corazón quiere soltarse.

Sólo *ROC* en v. 11: «le palpitan los ojos, *atados* en tu red»; *ZZG*,
*CDB* y *AZC* en v. 12: «como instrumentos perdidos que busca con
esperanza»; v. 13, *ZZG* traía «o recuerdo el día primero de *tu luz*»,
mientras *CDB* y *AZC* «o recuerdo el día primero de *tu sed*»; sólo
*ZZG* en v. 14, «el *alma* apretada».

MONZÓN DE MAYO. (Páginas 273-274.) La versión original, titulada «Monzón de junio» y escrita a mediados de 1929 en Colombo, en *NAC*, Santiago (22.12.1929), después recogida en *AMT*,
núm. 28 , Lima (enero 1930), p. 15, y con leves diferencias en *AZC*
1931 (ver *supra*, notas a «Serenata»). Otra versión, que corrigió el

título y algunos detalles menores, en *ATN*, núm. 58, Concepción (octubre 1929, pero la fecha real de publicación fue seguramente posterior a la de *NAC*). La vacilación del título podría deberse a incertezas del poeta sobre el régimen temporal o periódico de los monzones, o bien a personales razones de eufonía. — Importante problema en vv. 1-5. Sólo *NAC* cierra el v. 3 con punto y coma, todas las demás (hasta *OC* 1973) con coma. Sólo *OC* 1973 cierra con dos puntos el v. 4, acogiendo la errada lectura (e interpretación) que propuso Alonso (pp. 116-117) de los vv. 1-5. Nuestra versión traduce con dos puntos (según la praxis habitual en Neruda) la pausa fuerte que *NAC* propuso con punto y coma al cierre del v. 3, y deja la coma en el v. 4, con base en la siguiente lectura de los vv. 4-5: «y [hecho] de una desvanecida substancia, [escaso] como dinero de limosna, / así, plateado y frío, se ha cobijado un día». Para detalles, ver mis notas al poema en *CAT* 1987. — *NAC*, *AMT* y *AZC* proponían la siguiente versión de los vv. 26-30 finales:

> Dónde está su toldo de olor, su follaje de brasa,
> su rápido y profundo celaje, su respiración viva?
> Inmóvil, vestido de un fulgor moribundo y una escama opaca,
> verá partir la lluvia sus mitades vacías,
> porque el viento nutrido de aguas, el largo viento llega.

*ATN* corrigió los vv. 26-27 anticipando *N* 1933, pero los vv. 29-30 restaron como *NAC*, *AMT* y *AZC*. Lo cual confirma, con el cambio del título, que *ATN* fue una versión intermedia.

ARTE POÉTICA. (Página 274.) No conozco anticipaciones de este importante poema, que por indicios textuales presumo escrito en Calcuta (noviembre-diciembre 1928), poco después de «Tango del viudo». Hay entre ambos poemas una visible afinidad de imágenes, de temperatura emotiva, y sobre todo de respiración rítmica y métrica.

SISTEMA SOMBRÍO. (Página 275.) No conozco originales ni anticipaciones de este texto, que presumo escrito en Rangún, julio (o agosto) de 1928, más o menos contemporáneamente a «La noche del soldado» y a «Sonata y destrucciones», con los que presenta significativas afinidades (el tema de la *substitución*).

ÁNGELA ADÓNICA. (Páginas 275-276.) Poema anticipado por *ATN*, núm. 58 (octubre 1929). — *NJV* incluye el facsímil de una copia dactiloscrita, sin firma ni fecha, que reproduce el poema en su forma definitiva (*N* 1933): sospecho que se trata de una de las copias de poemas que Neruda hizo y deslizó bajo cuerda a Albertina en 1932. — El texto original, de incierta datación dada la índole

esencial e intemporal de su lenguaje de canción erótica, con mucha
probabilidad fue escrito en Wellawatta durante la primera mitad de
1929. Su métrica sigue el esquema de la estrofa sáfico-adónica (tres
endecasílabos y un pentasílabo), salvo los dos primeros versos que
son dodecasílabos. El título «Ángela adónica» tiene que ver con la
estrofa, claro, pero la coincidencia entre sus iniciales y las de Albertina Azócar difícilmente podría ser casual. — *ATN*: v. 4, «de *fresco
espacio*»; v. 10, «*crecía* en dos regiones levantado».

SONATA Y DESTRUCCIONES. (Páginas 276-277.) Versión original enviada a Eandi con carta del 8.9.1928 desde Rangún y recogida en *AGR*, pp. 160-161. Una copia se publicó en *ATN*, núm. 9
(30.11.1928), pp. 386-387, y otra en *AMT*, núm. 20, Lima (enero
1929). — *AGR*, *AMT* y *ATN*: v. 6, «oigo con mi corazón».

LA NOCHE DEL SOLDADO. (Páginas 278-279.) Con «Juntos nosotros» y «Sonata y destrucciones», versión original enviada a Eandi con carta del 8.9.1928 y recogida en *AGR*, pp. 162-164. — *AGR*,
variantes significativas: (1) en el primer acápite: «se ponen fríos,
amarillos y [*sedientos, y aúllan toda la noche, infundiendo justo terror. Entonces*] emigran a un astro de hielo, a un planeta fresco, a
descansar *al fin* entre muchachas y frutas glaciales», «a *descansar*
lejos de la llama»: *N* eliminó el segmento aquí entre corchetes, puso
«al fin» entre comas y con «dormir» evitó la repetición de «descansar»; (2) en el segundo acápite: «*Para* cada día que cae» y más abajo «lágrimas del viento Monzón, [*resbalosas y espesas,*] saliva salada»: *N* eliminó el segmento entre corchetes y cambió a «monzón»,
con minúscula inicial; (3) al final del tercer acápite: «y un día de formas *diferentes* está casi siempre [, *como un arco de mil flechas,*] detenido sobre *mi cabeza*»: *N* eliminó el segmento entre corchetes y
cambió los términos subrayados; (4) al final del texto: «y el dios de
la sustitución vela a veces *mi lecho*».

COMUNICACIONES DESMENTIDAS. (Páginas 280-281.) No conozco originales ni anticipaciones de esta prosa, que por indicios textuales presumo escrita en Weltevreden (periférico barrio residencial
de Batavia) durante días inmediatamente precedentes o sucesivos al
matrimonio de Neruda con María Antonieta Hagenaar (6.12.1930).
El texto repropuso el conflicto *libertad/norma* ya tematizado en
«Caballo de los sueños», pero con opuesta acentuación de los términos: esta vez, crítica del espacio de la *libertad* (en el pasado) y de re-
signada aceptación de la *norma* (en el presente y futuro).

EL DESHABITADO. (Páginas 281-282.) No conozco originales ni
anticipaciones de este texto que presumo escrito en el Hotel der
Nederlanden, Weltevreden (Batavia), a fines de junio de 1930 o a

comienzos de julio (en concomitancia con carta a Eandi del 2.7.1930), recién desembarcado el poeta en su nueva sede consular. El título del texto tradujo el estado de ánimo de Neruda, ya cansado de desplazamientos que lo habían llevado de un exilio a otro, de una soledad a otra peor, cada vez más vacío (deshabitado) de estímulos, contactos y raíces. El ardiente e inmóvil «mes de junio» javanés convocó al texto de modo natural, por obvia y contrastante simultaneidad temporal, el frío y turbulento «mar de invierno» chileno, esto es, el dinámico y gélido mar costero de Puerto Saavedra, de ahí el módulo complementario dictado por la nostalgia: «qué dominio sumergido trata de sobrevivir».

EL JOVEN MONARCA. (Página 282.) No conozco anticipaciones de este texto escrito seguramente en Rangún hacia mediados de 1928, poco después de los afines «La noche del soldado» y «Juntos nosotros». La figura femenina será indivualizada más tarde por el poeta mismo bajo el nombre Josie Bliss (la pasión, el pie pequeño, el gran cigarro, la flor amarilla en el peinado cilíndrico).

ESTABLECIMIENTOS NOCTURNOS. (Página 283.) No conozco anticipaciones de esta prosa que por indicios textuales presumo escrita en Wellawatta (Colombo) durante la primera mitad de 1930, poco antes del traslado a Batavia. — *Establecimientos nocturnos*: sinécdoque del tipo «plural por singular», que ocurre también en otros títulos residenciarios: «Comunicaciones desmentidas», «Melancolía en las familias», «Enfermedades en mi casa».

ENTIERRO EN EL ESTE. (Páginas 283-284.) No conozco anticipaciones de este texto escrito seguramente en Rangún hacia mediados de 1928. En *CHV*, pp. 120-121, Neruda manifestó un cauto desacuerdo con quienes opinan que el esoterismo religioso y filosófico de los países asiáticos en que vivió pudo haber influido sobre la escritura de *Residencia*. — *OC* 1973, último verso: «un *aliento* desaparecido» (errata; *N* y *CYR*, «alimento»).

CABALLERO SOLO. (Páginas 285-286.) Texto escrito probablemente en Wellawatta a comienzos de 1930. Los meses que precedieron al traslado a Batavia (junio 1930) fueron particularmente penosos para Neruda en el plano sexual.

RITUAL DE MIS PIERNAS. (Páginas 286-288.) Copia del original fechada «Ceylán, 1930», enviada a Eandi desde Sabang (Sumatra) en viaje hacia Singapur, con carta del 9.6.1930, fue reproducida en *AGR*, pp. 165-167. Otra copia enviada a Chile fue publicada en revista *Índice*, núm. 9, Santiago (diciembre 1930) y recogida después en *AZC* 1931, pp. 312-313. Estas publicaciones no registran variantes significativas (pero sí erratas). — *OC* 1973, falta por descuido el v. 23: «nada, sino la forma y el volumen existiendo».

EL FANTASMA DEL BUQUE DE CARGA. (Páginas 288-290.) Poema escrito entre fines de febrero y comienzos de abril 1932 en el carguero *Forafric*, de la compañía inglesa Andrew Weir, durante el regreso de Neruda a Chile a través de los océanos Índico y Atlántico sur. — (1) *ATN*, núm. 87 (mayo 1932), pp. 185-187, versión primitiva; (2) *AGR*, pp. 168-170, versión corregida, enviada a Eandi desde Chile a fines de febrero 1933, cuando *N* 1933 ya estaba en prensas. — *ATN*: v. 52, «su color y su valor»; vv. 63-69, la versión primitiva traía un verso más:

> 63   Mira el mar el fantasma con su rostro sin ojos,
> 64   los amarillos pétalos del círculo del día,
> 65   la tos del buque, un pájaro
> 66   en la ecuación redonda y sola del espacio,
> 67   y desciende de nuevo a la vida del buque
> 68   como un latido del corazón a las piernas de un niño,
> 69   como un color muriendo en una tela,
> 70   como la estación del Otoño cayendo en una isla.

TANGO DEL VIUDO. (Páginas 291-292.) Texto escrito en Calcuta, donde Neruda reencontró a su amigo Álvaro Hinojosa y donde se quedó un par de meses, entre comienzos de noviembre 1928 y el 8 de enero 1929. El poema puede ser datado entre el 5 y el 15 de noviembre de 1928. — (1) *ATN*, núm. 58 (octubre 1929), pp. 243-245; — (2) *AGR*, pp. 171-172, versión fechada «Calcuta, 1928». Ambas publicaciones sin variantes significativas, pero en *ATN* falta el verso 40: «y el ruido de espadas inútiles que se oye en mi alma».

CANTARES. (Páginas 293-294.) No conozco anticipaciones de este poema que presumo escrito en Weltevreden (Batavia) durante la segunda mitad de 1931. — El título *cantares* –que suena demasiado genérico e inadecuado al carácter del poema– podría ser una formulación irónica de *canciones*, término que para Neruda significaba «una poesía del corazón, que consuele aflicciones, como las canciones y tonadas populares, [...] pero sin elementos populares» (en carta a Eandi).

TRABAJO FRÍO. (Páginas 294-295.) Escritura contemporánea o próxima a las de «Cantares» y «Lamento lento» (en Weltevreden, Batavia, segunda mitad de 1931), compartiendo con ellas la disposición métrica en estrofas breves con predominio absoluto de versos eneasílabos, a los que se mezclaron irregularmente algunos decasílabos. El poema presenta particulares problemas de puntuación. *OC* 1973 repuso la puntuación de *N* que *CYR* había modificado. He preferido, en general, puntuar según *CYR* (que manifiesta a un Neruda evidentemente insatisfecho de la puntuación de *N*).

SIGNIFICA SOMBRAS. (Páginas 295.) Escrito probablemente hacia fines de 1929 en Wellawatta, este poema fue anticipado por: (1) *LTS*, núm. 22, Santiago (julio 1930), p. 19; (2) *IND*, núm. 9, Santiago (diciembre 1930), p. 15; (3) *AZC*, p. 311. — *LTS*, *IND* y *AZC*, v. 17, «que quiero *guardar* para mí»; *AZC*, v. 18, «y en todo juego» (?).


*Residencia 2*


UN DÍA SOBRESALE. (Páginas 299-301.) No conozco originales ni anticipaciones de este poema que presumo escrito en Chile a mediados de 1933. Los versos «De lo sonoro *salen* números» y «De lo sonoro *sale* el día», respectivamente al inicio y al final del texto, proponen con el v. 5 («la noche *sale sola*») un juego de sentido y a la vez fonético-rítmico que el título del poema acentúa y desarrolla («Un día sobre*sale*»).

SÓLO LA MUERTE. (Páginas 301-302.) Como el anterior, texto escrito en Chile a mediados de 1933, ya entrado el invierno, después revisado y reelaborado en Buenos Aires. — (1) Versión original en *PPD*, reproducida en *FDV*, pp. 107-111, y en *FGL*, pp. 105-111; (2) *NAC*, Buenos Aires (18.3.1934); (3) *ANT*, pp. 129-130. — *CYR*, v. 25, «*con* un traje sin hombre» (errata evidente, por *como*); *PPD*, vv. 33-36, versión original en tres versos en vez de cuatro:

> y creo que la muerte tiene una cara verde,
> oscura, como una hoja de violeta,
> con su grave color de invierno exasperado.

*NAC* y *ANT* proponían de este pasaje una versión intermedia en cuatro versos, de los cuales los vv. 33, 34 y 36 tenían ya la forma definitiva de *CYR* mientras el v. 35 era: «con el verde enlutado de una hoja de violeta».

[*PPD = Paloma por Dentro o sea La Mano de Vidrio / Interrogatorio En Varias Estrofas compuesto en Buenos Aires por el Bachiller Don Pablo Neruda e ilustrado por Don Federico García Lorca / Ejemplar único hecho en honor de Doña Sara Tornú de Rojas Paz / 1934*: opúsculo dactiloscrito encuadernado en arpillera, cuya cubierta trae una paloma dibujada y bordada en hilo verde por el pintor argentino Jorge Larco: contiene siete poemas de Neruda, cada uno de ellos precedido por un dibujo de García Lorca: «Sólo la muerte», «Oda con un lamento», «Agua sexual», «Material nupcial», «Severidad», «Walking Around» y «Desespediente», todos ellos recogidos (con variantes) en *CYR* salvo «Severidad». El opúsculo incluye además una dedicatoria escrita a mano con grafía inconfundible: «A nuestra extraordinaria amiga la Rubia, recuerdo y cariño de dos poetas insoportables. Pablo Neruda. Buenos Aires 1934». — *PPD* ha sido transcrito tipográficamente: (1) Pablo Neruda, *El fin del viaje* (Barcelona, Seix Barral, 1982), pp. 99-143; (2) *Neruda-García Lorca* (Santiago, Fundación Neruda, 1998), pp. 98-153.]

BARCAROLA. (Páginas 303-305.) Anticipaciones: (1) *MCR*, Santiago (28.1.1934); (2) *AGR*, pp. 173-175; (3) *AVE*, pp. 70-72. Conjeturo una primera redacción en Chile, ya entrado el otoño de 1933, en conexión con unos viajes al sur. Aquella versión, perfeccionada y completada en Buenos Aires durante la segunda mitad de 1933, sería *MCR*, revisada por *AGR* y ulteriormente por *CYR*. — *MCR* y *AGR*: v. 26, «¡oh lamento, oh mareas, oh derretido espanto / ...!»; v. 32, «frente al comienzo de una nueva noche»; *MCR*: v. 55, «desde la cima».

EL SUR DEL OCÉANO. (Páginas 305-307.) No conozco anticipaciones de este poema, escrito como «Barcarola» durante el otoño chileno (mayo) de 1933. El Sur del Océano es la extensa y desolada playa de Puerto Saavedra, espacio mítico del amor adolescente: «el mar solitario de mi infancia, [...] un trozo del mar de la frontera que es la región de Chile de donde vengo, [...] ese desierto mar que siempre golpea mi sueño y abre para mí las puertas de la noche del tiempo» (*VJS*, «Viaje por las costas del mundo»).

WALKING AROUND. (Páginas 308-309.) Anticipación: *PPD*, en *FDV*, pp. 135-137, y en *FGL*, pp. 139-143, versión primitiva escrita en Buenos Aires entre octubre y diciembre 1933. El título en inglés podría ser un guiño literario que convoca y/o remite al *Ulysses* de James Joyce, autor también de los dos textos de *Chamber Music* que Neruda tradujo para *Poesía*, núm. 6-7, Buenos Aires (octubre-noviembre 1933), p. 17. — *PPD* traía estas variantes:

12   Sin embargo sería delicioso
13   asesinar a un notario cortándolo en trocitos,
14   o dar muerte a una monja haciéndola tragar un irrigador
     [...]
30   y me empuja a ciertas ventanas, a ciertas casas húmedas
31   a hospitales donde los huesos entran por la ventana.

DESESPEDIENTE. (Páginas 309-311.) Anticipación: *PPD*, versión escrita en Buenos Aires entre octubre y diciembre 1933, reproducida en *FDV*, pp. 141-142, y en *FGL*, pp. 145-149. El título es un neologismo resultante del cruce *desesperación/expediente* (por entonces Neruda escribía *espediente*, según se lee en *PPD*, «a la bahía de los espedientes»). Variantes: v. 9, *OC* 1973 trae «examinaremos» (errata); vv. 16-22 y 27-32, *PPD* había propuesto:

> Es la noche profunda, la cabeza sin venas,
> de donde sale el día de manera violenta
> como sale un licor de una botella rota.

> Son los pies y los zapatos y los dedos,
> los jabones resbalando como anguilas azules,
> corren los subterráneos, los estómagos,
> en ríos, en sombreros,
> en corrientes de hígados y números
> a la bahía de los espedientes, a las olas espesas sin navío.

> [...]

> Lloremos la defunción de las llamas y el fuego,
> las espadas, las uvas,
> los sexos con sus chorros de leche ensangrentada,
> la luz tácita y fría del alcohol y las lágrimas.

LA CALLE DESTRUIDA. (Páginas 311-312.) No conozco anticipaciones de este poema que por indicios supongo escrito en la Casa de las Flores, Madrid, a comienzos de febrero de 1935. Las alusiones al invierno en v. 9 y a la tos en v. 35 se relacionarían con la bronquitis del poeta y con el frío insoportable de Madrid que Maruca Hagenaar comenta a Laura Reyes en carta fechada 3.2.1935. El texto parece escrito durante un período de enfermedad, encierro y depresión del poeta, cuando todo se desintegra en su esfera privada, pero la intuición del deterioro y de la ruina admite ser leída también con referencia a un nivel público marcado por las repercusiones de la cruenta represión de la revolución asturiana de octubre 1934.

MELANCOLÍA EN LAS FAMILIAS. (Páginas 313-314.) Poema escrito muy probablemente a comienzos de febrero 1935, como «La calle destruida». *OC* 1973 tituló «Melancolía en la familia», cambio superfluo que no creo autorizado por Neruda (la sinécdoque del tipo «plural por singular» no es rara en títulos de *Residencia*: «Co-

municaciones desmentidas», «Establecimientos nocturnos», «Enfermedades en mi casa»). Si el título del poema da cuenta de la situación (presente) en que fue escrito, su texto apunta en cambio a una
situación y a un fantasma (Josie Bliss) del pasado. Por error de
transcripción *OC* 1973 dispuso en uno solo los dos versos: «una
sola botella / andando por los mares» (vv. 17-18).

MATERNIDAD. (Páginas 314-316.) Poema escrito en Buenos Aires,
marzo o abril de 1934. Por entonces Neruda escribió a su padre
anunciándole que «lo haremos abuelo en agosto de este año» (carta
del 24.3.1934). Circunstancias extratextuales condicionaron el sesgo
de la escritura: una situación matrimonial deteriorada, pesadamente
insatisfactoria, y un relativo mejoramiento de la situación individual
de Neruda, tanto en el plano del trabajo consular cuanto en el de los
contactos humanos (en particular, amistad con García Lorca y con
algunos intelectuales argentinos; amores extraconyugales).

ENFERMEDADES EN MI CASA. (Páginas 316-318.) Poema escrito
en Madrid poco antes o poco después del 25 agosto 1934, fecha en
que Neruda escribió a su padre: «El día 18 del presente nació nuestra hija que lleva los nombres de Malva Marina Trinidad, en homenaje a mi querida mamá. [...] Parece que la niña nació antes de tiempo y ha costado mucho que viva. Ha habido que tener doctores todo
el tiempo y obligarla a comer con sonda, inyecciones de suero, y con
cucharadas de leche, porque no quería mamar. Hubo momentos de
mucho peligro en que la guagua se moría y no sabíamos qué hacer.
Ha habido que pasar muchas noches en vela y aun el día sin dormir
para darle el alimento cada dos horas...».

ODA CON UN LAMENTO. (Páginas 319-320.) Anticipaciones:
(1) *PPD*, en *FDV*, pp. 115-117, y en *FGL*, pp. 113-117; (2) *ANT*,
pp. 130-131. La versión *PPD* (original) fue escrita en Buenos Aires
a fines de 1933 o comienzos de 1934. Variantes significativas:

13  Sólo puedo quererte con *besos* a la espalda (*ANT*)
14  entre vagos golpes y aguas ensimismadas (*PPD*) [*ANT*: falta el verso]
15  ... cementerios que *flotan* en ciertos ríos (*ANT*)
16  con pasto mojado sobre las tristes tumbas de yeso (*ANT*)
27  *cuando* me visto, *cuando* (*ANT*)
29  *siento* que alguien me sigue... (*ANT*)
30  con una triste voz *mojada* por el tiempo (*ANT*)
38  Ven a mi alma vestida de blanco, *y* con un ramo
39  de ensangrentadas rosas y copas de cenizas.
40  Ven con una manzana y un caballo.
41  Porque allí hay una sala oscura... (*PPD*)

MATERIAL NUPCIAL. (Páginas 320-321.) Versión original: *PPD*, en *FDV*, pp. 127-128, y en *FGL*, pp. 127-131, escrita en Buenos Aires entre fines de 1933 y comienzos de 1934. Variantes:

| | |
|---|---|
| 7 | y la negra reunión de sus piernas en donde |
| 8 | su sexo parpadea como un ojo de sangre. |
| 12-13 | y me crecen los dientes en forma aterradora [1 verso en vez de 2] |
| 15 | y abriré hasta la muerte sus piernas asustadas |
| 24 | hacia adentro, |
| 27 | y con el alma hirviendo |
| 28 | como una olla hirviendo con cangrejos. |
| 30 | en un país de nácar y goma cenicienta |
| 31 | luchando con hormigas y cuchillos y sábanas |
| 32 | y con ojos que caen en ella como muertos. |
| 33 | Y me van resbalando gotas del corazón |

AGUA SEXUAL. (Páginas 321-323.) Versión original: *PPD*, en *FDV*, pp. 121-123, y en *FGL*, pp. 119-125, escrita en Buenos Aires entre fines de 1933 y comienzos de 1934. Variantes:

| | |
|---|---|
| 23 | durmiendo con *la mano* en el corazón |
| 45 | y con la mitad seca del alma miro el mundo |

ENTRADA A LA MADERA. (Páginas 324-325.) Escrito en Madrid entre fines de 1934 y comienzos de 1935. Anticipado por *TCM*. — *OC* 1973: v. 25, «entre *sus* cicatrices amarillas» (errata).

APOGEO DEL APIO. (Páginas 325-327.) Escrito entre fines de 1934 y comienzos de 1935 en Madrid. Anticipado por *TCM*, cuyo v. 36 varía: «Qué *trigo* destrozado te rodea?».

ESTATUTO DEL VINO. (Páginas 327-330.) Escrito en Madrid entre fines de 1934 y comienzos de 1935. Anticipado por *TCM*, cuyo v. 16 varía: «con un puñal mojado entre las cejas». *CYR*, v. 56, «las paredes del *alma* moribunda», errata que corrijo según *TCM* y *OC* 1973.

ODA A FEDERICO GARCÍA LORCA. (Páginas 331-334.) La Fundación García Lorca conserva un dactiloscrito original sin fecha. La versión *CYR*, sin duda posterior, introdujo variantes cuya forma y alcance permite suponer varios meses entre ambas escrituras. Tiendo a fechar la versión *FGL* en el otoño –noviembre o diciembre– de 1934, quizás escrita por Neruda para agradecer a Federico el clima de amistad y acogida que le creó en Madrid, y en particular el recital que le organizó en la Universidad Central el 6.12.1934, o bien con ocasión del estreno de *Yerma* el 26.12.1934. La versión

*CYR*, definitiva, habría que fecharla en cambio algunos meses más tarde, durante la primavera de 1935, en probable conexión con el cumpleaños de Federico (5.6.1935) o con la comida que los poetas españoles ofrecieron a Neruda algunos días después, el 14.6, para festejar la publicación de la plaqueta *Tres cantos materiales*. Transcribo a continuación versos y/o pasajes de *FGL* en que se dan variantes significativas. Para facilitar un eventual cotejo entre las dos versiones, la numeración de los versos y pasajes que siguen no es la propia (la de *FGL*) sino la correspondiente en *CYR* y en esta presente edición:

| | |
|---|---|
| 7 | y se llenan de plumas los ángeles heridos |
| 12 | y se tragan decímetros, y se matan a besos, |
| 15 | cuando te ríes lleno de arroz y de rosales, |
| 16 | cuando para cantar te rompes las arterias y los dientes, |
| 17 | la garganta y las manos, |
| 43 | por los nidos de furia que reúnes |
| 49 | y golondrinas negras hacen nido en tu pelo |
| 52 | definitivamente circulan cuando asoma[n] |
| 59 | llegan muchas personas y pájaros marchitos, |
| 63 | llegan estrellas y mapas con sangre |
| 65-66 | llegan enmascarados y doncellas |
| 70 | agoniza un empleado solitario, |
| 71 | llega una rosa de alfileres húmedos, |
| 74-82 | llego yo con Oliverio, Norah, |
| | Margarita, Villar, |
| | Maruca, Malva Marina, |
| | la Rubia, María Luisa, |
| | Delia, Rafael, Aurelio, |
| | Ugarte, Cotapos, |
| | Alberti, Carlos, |
| | Bebé, Molinari, |
| | y otros que se me olvidan. |
| 84 | como un negro relámpago continuamente libre, |
| 93 | donde el golpeado corazón del hombre agoniza de llanto? |
| 99-109 | Alguien se les ha muerto, talvez |
| | han perdido sus puestos en las oficinas |
| | o en las fábricas, |
| | hay mucho llanto por todas partes, |
| | gentes que sufren, |
| | mientras las estrellas alumbran adentro de su río |
| | hay mucho llanto en las ventanas, |

los umbrales están gastados por el llanto,
las alcobas están mojadas de triste llanto.
110-122  Federico,
tú ves el mundo, las calles,
el vinagre,
las despedidas en las estaciones,
y tantas gentes preguntando cosas,
también ves el grano de envidia en el cuerpo de ciertos hombres,
el grano fallecido
de donde salen cuarenta perros vomitando.
123-127  Así es la vida, Federico, aquí tienes
las cosas que te puede ofrecer mi amistad,
ya sabes por ti mismo muchas cosas,
y otras irás sabiendo lentamente.

Para un cotejo detallado remito a H. Loyola, «Sobre un original autógrafo de la "Oda a Federico García Lorca" de Neruda», *Actas XXIX Congreso del IILI [1992]*, tomo II, vol. 2 (Barcelona, PPU, 1994), pp. 811-822. Las variantes de *CYR* en el elenco de vv. 74-82 (amigos comunes y afectos íntimos personales) tienden a confirmar mi datación de *FGL* y la distancia temporal entre ambas versiones. En el otoño de 1934 *FGL* trazó una línea de separación entre los nombres del espacio Buenos Aires (desde *Oliverio* hasta *María Luisa*), experiencia reciente y todavía resonante, y los nombres del espacio Madrid (desde *Delia* hasta *Molinari*), experiencia todavía en fase inicial de desarrollo (aparte Federico, Alberti es el único poeta español mencionado). Los nuevos nombres españoles en *CYR*, mezclados con los argentinos, remiten en cambio a la primavera de 1935 cuando Neruda, tras la edición-homenaje de los *Tres cantos materiales*, siente ya consolidada su experiencia madrileña.

*Oliverio* Girondo y su mujer *Norah* Lange, escritores argentinos. *Margarita*, la hija de Sócrates Aguirre, cónsul chileno en Buenos Aires, era en 1933/1934 una niña de pocos años que Neruda adoraba y que decenios más tarde escribirá notorios libros sobre la vida y milagros del «tío» poeta. Amado *Villar*, poeta argentino mencionado en el «Discurso al alimón» del 20.11.1933. *Maruca* = María Antonieta Hagenaar. Aunque *Malva Marina* nació en Madrid el 18.8.1934, Neruda la vincula aquí al espacio Buenos Aires donde fue concebida (cfr. *supra*, notas a «Maternidad»). *La Rubia* = Sara Tornú de Rojas Paz (cfr. *supra*, notas a «Sólo la muerte»). *María Luisa* Bombal, en Buenos Aires desde septiembre 1933, compartió con sus amigos Pablo y Maruca el vendaval de alegría que desde España trajo Federico. *Margarita* y *Villar* eliminados, *CYR* introdujo a Jorge *Larco*, pintor argentino que se casó con María Luisa Bombal el 28.6.1935 (el dato es interesante para fechar *CYR*, ya que la nueva mención en pareja «María Luisa y Larco» quiso sin duda ser una respuesta a la noticia del matrimonio).

La lista madrileña de *FGL* comienza por nombrar a los afectos más íntimos (y secretos) de los respectivos poetas. *Delia* del Carril, argentina, amante de Neruda al menos desde el verano de 1934. *Rafael* Rodríguez Rapún, joven amigo-amante y secretario personal de Federico desde 1933, estudiante universitario, figura interesante y compleja (tras la muerte de Federico se enroló y en 1937 murió combatiendo por la República en el frente de Santander). *Aurelio* Romeo, joven chófer de la camioneta «la Bella Aurelia» de La Barraca. Eduardo *Ugarte*, cofundador, coescenógrafo y codirector de La Barraca, yerno de Carlos Arniches y concuñado de José Bergamín, devotísimo y leal amigo de Federico, murió en México en exilio. Acario *Cotapos*, músico chileno y mítico animador de las reuniones del grupo con sus fabulosos relatos orales. *Bebé* era la mujer de *Carlos* Morla Lynch, diplomático chileno muy amigo de Federico desde 1929. Ricardo *Molinari*, poeta argentino que estrechó amistad con Neruda al regresar a Buenos Aires en 1933 desde Madrid, por lo cual su nombre al final del elenco es una especie de puente entre ambos espacios. Salvo *Aurelio*, todos los nombres madrileños de *FGL* pasaron a *CYR*, y a ellos se sumaron *ahora*, significativamente, los de los poetas y amigos Aleixandre, Rosales, Altolaguirre y Concha Méndez. El *Alberti* de *FGL* pasó a *CYR* con nombre y apellido.

*OC* 1973: v. 77, «la Rubia, Rafael Ugarte», sin la coma tras *Rafael*, propone un inexistente «Rafael Ugarte» que ha sido fuente de erradas indagaciones.

ALBERTO ROJAS GIMÉNEZ VIENE VOLANDO. (Páginas 335-338.) Anticipaciones: (1) *ROC*, núm. CXXXIII (julio 1934), pp. 47-51; (2) *MCR*, Santiago, 21.10.1934; (3) *ANT*, pp. 131-133. Poema escrito a fines de mayo o comienzos de junio 1934 en Barcelona donde Neruda, recién desembarcado de su travesía atlántica desde Buenos Aires, recibió la noticia de la muerte de su amigo acaecida en Santiago el 25.5.1934. Forma métrica constante: la estrofa sáfico-adónica (tres endecasílabos que rematan en el pentasílabo-estribillo *vienes volando*: esquema repetido en todas las estrofas del texto, salvo en la cuarta y en la última).

*CYR*, vv. 29-32 («Junto a bodegas donde el vino crece» y siguientes): en *ROC*, *MCR* y *ANT* esta estrofa venía situada entre las estrofas 11 y 12 (o sea, separando los vv. 44-45) de la versión *CYR* que aquí reproduzco. El desplazamiento operado por *CYR* hizo posible el juego de entrecruzamientos anafóricos y rítmicos con *sobre* y *mientras* (respectivamente en conexión con opuestas dinámicas de *vuelo* y *caída*) que el poema despliega entre los vv. 46-56 y que Alonso (p. 98) elogió con entusiasmo. Para detalles, remito a mis notas al texto en edición *CAT* 1987. Además, *CYR* eliminó el penúltimo verso de la versión común a *ROC*, *MCR* y *ANT*, que traían:

> sin azúcar, sin boca, sin rosales,
> *extendido en el aire de la muerte,*
> vienes volando.

EL DESENTERRADO. (Páginas 338-340.) Escrito durante la primera mitad de 1935, anticipado por *PDV*, apartado de *Cruz y Raya*, núm. 25, Madrid (julio 1935). Los tres poetas de la sección V, tres figuras de referencia para la obra de Neruda: Federico encarnaba el presente, la unificación España-América; Rojas Giménez era el pasado inmediato y local (el substrato humilde, la base social subdesarrollada, la diversidad, la marginación, la soledad en el último rincón de mundo); Villamediana era la genealogía, la memoria común del idioma. Neruda parece proponer la resurrección y recomposición del conde de Villamediana como metáfora de la propia reunificación, del propio renacer en España desde el extravío del pasado. En *OC* 1973 el v. 37 traía :«y, entre las rosas, el *desterrado*».

EL RELOJ CAÍDO EN EL MAR. (Páginas 341-342.) No conozco anticipaciones de este poema, que supongo escrito en agosto-septiembre de 1934 en Barcelona (por la alusión al mar) o durante alguno de los frecuentes viajes ida-y-vuelta a Madrid mientras se decidía la permuta con Gabriela Mistral. En carta a Eandi fechada en enero, 1935: «al principio anduve tan mal de ánimo, inestable, errante entre Barcelona y Madrid, y un poco desesperado por mi destino» (*AGR*, p. 134). Presumo para este poema una situación de escritura vinculada a una relación amorosa en desarrollo (¿Delia del Carril?) pero todavía incapaz de disolver la oscura depresión que vive Neruda por razones de trabajo y de penuria conyugal.

VUELVE EL OTOÑO. (Páginas 342-343.) No conozco publicaciones previas a *CYR* de este poema que por indicios presumo escrito en Madrid durante el otoño de 1934, a fines de octubre o comienzos de noviembre, contemporáneamente a las secuelas urbanas (vv. 18-19) de la represión militar en Asturias. En el contexto de un período personal proclive a la recuperación de ciertos recuerdos (el fantasma de Josie Bliss en asedio), con el otoño europeo retornan a la escritura el crepúsculo, el océano, el bosque, las figuras (el caballo, la barba roja del padre, las amapolas negras, la lluvia) del sur de la infancia. *OC* 1973, errata gorda en el v. 2: «de vaga *vida*».

NO HAY OLVIDO (SONATA). (Páginas 343-344.) No conozco anticipaciones de este texto que creo escrito en Madrid entre febrero y marzo de 1935. La amargura determinada por la enfermedad de Malva Marina busca compensación en el renacer poético y profético estimulado por la publicación separada de los *Tres cantos materiales*, más precisamente en el retomar con mayor fuerza la *operación* «No hay olvido» (recuperación de los recuerdos) cuya fase decisiva había comenzado pocos meses antes con «Vuelve el otoño». En una situación de íntimas dificultades, el poeta apela decididamente al mundo de la memoria personal para refundar su identidad profética.

JOSIE BLISS. (Páginas 344-345.) No conozco anticipaciones de este texto que presumo escrito en Madrid entre febrero y marzo de 1935, como «No hay olvido (sonata)». Su colocación al cierre de la obra es altamente significativa en el contexto de la *operación* «No hay olvido». El recuerdo de Josie Bliss viene finalmente admitido con plena identidad en la escritura del poeta. La inolvidable amante birmana de 1928, ya fuertemente arraigada en la Memoria, ahora conquista *nombre* en el texto. No ha sido fácil. Para entender la importancia del título, recuérdese que en *Residencia* el término *nombre* es signo de individuación, por oposición a *número*. Pero no se trata sólo de Josie Bliss: es la entera Memoria del poeta, es el conjunto de los *orígenes* (tanto los remotos como los más recientes) lo que a través del emblemático título «Josie Bliss» conquista nombre (individuación y función) en el texto nerudiano.

En un pasaje culminante el poema introduce escuetamente, pero con nitidez, el recuerdo de la despedida final entre Josie Bliss y el poeta en los muelles de Colombo en 1929, episodio que muchos años más tarde Neruda evocará con detalles:

No podía dejarla poner un pie en mi casa. Era una terrorista amorosa, capaz de todo.

Por fin un día se decidió a partir [de retorno a su Rangún]. Me rogó que la acompañara hasta el barco. Cuando éste estaba por salir y yo debía abandonarlo, se desprendió de sus acompañantes y, besándome en un arrebato de dolor y amor, me llenó la cara de lágrimas. Como en un rito me besaba los brazos, el traje y, de pronto, bajó hasta mis zapatos sin que yo pudiera evitarlo. Cuando se alzó de nuevo, su rostro estaba enharinado con la tiza de mis zapatos blancos. No podía pedirle que desistiera del viaje, que abandonara conmigo el barco que se la llevaba para siempre. La razón me lo impedía, pero mi corazón adquirió allí una cicatriz que no se ha borrado. Aquel dolor turbulento, aquellas lágrimas terribles rodando sobre el rostro enharinado, continúan en mi memoria.

(*Confieso que he vivido*, pp. 136-137; antes en *O Cruzeiro Internacional*, Rio de Janeiro, 1.4.1962.)

# Tercera residencia

## Composición

Así como hizo con las dos partes de *Residencia en la tierra*, Neruda añadió al título de *Tercera residencia* una inexacta indicación de fechas de escritura (*1935-1945*) que en este caso el poeta mismo ya había corregido de hecho. La composición del libro habría comenzado en efecto en 1934 con «Las furias y las penas» –según la nota que el autor antepuso al poema en 1939– y se extendió hasta 1945, paralelamente, en buena parte, a la composición de *Canto general*. Al proponer o al aceptar los años *1935-1945* (en vez de 1934-1945) para acompañar al título en la primera edición, Neruda prefirió probablemente la resonancia armónica a la exactitud –sin olvidar su proverbial antipatía por la precisión de las fechas en sus textos y en sus cartas (hay notables «descuidos» cronológicos incluso en sus memorias). Algún poema de la primera sección –«Vals» en particular– podría ser también de 1934.

Los originales de *TER**\*** fueron entregados al editor Losada hacia fines de 1946 o a comienzos de 1947. Teniendo en cuenta este dato y la parcial contemporaneidad de composición entre *TER* y *Canto general*, parece claro que Neruda incluyó en *TER* los poemas del período vinculados al espacio Europa y a las batallas internacionales contra el fascismo que en ese espacio se libraron hasta 1945, dejando para *Canto general* los textos vinculados al espacio América, todavía ajenos (por poco tiempo aún) a la modulación combatiente. Los poemas «Un canto para Bolívar» y «Dura elegía», conexos a personajes americanos, sólo en apariencia fueron excepciones. En ambos textos el referente dominante era la dimensión política inter-

---

\* Ver «Abreviaturas», pp. 1131-1132.

nacional. Pero un año más tarde, en 1948, los poemas a Bolívar y a Prestes (si no hubieran sido ya publicados en *TER*) habrían encontrado su más lógico lugar en un *Canto general* que en el entretanto había adquirido una propia orientación agresiva y militante.

Las secciones II y IV fueron escritas en España, exceptuando algunos textos de «España en el corazón» escritos en París y durante el viaje por mar de regreso a Chile. Los poemas de la sección I (¿menos «Vals»?) y el poema de la sección III podrían haber sido escritos en México, entre mediados de 1940 y mediados de 1943. Durante ese mismo período mexicano fue compuesta también la sección V, exceptuando los poemas dedicados al 7 de noviembre, al épico contraataque del Ejército Rojo y a la muerte de Luis Companys, escritos en Chile entre 1943 y 1945.

## Ediciones principales

(1) *Tercera residencia. 1935-1945*, Buenos Aires, Losada, 1947 (agosto 15), 111 pp., con viñetas de cubierta por Raúl Soldi. Reediciones sucesivas: 1951, 1961.

Este volumen inició la serie de primeras ediciones de Neruda publicadas por el editor Gonzalo Losada de Buenos Aires: serie que devendrá exclusiva –salvando algunas excepciones concordadas, o aceptadas de buen o mal grado por don Gonzalo– y que duró hasta la muerte del poeta. La asociación Neruda & Losada había debutado en 1944 con la edición unificante de las dos partes –por primera vez en un solo volumen de 188 páginas– de *Residencia en la tierra* (julio 15) en la colección Poetas de España y América, y con la inclusión de *Veinte poemas de amor y una canción desesperada* en la muy importante y popular Biblioteca Contemporánea, núm. 28.

(2) *Las furias y las penas y otros poemas. España en el corazón. Dura elegía*, tomos 7, 8 y 9 de *Obra poética de Pablo Neruda*, Santiago, Cruz del Sur, 1947-1948. Los tres tomos incluyen, dispersos y sin ordenar, todos los textos de *Tercera residencia*.

(3) *Tercera residencia. 1935-1945*, en Pablo Neruda, *Poesías completas*, Buenos Aires, Losada, 1951, pp. 299-382.

(4) *Tercera residencia. 1935-1945*, en Pablo Neruda, *Obras completas*, Buenos Aires, Losada, 1957 (enero), pp. 215-271. Ediciones sucesivas: 1962, 1968, 1973.

(5) *Tercera residencia. 1935-1945*, Buenos Aires, Losada, 1961, 110 pp., Biblioteca Contemporánea, núm. 277. Reedición BCC, núm. 277, 1966.

## Ediciones parciales

El camino hacia la constitución definitiva del libro *Tercera residencia* estuvo marcado por notables ediciones separadas de algunas de sus secciones o de algún poema:

(1) *España en el corazón. Himno a las glorias del pueblo en la guerra (1936-1937)*, Santiago de Chile, Ercilla, 1937 (noviembre 13), 47 pp. Cubierta y 16 láminas fotográficas de Pedro Olmos. Tiraje: 2000 ejemplares. Advertencia previa al texto: «Este *Himno a las glorias del pueblo en la guerra* forma parte del tercer volumen de *Residencia en la tierra*». Nota al final del texto: «Este libro fue comenzado en Madrid, 1936, y continuado en París y en el mar, 1937». Dos meses después apareció una segunda edición, fechada por la editora Ercilla el 28.1.1938.

(2) *España en el corazón. Himno a las glorias del pueblo en la guerra (1936-1937)*, Ejército del Este [territorio de la República española], Ediciones Literarias del Comisariado, 1938 (noviembre 7), 73 pp. Edición dirigida por Manuel Altolaguirre, quien antepuso al texto la siguiente *Noticia*: «El gran poeta Pablo Neruda (la voz más profunda de América desde Rubén Darío, como dijo García Lorca) convivió con nosotros los primeros meses de la guerra. Luego en el mar, como desde un destierro, escribió los poemas de este libro. El Comisariado del Ejército del Este lo reimprime en España. Son soldados de la República quienes fabricaron el papel, compusieron el texto y movieron las máquinas. Reciba el poeta esta noticia como una dedicatoria». (El mismo Altolaguirre entregará más detalles sobre el proceso de impresión de este libro en su conocida carta desde La Habana, noviembre 1941, muchas veces reproducida –por ejemplo en la *Selección* de Aldunate Phillips, Santiago, Nascimento, 1943.) Otra edición, con iguales características, apareció dos meses después con el siguiente colofón: «De la primera edición de este libro se hicieron 500 ejemplares numerados del 1 al 500, bajo la dirección de Manuel Altolaguirre, terminándose su impresión el 7 de noviembre de 1938. Esta segunda edición consta de 1500 ejemplares, sin numerar, y se terminó el 10 de enero de 1939».

(3) *Las furias y las penas*, Santiago de Chile, Nascimento, 1939 (mayo 12), 29 pp. La última parte de la advertencia del autor rezaba: «El mundo ha cambiado y mi poesía ha cambiado. *Juro defender hasta mi muerte lo que han asesinado en España: el derecho a la felicidad*». El final que subrayo fue después sustituido. — Del

colofón: «edición limitada compuesta de 35 ejemplares numerados de 1 a 35 en papel Whatman Mongolfier, 75 ejemplares numerados de 36 a 110 en papel Ingres y 10 ejemplares en papel corriente numerados de 110 [*sic*, por 111] a 120».

(4) *Las furias y las penas*, Buenos Aires, Ediciones del Ángel Gulab, 1939 (octubre 30), 24 pp. El final de la advertencia ha sido ya sustituido: «El mundo ha cambiado y mi poesía ha cambiado. *Una gota de sangre caída en estas líneas quedará viviendo sobre ellas, indeleble como el amor*». — Del colofón: «Se han tirado cinco ejemplares en papel Japón, marcados con las letras G, U, L, A, B, y ciento veinte en papel Hammermill, numerados del 1 al 120».

(5) *Un canto para Bolívar*, México, Imprenta Universitaria, 1941, 16 pp. Nota final: «Este Canto fue leído por su autor en el Anfiteatro "Bolívar", en el acto celebrado por la Universidad Nacional Autónoma de México, en la tarde del 24 de julio de 1941, CXI aniversario de la muerte del Libertador [más exactamente: ese día era el CLVIII aniversario del nacimiento]. La edición consta de 500 ejemplares... Dibujó capitular y viñetas Julio Prieto».

(6) *Canto a Stalingrado*, [México,] Sociedad de Amigos de la URSS, 1942 [octubre]. Cartel de 47 × 35 cm. Indicación al pie: «Editado por SAURSS y España Popular». El cartel, cuyo texto había sido leído por primera vez el 30.9.1942 durante un acto público en el Teatro del Sindicato Mexicano de Electricistas, fue profusamente fijado sobre los muros de la ciudad de México. Reproducción facsimilar (reducida) en *Anales de la Universidad de Chile*, núm. 157-160, Santiago, 1971, p. 327.

(7) *Nuevo canto de amor a Stalingrado*, México, edición del Comité de Ayuda a Rusia en Guerra, 1943 (febrero 25), 14 pp. Viñetas: Miguel Prieto. Tiraje: 5100 ejemplares.

(8) *Saludo al Norte y Stalingrado*, Iquique (Chile), Imprenta La Moderna, 1945. Este folleto incluía el «Nuevo canto de amor a Stalingrado». Muy modestamente impreso en algunos miles de ejemplares, fue distribuido en las provincias chilenas de Tarapacá y Antofagasta a comienzos de 1945, durante la campaña senatorial del Partido Comunista que culminó en las elecciones de marzo. En la contraportada se invitaba al lector-elector a votar por *Reyes* (Neruda) y por *Lafertte* (don Elías, líder histórico de los trabajadores chilenos).

Textos: anticipaciones, observaciones y variantes

*Sección I*

De los seis poemas de la primera sección, «Alianza (sonata)» fue publicado –con «Reunión bajo las nuevas banderas»– por la revista *España Peregrina* en México, 1940, y fue incluido en la *Selección* de Aldunate Phillips (1943) con «La ahogada del cielo» y «Bruselas». De los restantes tres poemas no conozco publicaciones ni noticias anteriores a 1947. Conjeturo que en esta primera sección de *TER* Neruda reunió poemas escritos durante 1934-1943, conectados entre sí por la tematización del cambio de registro en su poesía.

LA AHOGADA DEL CIELO. (Página 349.) Texto anticipado en Pablo Neruda, *Selección*, antología organizada y anotada por Arturo Aldunate Phillips, Santiago, Nascimento, 1943. Este poema de apertura podría ser sin embargo el más tardío del grupo. Tema y lenguaje lo acercan a los textos iniciales de *Canto general*, en particular a algunos del capítulo VI, «América, no invoco tu nombre en vano» [1943], y del capítulo VII, «Canto general de Chile» [1938-1942], de los cuales parece un boceto de prueba o texto-ensayo (puesto aquí deliberadamente, quizás, para evidenciar de hecho el cambio de poética).

ALIANZA (SONATA). (Páginas 349-351.) *España Peregrina*, núm. 8-9, México, 12.10.1940. — Desde su título mismo este poema emblematiza la voluntad y a la vez la conflictualidad de la metamorfosis poética en curso. Cfr. *supra*, notas a «Alianza (sonata)» de *RST 1* y «No hay olvido (sonata)» de *RST 2*.

VALS. (Páginas 351-352.) Acaso inspirado por el vaivén más elemental y rudimentario del paso de vals (el único al alcance del poeta, bailarín nada eximio), el título sugeriría vacilación, oscilación o pendularidad del ánimo. Acotaciones al texto en Loyola 1981, I, pp. 137-138.

BRUSELAS. (Páginas 352-353.) Texto anticipado en Pablo Neruda, *Selección* de A. Aldunate Phillips, Santiago, Nascimento, 1943. Título «absolutamente enigmático» (Alonso, 315n). Creo intencionada la particular condición críptica –no frecuente en Neruda– de los títulos de este poema y del precedente. Leo en ella un modo de enmascaramiento de la íntima dificultad del sujeto frente a una solicitación (externa) al mismo tiempo atractiva y temible. No creo que el título «Bruselas» tenga nada que ver con la ciudad sino, muy probablemente, con algún desconocido elemento de alguna situación que para el poeta era representativa del (o vinculada al) conflicto en curso.

EL ABANDONADO. (Páginas 353-354.) Este título no supondría una autorreferencia del Yo poético –como acaeció en «La canción desesperada» de *VPA*– sino un modo de aludir al *otro*, al hombre sin rostro, nunca visto ni escuchado –¿abandonado?– hasta aquí por el poeta.

NACIENDO EN LOS BOSQUES. (Páginas 354-356.) La retórica del autorretrato en mutación convoca materiales claves del espacio mítico de la infancia –bosque, lluvia– para que patrocinen la metamorfosis en la escritura.

*Sección II*

LAS FURIAS Y LAS PENAS. (Páginas 357-363.) Aparte de las ediciones especiales arriba detalladas, este poema fue anticipado por la *Selección* de A. Aldunate Phillips (1943). «El instinto aparece desnudo de todos sus tratamientos de belleza, sin leyenda, sin literatura y sin amor: [...] en ninguna parte baja como aquí nuestro poeta a lo puramente instintivo y animal, y por eso en ninguna parte se declara tan bien como aquí el papel que lo erótico desempeña en el angustiado mundo poético de Pablo Neruda» (Alonso, pp. 313-314). La sección final de este poema de 1934, a partir de los versos «Recuerdo sólo un día / que tal vez nunca me fue destinado», determinará una resonancia intertextual en otro poema publicado treinta años más tarde: «Rangoon 1927» de *Memorial de Isla Negra*, II (1964).

*Sección III*

REUNIÓN BAJO LAS NUEVAS BANDERAS. (Páginas 364-365.) *España Peregrina*, núm. 8-9, México, 12.10.1940.

*Sección IV*

EXPLICO ALGUNAS COSAS. (Páginas 369-371.) (1) Bajo el título «Es así» en *El Mono Azul*, núm. 22, Madrid, 1.7.1937. Variantes: vv. 19-20: «te acuerdas de mi casa, con balcones, en donde / la luz dura de junio jugaba con tu pelo?»; tras el v. 50 («víboras que las víboras odiaran!») traía estos versos:

> Asesinos de pueblos pobres, asesinos de niños,
> asesinos de casas pobres y cercados,
> asesinos de madres ya vestidas de luto.

(después eliminados); vv. 64-66, con una coda después eliminada: « ... balas / que os hallarán un día el sitio / del corazón, *canallas*»; v. 69, « ... de las hojas, / de los grandes *ríos* de su *patria* natal?».
— (2) En *Pablo Neruda / Miliciano corazón de América*, antología y homenaje al cuidado de Luis Nieto, Cuzco, Talleres Gráficos La Economía, 1943.

CANTO A LAS MADRES DE LOS MILICIANOS MUERTOS. (Páginas 371-373.) — (1) *El Mono Azul*, núm. 5, Madrid, 24.9.1936; variantes: v. 25: «Porque de tantos cuerpos una vida *invencible* / se levanta... »; v. 29: «con una espada *hinchada* de esperanzas terrestres!». — (2) *Repertorio Americano*, núm. 788, San José de Costa Rica, 16.1.1937; — (3) Vicente Huidobro y otros, *Madre España / Homenaje de los Poetas Chilenos*, Santiago, Panorama, 1937.

CANTO SOBRE UNAS RUINAS. (Páginas 383-385.) — (1) *Los Poetas del Mundo Defienden al Pueblo Español*, núm. 1, París, 1936; variante: v. 25: « ... orines justamente / vertidos, mejillas, *rosas*, lana»; — (2) *Tierra*, núm. 1, Santiago, julio 1937; — (3) *Repertorio Americano*, núm. 823, 16.10.1937.

ALMERÍA. (Páginas 379-380.) *Repertorio Americano*, núm 812, San José de Costa Rica, 31.7.1937.

ANTITANQUISTAS. (Páginas 386-388.) — (1) *Repertorio Americano*, núm. 823, San José de Costa Rica, 16.10.1937; — (2) *Expresión*, núm. 1, Santiago de Chile, noviembre 1937.

EL GENERAL FRANCO EN LOS INFIERNOS. (Páginas 381-383.) *Tierra*, núm. 4, Santiago de Chile, noviembre 1937.

ODA SOLAR AL EJÉRCITO DEL PUEBLO. (Páginas 390-392.) Bajo el título «Gloria del pueblo en armas» en *El Mono Azul*, núm. 45, Madrid, 1.5.1938.


*Sección V*


UN CANTO PARA BOLÍVAR. (Páginas 403-405.) Además de la edición especial de México, 1941, arriba detallada, este poema fue anticipado en: — (1) *México y la Universidad*, México, julio 1941;

— (2) *Repertorio Americano*, núm. 918, San José de Costa Rica, 23.8.1941; — (3) Oreste Plath, *Poetas y poesía de Chile*, antología, Santiago, Talleres Gráficos La Nación, 1941; — (4) diario *La Voz del Sur*, Arequipa, Perú, 28.7.1943; — (5) Pablo Neruda, *Selección* de A. Aldunate Phillips, Santiago, Nascimento, 1943; — (6) *Un canto para Bolívar*, cuadernillo, Angol, Chile, Imprenta El Esfuerzo, 1945, tiraje 5000 ejemplares; — (7) Pablo Neruda, *Todo lleva tu nombre* [siete poemas vinculados a Venezuela], Caracas, Ediciones del Ministerio de Educación, 1959, 13 pp.

TINA MODOTTI HA MUERTO. (Páginas 399-401.) — (1) *Boletín de la Alianza Internacional Giuseppe Garibaldi*, México, enero 1942; — (2) *Repertorio Americano*, tomo XXXIX, núm. 14, San José de Costa Rica, 11.7.1942.

CANTO A STALINGRADO. (Páginas 393-395.) Además del cartel de México, 1943: — (1) *Repertorio Americano*, núm. 949, San José de Costa Rica, 31.10.1943; — (2) en Pablo Neruda, *Selección* de A. Aldunate Phillips, Santiago, Nascimento, 1943.

NUEVO CANTO DE AMOR A STALINGRADO. (Páginas 396-399.) Además del apartado antes descrito, este poema fue anticipado: — (1) en Pablo Neruda, *Selección* de A. Aldunate Phillips, Santiago, Nascimento, 1943; — (2) en *Pablo Neruda / Miliciano corazón de América*, antología de Luis Nieto, Cuzco, Talleres Gráficos La Economía, 1943.

DURA ELEGÍA. (Páginas 409-411.) — (1) *Excelsior*, México, 19.6.1943; — (2) *El Siglo*, Santiago, 4.7.1943; — (3) en *Pablo Neruda / Miliciano corazón de América*, antología de Luis Nieto, Cuzco, Talleres Gráficos La Economía, 1943. — «La señora Leocadia Felizardo de Prestes, madre de Luis Carlos Prestes, fue enterrada en México el 18 de junio de 1943. Algunos prominentes políticos mexicanos hicieron gestiones ante el presidente del Brasil, Getulio Vargas, a fin de obtener de él una autorización para que Luis Carlos Prestes –por entonces en una cárcel de Rio de Janeiro– pudiera verla por última vez. La gestión fracasó. Pablo Neruda leyó su "Dura elegía" en la tumba de la señora Prestes, durante sus funerales. Hubo una reclamación de la cancillería brasileña ante el gobierno chileno por el carácter oficial de cónsul con que Neruda estaba revestido. Neruda contestó en *Excelsior*, México, edición del 22 de junio, 1943.» (Jorge Sanhueza.)

7 DE NOVIEMBRE: ODA A UN DÍA DE VICTORIAS. (Páginas 401-403.) *Hora del Hombre*, núm. 3, Lima, octubre 1943.

CANTO AL EJÉRCITO ROJO A SU LLEGADA A LAS PUERTAS DE PRUSIA. (Páginas 411-413.) — (1) en Alejandro Lipschütz, *La cien-*

*cia en la Unión Soviética*, Santiago, edición del Instituto Chileno de Relaciones Culturales con la URSS, 1944; — (2) *Literatura Soviética*, Moscú, núm. 2, 1946.

CANTO EN LA MUERTE Y RESURRECCIÓN DE LUIS COMPANYS. (Páginas 407-408.) — (1) *Homenaje a Pablo Neruda y de ayuda a Cataluña*, Santiago, Imprenta Mediterránea, 1945 [tarjeta de invitación a un acto en el Salón Lucerna, 17.3.1945]; — (2) affiche de 38 × 27 cm, sin datos de impresión, probablemente editado por la revista *Retorn* de la colonia catalana en Chile.

CANTO A LOS RÍOS DE ALEMANIA. (Páginas 405-407.) *El Siglo*, Santiago, 22.8.1947.

# Canto general

## Composición

Los más antiguos textos conocidos de *Canto general* son de 1938; los últimos, de 1949. Entre estos dos extremos, la historia de la escritura del libro reconoce al menos dos períodos muy diferenciados: (1) 1938-1946, desde la «Oda de invierno al río Mapocho» del redescubridor de su propia patria, hasta «Las flores de Punitaqui» del recién electo senador Reyes Basoalto; (2) 1947-1949, desde el desencadenamiento de la furia política y poética contra la traición del presidente González Videla, hasta el orgulloso «Yo soy» del exiliado en Europa.

*Período 1938-1946*
Al regresar a Chile desde Europa en 1937 Neruda traía consigo un doble proyecto de acción: por un lado la intensificación de la batalla antifascista intercontinental a través de la solidaridad con la España republicana y con las campañas de la Internacional comunista patrocinadas por la Unión Soviética; por otro lado la escritura de un libro de revelación, narración y celebración de Chile.

En la primera dirección Neruda se movió con imprevista diligencia, sea participando con decisión al esfuerzo triunfante del Frente Popular para instalar al candidato Pedro Aguirre Cerda en el sillón presidencial de Chile (1938), sea embarcando en el *Winnipeg*, con destino a Valparaíso, unos 2000 españoles prófugos de la derrota (1939). En la segunda dirección los signos fueron menos visibles al comienzo. En 1938 la breve prosa «La copa de sangre» (recogida en *PNN*\*, pp. 159-160) preludió un proyecto poético cuyos mensaje y lenguaje lo situaban muy distante de «España en el corazón», pero al mismo tiempo en ámbito de afinidad. El proyecto nació con nombre: *Canto general de Chile*. Hubo una actividad en la que las dos direcciones convergieron: la fundación de la Alianza de Intelectuales de Chile para la Defensa de la Cultura (7.11.1937) y de su órgano oficial, la revista *Aurora de Chile*, cuyo núm. 1 del 1.8.1938 incluía el más antiguo poema de *Canto general*, «Oda de invierno al río Mapocho».

Lentamente procedió la escritura del libro durante los dos años que siguieron. El 10.7.1940 hubo en el Salón de Honor de la Universidad de Chile un acto organizado por la Alianza de Intelectuales de Chile para despedir a su presidente, Pablo Neruda, que en las próximas semanas debería asumir funciones de cónsul general en México. Durante ese acto Neruda leyó otros cinco poemas del futuro *Canto*: «Botánica», «Atacama», «Océano», «Himno y regreso», después recogidos en *CGN*, VII, y «Almagro» (título después sustituido por «Descubridores de Chile»), que en conjunto eran indicios de las líneas temáticas que el autor había comenzado a ensayar.

Entre agosto de 1940 y agosto de 1943 Neruda tuvo oportunidades de recorrer no sólo diversas regiones y ciudades de México sino también Centroamérica y el Caribe, particularmente Guatemala y Cuba. Con naturalidad el libro fue asumiendo así una perspectiva continental: el canto general de Chile comenzó a tomar la forma de un canto general de América Latina. Esta expansión del espacio del *Canto* devino evidente cuando en 1943 algunos breves poemas, publicados en México por la revista *América* bajo el título «América, no invoco tu nombre en vano» (después: *CGN*, VI), abordaron en un ciclo unitario variados aspectos del mosaico latinoamericano. A nivel estilístico el texto restará aislado, sin prosecución, testimoniando las dificultades que estaba encontrando Neruda para dar con el justo tono de su libro.

Lo cual se advertía sobre todo en la dimensión «histórica» del *Canto*, donde los pasos eran muy lentos. Sólo un par de textos relativos a figuras de la conquista de Chile (Almagro el descubridor, Ercilla el poeta) habían sido escritos antes de la publicación en 1942 de «El corazón magallánico» en *Cuadernos Americanos* (después: *CGN*, III, xxiv). Este bloque de poemas, precursor del que publicará en 1943 la revista *América*, reafirmó la modulación *cronístico-lí-*

---

\* Ver «Abreviaturas», pp. 1131-1132.

*rica* del lenguaje, eludiendo todavía la impostación *épica* acaso tentadora pero por entonces improponible para nuestro poeta.

Durante la larga navegación de regreso desde México a Chile, iniciada en agosto de 1943, Neruda hizo escala –con invitaciones, conferencias, recitales, entrevistas, homenajes y polémicas– en varios países del Pacífico: Panamá, Colombia, Ecuador y Perú, donde tuvo ocasión de visitar las ruinas de Machu Picchu (octubre 1943). Otra experiencia de integración a varios niveles lo esperaba en Chile. Buena parte de 1944 y los primeros meses de 1945 el ciudadano Pablo Neruda (todavía Neftalí Reyes para la ley), candidato independiente a senador –en la lista comunista– por las provincias de Tarapacá y Antofagasta, los pasó recorriendo ciudades, pueblos y campamentos del extremo norte del país, en continuo e intenso contacto con los trabajadores urbanos y agrícolas pero muy en especial con los mineros del cobre y del salitre. Una experiencia opuesta (y complementaria) a la de su infancia: el desierto, el sol, los socavones metalíferos y las aglomeraciones organizadas del proletariado en el norte, en lugar de los bosques, la lluvia, las casas de madera y los campesinos del sur agrario, ganadero y forestal.

Una avalancha de votos en favor del candidato Reyes hizo del poeta Pablo Neruda un senador de la República el 4.3.1945, algunos días antes de recibir el premio Nacional de Literatura. El senador Reyes, que pronunció su primer discurso en el Parlamento chileno el 30 de mayo, sin pérdida de tiempo inició los trámites destinados a legalizar, para el ciudadano, el nombre ya consagrado del escritor. El 8 de julio de ese mismo año Neruda asumió oficialmente su condición de comunista al recibir por primera vez el carnet del partido. Y en septiembre de ese crucial 1945 se retiró a Isla Negra para descansar de muchos meses de intensa actividad pública y para escribir por fin el poema que lo asediaba desde hacía casi dos años, «Alturas de Macchu Picchu», que completó muy probablemente a comienzos de 1946 (después: *CGN*, II).

Con lentitud creció *CGN* durante 1946-1947. El senador Reyes limitaba de hecho al poeta Neruda pero al mismo tiempo definía su imagen textual. De 1946 es el ciclo de poemas «Las flores de Punitaqui» (después: *CGN*, XI), donde la figura del poeta fue la del *mediador* privilegiado entre los trabajadores y el poder, la del autorizado *portavoz* de los humildes: herencia y actualización del Yo naciente de «Alturas de Macchu Picchu». Pero en «Flores», contrariamente a «Alturas», la representación del *pueblo* procedió desde un inicial diseño *historizado* (pasado y presente sobre un fondo de dolor y de opresión de clases, como en la serie X de «Alturas») hacia una restitución *mítica* en las series finales del texto: el pueblo como *héroe* constructor de la Ciudad Futura (en simetría especular con las Ruinas de la ciudadela andina). De este modo «Las flores de Punitaqui» marcó el tránsito final hacia la modulación *épica* del libro, proceso que fue acelerado por el curso del acontecer histórico en Chile.

### Período 1947-1949

El 6.1.1948 el senador Neruda (nombre ya legalizado) pronunció en el Parlamento un violentísimo discurso de acusación contra el presidente González Videla por haber desencadenado en el país (desde mediados de 1947) la persecución policial de los mismos comunistas que sólo algunos meses antes había abrazado y elogiado por el decisivo aporte a su elección como presidente de Chile en 1946 («Yo acuso»: *PNN*, pp. 312-340). La Guerra Fría había comenzado y sus efectos fueron particularmente visibles en el país hispanoamericano que había desarrollado uno de los más fuertes partidos comunistas de Occidente (tercero tras los de Italia y Francia).

El 5.2.1948 Neruda consiguió eludir el cerco de la policía que lo aguardaba al término de la sesión del Senado y pasó a la clandestinidad. Durante más de un año se ignoró su paradero. Literalmente protegido por su pueblo, pasando de un refugio a otro, Neruda logró burlar a la policía de González Videla y ocultarse en el interior del país hasta febrero de 1949, cuando a caballo, con la barba y la falsa identidad del señor Antonio Ruiz –empleado, ganadero u ornitólogo según la ocasión–, atravesó los Andes por la región austral hacia Argentina (a esa fuga aludió el discurso del Nobel, Estocolmo, 1971). El 25.4.1949 fue el día memorable de la espectacular reaparición pública de Neruda en París, durante la clausura del Primer Congreso Mundial por la Paz. Ese año de clandestinidad y de involuntaria licencia aceleró la completación de *CGN*.

> Para escapar a la persecución no podía salir de un cuarto y debía cambiar de sitio muy a menudo [...]. Desde el primer momento comprendí que había llegado la hora de escribir mi libro. Fui estudiando los temas, disponiendo los capítulos y no dejé de escribir sino para cambiar de refugio.
>
> En un año y dos meses de esta vida extraña quedó terminado el libro. Era un problema sacar los originales del país. Le hice una hermosa portada en que no estaba mi nombre. Le puse como título falso *Risas y lágrimas* por Benigno Espinosa. En verdad no le quedaba mal este título.

> («Algo sobre mi poesía y mi vida», *Aurora*, núm. 1,
> Santiago, julio 1954, p. 13.)

Ayudó la ira: la traición de González Videla fue vivida como un agravio personal por Neruda, que había sido un eficientísimo organizador de la propaganda electoral del presidente («El pueblo lo llama Gabriel»), pero al mismo tiempo la persecución hizo posible que el poeta sintiera su personal destino identificado de veras con el de tantos sindicalistas, obreros y campesinos como él perseguidos. E hizo posible la inserción de su escritura en la Guerra Fría: el poema «Que despierte el leñador» marcó el tránsito desde el canto general de Chile y América al *canto general* a secas.

¿Por qué Neruda logró escribir en un año el doble de lo que había escrito durante los nueve años precedentes, o sea dos tercios del total del libro? Antes de 1948 existían ya en la escritura los fundamentos míticos de *CGN* –en particular los principios femenino y masculino de América: la Tierra Madre y el Árbol del Pueblo–, y sin embargo el libro no lograba despegar. La *traición* de González Videla identificó el decisivo elemento que faltaba: el Enemigo interior, los Traidores. Por eso el capítulo «El fugitivo» fue el texto desencadenante de la modulación épica de *CGN* en cuanto permitió al poeta resolver, en primer lugar, el problema de la inserción de los conquistadores españoles dentro de una óptica condenatoria que hasta entonces (por presumibles motivos de ecuanimidad histórica y de amor a España) le había sido imposible. Las experiencias del Fugitivo y de la Traición, que aclararon el esquema mítico de base y promovieron la escritura del capítulo «La arena traicionada» (*CGN*, V), vencieron también las vacilaciones del poeta.

Fue así que una parte de la violencia épica destinada a los Traidores se transfirió a los Conquistadores. Las figuras de Cortés, Alvarado, Balboa, Pizarro, Valverde y Valdivia fueron diseñadas por textos de 1948-1949 desde una perspectiva de agresividad condenatoria que los poemas sobre Almagro, Ercilla y Magallanes (escritos entre 1938 y 1942) no comportaban. Si no como Traidores, los conquistadores españoles fueron incorporados a la escritura de 1948 de *CGN* como Ofensores de la Madre Tierra americana. Lo cual significa que a partir de 1948 Neruda optó por una representación épica del pasado americano fundada más en la tradición cultural y popular que en el rigor histórico o en la perspectiva personal (cronístico-lírica) hasta entonces ensayada. Este paso, aparentemente reductor o simplificador, hizo posible la elaboración *funcional*, en clave épica, de un diseño mítico que conjugó la concepción americanista del poeta con la eficacia política que el momento histórico reclamaba. Y que permitió articular unitariamente los capítulos relativos al pasado de América y los relativos a la situación contemporánea.

Importa recordar que el responsable de la seguridad de Neruda y organizador/coordinador de todos sus desplazamientos clandestinos fue –ahora lo sabemos– el historiador Álvaro Jara, por entonces un joven investigador al inicio de su carrera universitaria. Elegido para tal tarea porque insospechable al escrutinio de la policía, y porque alguien agudamente le intuyó y atribuyó capacidades que él egregiamente confirmó poseer, Jara fue además el proveedor de la historiografía básica que subyace a los capítulos III, IV y V de *Canto general*.

Para consolidar el fundamento mítico del libro Neruda completó en 1948 el capítulo «La lámpara en la tierra» (*CGN*, I), pero con modulación estilística muy diversa a la del fragmento introductorio, «Amor América», escrito varios años antes. El retroceso a una América anterior al hombre abrió paso, también en esta fase final, a la inquietante cosmogonía del capítulo «El gran océano» (*CGN*, XIV). Cabe preguntarse por qué este capítulo no fue colocado antes de «La lámpara en la tierra». Es posible que Neruda haya querido subrayar en el océano más una cosmogonía *personal* (por decirlo de algún modo) que una cosmogonía general o americana. Si ya en textos tan tempranos como «Imperial del Sur» (1925, *Anillos*) el Sujeto nerudiano vinculaba el océano a las tentativas de fundación de sí mismo, quizás no era tan extraño que el capítulo «El gran océano» precediera inmediatamente al capítulo XV, «Yo soy», propuesto al cierre de *CGN* como sumario autobiográfico del *yo* y como su definitivo autorretrato.

Los últimos versos de *CGN* traían una fecha de conclusión del libro («Hoy 5 de febrero, en este año / de 1949, en Chile...») que probablemente registró la intención del autor en esos días. Pero los acontecimientos sucesivos hicieron de ella una fecha ficticia. En diciembre de 1949 Neruda escribió en México un epílogo al capítulo V, «González Videla, el traidor de Chile», cuyo original escrito a máquina y corregido por mano del poeta conservó su amigo Luis Enrique Délano. A última hora, cuando el libro entraba en prensas, Neruda agregó al capítulo XII el poema «A Miguel Hernández, asesinado en los presidios de España», escrito también en diciembre de 1949.

## Ediciones principales

(1) *Canto general*, México, imprenta Talleres Gráficos de la Nación, 1950 (marzo 25). Edición de autor, «especial y limitada», al cuidado de Miguel Prieto. Guardas dibujadas por Diego Rivera y David Alfaro Siqueiros, 567 pp.

Formato: 36 × 25 cm. Tiraje: 500 ejemplares en papel Malinche,

300 de ellos reservados a los suscriptores de la edición y firmados por Neruda, Rivera y Siqueiros. Hubo tirada especial de 50 ejemplares numerados en papel Château y otra de 50 ejemplares sin numerar en papel Manila (para uso del autor). Sobre la guarda de Rivera: «While this is not artistically very satisfactory, its iconography provides a revealing composite image of pre-Columbian America as seen by the most *indigenista* of the Mexican muralists, with a human sacrifice in progress on the Aztec pyramid (on the left) above a group of Mayan craftsmen and farmers, while the righthand half is dominated by an evocation of Machu Picchu and the Incas. (The elephant's head is a surprising *jeu d'esprit*, although it may have been inspired by the fact that a pre-Columbian bas-relief at Monte Albán has sometimes been thought to depict an elephant on American soil!) Rivera's chosen epigraph, printed on p. 4, comes from Neruda's description of Chichén Itzá» (Robert Pring-Mill, *A Poet For All Seasons*, catalogue, Oxford 1993, p. 26). El texto del epígrafe (*CGN*, I, vi):

> ... Los trabajos iban haciendo
> la simetría del panal
> en tu ciudadela amarilla,
> y el pensamiento amenazaba
> la sangre de los pedestales,
> desmontaba el cielo en la sombra,
> conducía la medicina,
> escribía sobre las piedras...

Sobre la guarda de Siqueiros (Pring-Mill, *id.*, p. 27): «This is very different in style, with its enormous faceless man personifying the collective *pueblo*». Epígrafe (*CGN*, V, ii, «Las tierras y los hombres»):

> ... Y vi cuántos éramos, cuántos
> estaban junto a mí, no eran
> nadie, eran todos los hombres,
> no tenían rostro, eran pueblo,
> eran metal, eran caminos.
> Y anduve con los mismos pasos
> de la primavera del mundo...

(2) *Canto general*, América, 1950, 468 pp. [Santiago, edición clandestina del Partido Comunista de Chile, 1950. Pie de imprenta ficticio: «Imprenta Juárez. Reforma 75, ciudad de México». Ilustraciones y viñetas de José Venturelli.]

Formato: 27 × 19 cm. Tiraje: 3000 ejemplares en papel común tipo 264. Hubo tirada especial de 2000 ejemplares en papel pluma. Trae en apéndice algunos poemas que por haber sido escritos en México a última hora (diciembre 1949) llegaron con retraso a la imprenta clandestina: «A pesar de la ira» (III, xxv), «Morazán» (IV, xxxi). Esta singular edición de *CGN* ha establecido un record en la historia mundial de la tipografía: editar clandestinamente (en condiciones de real peligro) un libro de casi 500 páginas en 5000 ejemplares, con enormes dificultades y riesgos para recibir y reunir los originales, fue una proeza que merece ser recordada y admirada.

(3) *Canto general*, México, Ediciones Océano, 1950, 567 pp. Formato: 17 x 11 cm. Colofón: «Esta edición del *Canto general* de Pablo Neruda es reproducción facsimilar de la especial y limitada que, al cuidado de Miguel Prieto, se imprimió en los Talleres Gráficos de la Nación. Se ha hecho una tirada de 5000 ejemplares en los talleres de offset Gráficas Barcino, calle del Doctor Garcíadiego, 209, por cuenta de Manufactura de Libros S. de R. L., Meyerbeer 57-D, México D.F.». Esta edición facsimilar –en formato pequeño– fue reimpresa en 1952 (5000 ejemplares).

(4) *Canto general*, Buenos Aires, Losada, 1955, Biblioteca Contemporánea, núms. 86 y 87, 205 y 208 pp.

(5) *Canto general*, Buenos Aires, Losada, 1968, 519 pp., edición revisada, colección Cumbre, volumen encuadernado, estuche, formato 17 x 11 cm. Esta edición agregó al cap. IV los poemas «Artigas» y «Castro Alves del Brasil», y además recuperó el poema «Un río» (VI, xvii) que la edición príncipe mexicana y la clandestina chilena –y como consecuencia la argentina de Losada– habían omitido por inadvertencia.

(6) *Canto general*, prólogo y notas de Fernando Alegría, Caracas, Biblioteca Ayacucho, vol. 2, 1976 (junio), pp. XXVII + 493.

(7) *Canto general*, Barcelona, Lumen, 1976, 509 pp.

(8) *Canto general*, Barcelona, Seix Barral, 1978, 480 pp.

(9) *Canto general*, introducción y notas de Enrico Mario Santí, Madrid, Ediciones Cátedra, 1990, colección Letras Hispánicas, núm. 318, 636 pp.

## Algunas ediciones parciales

(1) *Canto general de Chile. Fragmentos.* [México, 1943.] Cuadernillo sin datos de publicación. Edición privada y limitada: 100 ejemplares firmados por el autor. Poemas incluidos: «Descubridores [de Chile]», «Botánica», «Zonas eriales», «Tocopilla».

(2) *Alturas de Macchu Picchu*, Santiago, Iberoamérica / Archivo de la Palabra, 1947. Cuadernillo. Folleto adjunto a una grabación del poema en tres discos de 78 rpm. Colofón: «Este texto pertenece a la obra *Canto general* de Pablo Neruda, y fue grabado por su autor en el mes de abril de 1947 en Santiago de Chile. El presente folleto corresponde a los discos CM-1 al CM-3 del Archivo de la Palabra de Iberoamérica».

(3) *Alturas de Macchu Picchu*, Santiago, Ediciones Librería Neira, 1948 (julio 15). Ilustraciones de José Venturelli, 47 pp. Tirada para suscriptores: 500 ejemplares.

(4) *Que despierte el leñador*, Santiago, Ediciones de la Resistencia, 1948, 16 pp.

(5) *Que despierte el leñador*, La Habana, F. Ayón Impresor, 1948, 29 pp. Colofón: «Este folleto estuvo a cargo de una comisión compuesta por los señores Juan Marinello, Nicolás Guillén y Ángel Augier y ha sido impreso por Félix Ayón II sobre papel de estraza, volumen núm. 2 de la Colección Yagruma, tirada de 1000 ejemplares, en La Habana, Cuba. Se terminó de imprimir el 12 de julio de 1948, aniversario del nacimiento del poeta, hoy víctima de la tiranía del presidente Gabriel González Videla».

(6) *Que despierte el leñador*, Medellín, Colombia, Ediciones Izquierdas, 1949 (febrero), 16 pp.

(7) *Coral de Año Nuevo para la patria en tinieblas*, Santiago, Ediciones de la Resistencia [1949]. Folleto clandestino.

(8) *Dulce Patria*, Santiago, Editorial del Pacífico, 1949, 44 pp. Advertencia en p. 7: «*Dulce Patria* es extracto del canto *Los libertadores*, que a su vez es fragmento de la obra de vasta extensión que publicará la Editorial Losada, próximamente, en Buenos Aires. Los originales inéditos que publicamos hoy llevan la anotación que sigue en su página final: *Escrito en las nubes, en agosto de 1948*».
— Contenido: «América insurrecta (1810)»; «Bernardo O'Higgins Riquelme (1810)», «San Martín enterrado en la pampa (1810)», «José Miguel Carrera (1810)», «Manuel Rodríguez: vida, pasión y muerte (1810)», «Guayaquil (1822)».

(9) *Alturas de Macchu Picchu*, Santiago, Nascimento, 1954. Edición con texto definitivo y apéndice bibliográfico por Jorge Sanhueza, 77 pp.

(10) *Tonadas de Manuel Rodríguez. Versos de Pablo Neruda y música de Vicente Bianchi*, Santiago, ed. Southern Music International, 1956. Partitura. Texto: «Manuel Rodríguez (Cueca)», *CGN*, IV, xxv.

(11) *A una estatua de proa*, Santiago, Talleres Estudio Norte, 1956. Ilustraciones de José Venturelli.

(12) *Poema con grabado. Texto de Pablo Neruda y grabado por Mario Toral*, Santiago, Ediciones Isla Negra [impreso por Editorial Universitaria], 1962. Tiraje: 80 ejemplares en papel calandria, firmados por los autores. Texto: «La lluvia (Rapa-Nui)», *CGN*, XIV, VII.

(13) *Alturas de Macchu Picchu*, Santiago, Ediciones Lagárgola, 1963. Ilustraciones de Mario Toral.

(14) *Hauteurs de Macchu-Picchu / Alturas de Macchu Picchu.* Libro-objeto proyectado por Hundertwasser, con texto bilingüe [el traductor al francés, cuyo nombre no viene indicado, era Roger Caillois]. Ginebra, Éditions Claude Givaudan, 1966. Edición de 66 ejemplares firmados por Hundertwasser.

(15) *Alturas de Macchu Picchu*, Buenos Aires, Losada, 1972 (noviembre 9). Fotografías de Graziano Gasparini.

(16) *Alturas de Macchu Picchu*, Santiago, Ismael Espinosa Editor, 1990. Edición de lujo, formato 43 × 28 cm, con ilustraciones de Oscar Rodríguez M. 500 ejemplares numerados, encuadernados en tela.

## Otras anticipaciones o publicaciones de interés

El orden cronológico de las publicaciones tiende aquí a marcar el itinerario de la composición de *Canto general*.

ODA DE INVIERNO AL RÍO MAPOCHO. (Páginas 661-662.) (1) *Revista de las Españas*, núm. 103-104, Barcelona, julio-agosto 1938; (2) *Aurora de Chile*, núm. 1, Santiago, agosto 1938; (3) *Ruta*, núm. 5, México, agosto 1938; (4) en Ricardo A. Latcham, ed., *Estampas del Nuevo Extremo. Antología de Santiago (1541-1941)*, Santiago, Nascimento, 1941, pp. 373-374; (5) en Antonio Rocco del Campo, ed., *Tradición y leyenda de Santiago*, Santiago, Ercilla, 1941, pp. 230-231.

ALMAGRO [= DESCUBRIDORES DE CHILE]. (Páginas 466-467.) BOTÁNICA. (Páginas 653-654.) ATACAMA. (Página 647.) OCÉANO. (Páginas 643-644.) HIMNO Y REGRESO. (Páginas 638-639.) (1) *La Hora*, Santiago, 21.7.1940; (2) *Repertorio Americano*, núm. 899-900, San José de Costa Rica, 14.9.1940; (3) en Oreste Plath, *Poetas y poesía de Chile*, antología, Santiago, Talleres Gráficos *La Nación*, 1941, pp. 90-96.

ORATORIO MENOR EN LA MUERTE DE SILVESTRE REVUELTAS. (Páginas 743-745.) (1) *El Nacional*, México D.F., 7.10.1940; (2) *Las furias y las penas y otros poemas*, volumen 7 de *Obra poética de Pablo Neruda*, Santiago, Cruz del Sur, 1947. El poema fue leído por Neruda en los funerales del músico mexicano, el 6.10.1940.

ATACAMA. (Página 647.) *L'Usage de la Parole*, dir. Paul Éluard, núm. 1, París 1940.

TOCOPILLA. (Páginas 647-649.) QUIERO VOLVER AL SUR. (Páginas 639-640.) (1) *Letras de México*, núm. 4, México, 15.4.1941; (2) *Repertorio Americano*, tomo XXXVIII, núm. 17-18, San José de Costa Rica, 20.9.1941.

EL CORAZÓN MAGALLÁNICO. (Páginas 472-475.) (1) *Cuadernos Americanos*, núm. 2, México, marzo-abril 1942; (2) en *Selección*, antología de A. Aldunate Phillips, Santiago, Nascimento, 1943; (3) *Nuestro Tiempo*, núm. 3, Lima, mayo 1944.

MELANCOLÍA CERCA DE ORIZABA. (Páginas 640-643.) Escrito en 1942. *Cuadernos Americanos*, núm. 2, México, marzo-abril 1943.

AMÉRICA, NO INVOCO TU NOMBRE EN VANO. (Páginas 627-636.) (1) *América*, núm. 19, México, julio 1943; (2) *Pablo Neruda. Miliciano corazón de América*, antología y homenaje al cuidado de Luis Nieto, Cuzco, Perú, Talleres Gráficos La Economía, 1943, 55 pp.; (3) *Verano*, publicación de la Sociedad de Escritores de Chile, núm. 1, Santiago, 1945; (4) *Himno y Regreso*, volumen 10 de *Obra poética de Pablo Neruda*, Santiago, Cruz del Sur, 1948. — Estas cuatro anticipaciones incluían el texto «Un río» que en cambio la edición príncipe mexicana (1950) y todas las ediciones de *CGN*, hasta la de colección Cumbre (Buenos Aires, Losada, 1968), excluyeron por inadvertencia.

ORATORIO MENOR EN LA MUERTE DE SILVESTRE REVUELTAS. (Páginas 743-745.) HIMNO Y REGRESO. (Páginas 638-639.) ERCILLA. (Páginas 471-472.) ATACAMA. (Página 647.) TOCOPILLA. (Páginas 647-649.) ZONAS ERIALES. (Páginas 650-651.) ODA DE INVIERNO AL RÍO MAPOCHO. (Páginas 661-662.) BOTÁNICA. (Páginas 653-654.) QUIERO VOLVER AL SUR. (Páginas 639-640.) JINETE EN LA LLUVIA. (Páginas 658-659.) MARES DE CHILE. (Páginas 659-660.) EL CORAZÓN MAGALLÁNICO. (Páginas 472-475.) OCÉANO. (Páginas 643-644.) En Pablo Neruda, *Selección*, importante antología organizada y anotada por Arturo Aldunate Phillips, Santiago, Nascimento, 1943, 352 pp.

EN LOS MUROS DE MÉXICO. (Páginas 819-822.) (1) *El Nacional*, México, 29.8.1943; (2) *Cantos de Pablo Neruda*, cuaderno-antología, Lima, Ediciones Hora del Hombre, 1943, 24 pp.; (3) *El Siglo*, Santiago, 19.12.1943.

DICHO EN PACAEMBÚ. (Páginas 560-563.) *O Momento*, São Paulo, Brasil, 23.7.1945. Texto leído por Neruda a 100.000 personas reunidas el 15.7.1945 en el estadio de Pacaembú, São Paulo, durante el Comicio de homenaje a Luis Carlos Prestes.

ABRAHAM JESÚS BRITO (POETA POPULAR). (Páginas 668-670.) *El Siglo*, Santiago, 31.8.1946.

ALTURAS DE MACCHU PICCHU. (Páginas 434-447.) (1) *Revista Nacional de Cultura*, Caracas, núm. 57 (julio-agosto 1946) y núm. 58 (septiembre-octubre 1946): primera publicación completa del poema, si bien en dos etapas: partes I-VII en el núm. 57, partes VIII-XII en el núm. 58; (2) *Expresión*, dir. Héctor Agosti, núm. 1, Buenos Aires, diciembre 1946: bajo el título dice «Fragmento», pero el texto viene completo (por primera vez en publicación única).

LOS MUERTOS DE LA PLAZA. (Páginas 608-614.) *El Siglo*, Santiago, 2.2.1947. Poema leído por Neruda a 100.000 personas reunidas en la Plaza Bulnes, Santiago de Chile, para conmemorar el primer aniversario de la masacre del 28.1.1946.

QUE DESPIERTE EL LEÑADOR. (Páginas 682-700.) (1) Suplemento de *Orientación*, Buenos Aires, julio 1948; (2) *El Nacional*, Caracas, 3.8.1948.

ODA DE INVIERNO AL RÍO MAPOCHO. (Páginas 661-662.) ABRAHAM JESÚS BRITO (POETA POPULAR). (Páginas 668-670.) EN LOS MUROS DE MÉXICO. (Páginas 819-822.) LOS MUERTOS EN LA PLAZA. (Páginas 608-614.) En Pablo Neruda, *Dura elegía*, volumen 9 de *Obra poética de Pablo Neruda*, Santiago, Cruz del Sur, 1948.

HIMNO Y REGRESO. (Páginas 638-639.) EL CORAZÓN MAGALLÁNICO. (Páginas 472-475.) QUIERO VOLVER AL SUR. (Páginas 639-640.) JINETE EN LA LLUVIA. (Páginas 658-659.) LAS FLORES DE PUNITAQUI. (Páginas 718-732.) MARES DE CHILE. (Páginas 659-660.) TOCOPILLA. (Páginas 647-649.) ATACAMA. (Página 647.) DESCUBRIDORES. (Páginas 466-467.) ERCILLA. (Páginas 471-472.) OCÉANO. (Páginas 643-644.) ZONAS ERIALES. (Páginas 650-651.) ARAUCARIA. (Páginas 654-655.) AMÉRICA, NO INVOCO TU NOMBRE EN VANO. (Página 627-636.) ALTURAS DE MACCHU PICCHU. (Páginas 434-447.) AMO [sic] AMÉRICA. (Páginas 417-418.) BOTÁNICA. (Páginas 653-654.) En Pablo Neruda, *Himno y regreso*, volumen 10 de *Obra poética de Pablo Neruda*, Santiago, Cruz del Sur, 1948.

CRÓNICA DE 1948. (Páginas 615-624.) En *Pablo Neruda / Homenaje de los poetas de la Resistencia*, Santiago, Ediciones de la Resistencia, 1948. Folleto de circulación clandestina.

CORAL DE AÑO NUEVO PARA LA PATRIA EN TINIEBLAS. (Páginas 748-766.) Santiago, Ediciones de la Resistencia [1949]. Folleto de circulación clandestina.

EL FUGITIVO. (Páginas 701-717.) *Nuestro Tiempo*, núm. 2, México, 1949.

GONZÁLEZ VIDELA, EL TRAIDOR DE CHILE. (Páginas 624-626.) (1) Santiago, Editorial Rumiñahui [1949]: hoja suelta clandestina, sello editor ficticio; (2) magazin del diario *Hoy*, La Habana, 20.11.1949.

A MIGUEL HERNÁNDEZ, ASESINADO EN LOS PRESIDIOS DE ESPAÑA. (Páginas 745-747.) *Cultura y Democracia*, París, febrero 1950. El poema fue escrito en México, diciembre 1949.

SUCRE. (Páginas 526-527.) MIRANDA MUERE EN LA NIEBLA. (Páginas 512-513.) GUAYAQUIL. (Páginas 524-526.) ORINOCO. (Página 424.) CARTA A MIGUEL OTERO SILVA, EN CARACAS. (Páginas 733-736.) En Pablo Neruda, *Todo lleva tu nombre*, Caracas, Ediciones del Ministerio de Educación, 1959 (enero), 13 pp. sin numerar, con ilustraciones de Carlos Cruz-Díez. Este opúsculo contiene siete poemas vinculados a Venezuela: los dos que faltan son «Un canto para Bolívar» (*TER*) y «El cinturón de Orinoco» (*Las uvas y el viento*).

## Textos: observaciones y variantes

Las extrañas y movedizas condiciones en que se escribió *CGN* a lo largo y ancho de once años (en Chile, México y otros lugares de América) determinó el extravío o pérdida de buena parte de los originales del libro. Sin embargo, de algunos textos se conservan no sólo los originales entregados a la imprenta sino también los borradores previos, trabajados por Neruda con preciosas anotaciones. No siendo siquiera proponible en nuestra edición el registro de los incidentes y accidentes, problemas, vicisitudes y variantes que jalonaron la historia de la elaboración del libro, remito a los varios trabajos del máximo especialista en este terreno, Robert Pring-Mill (Oxford University), en particular a su nuevo e imprescindible ensayo «La evolución textual del *Canto general*», en Robert Pring-Mill, Clive Griffin y Nigel Griffin, eds., *Pablo Neruda: la vida es el espacio en movimiento*, Santiago, Ediciones LOM, en prensa. Aquí me limitaré a algunas observaciones sueltas.

I. LA LÁMPARA EN LA TIERRA. (Páginas 417-433.) De este primer capítulo Pring-Mill ha señalado que se conservan tanto los borradores (fechados en julio 1948) como los originales, exceptuando el poema inicial que había sido escrito al menos dos años antes y con modulación muy diversa. Ese poema inicial venía titulado «Amo América» (y no por errata) en su primera publicación en *Himno y regreso*, volumen 10 de *Obra poética de Pablo Neruda*, Santiago, Cruz del Sur, 1948.

II. ALTURAS DE MACCHU PICCHU. (Páginas 434-447.) Aunque la transcripción correcta sería *Machu Picchu,* todas las ediciones del poema reproducen –por tradición que a nadie interesa eliminar– la que resultó de una probable desatención inicial de Neruda. La escritura del texto comenzó en septiembre de 1945 en Isla Negra y continuó en los meses siguientes, completándose (presumo) a inicios de 1946 con la redacción definitiva del primer fragmento (o primera serie), cuyo enigmático «Alguien que me esperó entre los violines» se refería a *una experiencia amorosa*: así respondió Neruda a mi precisa pregunta sobre el significado del verso. Esa experiencia amorosa (aludida en un poema que el autor sabía importante) no podía ser sino el inicio de su relación con Matilde Urrutia, quien confirmó a *El País* (23.5.1983) haber conocido a Neruda «en un concierto de Tchaikovski celebrado al aire libre en 1946». Ahora bien, por razones climáticas ese particular concierto *al aire libre* (en el Parque Forestal de Santiago) sólo pudo efectuarse a fines de 1945 (primavera tardía) o durante los primeros meses de 1946 (verano). En ese mismo primer fragmento, OC 1973 transcribió «noches *desdichadas*» en lugar del original «noches deshilachadas».

III. LOS CONQUISTADORES. (Páginas 448-477.) Buena parte del capítulo fue escrita en julio de 1948 «entre Valparaíso y Santiago», según los borradores conservados. Los poemas «Descubridores de Chile», «Ercilla» y «El corazón magallánico» son del período inicial (1938-1942), pero la doble inscripción de la figura de Balboa (poemas IX-X), los poemas «Duerme un soldado» (XI) y «Elegía» (XVI), así como el tardío «A pesar de la ira» (XXV), denuncian cuánto en 1948 eran todavía vigentes las íntimas dificultades de Neruda para la representación épica de *los conquistadores españoles* (representación inevitablemente acusadora y condenatoria, al inscribirse con función de contraste en un diseño mítico-épico de exaltación de *los libertadores americanos*). Cfr. a propósito: Carlos Santander, «Denigración y elogio de Balboa en el *Canto general* de Neruda», en H. Loyola, ed., *Neruda en Sássari* (Sássari, Seminario di Studi Latinoamericani, 1987), pp. 139-158.

IV. LOS LIBERTADORES. (Páginas 478-565.) Sobre el poema homónimo de apertura y sobre otros poemas del capítulo, cfr. R. Pring-Mill, «Neruda y el original de *Los libertadores*» en *Actas del Sexto Congreso Internacional de Hispanistas* (Toronto, 1980), pp. 587-589, y *A Poet For All Seasons*, catalogue (Oxford, 1993), pp. 34 ss., además del nuevo libro arriba mencionado. Por decisión y voluntad de Neruda, la edición Losada 1968 (colección Cumbre) transfirió a

este capítulo dos poemas extraños a la composición y a las precedentes ediciones de *Canto general*: (1) «Artigas» (XXVI), originalmente octavo episodio de *La barcarola*, 1.ª edición (Buenos Aires,
Losada, 1967), pp. 123-127; (2) «Castro Alves del Brasil» (XXIX),
hasta entonces poema suelto fechado en Dobris, Checoslovaquia,
12.12.1950, y originalmente publicado en *Democracia*, diario «independiente» (en realidad, portavoz público del clandestino Partido
Comunista Chileno), Santiago, 15.4.1951. *OC* 1973 equivocó el orden de los versos en el texto VIII.

V. LA ARENA TRAICIONADA. (Páginas 566-626.) El término *arena* = patria, tierra-madre, territorio de anclaje y fundamento, ya
desde 1929: «su *arena* inútil» (refiriéndose al espacio del exilio en
Oriente, inservible como patria alternativa), en *RST*, «Monzón de
mayo», v. 8; más claramente aún: «sin tocar mi verdadera *arena*» en
«La copa de sangre» [1938], prosa recogida en *PNN*, 1978, p. 159.
Este particular significado simbólico de *arena* proviene (es mi convicción) del valor mítico fundacional que Neruda asignó a su experiencia adolescente y juvenil de Bajo Imperial (= Cantalao en *HYE* =
Puerto Saavedra) cuya extensa playa solitaria acudió innumerables
veces a los textos del poeta para aludir a la *patria* íntima, individual,
originaria del propio ser; al espacio nuclear y raigal, configurador
del Yo profundo; en suma, al territorio fundador del Sujeto enunciador-protagonista de la escritura nerudiana. Téngase en cuenta
que la *playa* = *arena* de Bajo Imperial era la faja fronteriza donde
entraban en contacto o fusión los dos espacios míticos del poeta: el
espacio de signo materno (el Bosque de tierra adentro) y el espacio
de signo paterno (el Océano costero, fuerza y porfía contra las rocas, imagen del movimiento invencible, eterno). Releer desde esta
óptica, por ejemplo: «Playa del Sur» (*CRP*), «Aquel bote salvavidas»
(*Álbum Terusa 1923*, *RIV*), poema 18 y «La canción desesperada»
(*VPA*), «Imperial del Sur» (*ANS*), ese Cantalao de los fragmentos
I-VII de *El habitante y su esperanza*, «Barcarola» y «El Sur del
Océano» (*RST*), «Océano» y «Mares de Chile» (*CGN*, VII, IV, XVI)
y «La noche marina», poema final del capítulo «El gran océano»
(*CGN*, XIV, XXIV).

VI. AMÉRICA, NO INVOCO TU NOMBRE EN VANO. (Páginas
627-636.) Por indicación mía la edición Losada 1968 (colección
Cumbre) recuperó el poema «Un río» (XVII), texto perteneciente
a la escritura original del capítulo (ver «Otras anticipaciones»),
que sin embargo todas las ediciones precedentes de *Canto general*,
prolongando la inadvertencia de la primera mexicana, habían omitido.

VII. CANTO GENERAL DE CHILE. (Páginas 637-662.) Capítulo embrionario, contiene los textos más antiguos del libro (comenzando por la «Oda de invierno al río Mapocho», 1938).

VIII. LA TIERRA SE LLAMA JUAN. (Páginas 663-681.) El autorretrato definitivo que el Yo nerudiano perseguía asumió en este capítulo (anticipando la poética de «El hombre invisible» de *Odas elementales*) un grado cero que lo anulaba y exaltaba al mismo tiempo: una galería de retratos y autorretratos del *otro*. René de Costa relacionó este procedimiento con la épica brechtiana: «Bertolt Brecht used alienation as a device to jolt the audience into a new level of consciousness. What he did for epic theater Neruda does for epic poetry with very much the same technique: multiple protagonists and sudden shifts in narrative voice» (*The Poetry of Pablo Neruda*, Cambridge, Mass., Harvard University Press, 1979, p. 126).

IX. QUE DESPIERTE EL LEÑADOR. (Páginas 682-700.) Este poema pacifista –en el contexto de la Guerra Fría– valió a Neruda el premio Stalin de la Paz (Varsovia, 22.11.1950). La serie sexta, cuyo inicio pide «Paz para los crepúsculos que vienen», incluye estos dos versos:

> paz para mi mano derecha
> que sólo quiere escribir Rosario

indicadores precoces de la –entonces secreta– relación amorosa entre Neruda y Matilde *Rosario* Urrutia.

X. EL FUGITIVO. (Páginas 701-717.) Al constreñir al senador Neruda a una larga clandestinidad, el presidente González Videla posibilitó involuntariamente la impostación épica que el poeta ambicionaba (sin lograr alcanzarla) para su *Canto general*. El Sujeto nerudiano pudo –legítimamente– autorrepresentarse como un Héroe acosado por el Tirano y protegido por el Pueblo. Así este capítulo –que a un nivel inmediato de lectura sería sólo la crónica poética de la clandestinidad de Neruda– pudo inscribirse en la estructura global del *Canto* con la carga mítico-simbólica de una nueva experiencia órfica en tres etapas: (1) situación inicial de peligro que evidenciaba los límites y precariedad del Héroe; (2) la clandestinidad como descenso al mundo subterráneo (*noche-cavidad-laberinto-lumbre*) del Pueblo, como inmersión en las fuentes *naturales* de la energía y del saber *históricos*; (3) retorno a la superficie = renacer en identificación *madura* con el Pueblo y con sus perspectivas de combate y de construcción de la Utopía. Situación simétricamente opuesta y complementaria al final de «Alturas de Macchu Picchu»: esta vez era el Pueblo, el *otro*, quien proponía un «sube a nacer conmigo, hermano» y quien legitimaba esta nueva autorrepresentación del Héroe: «*soy* pueblo, pueblo innumerable», así como la representación unificada (con intencionado plural) del último verso: «Desde la muerte *renacemos*».

XI. LAS FLORES DE PUNITAQUI. (Páginas 718-732.) Este capítulo de 1946 admite ser leído como réplica o como versión actualizada (inmediatizada) del reciente «Alturas de Macchu Picchu», y al mismo tiempo como su prolongación, en cuanto proponía el desarrollo inicial del *retorno* anunciado al cierre de «Alturas». También aquí la base del texto era una reflexión sobre la muerte. Pero la que en «Alturas» era contemplación-indagación de las ruinas, en «Flores» era contemplación-indagación de la fábrica inactiva por huelga. La ruptura hombre/máquina (por cesación forzada del trabajo) era como la *verdadera* muerte del hombre de Machu Picchu en cuanto suponía también la negación del obrero en su función de creador o productor.

XII. LOS RÍOS DEL CANTO. (Páginas 733-747.) En este capítulo Neruda reunió algunos poemas enderezados al Otro-Con-Nombre, a cofrades del arte y de la poesía, vivos y muertos, inscribiendo así en el *Canto* una dimensión complementaria a la configurada en el capítulo «La tierra se llama Juan». Los textos, sobre todo la «Carta a Miguel Otero Silva», privilegiaban tentativas de formulación de la nueva poética del *Canto*. El «Oratorio Menor en la muerte de Silvestre Revueltas» (ahora con nuevo título) había sido escrito por Neruda a poco de su llegada a México en 1940. El poema a Miguel Hernández, en cambio, cerró efectivamente la escritura de *CGN* en diciembre de 1949.

XIII. CORAL DE AÑO NUEVO PARA LA PATRIA EN TINIEBLAS. (Páginas 748-766.) «Neruda escribe desde el punto de vista del tiempo dos tipos de poesía. La instantánea, crónica, historia interiorizada de lo que acaba de ver y vivir, y la poesía retrospectiva, que es la mirada a través de los años. "El fugitivo", como esa parte del *Canto general* donde figuran "La tierra se llama Juan", "Las flores de Punitaqui", "Coral de Año Nuevo para la patria en tinieblas", corresponden a la noción presentista. Están forjados con el hierro al rojo vivo que recién sale de la colada» (Volodia Teitelboim, *Neruda*, 5.ª ed., Santiago, Ediciones BAT, 1992, pp. 311-312).

XIV. EL GRAN OCÉANO. (Páginas 767-806.) «En Isla Negra, y merced a la experiencia política acumulada en torno a 1945, es donde el tiempo oceánico adopta el aspecto del tiempo histórico. Desde entonces el océano y la historia serán los dos polos indisociables del pensamiento nerudiano [...]. Al igual que el océano, la historia es inagotable. Basa como él en el movimiento su eternidad. La ola del mar, el héroe histórico no mueren. Un mismo movimiento los devuelve a una totalidad perpetuamente inacabada, en construcción perpetua: la inmensidad de las aguas, el pueblo infinito. Cuando el poeta se sienta frente al mar, sólo en apariencia le vuelve la espalda a la historia. Las aguas le traen el mismo rumor que un combate necesario e incesante. Por lo tanto, esa parte del *Canto general* titulada «El gran océano» no introduce en el libro un paréntesis en el que se expresaría un proyecto poético fundamentalmente distinto del que inspira las crónicas de «Los conquistadores» o de «Los libertadores». Si fuera necesario, el poema final de «El gran océano» bastaría para alertar contra semejante lectura» (Alain Sicard, *El pensamiento poético de Pablo Neruda*, Madrid, Gredos, 1981, p. 459). El poema VII, «La lluvia (Rapa Nui)», cabría leerlo como ficcionalización poética del triángulo determinado por el amor clandestino: la Reina – el Rey – la Amante. De ahí la suntuosa edición separada: Pablo Neruda y Mario Toral, *Poema con grabado*, publicada en 1962 en coincidencia con la develación del autor de *Los versos del Capitán* (al ser incluido este libro en la segunda edición de *Obras completas*, del mismo año).

XV. YO SOY. (Páginas 807-837.) La autobiografía poética cumplió en este capítulo funciones contradictorias: (1) a nivel del Sujeto enunciador-protagonista, *función de totalización e integración*: todas las fases o etapas del itinerario «biográfico» habían venido a desembocar en la unidad definitiva de este *Yo soy*: todas las enajenaciones y extravíos precedentes venían recuperados por fin en esta identidad última; (2) a nivel de la Obra realizada por ese Sujeto, *función de ruptura*: «la sombra que indagué ya no me pertenece».

# Los versos del Capitán

## Composición

Gracias a la conservación de manuscritos fechados se sabe exactamente que la escritura de *Los versos del Capitán* comenzó en Bucarest el 27.8.1951 con el poema «Siempre» y se completó en Capri el 30.4.1952 con «Oda y germinaciones». La elaboración del libro coincidió con el período de consolidación de la pareja Pablo-Matilde en Europa. Complicada y movediza historia de amor que Matilde reconstruyó en su libro *Mi vida junto a Pablo Neruda. Memorias* (Barcelona, Seix Barral, 1986). A Robert Pring-Mill debemos por otra parte el ensayo «La composición de *Los versos del Capitán*: el testimonio de los borradores», en H. Loyola, ed., *Neruda en Sássari* (Sássari, Seminario di Studi Latinoamericani, 1987), pp. 173-204, que incluye minuciosos –y comentados– itinerarios de escritura de los que tomo estos datos:

(1) en Bucarest, del 27 al 29.8.1951: «Siempre», «El alfarero», «Tus pies», «La reina», «La pródiga»;

(2) durante el viaje en el Transiberiano rumbo a China, del 11 al 14.9.1951: «El amor», «8 de septiembre», «La bandera», «Ausencia», «El desvío», «El daño», «Las vidas», «Las muchachas»;

(3) en China (Shangai-Pekín), del 28.9 al 4.10.1951: «La tierra», «El amor del soldado»;

(4) en avión entre Mongolia y Siberia, regresando desde China, 10.4.1951: «El insecto»;

(5) en Praga, fines de octubre de 1951: «El cóndor», «El tigre», «La muerta»;

(6) en Viena, 2.11.1951: «El olvido»;

(7) en el Café de la Douane, Grand-Saconnex, Ginebra, 22.11.1951: «La pregunta»;

(8) en Nyon, junto al lago Leman, Suiza, donde Pablo y Matilde pasaron días inolvidables entre el 22.11 y el 3.12.1951: «La pobreza», «Si tú me olvidas», «La carta en el camino»;

(9) durante desplazamientos entre Basilea, Zurich, Praga, del 15 al 25.12.1951: «El monte y el río», «En ti la tierra», «No sólo el fuego», «La infinita»;

(10) en Ginebra y en viaje por tren hacia Italia, 28 y 29.12.1951: «El inconstante», «El hijo»;

(11) en tren desde Milán a Roma, 29.12.1951: «El pozo»;

(12) en Italia: Roma, Nápoles, del 30.12.1951 al 5.1.1952; Roma-Nápoles-Roma, del 6.1 al 13.1.1952; Nápoles, del 18.1 al 22.1.1952; Capri, del 23.1 al 30.4.1952: «Tú venías», «La noche en la isla», «El viento en la isla», «Tus manos», «Tu risa», «La rama robada», «Bella», «Pequeña América», «Oda y germinaciones» (y probablemente «Epitalamio», cuyo original falta en el álbum que Pring-Mill examinó).

## Ediciones principales

(1) [ANÓNIMO] *Los versos del Capitán*, Nàpoli, MCMLII [Nápoles, Imprenta L'Arte Tipografica, 1952], 184 pp. Edición de 44 ejemplares nominativos.

Colofón: «Este libro de autor desconocido se imprimió en Nápoles el 8 de julio de 1952 en la imprenta L'Arte Tipografica. Dirigió la edición Paolo Ricci y ésta se limitó a cuarenta y cuatro ejemplares fuera de comercio. Cada ejemplar lleva el nombre del suscriptor». Su carácter anónimo, limitadísimo y nominativo hace de esta edición una de las piezas más raras y valiosas de toda la bibliografía nerudiana. En la apertura, «carta-prólogo» enderezada a un no identificado «Estimado señor» (editor ficticio), fechada «Habana, 3 de octubre de 1951» y firmada «Rosario de la Cerda».

Elenco de suscriptores (las cifras corresponden al número asignado a cada ejemplar): 1 Matilde Urrutia. 2 Neruda Urrutia. 3 Pablo Neruda. 4 Biblioteca Caprense. 5 Claretta Cerio. 6 Ilyá Ehremburg. 7 Elsa Morante. 8 Vasco Pratolini. 9 Giulio Einaudi. 10 Jorge Amado. 11 Mario Alicata. 12 Editore Gaspare Casella. 13 Nazim Hikmet. 14 Palmiro Togliatti. 15 Luchino Visconti. 16 Renato Cacciopoli. 17 Stephen Hermlin. 18 Elvira Pajetta Berrini. 19 Salvatore Quasimodo. 20 Bruno Molajoli. 21 Carlo Levi. 22 Renato Guttuso. 23 Paolo Ricci. 24 Antonello Trombadori. 25 Giuseppe De Santis. 26 Yvette Joie. 27 Vittorio Vidali. 28 Luigi Cosenza. 29 Carlos Bernari. 30 Pietro Ingrao. 31 Armando Pizzinato. 32 Mario Montagnana. 33 Gaetano Macchiaroli. 34 Ernesto Treccani. 35 Francesco De Martino. 36 Alessandro Vescia. 37 Angelo Rossi. 38 Giuseppe Zingaina. 39 Gianzio Sacripante. 40 Massimo Caprara. 41 Clemente Maglietta. 42 Lino Mezzacane. 43 Gerardo Chiaramonte. 44 Giorgio Napolitano. El destinatario del núm. 2, «Neruda Urrutia» correspondía al hijo anhelado por Pablo y Matilde.

(2) [ANÓNIMO] *(Los) Versos del Capitán*, Buenos Aires, Losada, 1953 (octubre), BC*, núm. 250, 114 pp. Parte del tiraje traía en cubierta *Versos del Capitán* (sin el artículo).

(3) [ANÓNIMO] *Los versos del Capitán*, Buenos Aires, Losada, 1954, CPEA, 118 pp.

(4) [ANÓNIMO] *Los versos del Capitán*, Buenos Aires, Losada, 1958 (agosto), BC, núm. 250, 2.ª ed., 114 pp.

---

* Ver «Abreviaturas», pp. 1131-1132.

(5) [ANÓNIMO] *Los versos del Capitán*, Buenos Aires, Losada, 1959, CPEA, 2.ª ed., 118 pp.

(6) [ANÓNIMO] *Los versos del Capitán*, Medellín, Colombia, Editorial Horizonte, s.f. [prob. 1960]. Edición no autorizada.

(7) *Los versos del Capitán*, en Pablo Neruda, *Obras completas*, 2.ª edición (Buenos Aires, Losada, 1962), pp. 877-932. Primera publicación del libro con nombre de autor. No incluía la «carta-prólogo» firmada Rosario de la Cerda.

(8) Pablo Neruda, *Los versos del Capitán*, Buenos Aires, Losada, 1963 (diciembre), BC, núm. 250, 3.ª ed., 121 pp. Primera edición autónoma con nombre de autor. Incluía: en p. 7 «Explicación» (sobre el precedente anonimato del libro), nota fechada «Isla Negra, noviembre 1963», y en pp. 9-11 la «carta-prólogo» de Rosario de la Cerda.

(9) Pablo Neruda, *Los versos del Capitán*, Buenos Aires / Santiago, edición de IMPSAT Telecomunicaciones, 1996. Ilustraciones de Raúl Soldi.

## Edición parcial

Pablo Neruda, *La carta en el camino*, edición al cuidado de Luis Iñigo Madrigal, con una reproducción a media plana del original, y un apéndice sobre *Neruda en Nyon*, de L.I.M. y Daniel F. Weimer, Ginebra, Misión Permanente de Chile ante las Organizaciones de las Naciones Unidas, 1992, 19 pp. y facsímil del original.

## Textos: observaciones

(1) «Explicación». Ver también *Confieso que he vivido*, Barcelona, Seix Barral, 1974, pp. 300-302.

(2) «Carta-prólogo» firmada «Rosario de la Cerda». Origen del nombre: Matilde *Rosario* Urrutia *Cerda*. Escritura del texto: «sería conveniente decir aquí –aunque dependa no de los borradores ni de nada escrito en el álbum sino del testimonio verbal de doña Matilde– que ella fue efectivamente quien compuso este texto, escribiéndolo a ruegos de Pablo pero sin que éste dictase ninguna parte de su contenido. De ahí sería, supongo, que el borrador no se archivó con aquellos de los poemas y que su texto se excluyera de las *Obras* [*completas*, 1962] del poeta» (Robert Pring-Mill, art. cit.). La «carta-prólogo» reapareció en la edición Losada (BC, núm. 250) de 1963 y desde entonces Neruda impuso la tradición de inscribirla en la estructura del libro. Por lo cual la incluimos también en la presente

edición aunque no sea un texto de Neruda (personalmente creo que fue criatura de ambos amantes).

«Lo que se ha llamado *carta-prólogo* [...] cumple la función de ofrecer como reemplazo de contextos reales deliberadamente soslayados, un contexto ficticio, elaborando una perspectiva de enunciación a partir de este texto que sirve como una especie de *marco* parcial a los poemas. / Éste es un recurso de antiguo empleado, especialmente en la narrativa de ficción: como tal se usa para otorgar autenticidad a obras ficticias. [...] / Consideramos, por todo esto, que la citada carta-prólogo [...] crea una situación enunciativa ficticia que permite enriquecer la unidad de sentido del conjunto. Al separar las otras siete partes del libro de un *contexto real* deliberadamente escamoteado, explicita también en cierto modo el *contexto virtual* que se halla implícito en los poemas, convirtiéndolo en un *contexto ficticio* formalmente determinado en el que a su vez termina integrado este mismo *prólogo*. / Cualesquiera fueran las razones externas que motivaron su inclusión, el hecho es que el texto aludido cumple una función con respecto a los niveles significativos del discurso poético al que se integra, lo que trae como consecuencia que si se le quita de él, dicha significación se ve alterada.» (Nelson Osorio, «Contexto real y contexto virtual en *Los versos del Capitán*», en Alain Sicard, ed., *Coloquio Internacional sobre Pablo Neruda*, Poitiers, 1979, pp. 252-253.)

(3) Con excepción de «La carta en el camino», hasta donde sé los borradores del libro no han sido publicados. Cabe esperar que el futuro próximo nos depare, puesto que existen las condiciones para ello, tanto una edición de alto nivel gráfico con los facsímiles de los borradores, como la edición crítica que esos borradores consienten.

# Las uvas y el viento

## Composición

La escritura efectiva del libro se extendió entre 1950 y 1953, pero su gestación íntima comenzó a mediados de 1949. En junio de ese año Neruda (todavía fresca la apoteosis de abril en París) llegó por primera vez a Moscú, invitado por los escritores soviéticos a participar en la celebración del 150.º aniversario del nacimiento de Pushkin. Algunas semanas después viajó a Varsovia, cuya reconstrucción en curso lo impactó profundamente, y a Budapest para intervenir en el encuentro internacional de poetas reunidos con ocasión del centenario de la muerte de Sándor Petöfi (31.7.1849). Allí reencontró Neruda a su amigo Paul Éluard y conoció a dos notables poetas que además eran ya sus traductores: el rumano Eugene Jebeleanu y el húngaro György Somlyó. De este primer contacto con el mundo socialista nació la temática central de *Las uvas y el viento*.

Otra temática esperaba a Neruda en México, ciudad a la que llegó el 28.8.1949 en compañía de Delia del Carril, Paul Éluard y Roger Garaudy. Traía la representación del Consejo Mundial de la Paz ante el Congreso Latinoamericano de Partidarios de la Paz que debía tener lugar en septiembre. En esos días murió el pintor José Clemente Orozco que con Rivera y Siqueiros formaban el trío de gigantes del muralismo mexicano. Durante el funeral Neruda sufrió un ataque de tromboflebitis que lo tuvo a mal traer, pero que logró soportar hasta la conclusión del congreso (cuyo punto más alto fue por lo demás el discurso del poeta chileno).

La convalecencia se alargó, pero Neruda no se aburría porque no paró de escribir y porque además el apartamento era un continuo ir y venir de amigos y visitantes ocasionales. Entre éstos reapareció un día la pelirroja del concierto de 1946 en el Parque Forestal de Santiago, que tras aquel fugaz pero intenso episodio partió en gira artística por América hasta instalar una escuela de música en ciudad de México. Este reencuentro cambió todo. Neruda había venido por unos días y se quedó diez meses. Buena parte de ellos los pasó en el lecho de enfermo desde el cual, sin embargo, logró organizar y poner en marcha la nada pequeña empresa de editar en gran formato su propio *Canto general*. Aprovechó un período de mejoría para visitar de nuevo Guatemala en marzo-abril de 1950. No sin dificultades, su relación con Matilde crecía en verdad y consistencia con el paso de los días, pero al final fue inevitable separarse. El enamoradísimo vate pondrá en juego en Europa todas sus artes de convicción y todas las astucias y maniobras que la pasión le dictará para que esa separación dure lo menos posible. Antes de embarcarse en Veracruz, Neruda tuvo ocasión de conversar con Gabriela Mistral, que por entonces vivía en Xalapa.

Neruda regresó así a Europa con la *otra* línea temática que, al combinarse con la primera ya señalada, desencadenaría las escrituras tanto de *Los versos del Capitán* como de *Las uvas y el viento*. Entre junio de 1950 (al retorno desde México) y agosto de 1952 (de nuevo en Chile) Neruda recorrió muchos miles de kilómetros en avión, en tren, en automóvil: Praga, París, Roma, Nueva Delhi, Varsovia, Dobris (1950); Florencia, Turín, Génova, Roma, Milán a comienzos de 1951; París en marzo; Moscú, Praga y Berlín en mayo; Festival Mundial de la Juventud en Berlín, 5-19 de agosto; Bucarest a fines de agosto; travesía de la Unión Soviética en el Transiberiano con destino a Pekín, en septiembre; regreso a Praga vía Mongolia en octubre; Nyon (Suiza) a fines de noviembre; en Italia (con domicilio-base en Capri) desde enero a junio de 1952.

Neruda obtuvo para Matilde una invitación a participar en el Festival de la Juventud en Berlín (agosto 1951). Desde entonces hasta su regreso a Chile, el poeta movilizará a sus amigos artistas y escritores, así como a grises dirigentes y funcionarios de los partidos comunistas del bloque soviético, de Francia y de Italia, para que le combinen viajes y actividades, misiones, conferencias, congresos, premios que justifiquen y financien sus encuentros clandestinos con Matilde. Sería quizás interesante y productivo que algún investigador diligente explorase en función nerudológica los archivos secretos de la Guerra Fría, actualmente abiertos y disponibles: podría topar con sabrosos informes que revelaran cómo logró Neruda hacer funcionar, hasta en altos y austeros niveles del aparato dirigente de la Internacional comunista, la red de actividades político-celestinescas que favoreció e hizo posible su vida amorosa con Matilde en Europa.

## Ediciones

(1) *Las uvas y el viento*, Santiago de Chile, Nascimento, 1954 (febrero 27), 422 pp. Esta obra no tuvo otras ediciones autónomas en vida de Neruda. Naturalmente fue incluida en las *Obras completas* que editó Losada en 1957, 1962, 1968 y 1973, pero sin el texto «El Titacho» que la primera edición traía en el capítulo XXI. En cambio fue publicada completa en traducciones: al alemán por Erich Arendt (Berlín DDR, 1955), al húngaro por György Somlyó (Budapest, 1954) y al rumano por Maria Banus (Bucarest, 1956).

(2) *Las uvas y el viento*, Barcelona, Seix Barral, 1976, Biblioteca Breve. Reediciones: 1980, 1981, 1990.

## Ediciones parciales

(1) *Cuándo de Chile*, Santiago, Ediciones 89, 1952, 8 pp. mimeografiadas.

(2) *Cuándo de Chile,* Santiago, Austral, 1952. Ilustraciones de

Julio Escámez, Eduardo Pérez y Carlos Ruiz. Edición de 2000 + 25 ejemplares.

(3) *Cuándo de Chile*, Santiago, Pacheco Hnos., impresores, 1952. Cuadernillo.

(4) *En su muerte*, Buenos Aires, edición del Partido Comunista Argentino, 1953 (julio), poema en memoria de José Stalin. Cuadernillo de 8 pp.

(5) *En su muerte*, Buenos Aires, Difusión Popular, 1953. Cuadernillo de 12 pp.

(6) *Regresó la sirena*, Santiago, Centro de Amigos de Polonia, 1954.

## Otras anticipaciones o publicaciones de interés

LLEGADA A PUERTO PICASSO. (Páginas 1069-1072.) «A Picasso en su libro», texto escrito como prólogo a un libro de Picasso, fechado 23.8.1950, Isla San Luis, París: suplemento literario de *El Nacional*, Caracas, 10.10.1950.

A GUTTUSO, DE ITALIA. (Páginas 1072-1075.) (1) «A Renato Guttuso, pintor realista de Italia», diario *Democracia*, Santiago, 29.7.1951; (2) revista *Paz*, núm. 11, México, 1.2.1952.

DANDO UNA MEDALLA A MADAME SUN YAT SEN. (Páginas 933-934.) «Esta medalla», poema leído en Pekín el 18.9.1951: diario *Democracia*, 21.10.1951.

CHINA. (Páginas 945-946.) LA GRAN MARCHA. (Páginas 946-947.) EL GIGANTE. (Páginas 947-948.) PARA TI LAS ESPIGAS. (Páginas 948-949.) (1) Cuatro poemas precedidos por un «Saludo a China» fechado en Pekín, octubre 1951, en diario *Democracia*, Santiago, 4.11.1951; (2) reproducción del mismo material en la revista *Idea*, núm. 13, Lima, junio-julio 1952; (3) lo mismo en Pablo Neruda, *Poesía política*, antología, volumen II, Santiago, Austral, julio 1953.

CUÁNDO DE CHILE. (Páginas 1037-1049.) (1) «En mi país la primavera», *El Nacional*, Caracas, 13.12.1951; (2) «En mi país la primavera», *Pro Arte*, núm. 151, Santiago, 22.1.1952; (3) «Cuándo de Chile», *Para Todos*, núm. 16, Rio de Janeiro, marzo 1952; (4) «Cuándo de Chile», *Democracia*, Santiago, 10.6.1952; (5) «Cuándo de Chile», *Nuestra Palabra*, Buenos Aires, julio 1952; (6) «Cuándo de Chile», *Repertorio Americano*, núm. 1140, San José de Costa Rica, 15.8.1952.

SÓLO EL HOMBRE. (Páginas 913-915.) EL RÍO. (Páginas 915-916.) *El Nacional*, Caracas, 3.7.1952.

PICASSO. (Páginas 922-923.) «Poema a Picasso», *Ercilla*, Santiago, 19.8.1952.

SI YO TE RECORDARA. (Páginas 965-966.) LLEGARÁ NUESTRO HERMANO. (Páginas 966-968.) EL PASTOR PERDIDO. (Páginas 968-975.) (1) Bajo el título común «España», tres poemas fechados «S. Angelo de Ischia, julio de 1952», en *Nuestro Tiempo*, revista del PC español, México, año IV, núm. 7, octubre 1952; (2) bajo el título «A Miguel Hernández», en *Cuadernos de Cultura*, revista clandestina del PC español, Madrid, núm. 9, 1952.

REGRESÓ LA SIRENA. (Páginas 957-959.) (1) «Allí murió la muerte», *Fundamentos*, núm. 30, Rio de Janeiro, 1952; (2) «Allí murió la muerte», *Polonia*, núm. 47-48, Buenos Aires, enero-febrero 1953; (3) «Regresó la sirena», en Pablo Neruda, *Todo el amor*, antología, Santiago, Nascimento, abril 1953; (4) «Varsovia», en Pablo Neruda, *Poesía política*, antología, vol. II, Santiago, Austral, julio 1953.

PALABRAS A EUROPA. (Páginas 925-928.) (1) «Las uvas de Europa», *Atenea*, núm. 331-332, Concepción, Chile, enero-febrero 1953; (2) «Las uvas de Europa» en Pablo Neruda, *Poesía política*, antología, vol. II, Santiago, Austral, julio 1953; (3) «Las uvas de Europa», *Nuestro Tiempo*, núm. 26, Santiago, agosto 1953; (4) «Palabras a Europa», diario *Noticias de Última Hora*, Santiago, 27.12.1953.

EN SU MUERTE. (Páginas 998-1004.) *El Siglo*, Santiago, 16.3.1953.

LA PASAJERA DE CAPRI. (Páginas 1035-1037.) UN DÍA. (Páginas 1043-1046.) Pablo Neruda, *Todo el amor*, antología, Santiago, Nascimento, abril 1953.

LA ESTACIÓN SE INAUGURA. (Páginas 1081-1083.) *El Siglo*, Santiago, 12.7.1953.

EL CINTURÓN. (Páginas 1041-1043.) «El cinturón de Orinoco», en Pablo Neruda, *Todo lleva tu nombre* [siete poemas vinculados a Venezuela], Caracas, Ediciones del Ministerio de Educación, enero 1959. Ilustraciones de Carlos Cruz-Díez, 13 pp. sin numerar.

## Textos: observaciones

A diferencia de *Canto general*, cuyo proyecto inicial cambió y creció por el camino (once años), *Las uvas y el viento* no hizo sino llevar a cumplimiento en tres años (1950-1953) una misión implícita en el «Yo soy» de 1949: actualizar, poner en acción, dar forma y sentido a la unidad final que el *sujeto* nerudiano creía haber alcanzado. Dos órdenes de eventos extratextuales proveyeron el combustible: por un lado, la apoteosis europea del Fugitivo durante la sesión de clausura del Congreso Mundial de Partidarios de la Paz en París, 25.4.1949, y el sucesivo periplo por Moscú, Varsovia y Budapest (junio-julio 1949), cuyo significado fue el espaldarazo del mundo socialista; por otro lado, en septiembre, el reencuentro en México con Matilde, es decir con el amor, y a través de Matilde con Chile y con Hispanoamérica. Esta doble experiencia de 1949 generará dos líneas de textos secretamente conexas entre sí y cuya combinación, variando las dosis, coagulará en *Los versos del Capitán* (1952) y en *Las uvas y el viento* (1954).

En *UVT** el sujeto enunciador-protagonista asumió de preferencia la figura del testigo-cronista como primera proyección del conquistado «Yo soy» de *CGN*. Así comentó Neruda mismo, diez años después, su perspectiva de 1954:

> El poeta debe ser, parcialmente, el CRONISTA de su época. La crónica no debe ser quintaesenciada, ni refinada, ni cultivista. Debe ser pedregosa, polvorienta, lluviosa y cotidiana [...]. Mucho me ha sorprendido la no comprensión de estos simples propósitos que significan grandes cambios en mi obra, cambios que mucho me costaron [...], y muy difícil fue para mí llegar al arrastrado prosaísmo de ciertos fragmentos del *Canto general*, que escribí porque sigo pensando que así debieron ser escritos. Porque así escribe el cronista.
>
> *Las uvas y el viento*, que viene después, quiso ser un poema de contenido geográfico y político. Fue también una tentativa en algún modo frustrada, pero no en su expresión verbal que algunas veces alcanza el intenso y espacioso tono que quiero para mis cantos.
>
> Su vastedad geográfica y su inevitable apasionamiento político lo hacen difícil de aceptar a muchos de mis lectores. Yo me sentí feliz escribiendo este libro.
>
> («Algunas reflexiones improvisadas sobre mis trabajos»,
> en *Mapocho*, núm. 3, Santiago, 1964.)

Autorizado por la experiencia órfica y por la protección de su pueblo (y secretamente estimulado, además, por los espaldarazos del campo socialista y de su Amada), el Fugitivo en exilio y en expansión comenzó por declarar su misión intercontinental: «Yo, americano errante, / [...] / aquí he venido a aprender de vosotros, / [...] / yo soy el testigo que llega / a visitar vuestra morada» (I, IX: «Palabras a Euro-

---

* Ver «Abreviaturas», pp. 1131-1132.

pa»). Su discurso fue al mismo tiempo humilde y orgulloso. Américo Vespucio al revés, este «americano de las tierras pobres» ensayó incluso la revelación y nominación del *nuevo mundo socialista* en su conjunto (tentativa poética importante, y quizás única, en tal dirección). Hace ya algunos años ensayé por mi parte una descripción/lectura de este libro que repropongo a continuación con leves retoques:

> *UVT* arranca desde una situación inicial de refundación mítica del Yo y al mismo tiempo de peligro. El testigo-cronista comienza su itinerario como fugitivo obligado a abandonar la patria mediante la superación de un riesgo, de una Prueba (atravesar la cordillera a caballo) en la que su único Ayudante mítico es una encarnación individual del *Otro*, del pueblo que autoriza su misión («Sólo el hombre»: I, i; cfr. discurso de recepción del Nobel, 1971). Desde esta perspectiva alegórico-narratológica, la andadura itinerante de *UVT* parecería proceder según el arcaico modelo de una crónica o relato de caballerías que narrase el peregrinaje de un exiliado Caballero Errante («americano errante») por lejanos y espaciosos territorios, por ciudades prestigiosas o remotas, por reinos a veces acogedores, a veces hostiles a nivel de poder: reinos de vida armónica, pacífica y laboriosa, algunos, y otros con persistencia de conflictos y contradicciones. En todos ellos, sin embargo, el Errante encuentra gentes que lo reconocen y protegen, que le entregan pan, alegría o experiencia. En todos ellos algo o mucho aprenderá, sufrirá o celebrará el Héroe viajero, confirmando en última instancia la unidad viva y creativa del mundo. A ratos el Exiliado reposa y se entrega al regocijo privado o a la nostalgia de la patria, a la cual regresa por fin portando dones, noticias y renovada energía para sus combates y trabajos locales («regresé de mis viajes / con los nuevos racimos»).
>
> Regresa también con Amor. Porque en medio de sus desplazamientos el Héroe Errante ha encontrado una figura femenina paralela, también errante, que el texto nombra «pasajera de Capri», «desconocida», asignándole cabellera roja y rasgos evocadores de la patria del viajero (XI, ii). Esta figura misteriosa, de aparición a veces críptica (ej.: Ella = Varsovia, en «Regresó la sirena»: III, vi), agrega estímulos a la misión itinerante del viajero al potenciar su gloria interior. Interior, porque esta *dama* (XI, ii) del corazón del Caballero Errante es una dama secreta, innominable. Su presencia en el texto es restringida, lateral, más bien subterránea. Pero intensa, al punto que el Sujeto (Enunciador y Protagonista) no vacila en suspender los asuntos públicos y geográficos de su Crónica para dedicar a Ella, a este asunto privado (y secreto), un capítulo intermedio (el XI) que recorta «un círculo en la estrella» (XI, i) o simplemente «Un día» (título de XI, v). Desde esta perspectiva, *Los versos del Capitán* sería la amplificación del «círculo

en la estrella». En el anchuroso e itinerante espacio *público* del Yo en expansión, el Sujeto Enunciador-Protagonista se recorta una pequeña zona
*privada*: el reducto secreto del amor: la isla clandestina.

(Del prólogo a Pablo Neruda, *Antología poética*,
Madrid, Alianza, 1981, vol. I, pp. 216-217.)

## Texto eliminado

El capítulo XXI, «Memorial de estos años», incluyó en la primera
edición de *UVT* el siguiente texto después eliminado:

*El Titacho*

En Yugoeslavia el odio
sigue creciendo
como la áspera planta
del alambre. Encima
del obeso traidor
salpicado de sangre
y bajo el peso de sus nalgas verdes
todo un pueblo humillado de pastores.

Yo conozco estos hechos, esta historia.
Tito es nicaragüense,
asesinó a Sandino,
abrió las puertas vivas de la patria
al invasor armado
de balas y dólares.
Tacho Tito, Somoza,
antigua historia triste
de América Central, de la sangrante
cintura
de mi traicionado continente.

Tito es Trujillo, déspota
de ávidos bolsillos
abiertos
en los deslumbradores uniformes.

El pueblo allí rondando
en las oscuras
prisiones, en el odio
nocturno y el orondo
Titacho recargado
de condecoraciones
defendiendo
la cultura cristiana
traducida al inglés
precipitadamente,
es decir, traducida
a dólar y dolores,
esclavitud, miseria,
sótanos de agonía.

# Índice de primeros versos

# Índice general

## Crepusculario
[1920-1923]

## El hondero entusiasta
### [1923-1924]

## Veinte poemas de amor y una canción desesperada
### [1923-1924]

## tentativa del hombre infinito
### [1925]

## El habitante y su esperanza. Novela
### [1926]

## Anillos. Prosas
### [1924-1926]

## Residencia en la tierra
[1925-1935]

## Tercera residencia
### [1934-1945]

## Canto general
[1938-1949]

## Los versos del Capitán
### [1951-1952]

# Las uvas y el viento
## [1950-1953]